D0257876

DE HADJI

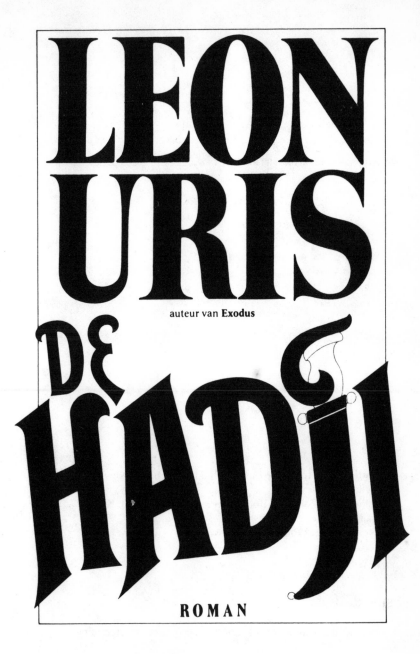

LEON URIS

auteur van **Exodus**

DE HADJI

ROMAN

UITGEVERIJ HOLLANDIA

CIP-GEGEVENS KONINKLIJKE BIBLIOTHEEK, DEN HAAG

Uris, Leon

De hadji / Leon Uris ; [vert. uit het Engels door
Rika Vliek-v.d. Kamp] – Baarn : Hollandia
Vert. van: The Haj. – New York : Doubleday, 1984.
ISBN 90-6045-477-4 geb.
UDC 82-3 UGI 410
Trefw.: romans ; vertaald.

5e druk

Oorspronkelijke titel: *The Haj*, Doubleday & Comp., New York, 1984
© 1984 Leon Uris
Vertaling: H.C.E. de Wit Boonacker en Rika Vliek-v.d. Kamp
© Hollandia 1984
Ontwerp omslag: Wouter van Leeuwen

Uitgave Hollandia BV
Beukenlaan 20, 3741 BP Baarn 1985

ISBN 90 6045 477 4

Overname, in welke vorm ook, zonder schriftelijke toestemming van de uit-
gever is verboden.
Verspreiding voor België: Uitgeverij Westland NV, Schoten

Voor Mark

Veel gebeurtenissen in *De Hadji* zijn historisch en officieel geregistreerd. Veel situaties werden rond historische feiten gecreëerd en als achtergrond gebruikt voor een fictief verhaal.

Misschien leven er nog mensen die betrokken zijn geweest bij voorvallen, zoals verhaald in dit boek. Daarom is het mogelijk dat sommige mensen ten onrechte met personen in dit boek worden geïdentificeerd.

Ik wil er de nadruk op leggen dat alle personen in *De Hadji* scheppingen van de auteur zijn en anders niet.

Uitzonderingen zijn natuurlijk de algemeen bekende figuren die historisch in deze periode optraden, zoals David Ben Goerion, de moefti van Jeruzalem, Abdullah, Jigal Allon en anderen.

Arabische en Hebreeuwse woorden hebben in vertaling vaak zeer verschillende spelingen. Ten gerieve van de lezer heb ik de meest eenvoudige gekozen.

De jonge Ibrahim nam rustig zijn plaats in naast zijn vaders bed en zag hoe de oude man moeizaam ademhalend zijn laatste wens kenbaar wilde maken.

In de versluierde ogen van de sjeik blonk iets van herkenning en hij verzamelde zijn laatste energie. Onder zijn kussen tastend haalde hij de met juwelen versierde dolk te voorschijn en gaf hem met trillende handen aan Ibrahim, het gebaar van het aloude ritueel bij overdracht van de macht.

'De dolk komt Faroek toe,' zei Ibrahim. 'Hij is ouder dan ik.'

'Je broer is een hond zonder tanden,' zei de vader hijgend. 'De anderen willen al een nieuwe moektar kiezen. De macht moet bij ons blijven, de Soukoris,' zei hij en duwde de dolk in de hand van zijn zoon. 'Voor een wapen is hij klein,' zei de sjeik, 'maar het is het wapen waarmee wij ons volk regeren. Zij kennen de betekenis van de dolk en de moed van de man die hem tot het gevest toe door kan steken.'

De oude sjeik stierf, het dorp weeklaagde en, zoals de stervende vermoed had, hadden de vier andere clans een nieuwe moektar voor Tabah gekozen en daarmee de honderdjarige machtspositie van de Soukoris gebroken. Een uur nadat zijn vader begraven was, nodigde Ibrahim acht leidende leden van de andere clans uit bij hem thuis te komen. In het midden van de kamer stond een ruw houten tafel. Ibrahim haalde plotseling acht messen te voorschijn, stak ze op een rij in het hout, sloeg zijn mantel terug en toonde de dolk met juwelen.

'Ik ben van mening,' zei hij, 'dat de tijd gekomen is om de nieuwe moektar te kiezen. Als iemand het niet eens is met het voortzetten van het Soukori-bewind...' Hij liet de zin onbeëindigd en zwaaide met open hand over de rij messen. Gewoonlijk nam de verkiezing van een nieuwe moektar zo'n duizend uur van kibbelen en argumenteren in beslag, voordat men tot de beslissing kwam die Ibrahim hen nu had opgelegd. Déze verkiezing was binnen een minuut voor elkaar, waarbij ieder van de acht tegenstanders zich voor hem opstelde, een buiging maakte, zijn hand kuste en hem trouw beloofde. Ibrahim al Soukori was midden twintig en moektar van Tabah, en hij kende de macht van de dolk in het Arabische leven.

Deel Een

Het Dal van Ajalon

1

Ik ben Ishmael. Ik werd tijdens de relletjes van 1936 in Palestina geboren. Omdat veel van het hier geschrevene voor mijn geboorte plaatsvond, vraagt u zich af: 'Hoe kon Ishmael er van op de hoogte zijn?' Neem bijvoorbeeld het geval van mijn vader, Ibrahim, die moektar van Tabah werd. In onze wereld behoort het steeds weer vertellen van gebeurtenissen tot ons dagelijkse leven. Op den duur zijn alle verhalen uit het verleden aan iedereen bekend.

Andere gebeurtenissen vonden plaats tijdens mijn afwezigheid. Aha! Hoe kon ik daarvan op de hoogte zijn? Vergeet niet, gewaardeerde lezer, dat wij Arabieren een buitengewone gave hebben voor fantasie en magie. Hebben wij de wereld niet een *Duizend en één Nacht* gegeven?

Soms zal ik met mijn eigen stem tot u spreken. Anderen zullen met hùn stemmen spreken. Ons gezamenlijk verhaal komt van een miljoen zonnen en manen en kometen, en alles wat ik onmogelijk weten kan, zal deze bladzijde bereiken met de hulp van Allah en onze speciale magie.

Omdat ik een kind van het mannelijk geslacht was had ik het recht op mijn moeders borsten zolang mij dat zinde en ik werd pas na mijn vijfde verjaardag gespeend. Gewoonlijk betekende dit dat de jongen uit de keuken moest, maar ik was klein en kon me nog tussen de vrouwen verschuilen. Mijn moeder, Hagar, was een forse vrouw met grote borsten. Ze waren niet alleen vol melk, maar boden me een plaats waar ik me kon nestelen en behaaglijk voelen. Ik zag kans me voor de mannenwereld te verbergen tot 1944, toen ik acht jaar was.

Op een dag stuurde mijn vader Ibrahim mijn moeder weg naar haar eigen dorp, vele mijlen naar het zuiden. Ze kreeg maar zelden verlof van huis te gaan en haar plotselinge vertrek bracht mij in paniek. Als kleuter en kleine jongen leefde ik tussen de vrouwen die mij beschutten en beschermden. Ook hield mijn grootmoeder zich soms met mij bezig omdat mijn moeder niet alleen voor het huis, de keuken en het gezin moest zorgen, maar ook op de akkers werkte en bovendien het stukje grond rond het huis onderhield. Het was een paar dagen na de dood van mijn grootmoeder, dat mijn moeder weggestuurd werd.

Water halen was mijn enige taak geweest. Ik was iedere dag met mijn moeder naar de dorpsbron gegaan. Nu was ze weg. Ik werd met gehoon begroet. De vrouwen giechelden en lachten me uit. Ze zeiden dat mijn vader een tweede vrouw ging nemen. Daarom had mijn vader haar het dorp uitgestuurd, om van haar woede en teleurstelling verschoond te blijven. Mijn vriendjes begonnen al gauw mee te honen en sommigen gooiden stenen naar mij.

Ik zag mijn vader zijn ochtendwandeling maken naar het koffiehuis dat eigendom van hem en mijn oom Faroek was en waar hij het grootste deel van zijn dag doorbracht. Ik holde naar hem toe en huilde om wat er aan de hand was. Zoals gewoonlijk duwde hij me ruw opzij en liep door. Ik rende achter hem aan en trok hem aan zijn jas, nauwelijks hard genoeg om zijn aandacht te trekken. Toen hij zich omdraaide schudde ik met mijn vuist tegen hem en zei dat ik hem haatte.

Mijn vader greep mijn arm en rammelde mij zo heftig door elkaar dat ik dacht dat ik flauw zou vallen. Toen smeet hij me als een stuk vuil van zich af zodat ik in het open riool rolde dat van de bovenkant van het dorp stroomde.

Daar lag ik dan, gekleed als meisje, te schreeuwen zo hard ik maar kon. Ik voelde het zout van mijn tranen en het snot van mijn neus in mijn mond druppelen. Ik schreeuwde van wanhoop, want zelfs op die leeftijd realiseerde ik me dat ik niets aan mijn situatie kon veranderen. Opstandigheid en verzet waren uitgesloten.

Zo'n kleine jongen heb ik talloze malen gezien, in vluchtelingen-kampen en spelend op vuilnishopen, geslagen en door elkaar gerammeld, bespot door volwassenen en speelkameraadjes, allen luidkeels Allah aanroepend die hen niet hoort.

Ons dorp Tabah lag dichtbij de weg naar Jeruzalem. Mijn familie was van de Soukori-clan die eens tot de stam van de Wahhabi-bedoeïenen behoorde. De Wahhabieten waren grote krijgslieden die van het Arabische schiereiland kwamen, zo'n tweehonderdvijftig jaar geleden toen ze te vuur en te zwaard de streek voor de Islam zuiverden.

Op den duur werd de macht van de Wahhabieten door binnentrekkende Turkse en Egyptische legers gebroken. Veel clans scheidden zich van de hoofdstam af en sommige emigreerden naar Palestina. Onze groep doolde rond in de streek tussen Gaza en Berseba, zwervend van de Negev-woestijn tot de woestijnen van de Sinaï.

Verscheidene clans, tezamen meer dan honderdvijftig families, trokken naar het noorden en vestigden zich op het land. Maar toch bleef een band bestaan met de Wahhabieten door huwelijken, en die werd versterkt bij feestelijkheden, trouwpartijen en begrafenissen. Wij benutten de relatie ten tijde van de oogst en bij het verzamelen van de mest.

Mijn vader Ibrahim was een belangrijk man die in de gehele streek gevreesd en gerespecteerd werd. Mijn vader was niet alleen de moektar, hoofd van het dorp, hij was ook rentmeester van de grondbezitters. De leden van onze familie waren sayyids, lijnrechte afstammelingen van de profeet Mohammed en dit gaf ons een status boven de anderen. Behalve Tabah waren nog enkele kleinere dorpen in de streek van voormalige Wahhabi-bedoeïenen en ook hiervan stond hij aan het hoofd. Mijn vaders macht kwam voort uit het feit dat hij de chef was van het wettelijke-, klerikale- en politieapparaat en het recht had de documenten te verifiëren die de bezittingen en de erfenissen van de dorpelingen regelden. Hij was de enige in de streek die de Haj, de pelgrimstocht naar Mekka, gemaakt had. Een opschrift en de datum boven de voordeur van ons huis herinnerden aan de glorierijke gebeurtenis.

In het begin was hij bekend als Ibrahim al Soukori al Wahhabi om zijn clan en stam aan te duiden. Maar Arabische namen veranderen bij de geboorte van mannelijke kinderen. Helaas waren de twee eerstgeborenen van mijn ouders meisjes, een ernstige tegenslag. Iedereen en speciaal de vrouwen bij de dorpsbron fluisterden achter zijn rug dat hij Abu Banat was. Een vader van dochters, een verschrikkelijke belediging.

Mijn vader dreigde mijn moeder, die hem deze vernedering had aangedaan weg te sturen. Ze smeekte hem om nog een laatste kans en door Allahs wil was hun derde kind een zoon, mijn oudste broer Kamal. Na Kamals geboorte kon mijn vader de eervolle titel Ibrahim Abu Kamal aannemen wat 'Ibrahim, vader van Kamal' betekent.

Nog drie zonen volgden Kamal en mijn vader straalde van gewichtigheid. Maar helaas kwamen er nog drie dochters voordat ik geboren werd. Eén van mijn broers en twee van mijn zusters stierven nog voordat ik hen kende. Mijn broer stierf aan cholera. Eén van mijn zusters stierf aan een maagkwaal en de andere aan een zwakke borst. Ze stierven alle drie voordat ze een jaar oud waren. Het was gebruikelijk dat een gezin van tien kinderen er drie of meer verloor, maar mijn vader voelde zich extra gezegend dat hij vier zonen had die in leven bleven.

Mijn twee oudste zusters gingen tenslotte een huwelijk aan. Ze trouwden in de Wahhabi-stam, maar met mannen uit verschillende dorpen. Volgens het gebruik gingen ze in het huis van de ouders van hun echtgenoot wonen.

Mijn vader was nog een jongeman, midden twintig, toen hij zich tot moektar verklaarde, 'de uitverkorene'. Zijn vader was moektar geweest en toen hij stierf moest een nieuwe verkiezing gehouden worden. De sjeiks van de andere clans waren overeengekomen dat de oudste onder hen de positie zou overnemen. Mijn vader was het hier echter niet mee eens en het verhaal van zijn moedige optreden wordt steeds herhaald en opnieuw verteld.

Ibrahim was vijf jaar vóór de eeuwwisseling geboren. Toen hij moektar werd had hij de belangrijkste positie in het dorp verworven, want hij hoefde niet meer te werken. En binnen korte tijd had hij drie zoons, een dochter die thuis bleef en een vrouw: allen konden werken. Hij had het beste en het meeste land, haalde de pachtgelden op en bestuurde zes dorpen. Hij droeg zelfs geen veldsloffen, maar muilen die anderen alleen op de sabbath droegen.

Mijn oom Faroek was de slaaf van mijn vader. Hij en mijn vader hadden samen een dorpswinkel en een koffiehuis. Oom Faroek was een ziekelijk kind geweest en in de keuken achtergehouden om te sterven, maar zoals Allah beschikte, werd hij door enige christenmissionarissen ontdekt die in de buurt een nederzetting hadden en ze verzorgden hem tot hij beter was. Bovendien leerden ze hem lezen en schrijven. Hij was de enige geletterde man in Tabah en mijn vader zag kans Faroeks grote kennis voor zijn persoonlijk voordeel te gebruiken.

Ibrahim legde iedere dag op weg van huis naar het koffiehuis vluchtig zijn verplichte bezoeken af terwijl hij zijn kralensnoer betastte, fluisterend de koran opzegde en gewoonlijk tegelijkertijd zijn positie versterkte. Het grootste deel van de dag hield hij zitting in het koffiehuis, rookte zijn waterpijp, groette en luisterde aandachtig naar de klachten van de dorpelingen. Maar meestentijds herhaalden hij en de andere mannen verhalen van vroeger.

Iedere avond als mijn vader thuiskwam, wasten mijn moeder en mijn zuster Nada zijn voeten en zat hij in een gemakkelijke diepe stoel. Vlak voor de maaltijd kwamen mijn broers in de kamer, knielden, kusten zijn handen en brachten verslag uit over hun werk van die dag. Oom Faroek en een paar neven of vrienden werden gewoonlijk voor de maaltijd uitgenodigd. Op de grond gezeten aten ze met de vingers uit een door allen gedeeld bord. Later aten mijn moeder, Nada en ik in de keuken de resten op.

Mijn vader bezat het beste paard van het dorp, een vage herinnering aan ons bedoeïenen-verleden. De broer die in leeftijd op mij volgde, was verantwoordelijk voor de verzorging. Eenmaal gedurende elke maanfase reed mijn vader op zijn paard weg om de zaken in de omliggende dorpen te regelen. Het was een schitterend gezicht hem weg te zien galopperen, de mantels van zijn waardigheden achteruit wapperend.

14

Tot op de dag dat ik plotseling van mijn moeder gespeend werd, was mijn leven plezierig genoeg. Het enige andere kind was mijn zuster Nada, twee jaar ouder. Ik was erg op haar gesteld. We mochten met elkaar spelen omdat ik nog op het terrein van de vrouwen was, maar ik wist dat de dag spoedig zou komen dat het mij verboden zou zijn met een meisje bevriend te zijn, ook al was zij mijn eigen zuster.

Nada had grote bruine ogen en hield er van mij te plagen en te knuffelen. Zelfs nu nog kan ik haar vingers door mijn haar voelen strelen. Ze zorgde vaak voor me. Alle moeders werkten op het veld en als er geen oude grootmoeder was om op de kinderen te letten, moesten ze maar voor zichzelf zorgen.

We hadden geen speelgoed, behalve wat we met stokjes en garen maakten, en voordat ik de joodse kibboets zag, wist ik niet dat er dingen als speelplaatsen, speelgoedkamers of zelfs bibliotheken bestonden. Nada maakte een pop van stokken en een lap en noemde hem Ishmael, naar mij, en ze speelde dat ze hem de borst gaf aan haar kleine tepels. Ik denk dat ze deze fantasie had omdat ze als meisje al heel jong van de borst genomen was en ik nog altijd het privilege van mijn moeders borsten had.

Mijn moeder probeerde me steeds over de drempel de kamer binnen te duwen om me bij de mannen te voegen, maar ik had geen haast om de warmte en de gezelligheid van de vrouwen te verlaten voor een plaats die mij vijandig leek.

2

Mijn vader nam als zijn tweede vrouw Ramiza, de jongste dochter van sjeik Walid Azziz, hoofd van de Palestijnse Wahhabieten. De voorname sjeik was mijn vaders oom en zijn nieuwe vrouw was dus ook zijn volle nicht. Zij was zestien en mijn vader bijna vijftig. Na hun huwelijk kreeg mijn moeder toestemming naar Tabah terug te keren.

Ik heb mijn moeder nooit meer zien lachen.

Mijn vaders slaapkamer had het enige ledikant van het dorp. Alle anderen sliepen op geitevachten of dunne matten. Het vertrek dat gewoonlijk voor een tweede vrouw aangebouwd werd, was nog niet klaar en mijn vader nam Ramiza dus mee naar zijn bed en beval mijn moeder in de kamer ernaast op de grond te gaan slapen. Boven de deur tussen de kamers was een opening, bedoeld om frisse lucht door het huis te laten trekken, zodat alles wat in de slaapkamer gebeurde duidelijk in de kamer ernaast hoorbaar was.

Ik sliep bij mijn moeder, in haar armen met mijn hoofd tussen haar borsten. Wanneer mijn vader en Ramiza aan het vrijen waren, lag mijn moeder wakker op nog geen meter afstand en was gedwongen te luisteren hoe ze soms de halve nacht lang de liefde bedreven. Als mijn vader Ramiza zoende en kreunde en tedere woorden tegen haar sprak, kromp mijn moeders lichaam ineen van pijn. Ik kon haar vingers onbewust mijn lichaam voelen grijpen en haar gesmoord horen snikken en soms voelde ik haar tranen. En als ik ook huilde, kalmeerde ze mij door langs mijn geslachtsdelen te strijken.

Na vele, vele nachten toen mijn vaders eerste passie voor Ramiza uitgewoed was, verzocht hij mijn moeder weer in zijn bed te komen. Maar iets was uit mijn moeder verdwenen. Ze was koel tegen hem en hij kon haar seksueel niet meer prikkelen. Dit maakte hem zo woedend dat hij haar letterlijk het huis uitsmeet.

Het dorp Tabah lag per ezel op twee uur afstand van de stad Ramla en drie uur van Lydda. Iedere stad had twee marktdagen per week en ons gezin bezat een kraam op elke markt. Totdat mijn vader zijn nieuwe vrouw nam, stond mijn tweede broer, Omar, in de kramen. Nu kreeg mijn moeder Hagar de opdracht naar Ramla en Lydda te gaan, vier dagen per week, om het overtollige van onze produktie te verkopen. Ze vertrok na het ochtendgebed bij zonsopgang en kwam heel laat in de avond in het donker terug.

Hagar was een van de twee beste dayas of vroedvrouwen van het dorp. Men had een hoge dunk van haar kennis van kruiden en medicijnen. Als ze nu naar de waterput van het dorp ging of naar de gemeenschappelijke ovens, grinnikte men achter haar rug en zei wrede en beledigende dingen.

Zoals in iedere gemeenschap waar vrouwen het persoonlijke bezit van de mannen zijn, zoeken de vrouwen wraak door middel van hun zonen, en mijn moeder zocht mij ervoor uit. Vier dagen per week reed ik met haar op de ezelwagen naar Ramla en Lydda.

In een kraam in de Lydda bazaar zag ik voor het eerst iemand een telraam gebruiken, een houten raam met verschuifbare kralen om op te tellen en af te trekken. De man was een leerkoopman, die paardetuig maakte en herstelde en ik mocht bij hem in zijn kraam komen om te spelen. We werden vrienden en samen maakten we een telraam zoals het zijne door gebedskralen te gebruiken. Voordat ik negen was kon ik tellen tot in het oneindige en sneller optellen en aftrekken dan de koopman.

'Leer rekenen,' had mijn moeder herhaaldelijk gezegd.

16

In het begin begreep ik niet wat ze bedoelde, maar ze drong erop aan dat ik ook zou leren lezen en schrijven. De leerkoopman kon een beetje lezen en schrijven en hij hielp me wel, maar al gauw was ik ook hierin knapper dan hij. Na verloop van tijd kon ik alle etiketten op alle kisten lezen in de hele bazaar. Toen begon ik woorden in de kranten te lezen die we gebruikten om in te pakken.

Als ik vrij was om thuis te spelen, kreeg ik van Hagar de opdracht om alle huizen in Tabah te tellen, alle boomgaarden, en om te ontdekken wie iedere akker bewerkte. Daarna zette ze mij bij de afgelegen dorpen af waar mijn vader de pacht ophaalde en droeg me op ook daar de huizen en de akkers te tellen. Een gezin kon eigenaar zijn, of gedeeltelijk eigenaar met de pachtheer, van soms wel tien verschillende stukjes grond verspreid over de hele oppervlakte van het dorp. Door onderlinge huwelijken, bruidsschatten in de vorm van land, oude mensen die voor hun dood het land verdeelden onder hun vele zonen, was het heel moeilijk een zuivere registratie te hebben van wie welk perceel bewerkte. Omdat het grootste gedeelte van het land uit halfbouw bestond waarbij de pachter een deel van de opbrengst aan de eigenaar moet afstaan, probeerden de boeren altijd een extra stuk te bewerken dat geen duidelijke eigenaar had of probeerden op een andere manier hun huur of belasting te ontduiken.

Mijn vader kon zelf nauwelijks lezen en schrijven en hij kon dus de strijd niet aan met talloze officiële documenten rijk versierd met stempels en zegels die nauwkeurig de grenzen, waterrechten, overervingen en belastingen weergaven. Oom Faroek, mede-eigenaar van de dorpswinkel, de khan, en het koffiehuis, kon veel beter met de geheimen van de documenten overweg. Faroek was ook de imam, de priester, en beheerder van de officiële documenten van mijn vader. Mijn vader vertrouwde hem niet helemaal en stuurde daarom mijn oudste broer Kamal naar school in Ramla als voorzorgsmaatregel.

Als mijn vader de pacht geïnd had, overhandigde hij die aan de grootgrondbezitter Fawzi effendi Kabir, die in Damascus woonde en het Palestijnse district eenmaal per jaar bezocht om af te rekenen.

Mijn moeder had altijd vermoed dat oom Faroek en Kamal samenwerkten om mijn vader te bedriegen, die als agent een percentage kreeg van effendi's pacht.

Toen ik in het geheim alle velden van de streek geteld had, duwde mijn moeder mij de keuken uit en beval me dicht bij mijn vader in de buurt te blijven en hem te volgen als zijn schaduw. In het begin was ik bang. Vrijwel altijd als ik naast hem verscheen, schold hij me weg en soms schudde hij mij bij de arm of gaf me een klap. Niet dat Ibrahim me haatte of me slechter behandelde dan mijn broers. Arabische mannen kunnen heel lief voor hun kleine zonen zijn zolang ze zich als meisjes gekleed nog bij de vrouwen ophouden. Maar als ze eenmaal over de drempel in de mannenwereld gekomen zijn, worden ze gewoonlijk door hun vader genegeerd. Van die tijd af is de verhouding strikt gericht op gehoorzaamheid: complete, absolute, onvoorwaardelijke gehoorzaamheid. Het is het privilege van de vader. In ruil daarvoor staat hij zijn zonen toe zijn akkers te bewerken voor hun levensonderhoud en als ze een bruid nemen, wordt zij toegelaten tot het huis van de vader.

De vader moet ook oppassen dat zijn zoons hem niet bedriegen en zo is de vaderlijke onverschilligheid een soort traditie in hun leven.

Om hun frustraties kwijt te raken, staat het alle mannelijke kinderen vrij de baas te spelen over alle vrouwen, zelfs hun eigen moeders, en het is hun toegestaan hun jongere broers af te tuigen. Tegen de tijd dat ik vier was had ik al geleerd over mijn grootmoeder de baas te spelen en soms liet ik mijn rechten gelden over Nada en zelfs over mijn moeder.

Hoe meer mijn vader me op een afstand hield, des te meer drong mijn moeder erop aan dat ik in zijn buurt zou blijven. Ik liep zo vaak met mijn vader mee, dat hij na verloop van tijd mijn vasthoudendheid moe werd en mijn aanwezigheid accepteerde.

Op een dag verzamelde ik de moed om hem aan te spreken. Ik vertelde hem dat ik geleerd had een beetje te lezen, te schrijven en te rekenen en dat ik naar school wilde in Ramla. Als de jongste zoon lag het op mijn weg over een paar jaar geitenhoeder te worden, het minste baantje in de familie. Hij vond het een bespottelijk idee.

'Je broer Kamal kan lezen en schrijven. Voor jou is het dus niet nodig. Na je volgende verjaardag zorg jij voor de geiten en de rest van je leven is al voorbeschikt. Als je later een vrouw neemt, blijf je in mijn huis met je eigen kamer.'

Hiermee leek de zaak afgedaan. Ik haalde diep adem. 'Vader, ik weet iets,' flapte ik eruit.

'Wat bedoel je met "ik weet iets", Ishmael?'

'Iets dat u ook zou moeten weten. Een reden waarom ik naar de school in Ramla zou moeten gaan.'

'Hou op met je raadseltjes!'

'Er zijn negenhonderdtweeënzestig percelen land in Tabah.' Ik hijgde en stikte bijna van angst. 'Er zijn achthonderdentwintig percelen in de andere vijf dorpen. Hierbij is niet het gemeenschappelijk bewerkte land gerekend.'

Ibrahims gezicht werd somber, een teken dat de betekenis van mijn woorden tot hem doordrong. Ik probeerde me zo flink mogelijk te houden...

'In de boeken die Kamal bijhoudt, staan er maar negenhonderdtien voor Tabah en achthonderd voor de andere dorpen.'

Ik vermande me, terwijl ik zijn gezicht vuurrood zag worden. 'Weet je dit zeker, Ishmael?'

'Ik zweer het bij Allah.'

Ibrahim kreunde en ging in zijn grote stoel op en neer zitten schommelen. Met zijn wijsvinger gaf hij me een teken dichterbij te komen. Ik beet mijn lip bijna door uit angst. 'Wat heeft dit precies te betekenen?' vroeg hij.

'Kamal en oom Faroek halen van tweeënzeventig percelen de huur voor zichzelf op.'

Hij kreunde opnieuw, stak zijn hand uit en klopte me op mijn hoofd. Ik zal het nooit vergeten, want het was voor het eerst van mijn leven dat me zoiets overkwam. Hij klopte zachtjes tegen mijn gezicht waar hij me zo vaak een mep gegeven had.

'Vindt u het goed als ik naar school ga?'

'Ja, Ishmael. Je gaat naar school en gaat leren. Maar je mag hierover nooit met een levende ziel spreken of ik hak je vingers af en kook ze. Begrepen?'

'Ja, vader.'

Het gebeurde zo vlug dat ik geen tijd had iets uit te leggen of zelfs maar de benen te nemen. Kamal, die negentien was, greep me van achteren beet in de schuur, slingerde me op de grond, sprong bovenop me, kneep mijn keel dicht en ramde mijn hoofd tegen de grond.

'Hond die je bent! Ik sla je dood!' Ik schopte zo hard als ik kon, drie-, vier-, vijfmaal. Hij brulde van pijn, liet me los en viel voorover op zijn knieën. Ik krabbelde overeind en greep een hooivork. Kamal krabbelde overeind, nog voorover gebogen en sloeg naar me. Ik stak hem met de hooivork in zijn borst en hij schreeuwde weer, strompelde door de schuur. Hij vond een andere hooivork en kwam dreigend op me af.

'Hond!' siste hij.

'Kamal!'

Hij draaide zich om en mijn moeder kwam binnen. 'Raak Ishmael niet aan!'

'Wat wou je eigenlijk, gek oud wijf! Ouwe zeug! Ibrahim slaapt niet eens meer met je!'

'Hij wil dat ik vanavond bij hem in bed kom,' zei ze rustig. 'Ik heb hem een paar zeer interessante dingen te vertellen.'

Kamal had onder zijn leeftijdgenoten nooit als een vechtjas bekend gestaan. Hij hield zich staande omdat hij de zoon van de moektar was en lezen en schrijven kon. Hij dacht niet lang na en liet de hooivork vallen.

'Je mag Ishmael nooit meer aanraken,' zei mijn moeder nog eens. Ze pakte mij de hooivork af, keek naar ons, van de een naar de ander. 'Nooit van z'n leven,' herhaalde ze en verdween.

'Eens zal er een dag komen,' zei Kamal.

'We hoeven geen vijanden te zijn,' zei ik. 'Er zijn nog dertig percelen waarover ik vader niets verteld heb. Als we het eens kunnen worden, wil ik de helft.'

'Je bent nog wel wat jong voor dit soort spelletjes, Ishmael,' zei hij.

'Ik wil de helft. Jij moet mijn helft aan moeder geven.'

'En oom Faroek dan?'

'Die geef je maar van jouw helft. Oom Faroek kan beter voorzichtig zijn, want vader staat klaar om hem het dorp uit te gooien. Hoe denk je erover. Zijn we het eens of niet?'

Woedend knikte hij van ja en verdween.

Toen mijn moeder en ik een paar nachten later weer bij elkaar sliepen, streek ze over mijn hoofd en kuste me talloze keren en zei in tranen hoe trots ze op me was.

Zo had ik dus voordat ik negen was de basisregels van het Arabische leven geleerd. Het was ik tegen mijn broer; mijn broer en ik tegen onze vader; ons gezin tegen mijn neven en de clan; de clan tegen de stam; en de stam tegen de wereld. En wij allen tegen de ongelovigen.

3

'Zon, sta stil te Gibeon en gij, maan, in het dal van Ajalon!'

Aldus verzocht Jozua om het licht waarbij hij zijn vijanden wilde verslaan.

Het dorp Tabah ligt op een kleine, maar strategische heuvel in Ajalon dat als dal en als vlakte beschreven is. Duitse archeologische opgravingen vóór de Eerste Wereldoorlog stelden vast dat resten van een beschaving op deze heuvel van meer dan vierduizend jaar her stamden. Als men van de zee van Jaffa in zuidelijke en oostelijke richting naar Jeruzalem trok, ging men de vlakte binnen tussen de twee als het ware op wacht staande steden Ramla en Lydda, waar Sint-George, de drakendoder, naar men beweert zijn rechtzittingen hield.

Zestien kilometer verder op de vlakte kwam men bij de heuvel waar het dorp Tabah als een schildwacht voor de poort naar Jeruzalem staat. Voorbij Tabah loopt de weg slingerend naar boven, kruipend langs de rand van een diep ravijn bekend als de Bab el Wad. De Bab el Wad kronkelt zich over een afstand van zo'n twintig kilometer naar de buitenwijken van Jeruzalem.

Vóór de veldslag van Jozua was dit het oude Kanaän, een landbrug tussen de machten van de Vruchtbare Halvemaan, Mesopotamië en Egypte. Toen, net als nu, lag het Kanaän als een afgehapt stuk land tussen de kaken van een krokodil, een passage voor binnenvallende troepen. Golven van Semitische stammen overspoelden Kanaän en vestigden zich daar om een vóórbijbelse bond van stad-staten te vormen die in de loop der tijden door Hebreeuwse nomadenstammen veroverd en in beslag genomen werden.

Na Jozua zag de heuvel van Tabah de moorddadige legers van Assyrië en Babylon, van Egypte en Perzië, van Griekenland en Rome te keer gaan. Het was de streek van de ongelukkige joodse stam van Dan en het geboorteland van de dolende richter Simson. Kanaän kende de wielen van de Filistijnse strijdwagens maar al te goed.

Het was getuige van de grote joodse opstand tegen de Grieken en hier verzamelde Judas zijn Makkabeeërs voor de stormloop om Jeruzalem te bevrijden.

Men zegt dat Mohammed op de heuvel verbleef op zijn legendarische tocht bij nacht van Mekka naar Jeruzalem en terug, op zijn mythische paard el-Buraq, dat het gezicht van een vrouw had, de staart van een pauw en dat galopperend in één stap een afstand kon afleggen zover het oog reikte. Mohammed, zo zal iedere dorpeling u vertellen, sprong van de heuvel bij Tabah en landde in Jeruzalem.

Mohammed werd naar Jeruzalem gevolgd door de legers die samenstroomden uit de woestijn onder het vaandel van de islam om de christenen uit het Heilige Land te verdrijven.

En Richard Leeuwenhart sloeg hier zijn kamp op voor zijn noodlottige mars naar Jeruzalem, die zijn kruistocht in een bloedbad deed eindigen.

De heuvel van Tabah was getuige van de strijd van de Britse legioenen op weg naar Jeruzalem in de Eerste Wereldoorlog.

In de loop der historie zijn miljoenen paren voeten van devote jo-

21

den, christenen en moslems hier op hun pelgrimstochten langs getrokken. Voor zover men in de geschiedenis kan teruggaan, lag het dorp Tabah op de heuvel.

De laatste veroveraars waren de Ottomanen, die in de zestiende eeuw uit Turkije binnenvielen om het Midden-Oosten op te slokken. Vierhonderd jaar lang legden zij een sluier van armoede en onderdrukking over de streek.

Onder de Ottomanen lag het Heilige Land naar adem te snakken, de rotsblokken op zijn velden als de verschroeide botten van een voorhistorische mastodont en overigens als een verziekt, drekkig moeras. Als een onbelangrijk achterland van de provincie Syrië was Palestina een uithoek en woestenij geworden. Het had geen status behalve vage echo's van zijn verleden. En Jeruzalem was volgens de toenmalige reiziger vervallen tot een puinhoop en vuilnisbelt.

De beruchte heerschappij van de Turken berustte op niets ontziende wreedheid, totale corruptie en een verderfelijk leenstelsel. Een paar invloedrijke Palestijns-Arabische families knapten het vuile werk voor de Ottomanen op. Eén daarvan was de familie Kabir, die voor de samenwerking beloond werd met grote stukken land in het Palestijnse district. Eén van die bezittingen besloeg een groot deel van het dal van Ajalon.

In de achttiende eeuw namen de Kabirs verscheidene landbouwdorpen over en bevolkten ze met ongeletterde, verarmde, landhongerige Arabische boeren die ze daarna uitbuitten. Tabah was het centrale dorp en kleinere dorpen lagen rondom in het dal. De Kabirs hadden hun desolate verblijfplaats in Palestina al lang verlaten voor Damascus, van waaruit de provincie Syrië geregeerd werd. Als voorname grootgrondbezitters overwinterden ze in Spanje en brachten ze de zomers in Londen door. Ze waren bekend aan de roulettetafels van Europa en waren vaak te gast bij de sultans van Istanbul.

Noch de Ottomanen, noch de Kabirs hebben gedurende die eeuwen iets ten behoeve van het land ondernomen. Geen scholen of wegen, geen ziekenhuizen of nieuwe landbouwmethoden. Onder de druk van een klassieke lijfeigenformule begonnen de inkomsten te verdwijnen toen de dorpen aan armoede te gronde gingen. De verpauperde boer werd overdag het vel over de oren gehaald door de Turken, bij nacht bestolen door de bedoeïenen, en bedrogen door de landheren.

Omstreeks 1800 raakten de pachthoeven van de Kabirs in grote moeilijkheden. Dorpelingen waren voortdurend op de vlucht voor hun eigen van wieg-tot-graf schulden en de schulden van hun vaders.

Droogte, epidemieën en ziekte droegen tot de ellende bij die het hele Heilige Land in zijn greep hield.

Tabah was altijd een soort luilekkerland voor de bedoeïenen geweest. De voornaamste stropers waren de Wahhabieten die van hun eigen landerijen rond Gaza wegtrokken. In de oogsttijd kwamen ze opzetten, plunderden de akkers, trokken langs het slangepad van de Bab el Wad en beroofden de pelgrims.

De familie Kabir besloot dat de Soukori-clan van de Wahhabieten de voornaamste boosdoeners waren. Rond 1800 ging het hoofd van de familie Kabir op bezoek bij de sjeik van de Soukori-bedoeïenen en deed hem een aanbod dat hem van een arme man tot een man van stand zou maken. Als de Soukoris Tabah zouden willen bezetten, zou hun sjeik rentmeester van alle Kabir-bezittingen in het dal worden. Het was een niet al te subtiele omkoperij, want een belangrijke sjeik kon zijn mensen dwingen en de Kabirs van hun pacht verzekeren. Bovendien zou het dal gevrijwaard zijn van rooftochten van andere bedoeïenen.

Het aanbod bracht grote verdeeldheid teweeg in de Wahhabi-stam. Voor een clan van bedoeïenen stond het opgeven van hun nomadenleven gelijk aan het opgeven van hun vrijheid. De bedoeïen had zich altijd als de elite van de Arabieren beschouwd, de ware Arabier. De bedoeïen was van oorsprong de drijfveer achter de islam, want hun mannen waren Mohammeds eerste legers geweest en de frontstrijders bij de overwinningen van de moslems.

De bedoeïen was geen belasting verschuldigd, betaalde geen pachtheer, erkende geen grenzen. Het Arabische schiereiland, waar hij vandaan kwam, was afgelegen en bleef buiten de greep van de vroege veroveringen van Egypte en Rome. In de genadeloze woestijn ontwikkelde zich een cultuur die overeenstemde met de onmenselijke wetten van de natuur. Terwijl de vooruitgang van de wereld aan hem voorbij ging, bleef de bedoeïen hoofdzakelijk in leven door het plunderen van de kwetsbaren. Machtige sjeiks, met niet meer medelijden dan de brandende zon, waren meedogenloos tegenover de zwakken. Een maatschappelijke structuur ontstond, waarin iedere man, van zijn geboorte tot zijn dood, zijn eigen voorbestemde plaats innam. De enige manier om hogerop te komen was de man die boven je stond te vernietigen en degenen onder je te beheersen. De strijd om het bestaan liet de bedoeïen geen ruimte om democratische principes te overwegen, want de wet van de woestijn is absoluut.

De bedoeïen stond aangeschreven als dief, rover en moordenaar en hard werken vond hij, naar men zei, immoreel. Niettegenstaande zijn uiterste armoede en haveloosheid, bleef de bedoeïen het Arabische ideaal, want hij was de man met de sterren als dak. De Arabier uit de stad werd als van een lagere orde beschouwd en de fellah in de dorpen, die de grond bewerkte, behoorde tot de laagste klasse.

Het was geen wonder dat toen een machtige sjeik van de Soukori-clan het dorp Tabah betrok, een vijftig jaar durende vete met de hoofdstam van de Wahhabieten het gevolg was. Na vijftig jaar van afwisselend bloedvergieten namen de vijandelijkheden af, toen andere clans van de Wahhabieten naar de Ajalon-dorpen trokken en voor een minder nomadisch bestaan kozen. Ook al verdwijnen de littekens van strijd in de woestijn nooit helemaal, ze worden toch draaglijker gemaakt door huwelijken tussen de stammen onderling en periodieke herenigingen om de dreiging van een andere stam, of de ongelovigen, te bestrijden.

De sjeiks van de Soukori-clan, evenals de moektars van Tabah, hebben elkaar gedurende meer dan honderd jaar opgevolgd.

1924

Ibrahim was nog maar nauwelijks in het koffiehuis neergestreken voor het dagelijkse ritueel van de rechtzitting of zijn broer Faroek kwam schreeuwend binnen.

'De joden komen!' riep hij.

In een ogenblik was de dorpsstraat vol rennende, roepende en gebarende mensen die allen Ibrahim naar het hoogste punt van de heuvel volgden vanwaar ze de straatweg konden overzien.

Ibrahim kreeg een verrekijker van een van de dorpelingen die in het Turkse leger gediend had. Wat hij op de weg zag was een rij platte trucks, hoog opgeladen met materieel zoals prikkeldraad, schoppen, grenspalen, zakken met gedroogd voedsel en landbouwgereedschap. Het waren twintig mannen en zes vrouwen. De mannen waren gekleed in het blauw van de joodse boerencollectieven. De benen van de vrouwen waren bloot tot de kuiten, een walgelijk gezicht.

Nog een twaalftal andere mannen, die Ibrahim zo nu en dan had zien rondzwerven, had zich bij hen gevoegd. Ze waren te paard en hadden geweren en bandeliers met munitie over hun schouders. Ze droegen lichtgroene uniformen, maar enkelen droegen een Arabische hoofddoek. Ibrahim wist dat zij Sjomer waren, de joodse bewakers.

Toen verliet het konvooi de straatweg naar Tabah en reed naar een moerassige strook land. Een van de joden had een megafoon en gaf de anderen aanwijzingen. In een ogenblik bakende een aantal mannen met meetapparaten een stuk wat droger land af. Blijkbaar wilden ze snel een verdedigbaar terrein met prikkeldraad afzetten.

Ibrahim gaf de kijker aan Faroek en liep weg. 'Zeg de ouderen naar het koffiehuis te komen,' zei hij zachtjes. Binnen enige minuten waren ze van de velden verdwenen.

'Wat denk je dat dit te betekenen heeft?'

'Precies wat je gezien hebt, sufferd. De joden gaan een nederzetting aan de overkant van de weg maken.'

'In het moeras?'

'Maar het is waardeloos land, Ibrahim.'

'Denk je dat ze het land gekocht hebben?'

'Ja,' antwoordde Ibrahim, 'ze doen alles volgens de wet. Maar als we ze hier niet tegenhouden, zal er geen Arabisch dorp meer in deze vlakte overblijven. Effendi Kabir zal hun alles verkopen. We moeten ze vannacht een ontvangst bereiden.'

Algemene instemming. Een jongeman drong zich door de drom dorpelingen en liep opgewonden naar de tafel van de moektar.

'Er komt een jood aan op een paard!' riep hij.

Iedereen keek naar Ibrahim. Hij stond dreigend op en de menigte week uiteen. Met een zwaai van zijn hand beduidde hij iedereen te blijven staan en liep alleen het plein op.

Even later kwam een ruiter op een prachtige Arabische appelschimmel aandraven. De man was van middelbare grootte, had een keurige blonde baard en blauwe ogen. Hij leek wat oud om Sjomer te zijn, misschien was hij zo'n jaar of veertig. Hij was niet gewapend. Ibrahim begreep meteen dat hij op de hoogte was van de Arabische traditie, want als hij eenmaal het dorp binnen was, was het dorp het aan zijn eer verplicht hem te beschermen, zelfs als hij een jood was. Hij steeg even elegant af als hij zijn paard bereden had, maakte het vast in de buurt van de put en stapte vervolgens met uitgestrekte hand op Ibrahim toe.

Ibrahim stak zijn hand op tot teken dat de man op afstand moest blijven staan.

'Ik ben Gideon Asch,' zei de man in perfect Arabisch. 'Wij hebben verscheidene dunams land aan de overkant van de weg van effendi Kabir gekocht. We hopen er een boerenbedrijf van te kunnen maken. Ik denk dat u de moektar bent.'

'Ik ben de moektar,' zei Ibrahim op ijskoude toon, terwijl iedereen achter hem naderbij schoof. Ibrahim had een gave om iemands moed te taxeren. Sjomers hadden de reputatie moedig te zijn en het was duidelijk dat het deze man aan moed niet ontbrak. Ibrahim was nu

gedwongen zijn eigen moed te tonen en volgens de macht van onbe-
vreesde moektar te handelen.

'Het zijn daar allemaal vriendelijke jonge mensen,' vervolgde Gideon Asch, 'en we hopen dat we allen goede buren zullen worden.'

In de stilte die volgde omsingelden de mannen de jood, gingen tussen hem en zijn paard staan en begonnen toen allemaal als op een
teken te schreeuwen en schudden hun vuist naar hem. Ibrahim stak
zijn hand op om stilte te bevelen.

'Onze watertank heeft vertraging,' vervolgde Gideon. 'En ik hoopte dat we wat water uit uw bron zouden kunnen putten.'

'Geen druppel,' siste Ibrahim.

Dit veroorzaakte opnieuw gelach en geschreeuw door elkaar. De
jood liep op Ibrahim toe en stond pas stil toen hij zo dichtbij was dat
hun neuzen elkaar bijna raakten.

'U zult van gedachten moeten veranderen,' zei Gideon,' en hoe
sneller u dat doet, des te beter voor ons allen.' Iedereen zweeg verbaasd. Hij keerde zich om en liep rechtstreeks op de mannen af die
hem omsingelden. Ze gingen uiteen. Hij pakte zijn paard bij de teugels, bracht het bij de put en liet het drinken. Vervolgens dompelde
hij zijn eigen gezicht erin. Iedereen keek verbaasd naar Ibrahim toen
de jood op zijn paard steeg.

'Je bent niet welkom,' schreeuwde Ibrahim, zijn vuist schuddend.
'Als je ooit nog eens Tabah binnenkomt, krijg je onze bescherming
niet. Integendeel, ik zal je ballen afsnijden en ze in je ogen drukken.'

Toen reageerde de jood op een merkwaardige manier. Hij lachte,
groette met een spottend gebaar en gaf zijn paard de sporen.

Ibrahim begreep meteen dat zijn volk grote moeilijkheden te wachten stonden. Die Gideon was roekeloos en onbevreesd. Het beviel
Ibrahim helemaal niet. Hij had gehoord dat de Sjomer even schrander en dapper waren als de bedoeïenen. Maar Ibrahim was de moektar van Tabah en hij had geen andere keus dan het spelletje uit te spelen. Als hij het niet deed, zouden ze hem vervangen. Hij zou dus een
aanval bevelen en dan maar zien hoe het afliep.

4
Rosh Pinna – 1882

Gideon Asch was niet zo maar uit het niets naar Tabah komen rijden.
Ook hij was al van oudsher betrokken bij de voorgeschiedenis van een
modern Palestina.

Sommige joden hadden voor de eerste keer kennis kunnen maken met echte gelijkwaardigheid door naar Amerika te emigreren. Maar de meeste joden in het negentiende-eeuwse Europa bleven gevangen in de voortdurende kringloop van de angst. Zij hoopten, zoals altijd, op een terugkeer naar Palestina. Dit verlangen kwam steeds naar voren in hun dagelijks gebed en met nadruk in hun jaarlijkse Jom Kippoer groet: 'Volgend jaar in Jeruzalem'.

In het vermoeide land van Palestina kwam plotseling beweging. Op eerlijke en oneerlijke wijze of door omkoperij trokken gelovige joden in groten getale Palestina binnen. Het waren meestal doodarme Chassidiem, al eeuwen op de vlucht voor de terreur en achtervolging door Russen en Polen. In het midden van de negentiende eeuw vormden ze in Jeruzalem de joodse meerderheid en dit is tot nu toe zo gebleven. Ze vestigden zich in de andere heilige steden Hebron, Safed en Tiberias om te studeren, te bidden en op de Messias te wachten en ze leefden van joodse liefdadigheid uit de hele wereld.

Deze vluchtelingen werden gevolgd door gewone joden met een pioniersgeest, eveneens op de vlucht voor de verschrikkingen van het christelijke Europa. Met de hulp van rijke filantropen stichtte deze tweede golf een aantal boerendorpen. Hun succes was minimaal, want voor de joden, die in de meeste landen nooit kans kregen land te bezitten, was landbouw een vreemde en onbekende bezigheid.

Het Ottomaanse hof in Constantinopel, later Instanbul, was ingenomen met de nieuwe joodse nederzettingen in het Palestijnse district, want het betekende een toevloed van geld: meer belasting te innen, meer steekpenningen. En de joden brachten eigenschappen mee waaraan tot nu toe een groot gebrek geweest was: vasthoudendheid, vitaliteit en een liefdevol verlangen naar het Beloofde Land.

Ze kwamen naar dit achtergebleven Palestijnse district dat vis noch vlees was, niet Syrisch noch Ottomaans, niet Arabisch noch joods, maar een niemandsland dat lag dood te bloeden. De grote terugkeer van de joden betekende het laatste straaltje hoop, zowel voor henzelf als voor Palestina.

In het jaar 1882 emigreerden Sarah en Samuel Asch uit Roemenië met een groep andere jonge mensen onder auspiciën van een door de familie Rothschild opgerichte stichting. Ze gingen naar het noorden van Galilea en namen de nederzetting Rosh Pinna over. Deze was door de Chassidiem verlaten nadat zij door de bedoeïenen verdreven waren.

Door Arabische wachters en een groot aantal Arabische werklieden te gebruiken, kon Rosh Pinna in bedrijf gehouden worden, maar werd nooit een succes. De vestiging hield zich ternauwernood staande omdat sommige experimenten een succes bleken en andere een flop. De nederzetting lag te geïsoleerd en werd voortdurend geplunderd. Baron Edmond de Rothschild stuurde experts van zijn Franse boerderijen, maar deze onberaden poging om Europees ingesteld landvolk te introduceren bleek eveneens een mislukking.

In 1884 kregen Sarah en Samuel een zoon, een van de eerste joodse kinderen die sinds eeuwen in dat deel van Galilea geboren werden. Vanaf het moment van zijn geboorte zou Gideon Asch de toekomst karakteriseren.

Na de eeuwwisseling begon als gevolg van verschrikkelijke Russische en Poolse pogroms een nieuw slag joden zijn weg naar Palestina te vinden. Ze kwamen in georganiseerde groepen uit de getto's, diep overtuigd van het ideaal dat alleen door persoonlijke opoffering en joodse inspanning Palestina heroverd kon worden.

De afwezige Arabische grondbezitters waren maar al te blij hun waardeloze grond tegen schandalige prijzen aan hen over te kunnen doen. In het dal van Jizreël, in Galilea, op de vlakten van Sharon, in het dal van Ajalon en langs die oude kustroute van de Via Maris namen tientallen joodse collectieve nederzettingen, kibboetsen genaamd, het werk ter hand en de zoete stem van de lente werd opnieuw in Palestina gehoord. De onherbergzame, verlaten stukken land, waarvan de akkers geplunderd, leenroerig en verlaten waren door Arabier en Ottomaan, werden weer tot leven gebracht. Rottend malariamoeras, weerbarstige rotsen, woestijn en afgegraven akkers maakten plaats voor groene tapijten en overal hoorde men de geluiden van het bouwen. Miljoenen bomen groeiden waar in geen eeuwen een boom gestaan had. Een stroom van cultuur en vooruitgang barstte los vanuit Jeruzalem. Ten noorden van de oude poort van Jaffa ontstond een nieuwe joodse stad uit de zandduinen: Tel Aviv, Lenteheuvel.

Hun breuk met het verleden bracht allerlei veranderingen voor de joden. Volkomen nieuwe maatschappelijke opvattingen waren het gevolg van de kibboets, waar men het leven in commune zo dicht benaderde als men zich maar denken kon. Een van deze veranderingen was de opvatting dat de joden in staat waren zichzelf te verdedigen. In het begin zwierf een kleine troep joodse ruiters van de ene nederzetting naar de andere om de vrede te handhaven. Dit waren de wachters, de Sjomer. Ze leerden de taal, kenden de gewoonten en zagen er vaak zelf als Arabieren uit.

Tegen 1900, toen Gideon Asch zestien was, werd hij gegrepen door het nieuwe joodse idealisme en hij sloot zich aan bij de Sjomer om de kibboetsen en andere soorten nederzettingen in Galilea te verdedigen.

Gideon begon als ruiter indruk op de bedoeïenen te maken en verhoogde zijn reputatie door regelmatig de bedoeïenen, kampioenen in wedrennen en competities, te verslaan.

Hij verliet het betrekkelijke comfort van Rosh Pinna om een zwervend leven te gaan leiden. In de beginjaren van de nieuwe eeuw stond Gideon aan het hoofd van een zwervende eenheid van een twaalftal Sjomer die de pioniers vergezelden als ze plaatsen voor nederzettingen zochten, vaak in veraf gelegen, geïsoleerde plaatsen en vaak te midden van vijandige Arabieren of bedoeïenen. In de eerste beslissende nacht, als de Arabieren vanzelfsprekend aanvielen, waren de Sjomer present. Gideon bleef daarna achter om schansen en loopgraven te helpen aanleggen. Steeds er op uit om goede vrienden met de Arabieren te worden, ging hij onbevreesd met hen om, ging op bezoek en vervolgens trok hij naar de volgende nederzetting.

Hoewel hij tot hun tegenstanders behoorde, ontstond er toch wederzijds een zeker respect tussen Gideon en de Arabieren, vooral als het bedoeïenen betrof. Hij beschouwde die als nazaten van het Volk van de Heilige Boeken. Dikwijls als hij, een eenzame ruiter, door Galilea reed scheen hij in een tijd te leven die drieduizend jaar voorbij was. Hij had een van Salomo's hoofdlieden kunnen zijn die een dorp in Kanaän naderde. Vele Arabieren die instinctief begrepen dat hij niet bang voor ze was, kregen een soort genegenheid voor hem. Onverschillig of hij in het huis van een moektar of in de tent van een sjeik verbleef, de blauwogige ruiter voelde zich volledig op zijn gemak.

Gideon kende veel Arabische vrouwen. Dat bracht hem in een hachelijke positie, maar hij was jong, overmoedig en bovendien heel voorzichtig en gesloten. Geen Arabier wist of vermoedde ooit dat Gideon een grote groep hem zeer welgezinde aanhangers onder de vrouwelijke bevolking van heel Galilea had.

Hoe was zoiets mogelijk? Welnu, iedereen weet dat gevangenissen voor mannen gebouwd zijn en uit de meeste Arabische dorpen van enige omvang zaten wel twee of drie dorpelingen hun straf uit, gewoonlijk wegens diefstal, smokkelen of steekpartijen. Vaak lieten ze een vrouw achter die een paar maanden zwanger was. Er waren anderen, weduwen en minder bedeelden, die geen kinderen konden krijgen. Die liepen evenmin risico vanwege enig avontuur.

Ieder dorp had wel een grot of een schuilplaats in de buurt waar Gideon heen kon gaan om uit te rusten en waar hij al gauw 'gevonden' werd, vaak een keer of zes per dag. Hij had de vitaliteit van de jeugd. Ze voelden zich erg op hun gemak bij hem en leken bij hem voor een ogenblik bevrijd van de eeuwige schaduw van schaamte. Hij ging maar zelden onvoldaan weg en de vrouwen ontbrak het zelden aan een heimelijke glimlach als ze tersluiks toekeken hoe hij weg galoppeerde.

Bij het begin van de Eerste Wereldoorlog lieten Engeland en Frankrijk een begerige blik vallen op de gebieden in het Midden-Oosten onder Turkse heerschappij. De twee naar voren tredende en naar wereldheerschappij strevende machten zagen dit gebied als een voorpost. Het Suezkanaal was de sleutel tot de macht. De Britse controle ging tot Egypte en het Kanaal. Turkse controle begon aan de tegenovergestelde oever in de Sinaï en Palestina. De Sinaï was voorbestemd om slagveld te worden.

In Palestina, waar de Turken de macht uitoefenden, was de joodse wens naar een eigen vaderland snel toegenomen en deze werd door het jodendom van de hele wereld gesteund. De situatie kreeg de aandacht van het wereldkapitaal. Hoewel het voor de joden in Palestina gevaarlijk was tegen de Turken in opstand te komen, probeerden ze het toch door massaal dienst te nemen in het Britse leger. Om het jodendom van de wereld bij de zaak van de Geallieerden te betrekken vaardigde de minister van Buitenlandse Zaken de Balfour-declaratie uit. Joden werden als rechthebbenden op een vaderland erkend en Palestina behoorde dit vaderland te zijn. De Balfour-declaratie werd later in het volkenrecht opgenomen en door de hele wereld onderschreven, behalve door de Arabieren. Aan de vooravond van de Eerste Wereldoorlog hadden de Arabieren een eigen formule voor hun nationalisme gevonden. Als de Ottomanen verjaagd konden worden zou dat nieuwe besef inhoud krijgen.

Britse officieren van de inlichtingendienst trokken heimelijk Palestina binnen om vóór de komst van hun troepen een spionagenetwerk op te zetten en mensen te zoeken voor gespecialiseerde opdrachten.

Gideon Asch werd in het geheim tot luitenant in het Britse leger aangesteld. Zijn opdracht was in de Negev- en Sinaï-woestijnen de wadi's in kaart te brengen, de waterholen, de weinige schaduwplekken, de rechte bergpassen – alles in voorbereiding voor de komende strijd met de Turken. Asch was een geboren woestijnrat, in staat te verdwijnen tussen de bedoeïenen en diep door te dringen in de onrustige uitgestrektheden van de wildernissen van Zin en Paran, waar Mozes en de Hebreeuwse stammen veertig bijbelse jaren gezworven hadden. Hij volgde de routes van de bijbel door de uitgedroogde beddingen en maakte een nauwkeurige studie over de mogelijkheden om in zo'n land te reizen en in leven te blijven. Zijn blauwe ogen trokken tot spleetjes onder de verblindend felle gloed van de zon en zijn lichte huid werd zanderig en leerachtig.

Hij raakte bevriend met de Wahhabieten en hun sjeik, Walid Azziz. Hij zwierf wekenlang rond met hun beroemde spoorzoeker Nabil.

Op een dag kwamen Nabil en Gideon tegen de avond bij een eikenbosje, het enige struikgewas in een verder kaal woestijngebied. Een eenzame bedoeïen zat bij het bosje, zijn kleding als een tent over zijn hoofd geslagen. Naast hem lag een stenen waterkruik en wat oud brood.

Nabil riep iets en liep naar de bedoeïen toe die half bedwelmd was door de gloeiende hitte. Ze praatten met elkaar en hij liep terug naar Gideon.

'Wie is hij?' vroeg Gideon.

'Hij heet Moestafa. Hij is van de Soelikan-stam.'

'Waarom zit hij hier?'

'Hij zegt, dat hij op een vriend wacht. Zijn vriend heeft hem gezegd dat hij hierlangs zou komen.'

'Hoe lang zit hij hier al?'

'Verscheidene malen de zon rond.'

'Weet hij niet wanneer zijn vriend zal komen?'

'Hij zegt vroeg of laat.'

'Bedoel je, dat hij daar maar dag na dag zit zonder iets te weten?'

'Hij weet, dat zijn vriend zal komen. Wanneer zijn vriend komt, is niet belangrijk. Hij heeft niets anders te doen.'

Vlak voordat de avond viel kreeg Nabil lucht van een kamelenkaravaan. Hij liet zijn paard naar het leek doelloos rondjes rijden totdat hij de sporen gevonden had. Nabil steeg af en plaatste zijn neus en zijn lippen op de sporen.

'Ze zijn hier nog niet zo lang geleden voorbijgekomen,' zei Nabil.

'Hoe lang?'

'Niet lang.'

'Een paar uur?'

'Misschien.'

'Drie, vier, vijf uur?'

'Misschien.'

'Lang genoeg voor de zon om op te komen en weer onder te gaan?'

'Nee, zo lang niet.'

'Op hoeveel kamelen schat je het?'
'Verscheidene.'
'Vijf?'
'Misschien.'
'Vijftig?'
'Misschien. De sporen zijn diep. Ze zijn zwaar beladen.'
'Waar gaan ze naar toe?'
Nabil keek turend langs de horizon. 'Daarheen,' wees hij. 'Een bron die aan de Soelikans behoort. Het moeten Soelikans zijn of vrienden van de Soelikans.'
Gideon bestudeerde zijn kaart en zocht een waterput in de nabijheid, maar vond er geen.
'Hoe ver weg is het water?'
'Niet ver.'
'Eén dag? Twee dagen?'
'Misschien.'
'Hoeveel kilometer?'
'Kilometers? O, kilometers.' Nabil trok aan zijn oor. 'Ruim zeshonderd kilometers.'
'Nee, verdomme, dat kan niet. Hoeveel maal moet de zon op- en ondergaan voordat we er zijn?'
'Als de zon opgaat totdat hij daar weg trekt,' zei Nabil, met zijn hand een boog langs de hemel makend.

Terwijl het vuur doofde, droeg Nabil gedichten voor en Gideon lag naar de hemel te kijken en naar de verschietende stippen van de meteoren. Dit was het moment dat de woestijn tot een realiteit maakte. Gideon vertegenwoordigde hen allen vanaf het begin der tijden. Hij was Mozes en Abraham, die zoals hij naar dezelfde hemel gekeken hadden en de diepste mysteriën van de mensheid overpeinsden om een antwoord te vinden.

Ik was de jakhals die kon roven langs de
rand van het kamp.
Ik was een groot paard dat achter Mohammeds
machtige rijdier aan rende.
Ik was een kameel, de eerste in een rij van vele.
Ik was alles wat keek naar het domme tweebenige
dier dat mens heet en ik zag hoe dom hij was.
Ik leefde als een vorst mijn eigen wilde leven
en zij sloofden zich af.

Nabil zweeg plotseling en hief zijn hoofd op. 'Luister,' zei hij.

'Ik hoor niets.'

Het duurde enige ogenblikken voordat de bries het geluid bij hem bracht.

'Hoe ver zijn ze,' vroeg Gideon,' en hoeveel?'

'Waarom moet je altijd vragen stellen waarop geen antwoord is, Gideon?'

'Stel je voor dat het vijanden zijn. Als ik wist hoeveel er zijn en hoe ver weg, dan zou ik kunnen weten hoe ik me moest voorbereiden.'

'Wat voor verschil maakt het hoe ver ze weg zijn?' zei de bedoeïen. 'In de woestijn moet je altijd voorbereid zijn en het aantal moet je maar afwachten. Dat kun je toch niet veranderen.' Hij luisterde en dacht dat veel kamelen bij de bron aangekomen waren.

'Als de zon opkomt, zullen we bij de bron zijn,' zei Nabil. 'Ga er niet uit drinken. We komen langzaam naderbij. Dan gaan we aan de rand zitten en houden onze paarden zo vast dat ze niet kunnen drinken. Ze zullen ons vanuit de verte in de gaten houden en als we drinken zonder toestemming schieten ze. Na verloop van tijd komen ze te voorschijn. Mij zullen ze tolereren omdat ik Wahhabiet ben en jou zullen ze graag mogen om de vreemde kleur van je haar en je ogen. Dan zullen ze ons uitnodigen om te drinken.'

Drie dagen later keerden ze langs hun sporen terug en de bedoeïen Moestafa zat nog altijd in de schaduw van zijn mantel op zijn vriend te wachten.

Na vierhonderd jaar wanbestuur van de Ottomanen waren de gevoelens van de Arabieren tegenover de Turken die van onderdrukten tegenover onderdrukkers, niettegenstaande het feit dat ze allen moslems waren. Geheime Arabische bewegingen waren actief tegen de Turken toen de oorlogshandelingen in deze streek begonnen.

De voornaamste persoonlijkheid onder de Arabische afvalligen was sjarif Hoessein, hoofd van de Hasjemitische clan uit de Hedzjaz sector van het Arabische Schiereiland. De Hedzjaz bezetten een kustlijn van zo'n vijftienhonderd kilometer langs de Rode Zee die met het Suezkanaal voor de Britten de noodzakelijke verbinding vormde. De Hasjemieten, directe afstammelingen van Mohammed, bezetten de eervolle positie van 'bewakers van de heilige plaatsen Medina en Mekka met het heiligste reliek van de islam, de Ka'aba'.

Het spel van de Britten was de Hasjemieten tot een opstand tegen de Turken te verlokken en zo werd het Arabische nationalisme geboren. Sjarif Hoessein begon een correspondentie met de Britse Hoge Commissaris in Egypte om de prijs voor een Arabische opstand vast te stellen.

De Britten lieten het voorkomen dat Hoessein koning zou worden van een Groot-Arabisch Volk als beloning voor zijn medewerking. De brieven waren komedie. De Britse en Franse bondgenoten hadden andere ideeën over de toekomst van de Arabische landen.

Op 9 mei 1916 sloten de Britten en de Fransen een geheim verdrag betreffende de verdeling van het gebied. Dit werd het Sykes-Picot verdrag genoemd, naar de namen van de onderhandelaars. Het verdrag, altijd als een schandaal beschouwd, negeerde zowel de joodse aspiraties als sjarif Hoesseins persoonlijke ambities. En zo werd Palestina het 'tweemaal beloofde land'.

Als tegenprestatie voor hun verwachtingen en de belofte krachtens de Balfour-declaratie leverden de joden uit Palestina een joods korps aan het Britse leger. Eén van de eenheden, het Zion-muilezelkorps, nam deel aan de felle strijd bij Gallipoli.

Aan Arabische zijde zorgden sjarif Hoessein en zijn zoons voor een geslaagde guerrillasabotage aan de Transjordaanse spoorlijn, de Hedzjaz-spoorweg, een Turkse route van levensbelang. De Arabische 'opstand' van een paar duizend man stond onder leiding van een Britse officier, T.E. Lawrence, die later zeer lovend over zijn strijdmakkers geschreven heeft.

Sjarif Hoessein riep zichzelf uit tot Koning van de Arabieren, een titel die door de Britten tot 'koning van Hedzjaz' besnoeid werd. Later trok Hoesseins zoon Faisal Damascus binnen en liet zich tot koning van Syrië uitroepen, een titel waarvan hij geloofde dat die automatisch ook het Palestijnse district zou betreffen.

Tegen Kerstmis 1917 hadden Britse troepen onder generaal Allenby Jeruzalem veroverd en zowel de Arabieren als de joden gingen naar de bondgenoten om hun schuldbekentenissen te innen.

Faisal wilde een grote joodse nederzetting in Palestina aanvaarden indien hij het land zou regeren, net zoals de Turken dat gewild hadden vanwege de joodse inbreng van geld en vooruitgang. Maar de Fransen sleepten Syrië in de wacht en gaven Faisal zijn congé. Faisal, ex-koning van Syrië, nam een ander standpunt in en was fel gekant tegen het zich vestigen van de joden in Palestina.

Tenslotte namen de Britten een aantal verraderlijke maatregelen die niet alleen de joodse en Palestijnse rechtmatige aanspraken negeerden, maar die bovendien hun Franse bondgenoten het Palestijnse district afhandig maakten. De Britten manipuleerden zo handig dat zij Palestina door middel van een mandaat van de Volkenbond konden beheersen.

Na een aantal internationale conferenties en overeenkomsten werd het Britse mandaat door een wet bevestigd om daarmee de Balfourdeclaratie gestalte en de joden een vaderland te geven. Maar de oorlog was afgelopen en de ligging van Palestina op de flank van het Suezkanaal was belangrijker voor hen dan zich te houden aan die belofte aan de joden. Toen in het begin van de twintiger jaren bij de Perzische Golf olie ontdekt werd en de Britse belangstelling toenam, trokken ze zich steeds minder van hun beloften aan.

De oostzijde van de rivier de Jordaan besloeg een groot oppervlak van dit Palestijnse mandaat; bewoners waren hoofdzakelijk bedoeïenen. De Britten maakten er om hun belangen te bevorderen, een vazalstaat van: Transjordanië. Dat land besloeg driekwart van het Palestijnse mandaat. Vóór 1921 bestond er geen Jordaans volk. De hele bevolking was Palestijns. De Jordaniërs zijn een uitvinding van het Britse Ministerie van Koloniën.

Om de Arabische dorst naar nationalisme te lessen, zorgden de Britten voor een paar zoethoudertjes. Faisal, de afgezette koning van Syrië, werd marionettenkoning van Irak, heersend onder Brits bestuur.

Wat betreft hun nieuwe kolonie Transjordanië doken de Britten opnieuw de Hedzjaz binnen en haalden Abdullah te voorschijn, een andere zoon van de sjarif en zij maakten hem emir van Transjordanië. Zowel Abdullah als Faisal, waren Hasjemieten van het Arabische Schiereiland en dus vreemdelingen in de landen waarover ze nu onder Brits bestuur regeerden.

Wat de sjarif van Mekka betreft, die zich als heerser gezien had over een rijk dat zich uitstrekte van de Rode Zee tot de Perzische Golf, met inbegrip van Irak, Syrië, Palestina, de Sinaï, Libanon en het Arabische Schiereiland... hij bleef met lege handen over en vluchtte ten slotte in ballingschap toen de overwinnende Saoedi-familie hem uit de Hedzjaz verdreef.

De Britten die de Arabier, de jood en de eigen Franse bondgenoot belogen hadden en die een koninkrijk verzonnen hadden dat Transjordanië heette, trokken nu het Palestijnse Mandaat binnen. Palestina had onder de Eerste Wereldoorlog verschrikkelijk geleden. Alleen al in Jeruzalem waren twintigduizend mensen van honger en ziekte gestorven. In het begin waren de bevrijding van de Turkse corruptie en het Britse bestuur een verademing. Dat zou niet zo blijven.

De toekomst van het mandaat werd al gauw duidelijk. Een nieuwe macht dook op, de Hoesseini clan, een oude, machtige Palestijnse familie. Ze werden geleid door hadji Amin al Hoesseini, een moslem fanaticus. Opstanden braken uit in het begin van de jaren twintig tegen een voortgezette joodse immigratie. Zo doortrapt was de opzet achter de relletjes en zo onmiskenbaar was hadji Amins poging Palestina over te nemen, dat de Britten hem dwongen te vluchten en hem veroordeelden tot twintig jaar *in absentia*.

Voor Gideon Asch, een gedecoreerd Brits officier, was een nieuw tijdperk aangebroken. De problemen van de bescherming van immigranten waren in hoge mate toegenomen in de nasleep van de Arabische schermutselingen. De Sjomer hadden niet meer voldoende macht om de situatie in de hand te houden. In Jeruzalem bestuurde een joodse organisatie de eigen joodse bevolking in Palestina en organiseerde in alle stilte de verdediging. Gebaseerd op het principe dat iedere nederzetting zichzelf zou moeten kunnen verdedigen, dook in het begin van de jaren twintig de Haganah op, een semi-legaal, semi-ondergronds leger.

Gideon werd naar Jeruzalem geroepen waar men hem verzocht de vorming van de Haganah in het dal van Ajalon op zich te nemen. Dertig jaren had hij te paard rondgezworven. Nu was het tijd zich te vestigen. Hij nam de opdracht aan en werd vaste bewoner van een nieuwe kibboets. De kibboets zou Sjemesj genoemd worden, wat 'zon' betekent, want het was de plaats waar Jozua de Heer gesmeekt had de zon te laten stilstaan. Sjemesj betekent ook 'Simson', de naam van de oude rechter. Sjemesj zou nabij de weg, zestien kilometer van Ramla, gebouwd worden, tegenover een Arabisch dorp: Tabah.

Gideon Asch kwam van zijn bezoek aan Tabah terug naar de plek waar drie dozijn mensen zich haastten een vierkant af te zetten voordat het donker werd. Ze vroegen hem bezorgd naar zijn bezoek aan het dorp. Hij vertelde van de stormachtige ontmoeting met moektar Ibrahim.

'Ze zullen ons vannacht aanvallen,' zei hij. 'We hebben geen tijd om versterkingen te laten komen. Aanpakken zo hard je kunt.'

5 *1924*

Toen Gideon Asch uit Tabah vertrok, raakten de dorpelingen in grote vreugde en opwinding. Dit was een onverwacht groot moment. Hier was een kolfje naar de hand van elke Arabier om zijn moed te bewijzen. Een geschenk van Allah! Geweren van allerlei leeftijd en een dozijn modellen kwamen uit hun schuilhoeken. Het waren geweren uit de Boerenoorlog en Turkse en Duitse geweren uit de wereldoorlog. Er waren Britse Enfields en Amerikaanse Springfields. De bandeliers en kisten munitie lagen diep verborgen in de velden en boomgaarden. Dolken werden van de wanden van de huisjes getrokken en gepoetst tot ze glommen.

De hele dag door kwamen mannen uit de omliggende dorpen naar Tabah en gingen naar het koffiehuis waar de jonge moektar, Ibrahim, hen omhelsde. Ieder hield met trillende hand zijn wapen omhoog, betuigde zijn trouw en verzekerde de moektar van zijn durf.

'We zullen de joden scheren met een bijl.'

'De melk van hun moeders is kamelenpis.'

'Geen joodse mesthopen in ons dal!'

'Dood aan de joden!'

Gejuich ging op toen Salim, de sjeik van een van de kleinere clans, zich een weg naar het koffiehuis baande. Salim was in het Turkse leger geweest tijdens de wereldoorlog. De dorpen rond het Ajalondal waren gedurende zes jaar overstroomd met verhalen over zijn wapenfeiten. De verhalen van een man tegen man gevecht waren de meest schilderachtige; hoe hij zich door een wal van Brits vlees gehakt had om bij een machinegeweernest te komen dat hij met handgranaten vernietigd had. Wat niet zo algemeen bekend was, was het feit dat Salim het nooit hoger dan de rang van korporaal gebracht had, nooit iets anders dan ordonnans van een Turkse kolonel geweest was en nooit binnen tachtig kilometer van het strijdtoneel gekomen was. Een litteken van een messteek, opgelopen bij een ruzie over een buikdanseres was, al vertellend, een schotwond geworden door een kogel die zijn been geschampt had en werd toegelicht door een medaille voor moed die hij in een bazaar in Istanbul gekocht had.

Iedereen kreeg een veilig gevoel toen Salim door Ibrahim uitgenodigd werd samen met de andere moektars en sjeiks een plan de campagne op te stellen.

Buiten het koffiehuis speelden de kinderen met stokken oorlogje bij de waterput, en de opwinding steeg. Botten zouden gekraakt worden, deze nacht. Het zou een moeras vol dode joden worden. De buit zou duizelingwekkend zijn. Het zou een eeuwigheid duren voordat een jood opnieuw zou proberen een nederzetting in dit dal te gaan bouwen.

Binnen, in het koffiehuis, bracht iedereen tegelijk zijn plannen naar voren. Val ze van achteren aan, door het moeras. Nee, het moeras was te modderig. Omsingel hen aan drie kanten. Nee, dan gaan we op elkaar schieten. Vuisten knalden op de tafels, discussies laaiden op en sjeiks grepen hun messen.

Alle plannen werden aan Salim voorgelegd die vooral zijn best deed nadenkend te kijken. Tenslotte slaakte Ibrahim een diepe zucht en stelde een eenvoudige strategie voor.

Als het donker was zouden wegversperringen opgezet worden om Britse versterkingen tegen te houden, maar vóór het aanbreken van de dag zouden die niet kunnen komen. De wegversperringen zouden ook het terugtrekken van de joden beletten. Meer dan honderd man zouden een frontale aanval doen in drie golven. Ibrahim zou de eerste golf aanvoeren. Salim de tweede. Ruzie brak los over wie de derde aanvoerder zou zijn. Ibrahim zocht een sjeik uit door hem eenvoudig met zijn vinger aan te wijzen.

Als ze bij het prikkeldraad kwamen, zouden ze er geitehuiden opgooien en erover klimmen. De joden zouden snel vernietigd zijn en de strijders zouden zich terugtrekken naar Tabah en hun wapens verbergen. Vlak voor het aanbreken van de dag zouden de mannen, de vrouwen en de kinderen komen, de lijken uitkleden en de wapens en uitrusting van de joden weghalen. Ibrahim zou later persoonlijk de buit verdelen.

Men vond het een schitterend plan. Handen werden geschud en de vergadering ging naar buiten om de manschappen te organiseren. Farouk riep hen daarna allen naar de moskee en na het gebed verklaarde hij de aanval tot een jihad, een heilige oorlog, waarop de menigte in koor riep: 'Dood aan de joden!'

De overwinning was een vaststaand feit voor iedereen... behalve voor Ibrahim. Dat dozijn ex-Sjomer, die nu Haganah-mannen genoemd werden, zat hem dwars. Ondanks vele Arabische aanvallen op alle joodse nederzettingen in Galilea was het maar zelden gelukt hen te verdrijven. Zijn mannen, hoewel vijfmaal meer dan de joden, hadden nooit een frontale aanval gedaan. Het meest op zijn hoede was hij voor de leider van de joden, de man Gideon. De man had uitdagend, waar iedereen bij was, uit de dorpsput gedronken. Hij kon wel eens al te goed van militaire zaken op de hoogte zijn. De Sjomer hadden een reputatie als vechters en de meesten hadden in de Eerste Wereldoorlog in het Britse leger gediend. Maar een moektar moest doen wat zijn plicht was.

Toen het avond werd gingen Ibrahim en zijn voormannen de heuvel op om te kijken wat er te zien was. Ze konden een deel van het met prikkeldraad omheinde terrein zien. De joden hadden sterk rokende vuurtjes aangestoken om de muskieten te verdrijven en waren zo uitgeput dat ze op hun platte trucks in slaap gevallen waren. Het was een weerzinwekkend gezicht, mannen en vrouwen schaamteloos naast elkaar te zien slapen.

Toen het donkerder werd, vulde de lucht op de heuvel zich met de hasjiesjrook van het dorpsplein beneden en de strijders werden meteen dapperder. Toen het daglicht verdwenen was, slopen ze met vier of zes tegelijk stilletjes weg.

Ibrahim nam zijn positie aan het hoofd van de eerste aanvalsgolf in, op zo'n drie-tot-vierhonderd meter afstand van het prikkeldraad. Het vage geluid van schoten op de straatweg was het sein dat de wegversperringen klaar waren. De tweede aanvalsgolf nam zijn positie in achter rotsblokken op hoger terrein om dekking te geven als de joden het eerste zouden schieten.

Ibrahim sloop diep gebogen naar voren, gevolgd door zijn mannen. Ogenblikkelijk begon alles mis te lopen. Die aasgieren in de achterhoede maakten veel te veel lawaai. De oudere mannen vertelden van hun vroegere heldendaden en de vrouwen en kinderen kwebbelden luid in nieuwsgierige verwachting van de buit. De tweede aanvalsgolf, die verondersteld werd de eerste te dekken, vuurde veel te vroeg, waardoor het element van verrassing verloren ging. Bovendien richtten ze van veel te dichtbij, regelrecht in de ruggen van Ibrahim en zijn mannen. Faroek, die slechts een paar uur tevoren de heilige oorlog uitgeroepen had en vlak achter zijn broer liep, gooide zijn geweer weg, nam de benen en drie mannen volgden hem.

Toen viel een angstige en raadselachtige stilte.

'Denk je, dat ze allemaal dood zijn?' fluisterde iemand tegen Ibrahim.

'Hou je kop, ezelsveulen!' snauwde Ibrahim.

'Waarom schieten ze niet?'

Toen opnieuw een van zijn mannen achteruit begon te kruipen, ging Ibrahim overeind staan en hief zijn geweer omhoog. 'Allah akbar!' schreeuwde hij steeds opnieuw. 'God is groot!'

'Allah akbar!' weergalmde het dal.

Iedereen rende langs Ibrahim en de troep stormde in verwarring op de prikkeldraadversperring af. Ze knielden, schoten en holden, knielden, schoten en renden verder. Hun strijdkreet klonk steeds luider.

Nog steeds geen tegenvuur van de joden!

'Naar de versperring!' schreeuwde Ibrahim.

Toen ze op vijftig meter afstand waren gebeurde er iets verschrikkelijks. Van de kant van de joden barstte een oorverdovend sirenegeloei los, dat alle andere geluiden overstemde. Toen verlichtten de joden de hemel met flambouwen, de nacht veranderde in dag, zoals de Heer eens de zon voor Jozua had laten stilstaan. Gevangen in die uitbarsting van licht en geluid, verstijfden de Arabieren, als herten gevangen in een lichtbundel.

Toen gaven de joden gedisciplineerd een salvo af en hoewel ze in de lucht schoten, vielen verscheidene dorpelingen op de grond van angst. Het tweede salvo in de lucht had als gevolg dat de tweede en derde aanvalsgolf tegen de eerste in renden, die op de terugtocht was.

Het gevecht was afgelopen.

De aasgieren die achter de rijen wachtten, zagen hun zoons, vaders en mannen, struikelend en kruipend, rennend en hijgend over de weg naar Tabah terugkomen.

'Wat is er gebeurd?'

'Na donker hebben ze meer dan driehonderd Haganah-mannen laten binnensluipen!'

'We werden met machinegeweren beschoten!'

'Ze hadden honderden Britse soldaten tussen zich verborgen!'

'Ze gebruikten gifgas!'

'We waren sterk in de minderheid!'

Bij het aanbreken van de dag zat Ibrahim alleen op de top van de heuvel naar het joodse kamp te kijken. Zijn vernedering was volkomen. Eerst had men geloofd dat de gevallen mannen gewond waren, maar ze hadden alleen maar hun geweren weggegooid en waren daarna gevlucht. Toen hij tenslotte naar beneden in het dorp kwam, verzamelden degenen die niet naar huis gegaan waren, zich enigszins schaapachtig bij het koffiehuis. Merkwaardig genoeg ging er een gejuich op toen Ibrahim langs hen naar zijn eigen huis liep.

'We gaven ze een les die ze nooit zullen vergeten!'

'Ik heb er tenminste drie gedood!'

'Hiermee heb ik een tong uitgesneden,' zei iemand, met zijn dolk zwaaiend.

Ibrahim draaide zich om bij de deur. 'Jullie waren allemaal erg dapper,' zei hij. 'Het was een complete overwinning, alleen bedorven door het feit dat die joodse lafaards illegaal Britse hulp binnenbrachten... anders... nou ja... vergeet nooit dat de Britten ons dit aandeden.'

Ze juichten weer. Hij liep het huis binnen en liet de verhalen hun eigen loop nemen terwijl hij afgemat op zijn bed viel.

6

Ibrahim ging iedere dag naar het heuveltje boven het dorp en zat daar te peinzen. Het was daarvoor een uitstekende plaats. Evenals de meeste Arabische dorpen had Tabah een grafgewelf waar een heilige of een profeet, volgens de overlevering, geleefd en gepredikt had of gestorven was. Tabahs grafgewelf, een klein, witgelakt bouwsel, stond op het hoogste punt van de heuvel onder de enige boom van het dorp, een afgeleefde eik. Volgens de legende had de heilige, een onbekende soldaat die in de strijd met Jozua gevochten had, het dorp als versterking tegen de Filistijnen gebouwd en later als wachtpost voor Jeruzalem. Mohammed was bovendien van hier naar Jeruzalem gesprongen.

Ibrahim zette een kleine bedoeïenentent met één paaltje op, gemaakt van repen geite- en schapevel om zich tegen de middagzon te beschermen. Hij stond slechts twee mensen toe zijn eenzaamheid te verstoren. Hagar, zijn vrouw, om hem voedsel en drinken te brengen, en Faroek om de zaken van het dorp te bespreken.

Hij peinsde over hen beiden. Hij had Faroek altijd veracht om zijn slapheid. Faroek was zijn oudere broer en als hij een man met een beetje pit geweest was, zou hij de positie van moektar gekregen hebben. Faroeks lafheid bij de aanval op de Sjemesj-kibboets had de doorslag gegeven aan Ibrahims afkeer van zijn broer. Hij had het gevoel dat Faroek altijd geprofiteerd had van het feit dat hij kon lezen en schrijven, en hij vermoedde dat zijn broer hem bedroog. Hij zwoer dat, als hij een zoon had, hij hem naar school zou sturen zodat Faroek de mystieke macht van het geletterd zijn zou verliezen.

Ibrahim zat zich te verbijten dat hij geen zoon had. Hagar had hem teleurgesteld met twee dochters. Ze was weer zwanger en volgens de praatjes hoopte men dat hij zijn onterende bijnaam zou behouden. Hij had al tegen Hagar gezegd dat als ze hem nu geen zoon gaf, hij verder van het huwelijk af zou zien.

Ibrahim peinsde over 'de overwinning' op de joden die, daar beneden in het koffiehuis, iedere dag fantastischer werd. Zijn mannen hadden gevochten als vrouwen. Hij wist dat ze nooit in staat zouden zijn de joden te laten vertrekken. Toch werden de verhalen over de heldenmoed bij de aanval op Sjemesj iedere dag wilder. Om hun minachting voor de minderwaardige joden te bewijzen, verlieten iedere dag mannen het koffiehuis en klommen naar een hoge plek met uitzicht over het joodse terrein en schoten daar op een veilige afstand van verscheidene honderden meters een paar rondjes af. Hoewel ze buiten schot bleven en nooit iets raakten, gaf het stof te over voor de dagelijkse conversatie.

Ibrahim zat in zorgelijk gepeins verzonken toen het tot hem doordrong dat de joden met succes een nederzetting van Sjemesj zouden gaan maken. Hij zag door de Turkse veldkijker hoe ze bezig waren het moeras aan te pakken. Binnen een week waren, als nieuwe begrenzing, stenen muren gebouwd en deze werden verankerd door hogere wachttorens. Een generator zorgde niet alleen voor ver verspreid licht zodat ze bij donker konden werken, ook maakte dit een volgende aanval zo goed als onmogelijk.

Het rumoer van het bouwen hield nooit op. Het oorspronkelijke tentenkamp werd vervangen door een gemeenschapsgebouw van steen. Er verscheen een hospitaaltent. Hij telde het aantal joden dat malaria kreeg. Soms was de helft ziek. Dat weerhield ze niet met het werk door te gaan. Groepen andere joden kwamen meermalen per week om met allerlei voorzieningen met het werk te helpen.

Het joodse gebied bestond hoofdzakelijk uit een paar duizend dunams ondergelopen land en moeras, een ongezonde plek vol slangen, muskieten en ander glibberig ontuig. Ibrahim vroeg zich af hoe iemand daar iets zou kunnen laten groeien. Het werk omvatte het graven van twee grote kanalen op plekken waar het land helde in de richting van de kust. Deze kanalen werden aan weerszijden van het moeras gegraven en vervolgens afgedamd. Een wirwar van kleinere geulen die in de grote kanalen uitkwamen, volgde.

Het andere gedeelte van het joodse land was een heuvel die zich uitstrekte tot de olijfgaarden van Tabah. Het land was overdekt met oude verwaarloosde terrassen, van de soort die de Hebreeërs duizenden jaren geleden aangelegd hadden. Het leek op een miniatuur van de machtige terrassen in de Bab el Wad en van die volgens bijbelse reputatie in Judea.

Stenen waren altijd waardevolle voorwerpen op het land. De joden verzamelden ze en brachten ze met ossewagens naar de voet van de terrassering. Vandaar werden ze in de handen gedragen, zo ongeveer als de Hebreeuwse slaven het bij het bouwen van de Egyptische piramides gedaan hadden. Ze werden naar plaatsen gebracht waar over-

stromingen, aardschokken en natuurlijke erosie de terrasmuren vernield hadden. Na restauratie begon het op de treden van een enorme
trap te lijken. Iedere trede hield een smalle reep aarde tegen, groot
genoeg voor het planten van een boomgaard, wijnstokken, of zelfs
graan. De nieuwe muren waren bedoeld om de bovenste grondlaag
niet weg te laten spoelen en om terrein te benutten dat anders waardeloos was. De grond rond Tabah was ook geterrasseerd maar die terrassen waren grotendeels al tientallen jaren kapot en eigenlijk nooit
hersteld.

De joden brachten onbekende bomen en Ibrahim liet Faroek komen om ze te tellen. Faroek zei dat het er honderden waren en vervolgens duizenden. Hij raakte van streek zodat hij besloot dat het er miljoenen waren en misschien wel miljarden.

'Wat denken ze met die bomen te kunnen doen?' mompelde Ibrahim. 'Het moeras leeg drinken?'

'Ze zeggen dat het in het dal van Jizreël gebeurd is,' antwoordde
Faroek.

'Ze kunnen niet veranderen wat Allah gewild heeft. Het kan nooit
goed gaan. Ze zijn gek.'

'Op de markt in Ramla heb ik gehoord, dat de bomen helemaal uit
Australië gekomen zijn,' zei Faroek, 'en dat ze altijd dorstig zijn.'

'Australië? Wonen daar geen wilden?'

'Ik weet het niet.'

'Waar ligt Australië?'

'Ergens voorbij Indië. Zover naar het oosten als de wereld gaat
voordat hij weer west wordt.'

'Ik begrijp het niet,' zei Ibrahim. 'Geloven ze heus dat die bomen
hier zullen groeien? Kijk om je heen, Faroek. Zie jij hier ergens in dit
dal andere bomen dan deze armzalige eik die alleen voor onze be-
schermheilige leeft?'

'Nee,' zei Faroek. Maar Faroek was het altijd met zijn broer eens.

Zes maanden na de komst van de joden vond een verbazingwekkende gebeurtenis plaats. De joden staken de aarden wallen door die
de kanalen van het moeras scheidden. Ibrahim sperde zijn ogen wijd
open toen de aangesloten geulen het vuile water naar de kanalen af-
voerden. Spoedig waren de kanalen overvol en het water stroomde de
heuvel af en voor zijn ogen begon het watervlak van het moeras te
dalen. Binnen enkele dagen kon hij de Australische bomen bijna zien
groeien in het stinkende slib van het moeras. Toen het moeras onder
de hete zon van het dal opdroogde, verscheen de diepzwarte en verbazend rijke bovenlaag. Een groot gedeelte daarvan werd naar boven,

naar de terrassen gebracht terwijl de rest opnieuw naar de greppels gebracht werd en omgeschept om de laatste overblijfselen van het moeras te draineren.

De kanalen waren in een lager gelegen moeras leeggelopen. Ibrahim vroeg zich af waarom ze het water niet naar de zee hadden laten stromen en beval Faroek de zaak uit te zoeken.

'Het is iets volslagen krankzinnigs,' zei Faroek toen hij het antwoord gehoord had. 'Ze laten het zo liggen als rustplaats voor trekvogels.'

Het maakte Ibrahim razend dat de joden iedere avond zongen en dansten. Het maakte hem woedend dat ze in staat waren te zingen en te dansen na alle energie die ze in het dagelijkse werk verbruikt hadden. Als hij het met het trage tempo en de lethargie van Tabah vergeleek, realiseerde hij zich dat twee elkaar vreemde werelden zouden botsen. Wat de joden gedaan hadden, had de dorpelingen zwaar ontmoedigd.

'We zullen nooit wraak kunnen nemen,' jammerde Faroek op een dag.

'We zullen wraak nemen,' antwoordde Ibrahim woedend. 'De joden kunnen al hun streken uithalen. Zij hebben eindeloos veel geld. Wij hebben niets. Ze kunnen zich 's nachts achter hun borstwering verborgen houden omdat ze lafaards zijn. Maar er komt een tijd dat ze uit hun schuilplaats te voorschijn moeten komen om hun gewas te planten en het gewas moet geoogst worden. Dan zullen ze de code van de bedoeïenen leren kennen. Wachten... geduld verzet bergen.'

De grootste zorgen maakte Ibrahim zich over de angstaanjagende vorm die de landaankoop van de joden aannam. In het begin werd moeras- en afgespoelde grond aan de joden overgedaan. In het begin was daar geen bezwaar tegen, want geen sjeik, moektar of boer geloofde in de mogelijkheid die grond te kunnen bewerken. Vandaag of morgen zouden de joden het wel opgeven en verdwijnen. Het gebeurde niet.

Overal in de buurt werd door rentmeesters van afwezige landeigenaren hele Arabische dorpen aangezegd de huizen en velden te ontruimen. Sommige dorpen bestonden al sinds mensenheugenis, sinds eeuwen zelfs. De boeren kregen een paar weken de tijd om in te pakken en te verdwijnen. Sommigen vertrokken rustig, anderen onder druk. Ze vertrokken zonder te weten waarheen en zonder vooruitzichten. Zelfs de kans op een minimum bestaan was hun door de Arabische broeders ontnomen. Nadat de streek verlaten was, werd het land binnen een paar maanden zonder uitzondering tegen schandelijk hoge prijzen aan het joodse Landfonds verkocht. Grondprijzen beleefden een hoogconjunctuur, omdat de op geld beluste eigenaren onverwachts die goudmijn ontdekt hadden. Het was heel eenvoudig om te berekenen dat een dunam land aan de joden verkocht meer profijt zou opbrengen dan vijftig jaar halfbouw door een pachtboer.

Ibrahim wachtte in toenemende spanning af terwijl zijn eigen landeigenaar, Fawzi Kabir, het ene perceel in het dal van Ajalon na het andere verkocht, totdat alleen Tabah en een paar dorpjes rondom nog over waren.

Plotseling hield de verkoop op. Tabah bleef gespaard. Ibrahim vroeg zich af waarom. De akkers van Tabah waren de vruchtbaarste in het dal en zouden zeker een vorstelijke prijs opbrengen. Fawzi Kabir wachtte niet vanwege begrip voor de gevoelens van zijn geloofsgenoten.

Ibrahim piekerde hierover zoals hij nog nooit in zijn leven gepiekerd had. Langzaam begon de reden tot hem door te dringen. Kabir lag voortdurend overhoop met andere grote Palestijnse families over het beheer van het land, financieel en politiek. Tabah lag in een uitmuntende strategische positie. Iedere overname van de macht door een van de dominante Arabische families zou het consolideren van Jeruzalem met de Arabische hoofdsteden Ramla en Lydda noodzakelijk maken. Tabah hield deze ambitie tegen. Om de heerschappij over Palestina te krijgen zou men het met Fawzi Kabir persoonlijk eens moeten worden.

Op zekere dag ging Faroek de heuvel op om zijn broer eraan te herinneren dat Fawzi Kabir spoedig zijn jaarlijkse reis naar Jaffa zou maken om de pachtgelden te innen. Faroek verheugde zich op dit reisje als het hoogtepunt van het jaar, want het betekende een week bij de vleespotten van Jaffa.

'Ga naar Jaffa,' zei Ibrahim tegen zijn broer, 'en spreek met Kabir. Zeg hem dat als hij zijn geld wil innen, hij naar Tabah moet komen.'

'Je zegt tegen de berg, dat hij naar Mohammed moet komen! Hij zal al het land onder ons verkopen, als hij ons niet eerst allemaal laat vermoorden.'

Ibrahim glimlachte. 'Hij zal komen,' zei hij.

7

Fawzi Kabir was een van de laatste Ottomanen die nog de Turkse titel effendi droeg. Gedurende meer dan een eeuw waren de Kabirs een van de machtigste families in het Palestijnse land geweest. Hun trouwe dienst aan de sultans in Instanbul was rijkelijk beloond. De Kabirclan had meer dan een miljoen dunams land cadeau gekregen, of zich op een andere manier verworven, in verschillende blokken, van Gaza in het zuiden tot de Bekaa-vallei van Libanon.

De Kabirs hadden Damascus tot administratief centrum gemaakt; hun verblijfplaats en hoofdkwartier sinds het begin van de eeuw. In Damascus was altijd plaats voor nog een Kabir in een lucratieve regeringsbaan en zoons, neven en andere bloedverwanten werden altijd opgenomen in de staf. Toen de Turken uit de streek verdreven waren, nam het fortuin van de Kabirs af.

De Fransen waren nu in Damascus en met hen kon onderhandeld worden. Zij stonden bekend om hun handige manier van gunsten geven en krijgen en wisten wat er omging in de wereld. Terwijl het de Kabirs onder Franse heerschappij in Syrië en Libanon goed bleef gaan, was het in Palestina anders gesteld. Britse ambtenaren bleven over het algemeen eerlijk en lieten zich niet omkopen.

Sinds de Britten het mandaat onder controle hielden, had Fawzi Kabir van zijn dorpelingen verzoekschriften gekregen voor dingen als betere wegen, scholen en nieuwe landbouwmethoden. Een paar christelijke Arabische dorpen vroegen om klinieken en een had de brutaliteit om naar elektriciteit te informeren.

Kabir had onder de Turken vrijwel geen belasting betaald en de Turken hadden op hun beurt vrijwel geen hand uitgestoken voor de boeren die als het ware op de rand van de afgrond leefden.

Kabir had ook in Palestina politieke moeilijkheden. Zijn aartsrivaal voor de machtspositie, hadji Amin al Hoesseini, die gevlucht was om een gevangenisstraf van vijftien jaar te ontlopen, kwam terug. De Britten schrapten niet alleen zijn straf, maar benoemden hem tot moefti van Jeruzalem, de hoogste islamitische positie in het Britse Mandaat.

Nog een andere politieke vijand dook op in de vorm van Abdullah, die door de Britten van het Arabische Schiereiland gehaald en tot emir uitgeroepen werd van de onlangs opgerichte staat Transjordanië. Abdullah koesterde ambities om Palestina bij zijn koninkrijk te voegen.

Nu de inkomsten van de landbouw steeds minder werden, de Britten belasting eisten, de dorpelingen om wegen en scholen vroegen en hij gevaarlijke politieke vijanden gekregen had, meende Fawzi Kabir zijn zaken nog eens nauwkeuriger te moeten bestuderen.

De joden konden zijn positie in Palestina redden. Na de wereldoorlog was de immigratie van de joden indrukwekkend toegenomen en joden over de hele wereld steunden de kolonisten met enorme investeringen en schenkingen.

Onder de Turken had verpachten goed geld opgeleverd. Onder de Britten liep de opbrengst hard achteruit. Fawzi Kabir verkocht al zijn grond in Palestina, behalve zijn sinaasappelboomgaardjes in Jaffa en enige hectaren in het dal van Ajalon, die van strategisch belang waren.

De joden ontwikkelden het land in een verbazend tempo en er waren investeringsmogelijkheden in overvloed. Tienduizenden Arabieren begonnen van overal rond Syrië Palestina binnen te trekken toen er werk beschikbaar kwam en de eeuwenoude stilstand en stagnatie veranderden. De meerderheid van de Palestijnse Arabische bevolking immigreerde achter de joodse immigranten aan.

Fawzi Kabir ging zijn geld in plaats van in land, beleggen in ondernemingen als het nieuwe havenproject in Haifa waar sprake was van een eindpunt van een nieuwe oliepijpleiding uit Irak en een raffinaderij. Hij investeerde met een paar Egyptenaren in de bouw van een groot, nieuw hotel, het King David Hotel, waar de rijken en beroemden te gast zouden zijn op hun pelgrimstochten. In de uitsluitend joodse stad Tel Aviv nam hij deel in een bank met een Hebreeuwse naam. Aangezien hij Arabier was, moesten zijn investeringen zowel voor de Arabieren als voor de joden geheim blijven.

Ieder jaar als Fawzi Kabir op zijn voorjaarsreis per trein uit Damaskus vertrok om zijn pachters te bezoeken en de pacht te innen, werden drie privé-wagons achter de gewone trein gekoppeld. In de eerste wagen zat zijn naaste familie, een of twee van zijn vrouwen en verscheidene favoriete kinderen. In de andere reisden zijn staf, lijfwachten, en een paar mannelijke en vrouwelijke geliefden. De route bracht hem naar de stad Zahle in de Bekaa-vallei in Libanon, waar de boeren van zesentwintig dorpen het verschuldigde betaalden. De trein vervolgde zijn tocht naar Beiroet, dat in snel tempo bezig was een voornaam handels- en bankcentrum te worden onder de Fransen; daar was hij bij talloze nieuwe ondernemingen betrokken.

Ze vervolgden de reis naar Haifa met zijn talrijke Arabische bevolking. De graanschuren, de haven, de pijpleiding en zijn eigendommen in de stad hadden daar zijn belangstelling. Zijn landerijen in Galilea betaalden hun pacht in Haifa.

De trein reed langs de Middellandse Zee naar Jaffa, waar de effendi de pacht inde van zijn dorpen in het dal van Ajalon, en vervolgens naar Gaza, het meest lucratieve van al zijn landbouwondernemingen: twintigduizend dunams sinaasappelboomgaarden.

Het einde van de reis in Port Said viel samen met de aankomst van een passagiersschip uit het Suezkanaal. Van hier vervolgde het gezelschap per schip de reis naar een zomerpaleis in Spanje. Zolang het grondbezit de voornaamste bron van inkomsten was geweest, bleef dit jaarlijkse vertoon van praal en macht noodzakelijk. Boeren mochten door middel van verzoekschriften klachten indienen, waaraan nauwelijks enige aandacht besteed werd.

Kabir was blij dat zijn grondbezit in Palestina geslonken was tot het dal van Ajalon en Gaza. Hij vond de reis vermoeiend. Dit jaar, 1924, zou de laatste keer zijn dat hij met zoveel omslag op reis ging.

Toen de trein van de effendi Jaffa binnenreed en het hele gevolg voor een verblijf van een week naar een villa ging, hoorde Kabir van een doodsbange Faroek Soukori dat zijn broer Ibrahim weigerde met het geld naar de stad te komen en dat hij zelf naar Tabah moest gaan om het te innen. Onder de Turken zou dit zelfmoord betekend hebben, maar ja, in de wereld van vandaag lagen de zaken anders.

Een konvooi van drie Duesenbergs boog van de straatweg af en reed stotend en hobbelend de landweg vol kuilen en gaten op naar het dorpsplein. Voor de gelegenheid had Ibrahim op de heuvel de grote bedoeïenentent opgezet, die in het graf van de heilige bewaard werd en alleen voor zeer speciale gelegenheden te voorschijn gehaald werd. Een rij mannen liep met begroetingen en klachten langs Ibrahim en de sjeiks en moektars begonnen een drie uren durend ritueel feest. Ibrahim en Kabir toonden in tegenwoordigheid van de anderen alleen maar warmte en broederschap. De effendi had begrepen dat de jonge leider in ieders ogen belangrijk was.

Tenslotte trokken ze zich samen terug in het huis van Ibrahim. Ibrahim had voor de gelegenheid twee fauteuils gekocht en terwijl ze over zaken spraken bewogen Kabirs korte dikke vingers zich onophoudelijk van de fruitschaal naar zijn mond. Het eten van druiven en pruimen werd alleen onderbroken door conversatie, nu en dan eens boeren en soms een pauze om de vingers af te likken.

'Goed, Ibrahim. Ik ben naar Tabah gekomen. Ik heb in je tent gegeten. Laten we er nu niet langer doekjes om winden. Wat is de reden van deze gevaarlijke eis hierheen te komen?'

'Het is duidelijk dat mijn volk doodsbang is voor de verkoop van het land. Uw komst naar het dorp was de enige manier om hen gerust te stellen.'

'Om je de waarheid te zeggen was ik verbaasd dat je in staat bleek je tot moektar te laten kiezen,' zei Kabir. 'Even heb ik gedacht dat de eenheid van de Soukori verbroken was. Als dat zo zijn zou,' hij haalde zijn schouders op, 'zou ik met een half dozijn leuterende sjeiks te maken hebben gehad. Misschien zou ik Tabah dan wel verkocht hebben. De band tussen de Soukori-clan en mijn familie is altijd hecht geweest.'

'Nooit een band in de werkelijke zin van het woord,' zei Ibrahim glimlachend.

'Een welgezindheid dan.'

'Ik wist dat je, als je naar Tabah zou komen, tot het uiterste zou gaan om Tabah te behouden... als een barrière om je investeringen te beschermen. Als van mij verwacht wordt deze straatweg voor je open te houden moet een echt verbond tussen ons gesloten worden. We hebben een gemeenschappelijke vijand, de moefti van Jeruzalem. Al sinds jaren hebben de Hoesseinis de Wahhabieten als slaven behandeld en ons op alle mogelijke manieren vernederd.'

'Je bent een heel schrandere jongeman, Ibrahim.'

'Zoals de bedoeïenen zouden zeggen, de vijand van mijn vijand is mijn vriend.'

'Ik zal dan maar precies zeggen waar het op neerkomt,' zei Kabir. 'Je aanval op de Sjemesj-kibboets leek naar niets. Ik vraag me af hoe je de moefti denkt aan te pakken.'

'Mijn mensen zijn arme boeren. Geen soldaten. Maar het zou niet onmogelijk voor mij zijn vijftien of twintig mannen te huren die onder de Turken of Britten soldaat waren geweest. We hebben voldoende land voor een kampement en ik kan je van hun loyaliteit verzekeren door Wahhabieten boven hen te stellen.'

De effendi hield op met eten, veegde zijn vingers schoon aan een zakdoek, haalde potlood en papier uit zijn zak en ging zitten rekenen. 'Financieel haalt het niets uit. Iedere lira die ik uit Tabah haal, zal in zo'n wachtpost gestoken moeten worden.'

'Misschien kunnen we iets bedenken,' zei Ibrahim.

'Ik ben ervan overtuigd dat je een plan hebt.'

'Laten we zeggen dat de achthonderd dunams, die ik nu samen met u beheer, aan mij gegeven worden.'

'Je bent een beetje een dief, Ibrahim.'

'Verder zijn er nog zo'n vijf à zeshonderd dunams moeras die nu waardeloos zijn. Die wil ik ook hebben.'

'Je hebt de joden bestudeerd.'

'Ik wil niets van de joden, behalve hun Australische bomen.'

Kabir hees zich moeizaam uit de diepe stoel omhoog.

'De prijs is te hoog,' zei hij.

'Denk er eens over na,' zei Ibrahim. 'Ik zal geen verbond met de joden sluiten, maar zij zijn ook de aartsvijanden van de moefti. Met de joden aan de ene kant van de straatweg en met Tabah aan de andere kant met een uitstekende wachtpost... Denk er eens over... hoe belangrijk is het voor je om de moefti in Jeruzalem opgesloten te houden zodat hij niet naar Lydda en Ramla kan komen?'

Kabir boog zich voorover en viste de laatste druiven uit de schaal. 'Onmogelijk,' zei hij en liep naar de deur. Hij bleef staan en draaide zich om. Toen bedacht hij zich. Als je iets van een hond gedaan wilt krijgen, moet je beginnen hem meester te noemen.

'Akkoord!' zei Kabir plotseling. 'Op één voorwaarde. Die wachtpost, die je gaat vormen. Niemand, ook de dorpelingen niet, mag moeilijkheden met de joden maken. De joden zijn dan wel niet onze bondgenoten, maar onze belangen zijn hetzelfde. Beter de joden dan de moefti.'

'Maar ik sluit geen vriendschap met hen,' zei Ibrahim beslist.

'Wie is een vriend? Wie is een vijand? Wie is een bondgenoot?' Kabir haalde zijn schouders op. 'Het wordt erg ingewikkeld. Maar zo is onze aard. Jij en ik begrijpen elkaar, Ibrahim.'

'Het zou een goed idee zijn,' zei Ibrahim, 'wanneer we gearmd mijn huis verlaten als we naar het dorpsplein gaan, als broeders. Dat zal indruk maken.'

Fawzi Kabir glimlachte. Het vel was hem over de oren gehaald door een ongeletterd man met bedoeïenen als voorouders, maar hij zou in Tabah een heel sterke vestiging achterlaten, een goede beveiliging voor de vele miljoenen ponden die hij in Palestina geïnvesteerd had. Hij opende de deur en gaf Ibrahim een kneep in zijn wang. 'Onthoud één ding. Ontbied me nooit meer bij je.'

8

1925

Het leven van Ibrahim veranderde drastisch na het bezoek van de effendi Kabir. De nog aanwezige boeren in het dal van Ajalon wisten nu dat Ibrahim hun beschermer was. Hij had een machtig man naar zich toe laten komen, een moedige en vernederende bejegening van zo'n machtige persoonlijkheid. Het verhaal verspreidde zich als de woestijnwinden hoe Ibrahim de effendi overtuigd had dat Tabah behouden moest worden.

Dit was een buitenkansje voor Ibrahim, die geen belasting meer hoefde te betalen en eigenaar van zijn land geworden was. Ja, Ibrahim had zijn eigen zaken goed geregeld en dat verdiende hij ook voor wat hij gepresteerd had. Als bekroning van zijn succes baarde Hagar hem een zoon, Kamal.

Het meest gezaghebbende en duidelijkste symbool van macht waarnaar elke Arabier verlangde had hij nu verworven, een eigen lijfwacht van een twaalftal door de wol geverfde vechters. Zijn sjeiks en moektars waren nu veel minder geneigd hem met kleinigheden lastig te vallen. Zijn domein omvatte nu meer dan tweehonderd families, tezamen vijftienhonderd mensen. Hij had onvoorwaardelijk gezag en was hoofd van de stam in de volle betekenis.

In de herfst van 1925, na de oogst, kondigde Ibrahim aan dat hij een pelgrimstocht naar Mekka ging maken. Hij werd de eerste landbouwer in het dal die de tocht ondernam. Bij zijn terugkeer veranderde hij zijn naam voor het laatst en nam de definitieve titel van hadji aan, want hij was in Mekka geweest.

Dit alles maakte hem toch niet volledig gelukkig. Hij bleef urenlang op de heuvel zitten mokken over de joden van Sjemesj en de andere joodse nederzettingen in de omgeving. De stemming bleef kil tussen Tabah en Sjemesj, terwijl Faroek zich met allerlei problemen die zich voordeden bezig moest houden. Binnen een paar jaren haalden de joden de ene oogst na de andere binnen en het moeras verdween vrijwel geheel.

Ibrahim had beloofd de joden te pakken te nemen zodra het tijd was om te oogsten, maar hij hield zijn woord niet. Het kwam niet alleen door de beperkingen die de effendi Kabir hem had opgelegd, maar ook door de wetenschap dat hij zelfs met zijn eigen 'militie' geen kans had de joden weg te krijgen. In Sjemesj en in iedere andere kibboets in het dal van Ajalon, had de Haganah onder Gideon Asch een complete strijdmacht georganiseerd ter verdediging. Het gerucht ging zelfs dat de joden in clandestiene werkplaatsen binnen de kibboets hun eigen wapens vervaardigden. Tegen het voorjaar van 1927 begonnen de joden een grote kippenfokkerij die de hele nacht verlicht bleef om de eierproduktie op te voeren. Later in het jaar breidden ze hun veefokkerij en melkproduktie uit voor de afzet in steden als Tel Aviv en Jeruzalem.

Hoewel Ibrahim het verboden had bleef er toch enig contact bestaan tussen zijn boeren en de joodse boeren. Dit was vooral het geval langs de enige honderden meters lange grenslijn tussen de Arabische en joodse landerijen. Hoewel de joden een afrastering van cactus en doornige jujube aangeplant hadden, bleef het mogelijk hier en daar er doorheen te dringen en een paar kippen of vruchten van de terrassen te stelen.

Zo nu en dan praatten de joden en de boeren met elkaar en soms verhandelden ze zelfs het een en ander. Deze betrekkelijk vredige toestand explodeerde tijdens de late oogst in 1927.

Een inwoner van Tabah, Hani genaamd, was op de Sjemesj terrassen doorgedrongen tijdens de druivenpluk en wachtte tot de laatste joden naar de kibboets teruggekeerd waren, waarna hij voor zichzelf ging oogsten.

Hani werd gezien door een vrouw van de kibboets, maar voordat ze om hulp kon roepen, greep hij haar vast, gooide haar op de grond en sloeg haar in paniek hard op het hoofd. Toen hij haar zo op de grond zag liggen, gewond en met haar benen gespreid, greep de lust hem aan. Hij rukte haar kleren af en probeerde haar te verkrachten. Ze wist hem van zich af te slaan door te schreeuwen, te bijten en te schoppen voordat ze bewusteloos werd, maar ze was ernstig gewond, en had een gebroken neus en een aantal uitgeslagen tanden. Wat de zaak nog erger maakte was het feit dat de vrouw zwanger was.

Binnen enkele uren was Hani naar het zuiden gevlucht, naar de veilige haven van zijn bedoeïenen-neven, terwijl het dorp zich gereedmaakte voor een represailleaanval. Geen aanval kwam, maar wel de Britse politie. Hoewel de dorpelingen hun lippen op elkaar hielden, was Hani's naam al bekend bij de politie. De Britten gingen met lege handen weg, maar de spanning nam toe toen de activiteiten van de kibboets ophielden en de stilte van de straatweg onheilspellend werd.

De schokkende ervaring voor Ibrahim was het besef dat iemand in Tabah Hani aan de joden verraden had. Verklikkers waren in hun levensomstandigheden onmisbaar, want de stammen en clans moesten elkaar in het oog houden, maar tot op dit ogenblik had Ibrahim zich niet gerealiseerd dat de joden zijn eigen volk ook in dienst zouden kunnen nemen.

Ibrahim liep de hele nacht op de heuvel heen en weer en had zijn eigen legertje in slagorde opgesteld. Hij was onthutst. Hani zat veilig tussen de Wahhabieten. De Britten zouden hem nooit vinden. Lag het niet voor de hand dat de joden op wraak uit waren? Waarom vielen ze niet aan? Een paar uur na zonsopgang kreeg hij het antwoord. Een troep schreeuwende dorpelingen met Faroek en Hagar voorop kwam naar hem toe.

'De put is droog!'

Ibrahims mond werd ook droog.

'We hebben geen water!'

'We zullen doodgaan!'

'Red ons, hadji Ibrahim!'

'Houd op met schreeuwen als een stelletje vrouwen en zadel mijn paard!' beval Ibrahim en hij schreeuwde de namen van twee van zijn lijfwachten om hem te vergezellen. Enige minuten later stopte hij voor de wachtpost van de hoofdingang van de kibboets. Eén ongewapende man kwam naar buiten.

'Ik eis je moektar te spreken!' schreeuwde Ibrahim.

De man riep een tweede man erbij en ze overlegden. 'We hebben geen moektar,' zei de tweede in gebrekkig Arabisch. 'Bind je paarden vast en wacht.'

Na een ogenblik kwam hij terug met een stoere, stevige, maar niet onaantrekkelijke vrouw. Ibrahim en zijn lijfwacht keken elkaar verbluft aan.

'Ik ben Ruth, de secretaresse van Sjemesj,' zei ze in afschuwelijk Arabisch. 'Wat wenst u?'

'Dit is onmogelijk! Je bent een vrouw! Ik kan niet met een vrouw onderhandelen! Ik ben Ibrahim, de moektar van Tabah!'

'Komt u misschien om het meisje te zien dat mishandeld is?' vroeg Ruth.

'Ik eis een gesprek met Gideon Asch!'

De drie joden spraken met elkaar. 'Gideon zei dat u misschien zou komen en naar hem zou vragen. Laat uw wapens bij Sjlomo. U krijgt ze terug als u weggaat,' zei de vrouw. Ibrahim gromde gefrustreerd, gaf zijn geweer aan de bewaker en zei zijn lijfwacht hetzelfde te doen.

'Sjlomo,' zei Ruth op bevelende toon, 'kijk of ze messen of pistolen bij zich hebben.'

Ibrahim bleef grommen, strekte vervolgens zijn armen uit en liet toe dat hij en zijn mannen op wapens onderzocht werden.

'Ze hebben niets bij zich,' zei Sjlomo.

De vrouw knikte autoritair en Sjlomo opende de poort. 'U mag naar binnen met de paarden,' zei Ruth. 'Weet u waar het beekje naar de kleine waterval loopt?'

'Dat weet ik.'

'Gideon wacht daar op jullie.'

Op een zeer aangename plek, waar het beekje van zo'n drie meter in een kleine poel viel en van daar verder naar beneden stroomde, lag Gideon gemakkelijk en languit in de schaduw van een eucalyptus. Hij stond op toen hij het geluid van de hoeven hoorde en zag hoe de drie ruiters op hem toe kwamen stuiven. Ibrahim sprong van zijn paard en schudde hijgend zijn vuist tegen hem. 'Ik waarschuw je! Ik heb twee-duizend gewapende manschappen in het dal en ook nog tienduizend Wahhabieten die mij zullen bijstaan. Als onze put niet vol is tegen de tijd dat de zon hoog staat zal dit dal doorweekt zijn van joods bloed.'

'Hallo, Ibrahim,' zei Gideon. 'Het is een jaar geleden dat je mij de gastvrijheid van je dorp verleende. Ik moet zeggen dat het een in-drukwekkend leger is dat je hebt, maar je krijgt geen water. Dat hoort aan ons.'

'Je bent een joodse leugenaar en ik schijt op je baard!'

'Je grote weldoener, Fawzi effendi Kabir heeft ons het waterrecht tot de beek van Ajalon verkocht toen hij ons zijn moeras aansmeerde. Tabah zal toch altijd voldoende water hebben zolang je je behoorlijk gedraagt.'

'Leugenaar! Je zal sterven voordat iemand anders sterft.'

'Stijg op je prachtige paard en rijd naar Lydda, hadji Ibrahim. Het staat allemaal geregistreerd bij het kadaster.'

Ibrahim was stomverbaasd en diep geschokt. Gewoonlijk zette hij het op een schreeuwen en vloeken als hij overstuur was. Hij zocht gejaagd naar woorden om zijn schrik te verbergen. Hij wist dat als de joden werkelijk de waterrechten bezaten, hij Hani zou moeten uitle-veren, de zogenaamde verkrachter, om de dorpsput gevuld te krijgen.

Gideon gaf plotseling een kort bevel aan Ibrahims lijfwacht om te verdwijnen. Ze schrokken zo dat ze hun paarden lieten keren. 'Jij ver-dwijnt ook,' zei Gideon, 'ons gesprek is beëindigd.'

De jood had hem in de val laten lopen. Hij had geen keus. Hij be-heerste zijn woede want hij wist dat het volgende moment kritiek kon zijn. Hij wist bovendien dat Gideon niet van het soort was dat zich liet overdonderen en in zo'n geval moest een andere koers gevolgd wor-den. Met een handbeweging en een paar woorden beval hij de man-nen te vertrekken.

'Ga zitten,' zei Gideon, op een paar platte rotsblokken wijzend. 'Ik kom hier vaak, net als jij op je heuvel. We hebben veel te bespreken. Kan ik je een genoegen doen met een beetje wijn?'

Ibrahim keek om zich heen alsof hij bespioneerd werd. Als moslem was het hem verboden te drinken. 'Laten we eerst praten,' zei hij.

Gideon ging op een van de rotsblokken zitten.' Hij die één dag ou-der is dan jij is één dag schranderder. De effendi Kabir heeft je oneer-lijk behandeld,' zei de jood.

Ibrahim bedwong de neiging Gideon te berispen, want men staat geen jood toe iets slechts te zeggen van een broeder moslem. In zijn binnenste wist hij dat Kabir hem bedrogen had door de waterrechten aan de joden te verkopen. Hij had het gedaan om Tabah te dwingen tegen de moefti van Jeruzalem te vechten. Hoe moest hij hier uitkomen? Zouden de joden barmhartigheid tonen? Voordat ik hem als avondmaaltijd laat toebereiden zou hij mij wel eens als lunch kunnen opeten, dacht Ibrahim.

'Ik wil Hani,' zei Gideon.

'Hij was op zijn eigen akkers toen hij door een dozijn van jouw mannen aangevallen werd,' verkondigde Ibrahim automatisch.

Gideon glimlachte ontwapenend, dezelfde minachtende glimlach die hij drie jaar geleden had getoond. 'Als dat het geval is moet het recht zijn loop hebben. Hij zal een eerlijk verhoor krijgen.'

'Nee. De hele geschiedenis is een bedenksel om een excuus te hebben ons water af te snijden.'

'Je hebt twee keuzen,' zei Gideon, Ibrahims litanie negerend. 'Ik weet dat Hani zich tussen de Wahhabieten verbergt. Ik heb ogen en oren in je eigen dorp. Ik heb ook ogen en oren tussen de Wahhabieten. Ik heb veertig dagen en nachten gegeten in de tent van sjeik Azziz. We zijn broeders. Een van beide, Hani wordt teruggebracht en berecht of mijn vrienden onder de Wahhabieten zullen er voor zorgen dat hij aan de woestijn gevoerd wordt.'

Ibrahim werd snel door de jood in een zwakke positie gemanoeuvreerd. Hij wist dat Gideon wist dat hij nooit kon toestemmen Hani te laten berechten. Ibrahim zou zijn gezicht verliezen voor zijn volk. Het zou veel beter zijn Gideons bedoeïenenvrienden het zaakje op te laten knappen. Dan zouden hij en Gideon een geheim delen. Hij zou de jood een gunst verschuldigd zijn. Met de joden als eigenaars van zijn water, zou hij dubbel in de schuld bij hen staan. Je kunt langs een vijand lopen als je honger hebt, maar niet als je naakt bent...

'Hani kan doodvallen,' zei Ibrahim. 'Laat de gieren zijn botten maar schoon pikken.'

'De Wahhabieten krijgen vanavond de boodschap,' zei Gideon.

'Niemand mag het weten,' zei Ibrahim.

'De woestijn verbergt alles,' antwoordde Gideon.

'Je kan geen misbruik van ons maken omdat Kabir ons bedrogen heeft,' smeekte Ibrahim. 'Wij hebben langer dan duizend jaar in Tabah gewoond.'

Hij telde een eeuw of wat te veel mee.

'Voor je water moet je een prijs betalen,' zei Gideon met overtuiging.

'Maar we zijn heel erg arm.'

'Als ik het goed begrepen heb, ben je zelf tamelijk welgesteld.'

'Ik laat me niet chanteren,' zei Ibrahim, terwijl de moed in zijn schoenen zonk.

'Verdwijn dan maar, tenzij je een manier gevonden hebt om water uit de rotsen te slaan.'

'Wat is je prijs?' fluisterde Ibrahim terwijl de angst zijn keel dicht snoerde.

'Vrede.'

'Vrede?'

'Vrede.'

'Is dat alles?'

'Dat is alles. De leiding die het water naar Tabah voert blijft open zolang jullie uit onze velden blijven, houd op met op ons te schieten en neem nooit meer iemand van mijn volk te pakken.'

Ibrahim vatte snel weer moed. 'Wat geef je me als ik aan je verzoeken voldoe?'

'Alleen water.'

'Ik moet een document hebben om het aan iedereen te kunnen laten zien. Geef me een papier en ik stem toe.'

'We hebben jullie rechten al gelegaliseerd. Ze liggen in het dossier bij het kadaster. Of je water krijgt is afhankelijk van het feit of je je aan je afspraken houdt. Is er iets nog niet begrepen?'

'Ik heb het begrepen,' zei Ibrahim capitulerend. Hij was zo opgelucht dat hij Gideon de hand schudde alsof hem een grote gunst verleend was.

'Hoe weten we of er voldoende water zal zijn? De waterstroom vermindert in de warme maanden en we zien dat jullie een van die enorme watertorens aan het bouwen zijn.'

'We hebben de beek twee jaar opgemeten. Er is voldoende voor de tegenwoordige behoefte. Maar we gaan nieuw bouwland ontginnen en zijn van plan besproeiing van bovenaf te gaan proberen. Onder de terrassen zullen we een dam en een reservoir gaan aanleggen. Na de winterregens zal er voldoende water zijn – voor vreedzame buren – voor deze eeuw.'

Een dam! Een reservoir! Dat waren duizelingwekkende dingen om te overwegen. De joden waren slim!

'Nu je hier toch nog bent... Je schaapherders hebben je zuidelijke omheining afgebroken waar hij aan onze noordelijke velden grenst. Jullie geiten verwoesten alles. Ze graven met hun hoeven naar water en vernietigen onze zwakke planten.'

Ibrahim deed zijn best niet beledigend te zijn... 'Maar die geiten zijn hier al duizenden jaren in leven gebleven.'

56

'De geiten wel, maar het land niet,' zei Gideon. 'Ik heb gezien dat je een moeras drooggelegd hebt en ik meen te weten dat het jouw persoonlijk stuk land is. Als je er werkelijk profijt van wilt hebben stel ik je voor al je geiten weg te doen en eens wat van het vee dat wij hierheen gehaald hebben te proberen...'

Ibrahim stond vastberaden op. 'Begrijp me goed, Gideon Asch. Ik heb een overeenkomst met je gemaakt omdat ik geen keus heb. Wij willen alleen ons deel van het water dat je van ons gestolen hebt. Wij willen je vee, je machines en je medicijnen niet. Je houdt jezelf voor de gek als je denkt dat dit een land van melk en honing is, net als de spionnen van Mozes hem voor de gek gehouden hebben. Kanaän is altijd stof geweest. De oude Hebreeën zijn Kanaän naar Egypte ontvlucht vanwege de droogte.'

'Misschien hebben we iets geleerd in de laatste drieduizend jaar,' zei Gideon, 'en misschien is het tijd dat jullie ook iets beginnen te leren.'

'En misschien zullen jullie leren dat de Profeet wil dat stof altijd stof blijft. Wacht maar tot er voor geen van ons meer water is. Wacht tot de aardbevingen komen. Wacht tot je medicijnen de plagen niet meer kunnen genezen. Wacht tot de zon de rotsen vernietigt. Dat zal jouw energie en moed ook vernietigen.'

'Misschien heeft zelfs Allah een beetje hulp nodig,' antwoordde Gideon. 'Het is tijd dat je ophoudt aan de botten van dode aarde te kluiven.'

'Je bent een dwaas, Gideon Asch.'

'We zullen lange tijd buren zijn, hadji Ibrahim. Ik hoopte dat je iets beters voor je volk wenste.'

'Niet van jou,' antwoordde Ibrahim en klom op zijn paard.

'We moeten contact houden. We moeten zaken als omheiningen en epidemieën met elkaar willen bespreken. Zaken die ons beiden aangaan,' zei Gideon.

'Hoe kan ik dat doen als je een vrouw als moektar kiest?'

'Wij kozen onze leiders. Onze leiders kiezen niet ons,' zei Gideon.

'Het is een zeer slecht systeem dat nooit zal werken,' zei Ibrahim. 'Ik zal wel besprekingen houden, maar alleen met jou en alleen op mijn heuvel.'

'De ene keer op je heuvel. De andere keer hier bij de beek,' antwoordde Gideon.

Toen Ibrahim wegreed vroeg hij zich af waarom hij bozer was op de jood dan op effendi Kabir. Van Kabir kon je dit soort streken verwachten en begrijpen. Maar liefdadigheid van joden? Nooit!

Ibrahim vond bij zijn aankomst een angstige menigte bij het koffie-huis. Hij ging rustig aan zijn tafel buiten de deur zitten en Faroek bracht hem nederig gebukt een kan koffie. Hij schonk de koffie lang-zaam genietend uit en dronk met kleine slokjes terwijl hij de met angst vervulde ogen vóór hem bestudeerde. 'De effendi heeft ons water aan de joden verkocht,' zei hij. De hadji stak zijn hand op voordat de hys-terie kon losbreken. 'Maar ik heb tegen de jood gezegd dat als onze put niet voordat de zon op z'n hoogst stond, gevuld was, vijftig Engel-se oorlogsschepen zijn gat niet zouden kunnen redden.'

'Wat gebeurde er toen?'

'De jood begreep het. Ik gaf hem de keus de haren van zijn baard een voor een of bij handenvol tegelijk uitgetrokken te krijgen.'

'Is het oorlog?'

'Nee. Hij smeekte om vrede. Ik ben genadig geweest!'

'Hadji Ibrahim!' riep iemand achter uit de menigte. 'De put loopt vol water!'

Juichkreten en vrolijk gefluit weerklonken.

'Hadji Ibrahim is groot!'

De vader van Hani drong tot de tafel door. 'Mijn zoon, Ibrahim. Wat gebeurt er met mijn zoon?'

'O ja. Ik heb hem gezegd dat een fijne jongen als Hani zoiets nooit kon doen. Hij is gewoon op familiebezoek. De joden laten de zaak rusten en na verloop van tijd kan Hani weer naar Tabah komen.'

'Moge Allah iedere adem en iedere voetstap van je zegenen, hadji Ibrahim.'

Ibrahim ging na het avondgebed naar de heuvel. Door al de bomen kon hij niet meer in de Sjemesj-kibboets kijken. Vervloekt, maar hij mocht Gideon Asch wel! Als zijn zoon Kamal nu eens net zo opgroei-de als Gideon... dan... dan... zouden ze met z'n beiden heel Palestina kunnen veroveren.

9
Herfst 1929

Hadji Amin al Hoesseini, de moefti van Jeruzalem, besteeg de kan-sel. De moskee stond op het grote plein dat de Tempelberg van Salo-mo en Herodes geweest was. Sinds de islam was het de plaats van de Al Aksa-moskee en de Rotskoepelmoskee geweest waar Mohammed zijn legendarische hemelvaart maakte. Nu bekend als de Haram al

Sharief, Het Edelste Heiligdom, werd het als de derde meest heilige plaats in de hele islamitische wereld beschouwd.

'De misdadige joden willen na een signaal met een ramshoorn op Jom Kippoer de Haram esh Sharif innemen. Ze gaan de Rotskoepelmoskee en deze moskee vernietigen en hun tempel hier weer opbouwen!' schreeuwde de moefti.

'Dood aan de joden!' riep de gemeente.

'Haat tegen de joden is heilig!' riep de moefti.

'Dood aan de joden!' dreunde de gemeenschap.

Ze stroomden naar buiten, zwaaiend met messen en knotsen. Briesend van woede door de preek viel het Arabische gepeupel de joodse wijk van het oude stadsdeel van Jeruzalem daar in de buurt binnen, een wijk bewoond door machteloze Chassidiem. Ze stormden de kleine synagogen binnen, verbrandden de heilige joodse boeken, sloegen de winkeltjes in elkaar, bepisten en bepoepten de thorarollen, rukten aan baarden, sloegen en wurgden en toen het voorbij was, waren dertig joden vermoord.

'De joden hebben Al Aksa vernield!'

Het bericht vlamde over Palestina, van moskee naar moskee, samen met grof vervalste foto's.

'Dood aan de joden!'

In Abrahams stad Hebron, waar jood en moslem gezamenlijk hun erediensten hielden bij de graven van de patriarchen, de begraafplaats van Abraham en vele bijbelse figuren, vermoordde het Arabische gepeupel zevenenzeventig ongewapende mannen, vrouwen en kinderen. Zij werden aan stukken gescheurd want ze konden zich niet verdedigen.

Andere aanvallen volgden toen de Arabieren uit hun moskeeën in Jaffa, Haifa, Beer Tuvia en Hulda stormden, opgehitst door de leugen dat de joden de Haram esh Sharif overnamen.

Van zijn kansel uit en gesteund door de macht en de status van zijn titel als moefti, werd hadji Amin al Hoesseini in de decade van de jaren 1920 een leider van de Arabieren. Hij spreidde zijn tentakels uit tot in iedere hoek van Palestina. Landeigenaar van kolossale bezittingen die op feodale manier beheerd werden, maakte hij al dat land en zijn bewoners tot een armzalig leengoed met wanhopige slaven die zich gemakkelijk in de moskee tot religieuze waanzin lieten ophitsen.

Terwijl het Joodse Agentschap floreerde, hield de moefti het ontstaan van een Arabisch Agentschap tegen, want dat zou hem verplicht hebben samen te werken met concurrerende clans en zijn persoonlijke ambities benadelen. Hierdoor bleef de Arabische gemeenschap met een verarmd en gebrekkig gezondheids- en onderwijssysteem zitten, zonder plannen tot vooruitgang in de toekomst.

In plaats daarvan intrigeerde de moefti. Het Arabische leven was volledig gecentreerd rond de moslem godsdienst. Een Opperste Moslemraad beheerde religieuze fondsen, hield rechtzittingen, regelde de financiën voor de wezen en voor het onderwijs. Hadji Amin al Hoesseini benoemde zichzelf tot voorzitter van de Raad wat hem, behalve zijn titel als moefti, een vaste greep op de Arabische gemeenschap gaf.

Als voorzitter van de Opperste Moslemraad had hij grote fondsen ter beschikking zonder verantwoording te hoeven afleggen. Hij regelde eveneens de aanstelling van predikers, moskeefunctionarissen, leraren en rechters. De macht van de moefti was zo veelomvattend en dominerend geworden dat hij, terecht overigens, het woord 'groot' aan zijn titel toevoegde en zo de grootmoefti van Jeruzalem werd. De rust van de decade werd weloverwogen doorbroken toen hij zijn haveloze vechtjassen uitspeelde om de absolute macht in handen te krijgen.

Hoewel de slachting in de onverdedigde joodse steden groot geweest was, bleef de buit van de moefti maar gering. Hij had geïsoleerde verblijfplaatsen van vrome geleerden en rabbijnen aangevallen en concurrerende Arabische clans. Maar de stropers gingen met een wijde boog om de joodse landbouwnederzettingen heen, want die konden moeilijk aangevallen worden.

De moefti deed een poging in het dal van Ajalon tegen de joodse kibboets die op niets uitliep. Gideon Asch, de aanvoerder van de Haganah, had in het geheim alle mannen en vrouwen, die volgens hun leeftijd konden vechten, getraind. In zijn omgeving bleef het heel rustig tijdens de relletjes van 1929. Een groot deel van de betrekkelijke rust in Ajalon was te danken aan de moektar van Tabah die zijn volk bevolen had zich niet in de 'heilige oorlog' van de moefti te mengen.

Hoewel Sjemesj en Tabah niet samenwerkten of overleg pleegden over verdedigingsaangelegenheden, waren altijd wel besprekingen gaande over dagelijkse zaken en de oorspronkelijke koele verhouding veranderde.

Hadji Ibrahim zette persoonlijk geen voet in de kibboets zelf. Als hij Gideon bezocht reed hij door de poort en door de velden naar hun rendezvous bij de beek. Gideon bezocht hem eveneens op de heuvel, maar kwam nooit bij de moektar thuis.

De twee mannen schenen de tijd samen doorgebracht een welkome afleiding te vinden van hun ambtelijke taken. Hadji Ibrahim was voortdurend ontwapend door de kalmte van de jood die, dacht hij, toch een halve bedoeïen was. Hij had respect voor Gideon. Respect voor de manier waarop hij met een paard omging en Arabisch sprak. Hij respecteerde een eerlijkheid in Gideon, die hij zelf niet kon opbrengen. Wat hij het aangenaamste vond in zijn gesprekken met Gideon was een nieuwe mogelijkheid in zijn leven: met iemand anders over zijn eigen verborgen gedachten spreken. Hadji Ibrahim was een gesloten man van een volk met de traditie nooit over innerlijke gevoelens te spreken. Zijn situatie was bijzonder eenzaam want een moektar mag zijn gedachten nooit aan iemand anders bekend maken. Een vorm van verzwijgen was de leefregel. Algemene uitspraken, zelfs tegen een vriend of familielid, waren altijd gebaseerd op wat verwacht werd dat gezegd zou worden. Niemand sprak over persoonlijke verlangens, geheime ambities of angsten.

Met Gideon was alles anders. Het was niet zozeer het praten met een jood. Het was meer als praten tegen een stromende beek of tegen bladeren van een boom die in de wind fladderen of tegen een dier op het veld. Een zorgeloze manier om de tong een beetje z'n gang te laten gaan zonder op ieder woord te letten. Het was heerlijk. Hij en Gideon konden luidkeels debatteren en elkaar beledigen en zich realiseren dat ze daarom toch niet boos op elkaar behoefden te worden. Als Gideon lang wegbleef, stuurde Ibrahim een boodschapper naar Sjemesj voor een dringende bijeenkomst over een gefingeerde klacht.

De middag verstreek langzaam bij de beek. Hadji Ibrahim nam een slok wijn, zette de fles in het water om te koelen, opende een blik en wikkelde een klein stukje hasjiesj los.

'Een heel klein beetje voor mij,' zei Gideon. 'Ik moet straks nog met bureaucraten debatteren.'

'Waarom houden joden niet van hasjiesj?'

'Dat weet ik niet.'

'We bieden het te koop aan... maar... niemand koopt het. Jij houdt er wel van. Weten ze dat je er van houdt?'

'Eigenlijk niet. Ze willen het tenminste niet geloven. Ze accepteren het feit dat ik een rariteit uit de woestijn ben. Ze tolereren mijn bedoeïenenkant,' zei Gideon.

Gideon nam een lange trek aan de kleine pijp, zei 'ahhh' en ging weer op de grond liggen. 'We zouden trots moeten zijn. Het dal is vredig gebleven tijdens de rellen.'

'Wie had een keus?' zei Ibrahim. 'Jouw hand regelt de toevoer van ons water.'

'Stel dat we die waterovereenkomst niet gehad zouden hebben. Zou je je mensen dan tot ongeregeldheden aangespoord hebben?'

'Tijdens de zomerhitte zijn mijn mensen uitgeput. Ze maken zich zorgen over de herfstoogst. Ze zijn uitgedroogd. Ze zijn prikkelbaar. Ze moeten tot een uitbarsting komen. Het is de islam die hun frustraties richting geeft. Haat is heilig in dit deel van de wereld. Haat is ook eeuwigdurend. Als ze razend worden, ben ik maar een moektar. Ik kan een stroom niet tegenhouden. Weet je, Gideon, dat is de reden waarom jullie jezelf voor de gek houden. Jullie weten niet hoe je ons moet behandelen. Het mag lijken of we gedurende tientallen jaren in vrede met jullie leven, maar in ons hart blijft altijd de hoop op wraak hangen. In onze wereld wordt een geschilpunt nooit bijgelegd. De joden geven ons een speciale reden om de strijd voort te zetten.'

'Moeten we met de Arabieren onderhandelen door net als de Arabieren te denken?' vroeg Gideon peinzend.

'Daar zit 'm de knoop. Je kan niet als een Arabier denken. Jij zelf misschien wel. Maar je volk niet. Ik zal je een voorbeeld geven. In onze waterovereenkomst is een clausule waarom we niet gevraagd hebben. Er staat dat de overeenkomst alleen verbroken kan worden als bewezen zou zijn dat iemand van Tabah een misdaad tegenover jullie begaan heeft.'

'Maar als de mensen van de moefti dat nu eens deden? Zou dat dan de reden moeten zijn om het water af te sluiten? Wij geloven er niet in een heel dorp te straffen voor iets dat men daar niet gedaan heeft.'

'Aha!' zei Ibrahim. 'Dat bewijst dat je zwak bent en dat zal je ondergang zijn. Je bent niet wijs om ons barmhartigheid te tonen terwijl je die nooit terug zal ontvangen.'

'De joden hebben in honderd landen een miljoenmaal om barmhartigheid gevraagd. Hoe zouden ze dat dan anderen die hun daarom vragen kunnen weigeren?'

'Omdat dit geen land van barmhartigheid is. Grootmoedigheid speelt geen rol in onze wereld. Er komt een tijd dat je je spelletje politiek moet leren spelen, verbonden moet sluiten, geheime overeenkomsten, de ene stam tegen de andere moet bewapenen. Je zal langzamerhand steeds meer in onze geest gaan denken. De joden zijn hierheen gekomen en hebben een leefregel vernietigd die wij in de woestijn hebben geleerd. Misschien ziet de bazaar er voor jullie gedesorganiseerd uit, maar voor ons beantwoordt hij aan zijn doel. Misschien maakt de islam een fanatieke indruk op jullie, maar voor ons is hij het middel om de wreedheden van het leven te doorstaan en ons voor te bereiden op een beter leven hierna.'

'Het is niet nodig dat het leven volgens de islam hier op deze aarde zinloos is en dat je hier alleen maar bent met het doel te wachten om te sterven. Zou het misschien zo kunnen zijn, hadji Ibrahim, dat je de islam als een excuus voor je falen gebruikt, een excuus om rustig tirannie te aanvaarden, een excuus om geen zweet en vindingrijkheid te gebruiken om van dit land iets te maken.'

'Kom nou, Gideon. Wat zal er gebeuren als mijn arme volk leert lezen en schrijven? Ze zullen willen bezitten wat onbereikbaar voor hen is. Jullie krijgen al het nodige geld van de joden in de wereld. Wat zal Fawzi Kabir ons geven zonder er zelf beter van te worden? Nee, Gideon, nee. De joden breken een manier van leven af waarop wij ingesteld zijn. Zie je dan niet dat, iedere keer als er een buitenstaander komt, hij gewoonten met zich mee brengt waarmee wij niet overweg kunnen.'

'Daar gaat het juist om, Ibrahim. De islam kan de wereld niet langer op afstand houden. Met de joden hier krijgen jullie een blik op een wereld, die je niet kunt ontlopen.'

Ibrahim schudde zijn hoofd. 'Het heeft altijd moeilijkheden gegeven als buitenstaanders hierheen komen en ons vertellen hoe we moeten leven. Eerst de kruisvaarders, toen de Turken en vervolgens de Britten en de Fransen... iedereen heeft ons verteld dat onze levenswijze niet goed is en dat we die moeten veranderen.'

'Met één ding zit je fout. De joden horen hier. Wij zijn van dezelfde stamvader. Wij zijn beiden zonen van Abraham. Er moet een plaats in het huis van onze vader voor ons zijn. Eén kleine kamer is alles wat wij vragen.'

'Kijk naar de kleur van je ogen, Gideon. Je bent een vreemdeling van een vreemd oord.'

'Er zijn altijd joden en Arabieren in Palestina geweest en ze zullen er altijd zijn. Wij kregen onze blauwe ogen door onze omzwervingen in een vijandige wereld en sommigen van ons moeten thuiskomen.'

'En ons wordt verzocht voor de misdaden die de christenen tegen jullie bedreven te betalen,' zei Ibrahim.

'Te betalen? Het is jouw land niet, Ibrahim. Jullie hebben het al lang in de steek gelaten. Jullie hebben er niet voor gewerkt, niet voor gevochten, of ooit zelfs maar beweerd dat het land van jullie was.'

'Jullie proberen een Palestina te creëren naar jullie eigen opvatting. Jullie duwen ons een wereld binnen die we niet kennen. Wij moeten iets hebben dat we begrijpen, waarmee we kunnen vergelijken. Jullie brengen ons in verwarring, Gideon,' zei Ibrahim.

'Waarom begin je niet eens voorzichtig iets uit te proberen door een paar van jullie kinderen naar onze kliniek te sturen? Het is niet nodig dat ze doodgaan aan de kwalen van hun maag of hun borst of dat ze blind door het leven moeten gaan door trichoom.'

Nu eerst werd Ibrahim boos en hij wilde een eind aan het gesprek maken. 'Het is Allahs wil dat de zwakken onder ons verdwijnen.' Hij liep naar de plek waar zijn paard stond te grazen en greep de teugels. Gideon stond op en zuchtte.

'We hebben een sterke, nieuwe generator in de kibboets –'

'Nee,' viel Ibrahim hem in de rede, 'wij willen jullie elektriciteit niet.'

'Mijn bedoeling was om één lijn aan te leggen naar je koffiehuis. Op die manier zou je een radiotoestel kunnen aansluiten.'

'O, Gideon, je weet hoe je me in verzoeking kan brengen. Een radio... je weet heel goed dat het me in de ogen van mijn volk maar een klein beetje minder dan de Profeet zou maken.'

Een radio. Ibrahim overwoog de mogelijkheid. Gideon was langzaam maar zeker door zijn gunsten een zekere verplichting aan het opbouwen. Natuurlijk zou hij op den duur die gunsten gaan invorderen. Zo werkte dat in de wereld – maar een radio!

'Ik neem je voorstel aan,' zei Ibrahim.

'Nog één ding. Volgende week, na de sabbat, neem ik een vrouw. Kom je dan met je moektars en je sjeiks?' vroeg Gideon.

Ibrahim klom op zijn paard. Hij schudde zijn hoofd. 'Nee, dat is onmogelijk. Mijn mensen zullen mannen en vrouwen samen zien eten, samen zien dansen. Dat is niet goed.'

Ze galoppeerden naast elkaar naar de poort van de kibboets. De schildwacht zag hen komen en opende de poort. Ibrahim reed naar buiten en draaide zich om. 'Ik kom zelf,' riep hij, 'omdat je mijn vriend bent.'

10 *1931*

Een klassieke verplichting van aristocratische of rijke Duitse koopmansfamilies was altijd geweest hun derde of vierde zoon overzee te sturen. Grote, rijke en invloedrijke Duitse nederzettingen bevonden zich overal. De Duitsers lieten zich vooral gelden in Centraal- en Midden-Amerika.

Duitsers hadden altijd een belangrijke rol in dit land gespeeld sinds de kruistochten. In het midden van de negentiende eeuw begonnen de verschillende bevolkingsgroepen in de overvolle Oude Stad van Jeruzalem wijken buiten de muren te vestigen.

De eerste groep waren joden die hun wijk als een palissade bouwden ter verdediging tegen de plunderende bedoeïenen. Aaneengebouwde appartementen vormden een buitenmuur met tralievensters. De toegang was een ijzeren poort die bij zonsondergang gesloten werd. Een synagoge, een school, een ziekenhuis en gemeenschappelijke bakkerijen werden rond een centrale binnenplaats gebouwd.

De Duitsers bouwden buiten de Oude Stad een weeshuis voor Syrische kinderen. Dit werd gevolgd door een ziekenhuis voor lepralijders en een school voor Arabische meisjes.

In 1878 stichtten de Duitse Tempelieren, een onduidelijke geestelijke orde, de Duitse kolonie ten zuidwesten van de Oude Stad. In tegenstelling met de op versterkingen lijkende joodse buurten, had de Duitse kolonie aantrekkelijke grote huizen langs brede, met bomen omzoomde straten.

Op een bergrug, waar de Olijfberg aan de berg Scopus grenst, bouwden de Duitsers een belangrijk complex, het Augusta Victoria Ziekenhuis. In de Oude Stad werd de Duits-Lutherse Kerk van de Verlosser gebouwd, zo dicht mogelijk bij het Heilige Graf, de plek van Calvarie en het graf van Jezus. De aanwezigheid van de Duitsers in Jeruzalem werd nog opvallender door een bezoek met veel praal en vertoon van Kaiser Wilhelm rond de eeuwwisseling. De keizer bestemde een door Duitse katholieken aangekocht stuk grond voor de bouw van een benedictijner abdij op de plaats waar Maria volgens de overlevering op de berg Sion gestorven was.

De invloed van de Duitsers werd nog groter gedurende de Eerste Wereldoorlog omdat zij bondgenoten van de Turken waren. Het Augusta Victoria complex werd hun militair hoofdkwartier en de stad werd overstroomd door Duitse militairen en geniesoldaten om de Turkse weermacht op te bouwen.

Al gedurende vele generaties hadden de voorvaderen van graaf Ludwig von Bockmann volgens traditie een jongere zoon naar Jeruzalem gestuurd om de Duitse aanwezigheid voort te zetten. De jonge Gustav Bockmann had zijn functie van officier op een onderzeeboot in de Eerste Wereldoorlog overleefd en nam daarna de leiding van de familie in Jeruzalem over. Hij woonde in een villa met een grote tuin, een van de mooiste huizen in de Duitse kolonie.

In het midden van de jaren twintig werd Bockmann benaderd door de Duitse inlichtingendienst. Hij moest een kleine overkoepelende afdeling vormen om het Britse Mandaat te bespioneren en samen te werken met pro-Duitse elementen in de omliggende Arabische landen. Door verschillende import-export- en handelsfirma's en een Duitse bank als dekmantel te gebruiken, bleek Gustav Bockmann de juiste man voor zijn opdracht. Voor het oog was Bockmann een gerespecteerd zakenman en steunpilaar van de religieuze gemeenschap, geruggesteund door de Tempelieren.

Toen Adolf Hitler in het begin van de jaren dertig de macht in handen nam had Bockmann geen enkele moeite zich bij de nazi's aan te sluiten. Binnen een jaar na Hitlers opkomst bleek duidelijk dat in Duitsland een krachtig offensief tegen de joden ingezet werd. Omstreeks 1934 en 1935 vluchtten duizenden Duitse joden uit hun vaderland. Velen van hen vonden hun weg naar Palestina.

De nieuwe golf immigranten bracht een heftige reactie bij de Arabieren teweeg, opnieuw geleid door de moefti van Jeruzalem.

Hadji Amin al Hoesseini had de vrije hand gehad bij de relletjes en massamoorden van 1929 en begon de nieuwe decade als een rijzende ster in de islamitische wereld. Na met veel uiterlijk vertoon en omhaal een moslem-conferentie in Jeruzalem georganiseerd te hebben, reisde hij naar India, Iran en Afghanistan om het evangelie van haat tegen de joden te preken.

Omdat de Britten een beetje bang voor hem geweest waren, viel hij ze nu openlijk aan. Als ergens anti-Britse gevoelens gelucht werden, maakte hij er meteen gebruik van. Door de hele Arabische wereld stonden de leiders klaar zich snel aan te sluiten bij het zwellende koor van anti-zionistische en anti-Britse propaganda. In Palestina werd vrijwel ieder spreekgestoelte in elke moskee als een anti-joodse tribune gebruikt.

Dit alles klonk Gustav Bockmann àls muziek in de oren. Voluit tegen de joden zijn was nu de gewone gang van zaken in nazi-Duitsland. Als dat de Britten in moeilijkheden zou brengen was dit in overeenstemming met de ambities van Duitsland. Bockmann vestigde met overleg de indruk bij de moefti dat zij vrienden waren en tegen gemeenschappelijke vijanden streden.

De voornaamste bron van inkomsten voor de moefti was de Waqf, die onder zijn toezicht de kerkelijke fondsen beheerde. Terwijl geen enkele nieuwe moskee de naam van de moefti op zijn hoeksteen vermeldde, bleef de schatkist slecht gevuld door illegale wapenaankopen en persoonlijke weelde. De coalitie van 'gematigde' Arabische families protesteerde tegen de moefti en eiste een controlerend toezicht op de Waqf-uitgaven. Het werd hadji Amin al Hoesseini duidelijk, dat hij een buitenstaander nodig had voor het regelen van zijn financiën, wapenleveranties en als politieke bondgenoot. De Duitse kolonie in Jeruzalem zou hem die zeker kunnen leveren.

Laat in 1935 werd Gustav Bockmann voor een geheime conferentie naar Berlijn geroepen om de Duitse positie in de Arabische wereld te helpen vaststellen en plannen te formuleren die op den duur landen onder Brits en Frans beheer zouden losweken. Bockmann kreeg opdracht om de naar voren tredende figuur in de moslemwereld, de grootmoefti van Jeruzalem, wiens vijanden de vijanden van Duitsland waren, te adviseren. Hij keerde stralend van voldoening uit Duitsland terug.

De villa van de moefti stond buiten de stad, aan de weg die naar het noorden, naar Ramallah voerde. Bockmann bleef een stroeve Duitser en een moeizame glimlach kon er zelden af. Toch glimlachte hij toen hij over de prachtige veranda met uitzicht op de boomgaarden van de moefti geleid werd. De twee mannen wisselden beleefdheden uit en gingen zitten.

'Uwe Eminentie,' begon Bockmann, 'de bijeenkomst in Duitsland was een buitengewoon succes. De Führer was zelf aanwezig. Ik kreeg ongelimiteerd tijd om met hem te spreken.'

Hadji Amin knikte vergenoegd.

'Wat wij ons nu realiseren,' vervolgde Bockmann, 'is hoe krachtig de steun aan Duitsland is van de gehele Arabische wereld. Wij hebben op de juiste plekken vrienden in Damascus en Bagdad en zijn diep geïnfiltreerd in het korps van Egyptische officieren.'

Sympathie voor de nazi's, alles goed en wel, dacht hadji Amin, maar iedere pro-Duitse Arabier kon een eventuele rivaal van hem worden. Hij bleef luisteren zonder veel commentaar.

'Laat mij u verzekeren dat geen enkele Arabische leider zozeer de aandacht van Hitler heeft als u. Hij is zeer onder de indruk van uw vasthoudende strijd tegen de joden. Hij is ook overtuigd van uw unieke betekenis als religieuze moslem leider.'

'Kunt u een beetje duidelijker zijn over Duitslands plannen met betrekking tot onze speciale situatie?' vroeg de moefti.

Bockmann schraapte zijn keel voor een lange uiteenzetting. 'De nazi's zijn nog maar weinig jaren aan de macht, maar de resultaten zijn verbazingwekkend. Er heerst een nieuwe geest in het land, een gevoel van nationale eenheid na de vernedering door de wereldoorlog. Ongetwijfeld zal Hitler in de komende jaren de Duitse minderheden in Europa... in Oostenrijk... Polen... Tsjechoslowakije verenigen. Alle Duitsers komen onder een en hetzelfde nazivaandel. Het gevoel is zeer sterk dat de Fransen en de Britten... hoe moet je dat zeggen... te terughoudend, te decadent zijn om een Duitse opmars op het continent tegen te houden. En binnen tien jaar zal er zeker een sterke Duitse aanwezigheid in het Midden-Oosten zijn.'

'Door middel van oorlog?'

'Dat denk ik wel. Een korte oorlog. U bent in de benijdenswaardige positie van het begin af deel te nemen en u kunt uw eigen eisen stellen.'

'In de veronderstelling dat Duitsland domineert of hier de invloedrijke macht is,' zei de moefti.

'Hoe zou het anders kunnen?' Bockmanns stem klonk enigszins verbaasd.

'Hoe denkt u dat de zaken zich in Palestina zullen gaan ontwikkelen?'

'Om te beginnen,' zei Bockmann, 'staat het Britse Mandaat op losse schroeven. Een zorgvuldig voorbereide Arabische opstand, door uzelf geleid, zou aan het mandaat een einde kunnen maken. Ten tweede zijn de joden weerloos als de Britten verdwenen zijn. U heeft bewezen in staat te zijn de moslemwereld tegen hen te verenigen en hen te verdrijven, te vernietigen. Ten derde zal een dankbare Hitler uw aanspraak op het leiderschap van de Arabische wereld ondersteunen.'

Het was geen eenvoudige zaak. Zou hij, als hij de Duitsers hielp, een Britse tiran voor een Duitse inruilen? Nee, nee, hij had een degelijk houvast. Wat Hitler uiteindelijk ook met erkende godsdiensten zou doen, zich met de islam bemoeien zou uiterst onverstandig zijn. Als Hitlers brug naar de islam zou de grootmoefti van Jeruzalem een uitermate machtige positie innemen.

'Volgens traditie,' zei hadji Amin, 'is bij Palestina ook de oostelijke oever van de rivier de Jordaan inbegrepen, het zogenaamde emiraat van Transjordanië. Men moet niet vergeten dat we ook een onomstreden deel van de provincie Syrië vormen.'

Bockmann knikte toestemmend. 'Berlijn is het geheel eens met uw interpretatie van de oude Turkse grenzen.'

'Beste Gustav,' zei de moefti. 'Dat is precies wat de Britten sjarif Hoessein vertelden om hem tegen de Turken te laten optreden. Hoessein stierf in ballingschap.'

Bockmann verstijfde. 'U vergelijkt het woord van Hitler met dat van het Britse ministerie van Koloniën? Wij houden onze beloften aan onze vrienden.' Hij schraapte zijn keel, deze keer plechtig. 'Ik ben gemachtigd u uit te nodigen voor een bezoek aan Berlijn. In 't geheim natuurlijk. Er zal een verdrag ter ondersteuning van uw eisen opgesteld worden.'

Hadji Amin stond op, klemde zijn handen op zijn rug in elkaar en liep naar de hoek van de veranda vanwaar hij voorbij de Dode Zee naar de heuvels van Transjordanië kon kijken. 'Abdullah,' zei hij, 'heeft daar een Arabisch legioen dat door de Britten geoefend en be-wapend is en door Britse officieren wordt aangevoerd. Weet u zeker dat de Britten dat bij een nieuwe Arabische opstand in Palestina weer op de achtergrond zullen houden en niet zullen ingrijpen?'

'Wij zijn er van overtuigd dat wij de Arabische opinie zo kunnen beïnvloeden en richten dat er een ongekende druk op de Britten zal worden uitgeoefend. Onder geen voorwaarde zal het Abdullah ver-oorloofd zijn de Jordaan over te steken.'

'Daar ben ik niet van overtuigd. Abdullah is zeer ambitieus.'

'In het allerergste geval, uwe Eminentie, is het een risico waard om genomen te worden.'

'Laat mij uw punten nog eens nagaan,' zei de moefti. 'Het Britse Mandaat zal niet zo gauw ineenstorten. Ze zijn wat loom, maar niet dood. Ze zullen de Sinaï en het Suezkanaal nooit opgeven zonder een Duitse invasie. Als ik tot oproer aanzet en geen succes heb voordat Duitsland een oorlog begint... Is dat risico het waard om genomen te worden? Voordat ik zelfs ook maar betrokken raak bij uw punt één, moet ik die coalitie van Arabische families tegen mij hier in Palestina elimineren. Gustav, daarvoor heb ik de middelen niet.'

Bockmann ging vlak naast hadji Amin zitten. Hij glimlachte nog-maals.

'Ik ben niet met lege handen uit Berlijn gekomen.'

De moefti probeerde zijn vreugde te verbergen en de conversatie werd voortgezet met de hoofden vlak bij elkaar alsof ze bang waren afgeluisterd te worden.

'Ik heb uw problemen uitvoerig besproken. Ik heb de hoge kosten uitgelegd die uw voortdurende oppositie tegen de joden en de Britten met zich mee brengt.'

Dat was wat de moefti wilde horen!

'We zijn bereid alle... zullen we zeggen... indiscretie met Waqf-fondsen goed te maken.' Hadji Amin knikte en Bockmann ging vlug verder. 'We hebben de opstanden van 1929 bestudeerd. Deze keer krijgt u de fondsen en wij zorgen voor de handelaren en de routes om vele duizenden geweren en miljoenen patronen evenals explosieven, granaten, automatische wapens en mortieren aan te voeren.'

Hadji Amin straalde duidelijk van goedkeuring. 'Ga verder alsjeblieft,' zei hij.

'Zulke belangrijke dorpen als Tabah en de weg die het beheerst zullen ditmaal niet standhouden,' zei Bockmann. 'U zult ook de nodige middelen hebben om directe vernietigingsaanvallen op de joodse nederzettingen te ondernemen.'

Het gonzen van een vlieg was hoorbaar boven de koffiekopjes.

'Met alle gepaste eerbied, uwe Eminentie, u bent een heilig man. De situatie vraagt om een eersterangs militaire commandant die in staat is een sterke legermacht en vrijwilligers te rekruteren uit verschillende Arabische landen.'

'Kaukji,' zei hadji Amin onmiddellijk.

'Kaukji,' zei Bockmann instemmend.

De moefti was er niet gelukkig mee. Kaukji was officier geweest in het Turkse leger gedurende de oorlog en had een IJzeren Kruis gekregen. Sinds de oorlog zwierf hij rond als huurling. Hij was betrokken geweest bij een mislukte opstand tegen de Fransen in Syrië en gevlucht. Hij was eens in Saoedi-Arabië opgedoken als adviseur van de inlichtingendienst en nu werkte hij in Irak aan een militaire academie. De Duitse liaison in Irak liep ongetwijfeld met hem weg. Hij sprak vloeiend Duits, had een Duitse vrouw en een IJzeren Kruis. Hij had vrienden bij het gerecht in Berlijn. Hadji Amin mocht de man persoonlijk niet. Hij was te ambitieus. Hij verbeeldde zich een Duitse veldmaarschalk te zijn compleet met aangemeten uniform en veldmaarschalksstaf.

Maar Kaukji was bezig carrière te maken en hadji Amin wist het. De zogenaamde coalitie van gematigde Palestijnse Arabieren had al contact met Kaukji opgenomen. Een geheime bijeenkomst had in Bagdad plaatsgevonden, bijeengeroepen door Fawzi effendi Kabir, de vijand van de moefti. Kabir vertegenwoordigde veel zakenlieden en investeerders in Palestina die hadji Amin uit de weg wilden ruimen. De moefti wist ook dat Kabir geheime investeringen in joodse ondernemingen had en Palestina veel van zijn joodse gemeenschap wilde laten behouden. Als hij, hadji Amin, zich verzette tegen het inhuren van Kaukji, zouden Kabir en zijn aanhang hem zeker te pakken nemen.

'Als ik toe zou stemmen dat het Kaukji moet zijn,' zei hadji Amin.

'U moet het er mee eens zijn,' zei Herr Bockmann.

'Ik zie wel dat dit alles grondig overwogen is.'

'Dat is zo.'

'Ik stem alleen toe in een bijeenkomst met Kaukji,' zei de moefti.

'Hij krijgt zijn bevelen van mij. Dat moet vanaf het begin duidelijk vaststaan.'

'Maar natuurlijk, uwe Eminentie. Er is nog een ander punt. Wij willen dat u uw jongens naar Duitsland gaat sturen voor training. Niet alleen militaire- en sabotagetraining is van het grootste belang, maar uw mensen moeten ook in regeringsfuncties geschoold worden om in staat te zijn belangrijke posities te gaan innemen.'

'Wilt u zeggen dat wij niet in staat zijn onszelf te regeren?'

'Wij willen u alleen assisteren op terreinen waar we behulpzaam kunnen zijn.'

Het was meer dan duidelijk dat de prijs voor Duitse hulp hoog zou zijn, vervloekt hoog.

'Wij menen dat dit als propaganda weer van grote betekenis is,' zei Bockmann ten slotte. 'Het kan een zeer bruikbaar werktuig tegen de joden zijn en wij ontwikkelen nieuwe technieken.'

'Verder nog iets?' vroeg hadji Amin.

Bockmann strekte zijn armen uit om aan te geven dat hij al zijn boodschappen doorgegeven had. 'Het zou niet verstandig zijn als wij elkaar in het openbaar bleven ontmoeten.' Bij de deur draaide hij zich om. 'Tussen haakjes. Het is geen kunst om wapens Jeruzalem binnen te smokkelen, maar de moeilijkheid is een plaats te vinden om ze te verbergen.'

'De kruisvaarders gebruikten de Al Aksa-moskee als deel van hun hoofdkwartier,' zei hadji Amin. 'Daar zijn grote ondergrondse ruimten waar ze hun paarden stalden. Die zijn onjuist beschreven als de stallen van Salomo. De wapens zullen daar veilig zijn.'

'Heel vernuftig, maar de Britten zouden er gemakkelijk achter kunnen komen.'

'Mijn beste Gustav Bockmann, de Britten zouden nooit een heilige plaats van de moslem ontwijden.'

Ten slotte kon er bij beiden een lachje af toen de moefti de Duitser uitliet.

11 *Jaffa, 19 april 1936*

Tussen de oude Arabische havenstad Jaffa en de nieuwe joodse stad Tel Aviv lag een verwaarloosd stuk terrein met krotten, bewoond door verarmde oosterse joden, Arabieren en gemengd gehuwden.

Tijdens het avondgebed renden stromannen van de moefti na een signaal de moskeeën van Jaffa binnen en schreeuwden dat de joden bezig waren de Arabieren in Tel Aviv te vermoorden. De keuze van het tijdstip was perfect: iedere moskee in de stad hoorde de aanklacht tegelijkertijd. De kleine lont die iedere Arabier in zijn binnenste draagt, werd met het grootste gemak ontstoken. Razende menigten stroomden de straten op. De mannen van de moefti stonden klaar om een soort spreekkoor aan te heffen en hen naar het niemandsland, de wijk tussen de twee steden, te leiden. Een dolzinnige menigte stortte zich op de armzalige optrekjes van de oosterse joden. Negen werden gedood en tallozen ernstig verwond. Binnen enkele uren had zich het nooit helemaal gesmoorde gerucht over de moorddadige joden als een lopend vuurtje over heel Palestina verspreid.

Een dag later maakte hadji Amin Hoesseini de instelling van een nieuw Hoog Arabisch Comité bekend met hemzelf aan het hoofd om een algemene aanval door het hele land te organiseren.

In het eerste 'communiqué' van het Hoog Comité werd de benoeming aangekondigd van de piraat Kaukji tot opperbevelhebber van de Palestijnse opstandelingen. Hij kreeg onmiddellijk de opdracht in het buitenland een leger aan te werven om het heilige doel na te streven.

Omdat de fondsen van de Waqf door de uitspattingen van de moefti uitgeput waren, had hadji Amin zijn hoop nu op de Duitsers gevestigd voor snelle financiële hulp. Herr Bockmann merkte dat zijn eigen budget uitgeput was door zijn aankoop van illegale wapens. Er was onverwijld geld nodig voor huurlingen die zich bij Kaukji's ongeregelde troepen moesten voegen. Hadji Amin reageerde door speciale groepen collectanten naar rijke Arabieren te sturen om 'schenkingen' af te dwingen voor het 'Aanvalsfonds voor Noodlijdend Palestina.' Een vooraanstaand graanhandelaar uit Haifa was de eerste die weigerde. Hij, zijn twee zoons en zijn vier bewakers werden gedurende het gebed in hun familiemoskee vermoord.

Op het platteland streken de troepen van de moefti op de zwakkere en meer afgelegen Arabische dorpen néer. De terroristen van de moefti kozen voor zichzelf de hooggegrepen titel Mojahedeen, Strijders van God. Alles werd geroofd voor 'de zaak', vee en persoonlijk bezit.

De moefti gaf het bevel dat de mannen uit de dorpen zich bij zijn leger moesten voegen. Velen werden eenvoudig van de velden gehaald en kregen wapens in de handen geduwd. Ze trokken er op los en schoten op Britse voertuigen, vernielden elektrische leidingen, maakten barricaden, bliezen bruggen op. Nadat een half dozijn moektars vermoord waren omdat ze geen 'vrijwilligers' wilden leveren, bezweek het ene dorp na het andere voor de terreur.

Hoewel de Britten hun krijgsmacht tot zo'n twintigduizend man hadden opgevoerd, werden ze door een spookachtige vijand weldra in een defensieve strijd gemanipuleerd. De voornaamste Britse tegenmaatregel bestond uit een netwerk van grote politieposten, naar de ontwerper Tegartforten genaamd, die door het hele land met elkaar in verbinding stonden. Het was dezelfde strategie die de kruisvaarders toepasten met mini-kastelen en de oude Hebreeën met hun versterkte buitenposten op heuvels op gezichtsafstand van elkaar. Overdag konden de Britten naar buiten komen en aanvallen, maar 's nachts waren ze gedwongen in hun Tegarts te blijven en de moefti de vrijheid van de duisternis te laten.

Toen de opstand op nachtelijke barbarij uitliep, begonnen de Britten grote maar logge aanvallen tegen de licht bewapende Arabische benden die zonder moeite in het landschap konden opgaan. De Britten legden bekende collaborateurs collectieve boetes op. Ze vernietigden zelfs hele rebelse dorpen, maar ze konden de Arabische furie niet indammen.

Binnen een paar maanden waren de vrijbuiters van Kaukji in Palestina geïnfiltreerd en maakten de vernielingen nog groter. Kaukji had een kwaadaardige troep religieuze fanatici, criminelen en allerlei avonturiers en zelfs gevangenen gerekruteerd, die eerder de vrijheid herkregen om aan de 'heilige oorlog' deel te nemen. Omdat ze de hele nacht vrijheid van beweging hadden, konden de rebellen tijd en plaats van de aanval zelf bepalen en vervolgens verdwijnen. Hun benden werden met de week brutaler. Toen ten slotte een Tegartfort onder de voet gelopen was, realiseerden de Britten zich dat ze diep in moeilijkheden geraakt waren.

Nu en dan vonden in het mandaat gebeurtenissen plaats die niet mogelijk schenen en meer met fantasie te maken leken te hebben dan met de werkelijkheid. De Britten wendden zich tot het Joodse Agentschap en verzochten de Haganah om assistentie. De Haganah had de moefti belet om ook maar één enkele joodse stad of kibboets in te nemen. Onomschreven terreinen van samenwerking namen tussen de Haganah en de Britten stilzwijgend toe en dit veranderde de status van het joodse leger van semi-illegaal in semi-legaal.

Hoewel de Britten en de Haganah elkaar hielpen in de strijd tegen de Arabieren, bestreden ze elkaar verbitterd inzake immigratie. Onder de Europese joden was de wanhoop toegenomen. De Haganah spande zich tot het uiterste in hen Palestina binnen te smokkelen door de onder Arabische druk toegestane aantallen te ontduiken. Honderden joden kwamen als toeristen en pelgrims binnen en verdwenen in de kibboetsen. Honderden anderen kwamen binnen met valse documenten voor een voorgewend huwelijk of om zich met hun niet bestaande gezinnen te verenigen. Weer anderen lieten zich in een bootje op het strand zetten in de buurt van joodse nederzettingen. Weer anderen legden te voet de kronkelende wegen door Arabische gebieden af en gingen illegaal over de grenzen. Jood en Engelsman schudden elkaar de rechterhand en sloegen elkaar met de linker. Ook hadden de Arabieren talrijke sympathisanten onder de Britse officieren en ambtenaren. Het was een typische Midden-Oosten warboel van de eerste orde.

Toen de rebellen overmoediger werden groeide de vrees in het Dal van Ajalon en de zorg over de weg naar Jeruzalem. Hadji Ibrahim had geweigerd aan het fonds bij te dragen of manschappen te leveren. Het verwachte gebeurde.

Ghassan, de sjeik van een van de kleinere clans in Tabah, werd gekidnapped toen hij het huis van familie in Ramla verliet. Hij gaf zich snel gewonnen onder folteringen en beloofde mee te werken aan het zetten van een val voor hadji Ibrahims lijfwacht.

Lokaas was een blonde Zweedse, vriendin van een van Kaukji's officieren. Ze behoorde tot het ras van internationale fortuinzoekers en belandde ten slotte op de goudkust in de buurt van Beiroet. Chassans verhaal zou zijn dat hij het meisje en verscheidene van haar vriendinnen ontdekt had, nadat ze op weg naar Cairo gestrand waren en dat zij als prostituées werkten om hun reis te betalen.

Zes mannen, de helft van hadji Ibrahims lijfwacht, slikten Ghassans wilde beschrijving van een verrukkelijke nacht die hij met hen had doorgebracht. Door Ghassans streken geholpen verlieten ze hun posten midden in de nacht en verdwenen heimelijk naar Ramla.

Een knappe, mollige blondine verscheen inderdaad bij de deur van het aangewezen huis en verzocht hen binnen te komen. Ze werden de volgende dag op het dorpsplein van Tabah gevonden met doorgesneden kelen en met hun afgehakte penis in hun mond. De rest van hadji Ibrahims soldaten deserteerde in de loop van de volgende dagen en vluchtte naar de eigen dorpen terug.

De daaropvolgende week werd de moektar van een van de dorpen in de buurt van Tabah onthoofd op zijn akkers gevonden. De verdediging van Tabah kwam in handen van een groep doodsbenauwde en onbekwame boeren. Hoewel Ibrahim wist dat hij op de dodenlijst van de moefti stond, weigerde hij de straatweg over te steken en hulp te zoeken bij de Haganah in de Sjemesj kibboets of bij zijn vriend Gideon Asch. Alleen de persoonlijke moed van hadji Ibrahim en een voortdurende nachtwake weerhielden de dorpelingen ervan massaal op de vlucht te slaan.

De volgende week was een hel voor Tabah. Moeftikapers verborgen zich overdag veilig in de diepe grotten van de Bab el Wad, tien kilometer verder langs de straatweg. In het duister van de nacht kwamen ze naar buiten en slopen langs de versterkte politiepost bij Latrun naar de rand van de Tabah velden. De Mojahedeen van de moefti grepen verspreide bewakers en schreeuwden angstaanjagende vuiligheden. Als de dorpelingen van hun posten wegvluchtten, lieten ze hun velden en vee achter als makkelijke buit voor de rovers.

Tegen de tijd dat een Britse patrouille uit Latrun te hulp kon komen waren de rovers al in de heuvels van Judea verdwenen. Het was een land zo onregelmatig en ruig, dat het de Romeinse legioenen in de Oudheid jarenlang moeite gekost had de Hebreeuwse rebellen te verdrijven. De diepe ravijnen, de onbegaanbare heuvels en de verborgen grotten hadden eeuwenlang bescherming geboden aan zowel heldhaftige krijgers als aan smokkelaars en dieven.

De Britten deden hun best Tabah een permanente bescherming te geven met wegversperringen en veelvuldige patrouilles, maar ze hadden te weinig manschappen en konden gemakkelijk ongemerkt gepasseerd worden. Het Britse garnizoen was zo uitgedund dat het vrijwel geen effect meer had. De onvermijdelijke grote aanval om Tabah te overrompelen kon niet lang meer uitblijven.

Gideon Asch was aangesteld als verbindingsman tussen de Haganah en de Britten. Zijn contactpersoon was kolonel Wilfred Foote, een oude rot in het Midden-Oosten en aide-de-camp van de bevelvoerend generaal. Fink's, een onaanzienlijk restaurantje met een tafel of acht in het centrum van joods west-Jeruzalem was de geliefkoosde plek voor Britse officieren en een natuurlijke luisterpost voor de Haganah. Fink's was een trefpunt voor spionnen, een centrum voor het uitwisselen van informatie. David Rothschild, de eigenaar, die vaak met zijn tong in zijn wang klaagde, dat hij geen familie was van een andere familie met dezelfde naam, knikte tegen Gideon Asch toen hij binnenkwam.

Gideon liep een krakende trap op naar een kamertje waar kolonel Foote zat te wachten. Rothschild bracht een blad met schnitzels en bier en deed de deur achter zich dicht toen hij wegging.

Het belangrijkste punt vandaag was de kritieke situatie in Tabah. Gideon had informanten in het dorp wier voornaamste opdracht het nu was hadji Ibrahim niet uit het oog te verliezen. Als Ibrahim vermoord zou worden bleef weinig kans over om de boeren van zes dorpen er van te weerhouden de benen te nemen.

Toen de maaltijd afgelopen was, schonk Foote koffie in, stak een sigaar op en sneed een ander onderwerp aan. 'Tot nu toe is geen enkele joodse nederzetting in ernstige moeilijkheden geweest,' zei hij, 'maar dat gespuis wordt met de dag brutaler. Als Kaukji ook maar één kibboets aan zou vallen dan zouden in Bagdad de volgende dag de rekruten in lange rijen voor de werfbureaus staan. Ik deel het vertrouwen van het Joodse Agentschap in de Haganah, maar we lopen het risico te zien gebeuren dat de moefti er zijn voordeel uit gaat trekken.'

'Als u ophield de energie van het Britse leger voor het opsporen van immigranten te verbruiken, zou u veel effectiever tegen de werkelijke vijand kunnen optreden,' antwoordde Gideon. Het was de steeds herhaalde joodse klacht.

Foote blies een rookkring uit, verlegen. 'En twintigduizend man meer manschappen zou ook helpen,' zei hij. 'U weet, dat generaal Clay-Hurst geen vin kan verroeren. Hij kan niet meer manschappen krijgen en kan ook de politieke gedragslijn niet vaststellen.'

'Wat wij willen weten,' zei Gideon, 'is of u het Arabische legioen daar in Transjordanië zult laten als de situatie slechter wordt.'

'Als we Abdullah toestaan de Jordaan over te steken, dan neem ik aan dat hij Palestina nooit meer verlaten zal. Het is ook in het joodse belang er voor te zorgen dat hij blijft waar hij is. Hoe goed de Haganah ook is, hij zou het uiteindelijk tegen het Arabische Legioen moeten opnemen. Het is een verdomd goed legertje. Onze situatie is als volgt. Wij kunnen maar weinig meer tegen de moefti doen zonder de hele Arabische wereld op onze nek te krijgen. Wij zijn in alle ernst bezig enige zeer interessante ideeën in overweging te nemen.'

'Wat voor ideeën?'

'Een jonge officier heeft zich kort geleden hier bij de staf gevoegd. Hij is een beetje een buitenbeentje, zo'n zwerverstype, dat zo nu en dan opduikt. Hij heeft de generaal weten te interesseren voor een paar zeer originele ideeën.'

'Wat is zijn achtergrond?'

'Kapitein. Schotse voorouders. Zeer religieuze jeugd, zoon van missionarissen. Hij staat voor honderd procent achter het zionisme en hij spreekt tussen twee haakjes Hebreeuws als een jood.'

'Wat weet hij van de Arabieren?'

'Hij heeft lang in de Soedan gediend. Een beetje een woestijnrat. Hij heeft een zekere bekendheid verworven door in z'n eentje op zoek te gaan naar de verdwenen Zarzura oase in de Libische woestijn. En begin niet de bijbel in twijfel te trekken als je hem spreekt.'

'Wat heeft hij voor plannen?' vroeg Gideon, met moeite zijn groeiende nieuwsgierigheid verbergend.

'Een klein eliteleger van joodse nachtstrijders, dat de vrije hand heeft toe te slaan, wanneer het nodig is, zonder schriftelijke opdracht. Niemand zal ooit ter verantwoording geroepen worden over wat het doet. Wat denkt u ervan?'

'Het is een interessante gedachte.'

'Zal ik hem vragen bij ons te komen?'

Gideon knikte. Kolonel Foote drukte op een knopje en tilde de hoorn van de telefoon die met de bar verbonden was. 'Meneer Roth-schild, aan het eind van de bar zit een man... ja, een kapitein. Wilt u hem naar boven sturen? Nee, dank u. We hebben voldoende koffie.'

Een klop op de deur werd gevolgd door de binnenkomst van een kleine, maar knappe, donkerharige man van begin dertig. 'U moet Gideon Asch zijn.' Hij sprak op uiterst vriendelijke toon. 'Ik ben al lange tijd uw bewonderaar. Ik heb volgens uw kaarten van de Sinaï gereisd. Orde Wingate, tot uw dienst.'

Het was levenslange vriendschap bij de eerste handdruk.

'Wat zijn uw plannen, kapitein Wingate?' vroeg Gideon.

De Schot glimlachte charmant, maar Gideon zag dat aantrekkelijke zweempje gedrevenheid in zijn ogen. 'We moeten de moefti de nacht afpakken,' zei hij. 'U bent zelf half bedoeïen, meneer Asch. U weet dat dat door een kleine, toegewijde gevechtseenheid gedaan kan worden. Ze moeten goed zijn, zeer goed, de besten. Ze moeten koning Davids traditie hoog houden. Dat zal ik ze vertellen.'

'Aan hoeveel man heeft u gedacht?'

'Deborah en Barak versloegen een groot Kanaänitisch leger aan de voet van de berg Tabor met driehonderd uitgelezen manschappen. Barak kon dat doen omdat hij wist dat de Kanaänieten een achterlijk en bijgelovig volk vormden en hij gebruikte de nacht en veel lawaai als dodelijke wapens.'

'Kapitein Wingate. Stel dat ik dit idee aan de Haganah en Ben Goerion kan verkopen. Wij hebben een dringende situatie in het dal van Ajalon. Het zou betekenen dat we vijftig tot honderd mannen van de moefti tot diep in de Bab el Wad zullen moeten volgen. Hoe snel kunt u zich daarop voorbereiden en hoeveel mannen heeft u daarvoor nodig?'

'Tien, twaalf. Ze moeten vloeiend Arabisch spreken. Ik zal ze leren wat de Bab el Wad voor joodse strijders betekent als u het spoor voor ons zoekt. Geef me twee weken.'

'Ik zal vanavond het antwoord voor u hebben,' zei Gideon.

'Ik heb generaal Clay-Hurst wel gezegd, dat u er iets voor zou voelen,' zei Foote stralend.

'Kapitein Wingate,' zei Gideon, 'dit is niet zo maar een openbaring die u midden in de nacht gekregen heeft. Wat is uw theorie?'

'Ik ben een toegewijde zionist. Ik vind dat dit een joods land is. Ik geloof bovendien dat alle manieren om deze dalen en heuvels en woestijnen voor verdediging te gebruiken in de bijbel beschreven staan. Als er ooit een joods volk in Palestina zal leven, dan voel ik dat het mijn bestemming is daaraan mee te werken.'

'Wat is de rest van uw theorie, kapitein?'

'De joden, wij zionisten,' zei hij, 'zullen nooit in staat zijn meer dan een paar miljoen mensen hier te vestigen. Dat is realiteit. Ook realiteit is het feit dat zo'n staat altijd omgeven zal zijn door tientallen miljoenen vijandige Arabieren die ons dit nooit zullen vergeven. Je kunt niet verwachten hen voor altijd van 't lijf te houden. Het numerieke overwicht en een moslemgemeenschap die eeuwigdurende haat predikt, maken dat onmogelijk. Als je wilt overleven moet je het principe van vergelding waar maken. Zo zal ik bijvoorbeeld verscheidene groepen van deze nachtstrijders nodig hebben om de Iraakse oliepijpleiding naar Haifa te bewaken. Hij is vele honderden kilometers lang en het is duidelijk dat een paar dozijn mensen hem niet tegen sabotage kunnen beschermen. Wat de Arabier moet begrijpen voordat hij de leiding vernielt is dat hem represaillemaatregelen te wachten staan... zware vergelding – dat is de oplossing om een overmacht, honderdmaal zo groot als jezelf, in bedwang te houden.'

'Kapitein Wingate,' zei Gideon, 'waar bleef u zo lang?'

12 *Zomer 1937*

De olijvenpers van Ibn Yussuf in het dorp Fakim was, afhankelijk van wiens grootmoeder het verhaal vertelde, ergens tussen de tweehonderd en tweeduizend jaar oud. Vier tot vijf eeuwen was het meest waarschijnlijke. Ibn Yussufs voorouders hadden er generaties lang een mager, maar draaglijk bestaan door gehad.

Het dorp Fakim lag halfweg de Bab el Wad, van de hoofdweg af, ingesloten door de steil aflopende ravijnen en terrassen van de wildernis van Judea. De dorpelingen kwamen kilometers ver uit de omtrek, niettegenstaande de moeilijke locatie om van Ibn Yussufs pers, die een magische reputatie had, gebruik te maken. Het produkt was onverbeterlijk. Hoe ouder de pers, des te voortreffelijker de geur, de smaak en het karakter van de olie.

Zelfs de joden konden met hun moderne vakkundigheid Ibn Yussufs pers niet evenaren en na verloop van tijd vonden vertegenwoordigers van de ene kibboets na de andere hun weg door de heuvels om Ibn Yussuf hun oogst te laten bewerken. Ibn Yussuf verdiende er een schraal inkomentje mee en werd gewoonlijk voor zijn diensten betaald in graan of andere produkten. Op zekere dag kwam de beheerder van de olijfgaarden van de Sjemesj kibboets bij Ibn Yussuf met een voorstel dat zijn vooruitzichten aanmerkelijk veranderde.

Het idee was eenvoudig. In plaats van graan zou Ibn Yussuf een klein percentage van de olie die hij produceerde als loon vragen. De kibboets bouwde voor hem een kleine werkplaats om de olie in te blikken en bracht de olie met de eigen coöperatie op de markt. De inhoud van de blikken was of één of twee liter en zij droeg het opschrift IBN YUSSUF OLIJFOLIE in Arabisch, Hebreeuws en Engels. Daaronder stond een tekening van de beroemde oude pers en de woorden OPGERICHT IN 1502, FAKIM.

Ibn Yussuf en zijn vrouw waren een kinderloos echtpaar, een grote tragedie die hun leven vergalde. Toen hij regelmatig met de joden handel was gaan drijven haalden ze hem ertoe over zichzelf en zijn vrouw in het joodse ziekenhuis in Jeruzalem te laten onderzoeken. Vastgesteld werd dat een eenvoudige operatie uitgevoerd bij zijn vrouw haar vruchtbaar zou kunnen maken. Daarna schonk ze hem twee gezonde kinderen, van wie een de zozeer verlangde zoon was.

De jongen werd als kind bijna gedood door een ongeluk op de straatweg. Opnieuw was het het joodse ziekenhuis dat zijn leven redde. Ibn Yussuf was een deemoedig, nederig mens, maar zijn dankbaarheid bleek onmetelijk.

Gideon Asch ontmoette hem toen alles nog zijn normale gang ging en in de loop der jaren ontstond een speciale binding. Aangezien Ibn Yussuf bekend was met de praatjes van de vele Arabische dorpelingen die zijn olijvenpers gebruikten, wist hij vaak tevoren wanneer er iets tegen de joden ondernomen zou worden.

Fakim was ook een uitstekende basis voor de rooftochten van de moefti benden en in de laatste tijd van Kaukji's ongeregelde troepen. Na een actie trokken de rovers zich terug naar Fakim, lieten hun buit en wapens op geheime plaatsen achter en trokken zich in de heuvels van Judea terug tot de Britten hun achtervolging opgegeven hadden. De dorpelingen werden door de rebellen ruw behandeld, waarbij soms hun oogst gestolen werd en een enkele keer een verkrachting plaatsvond, maar protest haalde weinig uit. Telkens weer werden de jonge mannen in de dorpen gedwongen dienst te nemen in het leger. Kaukji zelf verscheen herhaaldelijk toen het dorp semi-permanente basis werd. Met Ibn Yussufs zaken ging het slecht. Zijn éénkamer-fabriekje was het grootste gebouw van het dorp en werd zo goed als in beslag genomen door bijeenkomsten van de rebellen. Enige honderden blikken olie werden meegenomen als 'schenkingen' aan het 'Aanvalsfonds voor Noodlijdend Palestina'.

Het werd duidelijk dat men bezig was in en rond Fakim iets te organiseren, een belangrijke actie was te verwachten en het leed geen twijfel dat Tabah het doel zou zijn.

Intussen hadden zich twintig jongemannen van de Haganah in de Sjemesj kibboets verzameld om de eerste Speciale Nachtbrigade onder Orde Wingate te vormen.

Wingate gaf ze in een toespraak een voorproefje van de hel. Hij veranderde letterlijk de nacht in dag door hen uitputtende marsen van een nacht lang te laten maken met inbegrip van het beklimmen van kliffen en rotsen in volslagen duisternis. Hun lichamen zaten vol bulten, schrammen en kneuzingen en ze liepen op bloedende voeten door de ruigheid van het terrein. Zij doorstonden de harde man tegen man guerrillatraining. Hij leerde ze sluipen, zo omzichtig, dat het hen oog in oog met een niets vermoedend jong hert kon brengen. Sporen volgen, schieten, rotsbeklimmen, mesgevechten, wurgen, kruipen, onder water bewegen, judo, ondervragingsmethoden, patrouilleren zonder kompas of licht, snel toeslaan, dodelijk, geen medelijden, geen nonsens.

Wanneer ze bek-af en gebroken languit lagen, kwam Wingate langs: hij predikte het zionisme in 't Engels en zei uit zijn hoofd lange bijbelpassages in 't Hebreeuws op. Hij bracht ze de absolute kennis bij hoe ieder deel van het land gebruikt moest worden zoals het door de oude strijders van Judea en Israël gebruikt was.

Met Arabieren, joden en Britten dicht opeen levend in een vrij dichtbevolkte streek, waren geheimen altijd een open boek. Nieuws van een vreemde Engelse officier en zijn troepen werd het praatje van de dag. De groep werd altijd nauwkeurig in de gaten gehouden als hij per truck de kibboets verliet. Om hun bewegingen te verbergen, leerde hij de mannen bij hoge snelheid met tussenpozen uit de trucks te springen. Ze kropen in de greppels langs de weg en bereikten ongezien één voor één een verzamelplaats onbekend aan de Arabieren.

De dubbele heuveltjes bij Latrun waren de laatste wachtposten voor de toegang naar de Bab el Wad. Aan de ene kant van de straatweg stond een Britse versterkte politiepost. Aan de andere kant stond een trappistenklooster met enige reputatie verkregen door het fabriceren van een goedkope maar uitstekende wijn. Het oorspronkelijke klooster was verlaten voor een modern gebouw. In dit oude, verlaten klooster konden Gideon en Ibn Yussuf hun bijeenkomsten houden zonder bespied te worden.

Gideon zag Ibn Yussuf door de velden naar het lege klooster komen. Ibn Yussuf was een tengere man met fijne gelaatstrekken omgeven door grijs haar en een grijze baard. Hij keek om zich heen om zich er van te overtuigen dat hij niet gevolgd was en ging naar binnen. Gideon wenkte hem vanuit de deuropening van een monnikencel. Uit het zicht, maar binnen gehoorsafstand, spitste Orde Wingate zijn oren.

Ibn Yussuf was het met zorg uitgewerkte plan van Kaukji en zijn rebellen om Tabah aan te vallen bij stukjes en beetjes aan de weet gekomen. Tegelijkertijd met de hoofdaanval zouden twee schijnbewegingen gemaakt worden. In Lydda en Ramla zouden de predikers van de moefti tot relletjes aanzetten om de Britse garnizoenen daar de handen te binden. Een andere aanval zou met een handjevol mannen op een afgelegen Arabisch dorp gedaan worden om de Britten uit Latrun naar boven te lokken langs een kronkelig bergweggetje, dat gemakkelijk achter hen kon worden opgeblazen en hen uren vast zou houden.

Als de Britten de handen vol hadden met relletjes en op vals alarm afgingen, zou men de vrije hand hebben in de omgeving van het doel: Tabah.

Gideon besprak in alle rust met Yussuf de raming van het aantal manschappen, kaartencoördinatie, tijden en plaatsen. Kaukji zou ongeveer driehonderd man gebruiken; een enorme operatie. De vernietiging van Tabah was duidelijk bedoeld als de eerste victorie van de opstand.

Toen Ibn Yussuf wegging kwam Wingate uit de schaduw te voorschijn en plofte neer op de harde houten brits van een verdwenen monnik. Hij staarde lang en met lege blik naar het plafond vol spinnewebben, terwijl Gideon door een spleetje van het raam naar Yussef keek die op zijn ezel klom.

Telkens wanneer Wingate diep in gedachten verzonken was, haalde hij onbewust een tandenborstel uit zijn broekzak en borstelde daarmee zachtjes over zijn borstharen. Hij ging plotseling met een ruk overeind zitten. 'In hoeverre vertrouw je die daar?'

'Ik begrijp wat je probeert te zeggen, Wingate. Ze liegen en bedriegen niet allemaal.'

'O, zeker, ze doen jarenlang zaken met je, maar zodra er moeilijkheden in zicht zijn verkopen ze je voor een appel en een ei.'

'Maar dat doen ze met hun eigen mensen net zo,' zei Gideon. 'Als we in Palestina willen blijven zullen we ons moeten leren aanpassen.'

'Ibn Yussuf en iedere andere Arabier is met handen en voeten gebonden aan zijn samenleving. De Arabieren zullen je nooit waarderen om het goede dat je hun gebracht hebt. Houden van, liefhebben, kennen ze eigenlijk niet. Maar haten! Mijn God, hoe die kunnen haten! En ze hebben een diepe, diepe, diepe wrok omdat je hun waanidee van grandeur ontnomen hebt en getoond hebt wat ze in werkelijkheid zijn – een ontredderd volk in de ban van de religie die hun elke menselijke ambitie ontnomen heeft... met uitzondering van een stuk of wat die wreed genoeg en arrogant genoeg zijn hen te commanderen zoals men een troep schapen commandeert. Je hebt met een krankzinnige samenleving te maken en leer maar zo snel mogelijk hoe je die onder controle kunt houden.'

'Het gaat zo verschrikkelijk tegen onze natuur in,' zei Gideon bedroefd.

Wingate ging abrupt op een ander onderwerp over. 'Het hele plan is veel te intellectualistisch voor Kaukji,' zei hij.

'Dat weet ik,' gaf Gideon toe. 'Ik ben geneigd je brigade te waarschuwen.'

'Heb je geen bliksem gehoord van wat ik zei?' schreeuwde Wingate.

'Je houdt geen opwekkende toespraak tegen een jongen in de Speciale Nachtbrigade.'

'Ik zeg je, dat sinds jullie joden naar Palestina terugkeerden, jullie nog nooit van achter jullie palissade te voorschijn gekomen zijn. Nu we de vrijheid hebben om te handelen, zetten jullie je schrap. Naar de duivel met het Britse leger. Laat ze maar rondtrekken over heel Judea. Lieve God, man, voel je dan helemaal niet het vuile spelletje dat een of andere Britse officier speelt door deze operatie voor Kaukji uit te werken?' Hij sprong overeind, liep heen en weer, stopte voor Gideon en wees met zijn tandenborstel naar Gideons neus. 'Denk eens even na hoe ze redeneren. Kaukji en die Britse officier... ze zeggen – of niet soms? – de Haganah komt niet te voorschijn uit de Sjemesj kibboets. De joden denken alleen in verdedigingstermen. Als de Britse troepen eenmaal uit de omgeving zijn, houdt niets de aanval van Tabah meer tegen. De Haganah zal zich er niet mee bemoeien. Daarvan zijn ze absoluut, maar dan ook absoluut overtuigd.'

Gideon Asch was een man van drieënvijftig jaar die nog altijd het uithoudingsvermogen had om met de jongste en meest fitte soldaten van de joden door de wildernis te trekken. Hij had een leven lang door dat labyrint van de Arabische mentaliteit gezworven, zoekend naar verzoening, vriendschap en vrede. Hij had het allemaal niet gevonden. Zijn eerste vreugde en opwinding over de Speciale Nachtbrigades werd langzaam overschaduwd door een gevoel van tragedie. De illusie van broederschap met de Arabieren werd ook teniet gedaan door de erkenning dat de joden, mocht de droom van Zion waarheid worden, altijd in het offensief zouden moeten blijven, een weerzinwekkende gedachte voor de joodse geaardheid.

Het werd zo stil in de cel alsof de verdwenen monnik aan het mediteren was.

Gideon zuchtte diep. Goed dan. Ze zouden nu de Arabieren gaan aanvallen, omdat de Arabieren nooit zouden ophouden hen in het nauw te drijven als ze het niet deden. Maar hoe lang, hoe verschrikkelijk lang zou het duren? En zou gedurende die tijd de aangeboren drang van het joodse volk om in vrede en behoorlijk te leven, niet aangetast worden? De weg leek eindeloos, maar het was de prijs die voor de droom van Zion betaald moest worden.

'Wel,' zei Gideon, 'daarvoor zijn we allemaal hierheen gekomen, is 't niet?'

'Inderdaad. Het ogenblik voor Zion is op handen.'

'Ik weet niet zeker welk plan door je hoofd spookt, Wingate, maar hadji Ibrahim is trots. Hij zal liever alles verliezen dan onze hulp accepteren.'

'Dat, mijn vriend, is in één zin het verhaal van het Arabische volk,' antwoordde Wingate. 'Maar ik zal hadji Ibrahim geen keus laten.'

Wingate klom, gekleed in het blauwe werkpak van een lid van de kibboets, naar de top van de Tabah heuvel door de velden aan de achterkant om het eigenlijke dorp te vermijden.

'Jij daar,' riep hij tegen een dagdromer die naast het graf van de profeet zat, 'ga ogenblikkelijk naar het dorp en haal hadji Ibrahim.'

De boer was stomverbaasd zo plotseling een stroom van zuiver Arabisch te horen.

'Schiet op en doe wat ik zeg,' drong Wingate gebiedend aan.

Vijftien minuten later verscheen hadji Ibrahim en bleef achter de vreemdeling staan die door de verrekijker de heuvels afzocht. 'Weet u wie ik ben?' vroeg Wingate, terwijl hij zich niet omkeerde, noch zijn verrekijker liet zakken.

'De krankzinnige Britse officier.'

'Precies. Maar zoals u ziet ben ik niet in uniform. Wat ik u te zeggen heb is van de ene vriend aan de andere.'

'Misschien vind ik dat een vriendschap meer tijd nodig heeft dan u meent.'

'Geen tijd voor flauwe praatjes. Vannacht springen ze je op 't lijf en in Latrun zal niemand thuis zijn om je te helpen.' Wingate liet zijn kijker zakken, draaide zich om, glimlachte en liep langs hadji Ibrahim naar een ander uitkijkpunt. 'Lieve God, toen ze dit dorp hier ge- bouwd hebben wisten ze wat ze deden. Geen enkele kans om in de buurt te komen behalve langs de achterkant van deze heuvel. Maar toch kan je het dorp niet verdedigen. Kaukji heeft te veel manschap- pen. Ze zullen op hun buik komen aankruipen, beschermd door het hoge gras totdat ze op vijftig stappen afstand zijn van waar we nu staan. Ze zullen smeerlapperij gaan schreeuwen en jouw mensen zul- len in een bevende massa verlamd vlees veranderen.'

'We zullen wel met ze afrekenen.'

'Als Allah helpt, misschien. Ik vermoed dat je een goed advies no- dig hebt.'

'Als je bedoelt dat ik de joden om hulp moet vragen dan wil ik je advies niet.'

'Ik zou er niet over peinzen om dat voor te stellen, hadji Ibrahim.' Wingates donkerbruine ogen bleven de helling af turen. 'De wind zal van de zee komen,' zei hij. 'Hij zal de helling af blazen. Het gras is droog. Het zal in brand raken zodat het lijkt... lijkt dat Jozua de zon laat stil staan. Voor Kaukji's manschappen zal het heet onder de voe- ten worden.'

'De velden in brand steken?'

'Natuurlijk. Steek de velden in brand, man.'

'Dat is de stomste tactiek die ik ooit gehoord heb,' zei hadji Ibra- him.

'Vind je dat? Ik dacht dat je het een goed plan zou vinden.'

'Het is stom.'

'Maar hadji Ibrahim, dat is wat je grote generaal Saladin deed tegen de kruisvaarders bij de Horns of Hittim. Manoeuvreerde hen tegen een steile helling, ving hen met de wind in hun rug op in hun wapenrusting en stak de velden in brand. Degenen die niet levend verbrandden of stikten probeerden bij het meer van Galilea te komen, want ze waren ook volkomen uitgedroogd, maar Saladin stond tussen hen en het meer.' Hij draaide zich om. 'Je moet natuurlijk verbeeldingskracht hebben om een Saladin te zijn.' Met deze woorden liep Wingate de heuvel af en uit 't gezicht.

Toen duisternis de dag van onzekerheid beëindigde, verspreidden Kaukji's troepen zich van Fakim uit en trokken in de richting van de Bab el Wad langs een pad dat vroeger als de weg van de Romeinen naar Jeruzalem gediend had. Eerder op de dag had hij de afleidingseenheid naar een klein dorp dieper in de wildernis gestuurd, die de Britten uit Latrun weg moesten lokken. Op hetzelfde moment werden de menigten in Ramla en Lydda in de moskeeën opgehitst.

Orde Wingate leidde zijn Speciale Nachtbrigade de Sjemesj kibboets uit en stuurde ze her- en derwaarts door de velden en over de heuvels volgens een lappendekenpatroon. Als ze ontdekt werden zou niemand met zekerheid hun richting kunnen vaststellen. Ze verzamelden zich bij de monding van de Bab el Wad, gingen in dekking en hadden het koud. Na een uur kwam de eerste verkenner van de groep bij Wingate verslag uitbrengen en vertelde dat Kaukji's mannen in hun richting naar beneden kwamen.

'Mooi zo, ze zijn precies op tijd,' zei Wingate. 'Verroer geen vin. Probeer ze te tellen.'

De joden lagen verspreid over een steil rotswandje vlak boven de oude Romeinse weg. Ze hoorden het klepperen van de etensblikjes en het ratelen van losgeraakte stenen, gevolgd door de geur van hasjiesj. Kaukji's rebellen passeerden vlak onder de Nachtbrigade en verdwenen uit het gezicht in het dal van Ajalon.

Wingate wachtte een vol uur nadat ze voorbij getrokken waren en toen floot hij naar zijn manschappen om zich te verzamelen. Ze hadden ongeveer tweehonderdvijftig man van Kaukji geteld die aan de aanval op Tabah zouden deelnemen.

Wingate spreidde een kaart uit. 'We nemen niet het pad. Blijven in de heuvels. Hier, op dit punt, drie kilometer voordat we bij Fakim zijn, zullen we de hinderlaag leggen.' Het plan was Kaukji's manschappen een ontvangst te geven als ze van hun aanval op Tabah terugkwamen. De mannen van de Speciale Nachtbrigade wisten dat om ontdekking te voorkomen, de rest van de nacht één lange moordende klimpartij heuvelopwaarts zou zijn. Wingate keek naar Gideon die knikte dat het hem, niettegenstaande zijn leeftijd, best zou lukken.

Om twee uur in de ochtend verspreidden Kaukji's rebellen zich aan de voet van het heuveltje van Tabah en kropen de helling op naar het dorp.

Hadji Ibrahim had nog eens lang en diep nagedacht over zijn vreemde ontmoeting met de Britse officier, had vervolgens zijn mensen bijeengebracht en hun opgedragen de hele dorpsvoorraad petroleum naar het graf van de profeet te brengen. Omdat hij het volste vertrouwen in het plan had, liet hij de omtrek doorweken zodat het droge gras er als 't ware om vroeg in brand gestoken te worden.

Om half twee ging een officier van de rebellen vlak bij de top van het heuveltje overeind staan, stak zijn geweer omhoog en schreeuwde de oude strijdkreet 'Allah akbar!' Een gebrul steeg op van de rest, gevolgd door een salvo en een aanval.

Hadji Ibrahim smeet met een boog de eerste fakkel in het gras en viel op zijn buik. De een na de ander van zijn mensen holde naar de perimeter en slingerde een fakkel naar de aansnellende vijand. Binnen seconden barstte het gesis van het vuur dat zich met de petroleum mengde uit tot een gloeiend geweld en een reusachtige vlammengloed steeg hemelwaarts. De wind zwiepte over de heuvel en drong het vuur vrijwel onmiddellijk omlaag naar de aanvallers. Vloeken veranderden in ontstellende kreten, terwijl de ene menselijke fakkel na de andere verbrandde. Mannen sprongen op en neer als de grond in een gloeiende plaat veranderde. Sommigen vielen op de grond, kokhalzend van de dikke zwarte rookwolken. Anderen rolden van de heuvel af, razend van angst trachtend aan de aanstormende muur van vlammen te ontkomen. Ze werden gegeseld door het hellevuur en vluchtten in paniek naar alle kanten. Vijfentwintig man waren binnen twee minuten verbrand of gestikt. Een honderdtal had ernstige brandwonden.

De overigen strompelden terug naar de wijkplaats in de Bab el Wad, in de richting van Fakim, verbijsterd, een radeloze terugtocht die de hele nacht duurde. Tegen de ochtend liepen ze een bergpas binnen op een paar kilometer afstand van Fakim, volkomen uitgeput en nauwelijks in staat zich overeind te houden.

De Speciale Nachtbrigade had de bergpas al uren eerder bereikt na een zeer inspannende mars. Zij hadden een hinderlaag gelegd om de rest af te maken. De overlevenden van de aanval op Tabah kwamen nu voor een paar machinegeweren te staan die alles vergruizelden wat onder vuur kwam. Wie de eerste aanval overleefd hadden, gooiden nu hun wapens weg. Ze verdwenen tussen de heuvels om nooit meer opnieuw aan een gevecht deel te nemen.

13 *Oktober 1937*

Het kantoor van de Waqf diende als hoofdkwartier voor de grootmoefti van Jeruzalem. Het lag juist buiten het grote plein, bekend als de Haram al Sharief, de vroegere Tempelberg van Salomo en Herodes. Op de Haram al Sharief stond het eerste grote bouwwerk van de islam, de Rotskoepelmoskee, die al het overige in Jeruzalem domineerde. De machtige koepel was dertien eeuwen oud. Het was de plaats van Abrahams offerande, van het Heilige der Heiligen van de Hebreeuwse Tempel en de rots vanwaar Mohammed zijn legendarische sprong naar de hemel maakte. Weggedoken in zijn schaduw stond een kleine replica van de Rotskoepelkerk, bekend als de Chainmoskee, die als model voor het grotere bouwwerk gediend had. De moefti maakte aanspraak op de Chainmoskee als zijn persoonlijke bedehuis. Verscheidene keren per dag kwam hij van de overkant van het kantoor van de Waqf om aan zijn godsdienstplichten te voldoen.

Hij zat op zijn bidkleedje, de benen gekruist, te mediteren.

'Uwe Eminentie!' klonk een stem achter hem vanuit de schaduw.

De moefti opende langzaam zijn ogen en kwam uit zijn trance.

'Uwe Eminentie!' herhaalde de stem, weergalmend tegen het marmer.

De moefti draaide zich om en zag Gustav Bockmann, slordig gekleed als een Arabier. 'Zie je niet dat ik in gebed ben!'

'U moet meteen weg,' zei Bockmann. 'De Britten pakken uw raadsleden en al uw commandanten op. Er is een bevel u in hechtenis te nemen.'

De moefti kwam kreunend overeind en keek verward om zich heen. 'Vlug,' zei Bockmann, 'u moet u verbergen.'

De twee renden de moskee uit over de Haram esh Sharif naar het andere grote gebouw op het plein, de Al Aksa-moskee, gingen naar binnen en holden een smalle stenen trap af naar de verborgen holen onder het gebouw. De mufheid van eeuwen vermengde zich met de lucht van buskruit dat daar opgeslagen lag voor de revolutie.

'U moet hier blijven tot ik terug ben,' beval Bockmann.

Een dag en een nacht verstreken voordat de Duitser met verscheidene pakketten onder zijn arm terugkwam. Hij bracht voedsel en drinken, scheergerei en kleding.

'Wat gebeurt daar buiten allemaal?'

Bockmann ratelde een lange lijst mensen af die weggehaald waren. Sommige leiders waren ontkomen, maar over het hele land lag een sleepnet. Volgens de geruchten zouden de Britten de gevangenen naar de Seychellen verschepen, een eilandengroep ergens in de Indische Oceaan.

'Hondsvotten!' riep hadji Amin.

'We hebben een schip voor anker bij Jaffa,' zei Bockmann. 'U moet hier blijven tot de Arabische sabbat, want dan zullen hier in Al Aksa duizenden kerkgangers zijn. Het is onze beste kans om u hier uit te krijgen.'

'Ik heb een hekel aan deze kerker.'

'U kunt niet vertrekken. Overal in de oude stad zijn patrouilles. Alle poorten worden scherp in de gaten gehouden.'

Bockmann zei dat de moefti zijn baard moest afscheren en de kleren moest aantrekken die hij meegebracht had, de witte kleding die de moslemvrouwen voor het gebed droegen op vrijdagmorgen.

Op de sabbat was de Haram al Sharief stampvol met twintigduizend kerkgangers. De gebeden eindigden om twaalf uur 's middags en de mensenmassa stroomde de nauwe straatjes van de oude stad in waardoor ontdekking uiterst moeilijk werd. Verborgen in een massa vrouwen die door de Damascuspoort naar buiten stroomden, ontkwam hadji Amin al Hoesseini gemakkelijk aan de kritische blikken van de Britten.

Hij werd vervolgens in een kist verborgen tussen kisten vol tomaten bestemd voor de haven van Jaffa. Van daar op een Duits vrachtbootje langs de kust naar Beiroet en vervolgens het land in naar Damascus. Van Damascus uit hergroepeerde hadji Amin zijn leiders en zette de opstand in Palestina voort.

Orde Wingates Speciale Nachtbrigades luidden met vaste hand een nieuw tijdperk in met nieuwe spelregels. Men kon niet zeggen dat zij alleen de Arabische opstand onderdrukten, maar de ware fut van de rebellen wisten ze wel weg te krijgen. De tijd van ongehinderde Arabische nachtelijke aanvallen was voorgoed voorbij. De Speciale Nachtbrigades breidden hun terrein uit, trokken over de grens Libanon binnen en ontnamen de rebellen dat heilige toevluchtsoord. De Arabische aanvallen begonnen af te nemen.

Kaukji's ongeregelde troepen hadden een droevig figuur geslagen. Nu ze in ernstige moeilijkheden kwamen veranderde hun verlangen naar actie, goud en glorie in heimwee. Ze deserteerden bij troepen tegelijk en vluchtten uit Palestina naar hun eigen landen.

Toen de moefti niet in staat bleek de joodse immigratie tegen te houden of de joodse nederzettingen te verwijderen, richtte hij ten slotte zijn energie op het vernietigen van zijn Arabische oppositie. Toen de opstand zijn tweede jaar beëindigde, begonnen hadji Amins troepen een moordpartij, aan het eind waarvan achtduizend Palestijnse Arabieren elkaar vermoord hadden.

Nu de grootmoefti het land uit was en Kaukji's Strijders van God op de vlucht waren, begonnen de anti-moefti Arabieren, die het overleefd hadden, moed te krijgen en tegen de opstand te protesteren zodat hij als een nachtkaars begon uit te gaan.

Nog een jaar later zakte de opstand van de grootmoefti ineen, maar het resultaat was wel dat het mandaat uitgehold was. Van het begin af aan hadden de Britten zich in een onmogelijke positie geplaatst. Palestina was het tweemaal beloofde land – eenmaal aan de joden als thuisland door de Balfour-declaratie en eenmaal aan de Arabieren als deel van een Groot Arabië.

In de jaren van opstandjes en rellen stelden Britse commissies een onderzoek in. Iedere commissie gaf een witboek uit waarin joodse immigratie en grondaankoop beperkt werden. Verdelingsplannen werden voorgesteld. Volgens deze plannen zouden de joden een smalle strook land van Tel Aviv tot Haifa krijgen. Jeruzalem zou de status krijgen van een permanent mandaat als internationale stad. De joden waren geneigd met de verdeling akkoord te gaan, maar de Arabieren zeiden botweg nee tegen elk voorstel. De meeste Arabieren die met de joden tot een schikking hadden willen komen waren door de mannen van de grootmoefti vermoord

Op het hoogtepunt van de Arabische opstand kwam een hoge Britse commissie tot de conclusie dat het Britse vermogen om het mandaat te regeren ontoereikend was.

Oorlog dreigde in Europa en elk Brits voorwendsel om in Palestina onpartijdig te blijven werd opgepoetst. In het gepubliceerde witboek van de commissie zagen de Britten volledig af van hun verplichtingen aangaande het joodse thuisland. Het Britse beleid was nu volledig gericht op het winnen van de gunst van de Arabieren, om ten koste van alles de Britse belangen in die streek veilig te stellen.

Vlak voor het uitbreken van de Tweede Wereldoorlog, zaten miljoenen joden hopeloos vast in Europa. Het witboek sneed hun laatste mogelijkheden om te ontsnappen af door geleidelijk alle joodse immigratie naar Palestina stop te zetten en alle verkoop van land te beëindigen. Hoewel de opstand van de moefti de kop ingedrukt was, verschafte het Britse witboek hem de overwinning *in absentia*.

Toen aan Duitsland de oorlog verklaard werd, sloot vrijwel het gehele Arabische volk zich in de geest bij de nazi's aan. De bedrogen joden van Palestina maakten bekend: 'Wij zullen de oorlog voeren alsof er geen witboek bestaat en we zullen het witboek bestrijden alsof er geen oorlog is.'

Binnen enkele dagen gaven zich honderddertigduizend mannen en vrouwen uit joods Palestina vrijwillig op voor Britse militaire dienst.

Hadji Ibrahim was duidelijk somber gestemd. Gideon had verscheidene malen de Sjemesj kibboets verlaten om in de woestijn te gaan trainen en ongetwijfeld wapens en illegale immigranten te smokkelen. Soms bleef hij maanden weg. Telkens wanneer Gideon verdween, voelde hadji Ibrahim zich zeer onrustig. Maar dat zei hij natuurlijk nooit.

Tabah had tijdens de Arabische opstand geleden. Twee dozijn van zijn mannen was dood of verdwenen. Hadji Ibrahim wist in zijn hart, dat hij zonder de Haganah en de Speciale Nachtbrigade vernietigd zou zijn. Hij kon er nooit toe komen zich dankbaar te voelen. Integendeel. Arabieren die tegen Arabieren vechten was een doodgewone zaak, honderden jaren oud. Maar door joden en Britten gered worden was een nieuwe vernedering.

'Je bent te oud om te gaan vechten,' zei hadji Ibrahim tegen Gideon terwijl hij de koffie inschonk.

'Niet in deze oorlog,' antwoordde Gideon.

'Als je honderd vrienden hebt, schaf er dan negenennegentig af en wees voorzichtig met de laatste,' zei Ibrahim. 'Soms weet ik, dat jij mijn enige echte vriend bent. Met familie en leden van de stam is het iets anders. Zij kunnen geen echte vrienden zijn omdat ze rivalen zijn. Zonen kunnen vaak je vijanden zijn. Onze godsdienst staat ons niet toe vriendschap met vreemdelingen te sluiten. Wie blijft er dan over? Ik ben eenzaam. Ik kan geen man ontmoeten en er andere gedachten op na houden of hij wordt mijn vijand. Bij ons kan dit tenminste wel... wij kunnen praten...'

Gideon veranderde van onderwerp, want Ibrahim begon een beetje triest te worden. 'Simcha is de nieuwe secretaris van de kibboets. Je krijgt met hem te maken.'

'Hij is een goeie vent. Hij is een goeie vent. We zullen het wel met elkaar kunnen vinden. De Britten maken jou natuurlijk generaal.'

'Nee, geen kwestie van.'

'Kolonel?'

'Een doodgewone adviseur voor Arabische aangelegenheden.'

'Daarin zal je heel goed zijn,' zei Ibrahim. 'Ik weet waarom je tegen de Duitsers moet gaan vechten,' vervolgde hij. 'Maar mij maakt het niets uit, wie wint of verliest. Ik heb geen ruzie met de Duitsers. Ik ben niet boos op ze. Ik weet niet of ik wel ooit eens tegen een van hen gesproken heb. Behalve misschien tegen een pelgrim.' Hij zuchtte en gromde. 'Nu doen de Duiters ons dezelfde soort beloften als de Engelsen deden om onze hulp te krijgen in de eerste oorlog. Ik hoor de kortegolf uitzendingen uit Berlijn. Ze zeggen dat de nazi's en de Arabieren broeders zijn. Maar iedereen liegt tegen ons als er oorlog komt. Ze gebruiken onze hulp en laten ons daarna stikken, net zoals de Britten deden.'

'Als de Duitsers in Palestina komen, hoef je je tenminste geen zorgen meer te maken over de joden,' zei Gideon.

'Ik ben niet voor de Duitsers alleen om de manier waarop ze de joden behandelen,' zei hadji Ibrahim, 'maar ik ben ook niet voor de joden. In Palestina zijn geen Arabische leiders meer en die van over de grens vertrouw ik niet.'

'Dat slaat dan ongeveer op iedereen.'

'Hoe komt het dat de enigen, die wij volgen, degenen zijn die ons het mes op de keel zetten?' riep Ibrahim plotseling. 'Wij leren dat we ons moeten onderwerpen. Onderwerpen! Onderwerpen! Maar de mensen aan wie we ons onderwerpen, houden zich niet aan de wet van de Profeet, alleen aan hun eigen wet. Als jij terug komt, Gideon, hoe staat het dan met ons? Wij hebben nog niet echt oorlog met elkaar gevoerd. Het moet gebeuren. Jij zal doorgaan met joden naar Palestina te brengen en wij zullen ons daartegen verzetten.'

'Je bent erg van streek!'

'Deze dingen spelen me altijd door mijn hoofd! Ik wil niet dat de Syriërs hier komen. Ik wil de Egyptenaren niet! Ik word nu met deze gedachten alleen gelaten. De joden zijn schrander. Jullie sturen duizenden van jullie jongens naar het Britse leger om als soldaten getraind te worden.'

'Ik denk niet dat ze ons gauw als gevechtseenheden zullen gebruiken tenzij ze tot het uiterste gedreven worden.'

'Maar jullie zullen voorbereid zijn als de oorlog met ons uitbreekt. Jullie hebben een regering binnen een regering opgebouwd, en wij?

Wij krijgen de zegeningen van een andere grootmoefti of een andere Kaukji of een andere koning zoals die hansworst in Egypte. Waarom stuurt Allah ons zulke mannen? Het spijt me, Gideon. Mijn gedachten gaan nu zus en dan weer zo. Hoe het ook zij... hoe het ook zij, ik hoop dat jou niets overkomt.'

Gideon greep de armleuningen van de diepe stoel vast en trok zich overeind. 'Iemand heeft me eens gevraagd of ik vrienden had onder de Arabieren. Ik heb gezegd dat ik dat eigenlijk niet wist. Nu geloof ik een vriend te hebben. Het is een begin, is 't niet zo? Je hebt me vertrouwd, waar of niet?'

'Jij bent de enige die ik vertrouw, zowel van jouw volk als van het mijne.'

'Misschien als wij joden niet ons levenlang belast waren met onze angst om te gronde te gaan... het beheerst ons! Altijd bang om te vergaan. Ik ben drieënvijftig, Ibrahim. Ik draag een geweer sinds ik veertien was. Is het fair iedere minuut van je leven te weten dat daarginds machten zijn die je dood wensen en daarmee niet zullen ophouden voordat je dood bent... en niemand hoort je hulpgeroep... Ik ga dus de oorlog in omdat de Duitsers onze dood nog veel meer wensen dan jullie doen.'

'Kom', zei hadji Ibrahim, 'we lopen samen naar de straatweg.'

14 *1940*

Het brandpunt van het sociale leven in het dorp was voor de mannen de radio in Tabahs koffiehuis. Met de wereld gestadig en onvermijdelijk op weg naar een tweede wereldbrand werd de radio een nog grotere noodzaak.

Voor Arabieren was het in die dagen aangenaam van een zeker wraakgevoel te genieten. De regeringen van Frankrijk en Engeland, hun arrogante opperheren, zaten politiek lelijk in de knel. Een overmoedige Hitler pikte Oostenrijk in en maakte van het democratische Spanje een oefenterrein voor zijn nieuwe arsenaal van angstaanjagend wapentuig, terwijl de democratieën een oogje dichtknepen.

Bij de conferentie van München zagen de Arabieren een paar bevende en moreel corrupte democratieën het leven van nog een ander vrij volk inleveren, Tsjechoslowakije. Een paar maanden na deze gemene streek in München bezegelde Duitsland zijn bedoelingen door het sluiten van een bondgenootschap met fascistisch Italië en samen stonden ze klaar om de westerse beschaving in te slikken. Dit alles was steeds weer een bron van vreugde in Tabah.

'Heb je het gehoord, hadji Ibrahim! Het is oorlog!'

Hadji Ibrahim ontdekte de eerste verandering in de houding van zijn mensen, toen zij vol ontzag vernamen hoe de Duitse pantsertroepen Polen binnen een paar weken onder de voet liepen.

Het was hadji Ibrahims taak in zijn positie wijze raad te geven, kalm te blijven en zich niet te laten meeslepen door de opgewonden wispelturigheid van dorpelingen. Hij was een steunpilaar in de lange rij van steunpilaren die hun dorp wilden beveiligen. Overwinnaars kwamen en gingen en men wist met hen te leven. Van meer belang was de eindeloze strijd tegen de natuur, want die bleef altijd aanwezig.

Toch kwam ook hadji Ibrahim er niet onderuit betrokken te worden bij de koortsachtige opwinding toen Duitsland de ene ongelooflijke overwinning na de andere behaalde in de eerste helft van 1940. Een gevoel van welbehagen streek over Arabisch Palestina heen. Hadji Ibrahim stuurde zijn broer Faroek helemaal naar Jeruzalem om kaarten van Europa en het Midden-Oosten te kopen en het koffiehuis werd een soort oorlogsbureau. Iedere nieuwe speld en lijn op de kaarten veroorzaakte een herhaling van discussies over Duitslands onoverwinnelijkheid en de noodzaak voor de Arabische wereld een bondgenootschap aan te gaan.

Gideon Asch trok ten oorlog. De Britten speculeerden op zijn unieke achtergrond met de Arabieren en zijn kennis van de moefti, en gaven hem de opdracht hadji Amin al Hoesseini op te sporen. De moefti, die in het begin van de oorlog Damascus ontvlucht was naar de veiliger omgeving van Bagdad, zou nieuwe moeilijkheden kunnen veroorzaken, terwijl sterke pro-Duitse groepen in het Iraakse leger plannen smeedden de regering over te nemen, die in handen van een zwakke jonge regent was.

Gideon Asch had wit haar en een witte baard en door zijn kleding en zijn beheersing van de taal kon hij gemakkelijk voor een Arabier doorgaan.

In de buurt van het Mustansiriya College, misschien de oudste universiteit van de wereld, vestigde hij een uitstekende spionagedienst met als middelpunt en hoofdpersonen Iraakse joden. Hij betaalde een aantal Irakezen in belangrijke regerings- en militaire posities.

Op het moment dat Frankrijk viel, kwam de oorlog plotseling en angstaanjagend Palestina binnen. De meeste Franse bezittingen werden door de nieuwe Vichy regering in beslag genomen, die met de nazi's collaboreerde. Binnen enkele dagen waren Syrië en Libanon in pro-Duitse handen, maar voor Irak was de toekomst nog onzeker.

In Noord-Afrika doemde een tweede dreiging op tegen Palestina. De grote westelijke woestijn strekte zich uit langs de grenzen van Egypte en Libië waar de Italianen een groot leger bijeengebracht hadden: meer dan driehonderdduizend man. De opdracht was door de woestijn te trekken en Egypte, het Suezkanaal en Palestina te veroveren.

Hoewel de Britten een minderheid vormden van één tegen tien, gingen ze stoutmoedig tot een offensief over dat de Italianen vermorzelde, tienduizenden gevangenen opleverde en hen tot diep in Libië bracht.

Hitler moest opnieuw toesnellen om zijn bondgenoten te redden. Begin 1941 landde een jonge Duitse generaal, Erwin Rommel, in Tripoli en wist met een hoog gemechaniseerde legermacht, bekend als het Afrika Korps, het terrein dat de Italianen verloren hadden terug te winnen. Rommel hield halt bij de Egyptische grens om zijn manschappen opnieuw te groeperen, vanwege een al te veel uitgerekte aanvoerlijn.

Maar Palestina lag zowel in oost als in west beklemd, in een tang.

Hoewel de Britten zwaar te lijden gehad hadden, pakten ze de zaken krachtig aan. Zij schraapten een legermacht bijeen van Australiërs, Indiërs en brigades Vrije Fransen en vielen Syrië en Libanon binnen vanuit Palestina. De inval stond onder leiding van joodse verkenners, van wie de meesten deelgenomen hadden aan de Speciale Nachtbrigade van Orde Wingate en allen wel eens onder commando van Gideon Asch gestaan hadden. Deze expeditie stootte door, geholpen door een stroom van inlichtingen die verschaft werd door Gideon Asch' eenheid in Bagdad en andere joodse spionagegroepen die daar tevoren waren uitgezet.

Tegelijkertijd nam in Irak een pro-Duitse partij de regering over. Een haastig bijeengebrachte Britse legermacht landde bij Basra, de enige zeehaven van Irak aan de Perzische Golf, de haven van Sinbad en zijn zeereizen en van *Duizend en één Nacht*. Basra lag verscheidene duizenden kilometers van Bagdad en dus trok een tweede legermacht uit Palestina over land haastig daarheen, opnieuw volgens de door Gideon Asch verschafte inlichtingen.

Toen de Britten in de buurt van Bagdad kwamen werden de nazistische Irakezen waanzinnig en stormden op het laatste moment het joodse getto van de stad binnen. Vierhonderd joodse mannen, vrouwen en kinderen werden afgeslacht. Gideon Asch werd verraden door een overloper die daarmee zijn eigen leven wilde redden en werd meegenomen om gefolterd te worden. Toen de Britten de stad binnenvielen hakte een doodsbenauwde Iraakse kolonel Gideons linkerhand af. Voor hem was de oorlog afgelopen.

Hadji Amin al Hoesseini vluchtte uit Bagdad, deze keer naar het aangrenzende Iran, een politiek onstabiel land onder de tweeëntwintig jaar oude sjah. De Britten marcheerden vlug het land binnen om het veilig te stellen. Terwijl dit gebeurde verleenden de Japanners de moefti asiel in hun ambassade in Teheran en werkten hem later het land uit. Hadji Amin al Hoesseini dook weer op in Berlijn. Hij hield zich de rest van de oorlog bezig met radiouitzendingen voor de Arabieren ten gunste van de nazi's. Ook hielp hij bij het samenstellen van een divisie Joegoslavische moslems die met de Duitsers meevochten.

Met de succesvolle bezetting van Irak, Syrië, Libanon en Iran hadden de Geallieerden hun oostelijke flank in het Midden-Oosten veilig gesteld. In de Libische woestijn werd een felle uitputtingsstrijd gevoerd tussen de Britten en Rommels Afrika Korps. Enorme hoeveelheden tanks, als schaakstukken uitgespeeld, vermorzelden elkaar.

Steeds weer opnieuw werd Cairo onder nazi-swastika's bedekt om de 'bevrijders' te begroeten. Pas in oktober 1942 leverden de Britse generaal Montgomery en de Duitse Rommel voor de tweede keer slag bij een oase, El Alamein, op korte afstand van Alexandrië.

Het Afrika Korps werd verslagen, niettegenstaande het de Britten grote verliezen had toegebracht. Rommel vroeg om een ordelijke terugtocht naar een positie waar hij in staat zou zijn een doeltreffende verdediging op te bouwen. Hitler, die zijn droom van het Suezkanaal in het niet zag verdwijnen, beval zijn generaal bij El Alamein stand te houden. Toen Rommel eindelijk in staat was zich terug te trekken, liep het uit op een verwarde vlucht.

15 *1944*

De viriliteit van sjeik Walid Azziz, hoofd van de Wahhabieten, was legendarisch. Niemand wist precies hoe oud hij was, maar men zei dat hij tijdens de grote Amerikaanse Burgeroorlog geboren was. Hij was vele malen weduwnaar en had de overledene telkens vervangen door een jongere vrouw, die de leeftijd had om kinderen te krijgen. De laatste vrouw die hij nam was nog geen twintig terwijl hij boven de zeventig was en in de daaropvolgende tien jaren baarde ze hem acht kinderen. Hij had nog twee andere vrouwen en een onbekend aantal concubines. Vele weduwen van de stam beschouwden hem als een plaatsvervangend echtgenoot en kwamen met genoegen in zijn tent. Volgens zeggen had Walid Azziz in totaal vijfentwintig zoons en een gelijk aantal dochters voortgebracht. Zijn kinderen vormden het cement van vele verbintenissen door onderlinge huwelijken. Zijn zoons en dochters namen in de stammen van de Wahhabieten vooraanstaande posities in en verzekerden daardoor het voortzetten van zijn leiderschap.

Voor Walid Azziz was het verkopen van zijn dochters een rijke bron van inkomsten. Als een man voldoende geld had, kon hij de dochter van een sultan kopen. Hij kende precies de waarde van zijn vrouwen. Hij wist ook hoe hij iets achter de hand moest houden voor moeilijke tijden en hield de dochters die de hoogste prijzen zouden opbrengen in reserve.

Ramiza was zestien, de juiste leeftijd voor een huwelijk en ze zou ongetwijfeld een topbedrag opbrengen. De zoon van een prominent stamhoofd was gegadigde nummer één geweest. Helaas werd na een gesprek met oude vroedvrouwen vastgesteld, dat Ramiza dezelfde voedster gehad had als de jongen en een huwelijk was daarom uitgesloten. Bloed was niet zo belangrijk, want dikwijls trouwen bij vele Arabische groepen neven en nichten met elkaar. Zog was een andere kwestie.

Hadji Ibrahim had alles wat een mens het leven aangenaam kon maken: zoons, een groot huis, een gehoorzame vrouw en een snel paard. Toch was hij niet helemaal tevreden. Hagar had zich goed van haar taak gekweten, maar Ibrahim leek steeds krachtiger te worden naarmate zijn vrouw lustelozer werd. Na de komst van Ishmael stond het vast dat ze geen kinderen meer zou krijgen. Hij had vier zoons, maar met drie van hen was hij niet erg voldaan en Ishmael was nog te jong om zich een oordeel over te vormen.

In een besloten dorp was het moeilijker er concubines op na te houden dan in de vrijheid van een bedoeïenenkamp of in het doolhof van de stad. Zo nu en dan ging hij naar Lydda om zich te vermaken met prostituées, maar dat was nooit erg bevredigend.

Ibrahim was naar het land van zijn stam gegaan voor de begrafenis van een oom, de broer van de sjeik. Toen hij daar was, zag hij Ramiza. Walid Azziz stond er niet op dat de vrouwen gesluierd waren, behalve in tegenwoordigheid van vreemdelingen. Bovendien wilde de sjeik zijn dochters verkopen en voelde zich er niet boven verheven een gegadigde een blik op de gezichten van zijn mooiste dochters te gunnen.

Hadji Ibrahim stuurde zijn broer Faroek als zijn vertegenwoordiger om over het meisje te onderhandelen. Met de waarschuwing dat 'Walid Azziz onze stam gedurende al deze jaren niet kon regeren want hij kan geen muilezel van een paard onderscheiden,' beloofde Faroek, die altijd graag voor zijn broer klaar stond, dat hij de sjeik bij de onderhandelingen het vel over de oren zou halen.

De sjeik vermoedde het doel van Faroeks komst, maar wist niet zeker welke dochter hij op het oog had. Hij had een prijs voor ieder van hen in gedachte. Voordat Faroek verscheen, waren hij en de anderen samen tot de conclusie gekomen dat hadji Ibrahim vóór het begin van de eeuw geboren moest zijn. Hij zou dus nu een jaar of vijftig zijn. Daarom meende Walid Azziz dat hadji Ibrahim zijn keus zou laten vallen op een van zijn oudere dochters, nog wel vruchtbaar, maar minder goed verhandelbaar.

Faroek werd verwelkomd in de kleine privé-tent met twee palen, die de sjeik gebruikte om de drukte van zijn gezin in de grote tent te ontlopen. Faroek en de sjeik wisselden herinneringen uit over de strijd tegen de moefti en de gewonnen gevechten: het onderwerp van gesprek tussen mannen. Toen het ogenblik voor een vertrouwelijk gesprek gekomen was, stuurde Azziz zijn twee zwarte slaven weg. Na lang en voorzichtig het terrein verkend te hebben viel uiteindelijk Ramiza's naam. De oude man werd even van de wijs gebracht en begon een diepzinnig betoog over de deugden van zijn andere dochters.

'Het heeft geen zin, oom,' zei Faroek, 'Ibrahim is dol verliefd. Hij zag dat haar ogen geheime afgezanten van grotere schoonheden waren.'

Azziz zat diep na te denken. Hij zou hierover een besluit moeten nemen gebasseerd op vele factoren. De stam had een slechte tijd doorgemaakt. Velen van zijn beste vechters waren tijdens de opstand van de moefti gedood. Een verbintenis met hadji Ibrahim zou hem geen kwaad doen. Bovendien zat hij er krap bij. Hij had geld nodig voor zaaizaad. Verscheidene van zijn kamelen bleken onverwachts oud, kreupel en uitgeput. Nu Britse militairen overal in de Negev en in de Sinaï waren, was smokkelen moeilijk. Verscheidene van zijn smokkelaars waren gegrepen en gevangen gezet. Omdat het leger goed betaalde, hadden velen de stam verlaten om voor het Britse leger te werken. De meesten stuurden hun loon naar hun gezin, maar velen verdwenen naar de steden. Zijn eigen zoon was gevlucht en was een homoseksuele prostitué in Jaffa geworden.

Zou hij een beter bod kunnen krijgen dan wat hadji Ibrahim bereid was te betalen?

'Ramiza is een onbevlekt juweel,' zei hij, naar zijn hart grijpend.

Met dit gebaar wist Faroek dat de onderhandelingen begonnen waren.

De sjeik sloeg zich voor het hoofd en zwaaide wild met zijn armen. 'Allah zelf heeft nog zelden zijn ogen over zoveel zuivere schoonheid laten weiden. Ik moet heel eerlijk tegen je zijn, neef. Naar Ramiza is herhaaldelijk aanzoek gedaan. De ene arme sloeber na de andere heeft me met zijn aanbod beledigd. Ze is een geschenk, een juweeltje. Ze kan veel kinderen baren. Ook kan ze manden vlechten...'

Ramiza's kwaliteiten werden bijna een uur lang hartstochtelijk naar voren gebracht.

Het eerste deel van de onderhandelingen was bedoeld om voor de toekomstige bruid een persoonlijk kapitaal en een uitzet vast te stellen. Hoewel het geld direct naar haar ging, zou het als een aanduiding dienen voor wat de sjeik voor zichzelf kon verwachten als schadevergoeding voor zijn 'grote verlies'. Ramiza had recht op speciale geschenken en voordelen. Ze moest een kamer van gelijke grootte en meubilering hebben als die van de eerste vrouw en bovendien een kamer voor haar kinderen. Ze moest een schenkingsakte hebben van een stuk land voor zichzelf als haar echtgenoot zou overlijden.

Hadji Ibrahim was verstandig genoeg geweest om Faroek niet naar Gaza te sturen om op het niveau van de aankoop van een zeug te onderhandelen. De uitzet die hij de bruid aanbood was vele malen groter dan verlangd werd. Toen de sjeik al bij het begin dit gulle bod hoorde, nam zijn begeerte meteen toe. Aan Ramiza moesten vijftig dunams land gegeven worden, meer dan het dubbele van wat Hagar had. Het zou haar een rijke weduwe maken en haar verzekeren van een goed tweede huwelijk.

Toen over de goederen die Ramiza toekwamen overeenstemming bereikt was, kwam de tijd om over de compensatie voor het grote verlies van de vader te spreken. De onderhandelingen raasden zes uren ononderbroken voort, doorspekt met slaan op de borst, jammerkreten over armoede, ophemeling van de deugden van de bruid, zinspelingen op diefstal, en een eindeloze reeks beledigingen. Stap voor stap naderde de sjeik Ibrahims uiterste bod: gouden en zilveren munten, oogstprodukten, zaden, en aantallen dieren. Faroek had kans gezien even onder het hoogste bod van zijn broer te blijven. De geur van een overeenkomst begon de tent te doordringen.

Toen speelde Faroek zijn winnende kaart uit.

Omdat het oorlog was en zoveel soldaten en militaire konvooien door Tabah trokken, was het dorp natuurlijk tot illegale wapenhandel overgegaan. Hadji Ibrahims laatste bod was twee dozijn zeer kostbare geweren van de nieuwste modellen en vijfduizend patronen. Faroek zag de ogen van zijn oom dof worden, een aanduiding dat de man overdonderd was en het probeerde te verbergen.

'We beginnen dichterbij te komen,' zei Azziz. 'In plaats van zes kamelen denk ik meer aan acht.'

'Geen kwestie van!' antwoordde Faroek.

'Maar we zijn het bijna eens, neef, bijna eens. Ik denk in termen van de zevende kameel te houden, maar de achtste te verkopen... en het geld daarvan krijgen jullie terug.'

'Op zo'n voorstel kan ik niet ingaan,' antwoordde Faroek vastberaden.

'En laten we in plaats van vierentwintig geweren, vijfentwintig geweren zeggen en de opbrengst van de verkoop van vijf is voor jullie.'

Faroek sloot zijn ogen en schudde zijn hoofd: 'Nee... duizendmaal nee.' Maar Walid Azziz werkte het lijstje af met steeds minder eisen, zodat aan het eind van de onderhandelingen Faroek een klein fortuintje voor zichzelf verdiend had.

Faroek keerde uitgelaten naar Tabah terug en vertelde hoe hij de oude sjeik zijn dochter tegen een geweldig redelijke prijs afhandig gemaakt had.

Een maand later werd Hagar zonder complimenten gezegd dat zij haar familie in Khan Yunis moest gaan bezoeken en niet terug moest komen voordat ze gehaald werd.

Toen ze vertrokken was, riep hadji Ibrahim alle vrouwen van het dorp op om een groot feest voor te bereiden. Verscheidene dagen later trok een majestueuze rij kamelen over de horizon in de richting van Tabah. Hadji Ibrahim, in nieuwe kleding, galoppeerde ze tegemoet om ze te begroeten en het dorp binnen te leiden.

Tabah had een khan bij het centrum van het dorp bestaande uit twee grote vertrekken, een voor de vrouwen en een voor de mannen. In oude tijden lag het dorp op één dagrit per kameel van Jeruzalem en de khan had dienst gedaan als herberg voor moslempelgrims. Tegenwoordig kwamen kameelrijders verscheidene keren per jaar naar Tabah om landbouwprodukten op te halen en dan werd de khan door hen gebruikt. Bij andere gelegenheden, zoals een trouwpartij of een dergelijke belangrijke gebeurtenis, werd het grote vertrek gebruikt als feestzaal in plaats van de tent.

De hele mannelijke bevolking van Tabah had zich op het plein verzameld. Hadji Ibrahim ging het eerst naar binnen, gevolgd door de grote Walid Azziz te paard en geflankeerd door zijn twee slaven op ezels. De kamelen werden in de hof van de khan vastgebonden en de twee rijen mannen kwamen naar elkaar toe, schoten hun geweren af in de lucht, omarmden en kusten elkaar, koranteksten en Allahs naam uitroepend. Geschenken van de voornaamste mannen werden uitgewisseld. De sjeik gaf Ibrahim een zilveren dolk, van vóór de Ottomaanse tijd en Ibrahim gaf de sjeik een prachtig kamelezadel.

Gedurende de begroeting van de mannen was de bruid ongemerkt weggevoerd, het heuveltje op naar het graf van de profeet, waar twee grote bedoeïenententen opgezet waren, een voor iedere sekse.

Toen de mannen uitgerust waren van de reis en hun kamp opgeslagen hadden, gingen ze weer naar beneden naar de khan om feest te vieren. Alles bij elkaar geteld, het gezelschap van de Wahhabieten en Ibrahims clan, sjeiks, moektars, leden van de clan en goede vrienden, maakten zo'n tachtig man het zich gemakkelijk op de met tapijten belegde vloer tussen stapels kussens en op kamelezadels om door meer dan honderd vrouwen bediend te worden.

Bij een dergelijke gelegenheid liet noch de sjeik, noch hadji Ibrahim zich door de godsdienstvoorschriften weerhouden een slokje te nemen. Monden verschroeiden en magen werden een inferno met slokken arak, die tranen in de ogen brachten van allen, behalve de meest geharden.

Men zegt dat er vier manieren van eten zijn. Met één vinger om afkeer aan te duiden, met twee vingers als vertoon van elegantie, met drie vingers als normaal gebaar en met vier vingers als een erkenning van gulzigheid. Dit was zuiver een viervinger aangelegenheid.

Hadji Ibrahim had zijn dorpelingen vaak berispt vanwege het geven van feesten die hun vermogen te boven gingen. Het was onjuist zo te handelen om te bewijzen hoeveel een Arabier waard was. Hadji Ibrahim was natuurlijk zelf niet gebonden aan het advies dat hij anderen gaf. De moektar van Tabah maakte zijn gulheid, macht en vraatzucht bekend door het geven van enorme feesten. Faroek klaagde vaak dat de eetpartijen van zijn broer hen op de rand van armoede brachten, maar het mocht niet baten.

Na het rituele handwassen verscheen er voedsel in bataljons, regimenten en legioenen. Een parade van drie dozijn verschillende salades leidde het feest in.

Stapels pitabrood, plat en rond, werden aan stukken gescheurd om door de pasteiachtige salades te roeren en de brokken werden er met de vingers uitgevist. Er was een schotel van fijngestampte kekererw-ten, sesamzaad, olijfolie en knoflook. Er waren gestoomde wingerd-bladeren gevuld met dennezaden en krenten. Er was falafel, bruin ge-bakken ballen van gestampte tarwe en kekererwten. Er waren scha-len met ingemaakt zuur, olijven, koude en warme koolsalades, lams-lever, komkommersalades, pepertjes, een hele serie auberginescho-tels, verschillende soorten yoghurt, tomaten, uien, een half dozijn verschillende kazen, lamspasteien, granaatappelzaadjes met aman-delen. Er waren kleine krokante pasteitjes van lamsvlees en gevogelte en visballetjes aan pennen, pompoengerechten, okra, prei, en een half dozijn verschillende schotels van fijngestampte, gemengde en he-le bonen.

Toen volgde de hoofdschotel.

Hoog opgestapelde schalen, zo zwaar dat de vrouwen ze nauwelijks konden dragen, bevatten aan het spit geroosterde kip, begraven on-der de couscous. Andere schalen waren gevuld met rijst en lamsogen, en met testikels omgeven door kleine lamskoteletten. Ze geurden naar saffraan, dille en zure kersen, naar citroen en kruiden, naar ka-neel en knoflook, en ze smaakten zoals knapperige noten.

Toen volgden meloenen, perziken, druiven, pruimen, bananen en baklavas, de gebakjes belegd met honing en noten en andere dunne, kleverige, zoete koekjes.

Na een half dozijn dubbel gekookte, dikke Arabische koffie met een scheutje kardamom werden de vingers schoongelikt onder een artillerievuur van 'boeren'. Terwijl de vrouwen de tafels afruimden begon men in alle vrede herinneringen op te halen aan grote gevech-ten en gebeurtenissen uit het verleden, terwijl de waterpijpen rond-gingen.

Gedurende het latere gedeelte van de maaltijd voelde hadji Ibra-him zich zichtbaar niet op zijn gemak. Er verscheen pas een brede glimlach op zijn gezicht toen Gideon Asch binnenkwam. Toen Gi-deon sjeik Walid Azziz omarmde ging er een luid gejuich van instem-ming op onder de Wahhabieten, want Gideon had de spreekwoorde-lijke veertig dagen in hun tenten gegeten en geslapen, en was bijna een van hen.

Walid Azziz, die Gideon sinds de oorlog niet gezien had, schrok plotseling toe hij zag dat deze zijn linkerhand kwijt was. En de oude man deed iets waarvan maar weinig mannen ooit getuige geweest wa-ren. Hij huilde.

16

Het duurde niet lang of het gezelschap begon uit elkaar te gaan. Kort nadat Gideon verschenen was, na de lange reis en de zwelgpartij, leek de oude sjeik plotseling in een diepe slaap gevallen te zijn. De dorpelingen verdwenen langzamerhand, terwijl veel bedoeïenen voorover duikelden waar ze zaten en in koor begonnen te snurken.

Hoewel velen van de bedoeïenen bij de clan behoorden, ooms en neven van de dorpsbewoners, sloten dezen hun deuren stevig af, verborgen hun kostbaarheden, en telden hun dochters.

Hadji Ibrahim en Gideon gingen naar een plek buiten het dorp, in de buurt van de straatweg, waar ze alleen konden zijn. De moektar leek erg ongerust.

'Ik was bang dat je niet op tijd voor mijn huwelijk terug zou komen,' zei Ibrahim.

'Je weet, dat ik dat niet zou hebben willen missen.'

'Morgen wordt de rest van de overeenkomst afgehandeld,' vervolgde Ibrahim. 'Ze is een gracieuze, schitterende bloem, een jong hert. Ik ben heel gelukkig. Wat vind je ervan, Gideon? Misschien zouden de joden er eens over moeten denken een tweede vrouw te nemen. Op die manier kan je veel meer kinderen krijgen.'

'Het betekent alleen dat er veel meer tegen je geïntrigeerd gaat worden.'

'Ha! Wat maakt dat uit. Mijn broer Faroek bedriegt me al jaren. Ik ben er van overtuigd, dat mijn oudste zoon, Kamal, me ook bedriegt. Maar ik ben een zachtmoedig man. Als mijn broer en mijn zoon hun leven besteden om voor mij te werken en jij bent rijk en zij zijn arm, dan bedriegen ze je. Laat je hond geen honger lijden, zeg ik maar, want dan geeft een ander hem een stuk brood en neemt hem mee. Geloof me, ik heb voldoende wijsheid opgedaan om een tweede gezin te leiden.'

Hadji Ibrahim schraapte een paar maal zijn keel. Een teken voor Gideon dat hij een moeilijk punt overwoog. 'Ik moet een zeer delicate kwestie naar voren brengen. Jij bent de enige vriend die ik zo'n mededeling kan toevertrouwen.' Ibrahim werd ernstig. 'Dit is de meest vertrouwelijke onthulling van mijn leven,' zei hij. 'Ik leg mijn grootste aardse geheim in jouw handen.'

'Weet je wel zeker dat je dat doen moet?'

'Ik vertrouw je, tenminste, ik denk dat ik je vertrouw.'

'Zoals je wilt. Wat is het?'

Hadji Ibrahim schraapte zijn keel opnieuw, ging vlak bij Gideon staan en begon zachtjes te spreken hoewel er niemand in de buurt was.

'Het meisje, Ramiza, is erg jong en ik heb al vele oogsten meegemaakt.' Hij zuchtte heel, heel, heel diep en zuchtte opnieuw. 'Het is van het grootste belang dat ik een diepe indruk maak, omdat dit huwelijk een van de belangrijkste is dat gedurende vele jaren binnen de Wahhabi-stam heeft plaatsgevonden. Gideon, mijn vriend, de laatste jaren heb ik enige mislukkingen gehad.'

'Wat voor mislukkingen?'

De moektar wapperde met zijn handen en mompelde. 'Mislukkingen van de meest vernederende aard. Het is beslist niet mijn schuld. Ik vind Hagar gewoon niet meer aantrekkelijk. Ik weet dat de vrouwen erover gepraat hebben bij de bron. Hagar heeft laten doorschemeren dat er geen bevrediging meer tussen ons is. Ik moet een belangrijke indruk op mijn nieuwe vrouw maken, anders ben ik geruïneerd.'

'Je spreekt over je rol als man, minnaar in bed, is 't niet?'

Ibrahim kreunde lang en schudde zijn hoofd. 'Ik kan het niet begrijpen. Het is pas na de laatste oogst begonnen en alleen maar zo nu en dan.'

Gideon knikte dat hij het begreep en voor zijn moeilijkheden begrip had. De kern van het bestaan van een Arabier was zijn mannelijkheid. Bekendheid van zijn impotentie was de meest afschuwelijke smaad die een man overkomen kon.

'Wat wil je dat ik voor je doe?' vroeg Gideon.

'Ik weet dat jouw mensen in Sjemesj bepaalde medicijnen hebben die de situatie kunnen corrigeren.'

'Luister eens, Ibrahim. De mensheid heeft sinds het begin der tijden naar dat wonderdoende elixer gezocht. Jullie hebben je eigen liefdesdranken.'

'Ik heb ze allemaal geprobeerd. Ik heb ze zelfs uit Cairo laten komen, via een tijdschrift. Ze werken niet. Het gaat allemaal goed, behalve wanneer ik nerveus word en er te veel aan ga denken.'

Gideon haalde zijn schouders op.

'Het spul dat je aan je stieren en paarden geeft. Het spul dat uit Spanje komt.'

'Spaanse vlieg!'

'Ja, ja, dat is het. Spaanse vlieg.'

'Maar dat is voor dieren. Voor een man zou het gevaarlijk zijn. Nee, nee, hadji Ibrahim, dat gaat niet door.'

'Als ik nerveus word en in gebreke blijf met dit jonge meisje, verlaat ik Tabah, verlaat ik Palestina. Dan ga ik naar China.'

De gevolgen van een mislukking waren zo groot, dat hadji Ibrahim zich gedreven voelde zijn zwakheid aan een andere man mee te delen, het meest intieme geheim dat een Arabier kon hebben.

'Ik zal met de dierenarts spreken,' zei Gideon.

'Mijn goede, beste, gezegende vriend! Maar je moet zweren bij Allah,' zei hij, zijn vinger tegen zijn lip duwend.

Twee uur later verscheen Gideon weer in Tabah en vond hadji Ibrahim alleen op het plein waar hij met een woedend gezicht heen en weer liep.

Gideon haalde een pakje uit zijn zak. 'Ik heb heel wat moeten liegen en mooi praten om dit los te krijgen.'

Hadji Ibrahim greep Gideons hand en kuste hem. Gideon maakte het pakje open waarin een gram bruinachtige poeder bleek te zitten.

'Hoe werkt het?'

'Het is van gemalen torren gemaakt en irriteert de huid. Gebruik alleen een uiterst klein beetje. Wrijf het aan de punt van je penis.' Gideon kneep zijn vingers op elkaar om een uiterst kleine hoeveelheid aan te duiden. 'Te veel zou erg gevaarlijk kunnen zijn. Deze hoeveelheid is voldoende voor tien dagen. Daarna zal je het niet meer nodig hebben.'

Hadji Ibrahim wreef zich verblijd in de handen. 'Ik zal haar meteen zwanger maken. Dan zal iedereen weten wat een stoere vent ik ben.'

Na het ochtendgebed verzamelden Faroek en de hoofden van de clans en de oudsten van het dorp zich bij Ibrahims huis. Vervolgens liepen ze plechtig naar het heuveltje en de tent van Walid Azziz. De meest belangrijke leden van de Wahhabieten zaten aan beide zijden van de oude sjeik. Kamelezadels omgeven door tientallen geborduurde kussens lagen in een halve cirkel op de vloer.

Faroek had een kistje zilveren en gouden munten meegebracht en een aantal officiële documenten. Hij brak het deksel open, haalde het eerste document eruit en las het. Het was een nauwkeurige omschrijving van alles wat door de echtgenoot aan de bruid betaald moest worden, de prijs van de bruid die aan de vader betaald moest worden en de voorwaarden voor haar terugkeer voor het geval ze geen maagd zou zijn of hem binnen drie zwangerschappen geen zoon zou baren of indien ze onvruchtbaar zou blijken.

Vervolgens overhandigde Faroek een akte waaruit bleek dat Ramiza vijftig dunams land zou krijgen.

Het kistje met gouden en zilveren munten werd voor de sjeik geplaatst. Dit zou op één na de laatste betaling zijn. Een klein percentage werd achtergehouden voor het geval ze teruggestuurd zou moeten worden. Faroek las een ander document voor waarop in details het aantal dieren en oogstprodukten vermeld werd dat aan de sjeik overgedragen moest worden.

Alle Wahhabi mannen knikten instemmend dat men zich aan het verdrag gehouden had en dat hadji Ibrahim zich zeer royaal gedragen had. De sjeik ging staan evenals de bruidegom, en ze klapten in hun handen. Faroek, in de rol van dorpspriester, las de acceptatie voor. Deze werd door Ibrahim en Walid Azziz driemaal herhaald. Faroek las vervolgens uit de openingsverzen van de Koran en het huwelijk was gesloten.

Toen de mannen hun zaken beëindigd hadden, kwam een zee van dorpsmeisjes in de vrouwentent bijeen, zingend en dansend terwijl ze golvende bewegingen maakten. Deze bewegingen werden al vroeg aan ieder meisje geleerd, want ze ontwikkelden de spieren die later bij het kinderen baren gebruikt werden.

Ramiza's bruidstoilet en hoofdtooi, uitzet en kostbaarheden werden uitgespreid om door de vrouwen bewonderd te worden. Haar eigen bezit was een kistje bedoeïenensieraden, eenvoudige ronde zilveren munten en ongeslepen edelstenen. Het bruidstoilet was sierlijk geborduurd met zilveren draden langs de mouwen en de zijkanten. Een vierkant over de borst bestond uit een ingewikkeld patroon om kenbaar te maken dat ze nu ook bij Tabah behoorde. Dit borduurwerk werd 'nonnensteken' genoemd, omdat de nonnen in Bethlehem de jonge meisjes leerden hoe ze te maken en Ramiza's kostuum erg veel op het Bethlehem-model leek.

Hadji Ibrahim was, zoals hij beloofd had, niet karig geweest met de uitzet. In Ramiza's hoofdtooi was een klein fortuin aan Ottomaanse munten geborduurd. Ibrahim had opdracht gegeven zes japonnen voor haar te maken in plaats van de vereiste drie. Haar ceintuur had een grote zilveren gesp en haar spiegel een zilveren lijst. Haar paraplu was uit Engeland geïmporteerd en haar koffer was van gehamerd koper, gemaakt door een joodse ambachtsman in de Oude Stad van Jeruzalem.

Het was een overvloedige bruidsschat. Hadji Ibrahim verhoogde zijn status in de ogen van alle vrouwen. Binnen een uur was iedere vrouw uit het dorp in Ramiza's tent aangekomen. Ze waren diep onder de indruk toen een regendans van golvende lichamen, begeleid door gezang en handgeklap op de top van de heuvel weerklonk.

Alleen de ongetrouwde vrouwen mochten in de tent aanwezig zijn terwijl de bruid werd aangekleed. Een van Ramiza's zusters kleedde haar volgens het ritueel, terwijl een andere zorgvuldig haar uitzet op-vouwde en weer in de kist legde. De meisjes applaudisseerden bij ie-der nieuw kledingstuk dat de bruid werd aangetrokken. Het koffertje met cosmetica werd geopend en haar wenkbrauwen en wimpers wer-den zinnelijk, glanzend, koolzwart geverfd. Blauwe poeder werd bo-ven en onder de ogen gewreven, zodat ze glinsterden als katteogen. Tijdens deze behandeling bleef Ramiza onbeweeglijk en onbewogen als een beschilderde pop. Haar zuster beëindigde haar werk door haar met een parfum te besprenkelen, de meisjes in de naaste omgeving inbegrepen.

Ramiza's moeder werd binnen geroepen om haar dochter te inspec-teren. Ze kwam zingend en golvende bewegingen makend binnen, terwijl haar zusters het meisje sluierden, haar de mantel omdeden en vervolgens de hoofdtooi versierd met munten opzetten. Ramiza werd naar buiten geleid waar de getrouwde vrouwen zich verzameld had-den.

Ze werd op een kameel gezet. Voor het eerst en het laatst van haar leven was Ramiza een prinses. Een soort gejoel werd gehoord door-dat de vrouwen snel met hun tongen klikklakten in een uitbarsting van vreugde; dit veranderde in gejammer en geween.

Ramiza bleef onbeweeglijk, zacht meezwevend met de schomme-ling van de kameel en was omstuwd door schreeuwende kinderen en huilende vrouwen.

Toen men haar van de kameel af hielp, zag ze voor het eerst haar echtgenoot, schitterend uitgedost in zijn nieuwe kleding. Hij knikte stijfjes, het magische poeder in zijn zak betastend. Ibrahim liep voor haar uit terwijl ze achter hem het huis binnenging, gevolgd door de sjeik. Hadji Ibrahim en de sjeik namen de twee zachte stoelen, en Ramiza de harde stoel naast haar echtgenoot. Ibrahims zonen, Ka-mal, Omar, Jamil en Ishmael en de dochter Nada werden binnen ge-roepen. Ze maakten een buiging voor hun vader en kusten zijn hand en vervolgens kusten ze de hand van de sjeik. Ze werden plechtig aan Ramiza voorgesteld die geen spier van haar gezicht vertrok.

'Je bent welkom,' zei ieder op zijn beurt.

Een parade van dorpelingen volgde, die ieder op hun beurt zeiden 'ons dorp is jouw dorp'.

Tegen het vallen van de avond waren de bespelers van de tamboe-rijnen en horlepijpen in de stemming gekomen op de dorsvloer. De mannen dansten en vierden feest, terwijl de vrouwen bedienden. Ze dansten de Dabkah. Een rij van acht tot tien man maakte dansbewe-gingen, de armen om de schouders van de man naast zich. Hun lichamen waren star en ze dansten als wilde derwisjen met flitsende zwaarden terwijl krijgsgeschreeuw de lucht verscheurde.

Ibrahim had de kinderen weggestuurd voor de gelegenheid. Hij nam Ramiza mee naar de slaapkamer, die van wierook doortrokken was. Ze had nog nooit een ledikant gezien, noch een kamer zoals deze.

Ramiza wendde haar hoofd af en giechelde nerveus maar toch nieuwsgierig. Ze durfde vanuit een ooghoek te kijken toen Ibrahim zijn gewaad optilde en het van zich afwierp. Dit was het ogenblik waarop iedere vrouw wachtte. Van de tijd dat ze een klein meisje was, gingen alle gesprekken van vrouwen onder elkaar het meest over het moment dat de echtgenoot zich openlijk vertoonde. Ze keek nog eens voorzichtig en haar ogen sperden zich wijd open en haar lippen gingen uiteen, toen ze naar het ding tussen zijn benen staarde. Haar hele leven was het er bij haar ingestampt dat ze zijn instrument moest vrezen. Zou dat ding haar pijn doen? Hij hield het in één hand en het was gezwollen. Hij wreef er iets op met zijn vingers en liep op haar toe.

'Ik wil je zien!' zei hij schor.

Zijn handen trokken onhandig aan haar hoofdtooi en hij rukte het bruidstoilet af. Haar bovenlichaam was prachtig met een huid zo zacht als kostbare oliën en rijpe borsten met grote bruine tepels. Ze trok haar lange pantalons uit en bleef doodstil staan terwijl hij haar van onder tot boven bleef bekijken.

Zijn penis begon verschrikkelijk te jeuken zodat hij stond te hijgen als een hond. Hij pakte haar vast, sloeg zijn armen om haar heen en trok haar mee, toen hij zich niet meer bedwingen kon. Ibrahim duwde haar op het bed en sprong bovenop haar, werd wild, stootte als een gek, vloekte van genot, kreunde, kwam klaar. Ramiza kon niet zien, alleen maar voelen hoe dit grote schepsel over haar heen lag en haar bijna verpletterde. Ze voelde het ding hard aan haar rukken, stoten... doorstoten... tussen haar benen. Ze schreeuwde het uit van ondraaglijke pijn.

Buiten danste en at men op de dorsvloer. Hadji Ibrahim kon niet nalaten Gideons magische poeder steeds opnieuw te gebruiken. Het was subliem. Het hield hem aan de gang, steeds maar weer, subliem, subliem! Hij gebruikte het poeder de hele nacht door tot het op was.

Voor Ramiza was het een lange, afschuwelijke nachtmerrie, net zoals haar moeder en zusters gezegd hadden dat het zijn zou. Mannen waren afschuwelijke wezens in de penetratienacht. Wacht maar rustig af, had haar moeder gezegd, dan zal je er zo nu en dan zelf ook plezier aan beleven.

Bij het aanbreken van de dag was Ibrahim nauwelijks in staat om uit bed te komen. Voor hem was het een nacht om nooit te vergeten. Het geheim van het bruine poeder moest van Allah zelf gekomen zijn. Ramiza's bruidstoilet vol rode bloedvlekken werd trots opgehangen op een plek waar de spiegel het beeld in het woonvertrek weerkaatste. Alle bezoekers konden zich nu van de mannelijkheid van Ibrahim overtuigen. Deze nacht was de nacht van de waarheid voor alle Arabische families, want als de bruid hem op seksueel gebied bedrogen had, zou ze door haar broers gedood moeten worden. Hun eer en de eer van haar vader waren afhankelijk van haar maagdelijkheid.

Het was in Tabah wel voorgekomen dat een meisje geen maagd was, maar dat haar echtgenoot zijn medewerking verleende door zich te verwonden en het bloed op het beddelaken te laten druppelen.

Meisjes die hun hymen verloren hadden, hetzij door masturbatie in hun jeugd of bij het een of andere ruwe spelletje of ongeval moesten naar Lydda reizen om voor hun maagdelijkheid een bewijs bij een dokter te halen. Andere meisjes, die geen maagd waren, moesten hun echtgenoot bedriegen. Tegen een stevige prijs konden ze het van een van de oude weduwen die aan hekserij deden, gedaan krijgen om een dichtgebonden velletje met kippebloed in de vagina in te brengen, dat uit elkaar zou barsten als de vinger of de penis zou doordringen. Maar als de echtgenoot argwanend was, kon het bloed door een vroedvrouw onderzocht worden die een expert was in zulke trucjes. Er was een percentage meisjes van wie de hymens elastisch waren en niet gemakkelijk braken, en als dat het geval was kreeg de oude daya of vroedvrouw de opdracht de hymen met de nagel van haar vinger te scheuren en vervolgens de maagdelijkheid vast te stellen.

De nieuwe echtgenoot, die nooit iets delicaters dan een schop of een ploegschaar vastgehouden had, kon hardhandig zijn en vaak infectie teweegbrengen. Of de daya met haar scherpe, vuile vingernagel sneed soms in de rand van de vagina en veroorzaakte bloedingen.

Maar dit was hadji Ibrahim niet toebedeeld. In de ochtend overhandigde hij het bebloede laken aan sjeik Walid Azziz, die het aan de punt van zijn zwaard omhoog stak en er mee zwaaiend onder gejuich van zijn volk om de tenten reed.

Toen sjeik Azziz uit Tabah vertrok reed hadji Ibrahim met hem voor de karavaan van lijfwachten en slaven uit. Ze stopten na een halve dagreis en wachtten tot de groep hen had ingehaald. De twee mannen vonden wat schaduw aan de rand van de Negev-woestijn, een van de meest onbegrijpelijk wrede, uitgedroogde plekken van de aarde, waar alleen een handjevol mensen van een uitzonderlijk ras zich in leven kon houden. Het gebied van de islam omvatte enige van de onherbergzaamste streken van de planeet, die zich uitstrekten van Noord-Afrika tot de naargeestige kusten van de Stille Oceaan. Het was dat rampzalige deel van de wereld waar de mens de aarde niet de baas kon worden. Als verdoofd aanvaardde hij de islam met zijn fatalisme. Islam gaf wanhopigen iets om zich aan vast te klampen en de strijd om het bestaan voort te zetten. Dit land tiranniseerde een ieder die probeerde er te leven. Zo wreed, zo onmenselijk waren de natuurkrachten dat de mensen die er aan onderworpen waren, als misvormden een gemeenschap werden waar wreedheid de gewoonste zaak ter wereld was.

Bruine vlekken en gezwollen aderen verraadden de leeftijd van Walid Azziz, een oud woestijnstamhoofd wiens hand meer dolken in meer buiken van vijanden had gestoken dan de bijbelse Joab. Ibrahim en Azziz waren mannen die zichzelf tot leiders verklaard hadden en steeds nieuwe kleine koninkrijkjes maakten. Een stamverband met krachtige voormannen was altijd de hoeksteen van de Arabische politieke structuur geweest.

Ibrahim had informatie nodig, misschien leiding, maar mannen die zelfs door bloedverwantschap of positie elkaar zeer vertrouwd waren, spraken zelden openhartig met elkaar.

'Het ziet er naar uit dat de oorlog gauw voorbij zal zijn,' zei Ibrahim.

Walid Azziz die de dingen bijna negentig jaar had zien komen en gaan, haalde alleen maar zijn schouders op. Mensen komen en mensen gaan. Alleen de bedoeïen is eeuwig.

'Misschien voel ik me opgelucht. Ik weet het niet zeker,' vervolgde Ibrahim. 'Ik heb de Duitsers nooit vertrouwd.'

Walid Azziz zei niets. In het begin van de oorlog hadden de Duitsers een van hun agenten bij de Wahhabi-stam weten binnen te krijgen. Zij hadden de bedoeïenen allerlei beloften gedaan als ze een oproer tot stand wilden brengen, als steun voor het Afrika Korps wanneer het oprukte naar het Kanaal. Walid Azziz deed vage en nietszeggende beloften, evenals hij vage en nietszeggende beloften gedaan had aan de Turken, de Egyptenaren en de Britten die allen aanspraak gemaakt hadden op de soevereiniteit over de onveilige gebieden waar de bedoeïenen rondzwierven.

'Men heeft mij benaderd om te helpen een nieuwe partij voor heel Palestina te vormen,' zei Ibrahim, 'en mij werd gevraagd of de Wahhabieten zich daarbij willen aansluiten.'

'Jij leeft als in het middelpunt van een schietschijf. Dorpen zijn gevaarlijk. Ik ga naar de woestijn. Voor mij maakt het geen verschil wie Palestina probeert te regeren.'

'Maar, oom, als de grote oorlog afgelopen is, zal hier een nieuwe beginnen. Op zekere dag zullen de Britten verdwijnen. Ze hebben gefaald en ze zijn moe. Wij moeten er op voorbereid zijn Palestina over te nemen.'

Gedurende lange tijd sprak Walid Azziz geen woord. 'Ezelpis,' zei hij ten slotte. 'Jij regeert je dorp. Ik regeer de Wahhabieten. De rest is ezelpis. Geen twee Arabieren kunnen het eens worden over de afstand van hier naar die boom daar. Wij zijn in dit land geweest sinds de zon aan de hemel staat en geen Arabier kon ooit Palestina regeren. Wees dus maar voorzichtig met politieke verbintenissen.'

'Als de Britten vertrekken, zullen de joden zeker niet in staat zijn het tegen de hele Arabische wereld op te nemen.'

'Misschien niet. Van alle ongelovigen die hierheen gekomen zijn staat niemand ons meer tegen dan de jood. Onze inzet tegen de joden is onze inspiratie. En nu, voor het eerst in honderden jaren is er ten slotte misschien een vijand die we in een oorlog kunnen verslaan. Maar wat dan? Zal het Arabische volk Palestina aan jouw wondermooie, nieuwe, politieke organisatie overhandigen? Of zal Syrië Galilea annexeren en Egypte de Negev? Zal het Arabische legioen zich over de rivier de Jordaan terugtrekken of op de westelijke oever blijven? En wat zullen Kaukji en de moefti doen? En waar zal ons Palestijnse nationalisme op uitdraaien? Het zal eindigen zoals het altijd eindigt, met de ambitie van één man om de macht in handen te krijgen. Wees voorzichtig met politieke verbintenissen,' herhaalde hij, 'en wees voorzichtig met conferenties. Ze eindigen altijd in geschreeuw en dreigementen.'

De oude sjeik zakte zwijgend achterover. De karavaan kwam in zicht en verschoof langzaam op enige kilometers afstand langs de horizon. Horizonnen leken wel gemaakt om te dienen als uitstalkasten voor kamelebulten.

'Oom,' zei Ibrahim, hem een duwtje gevend. 'Het moet tot een oorlog komen tussen ons en de joden. Het is onvermijdelijk.'

'Ja, we moeten hen bevechten,' gaf Azziz toe, 'want ze zijn ongelovigen en wij zijn moslems. Geen ongelovige mag toegestaan worden ook maar een centimeter van een land te regeren waar de islam bestaat. Maar pak de joden met de uiterste voorzichtigheid aan.'

'Wat bedoelt u, oom?'

'Alle andere vreemdelingen kwamen naar Palestina om ons uit te

110

buiten. De joden zijn gekomen om hier te blijven. Ze hebben het land goed gedaan. Ze kunnen meer vertrouwen oproepen dan iemand anders, onszelf inbegrepen. Op den duur zijn we beter af met Gideon Asch dan met de Syriërs, de Jordaniërs, de Britten of met wie dan ook. Natuurlijk moet je in 't publiek schreeuwen en razen tegen de aanwezigheid van de joden. Maar als je een geweer tegen hen oppakt, denk er dan wel aan slecht te mikken en laat ze goed weten dat je nooit van plan geweest bent hen te raken. Moge Allah verhoeden dat ik ooit weer onder Egyptisch regiem kom.'

De rij kamelen kwam schommelend nader. De oude man ging met krakende botten staan, omhelsde zijn neef en klom op zijn paard. 'Wij kunnen ons niet als volkeren gedragen. Wij zijn nooit in staat geweest onszelf te regeren. Bij ons was het altijd zo dat mannen zoals jij en ik de leiding namen. Behandel de joden met kalmte en overleg. Dat is onze beste kans.'

Hij keerde zijn paard en reed spoorslags weg om zich bij de karavaan te voegen.

17

Mijn vader kwam uit de oorlog als een imposante persoonlijkheid. Niet alleen had hij de opstand van de moefti overleefd, maar hij had ook een schandelijke nederlaag aan Kaukji's ongeregelde troepen toegebracht. Het afbranden van de velden van Tabah, waarbij de vijand door de benedenwaartse wind in de val liep, werd een legendarische strijd, in duizenden, miljoenen gedichten bezongen.

Nadat mijn vaders aanvankelijke wellustige begeerte naar Ramiza bekoeld was, wilde hij weer terug naar de vertrouwde gerieflijkheid die het grote vrouwelijke lichaam van mijn moeder kon bieden en hij ontbood haar weer in zijn bed.

Hagar deed zoals haar verzocht werd, want ze had geen keus, maar zonder een woord te zeggen maakte ze duidelijk, dat hadji Ibrahim nooit meer dezelfde hartstocht zou ondervinden of met haar de genoegens zou delen die ze eens gekend hadden.

Dit maakte mijn vader woedend. Zijn eerste dreigementen waren van haar te scheiden en haar voorgoed weg te jagen. Voor een moslim echtgenoot was het eenvoudig zich van een ongewenste vrouw te ontdoen. Maar hadji Ibrahim was een praktisch man. Hoewel Ramiza mooi was – ze was een bedoeïenenmeisje en primitiever dan de dorpsvrouwen – was ze onnozel, onhandig in de keuken en bij het uitvoeren van haar plichten. Hadji Ibrahim zei dat je de oude koe niet wegdoet voordat de nieuwe melk begint te produceren. Hij wilde zijn verzorging en zijn maaltijden op de goede manier handhaven. Daarom liet hij mijn moeder blijven.

Aan het eind van de oorlog was ik negen jaar. Met hulp van mijn moeder had ik hadji Ibrahim overtuigd dat hij mij naar school moest laten gaan. Door te leren lezen en schrijven, zou ik met de rapporten en documenten over dorpsaangelegenheden vertrouwd kunnen raken en zodoende kunnen zorgen dat Kamal en oom Faroek hem niet langer bedrogen.

De school in Ramla was primitief. Het onderwijs beperkte zich tot enige grondbeginselen. Maar ik was toch erg trots. Ik was sinds Kamal het eerste kind uit Tabah dat naar een Arabische school ging. Oom Faroek had van christelijke zendelingen leren lezen en schrijven.

De school bestond uit één donker, kaal vertrek met afgebladderde wanden waar het op warme, windstille dagen stonk naar het buitentoilet. Het schoolplein was niet veel groter dan de klas, een pleintje van aangestampte aarde. Het kon geen speelterrein genoemd worden, want er waren geen schommels of glijplanken of enige sportvoorziening. Ik ontdekte pas veel later dat zulke dingen bestonden. Meestal werd de vrije tijd op het schoolplein doorgebracht met wat te eten, onze rug tegen de muur om in de schaduw te kunnen zitten. Soms schopten een paar jongens tegen een bal of speelden krijgertje, maar meestal zaten we in de schaduw van de muur of we gooiden met stenen er over heen als een oude jood voorbijkwam.

Er waren zestien jongens van acht tot twaalf jaar en geen meisjes op school. Ik was de jongste, maar vastbesloten een groot geleerde te worden, omdat het alternatief het minste baantje in de familie was, namelijk geitenhoeder. Niemand wilde zo graag leren als ik en vaak smeten de jongens me op de grond en sloegen me om te proberen me wat minder hard te laten studeren.

De onderwijzer was meneer Salmi, een magere, nerveuze man met een glimmend kaal hoofd en een streepje snor. Hij leek de aanwijsstok met meer plezier te gebruiken om ons te slaan dan om onze opgaven mee aan te wijzen. Omdat ik de zoon van hadji Ibrahim was kreeg ik niet half zoveel slaag als de andere jongens, en dat maakte hen des te vijandiger tegenover me op de speelplaats. Binnen een paar maanden begreep ik dat ik me staande zou moeten houden of de school uitgeslagen zou worden.

Ik had altijd een zak vol stenen en ik kon ze net zo doelgericht en net zo hard gooien als de gemeenste rellenschopper op straat. Ik was er heel goed in. Eens, toen mijn situatie bijzonder onaangenaam geworden was, gapte ik een van mijn vaders spitse dolken uit zijn kast en verborg hem onder mijn kleren. Die dag, toen ze me in een hoek gedreven hadden, trok ik in wanhoop de dolk te voorschijn en zwaaide ermee vlak voor het gezicht van de aanvoerder. Daarna lieten ze me vrijwel altijd met rust.

We hadden maar een paar leerboeken. Soms moesten we met z'n vieren tegelijk één boek gebruiken. Onze lessen waren kort. Meneer Salmi verbaasde zich erover hoe vlug ik leerde. Als Hagar me kwam halen, klopte meneer Salmi me vaak op het hoofd en zei haar dat Allah me begaafd gemaakt had. Meneer Salmi was de tweede volwassen man die me op mijn hoofd geklopt had, want we werden gewoonlijk door volwassenen genegeerd. Eenmaal had mijn vader het gedaan, toen ik hem bewees dat hij door Kamal en oom Faroek opgelicht werd. Ik kan de aanraking van meneer Salmi's hand nooit vergeten. Het was een heerlijk gevoel. Maar als hij op mijn hoofd klopte wanneer we alleen waren, kreeg ik een zenuwachtig gevoel, omdat meneer Salmi me daarbij altijd zo eigenaardig aankeek.

Tegen de tijd dat ik negen was, kende ik veel soera's of hoofdstukken van de koran uit mijn hoofd. Ik oefende elk vrij ogenblik en kon vermenigvuldigen en staartdelingen uit mijn hoofd maken zonder gebruik van pen en papier.

Behalve de koran schenen er twee belangrijke onderwerpen van gesprek te zijn. Buiten op het schoolplein spraken alle jongens over neuken. De oudere jongens schepten eindeloos op over hun escapades, terwijl de jongeren met open mond luisterden. Ik doorzag ze. Ze verzonnen het gewoon. En hoewel ik wist dat ze logen, begreep ik dat het belangrijk voor hen was een mannelijke indruk te maken. Maar ook voor volwassen mannen leek een mannelijke indruk maken het belangrijkste. Telkens als ik in Tabah bij een groep oudere jongens en ongetrouwde mannen kwam, werd er alleen maar over neuken gepraat. Totdat ik naar school ging had ik niet anders gehoord dan dat het vies was, gevaarlijk, en tegen Allahs wil. Ik wist dat er tussen onze eigen clans jarenlang vetes geweest waren over jongens en meisjes die alleen maar wat hartstochtelijk naar elkaar gekeken hadden. Het aanraken van een meisje kon een vuistgevecht of zelfs moord veroorzaken. Op het schoolplein vertelde een van de jongens ons op een dag hoe zijn broers hun zuster vermoord hadden omdat de familie vermoedde dat ze zonder getrouwd te zijn ontucht gepleegd had en hen dus te schande maakte. Ik hoorde dat het, voordat ik geboren werd, in Tabah ook gebeurd was.

Terwijl de glories van seks op het schoolplein steeds opgehemeld werden, gold in Tabah het tegenovergestelde. 'Blijf uit de buurt van de meisjes, raak een meisje niet aan, glimlach niet tegen een meisje, spreek niet met een meisje behalve over actuele dorpszaken. De eer van je eigen mannelijkheid is volledig afhankelijk van het feit of je vrouw maagd is in je huwelijksnacht.'

We waren hiervan zo diep doordrongen dat meisjes en jongens heel bang voor elkaar waren. Toch scheen er weinig belangrijker te zijn voor een man dan met hoeveel vrouwen hij geslapen had.

De andere gesprekken op school gingen over de joden en wat zionisme genoemd werd. In Tabah was mijn oom Faroek een dorpspriester, of imam. Hij predikte wat mijn vader hem zei te prediken. Geen sabbatpreek was ooit compleet zonder de veroordeling van de joden wegens hun terugkeer naar Palestina. Ik wist dat de joden alle profeten vermoord hadden, logen over Abraham en de bijbel vervalsten. Wij kinderen wisten dat allemaal. Ofschoon mijn vader niets met de joden te maken wilde hebben, waren we gedwongen naast hen te leven. Toch hadden we nooit moeilijkheden. Haatgevoelens tegen de joden waren niet zo sterk in Tabah. Pas toen ik naar school ging ontdekte ik hoe intens slecht joden waren.

Toen de joden bij de Sjemesj kibboets in hun velden antiquiteiten begonnen op te graven, bouwden ze een museum om ze tentoon te stellen. Tot die tijd gingen wij, als wij oude potscherven, vuurstenen en pijlspitsen op onze velden vonden, naar de straatweg en probeerden ze aan pelgrims en reizigers op weg naar Jeruzalem te verkopen. Toen de joden hun museum hadden, konden we hun veel van wat we vonden verkopen. Als we een hele aardewerk pot vonden sloegen we die aan stukken en kregen voor ieder volgend stuk steeds een hogere prijs. De joden besteedden er uren aan de pot weer zijn oorspronkelijke vorm terug te geven.

Hadji Ibrahim verbood alle kinderen van Tabah de Sjemesj kibboets binnen te gaan. Men vertelde ons dat ze baby's offerden en dat het voor de hand lag dat ze ons zouden afmaken en offeren als ze ons op hun terrein te pakken kregen. Bovendien liepen de vrouwen rond met hun benen bloot tot aan hun schaamdelen en werden er doorlopend orgieën gehouden, zelfs door mensen die niet getrouwd waren. Iedere keer dat we naar de kibboets gingen en naar de man van het museum vroegen, maakte onze onderdrukte nieuwsgierigheid de verhalen over de joodse uitspattingen nog wilder.

Toch was niemand van ons kinderen werkelijk bang voor de joden. Als we elkaar tegenkwamen of spraken, waren ze altijd heel vriendelijk. Wat ik persoonlijk niet begreep was het feit dat mijn vader el-Buraq besteeg en uren achtereen met Gideon Asch ging paardrijden. Ik denk dat hun vriendschap een grote rol speelde bij de gewoonte elkaar met rust te laten. Als mijn vader in het koffiehuis een vergadering hield, hoorde ik hem vaak zeggen: 'We zullen het probleem samen met mijn goede vriend Gideon uitwerken.'

Ook al nam Tabah een rustige en gelaten houding aan tegenover de joden, met meneer Salmi was het anders gesteld. Aangezien de meeste tijd op school besteed werd aan het leren van de koran, eindigde meneer Salmi gewoonlijk met een tirade over wat de zionisten gedaan hadden om Palestina te vernietigen en waarom we hen moesten haten. Wanneer meneer Salmi tegen de joden te keer ging, bewoog zijn grote adamsappel in zijn magere nek op en neer en werd zijn gezicht vaak paars. De aderen op zijn kale hoofd zwollen op en zijn stem ging over in een schril gekrijs.

'Mohammed is de enige en echte profeet. Hij is de Boodschapper van Allah. Alle andere godsdiensten zijn daarom waardeloos. Wie dit niet gelooft is altijd verdacht en moet uiteindelijk vernietigd worden. Speciaal de joden smeden onophoudelijk plannen om de islam te vernietigen door ketterij, oproer en kwaadwilligheid. De koran vertelt ons dat Jezus een moslem was en dat Allah hem van de joden redde. Dat staat in de koran. Eens, wanneer het jodendom en het christendom en alle andere godsdiensten van ongelovigen vernietigd zijn en al hun volgelingen verbrand, op de dag des oordeels, zal de islam de wereld regeren. Mohammed maakt dat heel duidelijk. Mohammed legt ook iedere moslem de heilige plicht op zijn leven te wijden aan het geloof.'

We kwamen er achter dat meneer Salmi een geheim lid was van de Moslem Broederschap die in Egypte was opgericht en iedereen doodde die tegen hen was. Ze waren ieders vijand, zelfs van moslems.

Meneer Salmi was de eerste die mij ervan doordrong dat alle godsdiensten onzuiver waren, behalve de islam. Toen Mohammed in de zevende eeuw in Mekka begon te prediken, bewoonden rijke joden het schiereiland. Natuurlijk dacht Mohammed dat de joden, speciaal die in Medina, allen naar hem toe zouden komen en hem erkennen als de enige profeet en de islam als hun nieuwe geloof zouden aannemen. Ze erkenden Mohammed niet, evenmin als ze Jezus erkend hadden en hielden zich gewoon aan hun eigen heidense godsdienst.

Dit maakte Mohammed woedend en hij vervloekte hen voor eeuwig. De koran staat vol verhalen over joods verraad. Meneer Salmi eindigde de schooldag altijd met het lezen van een speciale soera van de koran waarin de joden gehekeld werden. Zijn knokige vingers bladerden snel door de bladzijden tot hij bij een aangestreepte plaats kwam en zijn ogen begonnen te glanzen als hij rancuneus begon voor te lezen.

Het duurde niet lang of we kregen door de lessen van meneer Salmi kennis van wat de joden in hun schild voerden en waarom Mohammed hen verachtte.

Soera 2, het tweede hoofdstuk, verklaart hoe het in werkelijkheid de moslems waren die de joden van de farao bevrijdden en hoe de moslems de zee uiteen lieten wijken voor de joden die naar Egypte vluchtten en hoe de moslems de afspraak voor Mozes maakten om veertig dagen de berg op te gaan en hoe de moslems op de Sinaï de Wet aan de joden gaven en toestonden dat ze het Volk van het Boek werden.

'Van het begin af,' zei meneer Salmi, 'logen de joden toen ze zeiden dat zij de Wet ontdekt en de bijbel geschreven hadden. Ze logen toen ze zeiden dat Abraham een jood was. Hij was een moslem.'

De christenen waren ook ongelovigen, maar we behoefden hen niet zo erg te haten als de joden. Jezus was door de moslems naar de aarde gestuurd en gered door Allah. Jezus werd een profeet van de islam. Wij geloven niet dat Allah kinderen met een menselijke gelijkenis heeft en Jezus was niet de zoon van God, zoals de christenen beweren. Daarom logen de christenen ook over Jezus en stond hun ook een verschrikkelijke straf te wachten, want zij hadden gefaald Mohammed als de ware Boodschapper van Allah te erkennen.

Aan het begin van het jaar, toen soera 3 gelezen werd, waren velen van ons nieuwsgierig. Een van de jongens vroeg meneer Salmi hoe Abraham een moslem kon zijn, meer dan tweeduizend jaar voordat Mohammed de godsdienst openbaarde. De druppels zweet parelden op meneer Salmi's huid en bevochtigden zijn hele hoofd. Zijn antwoord op de vraag bestond uit tien stokslagen op het achterwerk van de jongen.

Soms, als we op het schoolplein zaten, probeerden we Mohammeds boodschap uit te plussen. We raakten verward over data en namen, en veel zaken klopten niet. De koran leek nogal verward over de Maagd Maria en liet haar vele honderden jaren voor Jezus geboren worden, maar ik keek wel uit om meneer Salmi's aanwijsstok te riskeren door het te vragen.

Bovendien had het geen nut te vragen. Tenzij men een heilige was of een groot geleerde was het onmogelijk de koran te begrijpen.

Soera 3, verzen 114 tot 116, waarschuwt de ware gelovigen, dat wil zeggen, ons moslems, tegen vriendschap met joden omdat ze trouweloos zijn en zich verheugen als de ware gelovige onheil overkomt.

Soera 7 verkondigt dat joden 's nachts niet kunnen slapen vanwege de wraak die de moslems op hen zullen nemen omdat ze tegen Allah samenzweren.

Soera 16 toont aan dat de joden corrupt zijn omdat ze zich van de islam hebben afgewend en dat de moslems daarom terecht de ene ramp na de andere over hen afsmeekten.

Van soera 2 tot het eind van de koran in soera 114, stelt Mohammed alle leefregels voor de gelovigen vast zodat ze zich met hem kunnen verenigen in het paradijs. De manier waarop de islam de eeuwige oorlog aan alle ongelovigen verklaarde beviel ons goed en we hoopten allen nog in leven te zijn als we de oorlog tegen hen gewonnen zouden hebben.

Meneer Salmi schreeuwde het vaak uit, met een hoofd druipend van het zweet, dat 'we in Arabische landen weten hoe we joden en ongelovigen moeten aanpakken. Soera 22 zegt het duidelijker dan wat ook. Mohammed was door de joden van Medina berispt en hij predikte dat ze dus van de weg van Allah waren afgedwaald. Voor hen past vernedering in deze wereld en op de dag van de opstanding zullen de moslems hen de straf der verbranding laten proeven.'

Een paar maal probeerde ik, voordat ik naar school ging, mijn oom Faroek vragen over de koran te stellen, maar hij antwoordde met een klap, of als ik buiten zijn bereik bleef, met een bedreiging.

De enige soera die de meeste moslems kenden en begrepen, was soera 1, een eenvoudig gebed van zeven regels. Evenals alle soera's begint het met 'In de naam van Allah, de Genadige, de Barmhartige'. Het is een gebed aan Allah waarin men hem aanroept als degene die de macht heeft over de Dag des Oordeels en smeekt dat de bidder op het goede pad zal mogen blijven. De rest van de islam en de koran werd aan de heilige mannen toevertrouwd om uit te leggen, want we hadden geen officieel priesterschap.

Iedere dag als mijn moeder en ik langs de Sjemesj kibboets kwamen, werd ik nieuwsgieriger. Toen mijn moeder weer toestemming kreeg om in huis te blijven, nam mijn broer Omar de stalletjes in de bazaar over. Omar was lui en het was moeilijk voor me hem ertoe te krijgen me op tijd bij school af te leveren.

Ik was zo goed in lezen en schrijven dat mijn vader begon in te zien dat ik in de toekomst van veel waarde voor hem zou kunnen zijn. Ik probeerde, als ik kans kreeg, zo dicht mogelijk bij hem in de buurt te komen, maar Kamal stond altijd naast hem en versperde me de weg. Maar ik was moedig omdat ik me de nodige kennis eigen gemaakt had. Op een avond keek ik mijn vader recht in de ogen en vroeg hem toestemming om met de bus heen en terug naar Ramla te gaan. Er was een Arabische busdienst en na mij gewaarschuwd te hebben nooit de joodse busdienst te nemen, stemde mijn vader toe.

Mijn nieuwsgierigheid naar de Sjemesj kibboets nam toe, toen meneer Salmi ons steeds meer over hun heidendom vertelde. Ik kon me de verschrikkelijke dingen die daar plaatsvonden voorstellen en sprak er met de andere jongens in het dorp over. Hoewel niemand ooit in de kibboets geweest was, schenen ze allemaal alles te weten.

Mijn beste vriend was Izzat. Hij was van mijn leeftijd, maar er was een ernstig beletsel. Het hele gezin was doodverklaard door de dorpelingen, als straf omdat zijn vader op een joodse akker gewerkt had. Niemand van ons werd geacht tegen iemand van het gezin Izzat te spreken. Omdat we de beste vrienden waren durfde ik met de regel te breken. Izzat wachtte altijd op me bij de bushalte en we konden een lange omweg maken naar het dorp zodat we niet door de anderen gezien zouden worden. Op een dag wachtte Izzat me bij de bus ademloos op en vertelde me dat hij een verhaal wist dat absoluut waar was. Een getrouwde joodse vrouw had met een andere man gevrijd. De echtgenoot kwam er achter, hakte het hoofd van de minnaar af, sneed de buik van zijn vrouw open, stopte het hoofd van de minnaar erin en naaide de buik weer dicht.

Dit maakte me nog nieuwsgieriger. Ik moest toegeven dat ik het meest nieuwsgierig was naar de vrouwen die korte broeken droegen zodat je hun benen kon zien. Ik had Nada's benen gezien. Ze droeg pantalons tot aan haar enkels en was zo ingetogen als de koran voorschreef. Een tiental keren per dag beval mijn moeder Nada haar benen bij elkaar te houden en zei dat ze zich moest schamen. Tot ik oud genoeg was om het te begrijpen, dacht ik dat het woord schamen een deel van Nada's naam was.

Toevallig ontdekte ik dat meneer Salmi zowaar één dag per week in de Sjemesj kibboets kwam om Arabische les aan de joden te geven. Ik vond dit bijzonder vreemd.

Wekenlang probeerde ik meneer Salmi voorzichtig te overtuigen dat ik hem zou kunnen helpen de jongere kibboetskinderen eenvoudige dingen te leren, zoals de namen van bomen en dieren en planten in het Arabisch. Hij had twee klassen, een voor kinderen en een voor volwassenen en begon er voordeel in te zien mij de kinderen te laten onderwijzen. Hij zou dan minder werk te doen hebben. Ik vertelde hem natuurlijk niet dat het mij verboden was de kibboets binnen te gaan. Ten slotte stemde hij erin toe dat ik met hem meeging en hem assisteerde. Het betekende dat ik na donker thuis zou komen, maar mijn vader wist zelden waar ik was en ik was bereid het risico te nemen dat hij er ooit achter zou komen.

Ik weet niet wat ik verwachtte, maar ik was doodsbenauwd toen we langs de wachtpost de kibboets binnengingen. Wat ik zag verbijsterde me. Ik zag opeens zoveel dingen die ik nooit tevoren gezien had, hoewel Tabah en Sjemesj aan elkaar grensden.

Ik had nog nooit een groen grasperk gezien.

Ik had nog nooit bloemen gezien die niet in het wild groeiden.

Ik had nog nooit straten gezien zonder ezel- of geitepoep, zelfs niet in Ramla.

Ik had nog nooit een echte speelplaats gezien met allerlei soorten ballen voor kinderen en allerlei dingen als schommels en glijplanken en zandbakken.

Ik had nog nooit een zwembad gezien.

Ik had nog nooit een bibliotheek gezien met honderden boeken, alleen voor kinderen.

Ik had nog nooit speelgoed gezien.

Ik had nog nooit een museum gezien of een scheikundelokaal in een school met microscopen, magneten, branders en flessen met chemicaliën.

Ik had nog nooit een medische kliniek gezien.

Ik had nog nooit een machinewerkplaats gezien.

Ik had nog nooit zoiets gezien als die grote schuur vol tractoren, gereedschap en automatische machines die koeien melkten.

Ik had nog nooit elektrisch licht gezien, behalve op een afstand op de straatweg of de lichten van de kibboets. Ik had me vaak afgevraagd hoe ze werkten. In onze klas in Ramla hing een gloeilampje, maar het wilde niet branden.

Ik had nog nooit een schilderij gezien, geschilderd door mensenhanden.

Ik was nog nooit in de winter in een vertrek geweest waar het werkelijk warm was.

Ik had nog nooit een vijver gezien waarin ze vis kweekten voor consumptie.

Ik zag een groot kippenhok dat 's nacht verlicht was om de kippen in de war te brengen, zodat ze niet wisten of het dag of nacht was.

Zoals u zich wel kunt voorstellen, beste lezer, maakte ik mezelf onschatbaar voor meneer Salmi en tegen het einde van het vierde bezoek onderwees ik een paar van de kleinste kinderen op mijn eigen houtje, alleen maar omdat ik steeds weer terug wilde komen.

De joden waren erg aardig. In het begin maakte dit me bang, want ik dacht dat ze me in een val wilden laten lopen, maar na verloop van tijd begon ik hen een beetje te vertrouwen. Ik bleef op mijn hoede zodat ze me niet plotseling te pakken konden nemen en bleef altijd binnen gehoorsafstand van meneer Salmi.

Er was een joods meisje, Hannah, dat uit Syrië kwam en een beetje Arabisch sprak dat ze zich van vroeger herinnerde. Zij werd mijn hulp in de klas. Hannah was, evenals Nada, een paar jaar ouder dan ik. De eerste keer dat ze me bij de hand pakte, trok ik hem meteen terug en mijn mond werd droog. Iemand zou vast en zeker zien dat ze me aanraakte en dan zou ik gedood worden.

Toen zag ik iets heel vreemds. Jongens en meisjes, ouder en jonger dan ik, hielden elkaar bij de hand en speelden. Ze vormden kringen en dansten en zongen met elkaar. Vaak kusten en omhelsden ze elkaar. Misschien was dit het begin van een geheime orgie? Ik was zo verbaasd over alles wat ik zag dat ik zelfs de blote benen van de meisjes vergat. Hannah leek zich niet voor de hare te schamen.

Het moeilijkst te begrijpen was de manier waarop meneer Salmi zich gedroeg als hij bij de joden was. Hij lachte en maakte grappen terwijl hij les gaf. Bij ons in Ramla deed hij dat nooit.

Meneer Salmi leek met veel van de joden goed bevriend te zijn. Hij klopte de kinderen vaak op hun hoofd als ze de goede antwoorden gaven. Ik zag hem joden omhelzen op dezelfde manier waarop Arabische mannen elkaar begroetten. Ik zag zelfs een joodse vrouw haar armen om hem heen slaan en lachen, terwijl haar echtgenoot vlak naast hen stond. De joden gaven hem altijd als hij naar de bus ging een grote mand mee met groenten, vruchten, eieren en zo nu en dan een kip. De dag daarop barstte hij dan in Ramla in woede uit over zijn haat tegen de joden.

Ik denk dat ik langzamerhand gek werd van verwarring. Was de Sjemesj kibboets een truc van de satan om ons moslems van het ware geloof weg te lokken? Onze opdracht was ten slotte hen te bekeren of hen te doden. Zo stond het in de koran. O God, ik zou het iemand willen vragen. Op een dag zag ik Gideon Asch en ik wilde graag eens met hem praten. Maar ik durfde niet, want hij zou hadji Ibrahim kunnen vertellen dat ik hier was. Hij was een vriend van mijn vader en daarom kon ik hem niet vertrouwen. Een ding wist ik zeker, namelijk

120

dat iemand mij niet de waarheid verteld had en dat het gevaarlijk voor me was de waarheid te leren kennen.

Sjemesj werd zo'n obsessie voor me dat ik er vaak van droomde. Als de joden mensenoffers brachten en orgieën hielden, deden ze het zo dat niemand het kon zien en na mijn vijfde bezoek begon ik te twijfelen of ze zulke dingen deden.

Niettegenstaande het gevaar was ik vastbesloten achter de waarheid te komen en toen gebeurde het onheil. Op een verschrikkelijke avond probeerde ik door onze tuin de keuken binnen te glippen, zoals ik altijd deed als ik in de kibboets geweest was. Op die avond stond mijn vader in de deuropening. Ik dook onder de eerste zwaai van zijn wandelstok door, maar de terugslag raakte me tussen de ribben zodat ik schreeuwend door de tuin kroop. Hij stond boven me, geweldig als een reus, zijn voeten schopten in mijn lichaam, zijn gezicht was vertrokken van woede en vervloekingen stroomden van zijn lippen.

'Ik maak je dood als je ooit nog in de buurt van de joden komt! Mogen duizend mieren je oksels uitvreten.'

Hij hield pas op toen Hagar naar buiten rende en zich over me heen wierp en om genade smeekte. Dagenlang kon ik me nauwelijks bewegen. Ik kroop in de keuken bij de kachel en huilde de hele dag. De hemel was op me gevallen. Mijn vader had me ook van school genomen.

Voor het eerst sinds Ibrahim met Ramiza getrouwd was, was mijn moeder erg aardig tegen hem. Ze drukte zich met een zacht golvende beweging tegen hem aan, legde haar handen op zijn schouder en deed de rest met haar ogen. Ze maakte suggestieve opmerkingen zoals ze dat placht te doen voordat Ramiza kwam. Ze verleidde mijn vader met alle sensualiteit die ze op kon brengen en hij vroeg haar die avond met hem naar bed te gaan. De volgende ochtend leek hadji Ibrahim een ander mens. Zijn woede tegenover mij was plotseling verdwenen. Mijn moeder ging die avond weer met hem naar bed. De volgende morgen zei hij tegen mij met een grootmoedig gebaar dat ik weer naar school mocht gaan.

Op den duur kwam ik aan de weet wie mijn vader verteld had dat ik naar Sjemesj ging. Het was mijn beste vriend Izzat. Hij had altijd bij de bushalte op me gewacht en werd achterdochtig over die ene dag in de week dat ik hem gezegd had niet te kunnen. Izzat zag me uit de kibboets komen. Zijn familie was dorpsverschoppeling. Niemand had al sinds jaren tegen hen gesproken. Izzat hoopte gratie voor hen te krijgen door bij mijn vader in de gunst te komen.

Ik had mijn les geleerd; vertrouw niemand en zeker niet je beste vriend. Ik wantrouwde mijn broers, in de eerste plaats Kamal, die mijn grootste concurrent was. Zelfs mijn moeder vertrouwde ik niet, hoewel ik heel veel van haar hield. Ze intrigeerde altijd en gebruikte me tegen mijn vader. Nada vertrouwde ik, meen ik, wel.

Ik ben nog maar eenmaal naar de Sjemesj kibboets terug gegaan... maar dat is een ander verhaal.

18

Ik wilde geen geitenhoeder worden, hoewel er een paar geiten waren waarop ik gesteld was. Ik was goed bevriend met de geit op ons erf en toen Ibrahim me zei dat ik mijn broer Jamil moest helpen haar te slachten, kon ik het niet. Niet alleen was geitenhoeder het minste baantje, maar ik had er een hekel aan dieren te doden. Hadji Ibrahim zei me dat ik moest leren hoe te doden en hij dwong me bij drie gelegenheden een geit te slachten. Ik deed het omdat hij stond te kijken, maar rende daarna weg en braakte later en huilde de hele nacht.

Toen ik weer naar school ging was ik meer dan ooit vastbesloten een groot geleerde te worden. Het was duidelijk dat meneer Salmi me niet veel meer kon leren. Hij was een arme man en had maar een paar boeken in zijn eigen bibliotheek. Ik verslond ze snel. Ik haalde hem over zijn krant voor me te bewaren, zodat ik hem zou kunnen lezen als hij hem uit had.

De joden spraken hun eigen taal, het Hebreeuws. Wij spraken Arabisch natuurlijk, zodat we, als we met de joden moesten onderhandelen, het gewoonlijk in het Engels deden. Noch wij, noch de joden vonden het prettig Engels te spreken, omdat de Britten het land regeerden. Maar zoveel werd bekend gemaakt en zoveel zaken gingen in het Engels dat iedereen die taal wel een beetje kende.

Meneer Salmi kon lezen en schrijven in het Engels, maar hij had geen Engelse boeken.

Een paar joden in Ramla hadden zaken rond de bazaar. Eén, meneer Yehuda, was eigenaar van een uitdragerij en verzamelde en verkocht oude kranten en tijdschriften. Hij was een vriendelijke oude man en heel anders dan de joden in de kibboets. Meneer Yehuda bracht het grootste gedeelte van de dag in zijn kleine kantoortje door en las gebedenboeken. Hij liet me uit zijn kranten de *Palestine Post* opzoeken, de Engelstalige krant. Ik regelde het zo dat ik na schooltijd een half uur had om in de uitdragerij te lezen voordat ik de bus naar

Tabah nam. Het was iets ongehoords, maar het feit dat ik Engels geleerd had redde ten slotte het leven van mijn familie. Het lezen van de *Palestine Post* moest geheim blijven voor mijn vader, want de krant werd door de joden uitgegeven.

In het derde schooljaar begon ik heel aardig te schrijven. Meneer Salmi moedigde me aan om over mijn dorp en andere dingen die mij vertrouwd waren te schrijven. Vrijwel iedere avond schreef ik een nieuw verhaal. Sommige waren in dichtvorm zoals de koran. Wij, Arabieren, gebruiken de dichtvorm vaak om ons uit te drukken. Mijn verhalen werden een soort dagboek van het dagelijkse leven in Tabah, onze godsdienst, gewoonten en narigheden. Veel van mijn verhalen en gedachten hield ik voor mezelf, want ik zou in moeilijkheden hebben kunnen raken als ik mijn mening over bepaalde mensen en gebeurtenissen bekend maakte. Veel van wat ik hier nu schrijf heb ik pas vele jaren later vernomen. Het is nogal verwarrend, net als de koran zelf, maar ik zou u graag over ons willen vertellen. Dat doe ik graag voor u.

Mijn dorp Tabah was, evenals de meeste Arabische dorpen, op het hoogste punt gebouwd ter verdediging tegen strooptochten van bedoeïenen of aanvallen van vijandige stammen.

Mijn eerste herinnering aan Tabah waren zijn geuren. Als ik op blote voeten door de vuile straat liep, rook ik een steeds wisselende stroom van aroma's van scherpe specerijen in het voedsel, van kardamom in de koffie van het koffiehuis, van wierook 's avonds.

Voornamelijk herinnerde ik me de geuren van mest. Ieder kind van drie kent het verschil tussen de mest van ezels, paarden, koeien, geiten, schapen en honden, die overal op de straten lag, op de paden en de velden, en die alleen verdween tijdens de winterregens. Dan waren de straten altijd modderig.

Mest was heel belangrijk voor ons. Hij werd niet alleen gebruikt om de velden vruchtbaar te maken, maar Hagar en de dorpsvrouwen maakten er ook grote, bruine, platte koeken van die ze op de daken droogden. Het was de belangrijkste warmtebron voor het koken en het verwarmen van onze huizen. Hout was schaars en het sprokkelen een langdurige, vervelende bezigheid die hoofdzakelijk werd overgelaten aan de oudere vrouwen zonder gezinnen om voor te zorgen.

Ieder jaar, als de huizen in de lente opgedroogd waren na de winterregens, werd een nieuwe laag modder en witkalk tegen de muren aangebracht om beschadigingen en scheuren te herstellen. De modder werd met mest vermengd ter versteviging. Het overschot aan mest

123

werd aan de bedoeïenen verkocht die geen hout hadden en onvoldoende eigen mest. Mijn vader en een paar anderen in het dorp waren welvarend genoeg om petroleum te gebruiken, maar dat was een uiterst luxueus artikel.

Alle huizen in Tabah waren in dezelfde stijl gebouwd: vierkant met platte daken om het water te verzamelen in het regenseizoen en om de gewassen te drogen tijdens warm weer. Meneer Salmi vertelde me dat de dorpen duizenden jaren geleden precies zo waren. De huizen van de armen, waaruit het grootste deel van het dorp bestond, waren van in de zon gedroogde modder opgetrokken. Na het jaarlijkse witten werd een lichtblauwe kleur gebruikt om de vensters en de deuren af te tekenen. Dit gebeurde om de boze geesten af te weren.

De huizen stonden dicht opeen, om verdedigd te kunnen worden. Vijf clans van de Wahhabi-stam woonden in Tabah en elke clan had zijn eigen wijk, samen met een afzonderlijk deel van het kerkhof waar de mannen begraven werden.

Mijn vader en oom Faroek bezaten stenen huizen, evenals de clanhoofden en enige andere notabelen zoals de timmerman, de pottenbakker, de sandalenmaker, de mandenvlechter en de wever.

Nog één ander stenen huis stond in Tabah, een heel bijzonder omdat het gebouwd was door en het bezit was van een weduwe. Haar naam was Rahaab en ze was de naaister van het dorp. In alle Arabische dorpen werd iedereen verondersteld te trouwen en kinderen te hebben. Kinderloze echtparen waren mislukkelingen. Weduwen werden verzorgd door hun kinderen, gewoonlijk de oudste zoon, die zijn vaders pachtrecht en schulden erfde. Ieder dorp bezat zo'n soort weduwe als Rahaab die niemand had om voor haar te zorgen. Voor een aantal onhuwbaren – kreupelen, idioten en blinden – zonder familie, was de clan verantwoordelijk.

Rahaab was oud, dik en tandeloos, maar ze had een handnaaimachine die helemaal uit Engeland gekomen was met de naam 'Frister & Rossmann' erop. De vrouwen van het dorp waren jaloers op Rahaab en bang voor haar. Niet alleen omdat ze veel verdiende, maar men zei dat ze vaak ontucht pleegde. De koran is heel streng in het bestraffen van ontucht en zij die ontucht plegen kunnen er op rekenen op de Dag van de Opstanding het vuur in te gaan. Mijn vader deed een oogje dicht voor Rahaabs ontucht, want ze deed het alleen met weduwnaars en onhuwbaren.

Hoe lelijk Rahaab ook was, om haar stenen huis zwierven altijd een aantal mannelijke personen, meestal kleine jongens zoals ik. Ze had een grote zak met snoepjes en wij draaiden om beurten aan het grote wiel van de machine. Rahaab zat altijd in een bepaalde houding op de bank zodat haar tepels de kleine jongens die aan het wiel draaiden, streelden en dat maakte onze penis hard. Ik herinner me de geur van de olie van haar machine en het feit dat ze altijd zong als ze naaide. Ze was de enige vrouw die ik ooit heb horen zingen, behalve dan bij feestelijke gelegenheden. Ik denk dat Rahaab de gelukkigste vrouw in Tabah was. Ze was de enige vrouw die alleen naar Ramla mocht reizen zonder een mannelijke begeleider. De vrouwen roddelden, volgens mij met een zekere jaloezie, en zeiden dat Rahaab jongere mannen in de stad betaalde om met haar te slapen.

Alleen de stenen huizen hadden ieder hun eigen buitentoilet. Iedere clan had een paar verlaten huizen die als toilet gebruikt werden en om het afval in weg te gooien. Eén huis was voor de mannen en één voor de vrouwen. Ik was blij dat mijn huis zijn eigen toilet had.

Het gemeenschapsleven concentreerde zich rond het dorpsplein met zijn schilderachtige waterput; daar omheen een wegvloeiend waterstroompje. Naast de put was de gemeenschappelijke bakkerij, gedeeltelijk ondergronds vanwege de ovens. De waterput, het stroompje en de ovens waren de voornaamste plaatsen van bijeenkomst voor de vrouwen om te babbelen.

Aan de overkant van het plein was onze moskee met zijn kleine minaret. Oom Faroek was de 'priester', de immam. Hij was ook de dorpskapper. Een van de oude clanhoofden trad op als moëddzin en klom iedere dag naar de top van de minaret om tot het gebed op te roepen.

Aan de derde zijde van het plein was het koffiehuis, de winkel en de khan, alle drie gemeenschappelijk bezit van mijn vader en oom Faroek. De khan was een verblijf met twee kamers, één voor de mannen en één voor de vrouwen, en een erf om de kamelen vast te binden.

De khan stond altijd klaar om leden van de Wahhabi-stam te ontvangen. Alle Arabieren zijn grenzeloos gastvrij en zelfs in het armste huis lag een stapel matten klaar om op de vloer te leggen voor familieleden die op bezoek kwamen. Bovendien werd de khan gebruikt tijdens de oogst, allerlei festiviteiten, de mesthandel en als de kameeldrijvers kwamen.

Volgens mij beheerde hadji Ibrahim de khan ook uit ijdelheid. Hij had hierdoor de grootste vergaderruimte zodat hij clanhoofden van andere dorpen naar Tabah kon laten komen om zaken van algemeen belang te bespreken of in die ruimte zijn beroemde feesten te geven.

De waterput en de ovens mochten dan het domein van de vrouwen zijn, het koffiehuis was het terrein van de mannen. De radio jankte van zonsopgang tot zonsondergang oosterse muziek, preken en nieuws uit Jeruzalem en Damascus. 's Avonds konden we zelfs steden zover verwijderd als Bagdad en Cairo ontvangen.

Aan de ene kant van het koffiehuis stond de dorpswinkel. Vrouwen was toegestaan daar hun inkopen te doen. Voordat de joden in Palestina verschenen, kwam alles in de winkel uit het buitenland: tabak uit Syrië, naainaalden, scheermesjes en lucifers uit Zweden, sardines uit Portugal, blikwaren uit Engeland. Ook wat medicijnen, zoals aspirine en dubbelkoolzure soda, maar voor moslems tellen die nauwelijks mee. Ziekte werd veroorzaakt door boze geesten. Geneeskrachtige kruiden en speciale brouwsels maakten de oudere dorpsvrouwen. Het belangrijkste artikel in de winkel was petroleum, maar weinig gezinnen konden zich dat veroorloven. In de Sjemesj kibboets hadden de joden een conservenfabriek waar ze veel van hun fruit en groenten inblikten. Mijn vader wilde die blikken niet in zijn winkel. Het verhaal ging dat ze ons waarschijnlijk vergiftigde blikken zouden verkopen zodat we allen zouden sterven en zij ons land zouden krijgen.

Iedereen in het dorp had schulden bij de winkel, geld of oogstprodukten. Mijn vader was erg mild in het laten oplopen van schulden van de dorpelingen, want hij ging van het standpunt uit dat 'een schuldenaar kan jou geen hond noemen, want hij is zelf de hond en moet gehoorzamen'.

Meer dan eens gebruikte mijn vader de schulden van een dorpsgenoot om hem te overtuigen dat zij het over bepaalde zaken eens waren.

Het overige deel van het dorpsplein was een gemeenschappelijke dorsvloer. Het was een geliefde verzamelplaats van jongere mensen, omdat het een van de weinige plaatsen was waar jongens en meisjes onbevreesd bij elkaar in de buurt konden komen. Op de dorsvloer waar de schoven afgeladen werden en de twee seksen naast elkaar werkten om het graan te malen, waren ze vaak bijna gedwongen om elkaar aan te raken, hoe vluchtig en oppervlakkig dan ook. Daar kon je flirten. Alles op de dorsvloer had een dubbele betekenis: de vluchtige aanraking, ogencontact en conversatie. Omdat het de meisjes alleen maar toegestaan was hun handen en een deel van hun gezicht te laten zien, lieten ze hun ogen het werk voor hen doen. Geen vrouw ter wereld kan meer met haar ogen zeggen dan een Arabische.

Tabah was groot genoeg om iedere veertien dagen zijn eigen marktdag te houden. Marskramers kwamen naar het plein met hun ezelwagen, hun koopwaar in grote kleipotten.

De kruiken en potten waren kunstwerken. Vele hadden de vorm

van vrouwen: met volle borsten, of zwanger, of rechtlijnig en vel over been.

Er waren spiegels en kammen en amuletten om de boze geesten af te wenden en medicijnen of drankjes die gegarandeerd alle kwalen genazen en de mannelijkheid versterkten. Stapels tweedehands kleding, gebruikte schoenen, paardetuig, en rollen aanlokkelijke stoffen werden verhandeld. Ketellappers repareerden potten en pannen of slepen messen, scharen en landbouwwerktuigen. Geweermakers repareerden onze verborgen wapens. Ieder dorp had verborgen wapens die ze in de moskee of in het graf van hun 'profeet' bewaarden. We wisten dat geen enkele Arabier iets uit deze heilige plaatsen zou stelen en we wisten dat de Britten geen heilige plaats binnen zouden gaan om naar wapens te zoeken.

Eens per jaar kwamen de Armeniërs fotograferen. Ieder huis, arm of rijk, had een paar foto's. Een foto van het hoofd van het huis met al zijn regalia, misschien een van zijn trouwdag. Foto's van vrouwen waren niet toegestaan. Mijn vader was zeer trots op zijn collectie foto's waarop hij afgebeeld stond in gevechts- of rijkleding of toen hij de hand schudde van een of andere belangrijke officiële persoon. Eén foto van hem met al zijn zoons ontbrak ook niet.

Er was nog een andere venter die maar eenmaal per jaar kwam. Hij had stapels oude tijdschriften uit vele vreemde landen. In de meeste stonden foto's van naakte vrouwen. Mijn vader had die van hem verstopt in de grote kleerkast in zijn slaapkamer, maar wij jongens namen allemaal het risico een kijkje te nemen.

Eén pad liep van het plein naar de straatweg en de bushalte. Oom Faroek had daar een stalletje, beheerd door een van zijn zoons. Hij betaalde de buschauffeurs om altijd bij Tabah te stoppen zodat hij aan de reizigers een koele dronk of fruit of groenten kon verkopen. De kinderen verkochten potscherven die ze aan het Sjemesj museum niet kwijt konden en gebedskralen aan de moslems of kruisen aan de christenen. Ze vertelden de reizigers dat de speerpunten uit de strijd kwamen waarin Jozua de zon gevraagd had stil te staan.

Andere kinderen, die niets te verkopen of niets anders te doen hadden, holden naar de bushalte om te bedelen. Ze omringden de reizigers en trokken aan hun kleren om aandacht te trekken tot de mensen hen van zich af moesten slaan als vliegen. We hadden het gebruikelijke aantal blinden, mismaakten en verminkte dorpelingen die hun handicap gebruikten om geld af te troggelen. Hadji Ibrahim liet niet toe dat een van zijn zoons of dochters bedelde maar het was onmogelijk om de anderen tegen te houden.

127

In de huizen van de meeste dorpelingen lagen geitehuiden op de vloer van de gecombineerde woon- en eetkamer. Een lange bank van in de zon gedroogde modder diende als zitplaats voor het gezin en de gasten.

In de keuken was een open haard om te koken. In de huizen van de meer welvarenden kon men een petroleumkachel vinden, die de joden in Palestina maakten. Een stenen vijzel en een stamper waren de voornaamste gebruiksvoorwerpen. De rest van de keukenuitrusting bestond uit een paar borden, tinnen gebruiksvoorwerpen en potten. Het enige waardevolle dat iedereen bezat was de koffiekan met kopjes. Aardewerk potten met zout, koffie, bonen en ander ingrediënten stonden op een rij langs de wand. Andere grotere potten of lege petroleumblikken stonden bij de deur en werden gebruikt om water uit de put te halen. Aan de keukenmuur hingen kleibakken voor graan, noten, gedroogde vruchten en ander voedsel dat niet aan bederf onderhevig was.

Omdat wij rijk waren stond in onze keuken nog een grote ketel voor het maken van druivenstroop en het smelten van schapevet dat in vrijwel alle gerechten gebruikt werd.

Alle andere vertrekken waren slaapkamers, rechthoekige cellen met dunne biezen matten en geitehuiden op de vloer.

Als meer kinderen verschenen en oudere zoons hun nieuwe bruiden thuis brachten, werden nieuwe slaapcellen toegevoegd. Zo bleef men bijeen in de eigen sector van de clan in het dorp. Een van onze dorpsgenoten met negen getrouwde zoons, herbergde tweeënvijftig mensen in zijn uitgestrekte gezinswoning.

Het huis van mijn vader was rijk voorzien. In zijn huiskamer stonden houten banken met veel prachtig geborduurde kussens uit Bethlehem. We hadden twee heel mooie beklede stoelen, westerse stijl, een voor Ibrahim en een voor de geëerde gast. Ons was niet toegestaan erop te zitten.

Wij hadden glasruiten en de anderen houten luiken. Mijn vader bezat het enige ledikant in het dorp en toen hij Ramiza getrouwd had, twee ledikanten.

Buiten de groep huizen en het dorpsplein lag een mengeling van kleine landbouwbedrijfjes die steeds opnieuw verdeeld werden bij erfenis.

Het seizoen bepaalde het gewas. Tarwe, gerst, tuinbonen en linzen waren hoofdzakelijk voor eigen gebruik. Fenegriek, of Grieks hooi, werd gekweekt voor foerage. Zomergewassen waren voor de verkoop. We kweekten prachtige meloenen die met de hand begoten werden, kekererwten, sesamzaad, en een grote verscheidenheid aan groenten.

Veel van onze velden en boomgaarden waren van de gemeenschap. Tabah had voor Palestina uitzonderlijk vruchtbare grond. Onze trots waren onze vruchtbomen, onze amandel- en walnotenbomen, en speciaal onze oeroude olijfgaard. De laatste oogst van het jaar was de druif en dit was ook gemeenschapswerk, evenals het weiden van de geiten en de schapen.

Vóór het tijdperk van de trucks, kwamen de kameeldrijvers van de Wahhabi-stam enige keren per jaar om de produkten te halen en kalk te brengen om de huizen opnieuw te pleisteren. De kameeldrijvers kwamen hoofdzakelijk voor onze overtollige mest. Aangezien de bedoeïenen de grootste smokkelaars van de wereld waren, werd onze mest gewoonlijk met hasjiesj betaald.

Ieder veld, iedere opvallende boom of steen of kruispunt had zijn eigen naam zoals 'de plaats waar de oude vrouw stierf', 'de plaats van de bedorven vijgen', 'de kikkersteen', 'de weduwnaarsboom', 'het graf van de profeet', 'de plaats van het wilde gevecht,' 'Jozua's heuveltje', enzovoort.

Mijn vader had de enige klok in het dorp, hoewel hij nauwelijks kon klokkijken en zich van de tijd niets aantrok. Iedere dag bij zonsondergang zette hij de klok op twaalf, want tijd ging samen met de stand van de zon.

Mijn vader had ook een kalender die hij niet gebruikte. De tijd van het jaar werd van oudsher volgens de fasen van de maan of het seizoen vastgesteld.

Mijn vader was rijk genoeg om petroleum voor verlichting te gebruiken. Zijn lamp was veel helderder dan de lampen waarin een pluk schapewol gedrenkt in olijfolie brandde. Hij liet een klein vlammetje in zijn slaapkamer branden om de boze geesten te weren.

Aan ieder huis was een stal gebouwd met daarin een koe, een melkgeit en soms een span ossen. Veel ossen waren gemeenschappelijk eigendom van gezinnen in de clan en vele familieruzies ontstonden over het gebruik. De boeren beschouwden de huisdieren min of meer als familielid. Vaak hielden ze een soort conversatie met ze als ze naar het veld gingen. De meeste stallen hadden een opening naar het huis omdat de dieren door hun lichaamswarmte hielpen het huis warm te houden. Achter de stal lag een groentetuintje, soms met een paar fruitbomen en kippen. Kippen en eieren waren de afdeling van de vrouw. Volgens traditie mochten ze het teveel aan eieren verkopen en het geld voor zichzelf houden.

Alle kleine binnenplaatsen waren omgeven door een cactushaag. In Tabah beschouwt men elkaar als stambroeder of -zuster en de ouderen als ooms en tantes. Hoewel iedereen geacht wordt verantwoordelijk te zijn voor zijn naaste, want de koran beveelt liefde onder de gelovigen, zijn de ruzies in het gezin, de clan en de stam de vloek van het Arabische leven. Iedere clan of stam heeft een groot aantal vijanden.

Ik wist dat het gevaarlijk en moeilijk voor me was om naar school te gaan en belangstelling te tonen voor zaken als het schrijven van poëzie en verhalen en het leren van vreemde talen, want dat maakte mijn broers jaloers. Ik was het enige kind in Tabah dat ambities had. Omdat een georganiseerde opleiding of recreatie ontbrak, bleven de kinderen om hun ouders hangen, ieder kind achter de man of vrouw aan van wie het op den duur de plaats zou innemen.

Kamal bleef krampachtig aan mijn vaders zijde omdat hij moektar wilde worden en hoofd van het gezin en de clan als Ibrahim stierf. Omar, die de stalletjes in de bazaar beheerde, zou op den duur de baas van de winkel en het koffiehuis worden en je kon hem gewoonlijk bij mijn oom Faroek aantreffen, waar hij aan de tafels bediende en achter de toonbank stond te verkopen. Jamil, die eens de voornaamste boer zou zijn, bleef in de buurt van een neef die voorman was over de velden. Toen ik langzamerhand het vertrouwen van mijn vader won, werd het gevaar van de kant van mijn broers groter.

Voor de boeren van Tabah waren land, dorp, gezin en godsdienst één geheel. Het dorp werd gewekt door het ochtendgebed waartoe het opgeroepen werd vanuit de minaret door de moëddzin. We ontbeten met pitabrood, geitekaas, olijven, vijgen en koffie en iedereen ging aan 't werk, behalve mijn vader.

Omdat we zo dicht opeen woonden, was het onvermijdelijk dat vaak ruzies uitbraken. Ieder van de vijf clans had zijn eigen sjeik die ook dorpsoudste was. Ruzie binnen een gezin of clan kon gewoonlijk door een sjeik in de hand gehouden worden. Maar wanneer twee clans botsten kon een bloedvete ontstaan die generaties lang duurde.

Hadji Ibrahim was een machtige moektar. Zijn rechtspraak was snel en afdoende. De beste manier om een man op zijn plaats te houden was vernedering van hem en zijn gezin in het bijzijn van anderen. Voor een Arabier is vernedering de zwaarste straf.

De vernedering van het gezin van Izzat was bijzonder hardvochtig geweest. Zijn vader, Tareq, was een lid van onze eigen Soukori-clan. Tussen de oogsten moesten de meeste mannen ergens anders werk zoeken. Velen gingen naar Gaza om sinaasappelen te plukken en konden in de tenten van Wahhabieten in de buurt overnachten. Anderen, met verwanten in Jaffa, werkten in de dokken gedurende het scheepsseizoen. Omdat de joden nu veel nederzettingen hadden werd het gemakkelijk werk te vinden in hun velden tijdens de oogst en toch dicht bij huis te zijn. Mar hadji Ibrahim had iedereen in Tabah verboden voor joden te werken. Toen Tareq het verbod overtrad, verbood mijn vader hem het koffiehuis te bezoeken, trok zijn krediet in, verbood hem de moskee te betreden, aan festiviteiten deel te nemen en zijn deel van de gemeenschappelijke inkomsten te ontvangen. Zijn arme vrouw werd zo onheus behandeld door de vrouwen bij de waterput en de ovens dat ze daar alleen naartoe ging als de anderen verdwenen waren. De jongens uit het dorp mochten niet met de drie zoons van Tareq spelen hoewel ik bevriend bleef met Izzat.

Nadat deze toestand bijna drie jaar geduurd had, hield Tareq het niet meer uit en verdween naar Transjordanië. Hij liet zijn gezin in de steek. Zo'n scheiding van familieleden in de Arabische wereld betekent de levende dood.

Mannen en vrouwen zaten levenslang aan hun rollen vast. Ze konden er niet aan ontsnappen en ze niet veranderen. Mijn vader beweerde dat men alleen door blinde aanvaarding kon verwachten door het leven te komen zonder gek te worden. Maar veel mensen werden toch gek.

Je hoefde maar een huis in Tabah binnen te komen, of het koffiehuis, of de ovens om je te realiseren dat niemand plezier in zijn werk had. Werk werd beschouwd als de grootste vloek van de wereld. Mijn vader hoefde niet te werken en had de meest ideale positie in het Arabische leven bereikt. Werk was nodig om in leven te blijven, maar er was geen reden om huis of land te verbeteren.

Hoewel de vrouwen in 't geheim hun eigen leefwijze hadden, mochten ze van hun geboorte tot hun dood geen plezier maken. Bij gezellige bijeenkomsten waren ze altijd gescheiden van de mannen. Ze konden niet zingen of dansen op bruiloften, behalve ergens afzonderlijk, met elkaar. Ze konden niet reizen, behalve onder toezicht van een mannelijk familielid om de eer van de familie veilig te stellen. Sommige mannen uit het dorp gingen eens of tweemaal per jaar naar een bioscoop in Lydda, maar dit was vrouwen verboden.

De mannen konden bijeenkomen in het koffiehuis of bij het vieren van een heilige dag, een trouwpartij, of een begrafenis. Dit veroorzaakte steeds teleurstelling bij de vrouwen die geweerd werden. Vrijwel iedere dag ruzieden de vrouwen bij de put of bij de ovens. Hun woorden waren vaak scherper en kwetsender dan die van de mannen.

Onze seizoenen waren zeer specifiek: nat of droog. Tegen maart hielden de regens op en dit was de tijd om de grond te bewerken, nieuwe wijnstokken uit te zetten en nieuwe bomen te planten. Het was heel moeilijk de vochtigheid van de winter kwijt te raken. Geen van onze huizen, zelfs geen stenen huis, was warm of droog genoeg. Veel kinderen stierven door kouvatten als ze nog kleuters waren. Na de regens waren alle huishoudgoederen, slaapmatten, kleding, geitevachten en dekens schimmelig. Ze werden op het dak gelegd om te drogen, terwijl de huizen gerepareerd werden. Veel vrouwen sponnen nog wol met handspoelen. De vochtige wol werd uit de gewatteerde dekens gehaald en vervangen door nieuwe wol.

Midzomer oogstten we. Als de graanoogst binnenkwam, stroomde een golf van activiteit over Tabah. Iedereen ging aan het werk, behalve mijn vader en een paar oudere dorpelingen, want we hielden een wedloop tegen de regen en waren bang dat het graan zou gaan rotten. We sorteerden het graan koortsachtig, droogden het op de daken en brachten het naar de dorsvloer, dag en nacht bezig.

Onze wintervoorraad granen werd op geitehuiden gesorteerd en opgeborgen in grote kleikisten die aan het huis zaten. Pacht werd betaald met de helft van de oogst en wat men niet zelf nodig had werd in de souks verkocht. Snel aan bederf onderhevige produkten zoals aubergines, tomaten en vijgen werden in de zon gedroogd en opgeborgen voor de winter.

In september kwam de laatste oogst, de gezamenlijke druivenpluk. Veel ging naar het trappistenklooster in Latrun, enige kilometers verderop. De monniken waren wel niet goed snik, maar ze maakten een beroemde wijn. Niemand mocht daar spreken, behalve de abt.

De mannen van het dorp persten de druiven met de voeten. Dit werk was onbetamelijk voor vrouwen, die hun blote benen tot boven de knieën zouden moeten laten zien. Het druivesap werd boven open vuur gekookt. Tegelijkertijd werden schapen die met moerbeibladeren vetgemest waren, geslacht en het vlees werd gekookt om het vet eruit te halen. Het dal van Ajalon was doortrokken van de geur van de vuren, de druiven en het schapevet, waarvan de rook op windstille herfstdagen laag boven het dal hing.

De armsten onder ons brachten de geitenkuddes in de Bab el Wad om te overwinteren. Vaak trokken vrouwen en kinderen mee met de mannen en leefden in grotten. Ze betaalden de huur voor de grot en het gebruik van de weidegrond door geitemest te verzamelen en te verpakken.

Als al het werk achter de rug was en we op de regens wachtten, gebruikten de vrouwen hun tijd voor verstelwerk, naaien en het borduren van hun mooiste kleding. De vrouwen van Tabah hadden een uniek meetkundig borduurpatroon over de voorkant van hun zwarte gewaden. De mannen repareerden gereedschap en paardetuig, maar zaten gewoonlijk in het koffiehuis naar de radio te luisteren en herhaalden de geschiedenissen van grote moed in de strijd en van nog grotere bekwaamheid in bed. Herhaling in onze verhalen en poëzie, herhaling in de vormen van onze huizen, herhaling in de muziek over de radio; alles herhalen was ons leven.

In de ontspannen sfeer van het natte seizoen werden veel baby's gemaakt, nieuwe huwelijkscontracten gesloten en de daaropvolgende trouwpartijen hielpen de verveling te verdrijven. Dat was de tijd van het jaar dat vader zijn tweede vrouw nam.

Ik herinner het me omdat het begin van het natte seizoen de tijd was dat de Armeniërs kwamen om foto's te maken en de besnijder ons dorp bezocht om de voorhuid af te snijden van alle jongens die in dat jaar geboren waren. Alle moeders stonden in een van de kamers van de khan met het kind in de armen. Het duurde niet lang of de jongetjes bloedden allemaal en schreeuwden van de pijn. Vaders feliciteerden elkaar terwijl de moeders de pijn verzachtten met schapevet en liefkozingen.

Ik kan het verhaal van mijn herinneringen aan Tabah niet beëindigen zonder iets te schrijven over de islam, de koran, de soenna en jinn.

Islam betekent 'de onderwerping aan Gods wil'.

Een moslem is 'iemand die zich onderwerpt'.

Mohammed was een arme en ongeletterde kameeldrijver uit Mekka die met een rijke weduwe trouwde. Dit gaf hem de mogelijkheid zijn roeping te volgen. Hij kreeg zijn opdracht door gedurende veertig dagen de berg Arafat op te gaan en Allah zelf gaf hem onderricht.

De koran, een collectie van Mohammeds preken, werd pas vele jaren na zijn dood geschreven door mensen die naar hem geluisterd hadden. Goddelijk geïnspireerd herinnerden zij zich alles wat Mohammed gezegd had. Aangezien hij de laatste profeet was, waren alle andere, vroegere godsdiensten verouderd.

Mohammed werd op een avond in Mekka door de engel Gabriël gewekt. Hij vernam dat hij een nachtelijke reis naar het paradijs moest ondernemen. Als voorbereiding voor de reis sneed de engel Mohammeds lichaam open, verwijderde zijn hart en waste het. Toen het weer op zijn plaats lag, was het gevuld met geloof en wijsheid.

Mohammed besteeg toen een soort paard, een merrie, el-Buraq genaamd. Ik zeg een soort paard, want de merrie had het gezicht van een vrouw, het lichaam van een muilezel en een pauwestaart. Dit wonderbaarlijke dier kon in één stap een afstand afleggen zover het oog kon zien.

De koran heeft een passage waarin melding gemaakt wordt van 'de verste plaats'. Jeruzalem wordt nooit bij naam genoemd. Maar de wijze mannen in de oudheid meenden dat die verste plaats Jeruzalem was.

Toen Mohammed Jeruzalem bereikte, maakte hij el-Buraq aan de westelijke muur van de tempel van Herodes vast en beklom de Tempelberg. Hier ontdekte hij de grote rots van Abrahams offer, die ook het altaar van de Hebreeuwse tempel geweest was. Mohammed sprong toen van de rots op een ladder van licht die naar het paradijs leidde. De rots begon Mohammed te volgen, maar Gabriël, die Mohammed vooruit gevlogen was naar Jeruzalem, beval de rots op z'n plaats te blijven en de rots gehoorzaamde. Later werd er een groot heiligdom overheen gebouwd, de Rotskoepelmoskee. Hier dichtbij werd de Al Aksa-moskee opgericht. Al Aksa betekent 'de verste plaats'.

El-Buraq wachtte op Mohammed toen hij in de hemel aangekomen was. Toen Mohammed het paard opnieuw bestegen had, reed hij door de zeven paradijzen van de hemel. Hij ontmoette de patriarchen en profeten van het Boek en zag alle engelen in gebed. Hij zei, dat Mozes een nogal rood gezicht had en dat Jezus een man van gemiddelde lengte was met veel sproeten, evenals Salomo.

Na zich snel alle wijsheid en kennis van de heiligen, engelen en profeten eigen gemaakt te hebben, mocht hij persoonlijk Allah ontmoeten en hij bleef de enige man die Allah ooit heeft gezien. Mohammed en Allah hadden een uitvoerig gesprek om de verschillende aspecten van de islam vast te stellen. Allah wilde dat het volk vijfendertig keer per dag tot hem zou bidden, maar Mohammed wist hem te overtuigen dat vijf maal praktischer was. Na zijn bezoek keerde Mohammed nog diezelfde nacht naar Mekka terug.

De koran handelt over andere dingen dan alleen straffen en beloningen. Hij geeft ons instructies aangaande ontucht, overspel, ongehoorzame mensen, aalmoezen, moord, corruptie, beledigingen, schuldenaars, hel, echtscheiding, laster, bruidsschatten, achtervolging, vasten, dag van vergelding, vechten, afvalligheid, achterklap, hebzucht, gokken, kindermoord, begraven van kinderen, heidendom, erfeniswetten, hoe te slapen, menstruatie, ouderlijke plichten, zogen, geslachtsgemeenschap in het huwelijk, onenigheid, eden, wezen, eten in andermans huis, zuigelingen, verbod van wijn en alcohol, afvalligen, vergelding, satans, berouw, kwaadsprekers, behandeling van slaven, testament van de weduwen, diefstal, wantrouwen, woeker, listigheid, overtreding, voortekenen, dieet en voedselwetten, gebeden van het kwaad, seksuele onthouding, onzindelijk zaken doen, ijdelheid, de doden tot leven wekken, seksuele oneer, eunuchen, moederschap, voorschriften voor het houden van bijzitten, bloedstollingen, vijanden, boze geesten, waarom Mohammed geloofd moet worden, het overwinnen van de Grieken, het sluieren van het gezicht van de vrouw, vee, bedrog, vrekkigheid, afgodendienst, Allahs macht om dood te veroorzaken, schijnheiligen, verbreken van familiebanden, gierigheid, ritueel wassen, hoofd scheren en andere regels voor pelgrims, lot van zondaren, hen die ongelovig zijn, samenzwering, behandeling van vijanden en vrouwelijke vluchtelingen, wulpsheid, zwangere kamelen, sluipers, regen, perversiteit, komplotten en samenzweringen, wereldeenheid en barmhartigheid.

Natuurlijk is dit slechts een uittreksel van het enorme aantal andere onderwerpen waarover de koran ons instructies geeft. Ieder huis had zijn koran, maar vrijwel niemand kon hem lezen. De meeste mensen kenden de verplichte dagelijkse gebeden en aanhalingen hier en daar uit het boek. De rest moest hun bijgebracht worden door mensen zoals mijn oom Faroek, want we hadden geen erkende geestelijken. Oom Faroek was niet al te duidelijk maar zijn preken werden geaccepteerd.

Er zijn vijf dogma's van de islam. Het eerste dogma is totale onderwerping van de moslem aan Allah. Hij moet in alle ernst zeggen en geloven dat 'Allah is de enige God en Mohammed is zijn profeet'.

Hij moet vijfmaal per dag bidden na rituele reiniging en de voorgeschreven kniebuigingen maken, knielen en buigen in de richting van Mekka en zich ter aarde werpen. Vele malen gedurende het gebed worden de woorden 'Allah akbar' herhaald. 'God is groot.'

De moslem moet een louterbelasting betalen voor de liefdadigheid.

De moslem moet vasten tijdens de Ramadan, de negende maand van de islamkalender. Toen werd de koran ons gezonden om onze levens in rechte banen te leiden. Tijdens de Ramadan openen de poorten van de hemel zich en de engel Gabriël vraagt om genade voor iedereen. Oude mensen in 't bijzonder bidden zeer intens om vergiffenis voor hun zonden, omdat zij degenen zijn die het eerste moeten proberen in het paradijs te komen. Hoewel het nooit door mensenogen aanschouwd is, weet iedereen dat zelfs de bomen in de richting van Mekka knielen tijdens de Ramadan.

We moeten gedurende de hele maand bij daglicht vasten. We onderscheiden de dag en de nacht door een draad. Als je een witte draad kunt zien is het nacht en als je een zwarte draad ziet is het dag.

Ramadan is de tijd dat nieuwe kleding gekocht wordt, iedereen zijn haar laat knippen bij oom Faroek en iedereen een bad neemt. De meeste vastenuren overdag worden in de moskee doorgebracht, in gebed. In Tabah staan we vrouwen in de moskee toe, maar alleen aan één kant, achterin en uit het gezicht van de mannen. Gedurende deze uren is er een absoluut verbod om te eten, te drinken en te roken en, het ergste van alles, om seks te bedrijven. Zwangere vrouwen, voedsters, zeer oude en zieke mannen, reizigers en kleine kinderen zijn bij gratie van Allah ontheven van de plicht tot vasten.

Laat in de daglichturen kunnen mensen soms gek beginnen te worden. Majnun, de geest die je gek maakt, is in volle glorie tijdens de Ramadan. Mannen, verzwakt door honger, dorst en de zon beginnen bij de minste aanleiding te vechten. Mijn vader heeft het heel druk om de orde te bewaren tijdens de Ramadan. Het is verboden om stiekem te eten. Als iemand betrapt wordt zijn hij en zijn gezin tot de volgende Ramadan dood verklaard.

De avondmaaltijd kan urenlang duren. Men propt zich barstensvol. Vlak voor zonsopgang wordt een tweede maaltijd gegeten, maar men zit nog zo vol van de vorige, dat het ochtendmaal een bezoeking wordt. Iedereen is blij als de Ramadan voorbij is.

Het meest belangrijk voor de moslems is de soenna. Hoewel de soenna geen erkende tekst is, kan hij toch niet van de koran gescheiden worden. Het is een interpretatie van de waarden van de koran op grond van ervaring en traditie. Zij die in de soenna geloven zijn soenni-moslems. Iedereen in Tabah was een soenniet. De soennieten vertegenwoordigen het grootste deel van de islamitische wereld.

De belangrijkste groep na de soennieten zijn de sji'iten.

Kort na de opkomst van de islam in de zevende eeuw verplaatste het centrum van de macht zich van de Arabische woestijn naar de steden. Eerst werd Damascus het centrum van de islam, daarna Bagdad, toen Cairo en veel later Istanbul. De kaliefen of leiders van de islamitische wereld heersten niet langer van Mekka of Medina uit. Zij vestigden zich in het machtigste land van het ogenblik.

De sji'iten eisen dat de kalief, de leider van de islam, altijd een afstammeling van Mohammed of kalief Ali moest zijn. Ze sloegen zich met zwepen om hun devotie te bewijzen, streefden naar martelaarschap en deden allerlei krankzinnige dingen. De sji'iten haatten de soennieten meer dan ze de ongelovigen haatten. Ze begonnen altijd opstandjes. Palestina had niet veel sji'iten, Allah zij geloofd, maar in Iran waren ze talrijk. Wij haatten ze.

Eens had ik de moed meneer Salmi te vragen of de sji'iten, alawieten, druzen en koerden echte moslems waren en hij mompelde 'eigenlijk nauwelijks'.

Volgens het vijfde en laatste dogma van de islam moest iedere gelovige eens in zijn leven een pelgrimstocht naar Mekka maken. In Mekka ligt de Zwarte Steen in een heiligdom, de Ka'aba genaamd. Dit is de heiligste plaats ter wereld. Men zegt dat onze vader Abraham, van wie wij allen weten dat hij een moslem was en geen jood, de opdracht gaf aan zijn zoon Ismaël het Arabische ras te stichten. Ik werd vernoemd naar Ismaël net als mijn vader, hadji Ibrahim, naar Abraham vernoemd is.

De Ka'aba was ooit een heidense tempel geweest, maar Mohammed veranderde dit alles toen hij zijn boodschap van Allah kreeg en woedend werd op de joden. In het begin wendden alle moslems het gezicht naar Jeruzalem bij het gebed. Toen Mohammed de Ka'aba tot het centrum van de islam maakte, beval hij iedereen met het gezicht naar Mekka te bidden omdat de joden hem niet geaccepteerd hadden.

Het laatste wat ik over de islam wil zeggen betreft de jinn, die zeer belangrijk voor ons zijn. Het zijn boze geesten die eruit kunnen zien als een dier of een mens en bovennatuurlijke invloed hebben. De koran zegt: 'We hebben de mens uit klei, uit fijn gewreven leem, geschapen. De jinn hebben we tevoren geschapen uit vuur en brandende hitte.' De soenna heeft ons geleerd de jinn te vrezen, want als een van deze geesten een mens binnengaat kan hij alle ziekten veroorzaken. Als zo'n mens eenmaal aangetast is, kan alleen de wil van Allah hem weer gezond maken.

Alle moslems beseffen dat ze geen controle over hun eigen leven of bestemming hebben. Ziekte, droogte, dood, pest, aardbevingen, elke ramp moet fatalistisch geaccepteerd worden als de wil van Allah. Alleen als we een gelovige zijn, die Mohammeds woord en wil aanvaardt, kunnen we in het paradijs komen. Het leven op aarde is dus niet om van te genieten, maar om te bewijzen dat we waardig zijn om voor altijd bij Mohammed in de hemel te verblijven.

Ik ben een toegewijde moslem, maar sommige dingen zijn moeilijk te begrijpen. Als Mohammed genadig en barmhartig is, waarom dan die verschrikkelijke straffen en waarom moeten moslems een heilige oorlog aangaan om andere mensen, de ongelovigen, te vernietigen? Waarom kan de islam de wereld niet met andere mensen delen?

19

Hagar zei vaak dat ze de dag vreesde dat haar zoons zouden trouwen en vrouwen in ons huis zouden brengen, want ze wilde de keuken met niemand delen. Dat veranderde toen hadji Ibrahim Ramiza als twee-de vrouw nam. In het begin bejegenden we Ramiza koel, speciaal toen mijn vader mijn moeder naar de stalletjes op de markt verwees. De enige in ons huis die werkelijk gelukkig leek was mijn vader en van onze gevoelens merkte hij niets. Mijn moeders vernedering had haar gebroken en dat maakte dat we gereserveerd waren tegen mijn vader.

Onze houding tegenover Ramiza veranderde langzaam. Ze was zo mooi, vergeleken bij mijn moeder, dat het gemakkelijker werd haar te haten. In het begin vonden we haar arrogant omdat ze zo stil was. Maar langzamerhand begrepen we dat ze erg verlegen was en niet erg intelligent. Hadji Ibrahim vroeg zich van tijd tot tijd hardop af of de oude sjeik Wallid Azziz hem beetgenomen had bij de verkoop van Ramiza. De kans bestond dat Ramiza nooit met haar vader gepraat had. Dan kon de oude sjeik niet weten of Ramiza dom was of intelli-gent. Hij had zoveel dochters dat hij nauwelijks al hun namen kende en de enige criteria ter beoordeling waren hun uiterlijk, hun gehoor-zaamheid, het behouden van hun maagdelijkheid en de huwelijks-prijs die ze zouden opbrengen.

Ramiza had haar hele leven als nomade doorgebracht. Met zoveel vrouwen in de buurt om de sjeik te verzorgen kon een lui meisje zich makkelijk aan veel taken onttrekken. Het werd duidelijk dat Ramiza niet voldoende opgeleid was. Zij kon mijn moeder niet vervangen in de keuken. We hadden veel meer soorten voedsel en specerijen dan de bedoeïenen en ze verknoeide de meeste maaltijden. Nada kreeg als eerste medelijden met haar. Hoewel Nada pas tien was, had mijn moeder haar goed getraind en ze redde Ramiza van menige scheld-partij van hadji Ibrahim.

Na een paar maanden werd Ramiza zwanger en de eerste uitbar-sting van mijn vaders enthousiasme verminderde snel. Hij schreeuw-de vaak tegen haar en zette zijn ongenoegen soms kracht bij door haar te slaan. Nada en ik vonden haar vaak huilend in een hoekje van de keuken omdat ze er niets van begreep.

Toen Ramiza's kamer in het voorjaar klaar was en een tweede bed geïnstalleerd, stond mijn vader mijn moeder pas toe van de vloer te komen en naar haar slaapkamer terug te gaan.

Ramiza noch mijn moeder gaf hem veel seksuele voldoening en dat ergerde hem. Maar hij stuurde Omar terug naar de stalletjes zodat hij Hagar weer in de keuken terug kon krijgen. Hij beval haar Ramiza te leren koken en haar taken naar behoren te leren vervullen.

Toen Hagar naar haar keuken terug was gekomen, sprak ze nauwelijks een woord tegen Ramiza en betitelde haar voortdurend als 'die smerige kleine bedoeïenenrat.' Ramiza begon haar zwangerschap te voelen, ze werd misselijk in de ochtend, en liep voortdurend te kreunen en te zeuren. Hagar werd langzamerhand menselijk tegenover haar. Ik denk dat hun vriendschap werkelijk begon op het moment dat ze beiden begrepen dat het geen groot genoegen of grote eer was met hadji Ibrahim te slapen. Geringschattende opmerkingen over de bruutheid van zijn bedmanieren wisselden ze uit. Vervolgens begonnen de twee vrouwen geheimpjes te delen zoals moeders en dochters. Ik geloof dat Ramiza meer van Hagar hield dan van hadji Ibrahim. Ze liep mijn moeder na om te vermijden fouten te maken. Zo nu en dan nam Hagar de schuld op zich voor iets dat Ramiza's schuld was.

Op een dag was Hagar weg voor haar werk als vroedvrouw. Ik was thuis van school met koorts en had me op mijn geliefde plekje in de keuken verstopt waar niemand mij kon zien en waar ik voldoende licht had om te lezen. Ramiza was ongeveer zeven maanden zwanger en liep zuchtend en puffend rond. Ze ging ten slotte kreunend op een melkkrukje zitten en begon lusteloos te karnen om kaas van geitemelk te maken.

Nada krabde onbewust tussen haar benen, een soort gekrab waarvoor ze een harde klap en een standje gekregen zou hebben als Hagar aanwezig geweest was.

'Voel je daar iets?' vroeg Ramiza.

'Waar?'

'In je geheiligde plek waar je je net gekrabd'hebt.'

Nada liet vlug haar hand zakken en werd vuurrood.

'Hindert niet,' zei Ramiza. 'Ik zal het niet verklappen.'

Nada glimlachte dankbaar.

'Is het een prettig gevoel?' vroeg Ramiza weer.

'Ik weet het niet. Ja, ik denk dat het een prettig gevoel is. Ik weet dat het verboden is. Ik moet voorzichtiger zijn.'

'Je kan maar beter doorgaan jezelf te bevoelen zolang je het prettig vindt,' zei Ramiza. 'Ik neem aan dat je er nog een hebt?'

'Nog wat hebt?' Nada's ogen sperden zich open van angst. 'Als je mijn maagdenvlies bedoelt, natuurlijk heb ik dat nog!'

'Nee,' zei Ramiza. 'Het kleine knopje verborgen tussen het maagdenvlies. Heb je dat nog?'

'Ja, dat heb ik nog,' zei Nada weifelend. 'Ik heb het gevoeld.'

'Geniet er dan maar van zolang ze het je laten houden.'

'Wat bedoel je? Zal ik het niet altijd houden?'

'O, het spijt me,' zei Ramiza. 'Ik had het je niet moeten vertellen.'

'Alsjeblieft. Vertel het me alsjeblieft... alsjeblieft...'

Ramiza hield op met karnen en beet op haar lip, maar na het zien van Nada's smekende blik wist ze dat ze het vertellen moest. 'Het moet geheim blijven. Als je ouders wisten dat ik het je verteld had, zou ik een flink pak slaag krijgen.'

'Ik beloof het je. Moge de profeet mij anders verbranden op de Dag van het Vuur.'

'Het is het genotsknopje,' zei Ramiza. 'Meisjes mogen het niet houden.'

'Maar waarom niet?'

'Omdat het je, zolang je het hebt, naar jongens laat kijken. Misschien laat je zelfs op een dag een jongen het aanraken en als je het plezierig vindt, kan je jezelf misschien niet in bedwang houden. Je zou hem misschien zelfs toe kunnen staan je maagdenvlies te doorbreken.'

'O nee! Dat zou ik nooit doen!'

'Dat knopje is slecht. Het laat meisjes dingen doen tegen hun wil,' zei Ramiza.

'O...' fluisterde Nana. 'Maar heb jij het dan niet meer?'

'Nee, bij mij is het weggenomen. Ik deed niets verkeerds, maar het is weggenomen om me niet in verleiding te brengen. Bij jou zullen ze het ook wegnemen. Als het eenmaal verdwenen is zal je niets meer om jongens geven en zeker maagd zijn als je trouwt en je familie dus nooit oneer aandoen.'

Nada's felle nieuwsgierigheid ging over in toenemende angst. Ze had het altijd prettig gevonden een jongen aan te raken. Ze vond het prettig om op de dorsvloer te werken of water naar het land te brengen voor de mannen. Hagar had haar tijdens het dorsseizoen tientallen malen gewaarschuwd tegen het aanraken van jongens. Ze had zich niet gerealiseerd dat het iets met het genotsknopje te maken had. 'Wat is er met jou gebeurd?' bracht Nada er ten slotte uit.

Ramiza klopte op haar dikke buik en zei tegen de baby dat hij zich rustig moest houden. Ze voelde zich ongemakkelijk en het was moeilijk om te werken, maar ze wilde niet dat hadji Ibrahim tegen haar zou gaan schelden. 'Ze komen 's nachts,' zei Ramiza. 'Je weet nooit wanneer ze zullen komen. De daya, de vroedvrouw van de clan. Zij is degene die het weghaalt.'

'Maar mijn eigen moeder is een daya,' zei Nada.

Ramiza liet een ironisch lachje horen. 'Dan zullen ze een andere daya gebruiken. Ze zal met je tantes komen. Ze komen altijd voor je als je slaapt. Ze doen iets in je eten om je te laten slapen zodat je niet wakker zal zijn. Ze zijn met z'n zessen of achten. Ze zullen je bij je armen en benen grijpen zodat je je niet kunt bewegen. Eén van hen zal je ogen met een zwarte doek bedekken en iemand anders zal iets in je mond proppen zodat je niet kunt schreeuwen. Ze zullen je naar een geheime tent brengen die ze van tevoren hebben klaargemaakt. Je tantes zullen je stijf tegen de grond drukken zodat je je niet kunt bewegen en zullen je benen zo wijd mogelijk uit elkaar spreiden. Op het laatste moment zag ik kans mijn handen vrij te maken, schreeuwde om mijn moeder, en trok de blinddoek weg. Toen ik opkeek merkte ik dat het mijn moeder was die mijn hoofd omlaag geduwd hield. De daya heeft een heel scherp mes en terwijl de anderen je benen gespreid houden, zoekt zij met haar vinger naar het knopje totdat het omhoog wipt en dan snijdt ze het af.'

Nada schreeuwde. Ik wilde naar haar toe rennen, maar wist dat het alleen maar moeilijkheden zou veroorzaken en dus kroop ik in elkaar als een bal zodat ik niet ontdekt zou worden.

'Ik heb je erg overstuur gemaakt. Dat was niet mijn bedoeling. Ze hebben me laten zweren het niet aan de andere meisjes te vertellen, anders zouden ze mijn tong afsnijden… maar dat was toen ik in de woestijn leefde. Ik dacht dat ik het jou wel zou kunnen vertellen.'

Ramiza kwam kreunend van het krukje af, liep schommelend naar Nada en klopte zachtjes op haar hoofd. 'Arme Nada,' zei ze.

Nada's grote bruine ogen keken angstig naar Ramiza. 'Doet het erg pijn?'

Ramiza knikte en zuchtte. 'Het bloedde veel erger dan de ergste menstruatie. Maandenlang had ik pijn als ik een plas probeerde te doen. Ik was er erg ziek van. Ten slotte kreeg ik toestemming naar een Britse dokter in Berseba te gaan. Mijn vader wilde me in leven houden om mijn bruidsschat niet mis te lopen.'

'Hield je… hield je toen op aan jongens te denken?'

'Ja, en ik gehoorzaamde van toen af bij alles wat ze me zeiden.'

'Beleef je enig plezier met mijn vader?'

Ramiza ging weer op het krukje zitten karnen. 'In het begin was het leuk om te ontdekken wat het hele mysterie eigenlijk inhield, maar je wordt niet geacht het plezierig te vinden. Je kan net doen alsof, want dan voelt een man zich heel belangrijk. Na een paar keer is het plezier eraf. Het doet er niets toe of Hagar met hadji Ibrahim slaapt of ik. Ik zou wel willen dat ze vaker met hem sliep.'

Nada en ik waren de jongsten en ik mocht nog steeds in dezelfde cel als zij slapen omdat die van mijn drie broers al overvol was. Ik wist niet hoeveel ze nog sliep. Ieder geluidje bracht haar bevend overeind in de nacht. Overdag dommelde ze weg onder haar werk en grote kringen van vermoeidheid vormden zich onder haar ogen. 's Nachts schokte ze aldoor in haar slaap en vaak gilde ze.

Ze wilde alleen maar uit de gemeenschappelijke schotel eten en pas nadat Hagar en Ramiza eerst gegeten hadden. Ze werd zo zwak en bang dat ik haar uiteindelijk vertelde dat ik het gesprek gehoord had. Ik verzocht haar met Hagar te praten want anders zou ze ziek worden van uitputting en angst. Ik dreigde het Hagar zelf te zullen vertellen. Om mij een pak slaag te besparen ging ze ten slotte naar Hagar. Ik wachtte in de schuur.

Na verloop van tijd kwam ze naar me toe, haar gezicht nat van tranen en zweet, en nog steeds trillend.

'Wat heeft moeder gezegd?' vroeg ik bezorgd.

'De mijne hoeft niet afgesneden te worden,' snikte ze. 'Hier doen ze het alleen bij meisjes die hun familie onteerd hebben. Ik beloofde dat ik nooit schande over ons zou brengen. Ik beloofde dat ik nooit naar een jongen zou kijken of me door hem zou laten aanraken vóór mijn huwelijksnacht.'

Ik geloof dat ik ook begon te huilen. We hielden elkaar omarmd en snikten totdat ze zich realiseerde dat we elkaar omarmd hielden. Toen duwde ze me weg en keek me met doodsangstige ogen aan. 'Het hindert niet, Nada,' riep ik. 'Ik ben je broer. Ik zal je geen kwaad doen.'

20

Al kostte het Ramiza veel tijd om in het gezin geaccepteerd te worden, toch duurde het nog langer om door de dorpsvrouwen aanvaard te worden. Totdat haar proeftijd voorbij was, werd ze beschuldigd een jinn bij zich te dragen. Alles wat misliep in het dorp werd haar verweten omdat ze de kwade geesten naar Tabah gebracht had. Ze moest heel wat overwinnen. Aangezien Ramiza de enige tweede vrouw in het dorp was, sympathiseerden de vrouwen in het algemeen met Hagar. Ramiza had het nadeel heel jong en bovendien heel mooi te zijn.

Bij de gemeenschappelijke ovens werden gezinsintimiteiten uitgewisseld door vermoeide, verveelde en gefrustreerde vrouwen. Vrouwen vluchtten naar de ovens om beschutting te zoeken tegen gevechten met hun echtgenoten. Terwijl een zekere gezellige vrouwelijke beslotenheid op de plek heerste, ontplofte de eindeloze kringloop van eentonig werk vaak in hevige ruzies, waarbij de scheldwoorden door de lucht vlogen en spugen, slaan en schoppen heel gewoon waren.

Ramiza was het ideale mikpunt voor onaangename opmerkingen en kleineringen. Hun jaloezie maakte haar positie nog slechter. Toen Ramiza's tijd om te bevallen naderbij kwam, werd zij schoorvoetend geaccepteerd. De geboorte van een kind was een van de zeldzame gelegenheden dat vrouwen bijeen mochten komen en feest vieren zonder de mannen te moeten bedienen. Toen Ramiza's tijd gekomen was, verliet mijn moeder Tabah opnieuw voor een uitgebreid bezoek aan haar familie.

Het nieuws verspreidde zich snel dat Ramiza haar eerste weeën voelde en ons huis werd het centrum van een gebeurtenis. Alle vrouwen van het dorp kwamen bijeen behalve zij die menstrueerden, want hun bloed was onrein en zij mochten niet over de drempel komen. Onder zulke omstandigheden was het vrouwen ook verboden een moskee binnen te gaan, een begraafplaats te bezoeken of te vasten gedurende de Ramadan.

Ramiza werd voor de bevalling naar de woonkamer gebracht. Ze leek zelf niet veel meer dan een kind. De daya zette haar op de vloer op een geitehuid. Een van haar tantes, die in Tabah woonde, zat op een krukje achter haar, hield haar hoofd vast en klemde het tussen haar benen. Aan beide zijden werd ze door nichten bijgestaan. De kamer was een chaos van vrouwen en kinderen die willekeurig in en uit liepen. Ik was nog jong genoeg om alles op een voorzichtige afstand bij de keukendeur te mogen bekijken.

Het onderste gedeelte van Ramiza's lichaam was bedekt door een gewatteerde deken, hoewel ze nog een wijde broek droeg tot haar enkels. De daya onderzocht haar herhaaldelijk onder de deken, haar betastend nadat ze haar handen met schapevet had ingewreven.

Bij iedere nieuwe, scherpe pijn riepen de vrouwen in koor dat ze zich moest opheffen en weer laten zakken. Als de wee verminderde, praatten ze over de problemen die zij bij hun bevallingen gehad hadden. Toen de pijnen erger werden en vaker kwamen, begon Ramiza om haar moeder te roepen. Ik kon niet begrijpen waarom ze om haar moeder riep nadat die geholpen had het genotsknopje te verwijderen. Het was Nada die naast haar ging zitten, haar hand vasthield en haar bezwete gezicht afwaste.

Na verscheidene uren en vele inspecties trok de daya de deken weg en Ramiza's broek uit. Het werd stil in de kamer toen de spanning toenam. Een uitbarsting, een vage vlek en een schreeuw en het kind was geboren! Ik had een halfbroer! De daya veegde het bloed en de smeer af en sneed de navelstreng door. Terwijl de baby nog naakt was en schreeuwde werd hij aan de vrouwen doorgegeven om bewonderd te worden.

Ik holde naar het koffiehuis om het mijn vader te vertellen. Hij glom van trots. Ramiza's kind was juist geboren voordat de besnijder zijn jaarlijkse bezoek bracht. De voorhuid en eerste vuile luier van de baby werden op de dwarsbalk boven de voordeur gelegd, net als het met die van mij en mijn broers gebeurd was en die lagen er nog steeds.

Ramiza's buik werd stevig ingesnoerd en haar werden de traditionele veertig dagen toegestaan om zich van seks te onthouden. Hagar werd ogenblikkelijk teruggeroepen om mijn vader te verzorgen en voor hem te koken en Ramiza bleef in haar kamer met haar zoon.

Het leek er niet op of ze het leven geschonken had aan een baby, maar eerder alsof ze een stuk speelgoed gekregen had, iets dat van haar zelf was. Ze had nooit echt iets eigens gehad. Hagar werd ongeduldig, want het bleek al gauw dat Ramiza nauwelijks in staat was een baby te verzorgen. Maar het was mijn moeder verboden zich ermee te bemoeien.

Toen Ramiza weer op de been was, liepen de zaken al gauw mis. Haar melk was niet voldoende voor de baby en dus moest er een min aan te pas komen. De baby huilde voortdurend en Ramiza's verwarring veranderde in paniek en de ene huilbui volgde op de andere. Het was Hagar nog altijd niet toegestaan om de zaken onder controle te brengen.

Toen de veertig dagen van onthouding voorbij waren, werd de situatie nog erger. Mijn vader had opnieuw een hartstochtelijke behoefte aan Ramiza, maar ze had nog pijn en was niet in staat tot seksuele omgang. Op een nacht nam mijn vader haar met geweld wat een ernstige bloeding veroorzaakte.

Ramiza en haar baby werden gewoonlijk alleen gelaten en bleven de hele dag in hun kamer.

Nada bracht haar maaltijden, maar mijn vader was zo kwaad dat hij erop stond dat niemand enige aandacht aan Ramiza zou besteden.

Hij zei nu in het openbaar dat hij wenste haar nooit getrouwd te hebben. Wij allen wisten dat de enige reden waarom hij geen einde aan het huwelijk maakte zijn angst was sjeik Azziz te beledigen.

De baby was drie maanden oud toen het regenseizoen in volle hevigheid inzette. Het goot buiten en het was de derde nacht dat niemand in huis kon slapen door het gehuil van de baby. Hadji Ibrahim bracht steeds vaker de nacht buiten Tabah door. Volgens de praatjes bij de ovens bezocht hij prostituées in Ramla.

Deze nacht was hij thuis en razend. Hij schreeuwde tegen Hagar dat ze naar Ramiza's slaapkamer moest gaan om orde op zaken te stellen. Nada en ik hadden ook niet kunnen slapen en volgden Hagar naar Ramiza's kamer.

Wat we zagen was verschrikkelijk. Ramiza zat rechtop tegen het hoofdeinde, haar haren in de war, ogen als van een krankzinnige, en ze beet op haar vingers, kreunend als een gewond dier. De baby krijste, hoestte en kokhalsde. Hagar holde naar de kribbe en sloeg de deken terug. Het was een smeerboel. De baby was waarschijnlijk in geen dagen schoongemaakt. Er zat een gat in de onderkant van de kribbe waardoor de uitwerpselen in een pot vielen om later naar buiten gegooid te worden, maar in de pot lag niets. De baby was bedekt met zijn eigen poep en had ervan gegeten. Hagar maakte koortsachtig alles schoon en probeerde de baby te laten braken. Alhoewel zij de kruiden en drankjes van de clan in bewaring had, wist ze dat ze niets bezat om de situatie te verlichten. Toen werd ook zij hysterisch, nadat ze hadji Ibrahim verteld had dat het kind ernstig ziek was, hoge koorts had en zo te zien verschrikkelijke maagpijn.

Hadji Ibrahim vervloekte Ramiza in beledigende taal omdat door haar jinn het huis binnengekomen was. Nada werd ook hysterisch toen mijn broers angstig het huis verlieten. De oudste daya werd geroepen om te kijken of zij de jinn kon uitdrijven, maar ze kon ook geen hulp bieden.

Toen Hagar en de daya tegen mijn vader begonnen te schreeuwen, liet hij zich vermurwen en beval mij de ezel te nemen en naar de Britse politiepost in Latrun te gaan. Daar moest ik aan een van de soldaten vragen naar Ramla te telefoneren om een Arabische dokter.

Ik vroeg mijn vader of ik zijn paard mocht gebruiken omdat het veel sneller zou gaan, maar hij werd kwaad en vervloekte me dat ik zelfs maar durfde voorstellen in zo'n stortbui zijn paard te nemen. Ik herinner me van die ezeltocht alleen maar vaag hoe ik het dier schopte en smeekte om vlugger te lopen.

Ik bedekte mijn gezicht toen een schijnwerper me verblindde.

'Halt! Wie is daar?'

'Ik ben Ishmael, de zoon van de moektar van Tabah,' riep ik.

'Korporaal, haal de officier van dienst. Er staat een Arabisch jongetje bij de poort en hij is druipnat!'

Ik herinner dat ik aan de hand naar een groot angstaanjagend vertrek werd gebracht waar een officier achter een bureau zat. Andere soldaten trokken mijn natte kleren uit, wikkelden me in een deken en brachten me een kom warme soep, terwijl ik probeerde in mijn gebrekkige Engels mijn verhaal te doen. Toen werd getelefoneerd.

'De dokter van Ramla is ver weg in een dorp en men weet niet wanneer hij terugkomt.'

Opnieuw getelefoneerd.

'Een van onze dokters zal uit Jeruzalem komen. Het kan een tijdje duren met deze regen.'

'Nee!' riep ik. 'Het moet een Arabische dokter zijn.'

'Maar Ishmael –'

'Nee, mijn vader wil het niet hebben!'

'Probeer Lydda, sergeant. Maak radioverbinding met onze politiepost daar en kijk wat ze kunnen doen.'

Het bericht uit Lydda was niet beter. De dokter was niet te vinden en het ziekenhuisje had alleen maar een hospitaalsoldaat voor de nacht. De dichtstbijzijnde Arabische dokter woonde in Jaffa en bij dit noodweer zou het ochtend zijn voordat hij het dorp kon bereiken. De soldaten boden me aan de ezel daar te houden en me in een truck naar Tabah terug te rijden, maar ik was nu doodsbenauwd. Mijn kleren waren boven een kachel gedroogd. Ik kleedde me aan, holde het gebouw uit en bonsde op de poort.

'Kom terug, jongen!'

'Laat hem erdoor. Hij is bang voor zijn vader.'

Buiten was het pikdonker. Een kolkende stroom water van de Bab el Wad overspoelde grote delen van de weg. Het was heel moeilijk te zien waar ik liep. Hoewel ik aan de rand van de weg probeerde te blijven, werd ik meermalen bijna door passerende auto's geraakt die golven water in mijn gezicht sproeiden. Het enige dat ik werkelijk kon zien waren de koplampen van de auto's en dan kon ik vlug naar de geul langs de weg lopen om me te redden en te proberen iets van de weg verderop te zien. Het leek alsof de hele maand van de Ramadan voorbij was voordat ik de eerste witte huizen op de heuvel van Tabah kon zien.

Op dat ogenblik verlichtten de koplampen van een auto een bord, KIBBOETS SJEMESJ. Ik werd er als gehypnotiseerd naar toe getrokken. Ik wist dat ik niet naar binnen mocht gaan, maar als ik de joden vroeg het niet aan mijn vader te vertellen konden ze misschien een Arabische dokter voor me vinden. Toen flitsten schijnwerpers van de wachtpost van de kibboets door de regen, die me opnieuw verblindden. Ik werd plotseling omgeven door enige joden die hun geweer op me richtten. Ze brachten me binnen de poort.

'Wat zegt hij, Avi?'

'Iets over een zieke baby.'

'Kent iemand hem?'

'Is hij niet een van de kinderen van de moektar van Tabah?'

'Laat iemand Gideon halen.'

'Wat is er aan de hand?'

'Een kind van Tabah. Hij zegt aldoor dat er een baby ernstig ziek is.'

Ik moet flauwgevallen zijn. Het volgende dat ik me herinner was dat ik in een truck zat met de arm van Gideon om me heen en een andere man achter het stuur die probeerde de modderige straat naar het centrum van het dorp op te rijden. De truck gleed en glibberde alle kanten op.

'Daar wonen ze!'

'De weg is onbegaanbaar. We zullen moeten lopen.'

Ik viel in de modder en kon niet meer opstaan. Gideon Asch tilde me op met zijn goede arm en met z'n drieën strompelden we, hollend, glijdend en vallend, het pad op naar mijn vaders huis. De twee joden drongen zich door een aantal mensen die zich buiten in de regen verzameld hadden.

Gideon Asch en de andere man stonden in de woonkamer. Ik werd neergezet en zakte in Nada's armen, maar wist bij bewustzijn te blijven. Gideon Asch legde uit dat de andere man een dokter was.

Hadji Ibrahim stond aan de overkant van de kamer en versperde de deuropening naar de kamer van Ramiza. Na een vreemde stilte begonnen Hagar, Nada, en mijn vader en de daya tegelijk te schreeuwen.

'Houd je mond allemaal!' brulde Gideon Asch over het rumoer heen.

'Waar is de baby?' vroeg de dokter.

Hadji Ibrahim deed een paar dreigende stappen in mijn richting en hief zijn stok op. 'Wat heb ik je gezegd? Ik heb je gezegd naar Latrun te gaan!'

'Vader! We konden geen dokter uit Ramla of Lydda krijgen!' riep ik. 'Ik wist niet wat ik beginnen moest.'

'Laat me alsjeblieft de baby zien,' smeekte de dokter.

'Nee!' brulde mijn vader. 'Nee! Nee! Nee!' Hij wees dreigend naar mij. 'Jij brengt hen hierheen om hun te laten zien hoe minderwaardig wij zijn!'

'Ibrahim,' pleitte Gideon Asch, 'ik verzoek je te kalmeren. Houd op met je dwaze gepraat. Het leven van een kind staat op het spel.'

De vrouwen begonnen te jammeren.

'Geen medelijden van de joden! Geen medelijden! Ik wil niet dat je in mijn kamer komt om jullie superioriteit te bewijzen!'

Gideon Asch maakte een beweging in de richting van de slaapkamer, maar mijn vader versperde hem de weg.

'Doe dit niet, Ibrahim! Ik smeek je, Ibrahim!'

Mijn vader verroerde zich niet.

'Je begaat een grote zonde.'

'Ha! Zonde is medelijden van een jood te ontvangen. Dat is zonde!'

Gideon Asch wierp verslagen zijn armen omhoog en schudde zijn hoofd tegen de dokter. Mijn vader en de vrouwen schreeuwden en jammerden nog harder, hij om hen weg te sturen en zij om de dokter daar te houden.

Een onwerkelijke stilte daalde plotseling neer. Ramiza, krijtwit, als een geest, mond open als in trance, liep de kamer binnen met de baby in haar armen. De dokter duwde mijn vader opzij en pakte de baby toen Ramiza op de vloer in elkaar zakte en de vrouwen over haar heen vielen. De dokter hield zijn hoofd tegen de borst van de baby, beklopte hem, ademde in zijn mond, opende zijn dokterstas en luisterde opnieuw.

'Het kind is dood,' zei de dokter.

'Dit huis is vol kwade geesten,' zei mijn vader. 'Het is Allahs wil dat de baby stierf.'

'Allahs wil, m'n grootje!' gromde Gideon Asch. 'Het kind is aan vervuiling en verwaarlozing gestorven! Kom Shimon, laten we maken dat we wegkomen.'

Ze stapten het huis uit en de stromende regen in, terwijl hadji Ibrahim hen na stond te brullen en met zijn vuist schudde. Hoe het verder gegaan is hoorde ik van anderen.

De twee joden gleden, zich met moeite op de been houdend, langs het rotsachtige pad dat glom van de regen, naar beneden, de moektar achter zich aan. 'Wij leven zoals wij leven! Duizenden jaren zijn we hier zonder jullie in leven gebleven. Ons leven, ons eigen leven, zoals een bergwei. Wat is de reden dat jullie buitenstaanders ons komen vertellen hoe we leven moeten? We willen jullie niet. We hebben jullie niet nodig! Jood!'

Gideon klapte het portier dicht aan de kant van de bestuurder en tastte naar de starter. De dokter sprong op de andere plaats, terwijl hadji Ibrahim op het portier stond te bonzen en bleef schelden.

Gideon sloot zijn ogen, probeerde zijn tranen in te houden en liet zijn hoofd even op het stuur zakken. 'Jezus Christus,' mompelde hij. 'Ik heb mijn kunsthand thuis gelaten. Ik kan die verdomde auto niet besturen.'

Voordat de dokter kans kreeg achter het stuur te gaan zitten, had Gideon het portier opengegooid en liep hij naar beneden in de richting van de straatweg.

'Neuk maar een dooie kameel!' schreeuwde hadji Ibrahim, 'neuk een dooie kameel.'

Deel Twee

De Verstrooiing

1

Het was een verdrietige dag voor mij toen ik de school verliet, maar
het was mijn eigen besluit. Ik was tien jaar geworden en wist meer dan
iemand anders in de klas, met inbegrip van meneer Salmi. In 't begin
gebruikte meneer Salmi me om soera's uit de koran voor te lezen, terwijl hij achterin de klas zat te dommelen. Gaandeweg liet hij mij
steeds meer onderwijs geven. Ik wilde zelf leren. Ik had de joodse
kinderen in de kibboets Sjemesj onderwezen, maar meer van hen geleerd dan ik hun bijbracht.

De werkelijke reden waarom ik verkoos de school te verlaten was
dat ik bezig was een plaats naast mijn vader voor mijzelf op te bouwen. Dit gaf me de moed om van de wereld van de vrouwen en de
veiligheid van de keuken over te gaan naar de angstaanjagende wereld van de mannen. Mijn moeder bemerkte deze verandering.

Vanaf het ogenblik dat de grote Tweede Wereldoorlog eindigde
werd de toestand in Palestina slechter. Als de erkende moektar van
Tabah had mijn vader steeds problemen op te lossen. Het nieuws over
de radio en in de Arabische kranten werd fel anti-joods. Mijn vader
zei vaak tegen me dat ons volk gemakkelijker woorden hanteerde dan
ideeën en dat het meer ideeën had dan logica. Hij had op Gideon
Asch gerekend om de joodse visie op de lopende zaken uit te leggen.
Sinds de nacht dat Ramiza's baby stierf was Gideon Asch niet meer
naar Tabah teruggekeerd. Voor mijn vader bleef dus maar één gezichtspunt over.

Iedere avond verliep volgens een vaste regel. Kamal las de kranten
voor aan mijn vader. Hadji Ibrahim zat in zijn eigen grote stoel, terwijl Kamal op de lange bank zat die voor de rest van het gezin en onbelangrijke gasten bestemd was. Kamal was een slechte lezer en als mijn
vader ongeduldig werd, werd het moeilijk. Kamal ging stotteren als
hij een bepaald woord niet wist.

'Je bent zo stom dat je met beide handen midden op de dag je eigen
kont niet zou kunnen vinden,' brulde mijn vader vaak.

Maar Kamal zou nog liever een mijl ezelkeutels eten dan mij vragen
hoe hij een woord moest uitspreken. Hagar begreep de hele situatie.

'Het zal niet lang meer duren of jij leest je vader voor,' beloofde ze.
Ze begon hadji Ibrahim te verleiden en na een paar nachten vroeg hij
me Kamal te vervangen bij het voorlezen. Het was de belangrijkste
dag van mijn leven tot dan toe.

Het was voor Hagar niet moeilijk mijn vader in haar slaapkamer en
uit de buurt van Ramiza te krijgen. Ramiza was doorlopend bang. Ze

beet op haar lippen en haar nagels en kroop rond als een bange hond als mijn vader in de buurt was. Ze luisterde scherp of hij een opdracht zou geven en bracht hem dan vlug zijn pijp of wat hij ook vroeg, grinnikend als een idioot als ze het overhandigde in de hoop een goedkeurend knikje te krijgen. Ze werkte als een dolle aan haar taken om te voorkomen dat er tegen haar geschreeuwd zou worden en was niet weg te slaan bij mijn moeder en Nada. Bij het geringste teken van wrijving, liep ze weg en huilde. Ramiza werd te verlegen om alleen naar de waterput te gaan of met de vrouwen te praten.

We behandelden haar als een zwakzinnige zuster. Hagar was niet langer jaloers en zo nu en dan zelfs vriendelijk. Mijn vader bleef naar Ramiza's slaapkamer gaan, maar men beweerde dat hij haar alleen maar naakt voor hem wilde zien dansen. Eens hoorde ik Hagar tegen haar zeggen dat ze moest doen alsof ze seks prettig vond. Ze leerde haar bepaalde bewegingen maken met haar lichaam en hoe ze moest kreunen om te doen alsof ze in extase was.

Kamal was absoluut razend op me dat ik zijn plaats als voorlezer ingenomen had. Zijn wraakneming was te trouwen in de hoop een zoon te krijgen zodat hij zich een positie kon veroveren door een aantal erfgenamen. Hij trouwde met een meisje uit Tabah, de dochter van een clan-sjeik. Haar naam was Fatima en ze was een alledaags type. Maar ze had een prettige manier van doen en ze was mollig, wat bij veel Arabische mannen in de smaak valt. Hadji Ibrahim kon haar tegen een redelijke prijs krijgen. Het huwelijk was lang niet de schitterende vertoning zoals mijn vaders huwelijk met Ramiza geweest was. Kamal was niet zo belangrijk, zodat ze goed bij elkaar pasten. Fatima werd meteen zwanger, maar gelukkig voor mij en mijn moeders ambities was de baby een meisje.

Fatima was een bazige vrouw. Als Kamal haar liep te commanderen, gehoorzaamde ze hem maar zette het hem wel altijd betaald. Eigenlijk was Kamal bang voor haar. Dit was wel grappig, want daardoor werd Kamal in mijn vaders ogen nog minder waard.

Nu ik niet meer naar school ging, kon ik tijd besteden aan het bestuderen van de dorpsboeken en verslagen. Hierdoor kreeg ik Kamal in mijn macht. Ik bleef beweren dat ik steeds nieuwe stukken land ontdekte waarvoor geen pacht betaald werd. Ik speelde komedie want ze waren me al jaren bekend. Ik had een geheime overeenkomst met Kamal om de pacht van die stukken land te delen. Kamal was te bang om onze afspraak aan hadji Ibrahim te verklikken. Zodoende kon ik toevallig steeds zo'n stuk land ontdekken als Hagar of ik iets van hem wilden. Misschien wist hadji Ibrahim aldoor al dat ik hem bedroog, want hij maakte vaak aanmerkingen over de slordige boekhouding van Faroek en Kamal. Ik voelde me hoe dan ook niet erg schuldig over de hele geschiedenis, want ik gaf het geld aan mijn moeder.

Op een avond, vlak na het einde van de oorlog, zond Radio Damascus het nieuws uit dat in Duitsland en Polen dodenkampen ontdekt waren. Miljoenen joden waren vergast door Hitler en de nazi's. De volgende dag stonden alle kranten vol over deze onthullingen en iedere avond leek, volgens de radio, een nieuw dodenkamp ontdekt te zijn. Radio Cairo zei dat Churchill, Roosevelt en de heilige paus in Rome al gedurende de oorlog met het bestaan van deze kampen bekend geweest waren, maar erover gezwegen hadden en de nazi's zonder protest de joden hadden laten doden.

Het was vreemd en schokkend nieuws voor ons. We hadden meer dan twintig jaar naast de kibboets Sjemesj geleefd zonder ernstige moeilijkheden, gewoon alleen met haat tegenover de joden. Het nieuws van de dodenkampen bracht een vreemde reactie teweeg onder de dorpsbewoners. Het leek alsof hun werkelijke gevoelens tegenover de joden diep in een grot opgesloten waren geweest. De uitgang was nu met geweld opengebroken en duizenden bloeddorstige vleermuizen stoven naar buiten. Ik herkende mijn volk niet door zijn uitbundige reactie.

In die tijd ging ik nog naar school en in Ramla was feest op straat over de dodenkampen, georganiseerd door leden van de Moslem Broederschap. Meneer Salmi las de ene soera na de andere uit de koran voor om ons te bewijzen dat de dodenkampen de vervulling waren van de profetie van Mohammed over de Dag van de Verbranding van de joden. Het stond allemaal in de koran, zei meneer Salmi, en het bewees het belangrijkste punt van de islam: wat de ongelovigen zou overkomen.

Oom Faroek hield gewoonlijk saaie preken op de sabbat, preken over grote weldaden voor de gelovigen in de dood, of over het geven van geld aan de armen, of instructies voor het dagelijks leven. Na het nieuws over de dodenkampen begon hij te preken uit sommige van de meest angstaanjagende soera's en verzen, vooral de gedeelten die over de vernietiging van de joden gingen. Mijn vader die altijd de preken van mijn oom vooraf goedkeurde, voelde de nieuwe houding van de dorpelingen aan, want hij gaf toestemming de preken week na week voort te zetten. In de gemakkelijke omgang met kibboets Sjemesj slopen plotseling wantrouwen en spanningen binnen, waarvan ik tevoren nooit iets gemerkt had. Hoewel de Arabische pers juichend verslag over de rassenmoord had uitgebracht, ging ze plotseling overstag. Maandenlang had ze foto's van gaskamers en ovens op de voorpagina's gepubliceerd. En toen, opeens, betoogde ze dat die rassenmoord nooit had plaatsgevonden en dat het allemaal een streek was van de zionisten om de sympathie van de zegevierende Geallieerden te winnen. Nu zouden de Geallieerden alle joden in Europa naar Palestina laten komen.

Zo begreep ik voor het eerst hoe mijn volk in staat was de ene dag iets te geloven en de volgende dag precies het tegenovergestelde. Even snel als de bevolking van Tabah het verhaal geaccepteerd en zich verheugd had, geloofde men nu dat het niets anders dan een praatje van de zionisten was geweest.

Hadji Ibrahim was niet overtuigd. Hij werd niet meteen gegrepen door de emoties van de anderen en wilde grondig nadenken. Het was moeilijk, want hij had Gideon Asch niet meer om mee te praten. Wat in Europa gebeurd was moest heel erg zijn, want over heel Palestina hing een soort vijandigheid die veel feller was dan tijdens de opstand van de moefti.

Joden begonnen uit Europa Palestina binnen te dringen terwijl ze beweerden dat ze geen andere plaats hadden om naar toe te gaan. Als er een rassenmoord geweest was, zouden dit de overlevenden moeten zijn. Als de rassenmoord een leugen van de zionisten was, dan werden deze joden opzettelijk naar Palestina gestuurd om ons te verdrijven.

Hadji Ibrahim had veel tekortkomingen maar hij geloofde niet zonder meer alles wat hij hoorde. Hij was de enige man in Tabah die zijn twijfels had over radio- en kranteberichten en zelfs over de geestelijken, en naar logica en de waarheid zocht. Zo gebeurde het dat mijn vader hardop mompelde en zichzelf vragen stelde terwijl ik hem voorlas.

Hij vond het verdacht dat de Arabische pers zo maar het hele verhaal van de rassenmoord omgedraaid had. Hij vond het verdacht omdat de Britten uit alle macht de joden verhinderden Palestina binnen te gaan. Duizenden en nog eens duizenden Britse militairen kwamen het land binnen. Volgens mijn vader was dit onbegrijpelijk. Hij wist dat vele duizenden joden in de oorlog voor de Britten gevochten hadden. Als het Arabische troepen geweest waren, zo redeneerde hij, zouden de Arabieren als beloning Palestina behoren te regeren. De Britten hadden gewonnen en de joden hadden enorm geholpen. Waarom wilden de Britten hen dan weg houden? Hij had gedurende de hele oorlog kaarten bestudeerd en bezat een helder logisch besef. Hadji Ibrahim wikte en woog en kwam tot de conclusie dat de Britten te veel in dit gebied geïnvesteerd hadden, in het Kanaal, in het vormen van Transjordanië, en hoofdzakelijk in de olievelden van het Arabische Schiereiland. Dit alles lag in Arabische landen en dus moesten de Britten toegeven aan Arabische druk en hun investeringen, speciaal in olie, waren belangrijker dan joden.

Tenslotte zei mijn vader op een dag in 1946, dat ik 's morgens vroeg bij het graf van de profeet moest komen. Hij liet me daar zweren een geheim te bewaren. Omar, die voor de stalletjes in de straten zorgde, moest iedere dag de *Palestine Post* gaan kopen en ik moest hadji Ibrahim die voorlezen. Het was de krant van de joden en deze gaf een volslagen ander verhaal dan de Arabische pers of radio. Het was voor het eerst dat we over de berechting van oorlogsmisdaden in Neurenberg hoorden. Niemand mocht van de aankoop en het voorlezen weten.

Toen we het probleem lang overdacht hadden, kwam mijn vader tot een besluit. Hij zei op een avond tegen mij dat de rassenmoord inderdaad plaatsgevonden had. 'Nu zullen wij, moslems, moeten betalen voor de zonden van de christenen. De christenen voelen zich zeer schuldig over hun gedrag, zelfs de Geallieerden, die de zaak geheim hielden. Ze willen hun handen schoon wassen en dat zullen ze doen door de overlevenden in een Arabisch land te huisvesten. Het is een zwarte dag voor ons, Ishmael.'

Ik zag niet in dat het een zwarte dag was, omdat ik hem niet helemaal begreep. Ik had namelijk een goed plan gemaakt voor die dag. Ik 'ontdekte' twee nieuwe percelen land waarvoor geen pacht betaald werd en ik had zowel in het Arabisch als in het Engels goed voorgelezen. In weerwil van zijn sombere bui besloot ik het te wagen.

'Vader,' zei ik, 'mijn billen doen pijn op die bank als ik hier zit voor te lezen. Ik zou graag in de andere grote stoel willen zitten.'

Hij wist wat er aan de hand was. Geen van mijn broers en zeker geen vrouwen hadden enig recht op die tweede stoel, gereserveerd voor belangrijke gasten. Wat ik hem gevraagd had, had verstrekkende gevolgen.

Hij dacht lang en diep na.

'Uitstekend, Ishmael,' zei hij ten slotte. 'Je mag naast me zitten, maar alleen als je me voorleest.'

157

2

Voor Gideon Asch eindigde de oorlog abrupt met de Britse verovering van Irak. Hij had zijn linkerhand in een Iraakse gevangenis verloren na een poging het getto in Bagdad te verdedigen. Met verbittering stelde hij vast dat Britse troepen wel het toneel van de Arabische massamoord bereikt hadden, maar geen poging deden een eind aan het moorden te maken, of naderhand althans een onderzoek in te stellen. len.

Gideon had nauwelijks tijd om van de ene oorlog te genezen voordat hij weer bij een andere betrokken werd: een duistere oorlog van illegale immigrantensmokkkelaars, geheime gevechten, politieke strijd, wapensmokkel. Een oorlog van glanzende conferentietafels en clandestiene bijeenkomsten in duistere, ongunstige havenhotelletjes.

Gideon werd benoemd tot aide in algemene dienst van David Ben Goerion, die aan het hoofd stond van het Joodse Agentschap van Palestina, een quasi-regering. Hij zou bij allerlei operaties, vele malen en op vele plaatsen betrokken worden.

Gideons eerste taak was te proberen enig profijt te halen uit de bijdragen die de Palestijnse joden gedurende de oorlog geleverd hadden. Meer dan vijfendertigduizend mannen en vrouwen hadden het Britse uniform gedragen en tegen het einde van de oorlog hun eigen vlag naar de strijd in Italië gebracht.

Al dadelijk wees hij er op dat de overgrote meerderheid van de Arabische naties geen vinger uitgestoken had voor de overwinning van de Geallieerden en dus geen recht had politieke voordelen te eisen. De joden daarentegen hadden zonder voorbehoud tegen de nazi's gevochten.

Gideon was van geboorte Palestijn en meer thuis in een bedoeïenentent dan in een links café. Christelijk Europa was een nogal vaag begrip. Hij begroette het nieuws van de algemene slachting eerst met ongeloof en verzonk vervolgens in een diepe depressie.

De stank van de mensenslachthuizen doordrong Europa toen het deksel van de zinkput was opgetild, van Auschwitz en Buchenwald, Dachau en Bergen-Belsen, Majdanek en Treblinka, en tientallen andere dodenkampen.

Gideon had altijd geleerd dat Europeanen beschaafd waren. Christenen waren in de verste verte zo wreed niet als Arabieren en moslems. Voor Gideon en de joden was deze illusie vernietigd. Wat een geavanceerde, beschaafde westerse cultuur een onschuldig, weerloos volk had aangedaan was in de geschiedenis van de mensheid zonder weerga. Een beklagenswaardig handjevol overlevenden, een paar honderdduizend van meer dan zes miljoen verrees uit de diepste diepten van ellende.

Toen de zegevierende Geallieerde aanvoerders en koningen met hun legers de slagvelden verlieten, sloegen de poorten van barmhartigheid dicht in de gezichten van de levend-dode overblijfselen van het Europese jodendom. Uit hun rijen hadden duizenden grote en nobele mensen ongelooflijk bijgedragen aan de redding van de wereld. Het was een ras van mensen dat evenveel voor de vooruitgang van alle mensen gedaan had als enig ander volk.

Weinig tijd voor rouw. Gideon en de Jisjoev redden wat te redden was, zich voorbereidend op de onvermijdelijke oorlog met de Arabieren. Hij kreeg opdracht om te helpen de Palmach te versterken, een strijdorganisatie van jonge, geselecteerde Haganah-joden. Velen van hen waren lid geweest van de speciale Nachtbrigade van Orde Wingate.

Toen Winston Churchill zijn positie verloor, koos de nieuwe Britse Labourregering als minister van Buitenlandse Zaken een vrij harteloze bullebak, genaamd Ernest Bevin, die de joden niet mocht lijden. Hij liet de overlevenden na Hitler weten dat hij de joden niet zou toestaan met voorrang hulp te ontvangen en gaf de Royal Navy opdracht Palestina te blokkeren tegen vluchtelingenschepen.

Tot het uiterste gedreven om het kerkhof Europa te ontvluchten, konden de overlevenden nergens ter wereld de nodige hulp vinden, behalve bij de nieuwe Jisjoev in Palestina. Zij die aan Hitler ontsnapt waren, moesten zich op niet-zeewaardige boten inschepen en opnieuw gevangenen worden, ditmaal van de Britse oorlogsmarine die de boten enterden of ramden op volle zee. Ze kwamen onder Britse bajonetten in Palestina aan en werden opnieuw in concentratiekampen opgesloten.

De Haganah begon de strijd met Alijah Bet, 'illegale' immigratie. Gideon Asch kreeg de opdracht een ondergrondse eenheid te vormen om vluchtelingenboten te kopen, joodse zeelui vanuit heel de wereld te zoeken om ze te bemannen en naar havens in Zuid-Frankrijk en Italië uit te kijken die tolerant waren, om hun aanvallen op de blokkade van daaruit te beginnen.

In Palestina zelf hield het Joodse Agentschap de Haganah tegen om een politieke dialoog gaande te kunnen houden met de Britten. De Palmach trainde onder bescherming van de kibboetsen. Hoewel de Haganah zijn kruit droog hield, had de Jisjoev twee kleine gewapende groepen die buiten de jurisdictie van het Joodse Agentschap werkten. Die waren woedend en onberekenbaar.

Vooreerst de Irgoen, geleid door een overlevende van de holocaust, Menachem Begin, en daarnaast een kleinere groep, bekend als de Sterngroep. Gideon Asch had het vertrouwen van beide organisaties en werd als een soort liaison aangesteld. Een tijdlang kon Gideon Asch min of meer de schijn van samenwerking tussen de Haganah en de Irgoen ophouden. Maar die tijd was voorbij toen de nieuwe Britse gedragslijn duidelijk werd.

Geen enkel argument dat Gideon aanvoerde kon de Irgoen en de Sterngroep ervan weerhouden eenzijdig de strijd tegen de Britten te beginnen en ze belaagden hen met bommen en valstrikken. Terwijl de Royal Navy over de Middellandse Zee zwierf op zoek naar vluchtelingenschepen stroomden nog enige duizenden Britse militairen de vesting Palestina binnen om wat tot een joodse opstand leek uit te groeien, een halt toe te roepen.

De behandeling van de overlevenden werd zo onmenselijk dat het Joodse Agentschap zich niet langer stil kon houden zonder zijn geloofwaardigheid te verliezen. Gideon, die geprobeerd had de Irgoen in bedwang te houden, leidde nu een groep van Haganah-commandanten, die voor een harde aanpak waren om Ben Goerion tot actie over te halen. De Haganah kreeg eindelijk de vrije hand.

Als eerste daad voerde de Haganah volgens plan een aanval uit op een concentratiekamp gelegen bij de ruïnes van een kruisvaardersfort bij Athlit aan de Middellandse Zee. Zij bevrijdden meer dan tweehonderd 'illegalen' en verspreidden ze in de kibboetsen. Hierna volgde de ene aanval na de andere op Britse installaties: politieposten, radarposten, munitiebergplaatsen, marinebases, communicatiecentra. De Britten antwoordden met het zenden van nieuwe troepen tot hun garnizoen uit meer dan honderdduizend man bestond.

Tegen 1946 was Palestina een chaos.

In mei van dat jaar nam Bevin, de Labourminister van Buitenlandse Zaken, een paar verraderlijke besluiten. Na eerst toestemming gegeven te hebben om onmiddellijk honderdduizend vluchtelingen Palestina binnen te laten, herriep hij zijn toezegging en maakte bekend dat aan alle joodse immigratie een eind gemaakt zou worden. Bovendien verbood hij alle verkoop van land aan de Jisjoev en verwierp elke joodse politieke opbouw in Palestina. Bevin deelde voorts mee dat voortaan elke vluchtelingenboot, die in open zee aangetroffen werd, onder dwang naar het eiland Cyprus gebracht zou worden en de opvarenden in nieuwe, daar ingerichte concentratiekampen ondergebracht zouden worden. Een maand later hielden de Britse troepen een grootscheepse opruiming in het joodse Palestina. Zij arresteerden een duizendtal mensen, Jisjoevleiders, de hoofden van het Joodse Agentschap, en Haganah-aanvoerders, onder wie Gideon Asch. De jonge Palmachleden werden in een kamp in Rafah gejaagd, terwijl de leden van de Irgoen geïnterneerd werden in de Acre-gevangenis. Dit was eens de Ottomaanse vesting geweest die Napoleon tegengehouden had, en nu een van de strengste gevangenissen van het Britse Rijk. Hij puilde uit van gevangenen van de Haganah, Palmach, Irgoen en de Sterngroep.

Britse eenheden overvielen kibboetsen en dorpen op zoek naar verborgen wapens. Tel Aviv werd door twee divisies troepen ingesloten, die de stad doorzochten op geweren, illegalen en joodse strijders.

De Irgoen, die nu onafhankelijk opereerde, antwoordde door het Britse hoofdkwartier in het King David Hotel in Jeruzalem op te blazen.

Toen zelfs de schijn van rust en orde verdwenen was, begonnen de Britten ijlings bakzeil te halen en vroegen om een wapenstilstand met het Joodse Agentschap. Het Agentschap werd opnieuw geïnstalleerd en de leiders werden vrijgelaten. Van zijn kant bracht het Agentschap de operaties van de Haganah tot staan en stelde onderhandelingen voor. Niettegenstaande de pogingen van de Haganah om de verzetstrijders te verenigen, kondigden de Irgoen en de Sterngroep vanuit hun geheime hoofdkwartieren aan, dat zij zich niet door de wapenstilstand gebonden zouden achten.

De Britse regering had twee mogelijkheden: een grotere troepenmacht naar Palestina brengen en door geweld en onderdrukking een eind maken aan de joodse opstand. Welbeschouwd voelden de Britten er niets voor de gruweldaden te bedrijven die nodig waren om aan de macht te blijven en ze vielen op de tweede mogelijkheid terug: onderhandelingen.

Het jaar werd ingeluid door een Brits plan voor een indeling, met Arabische, joodse en Britse kantons, onder Britse soevereiniteit. Ze hadden belachelijke grenzen ontworpen. Zowel het Joodse Agentschap als de Arabische leiders verwierpen het plan dadelijk.

Het Britse vermogen om te regeren was kennelijk uitgeput. Een maand later werd de Britse leeuw op de knieën gedwongen door de aankondiging dat men het hele Palestijnse probleem aan de Verenigde Naties overdroeg. Dat nam niet weg dat de blokkade voor de Palestijnse kust voortgezet werd, en half-krankzinnige overlevenden de concentratiekampen op Cyprus vulden nadat ze in het zicht van de kust van het Heilige Land teruggehaald waren.

Tijdens de meest vermetele aanval van alle drong de Irgoen de Acre-gevangenis binnen en bevrijdde hun kameraden. Gedurende deze periode hingen de Britten verscheidene Irgoenstrijders op. De Irgoen nam wraak door twee Britse wachtmeesters te kidnappen en op te hangen.

In juli 1947 speelden de Britten hun laaghartigste kaart uit tijdens het mandaat. Ze brachten een vluchtelingenschip met bijna vijfduizend mensen aan boord naar Duitsland terug.

29 november 1947

De algemene vergadering van de Verenigde Naties kwam bijeen in Lake Success, New York, om te stemmen over hun eigen plan om Palestina in afzonderlijke Arabische en joodse gebieden te verdelen. De Arabieren die gedurende de hele ellendige geschiedenis van het mandaat geweigerd hadden naar de conferentietafel te komen, bleven consequent. Ze verwierpen het plan voordat het tot stemmen kwam.

Het Joodse Agentschap, dat zich realiseerde dat er niets meer te winnen viel, accepteerde het plan.

Nu Groot-Brittannië zich van Palestina had losgemaakt, kwamen plotseling en heel duidelijk de Verenigde Staten van Amerika naar voren.

De Arabieren hadden zich haastig bij hun nieuwe vrienden, de Russen, aangesloten, vol vertrouwen dat het verdelingsplan verworpen zou worden. In een ideologische ommekeer van drie decaden sinds de Russische revolutie deelde een jonge Russische afgevaardigde, Andrei Gromyko een verbaasde wereld mee dat de Sovjet-Unie de Amerikanen zou steunen in hun plan.

De Verenigde Naties waren trouwens grotendeels samengesteld uit kleine staten, waarvan een derde in Latijns-Amerika, en ieder van hen was vatbaar voor oliechantage.

Het werd allemaal duidelijk op een moment van waarheid in de naoorlogse wereld. Men kon de spanning in Tabah ruiken toen de mannen midden in de nacht in het koffiehuis bijeenkwamen om naar de uitzending over de verdelingsstemming te luisteren. Zelfs de vrouwen waagden het buiten het koffiehuis rond te hangen.

Met hun gebruikelijke bluf vóór de strijd hadden de dorpelingen zich geen zorgen gemaakt en zichzelf overtuigd dat de scheiding moest mislukken. Alleen hadji Ibrahim zag de realiteit onder ogen.

'Wij staan op het punt er getuigen van te zijn hoe een schuldige wereld gemanipuleerd wordt door de zionisten,' waarschuwde hij.

De boeren van Tabah waren het er niet mee eens.

Realiteit en besluit blijven ze altijd maar uitstellen, dacht hun moektar. Niettegenstaande de gunstige tekenen van enorme druk door de Arabische staten, wist hadji Ibrahim in zijn hart dat de combinatie Amerika en Rusland waarschijnlijk te sterk was om te weerstaan.

Toen kwamen de stemmen binnen. Toen het ene volk na het andere zijn stem uitbracht, voelden de dorpelingen de wanhoop over zich heen kruipen. Hadji Ibrahim wachtte niet eens op de officiële uitslag. Hij stond met een somber gezicht op, zei: 'Het is de wil van Allah', en verdween.

In Lake Success keek een verslagen Britse regering, die zich van stemming onthouden had, beschaamd toe toen hun bondgenoten uit de oorlog zich tegen hen keerden. De einduitslag was drieëndertig tegen dertien, met tien onthoudingen, ten gunste van verdeling. Zijne Majesteits vertegenwoordiger stond op en verkondigde dat Engeland niet zou meewerken aan de verdeling en op 14 mei 1948 haar strijdkrachten uit Palestina zou terugtrekken. Zo eindigde de smadelijke episode van het mandaat.

Binnen enkele ogenblikken na de stemming haalden de boeren van Tabah hun verborgen wapens te voorschijn, schoten woedend in de lucht en zeiden zich te zullen wreken. Heel Arabisch Palestina reageerde hierop met opstand en een algemene staking. Maar helaas, de nacht behoorde hun niet langer toe.

Tabahs nieuwe en sterke radio-ontvanger kon uitzendingen uit alle delen van de wereld opvangen. Ze hoorden de eerste ministers van de Arabieren en moslems, presidenten, koningen, de Moslem Broederschap, de Moslem Jeugd, en de moslem priesters allemaal gal spuwen. Met iedere verklaring van steun kregen de boeren van Tabah moed en kreten van instemming volgden op iedere huiveringwekkende aankondiging.

Cairo: 'Het optreden van de zionisten lijkt op dat van de Tartaren. Als de joden op 14 mei een onafhankelijke staat durven uitroepen zullen ze zo gehavend worden dat Djengis Khan een man van de vrede zal lijken. Nieuwe piramiden van schedels zullen verrijzen... joodse schedels!'

Damascus: 'Arabische wapens zullen dit zogenaamde verdelingsplan even waardeloos maken als de inkt op het papier.'

Bagdad: 'Wraak en haat tegen de joden is gerechtvaardigd en wettig. Wij zullen met trots dit zionistische kankergezwel uit onze heilige Arabische bodem hakken.'

Koeweit: 'O Arabische broeders in Palestina, houdt moed. Wij zullen zorgen dat de geschiedenis zich herhaalt. Wij hebben ons verheugd over de vernietiging van de joden. Hun laaghartige economische sluwheid leidde tot het bloedbad in Europa. Wij zullen Hitlers werk voltooien.'

Saoedi-Arabië: 'Mogen de hoogste islamitische voorschriften ons voorlichten in de strijd om de joden te vernietigen.'

Transjordanië: 'De joden zijn wilde beesten, bloedzuigers, verraders, vijanden van de mensheid. De wereld heeft hen veracht, verworpen en verdreven. Als zij proberen een zionistische staat te vestigen, zal deze te vuur en te zwaard vernietigd worden.'

Libië: 'Wij zullen Palestina drenken in rivieren van joods bloed. Wij zullen de joodse beenderen vergruizelen en als kunstmest gebruiken.'

Jemen: 'Wij leven en sterven met Arabisch Palestina. Wij zullen joodse ingewanden over het land strooien.'

Tunis: 'Moge de Profeet ons met blindheid slaan, nee, doden als we een joodse staat toelaten op de heilige islamitische bodem.'

Libanon: 'De overwinning wacht ons! Wij zullen iedere jood en iedere joodse baby met zijn moeder in zee smijten.'

Hadji Ibrahim was de enige die het verschil begreep tussen retorica en actie. De Arabische uitspraken waren nu op z'n felst, een opeenhoping van wilde kreten. Voor een luisterende vreemdeling kon het de meest angstaanjagende taal zijn die ze ooit zouden horen. Voor de Arabische massa was het sirenengezang uit een verre luchtspiegeling. Woorden beschreven vreselijke taferelen maar evenals luchtspiegelingen waren de woorden illusies. Hadji Ibrahim had zich lang geleden gerealiseerd dat fantasie en realiteit voor zijn volk een en hetzelfde waren. De fantasie moest ten koste van alles levendig blijven.

Hij wist bovendien dat hij alleen voor hen allen zou moeten beslissen want niemand zou verantwoordelijkheid op zich nemen.

Iedere avond ging het stormachtig toe in het koffiehuis van Tabah. 'Jihad! Jihad! Jihad! Heilige Oorlog! Heilige Oorlog! Heilige Oorlog!'

Rellen en bloedbaden vlamden door de Arabische wereld, woede gekoeld op kleine, weerloze joodse vestingen. Synagogen van Aleppo tot Aden stortten ineen, met fakkels in brand gestoken. In de Arabische landen onder Brits beheer werd niets gedaan om de moordpartijen tegen te gaan.

Terwijl de moordzucht van de Arabieren toenam, hieven de Verenigde Naties, die de joden hun 'pound of Flesh' gegeven hadden, de handen omhoog en riepen: 'Neutraal!'

De militaire experts van de wereld voorspelden eensgezind dat de joden onder de voet gelopen zouden worden. Waarschijnlijk zouden ze tenslotte in een enclave rond Tel Aviv terechtkomen. Als het zover zou zijn en de overgebleven joden achter zich de zee en vernietiging voor ogen hadden, zouden de Verenigde Naties misschien kunnen ingrijpen met een of andere humanitaire actie en het restant joden evacueren.

Het was de dag van het christelijke kerstfeest. Je had moeten zien wat een opschudding het veroorzaakte toen de zwarte Mercedes van de heer Dandash door de kuilen in de weg het dorpsplein bereikte. De dorpsjongens verdrongen zich om de auto, terwijl de chauffeur hen probeerde weg te duwen. Ze groetten allen beleefd toen meneer Dandash uitstapte.

Ik herkende hem onmiddellijk als een van de aides van effendi Kabir. Ik kwam naar voren en zei hem dat ik de zoon van de moektar was, omdat ik wist dat hij mijn vader zou willen spreken. Ik bracht hem naar het graf van de profeet, waar mijn vader weer een dag met overpeinzen doorbracht.

Hadji Ibrahim keek op. Zijn ogen hadden donkere kringen, grote kringen die getuigden van nachten van weinig slaap. Hij stond op en omarmde Dandash op de gebruikelijke Arabische manier. Ze mochten elkaar niet. Hun omarming was te officieel.

'Ik ben uit Damascus gekomen met een boodschap van de effendi,' zei Dandash.

'Ja?'

'De effendi verzoekt dringend uw aanwezigheid in Damascus. Hij heeft een auto voor u gestuurd.'

Mijn vader keek hem wantrouwend aan en ik kon mijn vader bijna voelen denken... *Ik ga niet naar Damascus om me te laten vermoorden.*

'Ik heb geen papieren om de grens over te gaan,' zei hij.

'Voor alles is gezorgd,' antwoordde Dandash. 'En wees overtuigd dat de effendi uw veiligheid garandeert volgens de tradities van bescherming van een gast.'

'De effendi heeft ons ook ons water gegarandeerd dat hij aan de joden verkocht heeft.'

'Ik geef u de goede raad om redelijk te zijn.'

Mijn vader kende de bijzonderheden niet, maar het gerucht ging dat Kabir zijn bezit in Palestina grotendeels geliquideerd had en voor alle zekerheid miljoenen naar Zwitserland had overgemaakt. Het zou een kleinigheid voor hem zijn het land van Tabah en de andere dorpen in de buurt te verkopen. Ibrahims enige kans was om op de oproep in te gaan. 'Ik voel me vereerd,' zei hij. 'Wanneer zullen we vertrekken?'

3

Hadji Ibrahim had nog nooit zo'n imposante en luxueuze auto gezien. Toen de chauffeur het vuil van de reis verwijderd had, glom hij zo dat je je gezicht erin kon zien als in een spiegel. De binnenkant rook naar zuiver leer en de motor had een enorme kracht. Toch voelde hadji Ibrahim zich allesbehalve op zijn gemak. De effendi had nooit zo'n groots gebaar gemaakt als het sturen van een auto helemaal uit Damascus. Wat was hij van plan?

Het had duidelijk iets met het verdelingsplan te maken. Politieke en militaire verbonden werden gesloten tussen oude vijanden, en Kabir was een kat die altijd op zijn poten terecht kwam. Hoewel Kabir veel van zijn rijkdommen uit Palestina had laten verdwijnen, zou hij toch zeker zijn voet tussen de deur houden.

Hadji Ibrahim zou het vroeg genoeg aan de weet komen. Op het ogenblik maakte hij zich bezorgd over de chauffeur die de auto met volle vaart de Bab el Wad op reed waardoor ze iedere paar seconden in een bocht wild heen en weer geslingerd werden. Vrachtvervoer spuwde dampen uit en kroop in slakkegang puffend voort. De Mercedes dook met loeiende vaart achter een truck op en de chauffeur toeterde ongeduldig om daarna in angstaanjagende vaart te passeren op de baan van het tegenliggende verkeer. Dandash leek volkomen op zijn gemak terwijl hij aan de radio zat te mieren, die nu eens het laatste nieuws en dan weer schrille oosterse muziek liet horen.

Hadji Ibrahim ging niet vaak naar Jeruzalem. Hij bestudeerde de hoge bermen aan beide zijden van de weg vol goede plekken voor scherpschutters en geschikt voor hinderlagen. Zo was het in de drieduizend jaren van oorlog steeds geweest. De weg bleef belangrijker dan ooit voor de militaire plannen van wie dan ook.

Waar de Bab el Wad bij de top even vlak terrein werd, hadden de Britten een wegversperring opgezet. Vijftig auto's werden in twee rijen tegengehouden, één rij joden en één rij Arabieren. Meneer Dandash beval de chauffeur om de rijen heen regelrecht naar de controlepost te gaan. Door de kennelijke autoriteit van de Mercedes protesteerde niemand in de Arabische rij. Dandash stak zijn hoofd uit het raampje, zei kort en bondig een paar woorden tegen de dienstdoende officier en de slagboom werd onmiddellijk voor hem geopend om hem te laten passeren. Hadji Ibrahim was verbaasd over zoveel macht.

De straatweg nam een duik naar een diep dal alvorens aan de laatste helling naar Jeruzalem te beginnen. Aan weerszijden lagen hier en daar Arabische dorpjes. Links, in de verte, verrees een hoge heuvel waarop volgens de overlevering de Arabische graftombe van de profeet Samuel stond. Op deze heuvel was Richard Leeuwenhart gedwongen zijn kruistocht te beëindigen en uiteen te laten gaan. Van dat punt uit had de Britse koning naar de stad Jeruzalem gekeken die hij nooit zou binnengaan.

Toen ze de laatste lange heuvel opreden, verschenen de zachtroze stenen huizen van Jeruzalem stralend onder de middagzon. Ze reden de voorsteden binnen, een Arabisch district links van de weg en het joodse West-Jeruzalem vóór hen. Rijdend langs de Jaffa Road naar de joodse zakenwijk in het centrum, sukkelden ze verder achter een lange rij langzaam rijdend verkeer. Ongedisciplineerde Chassidiem staken willekeurig voor de auto de straat over, hun lange bakkebaarden opwaaiend onder hun zwarte, breedgerande vilthoeden. Arabische ezelwagens, rook uitblazende autobussen en een kermisachtig mengsel van wonderlijk uitziende mensen dromde bijeen bij de Oude Stadsmuur.

Een jungle van prikkeldraad en Britse gezagsdragers blokkeerde de weg waar Jaffa Road bij de Jaffa Poort in de oude stad uitkwam. Dandash moest zelf de auto uit en een officier zoeken om hen door te laten.

Ze reden langs de rand van de Oude Stad en draaiden toen scherp de weg naar Jericho op. Een bemoedigend vergezicht op een uitsluitend Arabische buitenwijk volgde. Toen ze de omringende dorpen achter zich gelaten hadden, volgde de auto de dalende weg naar het sombere landschap van Judea, de wildernis waar David zich verborgen hield voor Saul, de wildernis van de Essenen, van Johannes de Doper, en de wildernis van Christus. Ze reden steeds verder naar beneden, naar het laagste punt op aarde. Een Brits konvooi kwam in snelle vaart heuvelopwaarts.

Er was weinig verkeer, de chauffeur gaf plankgas en verminderde alleen vaart door op zijn rem te stampen om langs een plotseling verschijnende oude truck of kar te schieten. Een verblindende namiddaghitte straalde omhoog van de woestijnbodem. Hadji Ibrahim was verbaasd dat het in de auto door de een of andere wonderbaarlijke kunstgreep koel bleef.

Na Jericho met vrijwel vastzittend verkeer reden ze langs de noordelijke punt van de Dode Zee, met halsbrekende vaart over een lege, rechte weg. Ze waren nu in een diepe inzinking van de aarde, bekend als de Grote Rift Vallei. Op de achtergrond, op beide rivieroevers verrees een ruggegraat van schildwachtbergen, één in Palestina en één in Transjordanië.

Aan de overkant van de rivier was Mozes gestorven na het beloofde land gezien te hebben en had Jozua de Hebreeuwse stammen georganiseerd voor hun inval. Dit was in de oude tijden de Koninklijke Straatweg geweest, een belangrijke karavaanroute van Damascus tot zijn eindpunt bij de golf van Akaba, waar Salomo's schepen naar Afrika en de Oriënt vertrokken.

Op 14 mei van het komende jaar, 1948, zouden de Britten zich ook uit Transjordanië terugtrekken, alleen een officierskorps achterlatend voor het Arabische Legioen. De emir Abdullah, die zichzelf al tot koning gekroond had, heerste nu over een gebied, bekend als het koninkrijk Jordanië. Het zou een kunstmatig koninkrijk worden, een van de zwakste en armste in de Arabische wereld.

Iedereen wist dat Abdullah met de joden praatte en slechts matig geïnteresseerd was bij een oorlog tegen hen. Ondanks zijn getemperde haat tegen de joden, begeerde hij Jeruzalem en hoopte dat de stad bij zijn koninkrijk gevoegd zou worden. Hij dacht dat hij een goede kans had om, door met de joden te onderhandelen, zowel Oost-Jeruzalem als stukken land op de westelijke oever te verkrijgen. Maar hij was een Arabisch vorst en stond dus onder zware druk van de grotere Arabische staten om zich bij het gewapende conflict aan te sluiten. Ofschoon Abdullah een slappe figuur was en geneigd toe te geven, had hij misschien het beste leger van de Arabische wereld. Egypte, Syrië en de Saoediërs wilden Abdullahs Arabische Legioen inzetten, ook al waren ze op hun hoede voor Abdullahs ambities.

Het door de Britten bewapende, door de Britten getrainde en door de Britten geleide Legioen stond onder bevel van een Britse generaal. Zijn mogelijke rol in een toekomstige oorlog maakte de joden bang. Abdullah speelde een riskant spelletje.

's Avonds kwamen ze doodmoe van de reis in Tiberias. Deze stad aan het meer van Galilea was zowel voor de joden als voor de Arabieren van groot historisch belang.

Bij de nabij gelegen Horns of Hittim had Saladin de Koerd het eerste kruisvaarderskoninkrijk in een heldhaftige strijd zo goed als vernietigd. Galilea bleef betrekkelijk rustig gedurende de Romeinse periode terwijl de rest van het volk oproerig was. Joden die uit Jeruzalem verdreven waren kozen Tiberias als toevluchtsoord. Hier werkten en studeerden belangrijke rabbijnen en geleerden door de eeuwen heen en dit maakte Tiberias een van hun heilige steden. De graftombes van veel rabbijnen die de joodse leer overeind gehouden hadden, omringden het meer en waren het toneel van de grote religieuze bijeenkomsten.

Honderd jaar geleden, in de tijd van de Ottomanen, was de stad door een aardbeving vernield en werd ze door de joden weer opgebouwd. Ze gebruikten het daar voorkomende, bijzondere zwarte bazalt als bouwmateriaal. De stad kreeg een even ongewoon uiterlijk als de roze stenen wijken van Jeruzalem.

Van alle steden en nederzettingen in dit gebied eiste de zon een zware tol aan menselijke energie. De joden bezaten de meeste energie en zij gebruikten die voor de bouw van een reeks groene kibboetsen en dorpen. Hun overheersende aanwezigheid in de streek maakte het de joden mogelijk een betrekkelijke rust en orde te handhaven.

Hadji Ibrahim verbaasde zich toen meneer Dandash de chauffeur opdracht gaf langs de oude Arabische stad door te rijden naar een alleenstaand joods hotel, verderop langs de weg. Het hotel heette Gallei Kinniret en was het eigendom van een Duitse vrouw, een vluchtelinge. Ze reden de oprit op en stopten. De chauffeur haalde de kofferruimte leeg en kreeg de opdracht een kamer in een Arabisch hotel te zoeken en zich de volgende ochtend te melden.

'Ik wil uw gastvrijheid niet beledigen,' zei hadji Ibrahim, 'maar ik zou liever met de chauffeur naar een van onze eigen hotels gaan.'

'Maar ik heb speciale instructies van de effendi,' zei Dandash gepikeerd.

'Het is bovendien een kwestie van principe voor mij,' voegde Ibrahim eraan toe.

'Zoals u wilt,' zei Dandash geprikkeld. 'Ik zie u dan morgenochtend.'

Hadji Ibrahim was slechts eenmaal eerder in Tiberias geweest, vele jaren geleden als jongen. Het meer was onstuimig. Hij en de chauffeur gebruikten hun maaltijd in een koffiehuis bij het water en zagen hoe de maan betoverend opkwam boven de heuvels aan de overkant, de Golanhoogten in Syrië. Ze vormen een hoog plateau boven de oostelijke oever van het meer.

In Tiberias, zoals overal in Palestina, gingen de gesprekken hoofdzakelijk over de komende oorlog met de joden. De chauffeur maakte dadelijk aan iedereen bekend, dat hij in gezelschap was van hadji Ibrahim, de beroemde moektar van Tabah. Ze hadden allemaal gehoord van de man die de tactiek van Saladin gebruikt had door zijn veld in brand te steken om Kaukji's ongeregelde troepen te kunnen verslaan.

Ze verzamelden zich rond zijn tafel om berichten en standpunten uit te wisselen. Niemand twijfelde of de Syriërs zouden van de Golanhoogten uit zich van het meer meester maken om vervolgens door Galilea te trekken en Haifa te veroveren met zijn grote, gemengde bevolking. De mensen van Haifa zouden al vóór het Syrische leger kwam helpen de joden in bedwang te houden. Van hieruit was het zo gemakkelijk te bedenken.

Ook nu had Ibrahim weer een slapeloze nacht. Op het stenen balkonnetje van zijn hotelkamer staarde hij naar het meer, terwijl het maanlicht dansend zijn weg naar de vergetelheid ging en de heuvels van Syrië uit het gezicht verdwenen.

Gideon Asch was nabij het noordelijke eind van het meer geboren. De gedachte liet Ibrahim niet los. Ze zouden er morgen vlak langs komen. Hij miste Gideon. Gideon wist altijd wat er achter de schermen gebeurde. Hij wilde Rosh Pinna zo graag zien en het huis waarin Gideon geboren en opgegroeid was. Wat zou Gideon hem nu vertellen over Arabische intriges?

Sommige dingen waren heel duidelijk. Een week tevoren had hij de Wahhabi-stam bezocht ter gelegenheid van een huwelijk. De Wahhabieten zwierven door de noordelijke Sinaï en weinig ontging hun ogen en oren. Zijn oom, de grote sjeik Walid Azziz, had hem verteld dat Egypte begonnen was troepen in de Sinaï te concentreren. Het was nauwelijks een geheim dat Egypte Palestina vanuit het zuiden zou aanvallen.

Omdat hij de Arabische mentaliteit kende, was Ibrahim bezorgd. Nooit zou een Arabisch volk voor andere Arabieren strijden zonder beloning.

Syrië, aan de overkant van het meer, had altijd aan een vage aanspraak op heel Palestina vastgehouden op grond van het feit dat Damascus het politieke en administratieve centrum voor beide landen geweest was, en bovendien voor Libanon. Syrië zou ongetwijfeld Galilea en Haifa voor zichzelf binnenhalen. Op die manier zou het Libanon aan drie kanten omvatten en de Middellandse zee was de vierde kant.

Egypte? Dat zou aanspraak maken op de Negev-woestijn, de Gaza-strook en Berseba boven aan die woestijn, en Tel Aviv en Jaffa.

Abdullah zou de verleiding niet kunnen weerstaan om Jeruzalem en de westelijke oever van de rivier in te palmen.

Palestina zou door hen in stukken verdeeld worden. En hoe zou het met Irak gaan en de Saoedi's en de staten die niet aan Palestina grensden? Zij zouden erbij betrokken zijn om de Arabische mannelijkheid te herstellen, meedelen in de buit, en helpen bij uitroeiing van de joden.

Zouden deze volken, ieder met hun eigen begeerte naar een stuk van Palestina, het Palestijnse volk veroorloven een natie te vormen? Als de oorlog voorbij was, zou er weinig voor de Palestijnen over-schieten en de autonomie die hadji Ibrahims volk eventueel zou krijgen was afhankelijk van degenen met wie ze samenwerkten. De opperste krijgsheren van Cairo, Damascus en Amman namen de Palestijnse Arabieren niet eens in beschouwing.

Waren zijn gedachten hersenschimmen? Openbaringen kwamen gemakkelijk bij het meer van Galilea. Het leek hem allemaal zo duidelijk. Het was wat Gideon hem gezegd zou hebben. Hij zou Gideon hebben tegengesproken. Het was moeilijk – om zichzelf tegen te spreken over wat hij juist bedacht had.

Hoe zou effendi Kabir het spel gaan spelen? Wat was hij van plan?

4

De volgende ochtend reden ze in snelle vaart noordwaarts langs een kustlijn van zeer grote historische en religieuze betekenis. Voorbij de plaats waar Jezus over het water wandelde, glooide een lange heuvel. Zaligsprekingen! De Bergrede. De zachtmoedigen zullen de aarde beërven. Voorbij de ruïnes van de oude synagoge in Kapernaüm waar Jezus als rabbijn predikte, eindigde het meer van Galilea plotseling.

'Ik zou Rosh Pinna graag willen zien,' zei Ibrahim.

Dandash keek op zijn horloge, haalde zijn schouders op en gaf de chauffeur opdracht de kleine omweg te maken. Het dorp waar Gideon Asch geboren was, lag op de lagere hellingen van de berg Kanaän. Een slaperig dorpje, maar proper. De mensen hier bewerkten hun eigen land in tegenstelling tot de gemeenschapslandbouw van een kibboets.

Deze voortdurende gedachten aan zijn vroegere vriend waren hem een raadsel. Waarom denk ik in deze dagen zo vaak aan Gideon? Omdat ik hem nog nodig heb, neem ik aan. Hadji Ibrahim kon zich voorstellen hoe Gideon als jongen in de schaduw van een grote boom geluierd had met een boek op zijn schoot... of in verzet op zijn paard geklommen was om ver weg van deze vredigheid deel te nemen aan de bruisende nieuwe ontwikkelingen.

'kan ik u helpen?' vroeg een joodse boer.

Ibrahim stond op het punt om te vragen waar het huis van Gideon was. 'Nee,' zei hij, 'het is alleen maar prettig hier.'

Bij een ontmoeting waren joden en Arabieren hier in de buurt buitengewoon gastvrij tegenover elkaar. 'Wilt u blijven lunchen?'

'Dat gaat niet,' kwam Dandash tussenbeide, 'we moeten nog naar Damascus vandaag.'

Ze stapten in de auto en sloten de portieren. 'Sjalom,' zei de boer.

'Sjalom,' antwoordde hadji Ibrahim .

Toen ze weer op de straatweg waren, draaiden ze in oostelijke richting en klommen naar de grens met Syrië. Van de bodem van de aarde stegen ze zo'n duizend meter naar het plateau van de Golanhoogten. Aan de Britse kant van de grens verlieten ze de auto om de benen te strekken en een maaltijd te gebruiken uit de picknickmand die in het hotel van Dandash voor hen was klaargemaakt.

Hadji Ibrahim staarde omlaag naar het meer dat van deze hoogte niet veel groter leek dan een vijver. Hij kon de helft van Galilea overzien, tot de heuvels van Nazareth en zuidwaarts vele kilometers door de Grote Rift Vallei waar de rivier uit het meer van Galilea naar de Dode Zee afdaalde. De rijen joodse nederzettingen langs het meer leken zo klein en hulpeloos van hier. Syrische artillerie kon van de bergen uit vuur op de nederzettingen laten regenen. De joden hadden geen kanonnen die zover konden reiken. En de joden konden zeker nooit de loodrechte steilte beklimmen en deze plaats bezetten. Van alle militaire posities in Palestina kon hadji Ibrahim zich er geen voorstellen die voor de Arabieren voordeliger was.

De Syrische officier bij de grensplaats Quinetra kroop als 't ware in het stof voor de imposante auto en na een kort gesprek met Dandash salueerde hij in stijl, riep een bevel om de poort te openen en keek de auto na toen hij in volle vaart de stad inreed.

Quinetra was de verzamelplaats van militaire voertuigen vanwege zijn strategisch gunstige ligging en omdat het bij een oliepijpleiding lag die vanuit de Perzische Golf kwam over een afstand van bijna vijftienhonderd kilometer. De drukte van militair verkeer, een veld van keurig geparkeerde tanks en mobiele artillerie-onderdelen, en honderden Syrische soldaten in de straten waren allemaal tekenen van de komende oorlog.

Eenmaal door de stad reden ze langs de voet van de met sneeuw bedekte berg Hermon, een grote eenzame bergtop wiens brede basis tot in Palestina, Syrië en Libanon reikte. Op de lagere hellingen van de berg lag een aantal dorpen van de mystieke, quasi-islamitische druzen, van verarmde sji'iten-moslems, en hier en daar wat christelijke Arabieren.

Toen ze uit de lelijke, grauwe, vulkanische woestijnvlakte van de Golan gekomen waren, sloegen ze de straatweg naar Amman in en voordat hadji Ibrahim erop voorbereid was verrezen opeens de spitsen van de schitterende Ummayyad-moskee van Damascus voor hem, in rangorde van heiligheid volgend op de Rotskoepelmoskee. Damascus, de stad van Abel en Kaïn, de apostel Paulus, en de geboorte van het christendom, zou de oudste stad op aarde zijn. Hij verrees uit de omringende woestenij als een gigantische oase. Damascus dat eens een rijk geregeerd had groter dan dat van Rome, teerde op de glorie van duizend jaar geleden.

Hadji Ibrahims kalmte liet hem in de steek. Zijn gebedskralen werden met koortsachtige vingers bewerkt toen ze de buitenwijken van de stad naderden. Behalve bij zijn aankomst in Mekka had hij zich nimmer zo ontroerd gevoeld. Zijn gevoelens van ontzag werden in evenwicht gehouden door de gemelijkheid van Dandash en het brutale getoeter van de chauffeur. Een Arabisch mengelmoes van minaretten en koepels, de oude ommuurde stad met de vervallen kasbah, de wriemelende mensenmenigte, werd omringd door moderne glazen wolkenkrabbers en brede boulevards getuigend van recente Franse invloed. Alles lag in een waas van as en zand dat de wind ononderbroken uit de woestijn opjoeg.

Damascus dankte zijn bestaan aan een rivier, de Barada, die van de bergen van de Libanon omlaagstroomde en daarna in honderden waterloopjes uiteenvloeide, die in een netwerk van kanalen veranderd waren. Door het water was een vruchtbare groene gordel ontstaan: El Ghouta. Dit district werd in de fantasie van de Arabieren met de Tuin van Eden vergeleken. El Ghouta bestond uit een onwaarschijnlijk mengsel van tuinen en elegante villa's, casino's, boerderijen en boomgaarden die de stad van voedsel voorzagen, van parken en recreatieoorden.

In El Ghouta woonde effendi Kabir, in een vierkante villa met kasteelachtige allure. Enige honderden meters voorbij de bewaakte omheining reden ze als het ware door een kleine sneeuwstorm van fruitboomgaarden en toen een tuin binnen met duizend Damascusrozenstruiken. Ze stonden voor de villa met zijn voorgevel van oranje-roze Algerijns marmer, omlijst door Perzische tegels.

Hadji Ibrahim voelde zich opgelucht toen Fawzi Kabir hem zo geestdriftig ontving alsof hij een Saoedische prins verwelkomde. De grootse ontvangst bracht Ibrahim op zijn hoede en maakte hem dubbel wantrouwig. Hij wist opperbest dat hij voor iets zeer belangrijks ontboden was.

Zijn ontzag bij iedere nieuwe blik op dit sprookjesland werd nu getemperd door hem voortdurend waarschuwende stemmen. Deze bezichtiging vooraf van het paradijs was een droom en hij realiseerde zich dat Kabirs gastvrijheid een zeer hoge prijs zou moeten opbrengen.

De maaltijd werd gehouden in een vertrek zoals in *Arabische Nachten* voor feesten was ingericht. Grote geborduurde kleden, als 't ware bestrooid met spiegels bedekten wanden en plafond. Op de vloer geen dun oosters tapijt maar dik westers pluche. Kussens en lage tafels droegen bij tot een entourage passend bij Romeinse losbandigheid. De twee mannen aten alleen, bediend door een viertal knappe, gespierde, jonge bedienden en beveiligd door een paar bewakers. Tegen het einde van de maaltijd brachten twee knechten een twee meter lange zilveren schaal binnen met een berg vruchten, noten, soorten kaas en Europese chocolade, gebakjes en snoepgoed. Kabir klapte in zijn handen, riep een bevel, en greep toen in de stapel versnaperingen.

Het was niet te geloven, maar een vijftal muzikanten verscheen en terwijl de instrumenten een zich steeds herhalende melodie jammerden kwam ineens een buikdanseres binnen gegleden en begon draaiende bewegingen voor hen te maken.

In naam van Allah! Wat wil deze man van mij? Ik moet heel erg op mijn hoede zijn. Dit kan een soort bedwelming zijn om mij minder waakzaam te maken en me dan te vermoorden. Waarom wil hij mij doden? O ja, ik heb hem eens naar Tabah laten komen! Hoewel dat een kwart eeuw geleden is, zal een man als Kabir zo'n belediging nooit vergeten! Onzin! Hij probeert alleen een goed gastheer te zijn... aan de andere kant...

De moektar van Tabah staarde verbaasd toen de vrouw haar torso naar hem toe wiegelde en vlak boven hem waar hij achterover leunde begon te dansen. Ze was geen Arabische, want haar huid was westers blank en haar haren waren goudkleurig, haar ogen blauw. Kabir boog zich voorover, op één elleboog steunend, en bracht zijn lippen dicht bij Ibrahims oor.

'Ze heet Ursula. Ze is Duits en buitengewoon bedreven. Ze is een van mijn favorieten. Kan je geloven dat ze binnen een jaar zo heeft leren dansen? Ze komt vanavond op je kamer. Houd haar zolang je wilt.' Kabir wachtte even om een walnoot te kraken en zijn ogen dwaalden naar de mannelijke bedienden die ter attentie stonden. Hij knikte naar een jongeman van opvallende, sensuele, katachtige schoonheid. 'Of neem ze allebei.'

Ursula bewoog een mooie, ronde, stevige heup een paar centimeter voor Ibrahims neus op en neer en voelde zijn warme, onregelmatige adem tegen zich aanblazen. Ze draaide zich zeer langzaam om zodat haar geslachtsdelen bijna zijn gezicht raakten.

'Waarom ben ik hierheen gebracht?' vroeg Ibrahim opeens.

'Morgen is het vroeg genoeg voor zaken,' antwoordde Kabir. 'Het is een lange dag voor je geweest. Ik hoop dat de nacht even lang zal zijn.'

De muziek zweeg plotseling, zoals met oosterse muziek dikwijls het geval is.

Dit kan niet waar zijn, dacht Ibrahim toen hij op een satijnen bed lag in een kamer mooi genoeg voor Mohammed zelf. Het vertrek was vaag verlicht en wierook kronkelde in dunne straaltjes naar het plafond.

Ik weet het! Zij is degene die me moet doden. Ik moet zeer voorzichtig zijn.

Zijn hart sloeg hoorbaar en klopte in zijn keel toen hij iets achter het traliewerk hoorde bewegen. Hij kon nauwelijks door het raster heen kijken, maar werd het meisje gewaar aan de andere kant. Licht als een veertje stapte ze de kamer binnen, gekleed in dun, transparant chiffon. Zij bleef bij het voeteneinde van het bed staan en ontkleedde zich kalm en weloverwogen.

Toen haar gewaad om haar voeten was neergevallen, kwam ze op handen en voeten over het bed naar hem toe. Hadji Ibrahim greep haar, wierp haar op haar rug en zijn stoten waren snel, krachtig en vurig. Na een ogenblik viel hij opzij, hijgend en zwetend. Hij had nooit vlees zoals het hare aangeraakt. Het maakte hem waanzinnig.

Ursula overleefde zijn eerste aanval gracieus. De volgende keer nam hij meer tijd en was minder wild. Hij kwam voor de tweede keer klaar en voor die nacht was het hem genoeg. Het meisje lag dicht tegen hem aan en haar vingers streelden plagend en animerend over zijn huid. 'Je bent zo aardig,' zei hij tenslotte. 'Je haat me. Mijn vrijerij leek op niets.'

Hij was verbaasd over zijn erkenning van schuld.

'Je moet leren jezelf te laten aanraken,' zei ze.

'Ik heb het verkeerd gedaan.'

'Hou daarmee op. Leer je te laten aanraken. Leer van je eigen onbeweeglijkheid te genieten.'

Hadji Ibrahim snakte verscheidene malen naar adem. Alles liep door elkaar: de lange rit vanuit Tabah, de betoverende aankomst in Damascus, deze nacht van het paradijs, Gideons huis, de maan die boven de Golanhoogten opging, tanks, kanonnen, Tabah... Tabah... Tabah... de weg naar Jeruzalem.

'Ik moet voor het eerst van mijn leven toegeven dat ik een beetje moe ben,' zei hij.

'Wees daar niet zo zeker van,' antwoordde ze.

Ursula ging rechtop zitten, opende een lade van het tafeltje naast het bed, haalde er een met juwelen bezet doosje uit, pakte een stukje hasjiesj en verkruimelde het in een pijpje.

Aha! Nu ik zwak ben zal ze me in gif gedoopte hasjiesj geven.

Voordat de angst hem te pakken kreeg, zag hij haar de pijp aansteken, een lange, gulzige trek nemen, en vervolgens bood ze hem de pijp aan. Hij lachte, bijna hardop, om zijn eigen dwaasheid. Toen hij de pijp opnieuw opstak voor een tweede trek, drukte ze zijn hand omlaag.

'Het is erg sterk,' waarschuwde ze.

'Ja,' zei hij verrukt, 'ja.' De kamer draaide en het aroma van wierook vervaagde zijn geest. Alles om hem heen was satijn. Ursula's aanraking was nu ongelooflijk geworden. Hij had nooit vermoed dat zo'n finesse bestond. Ze likte hem helemaal, eindeloos. Wat hij dacht dat dood was tussen zijn benen, kwam opnieuw tot leven.

'Beweeg je niet, pak me niet vast,' onderrichtte ze hem. 'Laat me begaan.'

'Ik zal het proberen, maar je maakt me dol.'

'Probeer. Je bent een goede man.'

'Ik zal het proberen,' herhaalde hij.

Ze wreef, terwijl ze voor hem stond, eerst zichzelf met geurige oliën in en vervolgens hem. Toen ze bovenop hem gleed, waarschuwde ze hem opnieuw zachtjes om stil te blijven liggen. Hij gaf zich aan haar over. Ursula had de leiding en vrijde met hem en verwende hem totdat hij in zijn binnenste een vulkaan in bedwang moest houden. Ditmaal genoot ze met hem mee en dwong hem zich heel langzaam aan

176

haar te onderwerpen totdat de vulkaan de eruptie niet langer kon bedwingen en de meest gelukzalige vermoeidheid hem overspoelde...

'Ursula,' fluisterde hij.

'Ja?'

'Waarom heeft hij me hier gebracht?'

'Dat mag ik eigenlijk niet vertellen.'

'Alsjeblieft.'

'Morgen zal je Kaukji en Abdoel Kader Hoesseini ontmoeten.'

Ibrahim ging overeind zitten. Zijn dromerigheid verdween plotseling. 'Maar ze zijn mijn ergste vijanden. Ze zijn Kabirs ergste vijanden!'

'Het schijnt dat alle Arabieren nu broeders zullen worden.'

Hadji Ibrahim gromde van wanhoop. Ursula duwde de pijp weer in zijn mond en stak hem aan. Hij nam een heel lange trek en viel terug op zijn bed en zij lag naast hem.

'Morgen zal ik me zorgen gaan maken,' zei hij.

5

De stem van de moëddzin, die de vromen oproept voor het gebed, galmde door de lucht toen de nacht in de dag overging. Hadji Ibrahim werd er automatisch wakker van zoals op iedere dag van zijn leven. Hij ontwaakte traag, met knipperende ogen, suf. Damascus! De effendi Kabir! Hij sprong overeind met bonzend hoofd door de hasjiesj, de wijn en de vrijerij.

Hij keek vlug naast zich. Ze was verdwenen, maar hij kon haar geur nog ruiken en het kussen had een deuk waar ze geslapen had. Hij zuchtte diep bij de herinnering, glimlachte, kreunde van katterigheid, glimlachte weer en sloeg het laken opzij. Het is waarschijnlijk niet eens gebeurd, dacht hij. Zelfs als het een droom geweest was, bleef het de moeite waard.

Hadji Ibrahim rolde zijn gebedskleedje uit, legde het in de richting van Mekka en boog.

'In de naam van Allah, de genadige, de barmhartige.
Lof zij Allah, de Heer der werelden,
De genadige, de barmhartige.
Heerser over de Dag des Oordeels,
Aldus dienen wij U en tot U roepen wij om hulp;

Leid ons op het rechte pad,
Het pad van degenen waarop U Uw zegen laat rusten.
Niet het pad van degenen waarop Uw toorn valt of
van degenen die op een dwaalspoor zijn.'

Na het gebed kwam hij voorzichtig overeind want hij had pijn op vele plaatsen.

'Ik heb een bad klaargemaakt,' zei een vrouwenstem achter hem. Hij draaide zich om, zag Ursula bij de deur en zijn hart begon wild te kloppen. 'Ik heb het ontbijt op de veranda besteld. Je ontmoeting met de anderen is pas later.'

Ze hielp hem drie treden af in een groot marmeren bad. Ze zaten tot hun hals in het warme schuim. Ze sponste hem liefkozend af.

'Jij ondeugende oude man,' zei ze, 'vijf maal. De laatste keren waren erg goed. Je bent een verbazend goede leerling.'

Hun conversatie op de veranda vond bij tussenpozen plaats... ze vertelde hem over Berlijn en de luchtaanvallen... de verschrikkelijke artilleriebombardementen... de angst toen de Russen de stad binnentrokken... een jong meisje verstopt tussen het puin... verkrachting... honger en wanhoop... ontsnapping... Beiroet... blondjes, ze houden van blondines...

'Oorlog,' zei hij, zijn keel schrapend. 'Ik wil deze oorlog niet. Er moet een andere manier zijn.'

'Je zit hier in moeilijkheden, is 't niet?' zei ze.

'Ja, ik ben bang van wel. Fawzi Kabir heeft me niet laten komen ter beloning omdat ik een goede moslem ben.'

'Ik weet niet of ik vanavond terug zal kunnen komen,' zei ze, 'maar ik zal bij je blijven tot de bijeenkomst.'

'Dat is niet nodig,' antwoordde hadji Ibrahim. 'Ik moet nadenken. Bovendien heb ik dank zij jou een voorproefje van het paradijs gehad. Ik zou wel gek zijn als ik dacht hier op aarde dit nog eens terug te zullen vinden. Ik wil altijd kunnen terugdenken aan dat ene moment van volmaaktheid. Ik wil de kans niet lopen dat er vannacht iets mis zou gaan, zodat mijn herinnering zou veranderen. Begrijp je dat?'

'Je bent een goede man, Ibrahim. En wijs bovendien. Ik ben ten slotte maar een prostituée.'

'Allah heeft mij vele dingen gegeven op veel verschillende manieren. Ik neem aan dat hij jou gestuurd heeft als de een of andere grote beloning. Haal jezelf niet omlaag. Iedere vrouw die een man het paradijs kan laten zien is een goede vrouw.'

'Ik geloof niet dat ik gebloosd heb sinds ik een klein meisje was,' zei

Ursula.

'Ik wil niet dat je meteen al weggaat,' zei hij. 'Ik heb iets belangrijks geleerd. Het is heel moeilijk mij iets te leren. Niemand van mijn mensen kan zelfs maar veronderstellen dat hij mij iets kan leren. Ik, Ibrahim, moet de besluiten nemen voor alle anderen en ik ben de enige van ruim honderd man die enige verantwoordelijkheid op zich wil nemen. Ik heb een zoon, Ishmael. Hij is mijn enige hoop, maar hij is erg jong. Hij is dapper en vernuftig en hij zou dus een leider kunnen worden. Hij is ook schrander. Hij weet al hoe hij mij moet bewerken. Ishmael leest me voor zodat ik op de hoogte kan blijven. Maar tenslotte ben ik het die alle besluiten moet nemen volgens de soenna en volgens traditie. Door volgens traditie te leven kan men niet veel kennis voor zichzelf op doen. Kennis botst met traditie. Ik heb de koran gevolgd volgens de soera en de teksten. Om dat te doen moet je veel vragen onbeantwoord laten. Vergeef me, Ursula. Ik praat maar wat.'

'Ga verder alsjeblieft.'

'Ik wilde zeggen dat ik gisteravond iets geleerd heb. Een vriend heeft al jarenlang geprobeerd me te zeggen dat ik mijn gedachten en mijn ziel moest openstellen. De koran leert me dit niet te doen, maar alles in het leven te aanvaarden als noodlot en de wil van Allah. Ik begon het gisteravond te begrijpen. Jij hebt me voor het eerst een blik gegeven op deze beangstigende wereld die de joden naar Palestina brachten. Ik heb medelijden en barmhartigheid van een vrouw aanvaard. Ik ken nu mijn eerste vrouw en zie in dat zij... jij... meer weet dan ik, van veel dingen. Begrijp je wat het betekent voor hadji Ibrahim, de moektar van Tabah, om dat van een vrouw te accepteren?'

'Ik weet hoe het staat met Arabische mannen,' zei Ursula met een lichte vermoeidheid in haar stem.

'Weet je wat het betekent,' herhaalde hij, 'om plotseling een deur van een verboden kamer te openen? Ik heb gestreden met een man die waarschijnlijk mijn beste en misschien mijn enige vriend is. Ik heb vrienden, veel vrienden. Maar een man die ik vertrouw... ik vertrouw zelfs mijn zoon Ishmael niet.' De stem klonk gepijnigd. 'Die man is een jood. Kijk, nu praat ik al met een vrouw over mijn privégedachten.'

'Wat denk je dan, hadji Ibrahim?'

'Wat ik denk? We zouden met de joden moeten bijeenkomen en met hen praten. De grootmoefti van Jeruzalem heeft dit evangelie van de haat opgeroepen. Misschien bestond het al eerder. Misschien is het altijd deel van ons geweest. Ik heb gisteravond van een vrouw geleerd, weet je, dat ik de waarheid buitengesloten had en de waarheid is dat we van joden kunnen leren... en naast hen kunnen leven. Als één stem in onze wereld op matiging zou aandringen, zou die stem door moord tot zwijgen worden gebracht. Zo is onze natuur. Deze oorlog zal zeer zwaar zijn voor mijn volk en ik ben de enige die de besluiten zal moeten nemen.'

Hij pakte haar hand, klopte er zachtjes op en glimlachte droevig. Hadji Ibrahim had de oproep van Kabir beantwoord door zijn mooiste gewaden mee te brengen en zijn mooiste sieraden te dragen. Het waren niet de sieraden van een rijk man, maar antieke bedoeïenensieraden, primitief maar ontroerend mooi. Hij haalde een ring van zijn pink, opende haar handpalm, legde de ring erin en sloot de hand.

'Alsjeblieft!' zei hij.

'Dank je. Hij zal mij dierbaar zijn,' fluisterde ze.

'Nu zou ik graag, als je het me niet kwalijk neemt, mediteren.'

'Hadji Ibrahim.'

'Ja?'

'Wees alsjeblieft op je hoede voor Kabir. Hij is verraderlijk.'

Een modderig stroompje van de Barada stroomde langzaam langs de veranda. De geur van Damascusrozen zweefde in de stille lucht. Hadji Ibrahim zat de situatie te overpeinzen. Sinds Ishmael hem voorlas had hij veel nieuwe dingen geleerd, en andere logisch beredeneerd.

Hadji Amin al Hoesseini, de grootmoefti van Jeruzalem, was zijn bloedvijand. Nu werd de moefti door de Geallieerden gezocht als oorlogsmisdadiger. De Fransen hadden hem huisarrest gegeven, maar hij ontsnapte naar de Arabische wereld, die hem gaarne verborgen hield. Meer nog. Men bewonderde hem en zijn filosofie. Omdat hij niet naar Palestina kon terugkeren, richtte hij zijn aanvallen op de joden vanuit verschillende Arabische hoofdsteden.

Zodra de Verenigde Naties de verdeling van Palestina goedkeurden, gaf de moefti zijn neef, Abdul Kadar Hoesseini, de opdracht een leger huurlingen voor hem aan te werven en het commando op zich te nemen. De Hoesseinistam en -clans huisden hoofdzakelijk in het gebied van Jeruzalem. De vrijwilligers zouden bekend staan als het Leger van de Jihad.

Abdul Kadar wist vrijwel niets van militaire zaken, maar hij was populair op de westelijke oever van Hebron tot Ramallah. Hij was de plaatsvervanger van zijn oom geworden en titulair leider van de Arabieren in Jeruzalem, Judea en Samaria. Ibrahim wist dat het leger dat hij samenstelde uit een mengelmoes van werklozen, leden van jeugdclubs, fanatici van de Moslem Broederschap, boeren en handelaars bestond. Zij wisten zo mogelijk nog minder van militaire zaken.

Een paar duizend Palestijnse Arabieren hadden tijdens de oorlog een Britse training gekregen en nog een paar duizend behoorden bij de politie en de grensbewaking. Dit Leger van de Jihad zou uit vijf- of zesduizend man bestaan, licht bewapend worden en weinig gedisciplineerd blijven, zonder een vaste leiding.

Gedurende de opstand van de moefti had een soortgelijke militie, die zich Mojahedeen, de Strijders van God, noemde, enige kleine successen geboekt tegen de joden, hoofdzakelijk op de kwetsbare weg naar Jeruzalem. Hun grootste overwinningen behaalden ze op hun mede-Arabieren en wel door het vermoorden van de politieke oppositie tegen de moefti. Dit nieuwe Leger van de Jihad zou ongetwijfeld weinig te betekenen hebben. Volgens hadji Ibrahim hoefde er nauwelijks rekening mee gehouden te worden.

Zijn gedachten gingen naar een ander oud zeer. Kaukji, van Libanese, Syrische of Iraakse afkomst, had de oorlog in nazi-Duitsland doorgebracht. Zijn ongeregelde troepen hadden miserabele prestaties geleverd tijdens de opstand van de moefti. Het was een bende janhagel, rovers die telkens als het gevecht ernstig dreigde te worden de benen namen.

Hadji Ibrahim maakte zich zorgen over de nederlaag die hij Kaukji had toegebracht. Hij wist dat hij rekenen kon op Kaukji's wraak, want in deze wereld vergeet men niet...

Hadji Ibrahim wist eveneens dat in de fantaserende Arabische gemeenschap de smadelijke herinnering aan Kaukji's nederlaag in een overwinning kon veranderen. Op de een of andere manier bleef Kaukji toch een gerespecteerde militaire figuur in de Arabische wereld. Kaukji, altijd op zoek naar buit, kondigde de formatie aan van een Arabisch Bevrijdingsleger dat aangeworven moest worden van Marokko tot Oman, een leger van vele duizenden vrijwilligers. Ze zouden betaald worden uit een lange rij Arabische schatkisten.

Tienduizenden Arabieren beantwoordden zijn oproep op de avond toen de verdeling erkenning vond en zwoeren zich als vrijwilliger te zullen opgeven. Hun woede verflauwde snel... Ten slotte vonden een paar honderd idealisten hun weg naar het werfbureau van het Bevrijdingsleger.

Toen zijn legerscharen papier bleven, ging Kaukji op pad om een leger te kopen. Hij vond onder de Arabieren de meest beschikbare huurlingen. Premies brachten altijd een reactie, maar ditmaal bleven de reacties maar gering. Hij ontdekte voormalige nazi's verscholen tussen de Arabieren, Britse deserteurs, Italiaanse deserteurs, en hij kocht officieren van bestaande Arabische legers. Vervolgens deed hij een beroep buiten de Arabische wereld op islamitische volkeren en dit leverde hem nog eens een paar duizend man op uit Joegoslavië en moslemgebieden van India, Afrika en het Verre Oosten. Hij kreeg vervroegd ontslag gedaan van misdadigers uit gevangenissen in Bagdad, Damascus, Beiroet en Saoedi-Arabië. Hij monsterde verscheidene compagnieën van de Moslem Broederschap aan, mannen bezeten door een intense haat, maar volslagen ongedisciplineerd. Kaukji hoopte op tienduizend man. Hij kwam er tweeduizend te kort. Het doel van zijn zelf bedachte heilige missie was Palestina binnen te vallen en alles te roven wat bereikbaar zou blijken. Hiervoor had hij viereneenhalve maand de tijd, vóór de invasie van de geregelde Arabische legers.

Het lag voor de hand dat de twee commandanten in Damascus op zoek waren naar wapens en geld. Wat zou er gebeuren? vroeg hadji Ibrahim zich af. Abdul Kadar en Kaukji verachtten elkaar. Het was uitgesloten dat ze in één commando zouden kunnen samenwerken. Er bestond geen twijfel dat ieder van hen persoonlijk afspraken gemaakt had met Abdullah, de Egyptenaren en de Syriërs. Wie spande samen met wie? Welke positie nam effendi Kabir in?

Hadden de Arabieren een algemene gedragslijn of zelfs een aantal geheime overeenkomsten? Stond hun duidelijk voor ogen wat zij eigenlijk wilden? Waren ze het op één enkel punt met elkaar eens behalve dan de vernietiging van de joden? Was het niet logisch dat, met zoveel Arabische legers in Palestina, als de joden eenmaal verslagen waren, het tot een nog bloediger chaos zou komen door gevechten tussen Arabieren onderling? Hadji Ibrahim had de ene conferentie na de andere gevolgd en beseft dat het op den duur alleen maar in anarchie kon eindigen.

En hoe stond het met de soldaten van het Leger van de Jihad en van het Bevrijdingsleger? Dat waren mannen zoals zijn eigen dorpsgenoten in Tabah, koffiehuisvechters, verarmde lieden met weinig gevoel van eigenwaarde, niet werkelijk getraind en zeker niet belust op verbitterde bajonetgevechten.

Ibrahim kende de sterkte van de joden niet, maar hij had diep respect voor hun organisatietalent, hun aanvoerders en hun eensgezindheid om een doel te bereiken. Tegen de Britten had de Haganah met opzienbarend succes gevochten. Tegen de Arabieren waren ze ongeslagen. Tienduizenden nieuwe joodse oorlogsveteranen vulden hun gelederen aan. De gevestigde verdediging van de kibboetsen kon iedere aanval van Abdul Kadar of Kaukji weerstaan.

De joden hadden bovendien veel jonge, geharde Palmach-strijders. De joden haden ook realiteit in hun planning in plaats van fantasie en de steun van de Jisjoev in plaats van de onenigheid van de stammen onderling.

Uiteindelijk zouden niet Kabir, Kaukji of Abdul Kadar kind van de rekening worden, maar de boeren van Tabah en de zich met moeite op de been houdende stads- en plattelandsbevolking van Palestina.

'Hadji Ibrahim.'

Hij keerde zich om en keek in het sombere gezicht van Dandash.

'De effendi is klaar voor de bijeenkomst.'

6

'Broeder.'

'Broeder.'

'Broeder.'

'Broeder.'

In het kantoor van Fawzi Kabir stond een conferentietafel van het model waaraan koningen en ministers van buitenlandse zaken plegen te debatteren. Hadji Ibrahim was vastbesloten zich niet door de hem toegewezen plaats tegenover Abdul Kadar Hoesseini en generalissimo Kaukji, uitgedost in een veldmaarschalksuniform, te laten intimideren.

'Alvorens te beginnen,' zei Kaukji, 'wil ik hadji Ibrahim laten weten dat ik nooit enige gevoelens van wraak gehad heb of zal hebben tegenover hem of zijn mensen in Tabah voor die keer dat hij me te slim af was. We zijn nu allen broeders tegenover een gemeenschappelijke vijand.'

De gemeenschappelijke vijand zijn wij zelf. Ibrahim knikte Kaukji glimlachend toe.

'Wat voor de generalissimo geldt, geldt ook voor de Hoesseinis,' voegde Abdul Kadar er aan toe. 'Mijn oom, de grootmoefti, koestert geen wrok. Wij kunnen ons niet meer de luxe van kleine onenigheden permitteren. De zaak waar het om gaat is te dringend.'

Ibrahim knikte opnieuw.

Fawzi Kabir schraapte zijn keel, balanceerde zijn korte, dikke lichaam op de rand van de leren stoel met hoge rugleuning, trok zijn lippen samen en duwde zijn vingertoppen tegen elkaar. 'De tijden zijn drastisch veranderd sinds de opstand van de moefti. Zelfs ik had toen een andere mening. Toen deze twee broeders bij mij kwamen, was ik maar al te blij de nieuwe gang van zaken te mogen volgen. Vandaag is er maar één belangrijke kwestie en één vijand. Eenheid in de Arabische wereld is van overheersend belang.'

'Wanneer zijn we ooit een eenheid geweest?' vroeg Ibrahim.

De drie staarden hem geërgerd aan. Kabir begreep dat hij van het begin af aan moeilijkheden zou veroorzaken. 'Wij vormden een eenheid op de dag, op de minuut, dat over het verdelingsplan gestemd werd. De wereld zal zien hoe de Arabische broeders schouder aan schouder kunnen staan.'

'Wanneer werd de Arabische bodem ooit ontwijd door de dreiging van een zionistische staat?' voegde Abdul Kadar er aan toe.

'Ik heb zelf vaak verschil van mening met de moefti gehad,' vervolgde Kaukji de litanie van broederschap, 'maar 1939 was 1939 en 1947 is 1947.'

Maar het zijn dezelfde spelers. De luipaard verandert niet van vlekken en de kameel werpt zijn bult niet af bij de waterkuil. Wat is er veranderd? Deze mannen barsten alle drie van ambitie. Geloven ze werkelijk dat ze nu bondgenoten zijn?

'De strategie van onze twee, zullen we zeggen, bevrijdingslegers,' zei Kaukji, de houding aannemend van een man die zichzelf een militair expert waant, 'is duidelijk. Abdul Kadar en ik zullen een zo groot mogelijk deel van Palestina bezetten vóór de formele invasie van de Arabische legers van Egypte, Syrië, Jordanië en Libanon.'

'Neem me niet kwalijk,' zei hadji Ibrahim, 'ik ben maar een eenvoudige, nederige boer en niet bedreven in militaire zaken. Maar jullie vrijwilligers, pardon, jullie legers, zijn vrijwel van dezelfde samenstelling als tien jaar geleden, Nu, in deze tijd, zijn de joden beter getraind, beter bewapend, beter georganiseerd en hebben betere commandanten dan tien jaar geleden. Tien jaar geleden waren jullie niet in staat om ook maar één enkele joodse nederzetting op te ruimen. Wat geeft jullie het idee, ook al zijn we nu verenigd, dat het deze keer anders zal zijn?'

Hij ligt dwars, dacht Kabir, bijzonder dwars.

'De vorige keer hadden we geen succes,' zei Abdul Kadar, 'omdat we onze krachten verspilden door elkaar te bestrijden. Die situatie bestaat niet meer.'

Bij de baard van Allah, ik geloof dat hij zichzelf wijsgemaakt heeft dat de kameel zijn bult in de waterkuil laat vallen. Hij gelooft dat we opeens ons karakter veranderd hebben. Dierbare broeder, Abdul Kadar, je kent het verschil niet tussen ezelpoep en moedermelk.

184

'Er zijn nog veel andere verschillen,' zei Kaukji hem snel in de rede vallend. Hij legde zijn rijzweep op tafel, staarde naar het plafond en maakte een beweging met zijn hand alsof hij een diepzinnige toespraak tegen cadetten hield. 'Namelijk punt één. Ditmaal zullen de joden de Britten niet hebben om hen te redden. Hooggeplaatste militairen hebben ons verzekerd dat ze niet zullen ingrijpen bij operaties van de twee vrijwilligerslegers, ook al zijn de Britten nog altijd in het land. Verder hebben ze ons verzekerd dat zij, als ze zich terugtrekken, alle belangrijke strategische posities aan ons zullen overdragen. Tegen de vijftiende mei van het volgende jaar, als de Britten weg zijn, zullen er niet voldoende joden over zijn om zich onafhankelijk te kunnen verklaren of zelfs maar het vereiste aantal om gebeden voor hun doden te zeggen.'

Kabir en Abdul Kadar namen de vrijheid te lachen.

Kaukji knikte en ging verder: 'Punt twee. Ditmaal zetten we tanks, artillerie, zware wapens en allerlei andere wapens in die we vroeger niet hadden. We zullen de joden onder vuur nemen zoals ze het nog nooit beleefd hebben. Als ik een half dozijn van hun nederzettingen veroverd heb en daar is geen twijfel aan, zie ik ze al in paniek raken. We zullen de zee open laten om in te vluchten.'

Kaukji stak vlug zijn hand op om Ibrahim te laten zwijgen. 'Drie,' zei hij, 'ditmaal hebben we drie legers van de hele Arabische wereld om ons te steunen. We hebben nu al officieren van de beroepslegers en we kunnen eenheden van de beroepslegers opnemen in de legers van Abdul Kadar en van mij.'

'De Britten hebben honderdduizend man in Palestina. Toch hebben de joden ze gedwongen het mandaat op te geven,' antwoordde hadji Ibrahim.

'Maar,' antwoordde Kaukji, 'de Britten speelden spelletjes met de joden. Wij zullen zo slap niet zijn. Honderdduizend man Arabische militairen in Palestina en honderdduizend Britse is niet hetzelfde.'

'Ik ben er van overtuigd dat jullie erop voorbereid zijn zware verliezen te lijden,' zei hadji Ibrahim. 'De joden zullen zich niet gemakkelijk klein laten krijgen.'

'Misschien verliezen we er duizenden, tienduizenden, honderdduizenden, maar de overwinning zal voor ons zijn, al zal het de laatste druppel Arabisch bloed kosten,' zei Abdul Kabar op galmende toon.

Aha! De laatste druppel bloed. Wanneer heb ik dat al eens eerder gehoord. Net als de honderdduizenden mannen die zeiden zich te zullen laten inschrijven bij het Bevrijdingsleger, maar de moed al verloren hadden voordat ze bij het werfbureau waren? Deze drie hebben te veel

van de woordenwijn gedronken. Ze zijn bedwelmd door hun eigen wel-
sprekendheid. Kabir misschien niet. Hij is de enige die de ware stand
van zaken voor zichzelf probeert uit te werken. Maar Abdul Kadar en
de generalissimo? Die weten niet waar het ene commando begint en het
andere eindigt. Die gaan vechten met dezelfde ongeschoolde troepen.
De joden zullen dapper zijn want dapperheid is vaak het gevolg van een
gebrek aan keuze. Maar wie van deze drie weet, wie een geheime over-
eenkomst met welke Arabische leiders gesloten heeft?

'Ik zou de laatste man in de islam zijn om de wijsheid van de veldmaarschalk in twijfel te trekken, maar voor het geval jullie legers niet
het succes hebben waarop gehoopt wordt en de Arabische beroepslegers te hulp geroepen worden, wat zullen dan hun eisen zijn? Ik vraag
u, Abdul Kadar, wat zal Abdullah terug willen hebben voor steun van
het Arabische Legioen? Jeruzalem? Of verwacht je van hem dat hij
die stad met een gul gebaar aan je overdraagt? Zullen ze hun materieel ten slotte bijeen pakken en tegen ons zeggen: 'Hier, broeders,
wij geven jullie Palestina? Of zouden ze misschien een paar grenswij-
zigingen eisen, hun eigen verdeling als beloning voor de hulp?'

Er viel een hoorbare stilte. Gezichten werden rood.

Kabir greep snel in. 'De zaak ligt heel eenvoudig. Nadat de joden
vernietigd zijn, op welke manier en door welke legers dan ook, zullen
we een vergadering bijeenroepen en een overeenkomst uitwerken.
Er zal genoeg buit voor iedereen zijn.'

Wanneer is Abdullah het ooit eens geweest met Egypte, op welk punt
dan ook. Wanneer was Syrië het met Libanon eens? Wanneer was Irak
het ooit met iemand eens? Hoe lang zal de conferentie duren? Duizend
jaar?

'Het belangrijkste punt mis je, hadji Ibrahim,' zei Abdul Kadar,
'het feit, dat we verenigd zijn en zullen winnen. Wat maakt het ten
slotte uit, als we maar door Arabieren geregeerd worden, en niet door
joden.'

'Neem mij mijn onkunde niet kwalijk, broeders, maar ik had de
indruk dat Palestina bevrijd zou worden voor de Palestijnen,' gaf hadji Ibrahim vinnig ten antwoord. 'Volgens mij is nu de tijd om de conferentie te houden, voordat iemand begint te schieten, en moet eerst
duidelijk vaststaan wie meedoet en ter wille van wat.'

'Laat me dus even resumeren,' zei Kadar, Ibrahims aanvallen en
vragen negerend. 'De joden hebben, hoe dan ook, geen mogelijkheid
om te overleven.'

Abdul Kadar en Kaukji knikten eensgezind.

'Als we de joden dan vernietigd hebben, in dit gesprek tenminste, waarom ben ik dan hierheen ontboden?' vroeg hadji Ibrahim op scherpe toon. De drie anderen keken elkaar om beurten aan.

Kabir schraapte zoals gewoonlijk zijn keel, trommelde met zijn vingers en draaide aan zijn snor.

'Al onze militaire experts zijn het erover eens, en ik ben daar ook van overtuigd, dat met het afgrendelen van joods Jeruzalem de basis wordt gelegd voor de uiteindelijke overwinning,' zei hij en gaf daarop het woord aan Kaukji.

'Deze keer,' zei Kaukji,' zullen de operaties van mijn en Abdul Kadars leger perfect op elkaar afgestemd zijn en zullen we alles op alles zetten om hen in te sluiten. Je kent de Bab el Wad. Er zal niet één joodse vrachtwagen doorkomen.'

'Het Leger van de Jihad,' zei Abdul Kadar, terwijl hij al opgewondener zijn opgestoken vinger heen en weer schudde, 'zal vele duizenden mannen in Jeruzalem en langs de hoofdweg stationeren. Maar ik zal daarnaast nog over meer dan duizend man in Lydda en Ramla beschikken om de luchthaven te bezetten!'

'We zullen een zeer geavanceerd communicatiecentrum inrichten,' onderbrak Kaukji hem, 'waardoor wij, telkens wanneer een joodse auto, vrachtwagen, bus of konvooi uit Tel Aviv vertrekt, zullen weten wanneer die in Lydda aankomt en dan zullen wij de duizenden al in stelling gebrachte mannen waarschuwen om hen tegen te houden. Hoe? Elk Arabisch dorp, van Ramla tot Jeruzalem, moet worden opengesteld voor onze waarnemers en onze troepen.'

'Ik zie drie problemen,' zei hadji Ibrahim, op subtiele wijze de draak stekend met Kaukji's eerdere uiteenzetting. 'Punt een. Tabah neemt een sleutelpositie op de weg in. Hetzelfde geldt voor kibboets Sjemesj. Punt twee. Kibboets Sjemesj regelt de toevoer van ons water. Punt drie. Kibboets Sjemesj weet alles af van wat er in Tabah gaande is. Ik moet tot mijn spijt zeggen, dat zij uitstekend geïnformeerd worden door spionnen, afkomstig uit mijn eigen clan en stam. Als de joden te weten komen, dat wij onverholen met jullie... eh... legers samenwerken, zullen zij ons aanvallen.'

'Daarom hebben wij juist deze bijeenkomst belegd,' zei Kabir. 'Dit is een moeilijk, een zeer moeilijk punt. Opperbevelhebber Kaukji heeft met de chefs van de generale staf van alle Arabische staten overlegd. Volgens ons zou het beter zijn onze mannen weg te halen uit een aantal strategisch belangrijke gebieden.'

'Je moet Tabah ontruimen,' zei Kaukji, 'zodat onze troepen ongehinderd hun gang kunnen gaan.'

Nu kwam de aap uit de mouw! Oh, Allah, hoe kon u mij dit laten

gebeuren! Dit is waanzin! Dit kan niet waar zijn! Nee! Nee! Tabah ont-
ruimen! Ten gerieve van deze dwazen!

'Je moet Tabah ontruimen,' herhaalde Abdul Kadar.

'Maar waar moeten we heen?' murmelde hadji Ibrahim als bedwelmd.

'Je hebt een grote stam in de woestijn. Dat zijn je neven.'

'Maar de Wahhabieten lijden al gebrek. Zij kunnen niet nog eens
tweehonderd gezinnen opnemen en onderhouden.'

'Laat mij je dan in strikt vertrouwen vertellen,' zei Kabir, 'dat ik
zowel met de Syriërs als met Abdullah aan het onderhandelen ben.
Zij hebben zich duidelijk bereid getoond te overwegen jullie als gast
op te nemen tot onze legers het karwei hebben geklaard. Wij zullen
ook nog een aantal andere dorpen, steden zelfs, aanraden te evacueren. Wij zullen uiteraard voor iedereen een gepaste regeling treffen.'

'Maar je zei dat zij overwegen ons op te nemen. Niemand heeft gezegd, dat ze dat werkelijk zullen doen. Ik wil dat eerst uit Abdullahs
eigen mond horen. Waarom is hier geen afgevaardigde van hem aanwezig? Ik kan niet zomaar zo'n duizend mensen onder mijn arm nemen en op stap gaan, zonder te weten waarheen.'

'Hadji Ibrahim, het gaat hier om oorlog, een heilige oorlog. Je hebt
geen keus. Luister nu toch, broeder. Het zal een korte oorlog zijn, die
een paar weken, hooguit een paar maanden duurt,' zei Kabir één en al
beminnelijkheid. 'Ik beloof je, terwijl ik hier voor je zit in tegenwoordigheid van opperbevelhebber Kaukji en Abdul Kadar Hoesseini van
de edelste familie van Palestina... ja, ik zweer je bij Allahs naam, dat
eenderde deel van het land van kibboets Sjemesj van jou zal zijn, wanneer je terugkeert.'

Hadji Ibrahim was verbijsterd en woedend, maar ook verstandig
genoeg om te beseffen, dat hem hier een beslissing werd opgedrongen
waartegen hij niets kon inbrengen. Hij had geen ruimte om te manoeuvreren en evenmin iets te bieden op grond waarvan hij kon onderhandelen.

'Mijn leger zal over een paar weken, na Nieuwjaar, de grens over
trekken,' zei Kaukji. 'Nadat ik een aantal nederzettingen ingenomen
en de joden overrompeld heb, zal Abdul Kadars Leger van de Jihad
zich bij mij voegen om Jeruzalem in de tang te nemen.'

'We zullen je bericht sturen,' zei Kabir, 'wanneer je precies moet
evacueren. Je moet met je mensen rechtstreeks naar Jaffa gaan.'

'Jaffa? Waarom Jaffa?'

'Om ze voorlopig in veiligheid te brengen. In het geval dat je Gaza
niet over land kunt bereiken, heb je dan een alternatief, kan je over

188

zee vertrekken. Jullie gaan óf naar Gaza, óf worden per schip naar Syrië gebracht wanneer mijn onderhandelingen met de Syriërs zijn afgerond. Ik beschik over geld voor een schip en zal je in Jaffa nader informeren.'

'Maar het zal een fortuin kosten, als wij ons opnieuw moeten vestigen.'

'Ik betaal, ik betaal,' zei Kabir.

'In ruil voor wat? Je staat er niet bepaald om bekend dat je aan liefdadigheid doet.'

'Ik betaal voor een Arabische overwinning!'

'Dat kan best zijn, maar vóór ik naar Jaffa vertrek, moet ik het geld in handen hebben,' zei Ibrahim.

'Uiteraard, uiteraard. Duizend Britse ponden.'

'Om meer dan tweehonderd gezinnen te evacueren en elders onderdak te brengen? Ik kan niet met minder dan vijfduizend genoegen nemen.'

'Deze onbelangrijke bijzonderheden werken we nog wel nader uit,' zei Kabir, van onderwerp veranderend. 'Jullie zullen allemaal vóór de herfstaanplant weer in Tabah terug zijn. Het belangrijkste is, dat jullie dan voor eeuwig zonder angst voor een zionistische staat kunnen voortleven.'

Zie hier mijn leiders. De voorhoede van nog meer leiders, die persoonlijke ambitie en hebzucht uitstralen, als bezetenen op macht uit zijn. Ze hebben nu hun aanleiding, hun edele aanleiding. En mij treft evenveel schuld, omdat ik nooit echt aan vrede sluiten met de joden gedacht hebt. Wij kunnen geen van allen zelfs maar in die termen denken. Maar er is geen reëel plan, geen goede organisatie, de doelstellingen staan niet vast. Het enige wat ze hebben gedaan is bewapend gespuis rekruteren en zichzelf voorspiegelen dat dat gespuis de joden onder de voet zal lopen. Wat een ezels! Wat een droombeelden najagende idioten! Zij leiden mijn volk een eeuwigdurende lijdensweg op.

Hadji Ibrahim wenste verder geen gebruik meer te maken van de gastvrijheid van de effendi, maar verzocht hem ervoor te zorgen, dat hij naar Tabah werd teruggebracht.

Toen hij vertrokken was, vatten de andere drie hun overeenkomst onder het toeziend oog van Dandash samen in een op schrift gesteld contract.

Kabir zou de twee legers kredietbrieven verstrekken om wapens aan te kopen. Hij zou door middel van zijn persoonlijke contacten geld zien los te krijgen van Arabische regeringen en Arabische financiële instellingen, zodat ze vrijwilligers konden blijven aanwerven door hoge premies aan te bieden. Bovendien zou er geld blijven binnenkomen voor het uitbetalen van de soldij en voor operaties.

Als tegenprestatie moest Kabir er van verzekerd zijn, dat hij al zijn grondbezit in het dal van Ajalon zou terugkrijgen. Belangrijker was nog, dat hij aanspraak zou mogen maken op kibboets Sjemesj en vijftien andere joodse nederzettingen. De joodse landerijen vormden een goudmijn. Door de strategische ligging van zijn landgoederen zou hij in elk toekomstig deel van Palestina een belangrijke, politieke machtspositie innemen.

Dandash werd weggestuurd om dit alles in officiële documenten vast te leggen.

'Hoe zit het nu met hadji Ibrahim?' zei Abdul Kadar. 'Zal hij evacueren? Er is altijd rondverteld, dat hij tijdens de opstand van mijn oom met de joden heeft samengewerkt.'

'Hadji Ibrahim is een praktisch ingestelde man. Hij zal met zijn mensen naar Jaffa gaan, als wij hem dat opdragen.'

'Die bleekscheet zal nog boeten voor wat hij mijn mannen heeft aangedaan,' zei Kaukji. 'Ik heb tien jaar moeten wachten, maar nu zal ik wraak nemen.'

'Ik stuur hem toch voor jou naar Jaffa?' zei Kabir. 'Wanneer hij eenmaal in Jaffa is, kan je met hem doen wat je wilt. Ik zie niets. Ik hoor niets. Ik zeg niets.'

'Kom dan nu over de brug,' zei Abdul Kadar,' met het eerste bedrag dat ons toekomt.'

'Dat is door een stelletje suffe bureaucraten opgehouden. Zit er maar niet over in. Ik zorg ervoor dat alles dik voor elkaar komt.'

7 *Eind 1947*

Wij zullen niet met de joden onderhandelen, geen regeling met hen treffen, hen niet erkennen, geen vrede met hen sluiten. Alle oplossingen waarbij Palestina niet daadwerkelijk in zijn geheel aan ons zal toevallen, zullen worden verworpen. Alle geschilpunten aangaande onze politiek zullen gewapenderhand beslecht worden. Aldus sprak de gehele Arabische wereld en iedere nieuwe verklaring werd in het algemeen besloten met de strijdkreet van de oude Romeinen: '*Vernietig Judea!*'

Arabisch Palestina liep te hoop en sloeg toe. In steden met een gemengde bevolking bakenden harmonika's van prikkeldraad leefgemeenschappen af. De Britten, die in theorie neutraal, maar naar hun daden te oordelen duidelijk pro-Arabisch waren, bleven de Palestijnse kust blokkeren. 's Lands enige grote vliegveld bij Lydda moest deel gaan uitmaken van de joodse staat, maar de Britten lieten toe dat zich daar zoveel ongeregelde Arabische troepen concentreerden, dat die er heer en meester waren, omdat het binnen het bereik lag van hun kanonnen.

Net als in het verleden behaalden de Arabieren de beste resultaten met overrompelingsaanvallen, gevolgd door terugtrekking en met hinderlagen op de hoofdwegen. Het begon met het in een hinderlaag lokken van een joodse bus bij Lydda en het afslachten van de passagiers.

Er sloeg plotseling een bekoelende, onvoorziene golf van paniek door de Arabische gemeenschap. Toen zij de Hoesseinis en Kaukji zich op oorlog zagen voorbereiden, werden ze door angstige voorgevoelens overspoeld. De rijke, en vooraanstaande Arabische families, de leiders van de gemeenschap dachten terug aan de dagen van opstand van de moefti. Dezelfde twee milities hadden tien jaar eerder bijna hun Arabische broeders vernietigd. De Palestijnse Arabieren wisten dat hun chantage, dwang en moord van de kant van Abdul Kadar en Kaukji te wachten stond.

Met honderden, duizenden tegelijk verkocht de crème de la crème van Arabisch Palestina haar bezit, nam haar banktegoeden op, en vluchtte het land uit. De Arabische gemeenschap moest het plotseling zonder artsen, advocaten, landeigenaren, sociale leiders, politici, professoren, belangrijke zakenlieden, bankiers, fabrikanten, intellectuelen en schrijvers stellen. Binnen een paar weken na het bekend worden van het verdelingsplan verlieten ongeveer dertigduizend families, dat wil zeggen meer dan honderdduizend mensen, eenvoudigweg Palestina, omdat ze de komende oorlog liever in de gerieflijker omgeving van Beiroet, Cairo of op het Europese vasteland uitzaten.

Er waren geen waarschuwingen uitgegaan en er was door de joden geen schot op hen afgevuurd, maar zij gaven noch van de wens, noch van de moed blijk deel te nemen aan de strijd om Arabisch Palestina te bevrijden. Zij voelden totaal geen sympathie voor een Palestijnse natie, omdat die nooit had bestaan. Zij wisten dat een Arabische overwinning een chaotische situatie tot gevolg zou hebben, waarin zij eerder slachtoffers dan overwinnars zouden zijn. Deze Palestijns-Arabische, leidinggevende personen verlieten hun land eenvoudigweg uit eigenbelang, zonder zich druk te maken over het bevolkingsevenwicht.

De handel, het onderwijs, de sociale en medische diensten, de markten van landbouwprodukten, het bankierswezen en de persdiensten stagneerden, er werd niet meer gebouwd, fabrieken sloten opeens en er was binnen de Arabische gemeenschap geen sprake meer van een ideologie.

Door dit vrijwillig in ballingschap gaan van de rijken en voornamen moesten de achterblijvers het stellen zonder leiders met ook maar enige verantwoordelijkheid. Het was dan ook niet zo verwonderlijk, dat de gewone boer en kleine koopman door hun vertrek volledig uit het lood werden geslagen. Nadat ze getuigen geweest waren van de desertie van bijna ieder prominent en gerespecteerd persoon, begonnen ook andere families geleidelijk aan het land te verlaten. Dit was het eerste hoofdstuk van wat als een golfslag begon, maar uitliep op een algehele stortvloed van vluchtenden, met als resultaat een vluchtelingenprobleem waardoor de Palestijnse Arabier zou uitteren.

Tijdens een routine-onderzoek trok een Britse patrouille Tabah binnen. De bevelvoerende luitenant liep het koffiehuis in en beval Faroek mee naar buiten te gaan, zodat de anderen niet konden meeluisteren.

'Fawzi Kabir is in zijn villa in Jaffa,' zei de officier. 'Hij wil u zo snel mogelijk ontmoeten. Wanneer kan ik zeggen dat u er zijn zult?'

'Ik kan de dag na de sabbat komen.'

'Niemand mag ervan weten, vooral uw broer niet,' zei de luitenant.

'Nee, natuurlijk niet.'

'Zal het argwaan wekken?'

'Nee, nee. Ik zeg gewoon tegen Ibrahim dat ik naar Jaffa wil om voorraden in te slaan, nu er steeds minder aanbod komt.'

'Niemand – maar dan ook werkelijk niemand mag weten, wie u ontboden heeft.'

'Ik heb het begrepen. Maar wat wil de effendi van me?'

De officier haalde zijn schouders op. 'Ik breng alleen de boodschap over,' zei hij.

Kabirs mensen hadden naar Faroek staan uitkijken en ontwaarden hem zodra hij bij de Klokketoren in het centrum van Jaffa uit een bus stapte. Hij werd snel in een auto met dichte gordijntjes afgevoerd.

Kabirs villa stond tegenover het Scotch House Hotel boven de haven. Faroek was daar al vele malen geweest om er Tabahs jaarlijkse pacht te betalen, maar nooit in het geheim. Iedere keer wanneer hij op het punt stond de effendi te ontmoeten, begaven zijn zenuwen het.

Doordat hij deze keer in het geheim was ontboden, was hij helemaal over zijn toeren. Het zweet stond in zijn handen en zijn maag rommelde.

Faroek werd ongebruikelijk hartelijk verwelkomd. Daardoor nam zijn argwaan toe.

'Hoe staan de zaken in Tabah, broeder?' vroeg Kabir.

'De situatie is er erg gespannen.'

'Welke houding nemen de mannen in het algemeen aan?'

'Wij worden zwaar onder druk gezet door Abdul Kadar om ons aan te sluiten bij zijn militie.'

'Hebben zich al mannen aangemeld?'

'Sommigen hebben in het geheim hun woord gegeven. Zij moeten wachten tot hadji Ibrahim er zijn goedkeuring aan hecht.'

'En je broer. Wat zegt die ervan?'

'Sinds hij in Damascus is geweest, zegt hij erg weinig. Hij is natuurlijk woedend, omdat al die rijke families ons in de steek hebben gelaten.'

'Ja, hun vlucht heeft de handel een zware slag toegebracht. Het zal voor mij een vreselijk probleem worden om dit jaar mijn sinaasappeloogst verscheept te krijgen. Wij zullen het laffe gedrag van degenen die gevlucht zijn niet vergeten. Als de oorlog voorbij is, zullen er in Palestina vele nieuwe leiders zijn.'

Faroek boog bij wijze van instemming tweemaal zijn hoofd.

'Ik heb begrepen, dat in alle Arabische dorpen van Ajalon over evacueren wordt gesproken.'

'Oh nee, effendi! Wij zijn bereid tot de laatste druppel bloed te vechten.'

'Tabah?'

'Tabah zal in de voorhoede vechten.'

'Veronderstel dat zich omstandigheden voordoen, waardoor een overmachtssituatie ontstaat en jullie gedwongen zijn Tabah korte tijd te verlaten. Heeft hadji Ibrahim daar iets over gezegd?'

'Nee. Zoals ik daarnet al zei, zegt hij erg weinig maar denkt na.'

'Hoe zit het met de anderen in Tabah? Met de sjeiks?'

'Wij zullen tot het eind toe vechten.'

Fawzi effendi Kabir stak zijn hand uit, nam die van Faroek in de zijne en keek hem recht in de ogen. Faroek voelde zich helemaal niet op zijn gemak, was doodsbang.

'Ik weet dat jouw mensen moedig zijn, maar ik wil dat je me nu vertelt waar zij in werkelijkheid over praten. Ik kan je verzekeren dat de waarheid uitermate belangrijk is. Het zou voor jou van grote betekenis kunnen zijn.' Faroek slaakte nerveus een piepende zucht. De effendi bleef zijn hand vasthouden. 'De waarheid,' herhaalde Kabir. 'Doe je best.'

'Er wordt het meest over evacueren gepraat. Iedereen is bang. De waarheid is, dat we slechts wachten tot hadji Ibrahim het teken geeft.'

'Zo, zo. Dan moet wat ik je nu ga vertellen strikt onder ons blijven. Het is heel geheime informatie. Heb je me begrepen, Faroek?'

'Ja. Ja, zeker,' antwoordde hij.

Kabir begon op zijn meest vertrouwelijke toon te praten, fluisterde bijna: 'Binnenkort zal Kaukji met twintig- tot dertigduizend man de grens over trekken. Zij zullen aangevoerd worden door officieren van het geregelde Syrische en Egyptische leger. Hij zal over vliegtuigen beschikken.'

'Vliegtuigen? Maar door wie worden die dan gevlogen?'

'Door moslempiloten uit India. Hij zal beschikken over tanks, artillerie, zware mitrailleurs, vlammenwerpers. Het Arabische Bevrijdingsleger is tot zover bewapend...' zei hij, terwijl hij zijn handen terugtrok en naar zijn tanden wees. 'Kaukji wil per se Tabah hebben. Je weet wel waarom.'

'Maar... maar... maar ik heb niets met het in brand steken van de velden van doen gehad. Ik ben slechts de arme broer.'

'Natuurlijk ben jij onschuldig en veldmaarschalk Kaukji staat bij mij diep in de schuld. Hij zal zo hard of zo zacht optreden als ik hem opdraag.'

'Ik was tegen het in brand steken van de velden. Dat was een afgrijselijke tactiek – wreed, onmenselijk. Maar u moet wel bedenken, dat ik slechts de dorpswinkel beheer.'

'De opperbevelhebber weet dat. Dat heb ik hem verteld.'

'Dank u, effendi. Dank u. Moge Allah iedere stap van uw voeten zegenen. Moge u duizend levens doorbrengen in het paradijs.'

'Faroek, broeder. Ik moet je nog iets vertellen, dat heel vertrouwelijk van aard is. Ik vroeg je broer naar Damascus te komen om met Abdul Kadar en generaal Kaukji een actieplan op te stellen. Hadji Ibrahim vertelde ons, dat Tabah zich onmogelijk zelf zou kunnen verdedigen. Hij eiste het recht op Tabah en alle dorpen rondom te ontruimen.'

'U bereidt mij dodelijke pijnen,' kreunde Faroek.

'Nee, nee, broeder. Luister. Ik wens Tabah niet in handen van de joden te zien vallen. Dat moge Allah verhoeden. Zoals ik al zei, zal Kaukji mij gehoorzamen. Ik heb een plan in gedachten.'

'Ja?'

'Ik heb je verteld, dat ik met Kaukji over jou gesproken heb. Hij verzekerde mij dat jij gespaard zou worden. Jij wordt van tevoren gewaarschuwd als hij gaat aanvallen.'

'Maar als Tabah dan al geëvacueerd is?'

'Daar wil ik het nu juist over hebben. Jij moet in Tabah blijven wanneer de anderen evacueren.'

'Ik? Blijven? Maar hoe kan ik dat doen? Hadji Ibrahim zal dat heel verdacht vinden.'

'Je moet je broer ervan overtuigen, dat iemand in Tabah moet achterblijven om in de toekomst aanspraak te kunnen maken op het grondbezit. Wanneer hij vertrekt, moet jij met tien tot twintig gezinnen achterblijven.'

'Maar hadji Ibrahim is de moektar. Hij is de leider. Wanneer er iemand in Tabah moet achterblijven, ligt het op zijn weg die verantwoordelijkheid op zich te nemen.'

'Nee. Hij moet de kudde voorgaan. Je weet dat hij het beslist niemand anders zal toevertrouwen de mensen naar Gaza, Syrië of naar welke plaats dan ook te brengen. Jij moet zelf met het voorstel komen om te blijven.'

'Goed,' zei Faroek, 'ik zou dus niets van Kaukji te duchten hebben, maar wat gebeurt er als de joden Tabah bezetten?'

'Stel dat dat gebeurt. Dan steek je witte vlaggen uit en vecht je niet. Als er iemand in het dorp blijft, zullen de joden hem niet wegjagen. Dat is hun zwakte. De joden zullen je aanwezigheid respecteren, ook al nemen ze – wat Allah verhoede – Tabah inderdaad in. Maar laten we eens even verder kijken. De joden hebben Tabah bezet. Dat is geen ramp, want in mei van het daaropvolgende jaar zullen de geregelde Arabische troepen het weer bevrijden. En als zij dat doen...'

Kabir overhandigde Faroek een boekje met rekeningafschriften. 'Van Barclay's Bank. Barclay's blijft in Palestina wie er ook in Tabah zit. Ik heb vierhonderd pond gestort op een op jouw naam staande rekening.'

'Vierhonderd pond! Maar wanneer de Arabische legers Tabah bevrijden, zal hadji Ibrahim terugkeren.'

'Dat denk ik niet,' zei Kabir op onheilspellende toon.

Faroek verbleekte. Het rekening-courantboekje trilde in zijn hand.

'Je hebt lang genoeg als je broers hond op handen en voeten geblaft. Jij bent de oudste, de meest wijze, degene die kan lezen en schrijven, degene die de boekhouding van het dorp bijhoudt, de geestelijke leider. Ibrahim heeft jou van je rechtmatige positie als moektar beroofd en hij heeft als een prins geleefd van grondbezit dat van jou had moeten zijn. Vanaf dit moment hoef jij niet langer voor hem in het stof te kruipen en hoef je hem geen heer en meester meer te noemen. Het enige wat je daarvoor moet doen is je broer ervan overtuigen, dat jij met een paar gezinnen moet achterblijven.'

Vervolgens kwam Kabir met het doorslaggevende argument. 'Na de oorlog zal ik aanspraak kunnen maken op alle landerijen die de joden van me gestolen hebben. Daar valt kibboets Sjemesj ook onder. Eenderde deel van hun grondbezit zal aan jou persoonlijk worden overgedragen.'

'Eenderde deel van kibboets Sjemesj!'

'Eenderde deel.'

'Als hadji Ibrahim daar ooit achter komt, vermoordt hij me.'

'Degenen die vluchten krijgen niet de kans om terug te keren. Wij willen dat mannen die karakter tonen het nieuwe Palestina gaan besturen.'

'Ik wil niet de indruk wekken ondankbaar te zijn, effendi, maar wat gebeurt er als de geregelde Arabische troepen worden verslagen?'

'Alle Arabische legers verslagen? Dat is niet mogelijk.'

'Ik besef dat dat niet mogelijk is, maar stel dat zij, door een of andere, zeer vreemde, grillige samenloop van omstandigheden... verliezen?'

'Je hebt gelijk, Faroek. Je kunt niet voorzichtig genoeg zijn. We moeten alle mogelijkheden overwegen. Ik heb persoonlijk met Ben Goerion gesproken.'

'Ben Goerion?'

'Ja, Ben Goerion. Hij heeft tegen mij gezegd, dat de joden de Arabische gezinnen die blijven niets zullen doen. Als zich de vreselijke ramp voltrekt, dat de joden als overwinnaars uit de strijd te voorschijn komen – moge Allah dat verhoeden – dan zul jij nog altijd Tabah in bezit hebben. Wanneer het onwaarschijnlijke gebeurt, dat de joden winnen, dan zullen jij en ik al het grondbezit van Tabah eerlijk verdelen.'

Faroek dacht erover na. Fawzi effendi Kabir had alles zo uitgewerkt, dat hij er uiteindelijk altijd wel iets aan over zou houden, wie er ook won of verloor. Een Arabische overwinning hield in, dat hij, Faroek, uiteindelijk een groot landeigenaar en de moektar werd. Een Arabische nederlaag hield in, dat hij, Faroek, uiteindelijk toch nog de moektar werd met de helft van Tabahs winstgevende velden. Alles draaide hierom dat hij zijn broer een kleine onwaarheid moest vertellen. Hoe het ook uitpakte, hadji Ibrahim zou niet naar Tabah kunnen terugkeren. Hij begon hevig te transpireren. Hij kon alles rechtvaardigen, want als hij niet deed wat Kabir wilde, zou het met hem ook gedaan zijn.

Faroek greep opeens Kabirs handen, kuste die en stak het bankboekje in zijn zak. 'Ik moet gaan, op zoek naar voorraden, want anders krijgt men argwaan.'

'Geef mij maar een lijst van de dingen waaraan jullie behoefte hebben,' zei Kabir. 'Ik zal ervoor zorgen dat die morgenochtend gereed staan. Ik wil dat je vanavond mijn gast bent. Ik heb plannen gemaakt voor interessant vermaak voor mijn nieuwe vriend en bondgenoot.'

8

Aan het eind van de herfst van 1947 werd Gideon Asch door Ben Goerion aan het hoofd gesteld van een commissie van Haganah-bevelhebbers en functionarissen van het Joods Agentschap om een aantal plannen op te stellen waaruit een keuze gemaakt zou kunnen worden voor het geval er oorlog uitbrak. Toen iedere bevelhebber verslag uitgebracht had van de mogelijkheden op zijn terrein, lag er een stapel op zijn bureau waaruit sombere vooruitzichten bleken.

De tijd die hij dagelijks met Ben Goerion samen doorbracht, viel gewoonlijk na de normale werkuren. Dan zaten ze vaak in de zitkamer van de flat van de Oude Man in Tel Aviv.

De vraag waar alles om draaide was, in hoeverre joods Palestina verdedigd kon worden. Wat waren aanvaardbare verliezen? Jeruzalem was verschrikkelijk kwetsbaar. Wat zouden de Arabische dorpen langs de Bab el Wad en in de omgeving van Latrun doen? Hoe moesten de afgelegen nederzettingen als die in de Negev-woestijn verdedigd worden, wanneer men daar tegenover het geregelde Egyptische leger zou komen te staan?

Moest de Jisjoev plannen maken voor terugtrekking binnen haar dichtbevolkte gebieden, zodat er vanaf een beter te verdedigen grenslijn gevochten zou kunnen worden? Gideon voelde het meest voor de laatste mogelijkheid en de Oude Man leende hem een gewillig oor. De Jong-Turken waren vermetel genoeg te geloven, dat iedere joodse nederzetting tot het eind toe zou doorvechten... niets zou toegeven... niemand zou evacueren.

Toen de verschillende plannen bijgeschaafd waren, brak het ogenblik aan dat er een besluit moest vallen.

Op dat moment werd het al moeilijk om veilig over de weg van en naar Jeruzalem te reizen. Daardoor namen de problemen voor het functioneren van het Joods Agentschap aanzienlijk toe. Ben Goerion stemde er uiteindelijk in toe een flink aantal kantoren van het Joods Agentschap om veiligheidsredenen te verplaatsen naar de geheel joodse stad Tel Aviv, die aan de kust lag en grensde aan Arabisch Jaffa. Een klein, rond de eeuwwisseling gebouwd huis in een voormalige Duitse wijk in Tel Aviv was het hoofdkwartier geworden van Ben Goerion en de militairen.

Op de avond waarop een beslissing zou vallen, arriveerde Gideon vroegtijdig om de keuzemogelijkheden nog weer een keer door te nemen. De pagina's van plan D schenen hem vanaf de vergadertafel te verblinden, alsof er een licht opviel van een onzichtbare macht. Zonder dat dat hoefde te worden uitgesproken wist Gideon dat Ben Goerion zich had ingegraven. Wanneer dat gebeurde kon hij onwrikbaar op zijn stuk blijven staan. Plan D behelsde de vermetele oproep om iedere joodse nederzetting te verdedigen, hoe kwetsbaar of afgelegen deze ook was.

'In het ergste geval staat het gelijk aan zelfmoord,' zei Gideon ten slotte. 'In het gunstigste geval is het een riskante gok.'

'Ik weet wat je denkt, Gideon,' antwoordde Ben Goerion kortaf.

Hun mensen uit Galilea, uit de Negev-woestijn, uit de steden met een gemengde bevolking en uit de nederzettingen begonnen binnen te druppelen. Toen de joviale begroetingen achter de rug waren en de thee op was, gaf Gideon een uitgebreid overzicht van de situatie.

Naast de grote steden met een gemengde, Arabische en joodse bevolking waren er in Palestina ongeveer driehonderd uitsluitend joodse nederzettingen. Die beschikten alle over een Haganah-eenheid, die voornamelijk uit burgersoldaten bestond. Het overgrote deel van de joodse bevolking woonde in een gordel tussen Haifa en Tel Aviv. Die gordel zou de voornaamste verdedigingslinie vormen.

Zo'n vijftig nederzettingen lagen echter óf in dichtbevolkte Arabische gebieden óf op afgelegen plekken als de Negev-woestijn en bij de Dode Zee. Deze verdedigen hield in dat de aanvoerlijnen zich over een groter gebied moesten uitstrekken dan zij bestrijken konden. De Arabieren zouden hun beste resultaten boeken door de wegen her en der te blokkeren. Om normaal goederenvervoer doorgang te laten vinden, hadden de joden zich gedwongen gezien hun voertuigen te bepantseren en in grote konvooien te gaan rijden. Op die manier zou een aanvoerlijn nog zwaarder onder druk komen te staan dan al het geval was. Militair gezien was dat niet verstandig en vele Haganah-bevelhebbers waren er dan ook fel op tegen. Zij droegen in een verhit debat argumenten aan voor de ontruiming van deze vrij geïsoleerde nederzettingen. Daardoor zou de Jisjoev haar positie kunnen versterken, haar verbindings- en aanvoerlijnen kunnen bekorten en in een kleiner gebied een militaire zone kunnen instellen.

Ben Goerion sloeg het advies koppig in de wind. 'We zullen niet één nederzetting zonder strijd prijsgeven!'

'Maar B.G., we zijn overbelast!'

'Zodra we één nederzetting zonder een gevecht afstaan, zullen de Arabieren daardoor slechts aangemoedigd worden, terwijl iedere jood in Palestina erdoor gedemoraliseerd wordt,' antwoordde de Oude Man.

'Maar wij zullen nog erger gedemoraliseerd raken, zodra wij in de strijd één nederzetting kwijtraken!' schreeuwde Gideon Asch vanaf het andere eind van de lange tafel.

'Als we dit gevecht om de wegen niet kunnen winnen,' antwoordde B.G. kortaf, 'dan krijgen we geen eigen staat.' Daarop maakte hij eigenmachtig voor dat moment een eind aan de discussies en verzocht hij de verschillende afdelingshoofden de situatie vanuit hun gezichtspunt te taxeren.

Het hoofd van de afdeling mankracht schilderde een schokkend beeld. De Haganah beschikte over negenduizend gevechtsklare mannen in de leeftijdsgroep van achttien tot vijfentwintig jaar. Deze troepen zouden voornamelijk defensieve operaties uitvoeren. Op hun eenheden zou een beroep gedaan worden om de nederzettingen en dorpen te helpen tegen de eerste Arabische aanvallen stand te houden.

De stoottroepen van de Haganah, de Palmach, brachten het uiteindelijk met veel moeite tot een capaciteit van drie tot vier brigades, in totaal een paar duizend man sterk.

De Irgoen en de Sterngroep beschikten over een paar duizend man, voornamelijk stadsguerrilla's, maar zij opereerden zelfstandig en wilden slechts in bepaalde gevallen met de Haganah samenwerken.

Het akelige feit lag er, dat zij in aantal door de Arabieren werden overtroffen. De verhouding was tenminste vijf tegen een. Als de Arabieren alles op alles zetten, konden zij uit een omvangrijke bevolkingsbron putten en eindeloos versterkingen tegen de Jisjoev inzetten.

Het hoofd van de afdeling militair materieel kwam daarop met een nog meer ontnuchterend verslag. De voorraad wapens van de Haganah bestond uit ongeveer tienduizend geweren en een paar duizend machinepistolen, lichte mitrailleurs en mortieren. Om de zaak nog ingewikkelder te maken was voor de geweren een aantal soorten munitie van verschillend kaliber vereist. De Jisjoev beschikte over negen eenmotorige vliegtuigen van het type Piper Cub en over veertig piloten. Ze hadden geen gevechtsvliegtuigen, geen bommenwerpers, geen tanks, geen artillerie en geen schepen. Zij zouden ook in vuurkracht door de Arabieren overtroffen worden. Hier was de verhouding honderd tegen een.

Daarop wendde Ben Goerion zich tot het hoofd van de afdeling geheime aankoop wapens. Tussenpersonen hadden de wereld afgestroopt, maar weinig succes gehad. Het enige, hoopvolle bericht was, dat er een gesprek gaande was met de Tsjechen, maar dat was nog in het beginstadium, terwijl het eventuele resultaat hiervan waarschijnlijk toch te weinig opleverde of te laat kwam.

Hoe stond het met de financiën? Ze waren platzak. Golda Meir was naar Amerika gestuurd om in hun vertwijfeling nog te proberen daar geld los te krijgen en dat had een straaltje hoop opgeleverd, aangezien de joodse gemeenschap in dat land een paar miljoen dollar bijeengebracht had.

'Wat Golda heeft gedaan, is een wonder,' zei de financiële directeur, 'maar welbeschouwd komt het hierop neer, dat de Saoediërs daardoor het geld kunnen opstrijken voor olie die binnen een paar dagen is verbruikt. De Arabieren kunnen veel meer geld uitgeven dan wij als zij dat willen; wel duizend, tienduizend, een miljoen keer zoveel.'

'Jouw beurt, Gideon,' zei Ben Goerion. 'Misschien heb jij nog iets positiefs te melden.'

Gideon rommelde in zijn paperassen, maar hoefde die nauwelijks te raadplegen, terwijl hij verslag uitbracht over de sterkte van de Arabische ongeregelde troepen en over hun vermoedelijke strategie.

'Volgens mijn telling bestaat Abdul Kadars militie uit nog geen drieduizend man. De helft van hen heeft zich echter over het gebied tussen Ramla en Lydda verspreid. Dit betekent, dat zij fel strijd zullen leveren om de luchthaven. Wij moeten er voor onze strategie meteen al toe bereid zijn de Palmach in te zetten. Als wij de luchthaven niet in handen krijgen, zal een catastrofe het gevolg zijn.'

Het hoofd van de afdeling operaties – een jonge, in Jeruzalem werkzame archeoloog – was het ermee eens, dat alleen West-Jeruzalem belangrijker was dan Ramla-Lydda en de luchthaven.

Gideon vervolgde: 'Het overgrote deel van de Jihad-troepen bevindt zich in de buurt van Jeruzalem, maar we moeten bedenken dat

Abdul Kadar nog zeker tienduizend vechtjassen uit koffiehuizen bij-een kan trommelen voor een bepaalde actie. Die beschikken allemaal over een of ander wapen. Als hij een zwakke plek in onze verdediging bespeurt, zou hij ons daar alleen al door het overwicht in aantal onder de voet kunnen lopen. Hij kan ons op drie manieren slagen toebrengen. In de eerste plaats op de wegen. Hij kan zo'n duizend man langs de Bab el Wad posteren om een bepaald konvooi aan te vallen.'

'Wanneer wij de Bab el Wad en de heuvels in Judea moeten zuiveren,' zei Yigael Yadin, het hoofd van de afdeling operaties, 'zouden we daarvoor een hele Palmach-brigade moeten inzetten.'

'Daar zouden we toe gedwongen kunnen worden,' antwoordde Gideon. 'Het ligt voor de hand, dat Abdul Kadars strategie zal zijn West-Jeruzalem af te grendelen om onze mensen uit te hongeren.'

'Dat zou de Jisjoev de genadeslag toebrengen,' zei Ben Goerion.

Yadin was uit Jeruzalem afkomstig. Zijn familie woonde in die stad en zijn vader had de Dode Zeerollen ontdekt. Hij was echter niet te vermurwen. 'Ik zou niets liever willen dan een Palmach-brigade vanuit Latrun naar Jeruzalem sturen, maar dat is niet mogelijk. Misschien moeten we ons een joodse staat indenken zonder Jeruzalem.'

Er volgde een stilte als van iemand die as rondstrooit.

'Dat mag niet gebeuren,' zei de Oude Man.

'Ik hoop ook niet dat dat gebeurt,' was Yadin het met hem eens.

Ben Goerion knikte Gideon toe ten teken dat hij zijn betoog moest voortzetten. 'De vier meest kwetsbare nederzettingen in Palestina vormen Goesj Etsion,' zei hij, doelend op vier kibboetsen van ultra-orthodoxe joden, die in een volledig door Arabieren beheerst gebied vijf mijl ten zuiden van Jeruzalem gelegen waren.' Abdul Kadar kan ons daar afslachten. Goesj Etsion is mijn voornaamste bezwaar tegen plan D. Ik denk dat we die nederzettingen moeten ontruimen.'

Enkele bevelhebbers sprongen op, omdat ze het daar niet mee eens waren. Er werd al feller gediscussieerd.

'Stilte. Stilte. Laat Gideon uitpraten.'

'West-Jeruzalem vormt al ons grootste probleem,' hield Gideon vol. 'Hoe kunnen we in vredesnaam van daaruit Goesj Etsion bevoorraden?'

'Ik ben het hier niet mee eens! Abdul Kadar kan Goesj Etsion niet innemen.'

'Dan stel ik voor dat jij persoonlijk het eerste konvooi aanvoert dat door hen heen tracht te breken,' antwoordde Gideon kortaf. 'Stel dat Goesj Etsion standhoudt tegen de ongeregelde troepen. Stel dat een aantal geïsoleerde nederzettingen in de Negev en in Galilea standhoudt in de eerste fase. Wat dan? Wat gebeurt er in fase twee, wanneer het Arabische Legioen de Jordaan over trekt en de Egyptenaren vanuit het zuiden binnenvallen?'

'Vergeet plan D voorlopig even. Ik wil horen hoe je Kaukji inschat.'

De Oude Man was koppiger dan hij zich kon veroorloven. Gideon slaakte een diepe zucht en haalde zijn schouders op. 'Kaukji heeft een leger van achtduizend man bijeengebracht: duizend Syriërs, vijfhonderd Libanezen, tweeduizend Irakezen, vijfhonderd Jordaniërs, tweeduizend Saoedi's en tweeduizend Egyptenaren. Zij worden aangevoerd door een aantal officieren van de beroepslegers van deze landen. Bovendien komen we misschien ook nog tegenover een paar duizend man te staan van de Moslem Broederschap en een paar honderd uitstekend getrainde Britse deserteurs, ex-nazi's en Europese huurlingen. Kaukji beschikt over een aantal tanks en een stuk of zes geschutsbatterijen.'

'Hoe goed zijn ze?'

'Ze zijn meer dan berekend op hun speciale missie. Hun strategie is geen geheim. Kaukji zal de grens overkomen en proberen een aantal van de meest afgelegen nederzettingen in Galilea in te pikken. Die nederzettingen kunnen geen van alle rekenen op versterkingen van ons. Als Kaukji een dorp of kibboets inneemt, zal een bloedbad het gevolg zijn. Ik weet zeker dat Kaukji er vast van overtuigd is, dat hij door zo'n bloedbad aan te richten zoveel paniek kan veroorzaken, dat de joden in Galilea op de vlucht slaan.' Het hoofd van de inlichtingendienst knikte instemmend.

'Tijdens fase een, waar we nu mee te maken hebben,' vervolgde Gideon, 'zullen de Britten een welwillende houding aannemen. Zij zullen Kaukji's Arabische Bevrijdingsleger toestaan ongehinderd Palestina binnen te trekken en toelaten dat zij een hoofdkwartier inrichten in een dichtbevolkte Arabische streek, waarschijnlijk in de buurt van Nazareth.'

'Wil je beweren, dat de Britten werkeloos zullen toezien, als Kaukji een bloedbad aanricht?'

'Tja, we zijn aangewezen op persoonlijke interpretaties van de situatie,' antwoordde Gideon. 'Mijn mening is dat zij geen vinger zullen uitsteken. Kaukji zal openlijk mogen gaan opereren. De Britten zullen misschien wel iets doen om de schijn te kunnen ophouden, dat zij onpartijdig zijn, maar dat is bezijden de waarheid. Zelfs in het geval dat Kaukji er niet in slaagt een nederzetting in te nemen, zal hij ons toch enorm veel schade berokkenen.'

Opnieuw werd er fel gediscussieerd over de bezwaren die aan plan D kleefden. Waarom zouden ze Kaukji zulke verleidelijke doelwitten geven als kleine, afgelegen kibboetsen? Dat was een hoogst riskante zaak.

'Het uitroepen van een staat is een hoogst riskante zaak,' antwoordde Ben Goerion. 'Oorlog voeren is een hoogst riskante zaak. Wij kunnen de ijver van de Arabieren slechts temperen door ze voor iedere centimeter te laten betalen.'

Het was duidelijk dat de Oude Man zich niet gewonnen zou geven. Het hoofd van de inlichtingendienst zette ten slotte nog een keer uiteen hoe hij de situatie inschatte. Voor de Arabieren leverde de aanvoer van materieel geen enkel probleem op, want zij hadden de hele Arabische wereld als achterland en konden eenvoudigweg wapens van over de grens aanvoeren. Als de Saoediërs hun portemonnee opentrokken, zou er aan de parade van Arabische wapens geen eind komen. De Jisjoev moest daarentegen iedere kogel van overzee laten komen. Dit leverde in combinatie met de voordelen die de Arabische bevolking bood, een somber beeld op voor de joden. Het hing er maar helemaal vanaf hoeveel uithoudingsvermogen de Arabische legers precies zouden hebben.

Over het geheel genomen waren het bepaald geen moderne legers die zij hadden, maar ze beschikten wel over tanks, kanonnen met een groot bereik, gemotoriseerde eenheden, gevechtsvliegtuigen, ja eigenlijk over alles wat de joden niet hadden.

De Haganah vreesde het meest het Arabische Legioen van Abdul Kadar, dat uit tienduizend geoefende beroepssoldaten bestond, de Transjordaanse grenstroepen meegerekend. Zij beschikten over moderne wapens en stonden onder commando van een vakkundig kader van Britse officieren.

Er werd tot diep in de nacht over plan D gediscussieerd. Ben Goerion zegevierde. Zijn enige concessie was dat vrouwen en kinderen weggehaald zouden worden uit plaatsen als Goesj Etsion. Het was al over tweeën in de ochtend toen het plan werd goedgekeurd. Nu moest nog één belangrijk onderwerp besproken worden. Wat moest er gebeuren met de Arabische burgerbevolking? Hoe werd aangekeken tegen hun nog voortdurende vlucht het land uit?

Wat dit onderwerp betrof verliet iedereen zich op de Oude Man. Hij was de geestelijke vader van de natie in wording. Op grond van zijn filosofie zouden haar kleur en haar normen vastgesteld worden.

'De Arabieren hebben om deze oorlog gevraagd,' zei Ben Goerion. 'Maar er zijn zoveel andere zaken waaraan wij voorrang dienen te geven, dat wij het ons niet kunnen permitteren eindeloos met hen te ruziën. We moeten de oorlog winnen en daaruit te voorschijn komen met een levensvatbare staat. Een joodse staat moet zoveel dingen ten uitvoer brengen, omdat wij met onze morele waarden een lichtend voorbeeld moeten zijn voor de mensheid.

We zijn echter de ergste soort dwazen als wij denken, dat wij onze grootse plannen kunnen volvoeren te midden van vijandige buren. We moeten vrede hebben en we moeten met de Arabieren samen leven, wil er uit onze staat iets meer groeien dan een vesting. In geen geval,' zei hij, terwijl hij met zijn vuist op de tafel sloeg, 'zullen wij een beleid goedkeuren dat erop gericht is de Arabieren uit Palestina te verdrijven. Op die plekken die strategisch gezien van levensbelang zijn, zoals Lydda en Ramla, Latrun en West-Jeruzalem, zullen we hen bestrijden met alle ons ter beschikking staande middelen. Als de Arabieren liever op de vlucht slaan, zal ik ze niet smeken te blijven. Als zij Palestina verlaten, zal ik ze niet smeken terug te keren. Maar wij zullen onder geen voorwaarde ook maar één Arabier het land uitgooien terwijl hij wil blijven. Een nederlaag zal een harde klap voor de Arabieren zijn. Ik hoop dat zij net zoveel consideratie zullen hebben met hun broeders en zusters die uit Palestina wegvluchten als wij zorgen hebben over onze broeders en zusters. Ik hoop en bid dat de Arabieren hun de kans zullen geven op een behoorlijk leven. Maar als iemand tijdens een oorlog die hij zelf in gang heeft gezet zijn vaderland verlaat, kan hij niet verwachten dat wij zijn toekomst veilig zullen stellen.

Het is al laat en we zijn moe, kameraden. Nog een laatste beleidslijn. We moeten altijd de deur openhouden voor onderhandelingen over vrede. Op een dag zal een Arabische leider door die deur daar binnenkomen, gaan zitten en met ons praten. Gideon, ik zie dat je aan mijn woorden twijfelt... maar we zullen zien.'

9 *10 januari 1948*

De Banias stroomt vanaf de berg Hermon over de Syrische grens om de bovenloop van de Jordaan te helpen vormen. Daar vlakbij stond de kibboets Kfar Szold, zes jaar oud, vernoemd naar Henrietta Szold, de Amerikaanse die de Hadassah – het Israëlische Rode Kruis – had gesticht.

Opperbevelhebber Kaukji koos deze kibboets uit als zijn eerste doelwit. Hij stak met drie bataljons de grens over, waaronder de Eerste en Tweede Jarmoek, vernoemd naar een veldslag uit het verleden waarin de Arabieren het Byzantijnse Rijk hadden verslagen. Aangezien hij graag snel een eerste overwinning wilde rapporteren, werden er tevoren nauwelijks plannen opgesteld en de kibboets bleek ruimschoots tegen de beproeving opgewassen. Kaukji trok zich weer terug op Syrisch grondgebied.

Communiqué 1 – Arabisch Bevrijdingsleger
Geprezen zij Allah, de genadige, de barmhartige. Op 10 januari 0700 deden kleine eenheden van de Jarmoek- en Hittimbataljons bij wijze van oefening een uitval naar Kfar Szold. Na verloop van tijd werd duidelijk dat de nederzetting niet stand zou kunnen houden. Ik gaf bevel voor een krachtige aanval, maar die werd onderbroken door Britse troepen in dat gebied, die ons dwongen ons terug te trekken. De overwinning is duidelijk in zicht.

F. Kaukji, veldmaarschalk
Arabisch Bevrijdingsleger

Pijnlijk getroffen als ze waren door de nederlaag en zich bewust van de noodzaak van een snelle overwinning kozen Kaukji en zijn officieren voor het naar hun gevoel zwakste doelwit in Galilea. Hij trok de Golanhoogten in en kwam vervolgens weer naar beneden op de plek waar de Jarmoek uitmondt in de Jordaan onder aan het meer van Tiberias. Vijftig mijl ten zuiden van zijn eerste doelwit bereikten zij de buitenste velden van Tirat Tsvi, het 'Kasteel van rabbijn Tsvi'. De kibboets lag volledig geïsoleerd aan een doodlopende weg. Zijn leden waren orthodoxe joden van wie in totaal slechts honderdzestig mannen en vrouwen konden vechten. Naast hun geweren beschikten zij over één tweeduims mortier. Versterkingen waren niet waarschijnlijk en de kibboets kon gemakkelijk overrompeld worden. Kaukji sloeg zijn als commandopost dienende tent op een heuvel boven de kibboets op en toen hij hem door een veldkijker bekeek, betreurde hij het dat hij deze kibboets niet als zijn eerste doelwit had uitgekozen. Het was een heerlijke granaatappel, plukrijp.

Opnieuw gingen de Arabische ongeregelde troepen overhaast te werk. Onder druk van het verlangen wraak te nemen voor zijn eerste afgang trok Kaukji zijn duizend soldaten bij de kibboets samen om die in drie golven frontaal aan te vallen.

De verdediging van alle kibboetsen stond in grote lijnen vast. De nederzettingen waren in het rond gebouwd met de crèche en de school in het midden, naast de verblijven. Achter de buitenste gebouwen bevonden zich loopgraven en prikkeldraad. Op deze manier vertoonde de kibboets veel gelijkenis met de huifkarren op Amerikaanse prairies die een gesloten cirkel vormden tegen aanvallen van de Indianen. De velden van Tirat Tsvi en van de meeste andere kibboetsen werden aan de vijand afgestaan, omdat men niet over voldoende mankracht beschikte om het gebied tot de uiterste grens te verdedigen.

Een paar verstandige officieren ruzieden met Kaukji, omdat zij vonden dat ze er patrouilles op uit moesten sturen om de situatie in ogenschouw te nemen en de kibboets murw gemaakt moest worden door hem met mortieren en artillerie te bestoken. Daarna konden ze dan onder de dekking van een gordijn van mitrailleurvuur tot de aanval overgaan. Als ze geen kant meer op konden, zouden versterkingen omtrekkende bewegingen kunnen gaan maken. Hun opzet leek te ingewikkeld en zou te veel tijd kosten. De opperbevelhebber kon het moment niet afwachten waarop hij een overwinning zou boeken.

Bij zonsopgang kregen zijn ongeregelde troepen het bevel met hoornsignalen en bloedstollende strijdkreten tot de aanval over te gaan. Zij stormden over open, pas geploegde akkers. In een oogwenk verdween iedere gelijkenis met een georganiseerde aanval. Officieren die de manoeuvre van hun mannen onder controle trachtten te houden, voeren tevergeefs tegen ze uit. Daarop opende zich de hemel en kwam er een stortvloed naar beneden. De akker veranderde in een modderpoel.

De orthodoxe joden van Tirat Tsvi betoonden zich buitengewoon gedisciplineerd, want ze vuurden niet. Wat naderde, was een door de regen doorweekte, modderige, ordeloze bende. De Arabieren werden in koelen bloede neergemaaid toen zij het prikkeldraad bereikten. De tweede golf was ontmoedigd en de derde golf gaf het op nog vóór men het gevechtsterrein halverwege was overgestoken.

Kaukji keek vanuit zijn commandopost op de heuvel vol afgrijzen toe.

Hij en zijn officieren probeerden hun strijdkrachten weer te verzamelen voor een nieuwe aanval, maar daar kwam niets van terecht. De mannen hadden er genoeg van.

Kaukji trok met zijn troepen verder Palestina in, naar de geheel Arabische stad Nabloes, het voormalige, uit de bijbel bekende Sichem. De Britten in dat gebied sloten hun ogen voor de aanwezigheid van de ongeregelde troepen.

Communiqué 14 – Arabisch Bevrijdingsleger 25 januari 1948
Geprezen zij Allah, de genadige, de barmhartige. Als laatste trainingsoefening onder oorlogsomstandigheden oefenden kleine eenheden in het gebied van de kibboets Tirat Tsvi. Deze oorlogsspelletjes waren noodzakelijk om onze troepen vertrouwd te maken met hun wapens en onze tactieken. De oefening was een weergaloos succes.
We hebben een paar uur met de kibboets gesold, verschillende manoeuvres uitgeprobeerd, die wij in toekomstige gevechten zullen aanwenden. Ik verklaar het Arabische Bevrijdingsleger nu gereed om vele joodse nederzettingen te vernietigen. De overwinning op die zionistische honden is ophanden.

F. Kaukji, veldmaarschalk
Arabisch Bevrijdingsleger

Ongeveer tegelijkertijd begon Abdul Kadar Hoesseini's Leger van de Jihad aan zijn eerste actie. Het doelwit was voor niemand een verrassing. Goesj Etsion lag in volledig Arabisch gebied in de grillige bergen en dalen van Judea, halverwege Bethlehem en Hebron.

Abdul Kadar viel niet aan, maar bleef de nederzettingen van op een afstand bestoken. Zijn opzet was belegering; hen uithongeren en ertoe dwingen al hun munitie te verschieten. Dat was te doen, omdat de Britten beloofd hadden niet tussenbeide te komen en de enige weg naar Goesj Etsion toe makkelijk kon worden geblokkeerd.

Van de Palmach werd al meer geëist dan kon worden opgebracht, maar zij slaagden er toch in zesendertig man vrij te maken, die zich in het donker steels een weg Goesj Etsion in baanden. Na hun aankomst nam de joodse tegenstand vastere vorm aan. Terwijl de belegering voortduurde, slonken de voorraden tot een hachelijk peil. Het opperbevel in Jeruzalem zag zich verplicht om óf Goesj Etsion op te geven óf te proberen hen met een konvooi met voorraden te bereiken.

Het konvooi werd samengesteld. Zodra het Jeruzalem uitreed, bevond het zich op 'Apache' terrein, aangezien elk huis in elk dorp een bewapende post kon zijn en iedere bocht in deze kronkelige, bergachtige streek het punt kon zijn voor een hinderlaag. Het konvooi kwam in Goesj Etsion aan, maar liep op de terugweg in de val. Alle veertig mannen werden gedood en hun bepantserde vrachtwagens vernietigd.

Abdul Kadar deed daarop uitvallen tot in het grensgebied van Goesj Etsion en kwam tot de conclusie dat een beslissing brengende aanval wel moest uitlopen op een man tegen man gevecht met de bajonet. Omdat zijn eigen mannen zich begonnen te vervelen en strijdensmoe werden, trok hij zich terug.

Van zowel Abdul Kadar als Kaukji waren de eerste aanvallen op niets uitgelopen. Maar de joden kregen wel te maken met doden en gewonden, met verliezen die zij met hun magere reserves eigenlijk niet konden lijden.

In Jeruzalem was inmiddels de tijd aangebroken van afschuwelijke bomaanslagen. Britse deserteurs assisteerden daarbij onhandig als Arabieren vermomd. Een bom in een auto vernietigde het hoofdkwartier van het Joods Agentschap, terwijl een andere bom de *Palestine Post* trof. Een derde bom werd in het hart van het joodse zakencentrum geplaatst en ontplofte zonder waarschuwing vooraf midden op een dag dat het daar erg druk was, waardoor er een afschuwelijke tol geëist werd van burgers.

Bij door de Irgoen en de Haganah uitgevoerde vergeldingsacties werden Arabische hoofdkwartieren in zowel Jaffa als Jeruzalem vernield.

Het was een tijd van gedreun, opspringende aarde, versplinterend glas, rondvliegende brokstukken, angstkreten, bloed en sirenes. Van mensen die verminkt en in zakken verpakt werden.

Toen de Britten zich terugtrokken uit hun Tegartfort in de Arabische stad Nazareth trok Kaukji erin en eiste het op als zijn hoofdkwartier. De stad werd grotendeels bevolkt door christen-Arabieren, die besloten hadden dat zij zich niet zouden laten betrekken bij de gevechten en geen partij zouden kiezen. Omdat Kaukji geen nieuwe mensen kon aanwerven en geen medewerking kreeg, gaf hij zijn mannen de vrije hand waardoor ze aan het plunderen sloegen en mensen begonnen te intimideren. Er werd in vele kerken in Nazareth ingebroken en heilige relikwieën werden ontvreemd. De christen-Arabieren voegden hem op beledigende toon toe dat hij weer ten strijde moest trekken en uit hun stad verdwijnen.

Aan de andere kant van de grens kreeg Kaukji eveneens met ernstige problemen te maken. De financiers, Arabische organisaties en regeringen die hem aanvankelijk gesteund hadden, werden minder enthousiast.

Hij wrong zich in allerlei bochten om maar een overwinning te kunnen behalen en wist dat dat er één van belang moest worden. Deze keer koos hij een doelwit van vitaal strategisch belang uit om zijn critici het zwijgen op te leggen. Kibboets Mishmar Ha'emek – 'Bewakingspost van het dal' – domineerde de verkeersweg Haifa-Jeruzalem. Door de inname van deze kibboets kon de Jisjoev op effectieve wijze in tweeën gedeeld worden.

De kibboets was bemand door een kleine Haganah-eenheid en was in het bezit van geweren, één lichte mitrailleur en één mortier.

Kaukji trok met twee bataljons, bestaande uit ongeveer twaalfhonderd man omzichtig het bergachtige terrein op rond Mishmar Ha'emek. Deze keer maakte hij voor het eerst gebruik van een dozijn makkelijk te verplaatsen kanonnen. Die beukten er op los en hoewel de kanonniers niet erg nauwkeurig richtten, liep de kibboets toch zware schade op en werkte de beschieting demoraliserend. Hij stuurde er voorzichtig, gedisciplineerd opererende groepen infanteristen op uit. De kibboets drong iedere patrouille terug. Daarop omsingelde Kaukji de nederzetting en schoot er de hele nacht door honderden kanonskogels op af.

De volgende morgen zagen de Britten zich genoodzaakt in actie te komen. Zij kwamen met een witte vlag bij de kibboets aan en boden aan de gewonden, vrouwen en kinderen te evacueren en onderhandelingen te voeren over overgave. De kinderen werden weggehaald, maar de volwassenen bleven.

Nadat ze nog een nacht onder spervuur gelegen hadden, glipte een bataljon van de Haganah, dat in dat gebied op oefening geweest was, de kibboets binnen. Daarna arriveerde nog net voor het licht werd ook nog het Eerste Bataljon van de Palmach, dat in ijltempo de hele nacht doorgemarcheerd had.

De kanonnen vielen stil zodra het licht werd, maar de Arabieren kwamen heimelijk uit verschillende richtingen dichterbij. Toen zij in het grensgebied aankwamen en zich hergroepeerden voor de aanval, werden ze zelf aangevallen.

Voor de eerste keer stonden joden op bataljonsterkte in een geladen stemming klaar om terug te slaan. Zij stroomden de kibboets uit en stormden op hun vijand af, die hierdoor volledig werd verrast. Het Arabische Bevrijdingsleger blies hals over kop de aftocht, op de hielen gezeten door de Haganah en de Palmach, die hen niet toestonden de actie af te breken. Kaukji trachtte in zijn wanhoop tot een wapenstilstand te komen, maar daar kon geen sprake van zijn. De ongeregelde troepen waren massaal op de vlucht. De joden staakten hun achtervolging pas, toen zij bij Megiddo, vijf mijl verderop, aankwamen. Daar hergroepeerden de Haganah en de Palmach zich snel op de volgens archeologen mythische plek, die in het Nieuwe Testament met Harmágedon wordt aangeduid. Even voorbij Megiddo bevond zich een pas, de Wadi Ara, via welke al langer dan men zich heugen kon legers binnenvielen. Toen de joden de aanval voortzetten, verdwenen Kaukji's bataljons van de Jarmoek.

Communiqué 56 – Arabisch Bevrijdingsleger 14 april 1948
Geprezen zij Allah, de genadige, de barmhartige. Dit is een dag van schande. Onze strijdkrachten hadden Mishmar Ha'emek aan puin geschoten. Toen wij tot onze beslissende aanval overgingen, kwamen we achter een smerig staaltje van verraad. In de nacht waren Britse eenheden op regimentssterkte als Haganah-leden vermomd de kibboets binnen geglipt. Toen zij hun buitenste verdedigingslinie naderden, werden uit meer dan honderd kanonnen duizenden kogels op onze gelederen afgeschoten. Tachtig verdekt opgestelde tanks met overgeschilderde Britse merktekens kwamen op ons af. Onze moedige strijders brachten de trouwelozen ter plekke tot staan, maar dat had slechts tot gevolg dat zij daarop werden aangevallen door Britse gevechtsvliegtuigen en bommenwerpers. Omdat we met een enorme overmacht in aantal en vuurkracht te maken kregen, bleef ons geen andere keus dan een ordelijke aftocht. Mijn inlichtingendienst kwam erachter, dat de zionisten honderdduizend pond aan de Britten hebben betaald voor hun aandeel in de strijd. Vrees niet, broeders, want wij zullen dit nooit vergeten en wij zullen wraak nemen. Over de moed en de toewijding van de soldaten van het Arabische Bevrijdingsleger, die nu in veiligheid uitrusten, kan men niet hoog genoeg opgeven. Wij zullen in groter getale terugkeren en de overwinning zal dan niet meer ver weg zijn.

F. Kaukji, veldmaarschalk
Arabisch Bevrijdingsleger

Hierna stuurde Kaukji alleen nog maar verbitterde communiqués naar de Arabische hoofdsteden, waarin hij klaagde over het gebrek aan steun, klaagde over massale desertie naarmate zijn militie inkromp, klaagde over het gebrek aan financiën waardoor hij zijn soldaten geen soldij meer kon uitbetalen. Hij strompelde met het restant van zijn mannen de Bab el Wad in, waar zij zich aansloten bij Abdul Kadars Jihad-militie. Hier hoopte hij dan uiteindelijk toch nog enig succes te kunnen boeken tegen joodse konvooien, op weg naar Jeruzalem.

Terwijl de Britten zich uit het ene na het andere gebied terugtrokken, pikte òf de ene òf de andere partij hun versterkte wachtposten in. De Jisjoev ontving op een geheim vliegveldje de eerste lading wapens uit Tsjechoslowakije. De blokkade van de kust verslapte waardoor een Pools schip erin slaagde met zwaardere wapens de joodse haven Tel Aviv binnen te lopen. Die werden snel aan reserve-eenheden uitgedeeld, die met stokken in plaats van geweren en stenen in plaats van granaten geoefend hadden.

Met die nieuwe wapens was de Haganah in staat vaste voet te krijgen in steden met een gemengde bevolking, waar ze getuige waren van een eigenaardige inzinking van de Arabische vastberadenheid en een paniek die de Arabische bevolking verteerde.

Haifa: deze belangrijkste havenstad van Palestina verhief zich vanaf de Middellandse Zee tot op de bergkam van de Karmel, waardoor ze vanaf de hoge bergen een San Francisco-achtige aanblik bood. De Arabische wijk was rondom de haven gelegen, terwijl de joodse wijk zich vrij hoog op de hellingen van het Karmelgebergte bevond. Omdat deze stad 's lands belangrijkste voorraaddepot was, was er onophoudelijk door alle drie de partijen onderling gevochten en waren beschietingen vanuit een hinderlaag op de wegen aan de orde van de dag. De Arabieren waren goed georganiseerd en bewapend. De joden beschikten over een Haganah-eenheid onder het commando van Mosje Karmel, die bekend werd als de Karmelbrigade.

Er ontplofte een Irgoen-bom in het Arabische kwartier van de stad en dat leidde tot een Arabische rel bij de nabijgelegen olieraffinaderij, waarin veertig joden werden afgeslacht. Er werden grenzen getrokken voor de strijd, aangezien de ene gewelddaad weer een andere uitlokte tot alle hoop op een vreedzame oplossing vervloog.

De Arabieren propten hun stadswijk vol met ongeregelde troepen, huurlingen en eenheden van hun plaatselijke militie, waardoor ze de joden zonder meer in aantal overtroffen.

Maar de Karmelbrigade bevond zich op hooggelegen terrein. Toen de Britten zich begonnen terug te trekken, sloeg de Haganah toe met Operatie Siccors. Na een de hele nacht durende aanval op de Arabische wijk waren de Arabieren in vier groepen verdeeld en hadden ze geen vechtlust meer. De Britten bemoeiden zich ermee en regelden een wapenstilstand.

Karmel had een ontmoeting met de Arabische burgemeester en deelde zijn voorwaarden mee. Hij eiste dat de Arabieren hun wapens neerlegden en alle niet-Palestijnen en buitenlandse huurlingen uitleverden. Er werd niet als voorwaarde gesteld, dat de Arabieren hun burgerbevolking moesten evacueren.

211

De burgemeester vroeg bedenktijd en haastte zich daarop naar Kaukji's hoogste officier in Haifa om met hem te overleggen. Die officier verzekerde de burgemeester dat Kaukji op het punt stond vanuit Nabloes tot een offensief op Haifa over te gaan. Hij drong er bij de burgemeester en bij andere Arabische burgerlijke ambtenaren op aan de Arabische bevolking weg te halen uit de stad, zodat die niet het slachtoffer werd van een belangrijke confrontatie. Zodra de joden verdreven waren, konden de Arabieren terugkeren en bovendien het joodse deel van Haifa in bezit nemen.

Over het geheel genomen hadden de Arabieren en de joden in Haifa goed met elkaar kunnen opschieten. Er werd druk onderling handel gedreven en er bestonden oppervlakkige relaties als van goede buren. Een delegatie van de joodse leiders in Haifa had een ontmoeting met de Arabische leiders en probeerde hen over te halen te blijven. Daarbij haalden ze Ben Goerions beleidslijn aan.

De Arabieren verkozen te evacueren. De Britten verlengden de wapenstilstand en in de daaropvolgende dagen gingen bijna honderdduizend Arabieren op weg naar Acre. Een paar duizend Arabieren bleven liever en zij werden ongemoeid gelaten.

De Arabische bevolking van Haifa sloeg zonder reden op de vlucht. Angst voor uitroeiing was louter een echo en weerspiegeling van hun eigen plannen. Zij en hun leiders hadden de joden de dood beloofd. De Arabieren werden verteerd door de angst dat de joden hen zouden aandoen wat zij de joden wilden aandoen. Hun doodsangst werd door hun eigen leiders tegen hen uitgespeeld die er bij hen op aandrongen te vluchten teneinde de weg te effenen voor hun legers. De uittocht uit Haifa herhaalde zich in Safed en Tiberias, waar de Arabische bevolking er na een kort gevecht vandoor ging.

De Arabieren waren al getuigen geweest van een massale vlucht uit Palestina van de leiders van hun gemeenschap na de stemming over het verdelingsplan. Nu kwam er een niet te stuiten stroom op gang. Met duizenden tegelijk gingen ze op weg zonder dat er een bedreiging geuit was en zonder dat er ook maar iets dat op een kogel leek op hen was afgevuurd. Het sporadische wegtrekken escaleerde in een wilde, massale vlucht.

Maar Arabisch Palestina had de eerste ronde nog lang niet verloren. Om de situatie te redden was de nieuwe strategie het inzetten van ieder hulpmiddel bij de strijd om de wegen, teneinde Jeruzalem van de rest van de Jisjoev af te snijden en de joodse bevolking uit te hongeren. Als zij in Jeruzalem de overwinning konden behalen, zouden alle voorgaande Arabische fiasco's in het niet verzinken. Jeruzalem was het hart van de Jisjoev en voor de Arabieren symboliseerde de stad de kop van de slang.

Terwijl dit uiterst belangrijke gevecht steeds vastere vormen aannam was de Jisjoev diep geschokt toen het Arabische Legioen zijn belofte brak en de Jordaan overstak. Het belegerde Goesj Etsion viel in handen van het Legioen na een moorddadige strijd. De meeste overlevenden werden afgeslacht, enkelen gevangengenomen.

Arabieren stormden Jeruzalem, Hebron en Bethlehem uit om Goesj Etsion te plunderen en met de grond gelijk te maken. Daarbij vernielden ze de boomgaarden en ontwijdden ze de synagogen. Aan de vooravond van de joodse onafhankelijkheidsverklaring begon de Jisjoev aan een angstige zelfanalyse om de moed te vinden een eigen staat uit te roepen na dit voorproefje van wat er van de kant van het Legioen te verwachten was.

10

De strop rond West-Jeruzalem werd aangehaald. Zo'n honderdduizend joden kregen te lijden van een feitelijke blokkade. Een dunne, moeizaam in stand gehouden, vitale verbindingslijn door de Bab el Wad werd afgeknepen, open gebroken en opnieuw afgeknepen.

Binnen de muur van de Oude Stad weigerden tweeduizend ultraorthodoxe joden het op te geven, hoewel ze omsingeld waren door vijftigduizend Arabieren en van hun eigen bevolking waren gescheiden. Voorraden moesten vanaf de kust via een groot aantal Arabische bolwerken doorkomen en vervolgens via de kwetsbare Bab el Wad. De Britten hielden nog nauwelijks de schijn op dat ze op de weg patrouilleerden.

Als voorbereiding op de belegering hadden de joden alle waterreservoirs in hun deel van de stad geïnspecteerd. Vanwege perioden van droogte en voortdurend watergebrek was lange tijd regenwater op de platte daken van de huizen opgevangen en naar ondergrondse, betonnen voorraadtanks geleid. Vele huizen beschikten over zo'n tank, maar zij waren lang buiten gebruik geweest, sinds een modern waterleidingsysteem was aangebracht met pompstations vlakbij de kust.

Om het water goed te houden, waren er chemicaliën in de tanks gedaan die met een cementdeksel werden afgesloten. De uitkomst van de inspectie was, dat de voorraad water in de reservoirs voor ongeveer drie maanden toereikend was, als ieder gezin op een rantsoen gesteld werd van vijfenveertig liter per dag.

Die maatregel werd bepaald niet te vroeg genomen, want de Arabieren bliezen alle waterleidingen die naar West-Jeruzalem liepen op en de Britten weigerden mee te werken aan het herstellen of bewaken ervan.

Iedere dag werd voor de tankwagens een bepaald aantal reservoirs geopend en werd wat vloeibaar goud verdeeld. Iedere huisvrouw hield vijf liter apart als essentiële voorraad om van te drinken en mee te koken. De rest werd meerdere keren benut, voor persoonlijke wasbeurten of het schoonmaken van de meest noodzakelijke kookbenodigdheden. Voor het tandenpoetsen mocht een slok genomen worden, wassen werd er het laatst mee gedaan, waarna er uiteindelijk voor de eerste en laatste keer op een dag het toilet mee werd doorgespoeld. Er was geen water voor het nemen van douches, voor tuinen of voor sanitaire voorzieningen. In de daaropvolgende maanden kwam op de straten van Jeruzalem een laag woestijnzand te liggen. Terwijl de joden langzaam uitdroogden, kreeg hun schaars verlichte stad een doodse aanblik.

Er was slechts brandstof beschikbaar voor ziekenhuizen, militairen en bakkerijen. Elektrische lampen werden vervangen door kaarsen. De huisvrouwen van Jeruzalem kookten op een gemeenschappelijk vuur in de open lucht. Omdat er nooit veel hout in de streek voorhanden geweest was, sloopten de mensen houten hekken en schuiframen en hakten meubels aan spaanders.

Het enige eetbare groen bestond uit paardebloemen. Het rantsoen zakte tot een niveau van zeshonderd calorieën per dag – dat betekende dat je nog net niet doodging van de honger. Een provisorisch aangelegd vliegveldje waarop alleen een klein, eenmotorig vliegtuig uit de weg kon, was de plek waar de Jisjoev 'luchtmacht' dagelijks landde met babyvoeding, medicijnen voor noodgevallen, kleine wapens en de Jisjoev leiders.

Strategisch gezien verkeerden de joden in een onmogelijke positie. De streek was overwegend Arabisch. De Haganah had haar troepen zo ver uit elkaar gestationeerd in een poging een omvangrijk stedelijk gebied te beschermen, dat overal in haar linies gaten ontstonden. Het wapenarsenaal bestond uit vijfhonderd geweren en nog het een en ander, waaronder de kleine David-mortieren waarvan met zoveel succes in Safed gebruik gemaakt was. Deze 'Davidkas' werden van de ene naar de andere plek verplaatst om de Arabieren te laten denken dat de joden er nog veel meer hadden.

De joden zagen zich uiteindelijk genoodzaakt hun positie in het gebied te consolideren. De Haganah slaagde erin de Arabische buitenwijk Katamon in te nemen, waardoor een vijandelijke enclave in hun midden geëlimineerd werd en hun linies werden rechtgetrokken. Andere pogingen van de Haganah liepen op niets uit. De aanval op het hooggelegen terrein bij het graf van de profeet Samuel, vanwaar bescherming geboden had kunnen worden aan binnenkomende konvooien, werd afgeslagen.

Daarna werd er een aanval uitgevoerd op het Victoria Augusta-complex om een directe verbinding te verkrijgen met geïsoleerde joodse vestigingen op de Scopusberg. Toen deze aanval mislukte, waren de Hebreeuwse universiteit, de Nationale Bibliotheek en het Hadassah-ziekenhuis van West-Jeruzalem afgesneden. Om deze instellingen te bereiken moesten konvooien door een aantal vijandige Arabische buurten rijden. Om ervoor te zorgen dat die instellingen bleven draaien en om de gebouwen te vrijwaren van plundering stemde de Jisjoev er schoorvoetend mee in er een gedemilitariseerde status voor te aanvaarden.

Tijdens de eerste actie om de blokkade te doorbreken, rukten Haganah-eenheden vanuit Tel Aviv op naar Abdul Kadars wespennest van ongeregelde troepen in het gebied tussen Ramla en Lydda, bliezen het hoofdkwartier op en ruimden posten van sluipschutters langs de weg op. Maar toen moest er nog een lange, bloedige weg afgelegd worden om in Jeruzalem te komen.

Sinds kort had kolonel Frederick Brompton een paar keer per week in de versterkte politiepost van Latrun een ontmoeting met Gideon Asch. Zij traden allebei als verbindingsman op om dringende zaken door te geven aan het opperbevel van de tegenpartij. Brompton was voor die taak uitgekozen, omdat hij een vage, bureaucratische figuur was, het toonbeeld van Britse onpartijdigheid.

'Smerige streek, die bom die jullie in Lydda lieten ontploffen,' zei hij. 'Volgens onze informatie trekken jullie heel stilletjes een Palmach-eenheid uit kibboets Sjemesj terug, die jullie verspreid langs de Bab el Wad opstellen. Ik ben geen militair, maar volgens mij gaan jullie proberen de weg met geweld vrij te maken.'

Gideon stak in alle onschuld zijn armen omhoog.

'Dat zal jullie verrekte duur komen te staan, verrekte duur,' zei Brompton.

'Als jullie nu eens op een meer dan symbolische manier op de verkeersweg patrouilleerden...' zei Gideon.

Bromptons reactie was een zelfde gebaar als Gideon gemaakt had. 'Goed, kolonel. Laten we ter zake komen. Wij hebben twee kwesties die voorrang moeten hebben. Om te beginnen blijven we protesteren tegen het feit dat de Arabieren de Tempelberg vol met wapens zetten. Wij tellen nu twintig mitrailleur- en mortiernesten en een uitkijkpost bovenop de Rotskoepelmoskee. En als iemand in de kelder van de Al Aksa-moskee een sigaret opsteekt, zal de hele stad in de lucht vliegen.'

'Je weet hoe dat gaat, Gideon, ouwe jongen. De Arabieren hebben nooit respect gehad voor heilige plaatsen, niet eens voor die van henzelf.'

'Je kan me wat, Brompton. Weet je wat er gebeuren zou als de joden precies op de juiste plek één granaat plaatsen in de koepel van de Al Aksa? Dan zouden zij ervoor zorgen dat de hele wereld ons in religieuze opwinding naar de keel vloog.'

Brompton lachte, maar zeker niet van harte.

'Dan wil ik het ook nog hebben over het verbergen van wapens in ieder ziekenhuis en elke school in Oost-Jeruzalem,' vervolgde Gideon.

'Je kunt de Arabieren niet meer bijbrengen dat ze het spel eerlijk of democratisch moeten spelen, Gideon. Daarvoor is het nu te laat. Er zijn bepaalde dingen die wij niet zouden doen om het mandaat te behouden. Alleen God weet of wij het Rijk misschien kwijt zullen raken, omdat er zelfs in oorlogstijd bepaalde grenzen aan mensen worden gesteld. Je weet met hen nooit waar je aan toe bent, waardoor zij in het voordeel zijn. Zij nemen het over. Jij mag slechts glimlachen.'

Brompton gaf opeens blijk van nervositeit, terwijl hij daar helemaal de man niet naar was. Gideon vermoedde dat de man iets gewichtigs op zijn hart had, waaraan hij nog niet was toegekomen. 'Wat staat er nog meer op je agenda?' vroeg Brompton.

'De waterleiding. Die kunnen we niet herstellen of bewaken zonder jullie hulp.'

Brompton was zichtbaar geïrriteerd.

Gideon stond op. 'Krijg het heen en weer!'

'Ga zitten, Gideon. Ga alsjeblieft weer zitten,' zei Brompton zo ijzig kalm dat het zelfs voor een Engelsman ongewoon was. 'Ik heb je ten tijde van die stemming over het verdelingsplan al gezegd, dat onze positie veranderd is. Wij geven geen leiding meer, maar houden ons afzijdig. Jullie, aan de ene kant, menen dat wij duidelijk pro-Arabisch zijn. Het zal je misschien verbazen, maar de hele Arabische wereld beschuldigt ons ervan dat we overduidelijk pro-zionistisch zijn. De waarheid is dat de ene helft van onze jongens voor de ene partij en de andere helft voor de andere partij is.'

'Ik heb je niet om een uiteenzetting gevraagd over zo'n honderdduizend mensen.'

'Wij kunnen niet assisteren bij het herstellen van de waterleiding. Wij zijn onze strijdkrachten in een heel snel tempo aan het terugtrekken. We hebben daar de mankracht niet voor en voelen er ook niets voor. Het is duidelijk niet meer onze taak te voorkomen dat beide partijen hun strijdmacht uitbreiden of met elkaar slag leveren. Wij vertrekken en zodra wij weg zijn, zal het pas echt oorlog worden. Wij zijn voortdurend, afhankelijk van de beoordeling van ieder, afzonderlijk geval, tussenbeide gekomen om te proberen de burgerbevolking te sparen. Wij hebben Arabische bevolkingsgroepen Haifa, Tiberias en nog meer plaatsen uit begeleid. Jullie hebben geweigerd om op een dergelijk aanbod voor evacuatie in te gaan. Maar ik wil benadrukken, dat wij er niet op uit zijn Kaukji tegen te houden en er evenmin op uit zijn de Palmach tegen te houden. Het enige dat wij willen is alle rottigheid die wij in het verleden ten opzichte van elkaar hebben uitgehaald vergeten en vertrekken.'

'Zonder vuile handen,' zei Gideon.

'Zonder vuile handen,' gaf Brompton toe.

'Je bent een slechte kaartspeler, kolonel,' zei Gideon. 'Wat heb je nu eigenlijk echt op je hart?'

Brompton schraapte zijn keel. 'Ik moet je iets vertellen dat je al weet. Jullie situatie in Jeruzalem is onmogelijk. Met Goesj Etsion is het afgelopen. De joden in de Oude Stad zijn ten dode opgeschreven. Het Joods Agentschap vindt dat misschien aanvaardbare verliezen, maar wat dan? Als jullie erin slagen het tot 15 mei vol te houden, de dag dat wij vertrokken zijn, komen jullie tegenover het Arabische Legioen op nauwelijks een dagmars afstand van Jeruzalem te staan. Zij zijn van plan om samen met de vanuit het zuiden binnenvallende Egyptenaren en de uit het noorden komende Syriërs en Irakezen op Jeruzalem af te stormen. Gideon, plan D is riskant... ja, staat zelfs gelijk aan zelfmoord.'

Gideon sprak niet van zijn eigen heftig verzet tegen plan D. Het Britse opperbevel was ongetwijfeld dezelfde mening toegedaan en zich bewust van de consequenties van de halsstarrigheid van de Jisjoev.

'Ik ben gemachtigd om namens de voltallige Britse regering te spreken en jullie persoonlijk uit naam van de premier te smeken jullie bevolking uit Jeruzalem weg te halen.'

'Hebben jullie gewetenswroeging? Waarom dat zo opeens?'

'Wil je de waarheid horen, Gideon?'

'De waarheid.'

'Wanneer een Arabier eenmaal de overhand heeft in de strijd, heeft hij nog maar één doel voor ogen: totale vernietiging. Wij zijn het aan onszelf verplicht de geschiedenis in te gaan als degenen die jullie gewaarschuwd hebben West-Jeruzalem te ontruimen, omdat wij niet de verantwoordelijkheid op ons willen nemen voor de afslachting van twintig-, dertig-, veertig-, tachtigduizend burgers.'

'Maken jullie je bezorgd om ons als mensen of gaat het eigenlijk hierom, dat jullie bang zijn met bloed aan je handen de wereld tegemoet te moeten treden?'

'Zoals ik daarnet al zei, zijn wij in twee gelijke kampen verdeeld. Maar hoe het ook loopt, wij slaan geen wapens op in kathedralen en wij zijn geen nazi's.'

'Ja, ik begrijp wat je wilt zeggen,' zei Gideon.

'Dan weet je toch zeker ook wel, dat er tachtig procent kans is op de grootste in één keer aangerichte slachting in tweeduizend jaar?'

'Wij zijn ons daarvan bewust.'

'In 's hemelsnaam, Gideon. Je moet Ben Goerion daarvan doordringen. Hoe kan hij nog iemand recht in de ogen kijken, wanneer hij zoiets heeft laten gebeuren? Hoe kan ook maar één van jullie dromen over een eigen staat na zo'n catastrofe nog bewaarheid worden?'

'Ik zal jullie boodschap zeker aan de Oude Man doorgeven. Maar we zitten met een probleem, begrijp je? Met hetzelfde probleem als waarmee we in Europa zaten. We weten niet waar we naartoe moeten, als we evacueren. Of moet ik aannemen dat jullie waarschuwing vergezeld gaat van een grootmoedig gebaar van zijne majesteits regering, dat jullie je armen zullen openen en zo'n honderdduizend joden of een half miljoen joden opnemen, mochten de Arabieren ondubbelzinnig zegevieren? We hoeven niet naar Engeland te emigreren. Wat zou je ervan zeggen als jullie ons eens naar Oeganda, India of West-Indië stuurden? Misschien kunnen jullie de Amerikanen of de Canadezen overhalen ons onderdak te bieden. Of voelen jullie meer voor een van die vele andere, schijnheilige, christelijke democratieën? Ach, kolonel, wat ben je toch naïef. Wij joden weten dat er niet één traan over onze dood vergoten zal worden.'

Gideon kwam overeind en liep naar de deur.

'Gideon.'

'Ja, Brompton?'

'Dit spijt mij persoonlijk vreselijk.'

'Laat maar. Ons jood-zijn heeft altijd al ingehouden dat wij een volk zijn, dat op zichzelf is aangewezen.'

Het antwoord van de Jisjoev kwam onmiddellijk. Ben Goerion beval de Bab el Wad vrij te maken. Tot op dat moment had de Palmach slechts in kleine eenheden, patrouilles of pelotons geopereerd. Het joodse opperbevel zette operatie Nahesson in gang, vernoemd naar de eerste man bij Mozes die de Rode Zee insprong om het water te keuren. De Har El (Berg Gods)-brigade van de Palmach kreeg de taak toebedeeld de Bab el Wad zo lang open te houden, dat een paar konvooien met voorraden Jeruzalem kon bereiken. Tegelijkertijd begon de Jisjoev geheime wegen aan te leggen om Latrun heen en achter de Bab el Wad om.

De belangrijkste strategische positie op de verkeersweg aan de kant van Jeruzalem werd ingenomen door een Arabisch dorp, dat op de ruïnes van forten van Romeinen en kruisvaarders gebouwd was en het Kasteel werd genoemd. Vanaf zijn hooggelegen grondgebied kon de weg volledig bestreken worden en daar waren dan ook de meeste overvallen op joodse konvooien gepleegd.

Gebruik makend van de informatie die in de loop der jaren door Gideon Asch verzameld was, verspreidden eenheden van de Har El-brigade zich, trokken 's nachts door het verraderlijke landschap en bezetten vele belangrijke posten langs de weg door de Arabische ongeregelde troepen te verdrijven. Tegelijkertijd werkte een compagnie van tachtig Har El-mannen zich ongezien centimeter voor centimeter de lange, steile helling op naar het Kasteel. Hun komst kwam als een volslagen verrassing. De strijd was binnen een paar minuten beslecht en de dorpelingen sloegen op de vlucht.

Zodra het Kasteel in joodse handen was, kwam een waanzinnige, dag en nacht voortdurende operatie op gang. Overal in joods Palestina werden voorraden in vrachtwagens geladen. Omstreeks 30 april waren drie grote konvooien Jeruzalem binnengereden.

Het nieuws over de inname van het Kasteel verspreidde zich als een lopend vuurtje via Arabische dorpen naar Jeruzalem. Men kon het bijna niet geloven. Ogenblikkelijk nam een koortsachtige activiteit bezit van de hele Arabische gemeenschap tot in Tabah toe. Alhoewel hadji Ibrahim hun zijn zegen onthield en weigerde mee te gaan, haastten tientallen boeren uit zijn dorp zich te reageren op de roep om het Kasteel te heroveren.

Toen voldoende mannen zich aan de voet van de berg verzameld hadden, stormden zij op goed geluk naar boven met als enig resultaat, dat ze weer naar beneden gesmeten werden. Zonder een vastberaden en ter zake kundige leider om hen tot een hecht geheel aaneen te smeden konden de Arabieren geen stormloop organiseren of volhouden en na nog een aantal lukrake, langdurige pogingen dropen zij af, naar huis terug.

Op Abdul Kadar Hoesseini werd onmiddellijk ook druk uitgeoefend om het Kasteel te heroveren, dat inmiddels overgedragen was aan een eenheid van negentig al wat oudere Haganah-reservisten uit Jeruzalem. Enkele dagen na het verlies van het Kasteel trok Abdul Kadar een krijgsmacht van Jihad-mannen samen, verspreidde hen op intelligente wijze en trok omzichtig onder dekkingsvuur de berg op. Hij nam posities in op veilige plaatsen en sloot de in aantal geringere joodse verdedigers in. Vertwijfeld gaven die door, dat hun voorraad munitie praktisch uitgeput was. Zij konden een Arabische aanval niet weerstaan.

In die tijd was een schip van de wilde vaart erin geslaagd door de Britse blokkade heen te komen. Zijn lading wapens werd snel gelost en een vrachtwagen slaagde erin de Bab el Wad zover mogelijk in te rijden. Toen deze als gevolg van een Arabische hinderlaag niet verder kon, haalde een tiental Palmach-leden vijftigduizend patronen weg en trokken via een omweg de bergen in. Zij glipten door Abdul Kadars linies, toen de verdedigers praktisch aan hun laatste kogel toe waren.

Abdul Kadar gaf bevel voor een aanval en stelde zichzelf aan het hoofd van zijn troepen op. Zij werden getroffen door een onverwacht spervuur en het terrein kwam bezaaid te liggen met hun doden. De ongeregelde troepen trokken zich terug en de Haganah stuurde een patrouille uit om het terrein te inspecteren. Tussen de Arabische doden ontdekten zij het lijk van Abdul Kadar Hoesseini.

Vanuit elk Arabisch dorp tussen Hebron en Nabloes haastten zich mannen per taxi, bus, auto en vrachtwagen naar het Kasteel. De helft van de boeren uit Tabah – hadji Ibrahim uitgezonderd – bevond zich onder de massa, die als een menselijke vloedgolf de berg op stroomde.

De joodse commandant schopte zijn vermoeide mannen wakker, wierp hun dozen munitie toe, schoot, vervloekte hen, schreeuwde bevelen. Zij konden echter gewoonweg niet snel genoeg schieten om die Arabische golf tot staan te brengen en zij bliezen de aftocht.

De emotie die dit dolzinnige Arabische optreden ontketend had veranderde op slag in pure smart, toen zij het lijk ontdekten van hun gesneuvelde leider. Terwijl ze in de lucht schoten, veel misbaar maakten en eden schreeuwden, droegen zij de martelaar de berg af en brachten hem naar Jeruzalem.

Tijdens een van de meest bizarre gebeurtenissen uit de oorlog lieten de Arabieren slechts een handvol mannen achter om het Kasteel te verdedigen, omdat zij eigenlijk alleen maar naar Abdul Kadar waren komen zoeken. De Haganah keerde snel terug en deze keer bleven zij.

De begrafenis van Abdul Kadar, wiens open, grenehouten kist over de hoofden van tienduizenden hysterische Arabieren werd doorgegeven, was een uiterst vertoon van moslem woede en verdriet. Zij zwermden door de Damascuspoort de Oude Stad in en verleenden hem de hoogste eer door hem te begraven op het plein Haram al Sjarief, vlakbij de Rotskoepelmoskee.

Toen hun uitbarsting van vertwijfeling en razernij uitgewoed was, kwamen de dorpelingen uit Tabah met een schok tot zichzelf. Zij hadden zich in de strijd gestort en hun oude, vredige bestaan opgegeven. Hun plotseling opwelling om ten strijde te trekken werd nu gesmoord door een diepe angst.

Het Kasteel was stevig in joodse handen en het eens neutrale Tabah was nu een vijandelijk dorp. Ze waren niet langer onkwetsbaar. Wat overal in Palestina plaatsvond, gebeurde hun nu. Zij durfden niet aan het moment te denken waarop de Britten zich uit Latrun zouden terugtrekken. Zij zouden onbeschermd zijn, met op een steenworp afstand een sterke, joodse nederzetting. Er werd iedere dag over Arabische dorpen, kleine en zelfs grote steden gepraat die verlaten werden. De gezinnen in Tabah begonnen op te breken om ook op de vlucht te slaan.

Hadji Ibrahim kon nu niet meer blijven zitten peinzen. Er vertrokken mensen; hij werd door de ongeregelde troepen onder druk gezet om posten in te richten voor uitkijken en sluipschutters. Er was geen geld van Fawzi Kabir binnengekomen. Het moment waarop hij opdracht zou krijgen Tabah te verlaten kon niet meer ver weg zijn. Hij bezweek onder die last. Was er kans – enige kans – op, dat zij konden uitrijden zonder door de ene of de andere partij te worden gedood?

Hij trok zijn mooiste kleren aan, liep de heuvel af, stak de straatweg over, ging voor de wachtpost van de kibboets staan en vroeg Gideon Asch te spreken.

Je kon het arbeidershuisje van Gideon Asch van de andere onderscheiden. Hem was namelijk, als een van de weinige, nog in leven zijnde stichters van de kibboets, het voorrecht toegekend zijn eigen opslagtank voor warm water op het dak te hebben. Het huisje bestond slechts uit twee spartaanse vertrekken – een kleine slaapkamer en een iets grotere ruimte die als zit-, eetkamer én als kantoortje dienst deed. Omdat hij veel tijd buiten de kibboets doorbracht, was hij vaak niet in de gelegenheid om in de gemeenschappelijke eetzaal te eten en daarom hadden de leden hem bij stemming toegestaan er een keukentje op na te houden. Zijn uitzonderingspositie bleek tenslotte ook nog uit twee privé-telefoons op zijn bureau.

Gideon reageerde op een klop op de deur door zijn ogen op te slaan van de altijd aanwezige stapel paperassen.

'Binnen.'

Een bewaker hield de deur open, terwijl hadji Ibrahim binnentrad. Hij verzocht Ibrahim zijn armen te spreiden en begon hem te fouilleren.

'Dat is niet nodig,' zei Gideon.

De twee mannen hadden elkaar bijna drie jaar niet gezien en voelden zich daardoor beiden duidelijk niet op hun gemak. Gideon stond op en stak zijn hand uit. Ibrahim schudde die en daarop omarmden zij elkaar en sloegen elkaar op de schouders. Gideon gebaarde hem te gaan zitten op een stoel tegenover die van hemzelf aan het bureau.

'Je zoons maken het goed?'

Ibrahim knikte. Er viel een stilte. Ibrahim was onder de indruk van de soberheid van het vertrek, maar meer nog van het feit dat alle beschikbare ruimte in beslag genomen werd door boeken, honderden boeken; elke hoek was ermee volgestouwd.

'Ik heb me vaak afgevraagd, hoe jij woonde,' zei Ibrahim. 'Er staan hier veel boeken. Ik zie er zelfs Arabische bij. Hoeveel talen kan jij lezen?'

Gideon haalde zijn schouders op. 'Vijf... zes... zeven.'

'Dat is heel indrukwekkend. Ishmaël leest mij voor uit de *Palestine Post*.'

Gideon voelde de spanning aan, maar bleef geduldig terwijl de Arabier moeizaam probeerde de oude draad weer op te pakken. Hij trok de onderste la van zijn bureau open, haalde er een fles Schotse whisky uit en schoof een glas over het bureau.

'Met de complimenten van onze Britse beschermers.'

Ibrahim stak protesterend zijn hand op. 'Je weet dat ik dat spul niet verdragen kan.'

'Wijn dan?'

De moektar bedankte. Gideon trok een andere la open, rommelde erin, vond een met hasjiesj gevulde pijp en gooide die Ibrahim toe. 'Rook jij maar. Dan drink ik,' zei Gideon.

'Hoe zit het met de bewakers?'

'Die weten het verschil niet tussen hasjiesj en paardestront.'

Twee slokken en twee trekken aan de pijp later was de spanning weggeëbd. Ibrahim kreunde en liet zijn hoofd in zijn handen zakken. 'Deze hele toestand lijkt op een poging om de zee te plaveien.'

'Wat moet ik zeggen? Wij willen deze oorlog niet, Ibrahim.'

'Ik wou dat ik een bedoeïen was. Die kennen alle geheimen om in leven te blijven.'

Zijn gedachten dwaalden af na nog een trek aan zijn pijp. 'Ik heb Rosh Pinna gezien. Daar ben ik doorheen gekomen.'

'Toen je op weg was naar Damascus, waar je Fawzi Kabir, Kaukji en Abdul Kadar hebt ontmoet, die in voor- en tegenspoed niet meer onder ons is. Ik neem aan dat ze je niet hebben ontboden om je succes te wensen met je olijvenoogst.'

'Het is zo vernederend mensen op deze manier te zien vluchten. Misschien zegt vernedering de joden niet zoveel. Jullie zijn tenslotte al op vele plaatsen vele malen vernederd. Voor ons is deze vernedering verpletterend.'

'Wat is er aan de hand, Ibrahim?'

'Ik sta onder zware druk om Tabah te ontruimen.'

'Dat weet ik.'

'Als ik met mijn mensen wegtrek, al is het maar voor korte tijd, zal ik dan weer met ze kunnen terugkeren?'

'Als wij kibboets Sjemesj zouden verlaten, zouden de Arabieren ons dan toestaan terug te keren?' was Gideons tegenvraag.

'Nee, natuurlijk niet. Gideon, hoe staan de zaken er volgens jou voor?'

'Het is niet onze bedoeling de Arabieren uit Palestina te verdrijven. Onder ons maakt niet één verantwoordelijke persoon zich ook maar even de illusie, dat wij een staat kunnen stichten zonder vrede met onze buren. God weet dat wij onszelf en onze kinderen niet willen veroordelen tot generaties bloedvergieten. Wij hebben geprobeerd iedere Arabische leider daarvan te doordringen. Zij hebben zich allemaal verplicht tot oorlog voeren.'

'Kun je mij vertellen... hebben jullie overeenkomsten gesloten met

Arabische dorpen? Zijn er dorpen waar men blijft?'

'We hebben overeenkomsten gesloten. Zelfs met dorpen in de Jeruzalem-corridor.'

'Wat voor een soort overeenkomst?'

'Trek niet tegen ons ten strijde, dan zullen wij niet tegen jullie ten strijde trekken. Zo simpel ligt dat. Een dezer dagen zullen jullie er-achter komen, dat de joden in Palestina een betere toekomst voor jul-lie in petto hebben, dan jullie welvarende Arabische broeders van over de grens.'

'Stel dat ik om dezelfde overeenkomst voor Tabah vraag?'

Gideon stond op en gromde. 'Jullie zijn een vijandig dorp gewor-den. Dertig tot veertig mensen van jou horen bij de Jihad-militie. Er waren er meer dan vijftig betrokken bij de aanval op het Kasteel. On-geregelde troepen komen naar en vertrekken uit Tabah wanneer het hun uitkomt. Met andere woorden: jullie nemen actief deel aan de poging om zo'n honderdduizend mensen in Jeruzalem uit te honge-ren. Ibrahim, ik wil geen aanval op Tabah aanbevelen, maar wanneer een oorlog eenmaal is begonnen, nemen machten het over die nie-mand meer in de hand kan houden.'

'Mij is de mond gesnoerd,' zei Ibrahim. 'De Arabieren zijn dege-nen die mij dwingen weg te trekken.'

'Dat weet ik.'

'Er is niet veel meer voor nodig, of er breekt paniek uit in het dorp. Als er één hard schot in de lucht wordt afgevuurd, zullen alle anderen op de vlucht slaan.'

Gideon bestudeerde de inwendig verscheurde man, die nu hulpe-loos door de vloedgolf van gebeurtenissen als door de zee werd mee-gesleurd. De haat tegen de joden was sinds de Wereldoorlog in Tabah steeds sterker geworden. Velen zouden op neutraliteit tegen zijn, an-deren te bang om zich daaraan te houden. Maar als zij op de vlucht sloegen, kon alleen God hen nog helpen.

Ibrahim maakte een pathetisch gebaar en kwam wankelend over-eind. Gideon krabbelde een paar getallen op een stuk papier en over-handigde het aan Ibrahim. 'Op deze telefoonnummers ben ik bereik-baar. Als jij persoonlijk in moeilijkheden komt, zal ik proberen te helpen.'

'Konden jij en ik maar bij elkaar gaan zitten om dit uit te praten,' zei Ibrahim met een stem die afwezig en monotoon klonk. 'Wij zou-den samen tot een oplossing kunnen komen. Wij zouden vrede kun-nen sluiten.'

'Daartoe zijn we altijd bereid als jullie dat willen.'

224

Een van de telefoons rinkelde. Gideon luisterde naar een geëmotioneerde, Hebreeuws sprekende stem. Hij zei dat hij onmiddellijk zou komen en legde de hoorn neer. Hij keek Ibrahim aan met ogen waaruit afschuw sprak.

'De Irgoen heeft een Arabisch dorp bij Jeruzalem aangepakt. Deir Yassin.'

'Wat is er gebeurd?'

'Er is een bloedbad aangericht.'

Gideon kwam nog geen uur later in Deir Yassin aan. Hem was opgedragen onmiddellijk de situatie in ogenschouw te gaan nemen. Het dorp was met een cordon afgegrendeld en kolonel Brompton was bij de hand. Hij ging af op wat de Engelsman hem vertelde, want dat kwam overeen met wat hij zelf al wist en hij stuurde een adjudant, een jonge Palmach-officier, naar Jeruzalem terug met een eerste verslag.

Daarna doorstond Gideon de beproeving van het persoonlijk onderzoeken van lijken, het praten met gewonden en het reconstrueren van de gebeurtenissen die op deze nachtmerrie waren uitgelopen.

De stand van verbrandend vlees en verpestende rook als gevolg van de strijd was overweldigend, evenals het zachte, eentonige gejammer van verdoofde mensen, onderbroken door uitbarstingen van woede en hysterie. Hij bood zwakjes het gebruik aan van joodse medische voorzieningen, maar de gewonden waren te bang. Het gegil van af en aan razende sirenes werd hem te veel. Het scheelde niet veel of hij barstte in tranen uit.

Het scheen dat vroeg of laat iets dergelijks wel moest gebeuren. Nadat de Haganah de weg zo lang opengehouden had, dat drie konvooien hadden kunnen doorkomen, sloten de Arabieren hem weer af. In de keten van Arabische dorpen van waaruit acties werden ondernomen tegen joods verkeer was het dorp Deir Yassin op de grens van West-Jeruzalem een van de vijandigste geweest. Omdat zij op eigen houtje een overwinning wilde behalen om de successen van de Haganah te evenaren had de Irgoen ongeveer honderd man samengetrokken met het doel dit dorp te veroveren.

Maar de informatie van de Irgoen bleek niet te kloppen. Zij meenden dat zij de bevolking wel in paniek op de vlucht zouden kunnen laten slaan, net als het geval geweest was bij het Kasteel. Zij wisten niet dat zich op dat moment een groot contingent van de Jihad-militie in Deir Yassin bevond. Toen zij aanvielen, werd fel tegenstand geboden. Het zwakke doelwit bleek sterk naarmate het vechten intensiveerde. De Irgoen was in die tijd een stadsguerrilla-eenheid, die noch geoefend noch bedreven was in het leveren van veldslagen. Zij maakten maar langzaam vorderingen en ieder veroverd huis werd opgeblazen.

Toen de Arabische militie terugviel, raakten zij te midden van de gewone dorpelingen verzeild. Er brak paniek uit, de dorpelingen probeerden bij hen vandaan te vluchten, maar de militie gebruikte hen als schild. Burgers werden overvallen door een venijnig kruisvuur en stormden in dit nutteloze geweld alle kanten uit. Op dat moment sloeg de discipline van de Irgoen om in verwarring en ze vervielen vervolgens tot razernij. De Irgoen drong op, schietend op alles wat ook maar even bewoog.

Gideon beëindigde zijn onderzoek en vluchtte daarop kokhalzend een huis binnen. Kolonel Brompton kwam het vertrek binnen en trok de deur achter zich dicht, terwijl Gideon zich vermande.

'Volgens de laatste telling zijn er meer dan tweehonderdvijftig gedood,' zei Brompton, 'van wie de helft vrouwen en kinderen.'

Gideons gezicht was nat van het zweet. Hij rukte de slip van zijn overhemd te voorschijn en veegde het af. Daarop liet hij zijn gezicht in zijn handen zakken. 'Wij veroordelen deze affaire openlijk,' zei hij. 'De Haganah heeft er niets mee te maken.'

'Ah ja, maar jullie zijn desondanks toch verantwoordelijk, niet?'

Gideon klemde zijn kaken op elkaar en knikte. Hij wist dat de joden verantwoordelijk waren. Hij stak zijn arm zonder hand op. 'Het Bagdad getto. Ooit van gehoord? Ik heb mijn hele leven met bloedbaden te maken gehad. Alleen anders. Dit bloedbad hebben joden aangericht. Wordt daardoor de lei met zo'n honderd Arabische bloedbaden schoongewist?'

'Is dat het enige waarover jullie je zorgen maken – over het bijhouden van de stand?'

'Nee, natuurlijk niet. Dat was een verdedigende reactie. Ik heb tussen Arabieren gewoond. Ik heb van hen gehouden. Ook al ben ik die liefde nu voor het grootste gedeelte kwijtgeraakt – ik ben blijven geloven, dat wij zij aan zij iets zouden kunnen bewerkstelligen – vooruitgang... een betere levensstandaard... fatsoen... respect voor elkaar. We zouden een voorbeeld stellen en wanneer de anderen dat zagen... zouden ze naar ons toe komen om over vrede te praten. Ik ben een jood, kolonel en het is een kwelling voor me, dat wij om te overleven tot dergelijke dingen aangezet worden. Ik kan de Arabieren vergeven dat zij onze kinderen vermoorden. Ik kan ze niet vergeven, dat ze ons ertoe dwingen die van hen te vermoorden.'

'De zuiverheid van de zionistische droom wordt dus bezoedeld met de lelijkheid van de werkelijkheid,' zei Brompton. 'Sloten graven, moerassen terugdringen en zingen rond een kampvuur is bepaald niet hetzelfde als je onafhankelijk verklaren. Zolang jullie in jullie synagogen bleven zitten bidden en in stilte jullie vervolgingen over jullie heen lieten komen, konden jullie van jezelf eisen aan een onwereldse reeks normen te voldoen. Jullie eisen het recht op zelfbeschikking op, in voor- en tegenspoed, en dan is het krijgen van vuile handen onvermijdelijk.'

'Goed, we hebben iets afgrijselijks gedaan. Maar de Arabieren zullen deze gebeurtenis buiten alle verhouding opblazen.'

'En dat zullen ze zo'n honderd jaar blijven doen,' zei Brompton. 'De eerste joodse slachting van moslems. Jullie hebben hun een prachtig motief bezorgd om zich weer te verenigen en een eeuwige voetnoot in de geschiedenis.'

'God weet dat wij niet gewild hebben dat zoiets zou gebeuren.'

'Een eerlijk gevecht enzovoorts? Als ik me niet vergis, preekte jij het evangelie dat wanneer een gevecht eenmaal is begonnen, je door de gebeurtenissen meegesleept wordt. Je had dit kunnen voorkomen, Asch!'

'Hoe!'

'Door de Irgoen in de hand te houden. Het zijn jullie mensen. Zij vallen onder jullie verantwoordelijkheid.'

Gideon leunde tegen een raam en keek naar buiten, naar de rijen lijken op brancards die door soldaten met een gasmasker voor werden weggedragen. Gideon klemde zijn kaken op elkaar tegen de zich plotseling aandienende, lichamelijke pijn.

'Al jullie jaren van hartstochtelijk idealisme en rechtschapen dromen zullen nu dus streng getoetst worden. Jij hebt ons meermalen schijnheilig adviezen gegeven. Ik zal er nu jou een paar geven,' zei de Engelsman.

Gideon draaide zich om en keek hem recht in het gezicht.

'Als je Ben Goerion ziet, kan je hem er maar beter van doordringen dat hij de Irgoen moet ontbinden en volledig van het toneel moet laten verdwijnen. Als jullie blijven goedvinden dat er in jullie midden een klein, niet officieel erkend leger bestaat, krijgen jullie uiteindelijk met dezelfde anarchie te maken als die waarvan de Arabische wereld doortrokken is. Laat het voortbestaan, zoals de Ieren met de IRA gedaan hebben, en jullie veroordelen jezelf tot eeuwigdurende chaos.'

'Daar zijn we ons van bewust. Dit is slechts een van de vele problemen.'

'Maar er is er niet één belangrijker,' antwoordde Brompton. 'Het gezag moet vanuit één, centraal punt uitgeoefend worden.'

Later die dag keerde Goerions adjudant uit Jeruzalem terug en zocht hij kolonel Brompton nog een keer op.

'Er wordt nu in Tel Aviv een persconferentie belegd,' zei Gideon. 'De aanval op Deir Yassin zal openlijk veroordeeld worden. Wij hebben ook contact gehad met de Irgoen. Zij herhaalden hun beschuldiging, dat het dorp de voornaamste uitvalsbasis is geweest voor acties tegen joods verkeer. Zij beweren bovendien dat zij de moektar en de dorpsoudsten zes maal over hebben gewaarschuwd daarmee te kappen. Zij waarschuwen verder, dat als de Arabieren in de toekomst dorpen als militaire bases gebruiken, zij dan maar beter eerst hun burgerbevolking kunnen evacueren.'

'Nou, daarmee blijft dus alles bij het oude, niet?'

'Vreemd, niet, dat wij joden voor de zoveelste keer vastzitten aan het vuile werk dat niemand anders wil opknappen. Jij en al je misselijke vrienden van al die ministeries van Buitenlandse Zaken weten heel goed, dat van de moslemwereld wreedheid en boosaardigheid uitgaat. Maar jullie durven de waarheid over de islam niet te onthullen aan jullie volk door te zeggen: "Kijk, hiermee moeten wij leven." Nee, laat de joden dat maar doen. Wij bemannen voor de zoveelste keer als enigen de barricaden, gehekeld door onze zelfvoldane, zogenaamde bondgenoten van de westerse democratieën. De islam zal deze wereld op haar kop zetten vóór deze eeuw is verstreken en jullie kunnen maar beter voldoende moed verzamelen om ermee af te rekenen. Het is eenzaam hier, Brompton. Heel eenzaam.'

Frederick Brompton ontweek de woedende blik van Gideon. 'Zal ik met je mee teruggaan naar Jeruzalem?'

'Graag.'

'Tja, Asch, het eerste bloedbad is altijd het ergste.'

'Als je daarmee wilt zeggen, dat dit soort gebeurtenissen ooit voor het joodse volk acceptabel zal worden, dan heb je het mis. Wij deinzen er niet voor terug aan zelfonderzoek te doen. Wij zullen onze vuile was niet binnenhouden.'

'Dat kan wel zijn, maar ik ben bang dat de Arabieren het hart van hun komende generatie aan vergelding hebben verpand.'

Tegen de tijd dat hadji Ibrahim uit kibboets Sjemesj terugkeerde, had de dorpsbevolking zich op het plein verzameld en stroomden anderen uit omliggende dorpen binnen. Luide kreten van opluchting klonken op, toen men de moektar zag aankomen.

'Hadji Ibrahim. Er is een vreselijk bloedbad aangericht!'

'De joden hebben iedereen in Deir Yassin vermoord!'

'Ze hebben de ledematen van baby's afgehakt.'

'Ouden van dagen werden in putten gegooid om te verdrinken!'

'Ze hebben zwangere vrouwen opengesneden en de foetussen gebruikt voor schietoefeningen!'

'De joden zullen nu Tabah aanvallen!'

Ibrahim riep de sjeiks en oudsten in vergadering in de khan bijeen. Het was een chaotische bijeenkomst. Iedereen klaagde, maar niemand kwam met een voorstel. Je kon de angst niet alleen zien en ruiken, maar ook horen. Ibrahim was in zijn eentje tot een besluit gekomen. Hij besloot het onverzoenlijke standpunt in te nemen het dorp in bezit te houden. Dat betekende Fawzi Kabir tarten, Tabah verlossen van de Jihad-militie en een belofte lospeuteren van Gideon om niet aan te vallen. Hij beval iedereen naar huis en akker terug te keren. Zij gehoorzaamden schoorvoetend.

Terwijl hadji Ibrahim vertwijfeld pogingen in het werk stelde om alles ten goede te doen keren, namen de Arabieren wraak voor Deir Yassin. Een konvooi met medisch personeel verliet West-Jeruzalem om collega's in het Hadassah-ziekenhuis op de Scopusberg af te lossen. Het moest Arabisch Oost-Jeruzalem doorrijden over een weg waarop de Britten toezicht hielden. Op nog geen honderd meter afstand van een Britse legerplaats overrompelden de Arabieren op klaarlichte dag het onbewapende Rode Kruis-konvooi en vermoordden zevenenzeventig artsen en verpleegkundigen. De Britten reageerden totaal niet op de aanval.

Maar de joden vluchtten niet weg uit Jeruzalem of uit enige andere plaats.

Dit bloedbad bleek een boemerangeffect te hebben op de al volledig uit het lood geslagen Arabische bevolking. Nu zij wraak genomen hadden, vreesden zij dat de joden als vergelding soortgelijke acties zouden ondernemen en hun angst begon epidemische vormen aan te nemen.

Hoewel hadji Ibrahim zijn mannen bevolen had te blijven zitten waar ze zaten, begonnen zij weg te glippen, op de vlucht. De ene nacht een stuk of tien gezinnen, de volgende nacht weer een stuk of tien. De situatie was hem uit de hand gelopen.

Op de derde ochtend bestudeerde hij in de moskee een voor een de gezichten van de overgebleven gezinnen en hij wist dat hij hen niet meer kon bijeenhouden. Aan het eind van het gebed daalde hij de preekstoel af en beval iedereen zich met hun bezittingen op het plein te verzamelen en zich voor te bereiden op evacuatie uit Tabah en het dal van Ajalon.

12

Kan er een dieper litteken zijn in het leven van een twaalfjarige jongen dan de herinnering aan het feit dat de boeren van zijn dorp hun gereedschap neerlegden bij het graf van de profeet? Zij lieten die daar achter, omdat het graf zich op gewijde grond bevond en slechts de verachtelijkste boeven van zo'n plek zouden stelen.

'We zullen op tijd terug zijn voor de oogst. Dat verzekert Cairo ons.'

'Ja, misschien wel binnen een week.'

Wat meenemen? Wat achterlaten? Wat maakte het uit, wanneer je je akker en je huisje verliet?

Mijn vader zat aan zijn tafel voor het koffiehuis, beantwoordde kalm de vragen, deelde bevelen uit en probeerde een plan op te stellen.

Hij nam aan dat wij ons heel langzaam zouden verplaatsen en rekende op drie dagen om Jaffa te bereiken. Hij stuurde er verscheidene mannen van onze clan op uit om een geschikt veld of bosje in de buurt van Ramla op te zoeken, waar wij de eerste nacht onze tenten zouden kunnen opslaan. Ik zat naast mijn vader met een aantal documenten en probeerde het aantal betrokken mensen te tellen. De uitkomst was dat iets meer dan zeshonderd mensen nog niet vertrokken waren.

Hij beval alle wagens met ezels of ossen ervoor op het dorpsplein bij elkaar te zetten, beladen met voldoende voedsel voor vier dagen. Alles van waarde moest worden meegenomen, want dat zou verkocht worden wanneer we in Jaffa aankwamen. Elk gezin mocht een of twee geiten of schapen slachten om zelf op te eten of op de markt in Jaffa verkopen. Verder mochten alleen puur noodzakelijke dingen meegenomen worden.

Effendi Kabir had nog altijd niet het geld gestuurd dat hij beloofd had. Daarom zou iedere dorpeling alles moeten verkopen, op het hemd dat hij aanhad na, om een schip te kunnen charteren dat ons naar Gaza moest brengen.

De vrouwen renden heen en weer tussen hun huis en de wagens, belaadden die en huilden intussen hysterisch. Toen de wagens afgeladen vol waren, vulden de vrouwen lakens en dekens en knoopten de uiteinden ervan aan elkaar zodat zij ze op hun hoofd konden laten balanceren.

'Ja,' zei mijn vader, 'alle geweren en munitie moeten mee.'

'Hoeveel water, hadji Ibrahim?'

'Twee kruiken voor ieder gezin en genoeg om twee dieren te laten drinken.'

'Zullen de joden zich van het dorp meester maken? Zullen zij de huizen opblazen, nadat ze alles weggeroofd hebben?'

'Dat zullen we pas weten, wanneer we terugkomen,' antwoordde Ibrahim.

'Zullen ze de graven openen?'

'Dat denk ik niet.'

'Wat moet ik met deze sieraden doen?'

'Meenemen als ze verkocht kunnen worden.'

Kippen? Kistjes van bruidsschatten? Foto's? Zaden?

'Dekens... neem een heleboel dekens mee. Het zal 's nachts koud zijn.'

'Koran?'

'Een voor elk gezin.'

'De joden zullen beslist alles wat op onze akkers groeit stelen.'

'Als de Jihad-militie hen niet voor is.'

'Ik heb zes dochters? Wie zal hen beschermen?'

'Iedere clan moet zijn eigen lijfwacht organiseren.'

Naarmate het plein begon uit te puilen en paniek en frustratie toenamen, begonnen mannen te vloeken en met elkaar te vechten, terwijl de vrouwen het werk deden. Wilde verhalen over het bloedbad van Deir Yassin stroomden binnen. Volgens die verhalen waren alle oude mannen onthoofd, alle jongemannen gecastreerd, alle vrouwen verkracht. De Irgoen was in aantocht.

Sommigen hadden familieleden in Jaffa, maar de meesten zouden onderdak nodig hebben. Mijn vader had daar een neef, die een geslaagd zakenman was en wij rekenden vast op hem. Ibrahim wilde vooruitgaan om onderdak te vinden en een schip te charteren, maar hij durfde ons niet alleen te laten.

Britse jeeps stoven vanuit de versterkte politiepost van Latrun heen en weer, de ene keer hulp aanbiedend en dan weer geen hulp aanbiedend. Zij zouden de weg tot aan Ramla vrijmaken, maar wilden ons niet verder begeleiden. We waren angstig bij de gedachte aan zo'n duizend leden van de Jihad-militie in de omgeving.

'Niet bang zijn. Niet bang zijn. We zullen bij elkaar blijven,' zei

mijn vader. Ik liep met mijn moeder naar mijn idee wel honderd keer ons huis door, deels om ernaar te kijken en te huilen, deels om te zien of er nog iets was dat ze op onze wagens kon laden. Ik had mezelf heilig voorgenomen op Nada te passen. Het was ons al heel lang niet meer toegestaan om met elkaar te spelen of elkaar aan te raken, maar ik hield nog steeds van haar en zij hield van mij. Ik zou haar onder alle omstandigheden met mijn dolk verdedigen.
heden met mijn dolk verdedigen.

Ik zag mijn vader met oom Faroek de winkel binnengaan. Ze deden de deur achter zich dicht en bespraken iets op hoge toon. Ik glipte via de achterdeur naar binnen en luisterde.

'We hebben nog twee of drie lege wagens over,' zei Ibrahim. 'Haal de belangrijkste levensbehoeften van de planken. Geef al het overige weg aan iedereen die nog ruimte over heeft.'

'Maar je bent gek, Ibrahim,' sprak Faroek tegen. 'We zouden nog wel vijftien of twintig wagens kunnen vullen als we die hadden. Je zegt eigenlijk dat we bijna alles hier voor de joden moeten achterlaten. Als we alle planken leeg zouden halen en de goederen mee naar Jaffa konden nemen en ook nog veertig of vijftig schapen, zou ons dat het geld opleveren dat we zo hard nodig hebben.'

'Misschien stuurt Mohammed wel een engel naar beneden om het naar Jaffa toe te vliegen.'

'Heb ik niet twintig jaar lang de zorg gehad voor het regelen van het vervoer van deze oogsten?' voerde Faroek aan. 'Ik weet waar vrachtwagens te halen zijn. Ik weet waar bussen te halen zijn. Er staat een bus in Beit Jarash. Die kan ik met gemak weghalen. Geef me vijftien man. Dan overval ik Beit Jarash vannacht. We rukken de banken eruit, laden de hele winkelvoorraad erin en nemen in de ruimte die dan nog over is vee mee. Wij halen jullie dan morgen onderweg in.'

'De Jihad zal je de bus binnen vijf minuten afhandig maken.'

'Niet met vijftien gewapende mannen op het dak.'

Het plan leek helemaal zo gek nog niet, maar mijn vader wantrouwde mijn oom. Ibrahim had op de bank in Jaffa bijna duizend pond staan. Een deel daarvan was zijn eigen geld en een deel was ten behoeve van de dorpelingen op die rekening gestort. Het spaarbankboekje was aan Faroek toevertrouwd.

'Geef me het spaarbankboekje,' zei Ibrahim.

'Zeker,' antwoordde mijn oom een beetje nijdig. Hij ontsloot de kas, rommelde erin en overhandigde mijn vader toen een spaarbankboekje van Barclay's Bank. Mijn vader bladerde het tot aan de laatste bladzijde door, keek even en scheen tevreden te constateren dat het juiste bedrag er nog op stond.

'Ik zou graag persoonlijk die overval leiden,' zei mijn vader, 'maar als wij niet tegen de middag van hier vertrekken, zal paniek de overhand krijgen, vrees ik. Ze zullen zonder mij niet veel verder komen dan de hoofdweg. Neem van iedere clan vier mannen mee zonder familiebanden. Ik wil dat Amjab van onze clan de overval plant en leidt. Die mag niet verkeerd uitpakken.'

'Je bent een wijs man, Ibrahim. In Jaffa hebben ze vast en zeker aan veel dingen gebrek. We zullen alles voor een fortuin kunnen verkopen.' Hij liep weg om de groep mannen voor de overval te verzamelen.

Mijn vader leek opeens een instorting nabij. Hij leunde tegen de muur, kreunde en begon heel zachtjes te huilen. Toen zag hij mij en vermande zich.

'Het is waanzin,' fluisterde hij. 'We hoeven Tabah eigenlijk niet te verlaten, Ishmaël.'

'Waarom doen we dat dan, vader?'

'Je kunt een bange hond niet tot staan brengen. De mensen daar buiten zijn mijn kinderen. Zij zijn onschuldig. Zij zullen bedrogen worden. Zij zullen niet in staat zijn besluiten te nemen. Zij zullen van honger en dorst omkomen. Ze zullen beroofd worden. De vrouwen zullen verkracht worden. Alleen op mij hebben zij nu al hun hoop gevestigd. Ik moet hen beschermen.'

'De joden moeten wel woestelingen zijn,' zei ik.

'Voor de joden ben ik niet bang,' antwoordde hij vreemd genoeg.

'Zelfs niet na Deir Yassin?'

'Zelfs niet na Deir Yassin. Mannen die zichzelf respecteren verlaten hun huizen en akkers niet zonder erom te hebben gevochten. Allah heeft mij gezonden om voor hen te zorgen.'

'Vertrouwt u oom Faroek?'

'Zolang ik het spaarbankboekje heb wel.' Net zo onverwacht als hij gewankeld had, ging mijn vader rechtop staan en hij stak zijn borst vooruit. 'Zadel el-Buraq,' beval hij mij, 'en breng hem naar het plein.'

Door de activiteit was er een stofwolk opgejaagd, die zich vermengde met de verwarring en het voortdurende geweeklaag en gevloek. Een van de sjeiks stond op een laag muurtje bij de put en schreeuwde: 'Is er dan niemand die wil blijven en wil vechten?'

'We kunnen niet blijven,' schreeuwde iemand. 'Als we blijven, worden we door de Arabische legers als collaborateurs opgehangen.'

Ik zal nooit vergeten hoe mijn vader als een heilige tussen hen door liep, rustig een ieders wagen controleerde en vragen beantwoordde. Hij gaf de mannen opdracht de wagens te besturen en de jongste kinderen bovenop de bezittingen te zetten. De vrouwen zouden er achteraan lopen met bezittingen op hun hoofd en zuigelingen in een sjaal op hun heup. Mijn vader wees een aantal mannen als bewakers aan, terwijl ik hem zijn paard bracht. Hij steeg op.

'Niet omkijken,' zei hij en hij liet iedereen in beweging komen. Op de verkeersweg hielden verscheidene, met Britse soldaten gevulde jeeps het verkeer tegen, terwijl hun sirenes loeiden. Toen we kibboets Sjemesj passeerden, was daar geen levende ziel te bekennen.

Binnen een mum van tijd begonnen wagens het te begeven, waardoor we moesten stoppen. Die welke niet onmiddellijk gerepareerd konden worden, werden achtergelaten. Hun inhoud werd over de andere wagens verdeeld, die dat nauwelijks konden houden. Om de haverklap moesten we naar greppels uitwijken, wanneer bus en vrachtverkeer ons van de verkeersweg verdreven. Veraf in de bergen konden we kanonnen horen bulderen en dan werden we door windvlagen geteisterd.

Toen de dorpelingen uit het zicht waren, kwam Faroek Tabah uit, stak de straatweg over, liep naar de poort van kibboets Sjemesj en vroeg Gideon Asch te spreken.

'Iedereen is weggegaan, behalve ikzelf, veertien mannen die erin toegestemd hebben te blijven en een stuk of zes vertrouwde gezinnen die zich verborgen gehouden hebben. Wij claimen Tabah als ons grondbezit. Ik beschik niet over de strijdkrachten om u of de Jihad ervan te weerhouden het dorp in te nemen. Ik ben aan jullie genade overgeleverd.'

Gideon had onmiddellijk door wat Faroeks bedoeling was. De Haganah zou het hooggelegen dorp als observatiepost benutten en het daarom verdedigen. Gezien het feit dat er nog dorpelingen achtergebleven waren, zouden de joden het dorp waarschijnlijk grotendeels intact laten. Als de joden wonnen, kon Faroek op Tabah aanspraak maken en alles wat erbij hoorde.

Als de geregelde Arabische troepen het dal van Ajalon veroverden, zou Faroek niet alleen klaarstaan om hen binnen te halen, maar dan waarschijnlijk ook nog aanspraak maken op kibboets Sjemesj. Zo ging dat bij Arabische broeders, dacht Gideon.

'Ik ga een peloton van de Palmach in Tabah legeren,' zei Gideon. 'Zeg tegen je mensen, dat ze niet lastig gevallen zullen worden. Rapporteer mij onmiddellijk iedere actie van de Jihad.'

Faroek boog vele malen en verzekerde Gideon van zijn loyaliteit.

234

'Heeft je broer er enig idee van hoe prachtig jij hem in de maling hebt genomen?' vroeg Gideon.

'Hoe kunt u zoiets zeggen, terwijl alleen ik de moed had om te blijven?'

'Ja hoor... Je kunt nu naar de moskee gaan om te bidden voor de partij die jou het meeste oplevert.'

'Voorlopig,' zei Faroek, 'zal ik als moektar optreden en alle dorpszaken behartigen.'

13

De wanordelijke stoet gehavende, rammelende wagens, balkende ezels en loeiende ossen, lopende vrouwen met kolossale bundels op hun hoofd en zuigelingen in een als draagband dienende sjaal en huilende achterblijvers kroop in de richting van Ramla. Die stoet leek nog het meest op een logge massa, een gebroken straal, voorafgegaan door een man, een vader, die er helemaal niet bij paste zoals hij daar schrijlings in zijn mooiste mantels luisterrijk op een prachtige, stoere hengst zat.

We bereikten de rand van de stad net voor het donker werd en werden met krachtige hand naar een groot terrein gedirigeerd met een cactushaag er omheen, dat bewaakt werd door de afschuwelijk gehumeurde Jihad-militie. Dat waren onze eigen mensen, doodgewone dorpelingen en stadbewoners, die normaal vriendelijk en hartelijk waren. Maar in een bewapende groep met een gezag dat zij zichzelf toegekend hadden, waren ze in iets afstotelijks veranderd.

Mijn vaders paard werd afgunstig bekeken en ik kon zien dat mijn vader zich over de bewakers onmiddellijk een oordeel vormde. Mensen uit andere dorpen – duizenden – bevonden zich al op het terrein. Het was er een zee van menselijke ellende. Er was geen water of sanitair voorhanden.

Hadji Ibrahim bakende een stuk terrein af, stelde bewaking op en riep toen de sjeiks bijeen.

'Geef door,' beval hij, 'dat er maar een paar happen gegeten mogen worden. Als de anderen hier ontdekken, dat wij behoorlijk wat etenswaren bij ons hebben, worden we overvallen.'

Mijn vader was goed bekend in Ramla. Vele kooplieden stonden bij hem in het krijt en het was nu de beste tijd om rekeningen te vereffenen. Hij gaf Omar opdracht persoonlijk voor zijn paard te zorgen en nam mij, Jamil en Kamal mee de stad in om te proberen geld te innen.

De winkels zaten stevig op slot,de luiken van stalen rasterwerk waren neergelaten en met een hangslot vastgezet. Op vele hing een bordje met de tekst: *Alleen Engelse ponden*. De bazaar waar de familie tientallen jaren een kraam gehad had, verkocht weinig meer dan rommel. Iedereen die iets bij zich had, waakte daar angstvallig over. Ibrahim verkende de achterafsteegjes, waar al fluisterend handel werd gedreven en de prijzen waanzinnig hoog waren. Hij zocht mensen thuis op. Iedereen die met Tabah zaken gedaan had, moest van onze evacuatie gehoord hebben en had zich daarom opzettelijk uit de voeten gemaakt. Opeens had mijn vader in Ramla geen vrienden meer.

We keerden met lege handen naar het terrein terug. Ik kreeg het gevoel dat niets er meer toe deed. De kinderen huilden van de honger, maar iedereen had inmiddels te horen gekregen dat we niet moesten laten zien, dat we een grote hoeveelheid etenswaren bij ons hadden. Overal waren priemende ogen.

We kropen bij elkaar rond een smerig vuurtje vlakbij de verkeersweg. Jihad-voertuigen stoven af en aan. Vele soldaten schoten in de lucht. Mijn vader zei dat ze dat deden, omdat het geluid van hun eigen wapens hen liet geloven dat ze dapper waren. De grote luchthaven van Palestina was vlakbij. Daar zou binnenkort fel slag om worden geleverd en daarom was de Jihad haar moed aan het opfokken.

Van het vuur was nog slechts gloeiende as over. Een griezelige stilte omsloot het terrein. Hadji Ibrahim zat daar met een als uit steen gehouwen gezicht, probeerde te begrijpen wat hem overkomen was. Ik zat zoals altijd zo dicht bij hem als ik maar kon. Onze gezinsleden zaten naast elkaar op de grond en dommelden af en toe weg. Mijn vader begon zichzelf hardop vragen te stellen.

'Ik had naar sjeik Azziz moeten luisteren,' mompelde hij. 'Hij zorgt ervoor dat de bedoeïenen uit de buurt van alle legers blijven, zowel die van joden als die van de Arabieren. Hij zal dit overleven. Wat zal er gebeuren als hij ons – zeshonderd man sterk – ziet, neergesmeten op de drempel van de Wahhabieten? Hoe kan de woestijn in ons levensonderhoud voorzien? Moet je zien waartoe we ons hebben laten verlagen, Ishmaël.'

'We kunnen nog teruggaan,' zei ik.

'Je kunt een waterval er niet toe brengen bergopwaarts te stromen, mijn zoon,' zei hij. 'Wij Arabieren moeten de prijs betalen voor dwaze trots. Ik had makkelijk een paar Haganah-leden toestemming kunnen geven om zich in Tabah te legeren. Ik geloof niet dat Gideon loog toen hij zei, dat de joden meer als broeders voor ons waren... dan de Jihad-militie. Toch moeten we bidden dat de Arabische legers de joden zullen vernietigen.'

Hij knikte, dommelde even weg, werd weer wakker en mompelde verder:

'Maar goed dat Faroek met vee en voorraden komt. We zullen iedere lira nodig hebben waarop we de hand kunnen leggen... we moeten onmiddellijk nieuw grondbezit zien te vinden... misschien blijf ik wel in Jaffa en open er een winkel... ik heb er genoeg van mensen voor te gaan... we weten tenminste dat de joden Jaffa niet zullen kunnen innemen.'

'Vader, u bent erg moe. Ga slapen. Ik zal over het gezin waken.'

'Ja, Ishmaël... ik ga nu slapen... ik ga slapen.'

De verwarring van de eerste dag werd verergerd door een ijskoude ochtend. Overal op het terrein werd honger geleden en mijn vaders eerste bevel was niet te eten. Ondanks onze bewaking rapporteerden vele gezinnen dat hun wagens geplunderd waren.

Hadji Ibrahim ontdekte dat er een bijeenkomst was van moektars van een stuk of zes dorpen, die uit de geruchten van die ochtend iets zinnigs poogden te distilleren. Elk dorp scheen een andere kant op te trekken om bij hun dichtstbijzijnde groep stamleden op Arabisch grondgebied te komen. Niemand wist welke route veilig was als gevolg van gevechten. Wij hadden maar één keus – Jaffa. Daar hadden we geld op de bank staan en daar zou oom Faroek naar toe komen met de buslading voorraden en vee.

Eén voor één verlieten de clans het terrein. Ze bleken ieder in een sfeer van algehele onzekerheid hun eigen, afzonderlijke weg te kiezen. Er was niet een of ander gezaghebbend Arabisch orgaan dat van advies kon dienen over de wegen, of voedselpakketten kon uitdelen. De Britten waren nergens te bekennen.

'We moeten er vandaag hard, heel hard tegenaan. We moeten Jaffa bereiken.'

Eenmaal weer op de weg, maakten we deel uit van een horde die ten onrechte meende de veiligheid tegemoet te stromen. Tegen het einde van de tweede nacht kwamen we aan de rand van de stad aan en hoewel we hondsmoe waren, monterde het zien van de vuurtoren en minaretten ons op. Er liepen Britten rond die ons een groot park in leidden vlakbij de Russische kerk aan de uiterste rand van de stad. Toen mijn vader rond onze mensen een afscheiding had laten aanbrengen, meende hij dat er wel een paar dieren geslacht konden worden voor een maaltijd. Ik kon echter zien dat hij de wanhoop nabij

237

was omdat oom Faroek zich nog niet bij ons gevoegd had. Toen ik hem daarnaar vroeg, ontkende hij dat.

'Je hebt de verwarde toestand op de wegen gezien. Misschien kost het hem wat meer tijd dan we hebben voorzien. Morgenochtend zal hij zeker in Jaffa aankomen.'

Daarop trok Ibrahim met mij in zijn kielzog het centrum van Jaffa in, naar het huis en de zaak van onze neef, Bassam el Bassam, die eigenaar was van een handelsmaatschappij. Faroek had meer dan twintig jaar bij hem voorraden voor het dorp ingekocht. Mijn vader had hem verscheidene keren in magere jaren geld geleend en bij andere gelegenheden had hij Bassam oogstgoed voor de export op krediet gegeven. Volgens de gewoonten in onze wereld, die draait om het verlenen van zoveel mogelijk gunsten waarvan men dan te gelegener tijd profijt heeft, had Bassam el Bassam al te lang gewacht met het vereffenen van de rekening en dat wist hij.

Hoewel hij mijn vader op de gebruikelijke, hartelijke manier begroette, was hem aan te zien dat hij niet gelukkig was met de situatie. Achter zijn kleine winkel bevond zich een kantoor annex opslagruimte, dat doortrokken was van de geuren van specerijen en koffie en dat door zes mannen, die Bassam el Bassam persoonlijk in dienst had, werd bewaakt.

Toen de koffie gezet was, probeerden de twee mannen de geruchten uit te pluizen en zin te ontdekken in de plotselinge, massale vlucht van de Arabische bevolking.

'Ik weet niet waar het begon of hoe het begon,' zei Bassam. 'De burgemeester van Haifa was de grootste dwaas. Hij had slechte raadgevers toen hij besloot zo'n honderdduizend van onze mensen mee de stad uit te nemen.'

'Maar anders had hij zich moeten onderwerpen aan een joodse overwinning,' zei mijn vader.

Meneer Bassam gooide zijn armen de lucht in. 'Ik heb neven die gebleven zijn. Die zijn heel wat beter af dan jullie op dit moment. Ik zal u zeggen wanneer het echt begonnen is, hadji Ibrahim. Het begon twee minuten na de stemming over het verdelingsplan, toen onze rijke burgers zich uit Palestina weghaastten om hun gerieflijke bestaan veilig te stellen.'

'Hoe is de situatie hier?'

'Er wonen in Jaffa zeker zeventigduizend Arabieren. Wij zijn goed bewapend. Jaffa is echter net een stuk vlees binnenin een brok pitabrood. Ten noorden ervan ligt Tel Aviv en ten zuiden van ons ligt de joodse stad Bat Yam.' Hij boog zich dicht naar mijn vader toe voor een vertrouwelijke mededeling. 'Ik heb met een van de Haganah-bevelhebbers gesproken die ooit een goede vriend was. De joden zeggen dat zij niet van plan zijn Jaffa aan te vallen. Dat is ook bevestigd door mijn zeer goede Britse vriend, kolonel Winthrop. Jaffa ligt buiten de in het verdelingsplan vastgestelde grenzen van een joodse staat en de Britten zijn vastbesloten om er, als hun laatste daadwerkelijke optreden, voor te zorgen dat de stad in Arabische handen blijft.'

'Morgen moet ik voor alles naar de Barclay's Bank,' zei mijn vader. 'Wilt u met mij meegaan?'

'Natuurlijk.'

'Ook zullen we, als Faroek aankomt, een groot aantal artikelen uit de winkel en vee moeten verkopen. En verder ook nog waardevolle familiebezittingen. We willen alles in baar geld omzetten om een schip te charteren dat ons zo snel mogelijk naar Gaza moet brengen.'

'Laat alles maar aan mij over en wees ervan verzekerd, broeder, dat ik niet één lira provisie zal berekenen. Ik zal uw winkelvoorraad voor een redelijke prijs terugkopen en ik zal een eerlijke handelaar opzoeken om jullie vee aan te verkopen. Persoonlijke artikelen kunnen beter op de vrije markt verkocht worden.'

'Ik hoop dat we niet lang in Jaffa zullen hoeven blijven,' zei mijn vader. 'Hoe liggen de mogelijkheden om voor een redelijke prijs een schip naar Gaza te krijgen?'

Bassam peinsde hardop, terwijl hij in gedachten de mogelijkheden naliep. 'Een aantal kleine Griekse schepen bevaart de kust. Met vele, uit Cyprus afkomstig, heb ik persoonlijke ervaring. Maar je kunt niet te voorzichtig zijn. U weet hoe de Grieken zijn. Ze nemen voorschotten aan en komen dan helemaal niet meer opdagen. Andere scheepseigenaren laten passagiers verhongeren. Laat mij voor u onderhandelen, hadji Ibrahim.'

Dat was nu niet bepaald wat mijn vader in gedachten had, maar zonder hem was de transactie onmogelijk. 'Hoeveel gaat dat kosten?'

Dat was een moeilijke vraag voor meneer Bassam. Daarvoor moest hij het, in zichzelf pratend, met de rechterhand opnemen tegen de linker. 'Dik driehonderdenvijftig pond, gezien het feit dat jullie met zovelen zijn.'

'Maar dat is diefstal. Gaza is hooguit één dag varen hier vandaan.'

'Het gaat niet om de duur van de reis, maar om de gevaren. De scheepseigenaren maken de dienst uit. Jij kunt maar beter iets meer betalen en een betrouwbaar schip hebben. Ik zit mijn hele leven al hier aan de waterkant. Ik vind wel een veilig schip. Ik ben bang dat ik dan misschien wel een voorschot zal moeten betalen.'

'Die kwestie handelen we af, zodra Faroek is gearriveerd en wanneer ik naar de bank ben geweest. Nog een laatste vraag. Is er ergens onderdak te krijgen?'

'Dat is niet uitgesloten. De buurt die het dichtst bij Tel Aviv ligt, is praktisch verlaten. Daar lopen wel vrij veel sluipschutters rond, maar over het geheel genomen is dat een veilig gebied. Ik heb twee of drie straten vlak bij elkaar verkend, die bijna geheel verlaten zijn. Ik raad u aan alles zo snel mogelijk te verkopen. Kijk eens naar mijn opslagplaats. Die is bijna leeggestolen. Er lopen hier vier of vijf afzonderlijke milities rond die wat ze willen hebben met getrokken pistool weghalen. Van orde en gezag is geen sprake. Onze eigen politie staat óf machteloos óf neemt fooien aan,' zei hij, terwijl hij zijn vingers over elkaar wreef om aan te geven dat hij omkoperij bedoelde.

'Maar onze middelen bestaan grotendeels uit etenswaren,' zei Ibrahim.

'Verkoop die. De christelijke kerken hebben de handen ineengeslagen en bij de St. Antoniuskerk een gaarkeuken gesticht. U kunt verzekerd zijn van één maaltijd per dag voor uw mensen. Wat uzelf betreft – u zult mijn geëerde gast zijn.'

Hadji Ibrahim bedankte Bassam el Bassam en stemde erin toe af en toe samen met hem een maaltijd te gebruiken, maar hij wilde dicht bij de dorpelingen blijven. Hij zou echter dankbaar zijn, als hij zijn paard bij hem op stal mocht zetten.

'El-Buraq gaat met me mee naar Gaza,' zei hij.

Mijn vader en meneer Bassam slaagden erin een heel blok lege huizen te vinden aan de meest noordelijke rand van de stad in een wijk die Manshiya heette. Het was een uiterst arme buurt met piepkleine, bouwvallige huizen die aan smerige, ongeplaveide straten dicht tegen elkaar aan stonden. In dit ergste soort krotten hadden voorheen goedkope prostituées, smokkelaars, dieven en bedelaars gehuisd. De meeste huizen stonken naar urine en uitwerpselen en waren zo vervallen dat daaraan niets meer te verhelpen was. Het was niet veel, maar het was beter dan in de openlucht bivakkeren, waar afgunstige ogen ons voortdurend aanstaarden. Het scheen dat van alle nu in Jaffa aanwezige moektars mijn vader de enige was die voor zijn mensen doelmatige voorbereidingen getroffen had. De meesten hadden alles achtergelaten toen ze op de vlucht sloegen. Duizenden om ons heen bezaten absoluut niets, waren wanhopig en werden met het uur gevaarlijker.

'Twee straten verderop,' zei meneer Bassam, 'is een vrije markt. De joden komen nog altijd vanuit Tel Aviv hierheen om handel te drijven. Er worden goede zaken gedaan. Je zult daar de beste prijs krijgen voor sieraden en persoonlijke artikelen.'

Het was al heel laat toen we naar ons kamp in het park terugkeerden. Mijn vader beval iedereen klaar te staan voor vertrek zodra het licht werd. Hij deed navraag naar Faroek, maar kreeg te horen dat er op de verkeersweg inmiddels zwaar werd gevochten en dat hij hoogstwaarschijnlijk was opgehouden.

Zodra het licht begon te worden, verhuisden we naar de wijk Manshiya. We bakenden een gedeelte daarvan af, zodat we dicht bij elkaar zouden zitten. Een paar huizenblokken noordelijker begon de joodse stad Tel Aviv met een wijk die hoofdzakelijk bewoond werd door oosterse joden uit Jemen. De straten tussen de twee steden hadden ooit een gemengde, in armoede levende bevolking gehad van joden en Arabieren die in bepaalde gevallen onderling huwelijken aangegaan waren. Die buurt was verlaten niemandsland geworden.

We hadden er geen idee van hoe lang we in Jaffa zouden blijven. Omdat we ons vee niet meer konden voederen, beval mijn vader alle dieren bijeen te drijven. De twee meest gewiekste handelaren van het dorp stuurde hij ermee weg om ze te verkopen. De vrouwen kregen de opdracht persoonlijke bezittingen mee naar de markt te nemen en die eveneens te verkopen. Alle vrouwen bezaten verscheidene erfstukken en sieraden die bij hun bruidsschat hadden behoord, maar die waren weinig waard. Het geld moest bij thuiskomst aan vader worden afgedragen. Tegen negen uur was iedereen teruggekeerd en had men het geld op een deken voor Ibrahim laten vallen. Ik telde het. Ik kwam uiteindelijk uit op het teleurstellende bedrag van tweehonderd pond. Dat was bij lange na niet genoeg om een schip te charteren, laat staan dat we iets overhielden om in Gaza van te leven of land te kopen om ons weer tijdelijk te vestigen.

'Dit hebben we dan tenminste ook nog,' zei vader, terwijl hij op het spaarbankboekje onder zijn kleren klopte. 'Het is nu heel belangrijk dat Faroek gauw hier aankomt. Met de dorpsvoorraden en de kudde hebben we dan nog iets achter de hand.'

We ontvingen bericht, dat het vechten op de verkeersweg was opgehouden en er weer normaal verkeer van en naar Jaffa mogelijk was. Mijn vader wilde nu met alle geweld naar Bassam el Bassam toe, want oom Faroek moest nu toch zeker zijn aangekomen en contact met hem opgenomen hebben. We kwamen even voor tienen bij de handelsonderneming aan, omdat de bank dan ook open zou zijn.

Geen nieuws van Faroek.

'Het is een gevaarlijke situatie. Het is een gevaarlijke situatie,' zei meneer Bassam. 'Faroek is slim. Hij komt wel.'

'Er is geen dorp zonder mesthoop; ik ruik die van ons nu,' zei vader. 'Het staat me helemaal niet aan.'

'Kom, we gaan naar de bank. Faroek is voor ons van later zorg.'

Het was maar goed dat we meneer Bassam bij ons hadden, want er heerste in de bank een krankzinnige toestand. Het was net of tienduizend mensen tegelijk probeerden hun geld op te nemen. Meneer Bassam kende de directeur, meneer Howard, en wij werden door de dringende menigte heen geleid, zijn privé-kantoor binnen.

Meneer Howard had een mooi westers pak aan en maakte een rustige indruk, alsof hij niets afwist van de chaos elders.

'U kent hadji Ibrahims broer Faroek al Soukori uit Tabah,' zei meneer Bassam.

'Ja, inderdaad. Ik heb dat genoegen gehad,' zei de bankier.

'Wij wensen ons geld op te nemen,' zei hadji Ibrahim. 'Zevenhonderd pond. Dat geld behoort deels mij, deels de dorpelingen toe.'

'Weet u wel dat Barclay's overal bijkantoren heeft en dat het waarschijnlijk niet zo verstandig is om alles op één kaart te zetten, om het zo maar eens uit te drukken. Weet u waar u naar toe gaat?'

'Naar Gaza.'

'Als u nu maar een deel van het geld opneemt, zoveel als u nodig hebt om veilig naar het zuiden te kunnen reizen, zou ik u een kredietbrief kunnen geven die in Gaza verzilverd kan worden.'

'Van zulke dingen begrijp ik niets, meneer Howard.'

'Meneer Howard heeft enkel de veilige bewaring van uw geld op het oog,' zei meneer Bassam. 'Ik verzeker u dat dat een rechtmatige handelwijze is.'

'Ik waardeer uw bezorgdheid. Ik zal me echter veel beter voelen als ik een bundeltje in mijn zak kan aanraken.'

'Zoals u wenst. Hebt u uw spaarbankboekje bij u, hadji Ibrahim?'

Mijn vader stak zijn hand onder zijn kleding, haalde het te voorschijn alsof het de magische sleutel ten leven was en stak het meneer Howard over het bureau heen toe. Diens gezicht versomberde zodra hij het boekje aanpakte en begon door te bladeren. Mijn vader en ik wisten ogenblikkelijk dat de bankier erg met de situatie verlegen was.

'Klopt er iets niet?' vroeg Ibrahim.

'De rekening is opgeheven.'

'Maar dat is onmogelijk. Volgens het bedrag op de laatste bladzij hebben we meer dan zevenhonderd pond op uw bank staan.'

Meneer Howard schraapte zijn keel en keek mijn vader met grote deernis aan. Ibrahim verbleekte en besefte dat hem een ramp was overkomen.

'De laatste opname is heel handig uitgegomd. Maar kijkt u maar naar het stempel hier op de eerste bladzij en naar dat onder de laatste storting en de hoek van het boekje is eraf geknipt, ziet u wel?'

'Ik kan niet lezen wat die stempels betekenen. Die zijn kennelijk in het Engels gesteld.'

Meneer Howard overhandigde het boekje aan meneer Bassam. 'Daar staat dat de rekening is opgeheven, hadji Ibrahim.' Mijn vader griste het boekje uit zijn hand en gaf het aan mij. Ik kon hem niet recht aankijken toen ik dit bevestigde.

'Het spijt me verschrikkelijk,' zei de bankier. 'Ja, echt.'

Mijn vader liep zich de hele weg terug naar de handelsonderneming inwendig op te winden en ontplofte in meneer Bassams kantoor.

'Ik keer vanavond nog naar Tabah terug! Daar wacht een muis een grootscheepse begrafenis!'

'Ik weet dat dit een vreselijke schok voor u is, maar er is in dat hele gebied daar fel gevochten.'

'Maak u geen zorgen. Ik kom daar hoe dan ook doorheen. Ik zal niet rusten vóór ik mijn handen om zijn strot heb gelegd! Ik zal zijn adamsappel eruit rukken!'

'Wat als er iets met u gebeurt, vader?' riep ik uit. 'Als u er niet meer bent, zijn wij aan de heidenen overgeleverd.'

'Ik moet hem doden!'

'U hebt uw hele leven nog de tijd om u daarop goed voor te bereiden!' zei meneer Bassam.

'Ik zal geen minuut kunnen slapen vóór dit gewroken is!'

'Vader. Lijkt het u niet logisch, dat oom Faroek weet en vreest dat u zult terugkomen? Volgt daar dan niet uit dat hij zich de komende dagen zal schuilhouden?'

'Uw zoon spreekt heel verstandige taal.'

Mijn vader was de enige man in Tabah geweest die soms vatbaar was voor een logische redenering. Onze enige hoop was dat hij daar nu ook vatbaar voor zou zijn. Ik wist dat meneer Bassams bereidheid om ons te helpen zou verdwijnen wanneer hij eenmaal vertrokken was. We konden het niet zonder hem stellen. Het duurde een uur vóór zijn kokend bloed enigszins afkoelde.

'Wat moet ik tegen onze mensen zeggen?' kreunde hij. 'Wat valt er nog te zeggen?'

14

Door de Haganah werd openlijk aangekondigd, dat Jaffa niet aangevallen zou worden als de Arabieren ophielden vanaf hun hoge gebouwen op Tel Aviv te schieten en als zij ophielden met het plegen van
overvallen op de wegen van en naar de stad. Men hield zich in het
algemeen aan dit aarzelend overeengekomen bestand, maar Jaffa
bleef een bot in de keel van de joden, een volledig Arabische enclave
in het dichtstbevolkte joodse gebied.

Bassam el Bassam vertrouwde mijn vader toe, dat hij hoopte dat de
Arabieren in Jaffa de deling zouden accepteren en zouden voorkomen dat strijd en hetzelfde lot als hun broeders in Haifa hen zouden
treffen. Hij kende groot gewicht toe aan het feit, dat waar het ging om
het in Arabische handen blijven van Jaffa, er heel wat Brits prestige
op het spel stond.

Een paar dagen na onze aankomst zagen wij met gemengde gevoelens zowel eenheden van de Jihad als van Kaukji's ongeregelde troepen de stad binnentrekken en zich hoofdzakelijk over Manshiya ver-
spreiden, de het dichtst bij Tel Aviv gelegen wijk waarin wij woonden.

De milities maakten zich meteen al onmogelijk. Zij namen alles
waarop zij hun zinnen zetten in beslag. Winkels werden opengebroken en geplunderd, mannen die hun bezit trachtten te beschermen
werden in elkaar geslagen, op katten en honden werden schietoefeningen gehouden, op opslagplaatsen in de haven werden overvallen
gepleegd en alle zaken waar voedsel verkocht of geserveerd werd zagen zich gedwongen te sluiten. Tot overmaat van ramp schonden zij
ook nog het bestand met de joden door dag en nacht op Tel Aviv te
schieten.

Wij krompen de ene na de andere nacht plat op de vloer van onze
krotten van angst ineen, terwijl kogels door de schamele beschutting
van afbrokkelend pleisterwerk knalden. Tijdens de uren van duisternis probeerde mijn vader te antwoorden op hysterische vragen.

De Haganah reageerde met een operatie, waardoor de omgeving
van Jaffa van Arabische dorpen gezuiverd en de stad afgegrendeld
werd. Tel Aviv lag ten noorden, Bat Yam ten zuiden van Jaffa en een
Haganah-brigade beheerste nu de verkeersweg van oost naar west.
Zij toonde ons vanuit Tel Aviv haar vuurkracht en de dorpelingen
kregen met hun eerste gewonden te maken. Een al wat oudere vrouw
en een kind werden getroffen door een kanonskogel en zwaar gewond. Daarop ontvingen we het bloedstollende bericht, dat een

Irgoen-eenheid van zeshonderd man tegenover ons opgesteld was.

Mijn vader beval onze mannen onmiddellijk naar een veiliger onderkomen te gaan zoeken, meer naar het centrum van de stad, ook al betekende dat dat wij niet allemaal bij elkaar zouden kunnen blijven. Iedere man zou verantwoordelijk zijn voor zijn eigen gezin. Onze mannen waren er niet aan gewend persoonlijk zo'n verantwoordelijke taak op zich te nemen en waren dan ook duidelijk doodsbang. Zolang we onafscheidelijk bleven, hadden we een veilig gevoel. Als de dorpelingen uit elkaar gingen, betekende dat het verlies van nestwarmte. Men kon zich niet herinneren dat er een tijd geweest was, dat hadji Ibrahim niet alle besluiten genomen had. Toch moesten zij gehoorzamen, omdat het nachtelijke schieten onverdraaglijk geworden was. Niemand sliep. Jammerende vrouwen en krijsende baby's sloopten onze zenuwen. De gevechten namen nog dagelijks in hevigheid toe.

Onze mannen vertrokken uiteindelijk met de opdracht onmiddellijk met hun gezin te verhuizen. Die avond zouden ze bij de Klokketoren in het centrum hadji Ibrahim ontmoeten om ons hun nieuwe verblijfplaats mee te delen. Ter bescherming van de vrouwen werden een paar bewakers achtergelaten. De anderen verspreidden zich. Van ons gezin werden Jamil en Omar erop uitgestuurd om naar onderdak te zoeken, terwijl Kamal als bewaker achterbleef.

Meneer Bassam arriveerde kort daarop met hoopvol nieuws. Al zoveel mensen waren Jaffa ontvlucht, dat er een klein overschot aan schepen was ontstaan die vluchtelingen vervoerden. Daardoor hingen er kapiteins bij de haven en bij de Klokketoren rond die elkaar passagiers probeerden af te snoepen. Bassam meende dat hij een geschikt schip voor ons gevonden had.

Nada en ik kregen de opdracht blikken te gaan zoeken, te wachten tot de brandweerkraan een paar huizenblokken verderop werd opengezet en daar dan water voor het gezin te gaan halen. Mijn vader vertrok daarop met meneer Bassam voor een ontmoeting met de kapitein van het schip.

Nada en ik vonden vlakbij de vlooienmarkt een paar lege olijvenblikken van viereneenhalve liter. Zij kon de hare prachtig op haar hoofd in evenwicht houden. Ik maakte van een lange stok een juk zodat ik er twee op mijn schouders kon dragen. Tegen de tijd dat we bij de brandweerkraan aankwamen, was de rij wachtenden al heel lang. Vanwaar wij stonden konden we achterom naar ons krot kijken, door open ruimten, ontstaan doordat huizen neergehaald waren.

Opeens raasden twee vrachtwagens, gevuld met Kaukji's soldaten langs onze kraan – ze overreden ons bijna – en stopten met gierende remmen in onze straat. De militie sprong uit de vrachtwagens en verspreidde zich, bevelen schreeuwend die ik van op die afstand niet kon verstaan. Er klonk een salvo en vrouwen krijsten.

Even later kwamen de mannen die achtergebleven waren om de vrouwen te bewaken onze kant opgerend. Ik zag Kamal zonder geweer, rende hem achterna en sprong uiteindelijk boven op hem, zodat hij op de grond viel. Hij was doodsbang.

'Ze hebben onze straat afgegrendeld! Ze moeten vader hebben!'

Ik besefte onmiddellijk dat dit een streek van Kaukji was die wraak wilde nemen voor het in brand steken van de akkers, tien jaar terug, want ik had mijn hele leven lang iedere avond in het koffiehuis het verhaal over die strijd gehoord. Vader was voorlopig veilig bij meneer Bassam. Kamal was zo bang, dat hij er bijna gek van werd. Ik kon hem niet de taak toevertrouwen vader op de hoogte te brengen. Mijn eerste zorg was nu mijn moeder, Ramiza, Fatima en haar baby.

Ik beval Nada zich schuil te houden in een nabijgelegen wachthuisje. Zij klemde zich aan mij vast en smeekte me niet naar huis terug te gaan. Ik zag me genoodzaakt haar van me af te slaan. Ik had haar nog nooit geslagen, maar de situatie dwong me tot snel handelen.

Ik was klein en ik was snel en van de ene dekking naar de andere springend glibberde ik naar huis terug. Toen ik bij de aangrenzende straat was aangeland, bleef ik even staan om de situatie in ogenschouw te nemen. Wanneer ik de straat maar zou kunnen oversteken en op het dak kon komen, kon ik zien wat er binnen ons huizenblok gebeurde en me ook een weg terug banen naar ons krot.

Ik holde de straat over en verstarde even toen ik kogels rond mijn voeten zag opspringen. Ik dook door een raam zonder ruit een huis binnen en rende naar boven, het dak op voor iemand me achterna kon komen. Daarna kroop ik op mijn buik vier huizen over en waagde het de straat in te kijken.

De vrouwen waren met de kinderen bijeengedreven en omsingeld door een tiental soldaten die hen met bajonetten in bedwang hielden. Ik kon aan hun uniform zien en aan hun accent horen dat het Irakezen waren die deel uitmaakten van Kaukji's ongeregelde troepen. Andere soldaten hadden de uiteinden van de straat afgesloten en weer anderen trapten van het ene na het andere huis de deur in. Ik keek vertwijfeld neer op de groep vrouwen en kinderen. Hagar, Ramiza en Fatima waren er niet bij!

Ik schoof heel voorzichtig over de daken tot ik een blik kon werpen op ons huis. Het was ingesloten door soldaten. Er was een kleine kruipruimte tussen ons huis en dat wat er naast stond. Ik sprong van het dak en bleef doodstil liggen tot ik er zeker van was dat niemand me gezien had. Toen glibberde ik naar het raam toe.

Wat ik daarbinnen zag, was ronduit afgrijselijk. Er waren acht of tien of misschien nog wel meer soldaten binnen en een officier met een pistool. Hagar had haar armen om Ramiza en Fatima heen geslagen, die angstig tegen haar aankropen. De officier wees naar een afschuwelijk litteken van een brandwond op zijn gezicht. 'Een cadeautje van hadji Ibrahim. Ik heb tien jaar hierop gewacht! Waar is hij?'

'Dat weet ik niet,' zei mijn moeder zachtjes.

De officier richtte zijn pistool op een plek vlakbij hun voeten en schoot. Hagar bleef stokstijf staan, terwijl de andere twee jammerden en zich nog steviger aan haar vastklemden. Hij schoot nog een keer en nog een keer en tartte haar door het pistool tegen haar hoofd te drukken. Fatima's baby krijste!

'Ik weet het niet... ik weet het niet,' antwoordde mijn moeder telkens weer.

'Op je knieën, smerige hoer dat je bent!'

De officier stak zijn handen vol afschuw de lucht in en zijn soldaten vuurden een stuk of tien kogels op hen af die hen net niet raakten. Het gezicht van de officier was nat van het zweet; hij begon te hijgen en te grauwen, knoopte zijn broek open en haalde zijn pik te voorschijn.

'Kleed je uit, alledrie!'

'Doe wat hij zegt,' zei Hagar tegen de andere twee. 'Verzet je niet.'

'Ik ben ongesteld,' fluisterde Fatima.

'Doet er niet toe. Onderwerp je aan ze. Als we bont en blauw geslagen worden en dat naderhand blijkt, is dat voor ons nog erger.'

Ik kneep onmiddellijk mijn ogen dicht toen mijn moeder haar kleed optilde en ik kon de soldaten horen janken van verrukking. De vrouwen werden op de grond gesmeten. De soldaten lachten en schoten, maar de vrouwen gaven geen kik. Ik voelde me de grootste lafaard die ooit bestaan had, want ik beefde van angst. Wat kon ik doen? Allah moest begrip tonen! Ik kon niets doen! Niets! Niets! Helemaal niets!

Ik had niet weer moeten kijken, maar ik kon me niet bedwingen. De drie lagen languit, naakt, op de grond. De soldaten namen niet eens de moeite hun broek uit te trekken, maar lieten die zakken en stortten zich bovenop de vrouwen. Ze gromden als beesten, pakten stevig vlees beet, kwijlden kussen, beukten, en waggelden druipend weg, terwijl de anderen met hun pik in de hand eromheen stonden. Langs Fatima's benen sijpelde bloed.

Ik kromp ineen, sloot mijn ogen en klemde mijn handen over mijn oren. Lafaard! Lafaard! Lafaard! Allah! Wat moet ik doen? Denk na, Ishmaël, denk na! Als vader terugkomt, zullen ze hem vermoorden nadat ze hem gedwongen hebben om naar dit afschuwelijke tafereel te kijken. Ik moest hem zien te bereiken om hem te waarschuwen! Nee! Ik kon mijn moeder niet in de steek laten! Ga! Blijf!

Hielden ze dan nooit op? Ibrahim, kom niet terug! Kom alsjeblieft niet terug! Hoe lang moet dit nog duren? Hoe lang? Toen kwamen zij wankelend het huis uit. Ik haalde mijn handen van mijn oren en hoorde de officier zijn mannen bevelen het huis onopvallend in de gaten te houden en de vrouwen als lokaas vast te houden.

Ik wist dat ik voor altijd de littekens zou dragen van dit tafereel en deze schande. Toch moest ik op de een of andere manier die afschuwelijke beelden tijdelijk uit mijn gedachten bannen om ervoor te kunnen zorgen dat we er het leven afbrachten. Ik dwong mezelf ertoe op dat moment te vergeten waarvan ik getuige geweest was, krabbelde overeind en keek door het raam. Ramiza en Fatima lagen ineengekrompen op de grond. Mijn moeder was versuft, maar ze troostte hen toch. Ze veegde het bloed van Fatima's lijf, hield hen toen in haar armen en wiegde hen heen en weer.

'Moeder!' fluisterde ik.

Ze sperde haar ogen wijd open van angst toen ze mij zag.

'Niet bang zijn. Ik zal het niet aan vader vertellen. Ik zal het niet aan vader vertellen. Nooit. Niemand zal het ooit te weten komen.'

'Oh, Ishmaël!' schreide ze. 'Dat jij je moeder in zo'n schandelijke situatie gezien hebt! Pak een mes voor me! Ik moet mezelf ombrengen.'

'Moeder, nee!'

'Maak dat je wegkomt, Ishmaël! Maak dat je wegkomt! Vergeet wat je hebt gezien. Maak dat je wegkomt!'

'Niet huilen, moeder. Het is voorbij. Toe moeder, alstublieft. We zullen in leven blijven!'

'Ik wil niet in leven blijven.'

Het had geen zin. Ik maalde nergens meer om. Ik sprong het vertrek in en gaf haar een klap in het gezicht. Ze hield op met huilen en keek me met open mond aan.

'Zul je nu naar me luisteren?'

Ze gaf geen antwoord en ik sloeg haar opnieuw. Langzaam schudde ze haar hoofd ten teken dat ze me gehoord had.

'Verroer je niet vóór het donker is. Knap je een beetje op. Het schieten vanuit Tel Aviv zal weer beginnen zodra het donker is. De bewakers zitten hasjiesj te roken. Zij zullen niet op hun hoede zijn. Als het schieten begint, moeten jullie één voor één wegglippen en naar de markt rennen. Daar wachten jullie op elkaar en daarna gaan jullie naar de Klokketoren in het centrum van de stad.'

Ze klemde zich aan mij vast en keek op. Haar ogen waren rood en over haar gezicht liepen de strepen van haar tranen. 'Oh, Ishmaël.'

'Heb je me begrepen, moeder?'

'Ja, maar Ibrahim...'

'Die zal het niet te weten komen. Nooit. Niemand zal dit ooit te weten komen.'

Ze raakte met trillende handen mijn gezicht aan. Ik greep die handen beet, hield ze stevig vast en smeekte haar met mijn ogen me te gehoorzamen. Uiteindelijk zei ze dat ze zou doen wat ik gezegd had. Ik kuste haar en veegde haar tranen af. 'Zorg nu dat je er weer mooi komt uit te zien. Ik ga vader waarschuwen niet terug te komen. Het enige dat hij ooit zal weten is, dat de soldaten je ondervraagd hebben – niets meer.'

Ik ging er vandoor. Ik hoorde achter me schoten, maar wist niet of ze al dan niet voor mij bedoeld waren.

Ik trof Kamal en Nada en vertelde hun enkel dat de soldaten de vrouwen in gijzeling hielden om vader in de val te lokken. Ik beval hen te blijven waar ze waren en naar Jamil en Omar uit te kijken, voor het geval die terugkeerden. We zouden elkaar allemaal later bij de Klokketoren ontmoeten. Ik haastte me weg om mijn vader te redden.

15

Bassam el Bassam verzekerde mijn vader dat hij bijna twintig jaar lang op een bevredigende manier zaken gedaan had met de Griekse Cyprioot Harissiadis. Zijn prijs voor het afhuren van zijn schip voor een reis naar Beiroet was heel redelijk te noemen. Hadji Ibrahim had bezwaren tegen de plaats van bestemming.

'Ik ben zojuist teruggekeerd van een reis naar Gaza,' zei de Griek. 'Ik ga nog voor geen vijfduizend pond daar naar terug. De Egyptische marine vaart er rond. Zij schieten overal op. Drie dagen geleden brachten zij bijna een schip met vluchtelingen tot zinken. Ik heb er vier reizen van en naar Gaza opzitten en daar blijft het bij. Het is te riskant. Ik zou jullie niet eens naar Beiroet willen brengen, als ik er niet toevallig toch langskwam op mijn weg terug naar Cyprus.'

'Maar we hebben geen verwanten in Beiroet,' zei Ibrahim.

'U zit daar in een veiliger kustgebied en ik vraag u een redelijke prijs voor zeshonderd mensen. Ja of nee?'

'Harissiadis maakt het echt goed met u,' verzekerde Bassam.

De bobbel in zijn zak was niet zo groot als hij gehoopt had. Hij had slechts honderd en tachtig pond. Zevenhonderd pond was met het bezoek aan Barclay's Bank het raam uit gevlogen en een zelfde bedrag was verloren gegaan toen Faroek niet kwam opdagen. Ibrahim hief zijn handen op. 'Het is waanzin. Ik weet niet waarom ik Tabah heb verlaten. Beiroet. Wat stelt Beiroet nu voor? Hoeveel tijd heb ik om het geld bij elkaar te krijgen?'

Het was de Griek aan te zien dat hij teleurgesteld was. Hij had de indruk gekregen, dat hadji Ibrahim al over voldoende geld beschikte. 'Het bestand is geschonden. De gevechten nemen toe. Wie weet wordt er wel een aanval op Jaffa gedaan. Weet u dat? Weet Bassam dat? Niemand weet dat. Ik zal het erop wagen. Vierentwintig uur.'

'Morgen,' zei hadji Ibrahim, 'betaal ik; de helft als mijn mensen aan boord gaan en de andere helft wanneer zij in Beiroet aankomen.'

De Griek schudde van nee.

Ibrahim haalde de rol bankbiljetten uit zijn zak en legde die op de tafel. 'Dat is alles wat we hebben,' zei hij.

'Hoeveel is dat?'

'Bijna tweehonderd.'

Harissiadis haalde meelevend zijn schouders op. 'Zal ik u eens iets zeggen? De waarheid is, dat het bijna driehonderdvijftig zal kosten. Om een bemanning bij elkaar te krijgen voor zo'n reis als deze heb ik al dubbele, ja zelfs driedubbele premies moeten betalen.' Hij haalde een potlood te voorschijn, begon driftig te krabbelen, beet op zijn lip en zuchtte. 'Driehonderdvijfentwintig dan en geloof me, dan doe ik mezelf te kort.'

Hadji Ibrahim stak zijn hand onder zijn kleren, haalde twee pakketten te voorschijn en legde die op tafel. Daarop wikkelde hij het papier van een dikke plak hasjiesj van vijf kilo. Harissiadis verkruimelde er een hoekje van tussen zijn vingers, rook eraan en proefde. 'Twintig,' zei hij.

'Dat is diefstal,' zei meneer Bassam.

'In Libanon geven ze dit spul cadeau. In de haven van Athene verkoop ik het misschien voor dertig.'

'Twintig,' stemde Ibrahim toe.

'Wat hebt u verder nog?' vroeg de Griek. Ibrahim wees naar het andere pakket. Het papier werd eraf gehaald en toen bleek het hadji

Ibrahims prachtigste bezit te bevatten: een met juwelen bezette, ongeveer drie eeuwen oude dolk.

'Ik weet niet of zoiets een vervalsing of echt is.'

'Het is een juweel,' zei Bassam. 'Hij is tussen de honderd en tweehonderd waard.'

Harissiadis bekeek de dolk. 'Voor twintig wil ik het er wel op wagen.'

'Daar kan ik hem niet voor afstaan,' zei hadji Ibrahim. 'Ik geloof dat ik hem toch maar zelf houd. Ik heb er nog iets speciaals mee voor.'

'We komen dan nog dik honderd pond te kort,' zei de Griek.

Ibrahim stond op, deed de deur van de opslagruimte open en knikte in de richting van zijn hengst. De ogen van de Griek werden groot toen hij het dier zag.

'Ik zal het dier wel kopen,' zei meneer Bassam snel. 'Ik geef je er honderdvijftig voor.'

'Honderdvijftig voor el-Buraq,' zei Ibrahim ongelovig.

'Honderdvijfenzeventig dan. Het zijn afschuwelijke tijden. De zaken gaan heel slecht,' klaagde Bassam.

'Betaal hem,' zei hadji Ibrahim.

Meneer Bassam el Bassam pelde de bankbiljetten van een rol zo groot als een grapefruit en gaf ze aan Ibrahim.

Ze bezegelden de overeenkomst met een handdruk en spraken een tijd af.

'O ja, dan nog iets,' zei Harissiadis. 'Geen geweren, geen pistolen, geen messen. Mijn bemanningsleden zijn eerlijk. Ik ben een eerlijk mens. En verberg geen wapens onder de rokken van jullie vrouwen. Iedereen zal van boven tot onder gefouilleerd worden als we in Beiroet aankomen. De autoriteiten daar nemen de vluchtelingen alles af dat waardevol lijkt. Ik kan u uit eigen ervaring vertellen, dat de Egyptenaren iedereen in Gaza uitschudden.'

'We zijn naakt zonder onze wapens,' zei Ibrahim.

'Als jullie wapens meenemen en die worden gevonden – en die zullen gevonden worden – zal ik de haven van Beiroet niet meer mogen aandoen. Ik kan niet bestaan zonder Beiroet,' zei de Griek. 'Nog één ding. Ik kan voor water zorgen, maar jullie moeten je eigen eten meebrengen.'

'We hebben alles verkocht,' zei Ibrahim. 'We kregen eten van de christelijke kerk.' Hij wendde zich tot Bassam el Bassam. 'Ik denk dat jij, gezien de prijs die je voor mijn paard hebt betaald, wel een paar honderd kilo maïs en fruit en melk voor de baby's kunt bijdragen.'

Hadji Ibrahims ogen vertelden Bassam dat hij anders wel eens de eerste zou kunnen zijn, die kennis maakte met de met juwelen bezette dolk.

'Maar natuurlijk,' zei Bassam. 'Ik zal met plezier voor de mondvoorraad zorgen.'

Ik arriveerde een paar minuten nadat de overeenkomst was gesloten bij de handelsmaatschappij en vertelde hijgend dat Kaukji's soldaten naar hem op zoek waren, maar zei niets over de verkrachtingen waarvan ik getuige geweest was. Als we geluk hadden, zouden alle gezinsleden zich later bij de Klokketoren verzamelen.

Bassam sloeg tegen zijn voorhoofd en vloekte. 'Dan zal het voor u niet mogelijk zijn aan boord van het schip te gaan.'

'Maar...'

'De haven zal bewaakt worden. Ze zullen u weten te vinden.'

'Dan gaan we te voet.'

'Alle wegen zijn afgesloten, Ibrahim.'

'We zitten in de val,' fluisterde mijn vader.

'Laat de dorpelingen wel met het afgehuurde schip meegaan. De Irakezen zullen uren nodig hebben om hen te fouilleren vóór ze hen aan boord laten gaan. Dat zal ze bezighouden. U moet onderduiken.'

'Ik kan niet van mijn mensen gescheiden worden!'

'Weet u dan iets anders te bedenken?'

'Vader,' zei ik, 'we moeten doen wat meneer Bassam zegt.'

Ibrahim was verslagen en dat wist hij. Er werd hem zelfs geen tijd gelaten om zijn lot te bewenen. Bassam bracht hem naar de kelder van een viswinkel vlakbij de haven, waar hij een paar uur veilig zou zijn en ging toen op pad om een permanente schuilplaats te zoeken. Ik zou dan later met instructies naar hem toe komen.

Dank zij Allahs goedgunstigheid slaagden alle gezinsleden erin naar de Klokketoren te komen. Vele dorpelingen liepen daar ook al in de menigte rond. Ik gaf hun instructies aangaande de tijd en de plaats, noemde de naam van het schip en dit alles werd fluisterend doorgegeven. Daarna verdwenen zij, terwijl ze handig de zoekende ogen van Kaukji's soldaten ontweken.

Daarvoor had ik al een kijkje genomen in de grote moskee aan de andere kant van de straat. Vele mensen uit vele dorpen hadden daarin hun toevlucht gezocht. Terwijl onze dorpelingen geleidelijk aan uit het zicht verdwenen, beval ik de leden van ons gezin de moskee binnen te gaan, in de menigte op te gaan en daar op mij te wachten. Het was nog steeds erg druk op het plein, maar zodra het donker begon te worden slenterden vele soldaten in de richting van de wijk Manshiya en begon het schieten tussen de twee steden weer.

Het werd laat. Ik was doodsbang. Net toen ik op het punt stond mijn post te verlaten, zag ik meneer Bassam aankomen. Hij liep langs me heen. Ik wachtte even en liep toen achter hem aan. Hij bevond zich in de schaduw. Ik kon hem niet zien.

'Ishmaël.'

'Ja.'

'Zijn je familieleden in veiligheid?'

'Ja. Zij houden zich schuil in de moskee.'

'Mooi. Ik heb je vader naar de St. Petruskerk gebracht, voorbij de vuurtoren. Weet je waar dat is?'

'Ja, zeker.'

'Haal je familieleden op. Ga naar de achteruitgang. Broeder Henri is een christen-Arabier en een goede vriend. Zij hebben erin toegestemd jullie te verbergen.'

'Is met u alles goed?' vroeg ik.

'Daar ben ik niet zeker van. Ik geloof dat ze mijn huis en winkel in de gaten houden. Misschien probeer ik wel aan boord van het schip te glippen. Dat weet ik nog niet zeker.'

Met die woorden liep hij weg.

Ons hele gezin beschikte over twee piepkleine monnikencellen, maar vanuit de ramen konden we de haven, de zee en de kust tot aan Tel Aviv zien. Laat in de middag zagen we meneer Harissiadis' schip, de *Kleopatra*, de haven van Jaffa binnen puffen.

Ik glipte de kerk uit en sloop de heuvel af naar de vuurtoren waar het vlakbij voor anker was gegaan. Iedereen uit Tabah zat daar dicht op elkaar bij de haven. Wel honderd mannen van Kaukji liepen tussen hen door naar hadji Ibrahim te zoeken, intimideerden mensen, gaven mensen een aframmeling. Haven'autoriteiten' zorgden opzettelijk voor oponthoud, toen zij mijn vader niet konden vinden. Meneer Harissiadis bulderde dat hij moest uitvaren.

Toen kwam het bericht, dat aan het front tussen Tel Aviv en Jaffa de hel was losgebroken. De Irakezen werden weggeroepen en de dorpelingen stroomden aan boord van het schip, vulden iedere centimeter ruimte aan dek. Er was geen denken aan dat ik het risico kon nemen het gezin op het laatste moment nog een poging te laten wagen om aan boord te komen en zo strandden wij in Jaffa. Eindelijk gleed de *Kleopatra* weg van de kade. Ik rende de heuvel op naar de kerk, terwijl het schip onder me wegvoer. Het bereikte het eind van de kade en koerste de volle zee op.

Ik liep terug naar de St. Petruskerk. Vanuit onze ramen kon mijn familie zien hoe lichtkogels over en weer strepen trokken tussen de twee fronten. Uit de hevigheid van de gevechten maakten wij op, dat dit niet weer zo'n nacht was waarin sluipschutters op elkaar schoten. Dit liep op een ware veldslag uit.

We konden de *Kleopatra* blijven volgen tot ze met de zon achter de horizon wegzakte. En toen... waren ze verdwenen.

16

De Irgoen had geheel op eigen initiatief een felle aanval ingezet op de wijk Manshiya van Jaffa. De Haganah verleende hun geen toestemming en geen medewerking en coördineerde de actie evenmin, maar de Irgoen was uit op een spectaculaire overwinning om voor vol te worden aangezien. De verschillende Arabische milities hadden zich gezamenlijk goed verschanst en sloegen de ene na de andere aanval af. De leden van de Irgoen vochten fel, namen een paar huizen in aan de rand van de wijk, maar opnieuw werkte het gebrek aan formele militaire training en leiderschap in hun nadeel. Zij hadden geen vastomlijnd actieplan en evenmin de middelen om hun terreinwinst te consolideren en tegen het aanbreken van de dag waren ze weer naar Tel Aviv teruggedreven.

Om een smadelijke nederlaag af te wenden verzocht de Irgoen de Haganah hulp te bieden. Terwijl overal in Palestina gevechten in hevigheid toenamen, ontstonden er tussen deze twee joodse strijdmachten steeds meer irritatie veroorzakende, kleine conflicten. Een openlijke krachtmeting over wie het gezag vertegenwoordigde kon onmogelijk nog lang uitblijven.

Na een haastig bijeengeroepen vergadering stemde de Haganah erin toe de Irgoen uit de brand te helpen op voorwaarde dat de Irgoen accepteerde dat de Haganah aan het front rond Jaffa de dienst uitmaakte. De Irgoen stemde toe en met steun van de Haganah vielen zij opnieuw aan en deelden Manshiya in tweeën.

Tegelijkertijd rukte de Haganah van alle kanten steeds dichter naar Jaffa op. Haar doelstelling was alle haarden van Arabisch verzet tussen Jaffa en Lydda uit de weg te ruimen, zodat zij zonder vrees voor Arabische versterkingen kon doorstoten naar de luchthaven.

De Britten zaten erg met de joodse plannen om Jaffa in te nemen in hun maag. De Arabische stad redden was voor hen min of meer een obsessie geworden. Hoewel zij zich al geleidelijk uit Palestina aan het terugtrekken waren, lieten zij met spoed een bevel uitgaan om onverwijld een paar eenheden uit Egypte en van Cyprus terug te sturen.

Nadat men de situatie getaxeerd had, meende het Britse opperbevel dat de joden Jaffa feitelijk al ingenomen hadden en dat het daaraan eigenlijk niets meer kon veranderen. Het voelde zich toen geroepen een uitweg te forceren, zodat de Arabieren konden ontsnappen, als ze dat wilden. De enige mogelijke uitweg was de verkeersweg die zuidwaarts liep naar veilig Arabisch gebied rond Gaza. Deze weg werd geblokkeerd door de joodse stad Bat Yam.

De Britten begonnen Bat Yam zo zwaar met artillerievuur en vanuit de lucht te bestoken, dat verzet niets uithaalde en stootten vervolgens met tanks door om de weg vrij te maken. Het leek op het ontkurken van een overvolle fles met champagne. De Arabieren stroomden Jaffa uit, begonnen hals over kop aan een stormachtige uittocht zuidwaarts. De Haganah gaf de Arabieren vrije doortocht naar het zuiden, vermeed zo handig een treffen met de Britten en sloot intussen aan de andere fronten Jaffa al dichter in.

Vanuit onze hooggelegen monnikencellen in de St. Petruskerk konden wij getuige zijn van de nachtenlange beschietingen met kanonnen en ontploffingen van granaten. Op de derde dag van de strijd bracht broeder Henri ons het verschrikkelijke nieuws dat Bassam el Bassam verdwenen was. Hij wist niet of Bassam gevlucht was of door de ongeregelde troepen was vermoord, omdat hij ons geholpen had.

Broeder Henri vertelde ons dat de Britten nog steeds de weg door Bat Yam openhielden en stelde voor, dat wij zouden proberen op te gaan in de stroom vluchtelingen. Mijn vader wees dit voorstel van de hand en gaf broeder Henri daarvoor een reden op die niet helemaal met de waarheid overeenstemde. Er waren maar twee manieren om uit Jaffa weg te komen: via de enige weg naar het zuiden en via de haven. Mijn vader gaf te kennen dat Kaukji op beide plekken mannen geposteerd had, die hem moesten zoeken en daarom heel nauwgezet iedereen aanhielden.

Hij zei het niet hardop, maar mijn vader bleef liever zitten waar hij zat, in de St. Petruskerk. Hij had mij toevertrouwd, dat de joden de stad zouden innemen, wanneer de Britten zich uiteindelijk terugtrokken. Hij vreesde wel de wraak van Kaukji, maar was helemaal niet bang voor een door joden aangericht bloedbad.

In werkelijkheid hoopte mijn vader eigenlijk onbewust, dat de joden Jaffa zouden innemen, want dan kon hij naar Tabah terugkeren en oom Faroek een bezoek brengen. Daar verheugde hij zich op. En als de geregelde Arabische troepen naderhand dan weer de joden versloegen? Dan zou hij inmiddels al met Faroek afgerekend hebben.

Twee dagen later kwam broeder Henri helemaal ontdaan naar ons toe. Kaukji's mannen hadden bij de kerk lopen rondsnuffelen en vragen over ons gesteld. De monnik huiverde en zei dat de kerk niet langer als schuilplaats voor ons kon dienen. We moesten vertrekken.

Hadji Ibrahim meende dat alleen Gideon Asch ons nu kon helpen. Hij had de telefoonnummers bewaard die Gideon hem gegeven had, maar broeder Henri zei dat alle telefoonverbindingen met Jaffa verbroken waren. Mijn vader en ik smeedden daarop een roekeloos plan.

Laat in de middag glipte ik de St. Petruskerk uit en sloop door de smalle straten in de richting van de frontlijn Manshiya. Ik voelde me in zoverre veilig, dat ik als een van de vele kinderen die er rondrenden niet erg zou opvallen. Bovendien maakten jongens die net zo oud als ik of maar een paar jaar ouder waren deel uit van een jeugdmilitie, die deelnam aan de gevechten.

Ik was een stadsrat geworden. Het was voor mij geen kunst om op zo'n punt uit te komen dat ik het beste de situatie kon overzien. Ik had daarvoor een instinct. Iets diep binnenin me zei dat de vlooienmarkt, tussen de twee steden in, misschien nog wel in bedrijf was, ondanks de zware beschietingen van beide kanten. Ik had gelijk.

Vanaf mijn dak kon ik duidelijk zien dat het druk was op de markt en dat er geen soldaten rondliepen. Iedereen die op het punt stond te vertrekken, verkocht alles wat niet meegenomen kon worden. Het leek wel toverij, maar ik liep hier in een vrije handelszone rond. Ik had nog een laatste sieraad van Ramiza bij me en het door mij in het Engels geschreven briefje.

Ik liep langs de kramen, terwijl ik goed luisterde en me een oordeel vormde over de kooplieden om te zien of er iemand bij was die ik het naar mijn gevoel kon toevertrouwen mijn briefje af te geven. Dat was niet het geval. Iedereen zou proberen mij beet te nemen, omdat ik zo jong was. Ze zouden Ramiza's armband stelen en me bedrogen achterlaten.

Ik slenterde dicht om een paar joodse kooplieden heen, maar mijn Hebreeuws was gebrekkig en zij spraken meestal geen Engels. Degenen die wel Engels spraken, vertrouwde ik niet. Het zou waanzin geweest zijn om een gewone joodse winkelier te benaderen.

Wat moest ik doen?

Aan het andere eind van de markt bevond zich een schutting met een opening erin waardoor mensen af en aan liepen. Aan de kant die zich het verst van mij af bevond, stonden joodse soldaten van iedereen die de markt verliet de papieren te controleren. Dat was mijn kans. Mijn enige kans.

Ik had afschuwelijk veel tijd nodig om voldoende moed te vergaren. Kom op, Ishmaël, zei ik keer op keer tegen mezelf, ga naar die schutting toe. Ik schuifelde ernaartoe, terwijl ik mezelf beval niet bang te zijn. Je moet er *niet* op af rennen, zei ik. Je zult neergeschoten worden als je begint te rennen. Zoek een of drie of vier omvangrijke personen uit die naar de joodse kant oversteken en glip er achter hen door.

Daar is je kans. Nu! *Lopen.* Ik sprong achterop een door een ezel getrokken wagen van een venter alsof ik daarbij hoorde en ik bevond me aan de joodse kant! De venter had er geen erg in. Centimeter voor centimeter en voetje voor voetje vorderden we aan de andere kant tot we bij hun wachtpost aankwamen.

Toen greep een hand mijn arm beet en rukte me van de wagen. Een joodse soldaat keek boos op me neer. Ik dacht dat mijn tijd om te sterven gekomen was.

'Jij mag hier niet komen!' zei hij in het Hebreeuws tegen me.

'Spreekt u Engels?' vroeg ik.

Hij duwde me opzij en gebaarde dat ik moest teruggaan naar de andere kant. Ik liep onmiddellijk weer op hem af. 'Engels!' riep ik. 'Engels! Engels! Engels!'

Dank zij Allahs goedgunstigheid had ik de aandacht getrokken van een andere soldaat.

'Wat wil je jongen?' zei hij in het Engels. Ik haalde diep adem, sloot mijn ogen, stak mijn hand in mijn zak, haalde het briefje te voorschijn en gaf het aan hem. Hij vouwde het nieuwsgierig open, las het moeizaam en krabde op zijn hoofd.

Ik ben Ishmaël. Mijn vader is hadji Ibrahim al Soukori al Wahhabi. Hij is de moektar van Tabah. Hij is heel goede vrienden met uw grote commandant, meneer Gideon Asch. Wij kregen opdracht hem op deze telefoonnummers te bellen, als we in ernstige moeilijkheden verkeerden. Wij zitten in de val. Wilt u meneer Gideon Asch voor ons opbellen? Dank u.

Inmiddels was er een officier uit nieuwsgierigheid naar ons toe gekomen. Hij las het briefje en alle drie bekeken ze me.

'Het zou een valstrik kunnen zijn,' zei er een.

'Wat voor een valstrik? Als Asch niet weet wie deze mensen zijn zal

'Wat voor een valstrik? Als Asch niet weet wie deze mensen zijn zal hij niet komen.'

'Alstublieft!' zei ik. 'Alstublieft! Het is geen valstrik! Kaukji probeert mijn vader te vermoorden.'

'Wacht hier, jongen,' zei de officier. Hij ging een klein huis binnen dat als commandopost dienst deed. Even later kwam hij met een andere officier weer naar buiten. Die scheen de leiding te hebben. Hij las het briefje en bekeek me van top tot teen, bevreemd.

'Wij waren buren,' zei ik. 'Kibboets Sjemesj en Tabah. Buren.'

'Goed,' zei de bevelvoerende officier. 'Ik zal hem vanavond opbellen. Kom morgen maar terug.'

'Nee,' zei ik. 'Ik kan niet weggaan zonder meneer Gideon Asch te hebben ontmoet.'

'Tja, je kunt hier niet blijven. De markt sluit over een uur en dan wordt hier in de buurt geschoten.'

'Alstublieft!' riep ik. Ik pakte de armband en bood hem die aan. De officier bekeek hem en gaf hem aan me terug.

'Stop die maar weer in je zak,' zei hij. 'Kom maar met me mee.'

Wat volgde leek heel onwezenlijk. Aan de hand van de officier passeerde ik de wegversperring bij de wachtpost. Even later reden we in een haveloze auto in de richting van Tel Aviv. 'Ik ben van de Irgoen,' zei de officier.

Nu weet ik zeker dat ik dood ga.

'Ik breng je naar de dichtsbijzijnde Haganah-commandopost.'

Weldra reden we een andere, armoedige wijk binnen en stopten voor een rijtje huizen waar het wemelde van de soldaten. Ik had me naakt en doodsbang gevoeld, maar die angst begon om de een of andere reden te verdwijnen. Niemand bedreigde me, ondervroeg me of raakte me aan. Ik werd slechts vluchtig met een nieuwsgierige blik bekeken. Vooral de Irgoen-officier was erg vriendelijk.

In een van de wat grotere huizen werd ik naar de deur gebracht van een vertrek, dat bewaakt werd door een soldaat. De Irgoen-officier zei iets tegen de bewaker en die liet ons het vertrek binnengaan. Zo te zien zat daar achter een tafel de belangrijkste Haganah-officier. Hij praatte in het Arabisch tegen me en nadat ik hem mijn verhaal gedaan had, nam hij me mee, de gang door. Ik werd een vertrek binnengelaten dat op een paar stoelen na leeg was en kreeg opdracht te gaan zitten.

De Haganah-officier stelde me lange tijd vragen over de namen van de familieleden en vragen over Tabah en kibboets Sjemesj. Hij vroeg me keer op keer waarom mijn familie niet via Bat Yam gevlucht was.

Hij was erg achterdochtig en ik realiseerde me, dat dat kwam doordat ik zo klein was en daarbij een van het platteland afkomstige Arabier, die drie talen sprak. Uiteindelijk vroeg hij me of ik een geheimzinnig bericht kon meegeven dat alleen Gideon Asch zou begrijpen. Ik dacht er lang over na, want dit was beslissend voor onze kans op overleven.

'Zeg tegen meneer Gideon Asch dat ik hem de nacht dat Ramiza's baby stierf kwam ophalen.'

'Ik weet niet hoe lang dit gaat duren,' zei de Haganah-officier. 'Jij blijft waar je bent. Probeer niet te vertrekken.'

Even later kwam een soldaat binnen met een opgerold matras en wat te eten. Ik had er niet bij stilgestaan, maar ik had niet veel meer gegeten sinds we uit Tabah waren weggegaan en ik at zo snel dat ik misselijk werd. Vele malen kwamen soldaten het vertrek binnen om naar me te kijken. Ze waren allemaal erg aardig en al gauw was ik niet meer zo achterdochtig als ik geweest was. Er werd weer begonnen met zware beschietingen, maar ik was doodop. Ik wilde niet slapen of minder op mijn hoede zijn, maar ik kon mijn ogen bijna niet openhouden.

'Ishmaël.'

Ik deed mijn ogen open. Meneer Gideon Asch knielde naast me neer. Ik had van mijn leven nog nooit zoiets gedaan, maar ik sloeg mijn armen om hem heen en huilde. Ik probeerde in alle drie talen tegelijk te praten, maar ik kon niet lang genoeg ophouden met huilen om er een zinnig woord uit te krijgen. Hij hielp me mezelf weer in bedwang te krijgen en ik vertelde hem mijn verhaal.

We liepen naar de kamer van de commandant en de twee volwassenen praatten langdurig met elkaar en spreidden toen op de tafel een kaart uit.

'Kan je kaartlezen, Ishmaël?'

'Ik geloof van wel.'

'Mooi. Hier heb je de St. Petrus, de Grote Moskee, de Turkse Klokketoren.'

'Ja,' zei ik. 'Ik begrijp het.'

'Het postkantoor, de brede boulevard en de Immanuelkerk.'

Ik knikte dat ik hem kon volgen.

'Loop dan nog driehonderd meter verder, de kerk voorbij en dan via de Jaffaweg naar dit punt.' Hij wees naar een plek op de kaart. 'Aan de andere kant van de weg bevindt zich een smalle steeg. Daar zal een vrachtwagen geparkeerd staan. Heb je een horloge?'

'Nee.'

Hij gespte het bandje van dat van hem zelf los en gaf het aan mij.

'Wacht hier aan jullie kant van de weg tot half negen. Ik zal jullie dan met een patrouille komen halen. Ik zal "Tabah" roepen en jij moet dan op jouw beurt "kibboets Sjemesj" roepen.'

Ik herhaalde de instructies een keer of zes.

'Heb je nog vragen, Ishmaël?'

'Stel dat er Arabische soldaten in de buurt zijn?'

De Haganah-commandant mengde zich in het gesprek door iets in het Hebreeuws tegen meneer Gideon Asch te zeggen. Ik kon er af en toe een paar woorden van verstaan. Hij voelde er kennelijk niet veel voor nog meer informatie te verstrekken. Maar Gideon Asch zei tegen de officier dat ze mij konden vertrouwen.

'Volgens onze informatie zijn zoveel Arabieren gedeserteerd, dat er veel gaten in de linies zijn gevallen. Als zij schieten, zullen ze op onze patrouille schieten. We zullen ze zo onder vuur nemen, dat ze er vandoor gaan.'

Het kostte me de rest van de dag om mijn familieleden te verzamelen en hen via omwegen die nodig waren om de milities te ontwijken naar de afgesproken plek te brengen. Toen we naar die plek toe kropen, sprong mijn hart op van vreugde bij het zien van de vrachtwagen aan de andere kant van de weg. Daarna ging alles gemakkelijk.

De familieleden kropen dicht bij elkaar achter in de vrachtwagen. Ik ging voorin tussen meneer Gideon Asch en mijn vader zitten. Ik was weer moe en telkens wanneer ik wegdommelde, zag ik opnieuw voor me hoe mijn moeder, mijn stiefmoeder en schoonzuster werden verkracht. Deze keer had ik steun aan de arm die mijn vader om me heen gelegd had. Hij gaf me herhaaldelijk een goedkeurend tikje en noemde me een dappere soldaat. Ik had zijn eer gered. In de tijd dat ik niet wegdommelde, hoorde ik hem met Gideon Asch praten, terwijl de vrachtwagen door Tel Aviv heen stoof en daarna verder noordwaarts. Ik was zo moe, dat ik me niet met de anderen kon verbazen over de joodse stad.

'Jullie zullen vlak bij Tulkarm oversteken. Daar staat een man op jullie te wachten die Said heet.'

'Wanneer ik mijn gezin eenmaal heb geïnstalleerd, zal ik door duizend mijl gesmolten lava naar Tabah teruglopen om Faroek te grazen te nemen.'

'Je kunt niet naar Tabah terugkeren,' zei meneer Gideon Asch.

'Het maakt me niet uit, als dat mijn eigen dood inhoudt.'

'Nou, dan heb je iets waarop je je kunt verheugen. Jouw dromen over wraak nemen zullen je waarschijnlijk nog lang in leven houden, hadji Ibrahim. Van Tabah is niet veel meer over. Wij lieten er de Haganah bezit van nemen, toen jullie het verlieten. Diezelfde nacht nog viel de Jihad aan en gooide ons eruit. Toen we terugkwamen, moesten we de meeste huizen opblazen. Er is weinig meer van over.'

'Mijn huis?'

'Daar is Faroek ingetrokken.'

De weg hield opeens op bij een wegversperring die naar Arabisch grondgebied voerde. Meneer Gideon Asch bracht ons naar een klein bos daar vlakbij en wachtte tot het donker werd. Mijn vader stond mij toe met hem mee te gaan toen hij afscheid ging nemen van meneer Gideon Asch. Er werd geld in mijn vaders hand gedrukt. Hij wilde het weigeren, maar was daartoe niet in staat; we waren praktisch blut.

'Jammer dat we niet de kans gekregen hebben onze problemen op te lossen,' mompelde mijn vader in trance.

'Ik weet niet,' zei meneer Gideon Asch. 'Jij hebt me lang geleden gewaarschuwd dat de zaken zich anders ontwikkeld zouden hebben, als niet wij maar jullie de watertoevoer hadden kunnen regelen.'

'Dat is waar,' zei mijn vader. 'Dan zouden jullie van dorst zijn omgekomen.'

Meneer Gideon Asch lachte.

'Nu wij ieder naar onze eigen wereld terugkeren, wil ik dat je me vertelt wie de verklikker in Tabah was.'

'Ik had er vele. En niemand was beter dan je broer.'

'Hij is mijn broer niet,' zei hadji Ibrahim. 'Jij bent mijn broer.'

Door de duisternis priemde opeens het schijnsel van een zaklantaarn. Meneer Gideon Asch beantwoordde het signaal en ik verzamelde onze gezinsleden. Nadat ze snel aan Said waren voorgesteld, liepen ze achter hem aan weg.

'Wel,' zei meneer Gideon Asch, 'blijf je oor te luisteren leggen. Naast Said heb ik nog vele andere, zich her en der bevindende contactpersonen aan de Arabische kant. Zij weten wel hoe ze mij kunnen bereiken. Sjalom.'

'Sjalom.'

Mijn vader en ik liepen snel weg om onze gezinsleden in te halen. We konden in de verte de lichten van Tulkarm al zien. Ik bleef opeens staan. 'Ik vergat meneer Gideon Asch zijn polshorloge terug te geven.'

'Dat geeft niet, Ishmaël,' zei mijn vader. 'Hij wilde dat je het hield.'

Een paar dagen later viel Jaffa in handen van de Haganah en de Irgoen. Van de zeventigduizend Arabische inwoners waren er nog maar drieduizend over, toen men tot de beslissende aanval overging.

Op 14 mei 1948 las David Ben Goerion de Onafhankelijkheids-verklaring van de staat Israël voor. Een paar uur later viel de hele Arabische wereld aan.

Deel Drie

Qumran

1

We liepen snel richting Tulkarm. Meneer Said werd nerveus van onze aanwezigheid. Hij zei op verontschuldigende toon dat hij maar een arme leerling-apotheker was die met zijn vrouw en vijf kinderen in één vertrek in het huis van zijn vader woonde. Hij legde ons uit hoe we in het centrum van het stadje konden komen, zei tegen mijn vader dat hij alleen in een uiterst noodgeval contact met hem mocht opnemen en verdween.

Enkele minuten later kwamen we in de marktstad aan en ontdekten, dat deze al door een stortvloed van duizenden dakloze gezinnen overspoeld was.

'We zullen vannacht onderdak vinden in de moskee,' zei Ibrahim, 'en zien dan morgen wel weer verder.'

Dat bleek een voorbarige uitspraak.

Er verdrong zich daar zo'n dichte mensenmenigte dat we niet dichter bij de moskee konden komen dan op zo'n honderd meter afstand. Er lag een zwarte golf van vrouwen in rouwkleding op de grond, die hun kinderen trachtten te beschermen. De mannen liepen almaar in het rond. We maakten deel uit van een verdwaalde kudde naamloze, niet van elkaar te onderscheiden mensen.

Ibrahim stond roerloos te midden van deze zee van ellende. 'Kom mee, hier vandaan,' beval hij, maar ik zag voor de eerste keer van mijn leven dat hij duidelijk geen raad wist met de situatie – of met zichzelf.

We baanden ons moeizaam een weg uit de dichte menigte en scharrelden vervolgens in de straten van de buitenwijken rond, op zoek naar een schuur, een verlaten gebouw, het kon niet schelen wat – als het maar muren en een dak had.

Met een schok realiseerden we ons toen, dat de huizen in Tulkarm zorgvuldig afgesloten waren als een tegen ons gerichte voorzorgsmaatregel. Kippen, geiten en andere dieren waren van de erven weggehaald en ter voorkoming van diefstal opgesloten. Benige honden toonden ons als vijandige, vechtlustige bewakers hun tanden wanneer we langsliepen. Achter ieder verduisterd venster zat naar ons gevoel een man met een geweer, die ons doen en laten gadesloeg.

Buiten de stad, waar de eerste boerderijen stonden, lagen vele mensen in de greppels langs de weg te slapen, terwijl de boeren op hun akkers rondzwierven om hun gewassen te beschermen. Na een kilometer of twee kwamen we bij een lange, stenen muur rond een olijfgaard.

Daar niemand er op wacht scheen te staan, klommen we over de muur en drukten ons er dicht tegen aan, in een poging erin te verdwijnen.

Ibrahim riep onze namen af in de volgorde waarin we op wacht moesten gaan staan. Hij gaf Omar zijn pistool en liet zich op de grond zakken. Op dat moment ving ik zijn blik op. Zijn ogen stonden glazig, alsof hij zich opeens geconfronteerd zag met een visioen van de hel. Ik bleef wakker om hem in de gaten te houden, want zijn gedrag joeg me angst aan. Hij keek me heel even met zijn doffe ogen aan ten teken dat hij zich van mijn aanwezigheid bewust was.

'Wat zit je daar te staren, Ishmaël?' zei mijn vader zachtjes.

'We hebben hier geen neven,' antwoordde ik.

'Maar we bevinden ons nog altijd in ons eigen land. Er heerst op dit moment verwarring, omdat de oorlog nu echt is begonnen, maar we bevinden ons te midden van ons eigen volk.'

'Maar zij hebben ons buitengesloten, vader.'

'Nee, nee. Ze zijn bang. De joden bevinden zich pal aan de andere kant van de weg. Je zult zien dat we, als we een dag verder zijn, zullen worden voorzien van voedsel en onderdak. Er zal een of ander kamp worden opgezet.'

'Weet u dat zeker?'

'Ik heb nooit iemand uit Tabah weggestuurd. De mensen hier zijn onze broeders. Bovendien staat in de koran, dat we voor elkaar moeten zorgen.'

'Weet u zeker dat dat in de koran staat?'

Het was alsof ik hem een klap had gegeven. Mijn vader was niet alleen verbijsterd over de massa's vluchtende mensen, maar ook over de ontvangst die ons in Ramla en Jaffa en nu in Tulkarm te beurt was gevallen. Dat gastvrijheid een deugd was, was ons van oudsher ingeprent en geen mens was daar dieper van doordrongen dan mijn vader. We schepten eindeloos op over onze gastvrijheid. Wij waren daarvan met onze cultuur, onze menslievendheid een toonbeeld. Een gast beschermen en van onderdak en voedsel voorzien, daaruit bleek nu juist deels onze mannelijkheid.

'Ga slapen,' zei hij.

'Ja, vader.'

We sliepen geen van beiden, maar wisselden geen woord meer. Toen zijn ogen uiteindelijk toch dichtvielen en hij tussen zijn vrouwen in naar de grond gleed, stond ik mezelf toe weg te dommelen.

Ik raakte in een vaste, diepe slaap, vervuld van afgrijselijke scènes. Ik wist veelal wel dat ik in een olijfgaard op de grond lag, maar was niet in staat om ook maar een vinger te verroeren. We waren van uitputting halfdood, maar desondanks werd ik geteisterd door nachtmerries. Mijn vader had een van de verschrikkelijkste momenten van zijn leven doorgemaakt door zich te realiseren dat onze legendarische gastvrijheid wel eens een mythe zou kunnen zijn. Dit drong door mijn duisternis heen, vermengd met scènes waarin mijn moeder werd verkracht. En er kwamen nog meer dromen, die net zo afgrijselijk waren – de droom dat hadji Ibrahim ons niet meer kon beschermen en niet meer voor ons de beslissingen kon nemen... Oh nacht, nacht, nacht... *Eindig!*

'Scheer je weg van ons land!'

We werden wreed uit onze slaap opgeschrikt door een halve cirkel grommende honden en hun bazen met een geweer in de hand, die gebaarden dat we moesten vertrekken. Mijn vader kwam als eerste overeind, terwijl wij ons verder allemaal bevend tegen de muur aan drukten. Hadji Ibrahim nam hen vol verachting op.

'Jullie zijn geen Arabieren,' snauwde hij, 'Jullie zijn zelfs geen joden. Jullie reet zit zo dicht bij jullie mond, dat ik kan ruiken dat jullie adem naar stront stinkt. Kom we gaan.'

Als door een wonder vonden we de ogenschijnlijk enige boom in Tulkarm die niet al een ander gezin beschutting bood of op vijandelijk grondgebied stond. We gingen er met ons allen onder zitten en wachtten tot mijn vader een plan had weten te bedenken.

Op mijn vaders pistool en dolk na werd alles wat we op dit moment nog bezaten op een deken gelegd, ook het geld dat Gideon Asch ons had gegeven en de paar ponden die waren overgebleven van vaders transactie met meneer Bassam. Ik mocht Gideons horloge houden, maar verder kwamen oorbellen, armbanden en andere voorwerpen die ons heel dierbaar waren of waaraan we persoonlijke herinneringen hadden op de deken terecht. Hadji Ibrahims zilveren gesp, Kamals ring, een paar stukjes goud die mijn moeder achtergehouden had. Mijn vader rekende uit dat we een paar weken zouden kunnen leven van wat we konden verkopen en in die tijd zou hij bedenken hoe het verder moest. Dat was allemaal goed en wel, maar hij kon geen antwoord geven op onze vragen en wilde die ook niet horen.

Hagar werd het stadje ingestuurd om een karig ontbijt bij elkaar te scharrelen, bestaande uit vijgen, geitekaas en een kop melk voor Fatima's baby, aangezien haar eigen melk in de voorbije week verzuurd was.

Mijn vader bleef bij de vrouwen om hen te beschermen en beval mijn broers en mij op zoek te gaan naar een vertrek dat we konden huren. Onder normale omstandigheden zouden we in een plaats als Tulkarm een kamer hebben kunnen huren voor een of twee pond per maand. Zelfs in de buitenwijken vroegen de boeren nu al vijf pond voor een kippenhok of een stal en de prijs steeg nog naarmate we dichter bij het plein in het centrum kwamen.

Velen schoolden samen dicht bij de moskee, waar uit de luidspreker van de minaret krijgshaftige muziek schalde, die om de haverklap werd onderbroken door een afkondiging.

HET ARABISCHE LEGIOEN IS DE JORDAAN OVERGESTOKEN!

DE IRAKEZEN STAAN AL IN NABLOES!

TEL AVIV IS GEBOMBARDEERD DOOR DE EGYPTISCHE LUCHTMACHT!

DE SYRIËRS ZIJN VANUIT DE GOLAN NOORD-GALILEA BINNENGEMARCHEERD!

LIBANON MELDT DE ENE NA DE ANDERE OVERWINNING AAN HAAR ZUIDGRENS!

Praatjes over de ene na de andere overwinning beheersten de gesprekken. Op elk bericht uit de luidspreker volgde onveranderlijk een huiveringwekkende verklaring over wat er met de joden zou gaan gebeuren. Mijn broers en ik reageerden op dit moment onwillekeurig net zo geestdriftig als de mensen om ons heen, maar we waren tegelijkertijd toch ook diep geschokt, omdat we honger leden, nergens welkom waren, helemaal niets begrepen van de situatie waarin we verzeild geraakt waren. Na nog geen half uur was duidelijk, dat we nergens onderdak zouden vinden omdat de huur overal onze middelen te boven ging.

Toen onze vierde dag in Tulkarm aanbrak, waren we nog niets verder gekomen. Integendeel. We hadden dan wel een boom die ons enige beschutting bood en genoeg geld om nog net niet dood te gaan van de honger, maar we wisten verder niet waar we naartoe konden gaan of wat we moesten doen. Er waren geen regeringsfunctionarissen of vertegenwoordigers van hulpverlenende instanties opgedoken en evenmin wist iemand van een stad af die ook maar iets georganiseerd had om ons te helpen. Hadji Ibrahim scheen ook niets aan de situatie te kunnen veranderen en daardoor nam onze angst nog toe.

Geruchten verspreidden zich als een miljoen bladeren die van een boom gewaaid zijn en dan doelloos ronddwarrelen. Het leek er voor onze legers heel goed uit te zien. Zelfs op vader, die altijd zijn twijfels had als er zo werd overdreven, kreeg de opwinding onwillekeurig toch vat. Hij opperde dat de Arabische leiders misschien toch de waarheid hadden gesproken, toen zij ons vroegen de weg vrij te maken voor hun legers. Ons probleem was enkel hoe we het zouden kunnen uithouden tot we naar Tabah konden terugkeren.

We hadden het afval van ons plekje verwijderd en van huiden, zeildoek, hout en blik een soort tent in elkaar geflanst. De vrouwen hadden een primitieve, maar bruikbare oven opgezet. In die tijd groeiden mijn broers en ik dichter naar elkaar toe. Ik kon zelfs met Kamal opschieten.

We bevonden ons in Samaria op de westoever van de rivier. Drie stadjes – Tulkarm, Jenin en Nabloes – vormden de zogenoemde 'driehoek'. Daarbinnen bevond zich volledig door Arabieren beheerst gebied. Kaukji's Bevrijdingsleger trok er binnen, maar we waren niet meer bang voor zijn soldaten, want we hadden geen reden om aan te nemen dat zij Ibrahim nog steeds zochten. Kort daarop voegde zich een deel van de voorhoede van het geregelde Iraakse leger bij hen. De militaire strategie lag voor de hand. Van waar wij ons in Tulkarm bevonden, waren de zee en de joodse stad Netanja slechts vijftien kilometer verwijderd.

Als Kaukji en de Irakezen naar Netanja konden doorstoten, zouden de joden in twee kampen verdeeld worden.

Schermutselingen vonden heel dichtbij ons plaats, maar daar hadden wij vreemd genoeg baat bij. Telkens wanneer een klein gevecht losbarstte, gingen de boeren gewoonlijk óf op de loop óf ze verscholen zich. Mijn broers en ik namen dan de kans waar en plunderden boomgaarden, trokken uit de akkers wat daar te halen was en spoorden loslopend vee op. Wanneer onze magen gevuld waren, voelden we ons stukken optimistischer.

De Arabische overwinningsmars zette zich voort! Terwijl Kaukji en de Irakezen beheerst oprukten naar de zee, waren de joden overal in Palestina in het defensief...

Egypte rukte in twee colonnes op. Gaza en Berseba werden ingenomen en de kibboets Jad Modechai werd veroverd!

Syrië veroverde kibboets Misjmar HaJardein en overspoelde Galilea.

Bataljons van de Moslem Broederschap onder Egyptisch bevel ijlden naar de Dode zee, naar Jeruzalem!

De allergrootste overwinningen behaalde de Jordaanse krijgsmacht. De vier kibboetsen van Goesj Etsion werden ingenomen, evenals het joodse kwartier van de Oude Stad Jeruzalem. En West-Jeruzalem werd belegerd. Maar het allerbeste bericht was, dat de versterkte politiepost in Latrun in handen was van het Legioen! Dat betekende, dat het Legioen zich nog maar drie kilometer van Tabah af bevond!

Net zo onverwacht als onze sterke opmars begonnen was, scheen deze weer in te zakken. Kibboetsen waarvan eerder gemeld was dat ze gevallen waren, boden nu volgens de berichten halsstarrig weerstand. De Iraakse doorbraak naar Netanja vond nooit werkelijk plaats. In werkelijkheid vielen de joden nu de 'driehoek' aan.

Toen onze strijdkrachten met een wapenstilstand en pas op de plaats instemden, bleek niet dat het hier om een zegevierend leger ging.

Op een sombere avond midden in juni riep hadji Ibrahim ons alle-maal rond het kampvuur bijeen. 'We vertrekken morgen,' kondigde hij kort en bondig aan.

'Maar vader, waarom?'

'Omdat men ons voorgelogen en verraden heeft. Als we met deze wapenstilstand hebben ingestemd, was dat omdat wij ons doel niet hebben bereikt. Onze opmars naar de zee is onderbroken. Het zal slechts een kwestie van dagen zijn voor de joden Tulkarm aanvallen.'

'Maar het Legioen staat bij de muren van de Oude Stad.'

'Ze zullen de joden nooit uit Jeruzalem verdrijven,' antwoordde Ibrahim. 'Let op mijn woorden.'

De volgende morgen braken we op en gingen we weer op weg. Deze keer trokken we dieper Arabisch gebied in, de bergen van Samaria in, naar Nabloes. Opnieuw werden we door afgesloten deuren begroet.

2

Nabloes, de belangrijkste stad in Samaria, was als een koning van de bergen gelegen tussen lage bergruggen die zich in de lengte over half Palestina uitstrekten. Als de bijbelse stad Sichem had ze ooit de Ark des Verbonds binnen haar poorten gehad en had ze Jozua, de richters van Israël en de veroveraars uit Rome gekend. De veertigduizend in-woners van Nabloes hadden de reputatie dat ze kort aangebonden wa-ren en prima smokkelroutes vanuit Transjordanië ontwikkeld had-den.

Na de verdrijving van de Osmanen was de stad een leengoed gewor-den van de Bakshir-stam, een groep listige lieden die iedere politieke omwenteling overleefde. Op dit moment was Clovis Bakshir de bur-gemeester en hij bleek een gematigd man te zijn, eerder een beminne-lijke dan een sterke figuur. Hij was leraar geweest die zijn opleiding grotendeels aan de Amerikaanse universiteit in Beiroet ontvangen had. Mannen die gestudeerd hadden werden in de Arabische gemeen-schap altijd enorm hoog aangeslagen en de Bakshirs hadden altijd wel een stuk of twee rechtmatige erfgenamen die studeerden.

De ontheemden verkeerden hier niet in betere omstandigheden dan in Tulkarm. De stad lag verder landinwaarts, op Arabisch grond-gebied waar men geacht werd veiliger te zijn en er waren meer hoeken en gaten die een zekere mate van beschutting boden. Maar voedsel, medicijnen en andere nood lenigende middelen waren niet voorhan-den. De begroeting was ijzig.

De kasbah in Nabloes, een zeer oude, vervallen, met gespuis volge-pakte wijk was zoals gewoon is voor een getto overbevolkt, maar je kon in iedere kasbah altijd nog wel ruimte vinden voor een of twintig mensen meer. Hadji Ibrahim slaagde erin een dak van een huis af te huren voor de exorbitante som van drie pond per maand. Een uit ver-schillende materialen samengestelde tent werd opgezet boven de hoofden van de gezinsleden.

Het gebied rond Nabloes was in het gelukkige bezit van zestien na-tuurlijke bronnen en een put midden in de kasbah voorzag in een van onze dringendste behoeften, namelijk die aan drinkwater. De zomer was in aantocht. Het feit dat de stad bijna drieduizend voet hoog lag, zou enigszins verlichting brengen, maar wanneer de wind heet over de Jordaan waaide kon deze staal doen smelten. Het leven bovenop een dak in de kasbah was een tredmolen van voornamelijk harde en vul-gaire geluiden, van voornamelijk smerige luchtjes en voornamelijk overbekende taferelen.

Er waren daar een paar uiterst minderwaardige baantjes te krijgen. Die werden niet ijverig nagejaagd, want zwaar werk stond ons tegen. Hadji Ibrahim kon zich uiteraard niet verlagen tot slavenarbeid, maar hij had vier gezonde en sterke zoons.

In Nabloes en de bergen in de omgeving stierven dagelijks ont-heemden van de honger en aan ziekten. Sommige dagen waren er een of twee doden, andere dagen een stuk of tien. Die bleven liggen waar ze lagen tot de stank doordrong tot de huizen van de rijken. Het ge-meentebestuur belastte zich uiteindelijk met de taak, ervoor te zor-gen dat de lijken werden verwijderd. Hierdoor werd een aantal baan-tjes gecreëerd. Er moesten kuilen gegraven, lijken opgehaald en on-schadelijk gemaakt worden door er een laag kalk overheen te storten. Omar en Jamil viel de twijfelachtige eer te beurt ons gezin in leven te houden door anderen te begraven.

Hoewel er nog wel vacatures waren, hoefde ik toch niet lijken te verzamelen. En ook niet te bedelen of kauwgom te verkopen. Ik was echter twaalf jaar en moest mijn steentje bijdragen. Er bevond zich een aantal Iraakse legerplaatsen in de buurt, maar de strijd om baantjes was onder jongens van mijn leeftijd fel. De meesten liepen eenvoudigweg te bedelen. Enkelen verdienden een paar stuivers per dag met boodschappen doen of met het verrichten van karweitjes die aan de soldaten waren opgedragen. Een paar geluksvogels kwamen bij een officier in de gunst en poetsten schoenen en koppels en bedienden aan tafel. De hogere officieren hadden natuurlijk hun eigen ordonnans om aan al hun nukken te voldoen. Sommige aantrekkelijke jongens in grotere nood verkochten hun lichaam aan de soldaten.

Prostitutie is altijd de trouweloze pendant geweest van legers en in Nabloes wemelde het van vrouwen die honger leden. Naast de al vanouds aanwezige prostituées in de kasbah waren nu honderden vrouwen bereid die laatste stap te zetten. Ze moesten uiterst voorzichtig zijn, zodat echtgenoten en zonen er niet achter kwamen. Weduwen, vrouwen die een of twee maanden zwanger of ongehuwd waren, waren het veiligst. Als je werd betrapt, werd je ter plaatse gedood. De professionele souteneurs konden een vrouw makkelijk chanteren en werden daarom gemeden. Jonge jongens van een andere clan bleken de handigste en betrouwbaarste souteneurs. Een slimme jongen die voor twee of drie vrouwen bij de poorten van legerplaatsen klanten wierf, kon zijn familieleden voeden zonder dat zij wisten hoe hij aan zijn geld kwam.

De nieuw aangekomenen begonnen met de gevestigde souteneurs en prostituées in Nabloes te concurreren en er vonden iedere week vele moorden plaats. Een jonge souteneur werd altijd ontmand als hij werd gedood. Ook deden zich gevallen voor dat vaders en zoons te weten kwamen dat een moeder of zuster hoereerde en daarop volgde dan snel de dood. Omdat je in de kasbah ook nog met dieven, smokkelaars en verslaafden aan verdovende middelen te maken had, was het een angstaanjagende verblijfplaats.

Gewone Iraakse soldaten waren erg arm en meestal nogal dom. Toch konden zij altijd iets in ruil aanbieden voor een vrouw: sigaretten, wapens, een paar van een kameraad gestolen schoenen, van de intendant gestolen etenswaren. Met laaggeplaatste soldaten was je niet slecht af, want zij handelden het snel af – in de bosjes. De vrouwen waren altijd gesluierd zodat ze naderhand niet herkend konden worden en een handige vrouw kon in een uur een peloton mannen van dienst zijn.

De Iraakse officieren waren daarentegen halfgoden met abnormale macht. Die werden door de gevestigde prostituées bediend, die voor drankjes zorgden, voor smeersels, een gedempt verlicht vertrek met kleden die het afzichtelijke aanzien van de kasbah moesten verhullen, radiomuziek, hasjiesj, een bed met veel kussens in een donkere hoek.

Omar en Jamil haalden lijken op, maar wij hadden toch nog voortdurend honger. Ik begon erover te denken ook een paar meisjes aan klanten te helpen. Ik was niet mijn diep gewortelde morele besef aangaande de eerzaamheid van vrouwen kwijtgeraakt, maar eerzaamheid en hongerlijden zijn moeilijk te verenigen. Telkens wanneer die gedachte bij me opkwam, zag ik ook weer de verkrachting voor me van de vrouwen van mijn familie in Jaffa. De meisjes vonden mij erg aardig en benaderden me vele malen met het verzoek hun souteneur te worden.

Maar ik dacht dan altijd aan Nada. Ik zou Nada liever zien doodgaan van de honger dan dat zij zich daaraan zou onderwerpen. Ik had gezworen haar te beschermen vanaf het moment dat we Tabah verlieten. Ze was veertien, had borsten gekregen en zag er betoverend uit. Ik liet haar niet eens alleen de kasbah doorlopen. Ik kon gewoonweg niet als souteneur optreden voor de zuster van iemand anders. Beslissend was voor mij de overweging dat hadji Ibrahim me zou doodslaan als hij erachter kwam.

Dikwijls rammelden onze magen nog na een maaltijd en ik overwoog om net als Omar en Jamil lijken te gaan verzamelen, maar besloot eerst nog een paar dagen mijn geluk te beproeven bij de Iraakse legerplaatsen.

Als je je ogen dag en nacht op de straat gericht houdt in de hoop een stuiver te vinden, dan zal er vroeg of laat één voor het grijpen liggen. Mijn kans kwam op een dag door een gelukkig toeval uit de lucht vallen. Vele jongens die als vluchtelingen in de kasbah verbleven, hingen rond bij het verblijf van de Iraakse intendant, in afwachting van konvooien vrachtwagens die gelost moesten worden. Het detachement soldaten dat met die taak was belast, gaf ons gewoonlijk een of twee lira als wij het werk voor hen deden. Een of twee soldaten bleven achter om ons in de gaten te houden, zodat we niets konden stelen en de anderen gingen liggen slapen onder een boom of trokken de kasbah in om een hoer op te zoeken.

In deze tijd van het jaar regende het normaal nooit in Nabloes, maar door een uitzonderlijke regenbui had iedereen beschutting gezocht, zodat er enkel een stuk of twintig jongens rondliepen. Door de goedgunstigheid van de Profeet verscheen er opeens een konvooi vrachtwagens en hadden we allemaal werk. De soldaten die de wagens hadden moeten lossen verdwenen. De bevelvoerende officier van het konvooi – een kapitein – trok ook Nabloes in. Degenen die de opdracht gekregen hadden ons in de gaten te houden bij het lossen werden al gauw door de regen de cabines van de vrachtwagens ingedreven en vielen praktisch meteen in slaap.

Zo gebeurde het dat wij de inhoud van de vrachtwagens een magazijn binnensjouwden, terwijl niemand op onze vingers keek. De enige vraag was nu hoeveel we voor het Iraakse leger zouden achterlaten. Een van de aanvoerders van de groep haalde vier ezels op, belastte hen zo zwaar dat ze er bijna onder bezweken en ging er vandoor.

Ik waagde de gok van mijn leven door te blijven. Toen de kapitein terugkeerde, huilde ik krokodilletranen en confronteerde hem vervolgens met het feit dat een stuk of tien mitrailleurs gestolen waren. Hij kreeg eerst een aanval van woede en probeerde de namen van de andere jongens uit me te persen. Ik doordrong hem ervan dat we de dieven nooit in de kasbah te pakken konden nemen, ook al kende ik de namen en vonden we hen. Bovendien bleef hij dan nog verantwoordelijk, omdat zijn soldaten de wagens hadden moeten lossen. De kapitein was niet erg snugger. Zijn naam was Umrum en hij kon nog geen appel van een citroen onderscheiden.

Officieren als Umrum waren gewoonlijk zoons van rijke families die het leger voor hun rang betaalden. Wanneer voldoende rijke families voldoende zonen met een vrij hoge rang in het leger hadden, hadden ze voor hun eigen welstand niets te vrezen. Kapitein Umrum zat nu in elk geval lelijk in de knoei. Toen hij uitgeraasd was, begon hij te jammeren dat dit zijn ondergang inhield. Op dat moment legde ik hem rustig uit hoe we de vrachtbrieven zo konden vervalsen dat uit niets bleek dat er iets ontbrak.

Sindsdien aten mijn familieleden net zo goed als alle anderen in de kasbah. Omdat Kamal kon lezen, schrijven en boeken vervalsen begon het Iraakse leger ook van zijn diensten gebruik te maken.

Hadji Ibrahim bleef zich onafgebroken opwinden over de situatie van de ontheemden. In Tabah had niet één noodlijdend gezin, niet één slecht op zijn taak berekende boer of bedrijfsleider, niet één tot armoede vervallen weduwe, niet één verweerde bedelaar onder wat voor omstandigheden ook ooit een maaltijd hoeven overslaan. Als gevolg van de gebruikelijk geworden onheuse bejegeningen van de kant van onze Arabische broeders, werd hij bijna door verdriet en woede verteerd.

Tot overmaat van ramp verspreidden Omar en Jamil iedere avond wanneer ze van hun werk thuiskwamen zo'n afschuwelijke lijklucht, dat we het nauwelijks met hen onder één tent konden uithouden. Zij waren dikwijls misselijk en gaven over. Naderhand verhaalden zij gewoonlijk de gebeurtenissen van die dag en legden daarbij de nadruk op ieder afschuwelijk detail: het afvallen van een vergane arm, de vondst van vijf zuigelingen in een spelonk of andere misselijk makende verhalen waarbij maden betrokken waren.

Mijn vader liet de vrouwen zijn gewaden opknappen en ging toen op weg naar het stadhuis om een afspraak te maken met burgemeester Clovis Bakshir. Het was een vergeefse tocht. Het stadsbestuur werd van de vroege morgen tot de late avond door honderden schreeuwende daklozen belaagd met verzoeken.

In de soenna is vastgelegd dat zelfs de nederigste mens in het rijk het recht heeft een koning persoonlijk te benaderen met een verzoek. Dat was ook bij de bedoeïenen gebruik. De Bakshirs in Nabloes en alle andere invloedrijke personen hadden de soenna al lang aangepast. Personen die met een verzoek kwamen, werden handig doorgeschoven naar een onbetekenende ambtenaar zonder gezag die zijn baantje behield door fantastisch goed, professioneel te liegen. In Nabloes werd voor niemand een uitzondering gemaakt. Ze wilden dat we uit hun stad verdwenen, punt uit.

Toen ik zag dat mijn vader zo gefrustreerd raakte, dat hij voortdurend aanvallen van woede óf van wanhoop had, besloot ik er iets aan te doen. Ik pakte een paar vellen officieel postpapier van het Iraakse leger van het bureau van kapitein Umrum en schreef een brief aan de burgemeester.

Zeer geachte en edele burgemeester Bakshir, ik ben met mijn troepen in staat van paraatheid gebracht om Jeruzalem te veroveren en zal die missie vervullen zodra de wapenstilstand geëindigd is. Daardoor heb ik nog niet de eer gehad u persoonlijk met een bezoek te vereren. Ik heb begrepen dat ik met mijn troepen in Nabloes gestationeerd zal blijven tot de situatie zich weer gestabiliseerd heeft. In afwachting van het moment dat we het genoegen zullen hebben van een persoonlijke ontmoeting en een langdurige vriendschap wil ik u vast om een kleine gunst verzoeken.

Mijn grote persoonlijke vriend hadji Ibrahim al Soukori al Wahhabi, de moektar van Tabah en een invloedrijk persoon in zijn streek, is als gevolg van de onfortuinlijke omstandigheden in deze tijd van oorlog in Nabloes te gast.

Aangezien mijn troepen voor bepaalde tijd in uw stad zullen zijn gesta-
tioneerd, zijn dergelijke gunsten naar mijn gevoel niet misplaatst. Ik
zou u persoonlijk eeuwig dankbaar zijn, wanneer u hem zoudt ontvan-
gen. Hij is een voornaam man, die veel belang stelt in de huidige en
toekomstige gebeurtenissen.

U kunt met hadji Ibrahim in contact komen via zijn zoon Ishmaël die in
het vertrek dat aan uw kantoor grenst staat te wachten.

Allah zij geprezen!
  Hoogachtend,
Kolonel I. J. Hakkar
adjudant Nihawand Brigade
Leger van Irak

Ik versierde de brief met zegels en linten en ging op weg naar het stadhuis. Ik had de 'kolonels' naam zo duidelijk geschreven dat deze niet
te lezen was. De Nihawand Brigade was vernoemd naar de beslissende Arabische overwinning op de Perzen in de zevende eeuw. Ik wist
dat die brigade zich in de buurt van Jeruzalem ophield.

Ik baande me een weg door de menigte in het vertrek dat aan de
kamer van de burgemeester grensde en telkens wanneer iemand bezwaar maakte tegen mijn voordringen stak ik de brief omhoog. Dan
weken ze vol ontzag achteruit. De burgemeester had vier secretarissen die ieder achter hun eigen bureau tegen de opdringende indieners
van verzoeken zaten te schreeuwen. Ik duwde de brief onder de neus
van een van hen. Hij wierp een blik op de envelop en verdween de
kamer van de burgemeester in. Nog geen tel later was hij alweer terug
en deelde mij mee, dat mijn vader de volgende dag bij Clovis Bakshir
thuis werd verwacht.

3

Mijn vader was aanvankelijk ontstemd over dit slim bedachte plan
van mij om voor hem een ontmoeting te arrangeren met burgemeester Clovis Bakshir. Hij moest uiteraard het bestaan bevestigen van de
gefingeerde briefschrijver, kolonel Hakkar. Maar toen hij er nog eens
over nagedacht had, bekeek hij het anders.

'Een op de juiste tijd en plaats geuite leugen kan een stukje pure poëzie zijn,' verzekerde hij mij.

Aangezien Kamal en ik nu regelmatig voor de Iraakse intendant – die luie, domme, verachtelijke kapitein Umrum – werkten, kwamen we altijd met weggenomen sigaretten onder onze kleren thuis. De levensstandaard van de rijken wordt door goud bepaald. Die van de bedoeïenen door mest. In de kasbah werd onze levensstandaard door tabak bepaald en daar had je meer aan dan aan geld. Door die sigaretten te verkopen konden we de familiespaarpot weer met een extra centje spekken. We drongen er op aan dat hadji Ibrahim voor zijn ontmoeting met de burgemeester nieuwe kleren zou kopen, zodat hem de vernedering bespaard bleef daar in vodden te verschijnen.

'Nee,' zei mijn vader afwerend. 'Laat Clovis Bakshir maar zien hoe diep wij buiten onze schuld zijn gezonken. Bovendien ben ik altijd goed gekleed als ik mijn dolk in mijn riem heb zitten. Het spijt me dat jij niet met me mee kan gaan, Ishmaël.' Hij klopte me goedkeurend op mijn hoofd en ging alleen op weg.

Voor Ibahim was de ontmoeting een hernieuwde kennismaking met een oude bondgenoot. De hadji had tijdens de opstand van de moefti korte tijd met de familie te maken gehad. De Bakshirs hadden zich bij tijd en wijle in Tabah schuilgehouden voor de troepen van de moefti en waren later voor de veiligheid bij de Wahhabbieten ondergebracht. Clovis Bakshirs begroeting was hartelijk genoeg en de fruitschaal was goed, maar niet overdadig voorzien.

Clovis Bakshir was een kleine, bijna teer te noemen man. Uit zijn manier van spreken kwam duidelijk naar voren dat hij gestudeerd had. Hij was een toonbeeld van bedachtzame kalmte en minzaamheid. Alleen uit het feit dat hij de ene na de andere sigaret opstak en zijn vingers vol nicotinevlekken zaten bleek, dat hij inwendig verre van rustig was.

'Ik kan onder deze omstandigheden uiteraard onmogelijk op de hoogte zijn van een ieders aanwezigheid in Nabloes. Als ik geweten had dat u hier was...'

'Ik heb alle begrip voor uw netelige positie,' antwoordde hadji Ibrahim. 'We hebben allemaal maar twee ogen en twee oren, nietwaar?'

Ze begaven zich naar de koelte van de veranda. Je kon de stad niet zien, want de villa stond op terrein dat bij wijze van uitzondering bebost was. Een van de ondergrondse rivieren kwam er vlak bij aan de oppervlakte en stroomde verder als een beek met een kleine waterval pal aan de andere kant van de weg. Bij die waterval stond het koffiehuis waarin de mannen van de Bakshir-stam elkaar ontmoetten. In vrediger tijden sprak Clovis Bakshir recht bij de beek.

Hadji Ibrahim zag nog een andere man op de veranda zitten. Hij begreep niet waar dat goed voor was en kreeg onmiddellijk argwaan. De man had een kaarsrechte houding, een door de zon gebruind gezicht en een onberispelijk bijgehouden, opgedraaide snor, zag hij in de gauwigheid. Hij droeg een westers pak van uitstekende stof en een traditionele Arabische hoofdtooi.

'Mijn goede vriend en vertrouweling, meneer Farid Zyyad. Ik was ervan overtuigd, dat uw ervaringen en waarnemingen van groot belang voor hem zouden zijn.'

Toen de koffie werd geserveerd had hadji Ibrahim al voorzichtig pogingen gedaan erachter te komen wat de aanwezigheid van deze onverwachte gast te betekenen had. Zyyad nam niet deel aan het gesprek, maar zat een beetje achteraf, zodat zijn aanwezigheid niet opviel. Zijn glimmend gepoetste schoenen gaven nog een kleine aanwijzing, aangezien je zoiets zelden in deze streken zag. Wie hij ook was, hij was afkomstig uit de hoogste regionen.

Clovis Bakshir stak de eerste van vele sigaretten op, waarvan hij de rook genietend diep, weloverwogen inhaleerde en vervolgens zo in kleine wolkjes uitblies dat deze een verlenging leken van de man zelf. De as werd er niet één keer afgetikt en viel ook niet één keer op de grond, maar werd op een tergende manier alleen maar al langer. 'Ik zal natuurlijk alles wat in mijn vermogen ligt doen om uw verblijf in Nabloes te veraangenamen,' zei de burgemeester.

Hadji Ibrahim knikte ten teken dat hij hem daarvoor erkentelijk was. 'Ik ben er de man niet naar om u de woestijn door te leiden langs een spoor van kamelekeutels,' zei Ibrahim. 'Ik heb ernstige dingen op mijn hart, die niets met mijn persoonlijke omstandigheden te maken hebben.'

'Zelfs wij hier in het verre Nabloes hebben gehoord van hadji Ibrahims opmerkelijke openhartigheid,' antwoordde de burgemeester.

'Ik ben diepbedroefd over het gedrag van mijn volk. Ik had niet gedacht dat ik ooit nog zou meemaken, dat de uitstekende gewoonte onder ons om gastvrij te zijn opeens niet meer in ere gehouden wordt.

'Nee, ik ook niet,' was Clovis Bakshir het met hem eens.

'Wij zijn geen buitenlanders. Wij zijn geen Turken. Wij zijn geen joden,' zei Ibrahim ter verduidelijking.

'U moet begrijpen dat deze situatie rond al die vluchtelingen ons als een onverwachte regenbui heeft overvallen en ons bijkans overstelpt heeft.'

'Vluchtelingen? Wat bedoelt u met vluchtelingen?' zei Ibrahim. 'Mijn dorp bevindt zich hier nog geen twee uur vandaan. Ik ben een Palestijn in mijn eigen land, te midden van mijn eigen volk. Ik ben geen vluchteling!'

Clovis Bakshir liet zich niet van de wijs brengen. 'Oorlogsslachtoffers,' verbeterde hij, 'die tijdelijk dakloos zijn.'

'Ik ben een Palestijn in Palestina,' herhaalde Ibrahim.

'Ja, ja.'

'Het mag als bekend verondersteld worden dat ik gedwongen werd mijn dorp te verlaten – en niet door joods kanonvuur. Maandenlang heeft de hele Arabische wereld ons slechts één ding voorgehouden. Verdwijn. Niemand dacht er anders over.'

'Hoe kon daar anders over gedacht worden, terwijl dit zionistische monster in onze buik groeide?' vroeg Clovis.

'We beschikken over stoelen, we beschikken over tafels, we beschikken over koffie, we beschikken over mannen. Mannen kunnen op de stoelen komen zitten, aan de tafels koffie drinken en de mogelijkheden bespreken om tot vrede te komen. Ik heb de helft van mijn leven naast een joodse nederzetting gewoond en vond hen slechts in sporadisch voorkomende gevallen onredelijk. Aangezien ik toch al bekend sta om mijn openhartigheid, wil ik nu wel zeggen dat de joden mij en mijn mensen nooit hebben aangedaan wat ons de afgelopen twee maanden is overkomen door toedoen van onze eigen broeders.'

'Gelukkig was uw dorp niet Deir Yassin.'

'Gelukkig niet, nee. Maar ik stond dan ook niet toe dat van Tabah zo zonder onderscheid gebruik werd gemaakt, dat we met een dergelijke vergeldingsactie geconfronteerd hadden kunnen worden.'

'Misschien werd er in het begin wel verschillend over gedacht,' zei Clovis Bakshir.' De stemmen die van een gematigde opstelling en van vrede spraken, waren te klein in aantal en te zwak. De obsessie dat de joden vernietigd moeten worden nam bezit van iedere stad en elk dorp in de Arabische wereld, tot aan de kleinste boer toe. Dit werkte als een stortvloed.'

Er viel zo'n diepe stilte, dat het geluid van de kleine waterval een eindje verderop duidelijk te horen was.

'Burgemeester Bakshir. Ik ben van mijn leven nog niet dieper gekwetst dan door de manier waarop wij zijn behandeld. Er is ons nog geen korst brood, geen deken, geen kopje water aangeboden. En Nabloes kan wat dat betreft de handen ook bepaald niet in onschuld wassen.'

'Ook ik ben me daar pijnlijk van bewust, hadji Ibrahim. Onze bevolking gedraagt zich normaal ook niet zo. Op een ochtend ontdekten we echter opeens dat ons hele volk op de vlucht was. Wij bevinden ons hier weliswaar op veilig Arabisch grondgebied, maar ook wij hebben afschuwelijke dingen meegemaakt. Om te beginnen kwam Kaukji onze akkers plunderen. Daarna behandelde het Iraakse leger ons zeer onbeschoft. De Irakezen hebben hun leger grotendeels met onze gewassen gevoed en van artikelen uit onze winkels voorzien zonder daarvoor te betalen. Zijn wij vaderlandslievende Arabieren of niet? vroegen ze dan. Wij hebben slechts een paar politiemannen die niet tegen legers zijn opgewassen. Tegen de tijd dat de vluchtelingen... vergeef me... de ontheemden dit deel van Palestina begonnen binnen te stromen... te overspoelen, was iedereen hier in een paniektoestand.'

'Ik kan deze excuses niet accepteren,' antwoordde Ibrahim kortaf. 'Het gedrag van onze soldaten heeft de Arabische manhaftigheid te schande gemaakt. Wat mijzelf betreft – ik was vijfentwintig jaar de moektar van Tabah en in die tijd hebben wij niet één keer een vreemdeling de deur gewezen.'

'Maar u werd dan ook niet op een ochtend wakker om te ontdekken dat vijftigduizend mensen op uw plein hun tenten hadden opgeslagen. Die catastrofe was gewoonweg te omvangrijk en kwam te onverwacht.'

'Onverwacht? Hoe komt u daarbij? Wij hebben tien jaar plannen gemaakt voor deze oorlog. Het kwam niet onverwacht. Na die resolutie van de Verenigde Naties zijn er nog maanden verstreken. Maand na maand is ons verteld dat wij onze dorpen zouden moeten verlaten om de weg vrij te maken voor onze legers. De leiders die erop aandrongen dat wij vertrokken, hadden toch zeker de verantwoordelijkheid ervoor te zorgen dat wij werden opgevangen, van voedsel en onderdak werden voorzien. Ieder leger heeft een staf die voorbereidingen treft in geval van oorlog. Wie trof voorbereidingen voor ons? Er was niet één tentenkamp, niet één keuken aanwezig, er was zelfs niemand op de wegen aanwezig om ons aanwijzingen te geven.'

'Plannen maken voor de lange termijn is nooit ons sterkste punt geweest,' antwoordde Clovis Bakshir. 'En niemand had de omvang van deze catastrofe kunnen berekenen.' Clovis Bakshir legde de sigarettepeuk net vóór hij er zijn vingers aan dreigde te branden voorzichtig in de asbak. Hij stak een nieuwe sigaret op. 'Het is waar. We waren er niet klaar voor.'

'Waar dienen, in Allahs naam, regeringen voor, als ze niet eens zorg dragen voor hun eigen volk?'

'We hebben in Palestina geen Arabische regering, hadji Ibrahim. De hele Arabische wereld is geen unie van naties, maar een verzameling stammen. Ik ben nu al tien jaar burgemeester van Nabloes, sinds mijn dierbare broer door de gangsters van de moefti werd vermoord. Kijkt u eens naar deze wijk. Die is erg mooi, nietwaar?'

'Waar wilt u heen?'

'Het is geen wijk,' zei Clovis Bakshir. 'Het is een verzameling ommuurde huizen. Mijn buren gooien hun afval over de muur en komen vervolgens bij mij klagen dat het niet wordt opgeruimd. Zij vragen aan mij, Clovis Bakshir, waarom de regering het afval niet heeft laten weghalen. Ik vertel hun dat dat geld kost en dat het afval opgehaald wordt, als zij belasting willen betalen. Inde u in Tabah belastingen, hadji Ibrahim, om de straten te plaveien, of voor een school, een kliniek, elektriciteit? Hebt u ooit geprobeerd een commissie te vormen die in Tabah projecten moest opzetten? Ik vrees dat ons volk niet weet hoe het met vereende krachten een maatschappij moet opbouwen. Een regering is in hun ogen een geheimzinnig verlengstuk van de islam, iets dat uit de lucht komt vallen. Ze willen dat bestuurders voor ze zorgen, maar ze hebben er geen idee van dat ze slechts een goede regering krijgen als ze bereid zijn daarvoor te betalen.'

'Wat heeft u met deze verhandeling voor, burgemeester?'

'Ik wil u daarmee herinneren aan het feit dat het Palestijnse volk nooit zichzelf heeft bestuurd en daartoe ook nooit pogingen heeft ondernomen. Wij hebben het zo'n duizend jaar lang best gevonden dat mensen buiten Palestina alle besluiten voor ons namen. Er bestaat in Palestina geen enkel gezaghebbend orgaan dat ons had kunnen voorbereiden op oorlog. Denkt u dat de moefti voor oorlogsslachtoffers voedsel en onderdak gehad had?'

'Hadji Ibrahim,' zei Farid Zyyad, terwijl hij opstond en het zonlicht in stapte. 'Hoe kijkt u tegen de militaire situatie aan?'

Die Zyyad is hier dus inderdaad om een bepaalde reden en welke reden dat is zal nu onthuld worden. Volgens mij is het een Jordaniër. De Bakshirs hebben tegen de moefti gevochten en zijn doodsvijanden gebleven. Clovis Bakshir maakt beslist gemene zaak met koning Abdullah. Aan dit front staan weliswaar Kaukji en de Irakezen, maar er druppelen toch ook contingenten van het Jordaanse leger binnen. Om welke reden? Beslist om naderhand aanspraak te kunnen maken op de westelijke oever van de Jordaan. De Jordaniërs hebben ongetwijfeld een lijst van moektars, burgemeesters en andere vooraanstaande Palestijnen die vijanden geweest zijn van de moefti. Mijn eigen naam staat waarschijnlijk ook op zo'n lijst.

'Hoe ik de oorlog bezie? Ik ben geen militair,' zei Ibrahim afwerend. 'Bovendien ben ik al bijna twee maanden op de vlucht.'

'Maar u bestuurde vijfentwintig jaar lang een strategisch gezien belangrijk dorp en het grootste deel van het dal van Ajalon,' wierp Zyyad tegen. 'U bent al te bescheiden.'

'Volgens mij kunt u beter aan mij vertellen wat u van de situatie vindt, meneer Zyyad.'

'Ja, maar dat is dan slechts mijn persoonlijke mening,' zei hij en stak toen een verhaal af dat overeenkwam met de laatste officiële Arabische versie.

'De Arabische legers waren zich tijdens het bestand aan het hergroeperen voor hun beslissende aanvallen. Het Legioen zal de joden uit Jeruzalem verdrijven en Kaukji zal naar de zee oprukken om de joden van elkaar te scheiden. Een maand na het bestand zal alles voorbij zijn.'

Waarom word ik op deze manier op de proef gesteld? Deze man weet dat dit verhaal uit duizend-en-één-nacht afkomstig is. Hoe zal ik het spel spelen?

'Wij krijgen niet de kans om een scheet te laten in een grote storm,' zei Ibrahim en die uitspraak had tot gevolg dat de andere twee allebei naar een sigaret tastten en een greep deden in de schaal met fruit. 'Als er ook maar iets waar is van wat u zegt, zou die kans met al die onzin zijn verspeeld.'

'Onzin!'

'Ja, dat bestand is onzin. Legers die aan de winnende hand zijn stemmen niet toe in een bestand. Onze legers zijn op. Als wij de joden niet hebben kunnen vernietigen met de eerste slagen die we ze toebrachten, zullen we hen niet kunnen vernietigen. We moesten vijftig tot zestig nederzettingen onder de voet lopen. We moesten een belangrijke joodse stad innemen. We hebben hen niet in beweging kunnen krijgen, behalve dan op een paar geïsoleerde plaatsen. Nu begint er joodse artillerie op te duiken en als ik me niet vergis vallen zij nu ook al de driehoek aan. De joden hebben oude Duitse oorlogsvliegtuigen weten te vinden. Wij wuiven niet meer wanneer we een vliegtuig in de lucht zien, maar rennen naar een greppel. Als het bestand afloopt, zullen de joden in de aanval gaan en misschien zelfs Nabloes bereiken.'

'Voor een man die niets van militaire zaken afweet, durft u toch wel een paar belangwekkende opvattingen te berde te brengen,' zei Bakshir.

'De joden liggen niet in de velden te slapen. Wij wel. Zij verdedigen allemaal hun eigen nederzettingen, net als wij hadden moeten doen. De joden gaan niet op de loop. De joden geven zich niet gewonnen. Zij zullen tot de laatste man vechten, niet alleen via de radio en in de kranten, maar ook op het slagveld. U bent een militair, meneer Zyyad. Hoeveel mannen zullen bereid zijn het risico van een nederlaag te nemen bij pogingen om Tel Aviv, Haifa en Jeruzalem in te nemen? Een miljoen? Twee miljoen? Welke combinatie van Arabische legers zal tot een dergelijke opoffering bereid zijn en als zij daartoe bereid zijn, wie zal dan het uithoudingsvermogen hebben om die opdracht ten uitvoer te brengen?'

'Wat brengt u op de gedachte dat ik een militair ben?'

'Uw rechte rug. Uw accent is Transjordaans, vermengd met Engels. U bent door Britten opgeleid. U bent bedoeïen van geboorte. Dat zie ik aan de tatoeage op de rug van uw hand. Combineer dat alles met die dure schoenen van u en je komt tot de conclusie dat u een officier bent van het Arabische Legioen. Iedereen in de kasbah weet dat burgemeester Bakshir een of ander geheim bondgenootschap heeft gesloten met koning Abdullah. Waarom wordt over dat alles zo geheimzinnig gedaan?'

'U ontneemt hieraan alle plezier,' zei Clovis Bakshir.

Of Zyyad gevoel voor humor had, werd niet duidelijk. 'Ik ben kolonel Farid Zyyad van het Arabische Legioen, zoals u al vermoedde,' zei hij stijfjes. 'Ik ben hier met een persoonlijke missie van Zijne Majesteit koning Abdullah. Voor uw opvatting dat de oorlog eigenlijk al voorbij is, is wel wat te zeggen en heel wat mensen zijn het met u eens. U realiseert zich dan zeker ook wel, dat van alle Arabische landen alleen Jordanië uiteindelijk in het bezit zal komen van Palestijns grondgebied. Wij hebben de versterkte politiepost in Latrun in handen. Die ligt een kilometer of vier van Tabah af. Eén offensief om Ramla en Lydda te heroveren en u kunt naar uw dorp terugkeren.'

Ben ik hierheen gekomen om deze onzin aan te horen?

'Kijkt u eens naar mij, kolonel Zyyad. Bij mij valt niets te halen. Een dode man kan niet duizend keer bestolen worden. Wat u mij vertelt, is het toppunt van wreedheid. Uw krijgsmacht is ons beste leger, maar uw frontlijn is zo langgerekt en daardoor zo slecht bemand, dat jullie nog geen veer kunnen tegenhouden. Jullie zullen Latrun niet uitkomen om aan te vallen en dat weet u.' Zyyad wilde iets zeggen, maar Ibrahim liet hem niet aan het woord komen. 'Jullie weten dat de joden erin geslaagd zijn een weg door de bergen naar Jeruzalem aan te leggen die om Latrun heen loopt. Nu laten jullie je laatste contingenten hierheen, de driehoek binnenmarcheren om er uit naam van Abdullah aanspraak op te kunnen maken en daardoor is jullie frontlijn nog kwetsbaarder geworden. Het Arabische Legioen kan geen extra bataljons soldaten meer op de been brengen, zelfs niet als de helft van de rekruten uit kamelen zou bestaan. Jullie willen dat er hier en nu een eind aan deze oorlog komt.'

De kolonel en de burgemeester staarden elkaar verbijsterd aan.

'Vertel me nu maar eens, broeders, wat jullie van me willen.'

Zyyad knikte Clovis Bakshir toe. 'Hadji Ibrahim,' zei de burgemeester. 'Koning Abdullah is geen fanaticus waar het om de joden gaat. Ik kan u wel zeggen dat hij tegen zijn wil de oorlog in gesleept werd.'

'En ik kan u garanderen dat de Arabische staten Abdullah niet zullen toestaan vrede te sluiten met de joden,' antwoordde Ibrahim kortaf.

'Er zal te zijner tijd vrede komen,' vervolgde Bakshir. 'Waar het om gaat is, dat wij ook denken dat de oorlog niet zal worden voortgezet. Palestina dreigt te worden geannexeerd. Wij willen niet tot aan de andere kant van de rivier teruggedrongen worden vanwege het feit dat we de oorlog doorgezet hebben. Belangrijk is nu, dat die delen van het land die in Arabische handen zijn ook in Arabische handen blijven. U pleitte ervoor dat wij zelf het bestuur in handen namen. Wij zijn daartoe niet in staat. Onze enige Palestijnse keuze is de moefti en zijn mensen hebben zich al in Gaza verzameld. Zij zullen waarschijnlijk met steun van Egypte de westelijke oever van de Jordaan opeisen voor het stichten van een Palestijnse staat.'

'Bij Allahs baard! Dat is wat de Verenigde Naties ons al hadden aangeboden! Waarom voeren wij in vredesnaam deze oorlog? Waarom liggen onze mensen op de akkers te slapen?'

'Er werd geen bevredigende oplossing gevonden vóór onze legers die joodse staat probeerden te verpletteren. Zij kwamen; zij zegevierden niet. Nu moeten we kiezen tussen koning Abdullah en de moefti.'

'Het Palestijnse mandaat is één klein stukje van een groter geheel,' zei kolonel Zyyad. 'Ik heb mezelf mijn hele leven als een Palestijn gezien. De meeste mensen in Amman zien zichzelf als Palestijnen. Toen de Britten Jordanië creëerden, veranderden zij eigenlijk alleen maar de naam van een deel van Palestina. We vormen één volk met een en dezelfde geschiedenis. Koning Abdullahs vlag wappert nu bovenop de Rotskoepelmoskee in Oost-Jeruzalem en met de annexatie van de westelijke oever van de Jordaan krijgen we in plaats van een klein een groot land.'

Het is ook geen geheim, dierbare broeders van me, dat koning Ab-

dullah uiterst ambitieus is. Hij heeft fantasieën over een Groter Palestina, een Groter Syrië – misschien zelfs wel over één Grote Arabische Natie, maar dat weet Allah alleen.

'Dit zullen ze in Cairo niet leuk vinden,' zei hadji Ibrahim.

'Wij moeten nu dus voor waar aannemen dat Jordanië altijd deel heeft uitgemaakt van Palestina,' kwam Clovis Bakshir tussenbeide. 'Op die manier krijgen we een traditionele heerser met zijn leger. Het komt eigenlijk hierop neer, dat wij dan de beschikking krijgen over de middelen waarmee we kunnen voorkomen dat de moefti terugkeert.'

'Ik zal nu net zo openhartig zijn als u, hadji Ibrahim,' sprak kolonel Zyyad. 'U bevindt zich in een zodanige positie, dat u ons kunt helpen. Koning Abdullah zal binnenkort afkondigen dat Jordanië openstaat voor alle Palestijnen die door de oorlog dakloos zijn geworden. Wij zullen de mensen van de akkers halen en ervoor zorgen dat ze gevoed worden. U zou met uw staat van dienst duizenden ontheemden kunnen overhalen een eind aan hun lijden te maken door de Allenbybrug over te steken en naar Amman te gaan. Dit zal niet voor iedereen gelden, maar er zal ook afgekondigd worden dat Jordanië iedere Palestijn die dat wenst automatisch burgerrechten zal verlenen.'

Wat menslievend, dacht Ibrahim. De kleine koning heerst over uitgeput, onontgonnen bedoeïenenland, dat zichzelf niet eens kan bedruipen. Als de Britten met hun subsidie wegtrekken, zal het een natie van bedelaars zijn. Het kan niet blijven voortbestaan zonder geld uit de schatkisten van Syrië, Egypte en Saoedi-Arabië. Abdullah probeert nu met kunst- en vliegwerk zijn bevolking uit te breiden en ons te gebruiken om aanspraak te kunnen maken op grondgebied dat hem niet toekomt. De koning overschat zijn eigen mogelijkheden. Hij zal binnen een jaar dood zijn, vermoord door zijn Arabische broeders.

'Wij zijn van plan die Palestijnen, die nu met ons samenwerken een belangrijke rol toe te kennen,' zei Zyyad. 'Als ik uw naam als een van de mensen die ons steunen zou mogen noteren, dan is geen enkele functie uitgesloten, zelfs niet die van minister.'

Die man spreekt helemaal niet over onze terugkeer naar onze huizen en akkers. Wij zijn slechts pionnen waarmee geschoven wordt ten dienste van Abdullahs ambities. Hij heeft slechts collaborateurs nodig.

'Hoe kijkt u tegen mijn persoonlijke vriendschap met Gideon Asch aan?' vroeg de hadji plompverloren.

Kolonel Zyyad werd wederom geschokt door Ibrahims openhartigheid. 'Zoals ik al zei, ligt Abdullah niet wakker van de gedachte aan een joodse staat naast de zijne. We zullen die staat uiteraard niet publiekelijk kunnen erkennen of er vrede mee kunnen sluiten. Wij willen echter te allen tijde op een discrete manier contact met de joden houden. We kunnen ons zelfs vrede met de joden voorstellen als er voldoende tijd is verstreken.'

'U zoudt beter moeten weten, kolonel Zyyad. Als deze oorlog voorbij is, zijn de Arabieren zo vernederd als in onze hele geschiedenis nog niet eerder is voorgekomen. Onze gemeenschap en onze godsdienst schrijven voor dat wij de joden eeuwig moeten blijven bevechten.'

'Waarom concentreren we onze gedachten niet op wat hier en nu het beste is voor ons volk en laten we de toekomst niet op haar beloop,' zei Clovis Bakshir. 'Ons wordt de gelegenheid geboden zijn lijden te verlichten.'

Hadji Ibrahim luisterde, stelde vragen en liet doorschemeren dat hij aan het plan wilde meewerken. De bijeenkomst liep ten einde. Kolonel Zyyad schatte dat het hem twee tot drie weken zou kosten om zijn werk op de westelijke Jordaanoever af te maken, naar Amman terug te keren en dan met nader omschreven instructies voor hadji Ibrahim terug te komen. Hij vertrok.

Clovis Bakshir sloeg zich tegen het voorhoofd ten teken dat hij zich opeens iets herinnerde. 'Wat dom van mij,' zei hij. 'Dat was ik vergeten. Mijn broer heeft hier vlakbij een kleine villa. Hij is na de stemming over het verdelingsplan naar Europa vertrokken... om zijn studie af te ronden. Die villa bied ik u, uw zonen en de rest van uw familie aan.'

Tot slot schreef Clovis Bakshir een officiële brief, waarin stond dat hadji Ibrahim het Arabische Rode Kruis-magazijn mocht binnengaan om er voedsel, medicijnen, dekens, kleding, wat hij maar nodig had weg te halen.

'Ik weet niet wat ik zeggen moet,' zei Ibrahim, 'want men had mij te verstaan gegeven dat er in Nabloes geen voorraden voor hulpverlening aanwezig waren.'

Clovis Bakshir maakte een gebaar waaruit moest blijken dat hij daar geen schuld aan had. 'In de huidige situatie moeten we de militairen het eerst van dienst zijn.'

4

De ene dag uien, de volgende dag honing. Op donderdag woonden we nog in de rampzalige kasbah van Nabloes, op vrijdag werden we naar

286

een villa verhuisd. Op mijn vader na hadden we geen van allen nog ooit zo'n prachtig huis van binnen gezien. De vrouwen liepen de hele dag te spinnen van vreugde terwijl ze hun werkzaamheden verrichtten. Zelfs Hagar, die nooit meer geglimlacht had sinds Ramiza ons huis was binnengekomen, kon niet verbergen dat ze genoot.

De eigenaar van het huis was Clovis Bakshirs jongere broer, die direct na de stemming in de Verenigde Naties over het verdelingsplan het land ontvlucht was. Hij was ingenieur en had een kantoortje dat stampvol stond met Arabische en Engelse boeken, zodat ik heel snel van het ene paradijs in het andere terechtkwam.

En toen ontdekte ik nog een derde paradijs! Er was in Nabloes een gymnasium – een school voor hoger onderwijs. Ik moest enkel het goede moment afwachten om het er met mijn vader over te hebben.

Een week na onze verhuizing vroeg hadji Ibrahim me op een avond mee te gaan, de veranda op, want hij wilde met me praten. Ondanks onze verbeterde situatie leek mijn vader niet erg gelukkig te zijn.

'Ik heb je vele vragen te stellen, Ishmaël,' zei hij.

Het vervulde me onmiddellijk met trots dat zo'n belangrijke man als mijn vader mij om raad wilde vragen. Mijn hemelvaart naar het derde paradijs – mijn inschrijving als leerling van het gymnasium – was altijd in mijn gedachten en misschien was dit een goed moment om erover te beginnen.

'Kan jij uitrekenen hoeveel blikken olijfolie ons gezin per jaar verbruikt?'

Zijn vraag verbaasde me. 'Mumkin,' antwoordde ik automatisch. 'Misschien.'

'Met dat antwoord neem ik geen genoegen,' zei Ibrahim. 'Dat hoor je duizenden keren per dag – mumkin. We teren op te veel misschiens. Ik wil een duidelijk ja of nee horen.'

'Ik weet zeker, dat als ik het er met Hagar over heb gehad...'

'Kan je ook andere dingen uitrekenen zoals de hoeveelheid bonen, rijst en andere niet bederfelijke produkten?'

'Voor een jaar?' vroeg ik.

'Voor een jaar.'

'Alles wat we nodig hebben om een jaar lang te kunnen eten en niet bederft?'

'Ja.'

'Mumkin,' zei ik.

'Ja of nee!' zei mijn vader met enige stemverheffing.

Er begon me een angstig voorgevoel te bekruipen. Ik voelde aankomen waar hij op aanstuurde. Ik dacht terug aan de grote potten, zakken en kisten met etenswaren in Tabah. 'Ja,' antwoordde ik.

'Kan je uitrekenen hoeveel liter petroleum we nodig zouden hebben voor het eten koken, licht en warmte?'

'Ik kan dat niet zo nauwkeurig uitrekenen dat het werkelijk tot op de liter klopt, maar wel bij benadering,' zei ik in een poging voor mezelf een marge te creëren.

'Mooi, mooi. Vertel me dan nu eens, Ishmaël, of jij kunt bedenken wat we allemaal per se nodig zouden hebben. Ik denk bijvoorbeeld aan slaapmatten, kookgerei, dekens, zeep, lucifers... al die benodigdheden die wij thuis in Tabah hadden. Artikelen waarover die vervloekte Faroek – ik spuug bij het noemen van zijn naam – in de winkel van Tabah beschikte. Geen dingen die we graag zouden willen hebben, maar dingen die we per se moeten hebben. Geen stof voor nieuwe kleren, maar naald en draad om oude kleren te verstellen.'

'Mumkin,' mompelde ik.

Ibrahim keek me dreigend aan.

'Dit zijn echt moeilijke vragen,' voegde ik eraan toe.

'Ik zal je helpen,' antwoordde hij. 'Het grootste probleem is of dat allemaal in een vrachtwagen van het Iraakse leger zal passen terwijl het gezin ook nog mee moet.'

Het was of ik het bloed uit mijn lijf voelde wegvloeien. Waarom moesten we van een plek als deze weggaan? Hadden we nog niet genoeg meegemaakt? Maar je kunt de wijsheid van je vader niet in twijfel trekken. 'Ik kan pas antwoord geven als ik urenlang heb zitten rekenen.'

'Dat moet voor de eerstvolgende sabbat gebeurd zijn,' zei hij.

Vier dagen! Dit was waanzinnig! Niemand in onze wereld geeft evenwel graag een rechtstreeks of teleurstellend antwoord, maar het had geen zin te proberen hadji Ibrahim met een kluitje in het riet te sturen. Ik knikte verbijsterd.

'Hoeveel tijd zou Kamal nodig hebben om zo'n vrachtwagen te leren besturen?'

'We kunnen al een beetje rijden. Aangezien het bestand elk moment kan aflopen, komen er veel konvooien met militair materieel uit Bagdad binnen. Als die aankomen, willen de soldaten die de vrachtwagens bestuurd hebben óf gaan slapen óf de kasbah in. Het wordt dikwijls alleen aan Kamal en mij overgelaten een werkploeg bij elkaar te trommelen die de wagens uitlaadt. Wij nemen daarvoor de jongens die bij de poort rondhangen en betalen hen met sigaretten. Kamal en ik kunnen de vrachtwagens naar de laadperrons rijden en ze daarna weer op de binnenplaats parkeren.'

'En die kapitein Umrum?'

'Die is zelden in de buurt en als hij weggaat, glippen de soldaten die onder zijn bevel staan meestal ook weg. Hij is verzot op vrouwen. Ik weet niet wat u van plan bent, vader, maar de artikelen die u noemde zijn voor het merendeel niet in onze opslagplaats aanwezig.'

Mijn vader overhandigde me een brief en beval me die te lezen. Het was een vel officieel postpapier van burgemeester Clovis Bakshir waarop hij persoonlijk het bevel had uitgeschreven hadji Ibrahim alles uit het nabijgelegen Arabische Rode Kruis-magazijn te geven wat hij maar nodig had. In de twee opslagplaatsen samen was bijna alles aanwezig wat we nodig zouden hebben. Met zo'n brief zouden we niet op problemen stuiten.

'Is dit alles?'

'Nee,' zei mijn vader. 'We moeten een mitrailleur, vier geweren en vele honderden patronen hebben en vooral Iraakse uniformen voor Jamil, Omar en Kamal.'

Ik waagde het hem teleur te stellen. 'Aan die uniformen is wel te komen, maar niet aan de wapens,' antwoordde ik. 'Het magazijn met wapens valt niet meer onder kapitein Umrums afdeling en het wordt voortdurend zwaar bewaakt.'

'Misschien moeten we het dan zonder mitrailleur doen,' mompelde hij. 'De hand leggen op die geweren zal geen probleem zijn. Het wemelt in de kasbah van de deserteurs uit zowel Kaukji's als het Iraakse leger. Die verkopen allemaal hun wapen op de zwarte markt. We zullen een heleboel sigaretten nodig hebben om mee te onderhandelen.'

'Aan sigaretten is wel te komen,' zei ik onmiddellijk om hem gunstig te stemmen. 'Maar waarom moeten we vertrekken?' flapte ik eruit. 'Waarom kunnen we niet gewoon blijven waar we zijn?'

'Waarom, Ishmaël, hebben wij deze villa gekregen, denk je? Vertel me dat eens.'

'Omdat u een belangrijke en gerespecteerde moektar bent,' antwoordde ik.

'Alle velden, ravijnen en bergen hier in de buurt zitten vol met belangrijke en gerespecteerde moektars,' zei hij. 'Je hebt me vele malen voorgelezen over Abdullah. Je weet wie hij is.'

'De Hasjemitische koning van Jordanië,' antwoordde ik.

'En aangezien jij een jongen bent die heeft mogen leren, weet je ook wie de Hasjemieten zijn.'

'De Hasjemieten zijn van dezelfde clan als Mohammed. Zij zijn uit Arabië afkomstig, uit de Hedzjaz. Zij waren de hoeders van de heilige plaatsen in Mekka.'

'Precies,' zei mijn vader goedkeurend. 'Het is een clan van moskee-bewakers. Dat bot hebben ze die honden toegeworpen vanwege Mohammed. Zij waren geen van allen ooit meer dan onbelangrijke emirs en dat waren eretitels. Wij zijn sajjids. Wij zijn eveneens aan Mohammed verwant en rechtstreeks afstammelingen. Geloof me, Ishmaël, jij hebt er meer recht op koning van Jordanië te zijn dan Abdullah. Tot drie maanden geleden bestond er helemaal geen Hasjemitische dynastie, enkel een lange reeks moskeebewakers. Dat gedoe met een koning werd door het Britse Ministerie van Buitenlandse Zaken bedacht, net als heel Jordanië. Als zij van koninklijke bloede zijn, is een serie ezels bij een bron dat ook.'

Hij sloeg zijn handen op zijn rug ineen, citeerde met zijn gebedskralen in beweging vele van de negenennegentig namen voor Allah en begon toen hardop te peinzen. 'We moeten vertrekken, omdat wij voor eeuwig Abdullahs honden zullen zijn, als wij hem eenmaal meester hebben genoemd. Om in Nabloes te mogen blijven, moest ik erin toestemmen onze mensen van de velden weg te lokken, de Allenbybrug over naar Amman. Abdullah heeft onze lichamen nodig om zijn zogenaamde koninkrijk op te vullen. Waar lok ik ons volk dan naar toe – naar een land van melk en honing? Ik ben Mozes niet en Jordanië is niet ons beloofde land. Het is een koninkrijk van kamelestront en zand, zo uitgeput dat het geen mond extra kon voeden, zelfs niet ter gelegenheid van de kroning van de koning. De Allenby is een brug die je maar naar één kant kunt oversteken. Wanneer we er eenmaal overheen zijn gegaan, zullen we niet terugkeren.'

'Ik geloof dat ik het begrijp,' zei ik, bijna in tranen uitbarstend.

'Je moet het begrijpen! Als we de afgelopen maanden ook maar iets geleerd hebben dan is dat, dat we slechts tot broederschap en gastvrijheid geneigd zijn zolang onze wijnstokken overvloedig vruchten dragen en er vrede is. Als ons volk door vrees wordt bevangen, smijt het onbarmhartig de deur voor onze neus dicht. Welke dwaas gelooft dat het in dat onontgonnen land aan de andere kant van de rivier ook maar iets beter zal zijn? Abdullah is niet mijn koning en hij is niet jouw koning. Geloof me, hij heeft meer vijanden in de Arabische wereld dan wie ook, zoveel dat ik ze niet eens kan tellen.'

Mijn vader zakte onderuit en zijn gezicht vertrok van pijn. De gebedskralen in zijn handen bewogen niet meer. Zijn stem kraakte toen hij sprak. 'Tabah,' zei hij. 'Tabah. Wij moeten terugkeren naar de plek die we kennen en liefhebben. We moeten ons grondbezit weer opeisen, onze mensen opzoeken en hen thuis brengen. Deze idioten hier zullen elkaar eeuwigheden lang afslachten bij hun pogingen uit te maken wie over Palestina moet heersen.'

Mijn vader keek me nu aan, met ogen vervuld van droefheid. 'Ik zou morgen naar Tabah willen terugkeren, zelfs als de joden het daar voor het zeggen hebben.'

Dit was de eerste keer dat mijn vader mij op zo'n openhartige en eerlijke manier in vertrouwen nam en dat zou ik nooit vergeten. 'Ik ben al een plan aan het uitwerken,' zei ik.

Hij legde zijn hand op mijn schouder. 'Ik ben afhankelijk van je geworden. Wij besteden veel te veel tijd aan intriges en veel te weinig tijd aan het maken van plannen.'

'Ik zal u niet teleurstellen, vader,' zei ik. 'Waar gaan we heen?'

'Voor de laatste fase van onze ontsnappingspoging hebben we de hulp nodig van onze fictieve vriend, kolonel Hakkar. Jij moet op Iraaks postpapier een brief schrijven, dat ze ons overal, ook bij wegversperringen moeten doorlaten. Met je broers als Iraakse soldaten verkleed kunnen we in onze opzet slagen.'

'Ik begin het te begrijpen.'

'Toen ik zo oud was als jij, heerste er in Tabah een afschuwelijke ziekte. Ik werd naar de Wahhabieten gestuurd. In diezelfde tijd werd Faroek – moge Allah hem met blindheid slaan – door christenen in huis genomen, die hem leerden lezen. Onze clan verliet in de zomer altijd de streek rond Berseba en trok dan langs de Dode Zee. Halverwege die zee staat een oude joodse burcht, de Massada geheten. Ten noorden van de Massada, op de plek waar de zee vlakbij Jericho ophoudt, bevindt zich een gebied met honderden, ja misschien wel duizenden grotten – grote grotten, kleine grotten, verborgen grotten, grotten halverwege de rotswanden. Deze grotten hebben door de eeuwen heen als toevluchtsoord dienst gedaan voor smokkelaars, belangrijke godsdienstige mannen, verslagen legers. In die grotten is het in de zomer koel. Sommige zijn zo groot als een huis. De meeste bevinden zich slechts een paar kilometer landinwaarts van de zee af.'

'Kunnen we er met een vrachtwagen dichtbij komen?'

'Niet heel dichtbij. We zullen alles het laatste stuk moeten dragen. We hebben daarom veel touw nodig om voorraden te trekken, te hijsen en op onze rug vast te binden. Wanneer we de vrachtwagen hebben leeggehaald, moet Kamal mij naar Oost-Jeruzalem rijden. Het zal niet moeilijk zijn om een overgeschoten legervoertuig kwijt te raken.'

'Hoe zit het met drinkwater?' vroeg ik, want ik wist dat de Dode Zee erg zout was.

'Jij gebruikt je hersens tenminste,' zei mijn vader. 'Er is een fantas-

291

tische oase met een bron, Engedi genaamd, waar onze grote koning David zich schuilhield voor Saul. Er bevindt zich echter ook een kibboets vlakbij en ik weet eigenlijk niet of die in Arabische of joodse handen is.'

'Maar weten anderen niet van deze grotten af?'

'Waarschijnlijk wel. Maar niemand gaat naar die streek terug zonder voorraden en wie kunnen daar verder nog voor zorgen? De bedoeïenen – over hen zit ik in. Zij zullen op kilometers afstand onze eerste maaltijd ruiken. Daarom moeten we wapens hebben.'

'Vader, ik smeek u... aangezien we vele maanden in een grot zullen wonen... mij... mij toe te staan een paar boeken mee te nemen.'

'Boeken! Verander je dan nooit? Nou ja, de villa waarin wij nu zo aardig wonen is het huis van een geleerd man die is gevlucht. Doe wat je niet laten kunt voor zover de ruimte in de vrachtwagen dat toelaat. En bedrieg me niet door de aantallen te wijzigen. We hebben meer behoefte aan etenswaren dan aan boeken.'

'Ik beloof dat ik u niet zal bedriegen,' loog ik. 'Wanneer vertellen we aan Kamal, Omar en Jamil wat we van plan zijn?'

'Twee minuten voor we in beweging komen,' antwoordde hij.

De voorraden berekenen was een heidens karwei. Ik sliep overdag en 's nachts steeds maar heel even. Het mooie eraan was dat ik de hele tijd met mijn vader moest samenwerken. Mijn broers waren achterdochtig omdat we vaak lang in afzondering met elkaar praatten.

Toen ik een lijst had opgesteld van de dingen die we nodig hadden, zocht ik uit waar we alles óf in de opslagplaats van de Iraakse intendant óf in het Arabische Rode Kruis-magazijn zouden kunnen vinden. Ik tekende een kaart waarop ik de plek aangaf waar levensmiddelen, brandstof, touwen – alles wat op de lijst stond lag opgeslagen. Wanneer de tijd van vertrek aanbrak, zouden we niet opgehouden worden doordat we blindelings in de opslagruimten moesten gaan lopen zoeken.

Ik bracht mijn vader tientallen dozen met sigaretten en hij wist op één dag niet alleen de hand te leggen op een mitrailleur, maar ook nog op twee geweren, twee machinepistolen, patronen, granaten en dynamiet.

Ik hield het plan eenvoudig. We moesten ervoor zorgen dat kapitein Umrum op de dag dat we het plan ten uitvoer brachten niet in de buurt was. Ik kende een jongen die als souteneur optrad voor een bijzonder knappe vrouw en ik beloonde hem royaal voor de afspraak die ik met hem maakte. Daarna begon ik tegen kapitein Umrum te vertellen dat ik dit fantastische wezen gezien had en wist dat ze beschikbaar was. Natuurlijk trapte Umrum, de idioot, erin en stond erop dat ik ervoor zorgde dat hij haar kreeg. Ik verzekerde hem dat ik naarstig zou proberen haar voor een hele dag te krijgen, maar ze was erg in trek, dus dat werd moeilijk. Hij kwijlde terwijl ik het aas voor zijn neus liet bengelen.

Ik stelde lijsten met benodigdheden op waarvoor geen enkel leger zich had hoeven schamen, die stomme Irakezen al helemaal niet. Ik schreef ook een zogenaamd van kolonel Hakkar afkomstige brief om ons vrije doortocht te verlenen.

Eén detail verontrustte me echter in hoge mate. Ik had een recente militaire kaart opgespoord en was te weten gekomen, dat we ons, wanneer we Jericho eenmaal achter ons hadden gelaten, op een verraderlijke weg zouden bevinden die eigenlijk geen weg was, maar een pad waarvan alleen gebruik gemaakt werd door karavanen bestaande uit kamelen. Als we onverhoeds op zand of water stuitten, kon de reis daardoor ter plaatse eindigen. De zwakte van het plan zat in de verzameling onderdelen van de vrachtwagen. Ik wilde dit niet aan hadji Ibrahim vertellen, omdat het altijd makkelijker is slecht nieuws nog even voor je te houden dan om het direct mee te delen. Hoe langer ik erover nadacht, hoe meer ik besefte dat we onverantwoorde risico's namen.

Ik wachtte met naar mijn vader te gaan tot ik niet langer wachten kon. Toen hij mij meedeelde dat de Jordaanse kolonel Zyyad twee dagen later in Nabloes zou terugkeren, moest ik hadji Ibrahim tegemoet treden met mijn hart op mijn tong. Mijn ogen waren rood van inspanning en mijn brein was beneveld, maar mijn grootste angst was hem teleur te stellen.

'Vader,' zei ik hees, 'ik moet eerlijk tegen u zijn, heel eerlijk. Kamal en ik zijn geen van beiden in staat om door die bergen naar Jericho te rijden, laat staan de woestijn in. De helft van de Iraakse motorvoertuigen is de helft van de tijd in reparatie. Zij worden slecht onderhouden en zij komen allemaal helemaal vanuit Bagdad naar Nabloes gereden. Wanneer u dan ook nog bedenkt, dat de wegen slecht zijn, kunnen we onmogelijk de grotten bereiken zonder pech onderweg. Kamal en ik hebben geen van beiden enig idee van wat zich onder de motorkap van een vrachtwagen afspeelt.'

Ik was dankbaar dat mijn vader het nieuws stoïcijns opnam. Hij realiseerde zich ogenblikkelijk dat we zo goed als dood waren, als we vóór we de grotten bereikten op enig punt met panne te kampen kregen, of dat nu veel of weinig tijd kostte. Met al die voorraden bij ons en overal soldaten en vertwijfelde mensen zouden we nog geen uur na het defect raken van de auto afgeslacht zijn. Hij verbleekte.

'Ik heb iets bedacht,' zei ik.

'Bij de baard van de Profeet, zeg op!'

'In de garage op mijn terrein werkt een jongen die Sabri Salama heet. Hij is zestien jaar en hij is een monteur die wonderen kan verrichten. Hij weet hoe je vrachtwagens moet repareren. Hij kan uit een afgeschreven vrachtwagen reserve-onderdelen halen en daarmee dan weer andere repareren. Hij kan ze ook prima besturen. In zijn stad werd gevochten en tijdens die gevechten werd hij van zijn familie gescheiden. Hij was weg toen de joden toesloegen en kon niet terugkeren. Hij is er zeker van dat zijn familie op weg naar Gaza is gegaan. Hij wil ontzettend graag uit Nabloes weg. Ik weet dat hij met ons mee zal gaan als we hem dat vragen.'

Mijn vaders gezicht veranderde in een woordenboek van argwaan. 'Hij kan nooit vanuit Nabloes naar Gaza komen, of hij moet over vleugels beschikken. Als monteur kan hij hier, waar hij nu is, als een prins de oorlog uitzitten.'

'Sabri heeft me toevertrouwd dat... dat... dat...'

'Dat wat!'

'Dat een Iraakse luitenant hem meegenomen heeft... hem gedwongen heeft... zijn... zijn vriendin te zijn.'

Mijn vader sloeg me op mijn gezicht. Het zou meer pijn gedaan hebben als ik niet op die klap voorbereid geweest was. 'Hij kon er niets aan doen. Hij is er door pijnlijke martelingen toe gedwongen!'

Hadji Ibrahim slaagde erin zich te beheersen. 'Hoe heeft hij zijn vak geleerd? Het vak van monteur, bedoel ik?'

'Zijn vader was de eigenaar van een garage met vijf vrachtwagens waarmee zij in de dorpen rondom zijn stad landbouwprodukten afhaalden en naar Jaffa vervoerden.'

'Welke stad?'

'Beit Ballas.'

'Beit Ballas! Een stad van dieven! Een kuil vol moefti-moordenaars!'

Op dat moment had het me niet kunnen schelen als mijn vader me zou hebben doodgeslagen. Ik kon mijn familie niet verdoemen door net te doen alsof dit gevaar niet bestond.

'Vader,' zei ik, 'u gooit nu de deur dicht voor de neus van een onschuldige broeder, net als deuren voor onze neus zijn dichtgesmeten.'

Ik kreeg opnieuw zo'n harde klap dat ik meende dat mijn hoofd eraf zou rollen. Ik wilde hem toeschreeuwen dat hij die vervloekte vrachtwagen dan maar zelf moest besturen, maar ik bleef enkel rechtop voor hem staan en wachtte naar mijn idee zeker twintig minuten.

'Breng die Sabri bij me. Ik wil met hem praten.'

Mijn vaders gezonde verstand won het gelukkig van zijn trots. Sabri Salama bleek niet alleen een uitstekende chauffeur, maar verder ook zo handig dat er met hem in de buurt niets kon misgaan. We besloten vroeg in de ochtend in plaats van 's nachts weg te gaan, want in de nacht houden ons ogen in de gaten die wij niet kunnen zien. Als we panne kregen, konden reparaties veel beter bij daglicht uitgevoerd worden.

We hadden ons oog laten vallen op een net gerepareerde vrachtwagen, maar die werd op het laatste moment voor onze neus weggekaapt. We moesten genoegen nemen met een vrachtauto die net de slopende tocht vanuit Bagdad gemaakt had. Toen de wagen was volgeladen, moesten wij er zo dicht op elkaar in gaan zitten, dat een boer rampzalig had kunnen zijn. Tussen Nabloes en Jericho – een afstand van minder dan tachtig kilometer via bergwegen – kregen we viermaal pech. Tijdens ieder oponthoud zetten wij zenuwachtig een wachtpost uit, terwijl Sabri onder de motorkap of onder de auto dook. Gelukkig bleek hij iedere keer het antwoord te weten en over het vereiste reserve-onderdeel te beschikken. Zijn optreden boezemde ontzag in.

Net ten zuiden van Jericho reden we over botten brekend terrein langs de Dode Zee. Mijn vader begon zich er dingen van te herinneren.

'We zijn er dichtbij. We zijn er dichtbij. Kijk uit naar ruïnes.'

'Daar,' riep Omar.

We waren bij eeuwenoud Qumran aangekomen, dat nu niet meer was dan een hoop ruwe natuursteen. Mijn vaders ogen namen aandachtig de afschrikwekkende muur van rotsen en steile bergkloven op die vanaf de zee landinwaarts liepen. Hij koos de eerste de beste kloof uit om er binnen te rijden, omdat een droge bedding min of meer als weg dienst kon doen. Na een kleine kilometer bleven we heel dicht bij een grotingang steken. De vrachtwagen begaf het en wij waren halfdood van het gehots en stikten bijna in het stof en van de koortsachtige hitte.

Het begon snel donker te worden. We zouden moeten wachten tot het weer licht werd vóór we op zoek konden gaan naar een schuilplaats die aan al onze eisen voldeed. Ik was nog maar twaalf jaar oud, maar ik was al een Arabische generaal.

5

We stonden op zodra de zon opkwam. Sabri begon onmiddellijk aan de vrachtwagen te sleutelen. Hij vermoedde dat er heel wat aan het voertuig mankeerde.

Jamil bleef achter om de voorraden, de vrouwen en Sabri te bewaken. De overige vier mannen – ik noem mijzelf voorzichtig een man – begonnen een hoge, steile helling te beklimmen naar de kloofopening om er naar een geschikte grot te zoeken. Het was voor mij een grote dag: ik kreeg voor de eerste keer een geweer te dragen.

Enkele tientallen meters hoog kwam de droge bedding op een hoger gelegen plateau uit. We liepen de kloof binnen met zijn honderden meters hoge rotswanden, die aan weerskanten boven ons uittorenden. Tweehonderd meter landinwaarts vonden we een toegang tot nog een kloof en splitsten we de groep in tweeën. Ik bleef bij mijn vader, terwijl Omar en Kamal afsloegen.

Ik had het horloge bij me dat Gideon Asch me gegeven had en Kamal had er ook één bij zich, dat hij van de Irakezen had gekregen. Ik stelde voor een tijd af te spreken waarop we weer bij elkaar zouden komen, maar Ibrahim had geen vertrouwen in uurwerken. Hij wees naar de zon en duidde aan dat wij, als zij haar hoogste stand aan de hemel bereikt had, naar de tweesprong moesten terugkeren om onze bevindingen te bespreken.

Ongeveer een halve kilometer verderop begonnen mijn vader en ik grotten binnen te rennen, maar niet één ervan bleek geschikt. Zij bevonden zich voor het merendeel enkele tientallen meters hoog in de rotsen, waardoor ze uiterst moeilijk of helemaal niet te bereiken waren. We kwamen bij nog een tweesprong. Mijn vader voelde er het meest voor de brede kloof verder in te lopen, maar ik wilde een kleine kloof ingaan die dood scheen te lopen. Wij begingen de ernstige vergissing ieder onze eigen weg te gaan. Mijn kloof bleek uiteindelijk niet dood te lopen, maar uit te komen in een andere tak van die kloof en toen ik de weg terug probeerde te vinden, kwam ik tot de ontdekking dat ik me in een doolhof bevond.

Terwijl de schroeiende zon begon te zakken, leken de kloofwanden al dichter naar me toe te komen. Ik nam een slokje water uit mijn veldfles en hield mezelf voor dat ik niet in paniek moest raken. Na een uur realiseerde ik me, dat ik in een kringetje rond strompelde, me niet kon oriënteren en geen uitweg kon vinden.

Misschien, zei ik, was ik te snel man geworden, want ik voelde me net een kleine jongen. Niet in paniek raken, bleef ik mezelf voorhouden. De zon gleed aan de middaghemel al verder omlaag. Ik begon te roepen en te fluiten, maar mijn eigen stem bespotte me in echo's die van de wanden terugkaatsten.

De rotsen waren zo hoog dat de zon uit het zicht verdween en toen de hitte begon af te nemen, wist ik dat het tegen het eind van de middag liep. Ik schreeuwde nog een paar keer uit alle macht, maar het enige antwoord was mijn echo. Ik liet me op de grond zakken, verborg mijn hoofd in mijn handen en stond op het punt in huilen uit te barsten, toen ik opkeek.

Ik dacht dat ik een grotopening zag, slechts een meter of vijftien hoger in een rots. Ik rende naar de andere kant van de kloof om er vanuit een betere hoek naar te kijken. Ja. Er bevond zich boven mij een heel grote grot! Ik wilde zo vreselijk graag degene zijn die de grot ontdekte, dat mijn angst voor een deel verdween.

Het was een steile klim, maar mijn handen en voeten waren als klauwen. Ik werkte me als een spin omhoog. Een bekende, kwalijke lucht bereikte mijn neusgaten. Het was de stank van lijken. Terwijl ik daar aan de zijkant van de rots hing, probeerde ik tot een besluit te komen: verder omhoog klimmen of teruggaan.

Kom op, Ishmaël, spoorde ik mezelf aan, zorg dat je bovenkomt. Ik bereikte een kleine richel bij de ingang. Ik was weer bang, echt heel erg bang. Mijn hand trilde zo, dat ik hem bijna niet kon stilhouden toen ik mijn zaklantaarn aanknipte en naar de ingang toeliep. De straal bescheen een heel grote spelonk, vele malen groter dan ons huis. Mijn zaklantaarn tastte de wanden af. Op deze grote ruimte kwam een aantal gangen uit. Ik durfde er niet verder in te lopen, want ik was al in de bergkloof verdwaald en wilde de zaak er niet nog erger op maken door ook nog binnen in de grot te verdwalen.

Opeens raakte ik in paniek. Met gefladder van vleugels en bloedstollende kreten kwam een massa zwarte vogels op me afgestormd. Ik gaf een gil toen een stuk of zes aasgieren naar buiten vlogen, me bijna van de richel duwden, rondcirkelden en woedend op me afkwamen. Ik drukte mijn rug tegen de rotswand en vuurde mijn geweer af. Ik raakte niets, maar het schot joeg hen weg.

Ik onderdrukte mijn verlangen om te vluchten, schuifelde naar de ingang van de grot terug en ontdekte de bron van de stank. Vier vrouwen, een aantal kleine kinderen en één man. Zij waren nog niet lang dood en volledig door bedoeïenen uitgekleed. Miljoenen van die afgrijselijke kleine maden waren hen aan het verslinden.

Ik kon mijn eigen ademhaling en grommen zo duidelijk horen, dat ik ervan schrok. Ik begon binnenin de grot nog meer enge geluiden te horen. Hadden de bedoeïenen me de hele tijd in het oog gehouden? Het drong tot me door dat ik een domein was binnengedrongen dat aan smerige beestjes en ongrijpbare bedoeïenen toebehoorde. Maar de spelonk was zo groot en zo dichtbij de grond, dat ik verder op onderzoek uit ging. Ik ontdekte uitwerpselen van vogels; ongetwijfeld van vleermuizen.

Ik liep weer terug naar de richel. Vandaar was de toegang tot de aftakking van de kloof duidelijk zichtbaar, zodat deze makkelijk bewaakt kon worden. Boven de richel verhief zich een rotswand die zeker driehonderd meter hoog moest zijn. Zelfs een bedoeïen zou zich daar vanaf geen weg omlaag kunnen banen zonder ontdekt te worden.

Maar hoe kwam ik nu weer bij de vrachtwagen terug en kon ik de volgende dag deze grot terugvinden? Zouden we kunnen ruiken welke weg we daarvoor moesten volgen? Als ik de lijken nu eens naar buiten smeet. Dan konden we de grot lokaliseren door de aasgieren in het oog te houden. Het was weerzinwekkend, maar ik liep weer de spelonk in, trok de lijken naar buiten, smeet ze over de richel en zag hoe de aasgieren voorzichtig hun banket voortzetten.

Daar! Op de rand van de richel! Ze hadden een touwladder gemaakt. Ik probeerde hem uit om te zien of hij verrot was, maar hij leek sterk genoeg en ik wist dat ik het erop moest wagen. Ik klauterde snel naar beneden.

Het begon donker te worden. Moest ik nu hier blijven en vader, Omar en Kamal morgenochtend naar me laten zoeken? Ik vuurde nog een schot af op de aasgieren, in de hoop dat mijn vader het geluid zou opvangen. Ik miste opnieuw, maar zij verspreidden zich daardoor. Ik kwam op het idee een steen te pakken en daarmee tekens op de wanden te maken, die ons konden terugleiden naar de grot.

Naarmate het donkerder werd, werd ik al banger. Ik kon niet verder gaan. Ik maakte het me zo makkelijk mogelijk in een spleet, laadde mijn geweer en probeerde met mijn ogen het duister te doorboren.

Allerlei soorten geluiden maakten me aan het schrikken – vallende stenen, de jakhals die uitriep dat hij wist van mijn aanwezigheid, het honende gekakel van vogels die al een maal in me zagen.

Ik bleef wakker tot ik mijn hoofd niet meer overeind kon houden, maar werd toen toch nog telkens door enge geluiden opgeschrikt.

'Ishmaël! Ishmaël! Ishmaël! Ishmaël! Ishmaël!'

Ik opende mijn ogen met een bonzend hart en een droge mond.

298

'Ishmaël! Ishmaël! Ishmaël! Ishmaël! Ishmaël!'

Ik zag het spel van licht en schaduw op de kloofwanden en tien triljoen sterren boven me. Even wist ik niet waar ik was, maar toen dat weer tot me doordrong, begon majnun – de geest die je waanzinnig maakt – bezit van me te nemen.

'ISHMAËL! Ishmaël! Ishmaël! Ishmaël! Ishmaël!' galmde het door de bergkloof. Het was Allah die mij bij zich riep. Nee! Nee! Het was mijn vaders stem!

'*Vader!* Vader! Vader! Vader! Vader!'

Oh God, alstublieft, alstublieft, alstublieft! smeekte ik.

'Ishmaël!'

'Vader!'

'Ishmaël!'

'Vader!'

We konden elkaar niet vinden, ook al scheen de maan, maar we slaagden er wel in elkaars stemgeluid al dichter te naderen. 'Kan je me verstaan!' riep zijn stem.

'Ja!'

'Blijf waar je bent! Verroer je niet! Ik vind je morgenochtend wel! We kunnen elkaar vannacht steeds roepen!'

'Zijn Kamal en Omar bij u!'

'Nee, maar we horen elkaar zachtjes. Vrees niet, mijn zoon! Allah zal je beschermen!'

Ik wenste dat ik in plaats van Allah mijn vader bij me had op dit moment, maar ik was opeens niet bang meer. De maan gleed boven mij voorbij en verlichtte de wanden op een fantastische manier. Dit in combinatie met de sterren gaf me opeens het gevoel, dat ik me weer in het paradijs bevond. Ik was een bedoeïen! En ik sliep als een bedoeïen, voorovergebogen gezeten met één oog en beide oren open. Mijn vader stelde mij gerust door de hele nacht door naar me te blijven roepen.

Toen het licht begon te worden, zag ik mijn vader en broers naar me toe komen. Ik had vreemde gevoelens. Ik wilde dat zij mij redden, maar ik had geleerd niet bang te zijn en ik had de woestenij bij nacht gezien en kon er niet genoeg van krijgen. Ik liep naar hen toe, probeerde te doen alsof er niets bijzonders gebeurd was, maar kon niet anders dan opgewonden praten terwijl ik hen voorging naar de grot. Die was makkelijk te vinden, omdat de aasgieren al in groten getale aanwezig waren.

We klommen langs de touwladder omhoog en liepen de grot in.

Mijn vader nam de defensieve mogelijkheden in ogenschouw.

'Dit is precies wat we zoeken! Laten we hopen dat de aasgieren hun werk snel doen en niet de bedoeïenen naar ons terugleiden.'

'Wat waren dit voor mensen, denkt u?' vroeg Kamal.

'Dat weet Allah alleen. Er schijnt maar één man bij te zijn. Verder zijn het vrouwen en kinderen. De man werd waarschijnlijk als wachtpost achtergelaten, terwijl de andere mannen op zoek gingen naar voedsel. Ik weet wel zeker dat zij op de terugweg zijn verdwaald en dat de vrouwen en kinderen van honger zijn omgekomen.'

Ibrahim bleek gelijk te hebben, want in de daaropvolgende dagen vonden we de lijken van drie mannen die tevergeefs naar een uitweg gezocht hadden. Ze hadden geen kledingstuk meer aan en ook was er niets overgebleven van de voorraden die zij mogelijk bij zich gehad hadden. De bedoeïenen hadden hen het eerst te pakken gekregen en kort daarop de aasgieren.

We vonden de kloof terug waar we aan onze tocht begonnen waren en brachten zorgvuldig tekens op de wanden aan, zodat we de weg naar de grot zouden kunnen terugvinden. Het begon al te schemeren toen we bij de vrachtwagen aankwamen. De vrouwen konden ons niet omhelzen waar de anderen bij stonden en bleven daarom voor ons staan huilen, want ze waren ervan overtuigd geweest dat we verdwaald waren.

Ik schrok toen ik de vrachtwagen zag. Rond Sabri lagen wel honderd onderdelen op dekens op de grond.

'Alles is bedekt met een koek van zand en vuil. Elk onderdeel moet schoongemaakt worden, vóór ik hem weer in elkaar kan zetten.'

'Zal hij dan nog willen rijden?'

'We zitten met een probleem. De radiator is stuk. Er zat geen water in.'

'Als we deze vrachtwagen niet hier vandaan kunnen krijgen om hem te verkopen, zullen we in een zeer gevaarlijke situatie verzeild raken,' zei Ibrahim. Hij keek helemaal verbijsterd naar wat hij daar voor zich uitgespreid zag liggen en ik wist dat hij dacht dat die auto onmogelijk weer goed in elkaar gezet kon worden, laat staan dat hij dan nog wilde rijden ook.

We stelden een plan op om bij toerbeurt de vrachtauto te bewaken. Sabri zou er aan blijven sleutelen, want elke minuut telde. Alle anderen zouden de voorraden uitladen. Je kon per keer niet meer dan twintig tot vijfentwintig kilo voorraden en water dragen, want er moest af en toe flink geklommen worden en de hitte was moordend. We maakten er ons zorgen over, of de tekens op de wanden wel effectief zouden blijken. Een niet door ons, maar door de natuur aangebracht teken kon ons makkelijk op een dwaalspoor zetten.

'Toen ik nog heel jong was en mijn vader de garage nog niet had geërfd, was ik herder,' zei Sabri. 'Ik trok toen altijd 's winters de Bab el Wad in om de kudde daar te laten grazen. Ik gaf mijn weg terug naar mijn grot aan door op korte afstand van elkaar steeds een aantal stenen op elkaar te stapelen.'

Dit was een prima idee, maar dat vond ik helemaal niet leuk. Sabri was nog maar een paar dagen geleden ons leven binnengestapt, maar wist al te vertellen wat de oplossing was voor het merendeel van onze problemen. Bovendien had hij verscheidene winters in een grot gewoond. Daardoor zou hij nog meer oplossingen voor problemen kunnen aandragen. Sinds ik had leren lezen en schrijven, was ik Kamal te slim af geweest en had ik Jamil en Omar opzijgeschoven. Ik had de onverdeelde aandacht van mijn vader gehad en deze Sabri vormde nu een bedreiging. Ik wist niet hoe ik me daartegen moest verweren, want we hadden hem nodig.

We sloegen met onze eerste tocht nauwelijks een bres in de voorraden en kwamen tot de ontdekking dat zo'n tocht nog afmattender was dan we al vermoed hadden. Het eerste dat we deden, was de grot uitroken door er petroleum in rond te sprenkelen en die aan te steken. We doodden op die manier niet alleen de maden, maar verdreven ook de vleermuizen die zich, zoals ik al had vermoed, dieper in de grot ophielden. Toen de vlammen gedoofd waren en de rook zich had verspreid, bevestigden we touwen met lussen erin aan de richel om de voorraden op te hijsen. Vader zette ons om de beurt op wacht in de grot. Aangezien de vrouwen niet op wacht konden staan, moesten zij steeds de tocht heen en terug meemaken om de voorraden aan te voeren. We speelden het niet klaar om meer dan twee van die tochten op een dag te maken. Binnen een paar dagen was onze voorraad water in legerjerrycans van vijfentwintig liter drastisch geslonken.

We doorzochten de ruïnes van de Qumran-nederzetting, hoewel we wisten dat de bedoeïenen er al door de eeuwen heen in op strooptocht geweest waren, want we hoopten tegen beter weten in dat we er een waterbron zouden vinden. De waterleiding, die tijdens de overstromingen in de winter volliep, was al lang geleden vernield. In alle waterreservoirs zaten scheuren, waarschijnlijk als gevolg van de vele aardbevingen die dit gebied in de loop van de tijd geteisterd hadden.

Volgens Ibrahim konden we onze eigen reservoirs aanleggen of op de een of andere manier 's winters, de enige tijd dat het hier regende, water opsparen door het in te dammen. Tijdens een normale regenbui stroomde het water van de hoge rotsen af, de nauwe kloven in. Aangezien het niet in de rotsachtige bodem kon wegzakken, kwam het water dan steeds hoger te staan en vond het vervolgens zijn weg een bredere bedding in. Wanneer het water uit een stuk of zes kloven in één enkele bedding uitstroomde, was het resultaat een stortvloed, waardoor water omlaag gutste, de Dode Zee in. Ibrahim herinnerde zich dat hij als jongen ooit door zo'n stortvloed overvallen was en bijna was verdronken.

Het was nu hoogzomer. Er zou maandenlang geen regen vallen en we hadden nog maar voor een dag of tien water in voorraad. Wanneer we niet als slaven onze tochten van de vrachtwagen naar de grot en omgekeerd hadden hoeven maken, was ons water al op geweest. Het duurde een volle week vóór de vrachtwagen leeg was. In die tijd had Sabri hem weer bijna helemaal in elkaar gezet.

Sabri deelde ons nu het slechte nieuws mee, dat de radiator lekte als een zeef, dat al het water uit de motor was verdwenen, de accu het begeven had en het reserve-exemplaar niet goed opgeladen was. Hij wist niet zeker of de vrachtwagen weer aan de praat te krijgen zou zijn, zelfs al vernieuwde hij die onderdelen.

Intussen werd door de vrouwen de grot bewoonbaar gemaakt. Toen ze de vijftien meter lange ladder eenmaal waren opgeklommen, kwamen ze maar zelden naar beneden. Het was daar in de grot heerlijk koel. We ontdekten dat er een aantal gangen op de grote ruimte uitkwam, zodat iedereen zich desgewenst kon afzonderen. Dat betekende dan wel dat je je het pikdonker in begaf. We mochten onze zaklantaarn alleen aanknippen om onze weg terug naar de grote ruimte te vinden. Ik ontdekte een tunnel die naar een andere uitgang leidde en daar vandaan kon ik naar een richel klimmen, vanwaar ik kon neerkijken op het hele noordelijke uiteinde van de Dode Zee. Tot ontsteltenis van mijn broers eiste ik die plek op voor Sabri en mij. Als zij ook een richel voor zichzelf wilden hebben, moesten ze die maar net als ik zien te vinden.

Helemaal achterin de grote ruimte, realiseerden we ons, drong door een spleet licht naar binnen. Door wat rotsgesteente weg te bikken konden we een schoorsteen naar buiten uithakken. Daarmee waren veel problemen opgelost. We konden onder de schoorsteen voortdurend een vuur laten branden, dat de grote ruimte verlichtte en ons tevens warmte verschafte voor het koken. Om het vuur brandende te houden zonder kostbare brandstof te verbruiken, moesten we iedere dag in beddingen naar hout gaan zoeken. Door de overstromingen in de winter hadden verscheidene lage struiken en planten kunnen overleven. We verzamelden wilde framboos, wegedoorn, sorbenkruid, tamarisk en marjolein om de vlammen te voeden. Toen we bij toeval op een volgroeide terpentijnboom stuitten, was ons brandhoutprobleem opgelost.

In het begin probeerden we de grote woestijnhazen te schieten die voortdurend voor onze voeten langs renden. Wij konden echter geen van allen erg goed mikken, zodat de konijnen ons te slim af waren. Het was trouwens ook gevaarlijk, want Jamil werd een keer geschampt door een afketsende kogel. Opnieuw kwam Sabri met een oplossing. Hij wist hoe je strikken voor konijnen moest zetten en die konden daar makkelijk met een handvol graankorrels naartoe gelokt worden. We beschikten al gauw over meer dan genoeg konijnevlees om ons rantsoen aan te vullen.

We hadden nog maar voor vier dagen water in voorraad, toen Sabri de vrachtwagen weer in elkaar had gezet.

'Ik moet in Jeruzalem een nieuwe radiator gaan halen. Ook heb ik een paar slangen, een accu en een paar onderdelen nodig,' rapporteerde hij.

Dat bracht een dag lopen naar Jericho met zich mee en nog een dag om met de bus in Jeruzalem te komen. Sabri zei dat hij de wijk met garages in Oost-Jeruzalem heel goed kende, omdat hij er dikwijls gebruik van had gemaakt toen zijn vader nog vijf vrachtwagens bezat.

Het betekende dat we Sabri al het geld dat we nog hadden moesten meegeven. Als hij er nu eens mee vandoor ging? Erger was nog dat we over voorraden etenswaren en andere zaken beschikten ter waarde van duizenden dollars. Als Sabri nu eens met een bende moordenaars terugkwam om ons af te slachten en alles weg te halen? We konden ons niet de luxe permitteren lang aan onze argwaan toe te geven. We hadden geen keus dan Sabri het geld mee te geven. Terwijl we hem in de richting van Jericho zagen verdwijnen, vroegen we ons af of we hem ooit zouden terugzien.

Op de derde dag na Sabri's vertrek was het mijn beurt om de wacht te houden bij de vrachtwagen. Ik zat in de schaduw van het voertuig te lezen, maar keek voortdurend op om het pad langs de zee af te turen. Ik bad dat ik Sabri zou zien terugkomen. Ik keek ook keer op keer aandachtig door onze verrekijker in alle richtingen of ik indringers zag.

Onze situatie in de grot was totaal uitzichtloos. We hadden geen water meer. Er stond nog één jerrycan van vijfentwintig liter in de vrachtwagen, maar daar mochten we niet aankomen, want die hadden we nodig om de radiator te vullen... als Sabri tenminste terug-kwam. Morgen zou hadji Ibrahim een besluit moeten nemen. We zouden de grot moeten verlaten en in Jericho ons geluk moeten be-proeven. Ons alternatief was de Allenbybrug naar Amman overgaan en Jordaniërs worden.

Terwijl ik de horizon in zuidelijke richting afzocht naar tekenen van leven, bleef ik steken bij iets dat ik al eerder had opgemerkt. Ik meen-de in het uiterste blikveld van onze verrekijker helemaal aan de kust, twee tot drie kilometer verder naar het zuiden een heel kleine, groene vlek te zien.

Vader had ons gewaarschuwd niet in zuidelijke richting af te dwa-len, uit vrees dat we joodse soldaten of bedoeïenen tegen het lijf zou-den lopen. Ik bleef naar de groene vlek turen tot er een mist voor mijn ogen trok, klom toen naar een hoger gelegen plek en keek opnieuw. In de woestijn konden je ogen je wreed bedriegen, maar ik had kun-nen zweren dat de groene streep niet verdween.

Toen de zon op haar hoogste punt stond, kwam Omar mij als wacht aflossen. 'Ik loop een paar kilometer langs de zee naar het zuiden,' zei ik tegen Omar.

'Is de hitte je in je bol geslagen?'

'Ik heb daarginds iets gezien.'

'Wat?'

'Dat weet ik niet. Dat wil ik nu juist gaan uitzoeken. Als ik eerst naar de grot moet terugkeren om vader om toestemming te vragen, kan ik er morgen pas naartoe gaan. En morgen is het te laat als Sabri niet terugkomt om die vrachtwagen op gang te krijgen.'

'Maar je mag vader niet ongehoorzaam zijn,' zei Omar.

'Als we in de zon naar Jericho moeten lopen, zullen sommigen van ons dat misschien niet halen. Moeder redt dat niet. Fatima's baby gaat dan beslist dood.'

Omar had nooit geklaagd toen hij in de bazaar had moeten werken of in het koffiehuis had moeten bedienen, maar hij was nu toch niet van plan mijn medeplichtige te worden. 'Je kunt gaan,' zei hij, 'maar dat is dan jouw beslissing en jouw verantwoordelijkheid.'

Ik liep in de richting van de groene stip, terwijl ik iedere soera van de koran in gedachten opzegde om Allahs gunst af te smeken. Ik had nu al iedere nacht van watervallen, rivieren, regen gedroomd. Ik droomde dan dat ik naakt in een stortbui stond, terwijl er water mijn mond in stroomde.

Terwijl ik recht naar de zee toe liep, drie kilometer ten zuiden van de vrachtwagen, werd de groene streep al duidelijker zichtbaar. Toen hoorde ik het nog vóór ik het zag: het geluid van water!

Ik hield mezelf voor dat ik er niet naartoe moest rennen. Wees voorzichtig, Ishmaël! Kijk uit, Ishmaël. Ik keek om me heen of ik misschien joden of bedoeïenen zag. Ik hoorde geen enkel geluid. Ik zag niets bewegen. Ik bad dat ik niet in het oog werd gehouden. Dichterbij... nog dichterbij... Toen zag ik wat ik gehoord had! Bijna aan de rand van de zee gutste water van een rots en vormde twee grote plassen die overliepen in de zee.

Ik kroop op handen en voeten naar één van de plassen toe, dook daarbij zover mogelijk in elkaar, want ik was er zeker van dat er elk ogenblik een schot kon klinken dat me zou doden. Om nieuwe moed te verzamelen bleef ik een tijdje naast de plas zitten. Toen kon ik me niet meer bedwingen. Ik waagde het mijn hand erin te steken en die langzaam naar mijn mond te brengen.

Zoet water!

Ik kwam overeind en begon te schreeuwen van vreugde; vergat dat iemand mij mogelijk in het vizier had. Ik sprong in de plas, schreeuwde, lachte en huilde tegelijk en toen rende ik zonder ook maar één keer te blijven staan naar de vrachtwagen terug. De pijnscheuten in mijn buik van het te snel te veel water drinken konden me niet weerhouden.

Water! Water! Water! Water!

Ik moet me als een waanzinnige gedragen hebben, want Omar schudde me door elkaar. Ik probeerde te spreken, maar de woorden tuimelden over elkaar heen. Daarop ontstond er echt een waanzinnige situatie. Had ik echt water gezien? Ervan gedronken? Erin gezwommen? Of was het zinsbegoocheling geweest zoals dat wel gebeurt vóór iemand in de woestijn sterft? Was ik gek geworden of zag ik werkelijk daar in het noorden een stipje aan de horizon?

Ik griste de kijker uit Omars handen en stond daar als aan de grond genageld te turen, terwijl de stip almaar groter werd. Ja, er liep een persoon over het pad uit de richting van Jericho! Ik wachtte als een verstard hert tot er geen twijfel meer mogelijk was. Het was Sabri met een radiator op zijn rug en in iedere hand een pakket.

Ik rende naar de grot terug en flapte het nieuws eruit. Kamal moest als bewaker achterblijven, maar alle anderen daalden één voor één de touwladder af, zelfs moeder. De waterblikken werden aan de touwen neergelaten en we haastten ons naar de vrachtwagen.

Sabri was uitgeput aangekomen, maar begon desondanks onmiddellijk de oude radiator, slangen, de accu en drijfriemen te vervangen. Ons laatste, volle blik water werd in de radiator leeggegoten.

Terwijl Sabri de cabine insprong, riep mijn vader: 'Allah wees ons genadig!'

We sloten allemaal onze ogen en baden eensgezind. Hij draaide het contactsleuteltje om. Niets! De vrouwen begonnen te weeklagen, terwijl Sabri de motorkap opengooide, aan de bedrading prutste en toen weer de cabine inklom. Niets!

'Het ligt aan de ontsteking! Ik zal die proberen bij te stellen.'

Pof... pof... pof... pof... pof... pof/poef... pof/poef... vrr... vrr... vrrroemm! Het prachtigste geluid dat ik ooit zal horen! Vrroemm... Vrroemm... Vrroemm!

We begonnen spontaan een rondedansje om de auto heen te maken. Waanzin! Mannen en vrouwen dansten samen en niemand maakte zich daar druk om. Er werd van vreugde met de tong geklakt! Er werden oorlogskreten geslaakt! Iedereen behalve vader huilde openlijk. Alle mannen omhelsden en kusten Sabri. Toen herinnerden zij zich dat ik water had gevonden en werd ook ik omhelsd!

Ibrahim sprong naar de cabine toe. 'Ik ga deze keutel meteen verkopen! Over twee dagen komen we met ezels terug!'

'Wacht, vader, wacht!' riep ik uit. 'Laten we eerst naar de bronnen gaan om onze waterblikken te vullen!'

Hij sloeg zich tegen het voorhoofd. 'Natuurlijk! Allemaal instappen!'

Ik sprong naast vader en Sabri in de cabine. 'Vader, kunt u niet beter eerst naar Jericho gaan om de rest van de sigaretten te verhandelen voor graan voor de ezels? Dan hebben we nog een vrachtwagen om het te vervoeren.'

Hij raakte weer zijn voorhoofd aan. 'Te veel zegeningen tegelijk van Allah. Ja, we gaan eerst naar Jericho om graan te halen.'

'Vader, wie heeft de leiding terwijl u weg bent?'

Hij keek me schalks aan. 'Jij bent te jong en veel te ambitieus,' zei hij. 'Daar staat tegenover dat jij er het geschiktst voor bent. Jij krijgt de leiding. Dat zal ik tegen de anderen zeggen vóór ik vertrek.'

We kwamen bij de plassen aan, terwijl mijn hart opsprong van vreugde. Ze dronken allemaal tot ze niet meer op konden en toen vulden we de blikken. Mijn vader beval de vrouwen achterin de vrachtwagen te gaan zitten, terwijl de mannen zich uitkleedden en de plas in sprongen. Het was ons eerste bad in ruim twee weken. Toen we klaar waren, wachtten wij achterin de vrachtwagen terwijl de vrouwen een bad namen.

'Ik moet je spreken,' hoorde ik Hagar tegen Ibrahim zeggen.

'Ja.'

'We hebben niet twee, maar slechts één ezel nodig nu we een bron hebben.'

'Maar twee ezels kunnen tweemaal zoveel water aandragen en dan hoeven we maar half zo vaak hierheen.'

'Waarom zouden we twee ezels te eten geven als één het werk kan doen?' hield mijn moeder vol.

'We kunnen ons twee ezels veroorloven. We kunnen altijd voordeel van ze hebben. We kunnen ze altijd nog weer verkopen.'

'Als we de ezels nodig hadden vanwege de mest voor het vuur, dan zou ik het daarmee eens zijn,' hield mijn moeder vol. 'Maar we hebben voldoende brandhout en daarom hebben we hun mest niet nodig.'

'Zie ik eruit als een man die tevreden is met één ezel, terwijl ik me er twee kan veroorloven?'

'Twee uur geleden konden we ons niets veroorloven. Vergen we niet te veel van Allah door twee ezels te nemen?'

'Stel dat die ene ezel zijn poot breekt?'

'Ik heb nog nooit een ezel zijn poot zien breken.'

'Ze kunnen elkaar gezelschap houden.'

'We hebben genoeg ezels in ons gezin om hem gezelschap te houden.'

Het begon tot mijn vader door te dringen dat Hagar haar redenen had. 'Eén ezel dus,' zei hij.

'Eén ezel en één melkgeit,' antwoordde Hagar.

'Waar hebben we een geit voor nodig? Is Fatima's melk niet goed?'

'Fatima's melk is zuur.'

'Die zal beter worden nu we water hebben gevonden.'

'Ze is zwanger,' zei Hagar.

'Maar voor één zwangere vrouw is toch geen geit nodig?'

'Er zijn twee zwangere vrouwen. Ramiza is ook in verwachting,' zei Hagar en ze klom achterin de vrachtwagen.

6

Jericho, één van de oudste steden van de mensheid, had in vroeger tijden een glorie gehad die slechts door Jeruzalem werd overtroffen. Als oostelijk voorportaal naar de heilige stad had Jericho vele koningen en zogenaamde koningen met hun legers binnen haar poorten gehad. Onder de ogen van Jeruzalem uit was Jericho in vroeger tijden een broeinest geweest van samenzweerders en moordenaars en het eerste tussenstation voor verslagen krijgslieden op hun vlucht naar de woestijn.

Jericho, de laagst gelegen stad van de wereld met zeer hete zomers, versmolt onder de schelle zon tot lethargie en zakte af tot een gehucht van een paar duizend zielen, waar alles heel traag toeging.

In deze dagen heerste er een chaotischer toestand dan hadji Ibrahim zich had kunnen voorstellen. Overal waar je keek, lagen mensen te slapen – in de straten en de goten, in de velden, verspreid over de heuvels. Er bevonden zich daar duizenden en nog eens duizenden verwarde en verslagen mensen. De nabijgelegen Allenbybrug noodde hen de rivier over te steken naar Jordanië. Sommigen gingen, anderen bleven. De Allenby was een brug naar een toekomst die totaal geen zekerheid bood, overspande mogelijk een rivier die terugkeren onmogelijk maakte.

Het oorlogsnieuws was al net zo droevig, maar dat verbaasde Ibrahim niet bepaald. Er was een tweede bestand van kracht, maar in werkelijkheid waren de Arabische legers overal onverbiddelijk tot staan gebracht. Het slechtste bericht was nog dat de Egyptenaren zich uit de Negevwoestijn aan het terugtrekken waren.

Alleen het Arabische Legioen van Jordanië had een paar successen geboekt. Het had de versterkte politiepost in Latrun, Oost-Jeruzalem en gebieden op de westelijke oever van de rivier waar voornamelijk Arabieren woonden in handen. Voor het overige was de militaire ramp compleet. Terwijl anderen in Jericho zich vastklampten aan geruchten en illusies, wist Ibrahim dat alle hoop op een Arabische overwinning de bodem in geslagen was. Hij besefte dat het Arabische Legioen nooit de veiligheid van de politiepost zou verlaten voor een aanval. Abdullah zou voorlopig meer dan tevreden zijn en wat hij erbij gewonnen had proberen vast te houden. Uiteindelijk was zijn gevecht met de joden meer een oefening geweest in islamitisch nepotisme dan het gevolg van oprechte haat. Hij was deze oorlog in gesleept door het feit dat zijn strijdmacht door de Britten geoefend was. Waarom zou hij niet in Latrun blijven zitten, zodat hij op de westoever aanspraak kon maken? Maar dit betekende wel, dat Tabah zich voor eeuwig binnen de nieuwe staat Israël zou bevinden.

Na hun terugkeer naar de grot met een lading voer om een ezel en een geit in leven te houden reden Ibrahim en Sabri naar Oost-Jeruzalem om de vrachtwagen te verkopen. Zij reden over de Jerichoweg langs de Hof van Gethsemane naar waar deze eindigde, bij het Rockefeller Museum.

Van hier slingerde zich de Wadi el Joz-weg voort tot deze plotsklaps uitkwam op een ravijn dat uiteindelijk weer omhoog voerde naar de gedemilitariseerde zone op de Scopusberg. Langs deze weg, die berucht was om het zwart verhandelen van goederen en de aanwezigheid van prostituées en huurmoordenaars, bevond zich een ordeloze reeks garages. Op deze weg was destijds de hinderlaag gelegd voor het konvooi van joodse artsen en verpleegkundigen, die op weg naar het Hadassa-ziekenhuis waren afgeslacht.

Hadji Ibrahim was onmiddellijk op zijn hoede, toen ze de straat inreden. Je kon er het gevaar ruiken. Als hij de vrachtwagen verkocht en daardoor veel geld bij zich had, zou hij er misschien niet levend vandaan komen. Hij beval Sabri te keren, terug te rijden en op een zijweg in het Kidrondal vlakbij het graf van Absalom te parkeren.

'Loop naar de Wadi el Joz terug en breng de kopers één voor één hierheen, maar vertel ze niet waar je ze heenbrengt, want anders word je waarschijnlijk door een stuk of tien neven gevolgd,' beval Ibrahim.

Ibrahim wist dat de eerste reeks potentiële kopers waarschijnlijk ingehuurd was om hem week te maken voor de uiteindelijke koper. Hun opdracht was de prijs te drukken door zich minachtend over het voertuig uit te laten. Sabri kwam terug met een Syrische officier, een deserteur die een bloeiende zaak had opgebouwd door wapens aan te kopen van andere deserteurs. Een flink deel van zijn arsenaal werd naar de joden toe gesmokkeld die het andere deel van de stad verdedigden.

'Dat voertuig ziet eruit als het achtereind van een ezel na een storm,' gaf hij als zijn mening ten beste.

'Zo'n nederig vervoermiddel is zo'n edele man als u beslist onwaardig,' antwoordde Ibrahim.

De vrachtwagen verkeerde in een slechte staat, maar het bod van de Syriër was desondanks beledigend.

'Ik zou meer aan een prostituée geven, enkel voor haar glimlach.'

Toen de Syriër nijdig wegliep, liet Ibrahim Sabri het voertuig naar een andere plek rijden, vlakbij de Leeuwenpoort in de muur rond de oude stad. De tweede koper in spe bood betere vooruitzichten, meende Ibrahim, omdat zijn stroom beledigingen niet te stuiten was terwijl hij twintig aanwezige of verzonnen gebreken van het voertuig uitduidde.

'Dit voertuig is door de stront gerold,' concludeerde hij. 'Het heeft enkel nog waarde voor reserve-onderdelen.'

Ibrahim liet het daarop enkel door Sabri naar weer een andere plek rijden, vlakbij het graf van de Maagd.

Hij wist dat iedereen langs de Wadi el Joz intussen op de hoogte was en wist dat hadji Ibrahim een koelbloedig handelaar was. De vijfde potentiële koper, van een 'voorname, oude Palestijnse familie', uitte zijn ontsteltenis, omdat hij naar een gestolen vrachtwagen stond te kijken. Hij was naar eigen zeggen een eerlijk mens met een groot gezin en wilde niet het risico lopen gevangen gezet te worden wegens heling. Maar... gezien het feit dat je nu niet van normale tijden kon spreken...

Ibrahim besefte dat deze man de hele tijd al de echte koper was geweest, een man die tientallen voertuigen gekocht en verkocht had, onverschillig van welk leger ze het eigendom waren. Hij deed ook zaken met bedoeïenen, die de woestijn doortrokken, op zoek naar verlaten voertuigen en daar dan de onderdelen uit haalden die nog bruikbaar waren.

Er werd een proefrit gemaakt. Sabri's reparaties bleken uitstekend te zijn uitgevoerd. Nu begon de man uitvoerig verslag te doen van zijn armoede, waardoor de onderhandelingen nog meer dan een uur in beslag namen. Ze kwamen uiteindelijk uit op een respectabel bod van ongeveer driehonderd Britse ponden, nadat Ibrahim geweigerd had Arabisch geld te accepteren. Daarop werd er nog op verschillende manieren uiting gegeven aan vrolijkheid ten teken dat een transactie tot stand was gebracht. Voor Ibrahim was het een meevaller. Hij kon nu in Jericho een ezel en een geit kopen en had dan nog genoeg geld over om de grot maandenlang bevoorraad te houden.

Nadat de koper met de vrachtwagen was weggereden, overtuigde Ibrahim zich ervan dat hij niet werd gevolgd en liep toen met Sabri naar de Suleimanweg, een hoofdstraat die langs de muur naar het busstation liep.

'Je hebt goed je best voor me gedaan,' zei Ibrahim opeens. Hij overhandigde Sabri een biljet van vijf pond. 'Vermaak je vanavond maar in de stad. Dan zie ik je morgen in Jericho op de markt terug.'

Sabri begreep hieruit dat hij nog steeds niet volledig vertrouwd werd. Ibrahim wilde niet met al dat geld rondlopen en dan ook nog Sabri naast zich hebben die hem voor dieven zou kunnen betasten. Ibrahim wist dat alle kopers in spe voor hun diensten betaald waren en hij vroeg zich af of Sabri ook geld had aangenomen voor bewezen diensten. Sabri verhulde het feit dat hij zich beledigd voelde door te glimlachen en verbazing te veinzen over deze gift van vijf pond en ging er vandoor om het er eens lekker van te nemen.

Om de Bab el Wad werd nog steeds fel gevochten en deze was daarom nog gesloten voor busverkeer. Ibrahim reisde noordwaarts naar de stad Ramallah en stapte daar in een bus, die via een daaraan evenwijdig lopende weg Arabisch gebied binnenreed. De bus beëindigde zijn rit op ruim een kilometer afstand van de politiepost in Latrun bij de legerplaats van het Arabische Legioen die er het verst vanaf lag. Vele plaatselijke boeren en venters hadden langs de weg een kraampje neergezet om hun waar aan de soldaten te vekopen. Een paar honderd meter verder op de weg naar het fort verhinderde een wachtpost iedereen de doortocht op de soldaten na. Ibrahim liep recht op de bewakers af.

'Halt! U mag niet verder gaan!'

Hij haalde de magische, vervalste brief van kolonel Hakkar te voorschijn en overhandigde die met een autoritair gebaar aan de bewaker. De bewaker kon lezen noch schrijven. Twee andere ongeletterde bewakers bekeken de brief langdurig – één van hen probeerde hem ondersteboven te lezen – en riepen er toen een officier bij. Die toonde gepast ontzag. Een half uur later had Ibrahim zich door de verschillende beveiligingscordons heen gewerkt, zodat hij voor de poorten van de politiepost stond.

'Wat wilt u?' vroeg de dienstdoende officier.

'Ik ben Ibrahim al Soukori al Wahhabi, de moektar van Tabah. Ik wens het dak op te gaan, zodat ik een blik kan werpen op mijn dorp.'

'Dit is een uiterst geheime, militaire zone. U hebt hier niets te zoeken.'

'Ik wens het dak op te gaan om mijn dorp te zien.'

'Dat is niet mogelijk. Gaat u weg, want anders laat ik u arresteren.'

'Ik ga niet weg vóór ik mijn dorp heb gezien. Ik eis een gesprek met de bevelvoerende officier.'

Dit liep uit op een verhitte discussie en het was alleen aan Ibrahims brutaliteit te danken dat hij niet ernstig in moeilijkheden raakte. Aangezien de woordenwisseling door de betonnen gangen weergalmde, trok dit de aandacht van de eerste Britse officier, luitenant-kolonel Chester Bagley.

'Zeg, wat is hier loos?' vroeg Bagley.

'Deze man beweert de moektar te zijn van het dorp daarginds langs de weg. Hij wil zijn dorp zien vanaf het dak.'

Bagley nam Ibrahim op. Lompen werden tegenwoordig door iedereen gedragen en gaven geen uitsluitsel over iemands positie. Ibrahims gestalte en waardige houding gaven duidelijk aan dat hij ooit een gezaghebbende persoon geweest was. Hij las Ibrahims brief aandachtig door. 'Gaat u met mij mee,' zei hij en hij ging Ibrahim voor naar zijn kantoor, verder de gang in. Ibrahim kreeg een stoel aangeboden, terwijl Bagley de brief bleef bestuderen en zijn pijp stopte. 'Hebt u nog meer papieren bij u?'

'Wie beschikt er tegenwoordig over papieren?'

'Deze brief is vals,' zei Bagley.

'Uiteraard. Zonder die brief waren ik en mijn gezin al weken geleden dood geweest.'

Brutaal, dacht Bagley. 'We hebben twee bloedige gevechten geleverd om deze post en er zullen er beslist nog meer volgen. Hoe kan ik weten dat u niet het dak op wilt om onze emplacementen te bestuderen?'

'Bedoelt u te zeggen dat ik een spion ben?'

'Tja, u beschikt niet over erg veel bewijzen om het tegendeel aan te tonen, is het niet?'

'Meneer... kolonel...'

'Bagley. Chester Bagley.'

'Kolonel Bagley, ik zou dan toch zeker de stomste spion zijn die er op de wereld rondloopt, vindt u niet?'

'Of de slimste spion die er op de wereld rondloopt.'

'Ah, ja, daar zit iets in, ja zeker. Op slechts enkele minuten rijden afstand van hier ligt een aantal dorpen. Iedereen daar kan bevestigen dat ik Ibrahim al Soukori al Wahhabi ben.'

'Beste man, we zitten midden in een oorlog...'

'Ik wil u niet beledigen, kolonel Bagley, maar ik weet de ligging van iedere loopgraaf en ieder emplacement in de omgeving van Latrun en ken eveneens de namen van uw eenheden. Ik weet zeker dat ik u op vijf granaten nauwkeurig kan vertellen over hoeveel wapens u beschikt. De joden weten dat ook. Het gaat hier niet om aantallen of geheimen. U hebt hier eenvoudigweg een krijgsmacht die zo omvangrijk is dat de joden zich er niet mee kunnen meten. Er is niets geheims aan Latrun.'

Chester Bagley stond even versteld over de verfrissende openhartigheid van de Arabier. Zoiets had hij nog niet eerder meegemaakt. Om tijd te rekken stak hij zijn pijp op.

'Kolonel, ik verlang zo vurig Tabah te zien, dat ik erdoor verteerd word. Alleen Allah weet of ik ooit weer in de gelegenheid zal zijn. Ik ben geen man die gewend is om iets te smeken. Dwingt u mij daar alstublieft niet toe, kolonel.'

'U bent min of meer gek, dat u hier komt binnenlopen met deze... belachelijke, valse brief. U had daardoor wel opgehangen of doodgeschoten kunnen worden.'

'Is dat er geen bewijs van hoe vurig mijn verlangen is?'

'U bent gek,' herhaalde Bagley. Hij gaf Ibrahim de brief terug. 'U kunt die maar beter zorgvuldig bewaren, maar laat u hem in vredesnaam aan niemand zien die kan lezen. Gaat u met mij mee, hadji Ibrahim.'

Bagley tikte met de kop van zijn pijp op de deur van een aangrenzend vertrek en stapte naar binnen. Achter het bureau van de commandant zat de Jordaanse kolonel Jalud. Zodra Ibrahim hem zag, wist hij dat hij van afkomst een bedoeïen was, die ouder leek dan hij was doordat hij door de zon getaand was en zo op en top een militair was, dat je nauwelijks kon uitmaken waar zijn huid ophield en het kaki van zijn uniform begon. Hij was niet opgeklommen tot de rang van kolonel door zich als een fatsoenlijk man te gedragen. De arrogantie en de wreedheid van de man straalden je tegemoet uit een paar ogen die zich zo tot spleetjes vernauwd hadden als je alleen bij woestijnbewoners tegenkomt. Zijn gepommadeerde haar glinsterde en een grote snor moest instaan voor zijn mannelijkheid. Volgens de stand van zaken tussen de Britten en het Legioen stond de Arabier in het algemeen in rang boven zijn Britse 'adviseur'. Het feit dat Latrun twee vertwijfelde, bloedige joodse aanvallen had afgeslagen, scheen te bevestigen dat luitenant-kolonel Chester Bagley de verdedigingswerken had ontworpen en laten uitvoeren en waarschijnlijk ook de man geweest was die het bevel gevoerd had tijdens de gevechten.

Op verbazend vriendelijke toon bracht Bagley Ibrahims verzoek te berde.

'Dat kan ik niet toestaan,' snauwde Jalud. 'We hebben hier geen bezoekersdag zoals bij de Rotskoepelmoskee. Laat deze man opsluiten en breng die idioten bij me, die hem hebben toegestaan de post binnen te gaan.'

'Het lijkt me niet zo verstandig om de plaatselijke bevolking van ons te vervreemden terwijl deze crisis nog voortduurt. Hadji Ibrahims identiteit en populariteit kunnen makkelijk vastgesteld worden. De man is vijfentwintig jaar lang de moektar geweest. Het zou een aardig gebaar zijn.'

'Een aardig gebaar? Hij is doorgedrongen tot een geheime militaire basis. Verwijder hem vóór hij ernstig in moeilijkheden raakt.'

'Ik neem de verantwoording op me,' drong Bagley vastberaden aan.

Ibrahim kreeg plezier in de woordenwisseling tussen de twee. Het was overduidelijk dat Bagley inderdaad de ware commandant van de post was, ook al had hij een lagere rang. Kolonel Jalud wilde hem niet tegen zich in het harnas jagen, laat staan het risico lopen zelf met het toezicht op de verdedigingswerken belast te worden. Jalud bleef tegenstribbelen, maar zorgde er wel voor dat hij niet buiten zijn boekje ging. Terwijl Bagley aanhield, spon kolonel Jalud een web van argumenten ter verdediging van zichzelf, zodat hij achteraf alle schuld van zich af zou kunnen schuiven.

Na die uitvoerige woordenwisseling kleedde Jalud Ibrahim met zijn ogen uit. Mannen in vodden bleken dikwijls in werkelijkheid heel rijk te zijn. Ibrahim had zich voorbereid op een grondige fouillering. Hij had zijn geld in een veld vlakbij de bushalte verstopt vóór hij naar de versterkte politiepost toe ging. Het enige zichtbare, waardevolle voorwerp was de met juwelen bezette dolk. Jaluds ogen vestigden zich uiteindelijk op het wapen.

'Het is een ernstig verzoek,' zei Jalud. 'Ik neem veel risico's. Het ene gebaar is een ander gebaar waard.'

Ik had die vervloekte dolk ook moeten verstoppen, dacht Ibrahim.

'Ik heb niets waarmee ik een gebaar kan maken,' zei Ibrahim. 'Allah weet dat je iemand die naakt is, niet kunt uitkleden.'

'Misschien bedriegen mijn ogen mij dan,' antwoordde Jalud, terwijl hij zijn blik geen moment van de dolk afwendde.

'Dat is het symbool van mijn eergevoel.'

'Mannen met gouden draden in hun gewaden zijn de bewaarders van eergevoel.'

Dat was een scherpe belediging. 'Het is een prijs die ik niet kan betalen,' zei Ibrahim.

'Ik zou hem u natuurlijk kunnen afnemen en dan zoudt u helemaal geen eergevoel meer over hebben. Waar was uw eergevoel toen u uw dorp moest verdedigen? Maak dat u hier vandaan komt, nu u uw tong en uw vingernagels nog hebt.'

'Kolonel Jalud, ik sta erop dat u deze man toestaat zijn dorp te zien.'

Jalud leunde achterover in zijn stoel en legde een arm over de rugleuning, waar hij zijn koppel met pistool overheen gehangen had. 'Oh, nou ja, dit schijnt mijn dag voor stront te zijn. Laat die hond het dak maar opgaan om naar zijn dorp te blaffen. Hij krijgt vijf minuten de tijd.' Met een gebaar vanuit de pols, dat een 'koninklijk' wegwuiven moest voorstellen richtte Jalud zijn aandacht weer op de paperassen op zijn bureau.

Ibrahim spuwde zo op de grond, dat het speeksel over de neus liep van de laars van de kolonel. Terwijl hij naar de deur liep, sprong Jalud overeind. 'Je moeders kut is een oase voor kamelen!'

Ibrahim keerde naar Jaluds bureau terug en legde zijn vingers op het gevest van de dolk. Deze flitste zo snel uit zijn schede, dat de twee anderen geen van beiden naar hun pistool konden grijpen. De punt boorde zich in het bureau van de kolonel en dat kwam zo hard aan, dat het hout versplinterde. Ibrahims vingers rustten op de rand van het bureau, zijn ogen keken strak in die van Jalud.

'Pak hem dan,' tartte Ibrahim hem.

Jalud keek snel even naar Chester Bagley, die flauwtjes glimlachte. Bagley oefende voortdurend druk op hem uit om aan zijn o zo vriendelijke, maar onontkoombare 'verzoeken' te voldoen. Het waren geen verzoeken, maar bevelen! Hij werd ziedend bij de gedachte dat de Britten het gezag hadden over zijn troepen. Daar stond tegenover dat hij de post niet opnieuw zou willen verdedigen zonder dat Bagley daar bij was. Nu hing hem van de kant van de Engelsman de allerergste vorm van chantage boven het hoofd. Hij, de grote kolonel Jalud, was geïntimideerd door een boer. Als Bagley dat wenste, kon Jalud uitgelachen en vernederd worden.

De kolonel probeerde voldoende moed te vergaren om zijn hand uit te steken naar de in zijn bureau geplante dolk, maar zoveel moed bezat hij niet. Hij zakte onderuit in zijn stoel.

'Kom mee,' zei Bagley, terwijl hij de dolk lostrok en hem aan Ibrahim overhandigde. 'Ik zal u persoonlijk naar het dak begeleiden en daarna terug naar uw bus.'

Kolonel Jalud nam dreigend de hoorn van de telefoon op, maar de Engelsman pakte die rustig uit zijn hand en legde hem weer op de haak. Terwijl Ibrahim het vertrek uitliep, keek Bagley bij de deur nog een keer met een felle blik in zijn ogen naar Jalud om, die daar zat alsof hij een shock had.

'Waarom moeten lui als jij in vredesnaam overal een drama van maken!' zei hij en trok toen de deur met een klap achter zich dicht.

7

Ik ben Ishmaël,
Jij lacht en jij zegt:
Wie is dat domme boerenjongetje?
Maar... bedenk... vóór je je slap lacht
Ik ben in Eden geweest

Ik heb een glorie gezien
Waarvan jij, hoe oud je ook bent
En hoe wijs je ook bent
Nooit zult weten

Het is er vreselijk rustig
Geen levend wezen beweegt
Behalve een druppel morgendauw
En een slang, die zijn nest uit glibbert
Om zich te koesteren in de verwarmende stralen
Stil, zo stil, zo uiterst stil

Maar je bent nooit alleen

De nachtdieren, de vleermuizen en de uilen
Hebben afscheid van ons genomen
En boven ons
Hervatten de lammergier, de buizerd
De wouw en de slangearend
Hun vliegronden
Zwevend op golven opstijgende, zinderende lucht
Dan... een duik... een kreet... beet
De niets vermoedende haas of hagedis

Zodra de ochtendkilte plaats maakt
Voor een meedogenloze, overweldigende, verterende hitte
Ga ik naar onze plassen
Dat stromend koude, schoon zoete water
En ik zie de parade van vosjes
Wilde ezels en geiten
En de hoogmoedige steenbok
Er met volle teugen van genieten

We worden altijd ingesloten
Door de jakhals en hyena
Die ons laten ineenkrimpen van angst
Met hun bloeddorstige gelach
En gehuil
Ik trek me terug
Een gazelle zweeft sneller voorbij
Dan een verschietende ster

Zelfs in de middaggloed
Wanneer alles niet anders dan doods kan zijn
Ben ik niet alleen
De gekko, de hagedis en de kameleon
Zijn goede vrienden van me geworden
Ik spreek hen bij name aan
Terwijl zij onze grot zuiveren van duizendpoten

Ik heb gezien hoe in de middag de horizon
Achter Jordanië plotsklaps zwart wordt
Terwijl een laag en ver gezoem aanzwelt tot een geraas
En een compacte muur van sprinkhanen
Als wrekende legers aanstormt
Over de zee
En te pletter slaat op het rotsgesteente

Je bent nooit alleen

's Avonds klim ik heel hoog vanaf de grot
Naar een richel die mijn richel is
Vanwaar ik de berg Nebo kan zien
Aan de andere kant van de Dode Zee
Die plek waar Mozes naar het Beloofde Land staarde
En vervolgens stierf…
De sombere hemel klaart op
Het water krijgt een angstwekkend hemelsblauwe kleur
En purper stroomt in aderen
Door de kale bergen
En alles versmelt opeens
Tot een fel gekleurd geheel
Dat een loflied is op de wegstervende zon

Het is nu donkerder dan donker
En iedere nacht vertonen zich spottend
Niet gehinderd door de lampen van mensen
Tien triljoen heldere sterren
Stellen zij vragen waarover mensen slechts kunnen mijmeren
Er zijn nachten bij dat ik wel honderd kometen tel
Die zich van oneindigheid naar oneindigheid slingeren
Op dit moment ben ik, als zij, eeuwig

317

Ik ben de woestijn
Ik ben de bedoeïen

Vind je nog steeds dat ik een dom boerenjongetje ben?
Wel, mijn grot of mijn richel zul je nooit zien
Maar bedenk
Dat de grootste mannen uit vroeger tijden van mijn rots wisten
En op mijn richel zaten
En keken naar menigten sterren
Welke schatten verborgen de Essenen diep in mijn grot?
Welke verslagen Hebreeuwse rebellen troffen die
Op hun vlucht uit Rome aan?
Ik zit op precies dezelfde troon als waarop koning David zat
Toen hij Saul ontvluchtte
Ik zit waar Jezus zat
Toen hij de wildernis introk

Ik weet van dingen waarvan jij nooit zult weten
En wanneer ik word teruggeroepen naar het paradijs
Zal Allah mij vast wel toestaan terug te keren
Naar deze grot en deze richel
Voor eeuwig...

Wij Arabieren zijn een volk met oneindig veel geduld. Voeg daaraan
een natuurlijk gebrek aan ambitie toe en dan wordt duidelijk dat wij
over het geheel genomen in omstandigheden verkeerden, die ons verblijf in een grot tot een tamelijk plezierige ervaring maakten. Zo was
het althans in het begin. We beschikten over een voorraad die in geen
maanden uitgeput zou raken, over brandhout en water en over kleine
dieren zoals vogels ter aanvulling van ons rantsoen.
    Dagelijks weerkerende bezigheden waren hout sprokkelen, op
jacht gaan, op wacht staan en water halen uit de plassen. We legden
een serie afdalende dammen van stenen aan. Wanneer er één geul
volliep, stroomde deze over in een lager gelegen geul en die op zijn
beurt in een nog lager gelegen geul. Het opgevangen water zou zo
uiteindelijk in een groot reservoir terechtkomen, dat uit massief rotsgesteente gehouwen was en voor onbepaalde tijd water kon bevatten.
Meest van tijd deden we heerlijk niets. We trokken ons gewoonlijk
allemaal vaak terug op onze eigen richel, hoge zitplaats of in een
privé-nis wanneer de hitte midden op de dag werken onmogelijk
maakte en staarden dan eenvoudigweg urenlang naar de zee en de

woestijn. Ik leerde mijn broers beter kennen. Kamal koesterde waarschijnlijk nog altijd een zekere haat ten opzichte van mij, omdat ik de plaats in het gezin had ingenomen die hem toekwam. Maar hij was niet vindingrijk en niet moedig genoeg om het tegen mij op te nemen. Kamal had zich zoveel kennis eigen gemaakt als hij bevatten kon en was gedoemd tot middelmatigheid. Hij was midden twintig, had geen ambities en wilde best voor eeuwig in loomheid zijn dagen in de grot slijten, als dat Allahs wil was. Hij was ook bepaald niet de baas binnen zijn eigen gezin. Fatima deelde achter de schermen de lakens uit. Ik vond Fatima erg aardig. Zij maakte ons aan het lachen en kon het huishouden net zo vaardig bestieren als Hagar.

Drie van onze vrouwen werden feitelijk gevangenen van de grot. De touwladder naar de ingang op- of afklimmen was lastig. Mijn moeder moest met touwen neergelaten en opgehesen worden en op een keer brak het touw en viel ze een meter of drie naar beneden. Gelukkig kwam ze op haar goed als stootkussen dienst doende achterste neer. Nadat Fatima en Ramiza zwanger geworden waren, kwamen ze de grot niet meer uit. Zij vonden dat niet erg, want zelfs onder normale omstandigheden verlaten Arabische vrouwen zelden het erf rond hun huis en dan nog enkel om naar de waterput of de gemeenschappelijke bakkerij in het dorp te gaan. Buiten het dorp konden ze enkel in het gezelschap van een mannelijk familielid reizen. Zo was de soenna, onze leefregel.

Mijn broers zaten over Ramiza's zwangerschap in, want zij vreesden dat een kind van het mannelijk geslacht de verhoudingen binnen het gezin zou verstoren. Ik maakte me daar niet al te druk over. Wij woonden in een grot, ver van alle andere mensen en wat kon een nieuwe halfbroer ons nu eventueel ontnemen?

Ik zat meer over Sabri in. Ik hield persoonlijk van Sabri. Hij was heel erg slim en kwam met allerlei prima ideeën aanzetten, maar ik was wel blij dat hij geen echte broer was en ik wenste dat hij iets minder pienter was.

We hadden zoveel vrije tijd, dat Omar en Jamil mij dikwijls op mijn richel opzochten en ik leerde hen lezen en schrijven. Hadji Ibrahim vond dat aanvankelijk een bespottelijk idee, maar omdat hij geen zinnige reden had om er bezwaar tegen te maken, stond hij toe dat hun lessen doorgang vonden. In die tijd leerde ik hen beter kennen.

Omar liep tegen de twintig. Hij was opgeleid om koopman te worden in onze kraam en te werken in het koffiehuis en de winkel. Hij scheen heel tevreden te zijn met zijn bestaan als bediende. Door karweitjes te verrichten, extra op wacht te staan en extra tochten naar de plassen te maken bereikte hij, dat wij hem allemaal prezen en vader af en toe aandacht aan hem besteedde. Meer verlangde hij niet. Hij was onnozel, leerde langzaam en was voorbestemd een alledaags leven te leiden. Hij vormde voor mij geen bedreiging zoals de zaken er binnen het gezin voorstonden.

Met Jamil, die wat leeftijd betrof tussen Omar en mij in zat, lag het allemaal heel anders. Hij was altijd het raadselachtige lid van de familie geweest. Hij was het minst spraakzaam, het minst vriendelijk en het meest alleen. Jamil was er door zijn leeftijd en positie binnen het gezin toe veroordeeld herder te worden – en later boer – omdat ik, toen mijn tijd gekomen was om herder te worden, er onderuit gekomen was door in Ramla naar school te gaan. Ik denk dat Jamil me dat heimelijk kwalijk nam. We hadden nooit ruzie, maar hij kon erg gemelijk zijn en zich helemaal in zichzelf terugtrekken.

Hij leerde tweemaal zo snel lezen en schrijven als Omar. Het was niet tot ons doorgedrongen dat hij zo pienter was. In feite was hij op mij na de slimste. Het kolkte binnenin hem en het leren lezen scheen hem wegen te wijzen om zijn frustraties af te reageren. Jamil was de enige in de grot die rusteloos was en hij viel tegenwoordig vaak om niets woedend uit. Ik zag in hem geen serieuze rivaal, hoewel hij, naarmate hij meer leerde ook meer in discussie ging.

Ik had het meest met Nada te doen. Er waren voortdurend drie vrouwen in de grot, die haar niet nodig hadden. Zij was gezond en kon makkelijk de ladder op- en afklimmen. Daarom nam ik haar zo vaak mogelijk mee, wanneer we strikken gingen zetten of aan het reservoir gingen werken.

Haar belangrijkste taak was tweemaal per week onze kleren – of wat daarvan over was – wassen in de plassen. Ik wist het altijd zo te regelen dat ik degene was die haar naar de plassen moest brengen.

We noemden onze ezel Absalom. Zoals de gewoonte was reed ik altijd op de ezel de bergkloof in, terwijl Nada achter me aan liep. Wanneer we de bocht om, uit het gezichtsveld van onze wachtpost waren, vroeg ik haar altijd achter me op Absalom te komen zitten. Ze moest haar armen om me heen slaan om haar evenwicht te bewaren. Ik moet toegeven dat ik opgewonden raakte, als ik voelde hoe haar borsten zich tegen mijn rug aandrukten. Misschien had ik me daarvoor moeten schamen, maar ik was niet de eerste Arabische jongen wiens penis stijf werd door lijfelijk contact met zijn zuster, hoe onschuldig ook.

Het was vermetel van me om dat tegenover mijzelf toe te geven, want ik kon het haar nooit vertellen of tonen, maar ik hield meer van Nada dan van mijn broers. Als ik heel eerlijk was, had ik ook meer met Sabri op dan met Kamal, Jamil en Omar. Sabri en ik hadden veel meer gemeen. We brachten onze dagen grotendeels samen door en sliepen in onze eigen kleine ruimte.

Je kunt je mijn verbazing voorstellen, toen ik me realiseerde dat Nada en Sabri begonnen waren bepaalde blikken uit te wisselen en elkaar in het voorbijgaan vluchtig aan te raken. Een Arabisch meisje kan op een bepaalde manier kijken, die maar één ding kan betekenen.

Aanvankelijk voelde ik me tot mijn verbazing gekwetst, toen ik besefte dat een andere jongen Nada zo'n blik kon ontlokken. Maar waarom eigenlijk niet? Ze was op een leeftijd dat vrouwen seksueel geprikkeld kunnen worden en op Sabri na was er niemand in de buurt die haar kon prikkelen. Toch was het pijnlijk. Ik wou dat ze Sabri niet aardig vond, net zoals ik wenste dat Sabri niet zo pienter was. Ik hield weliswaar van hem, maar was niet helemaal gerust op Sabri's intenties. Hij was een buitenstaander en niet echt verplicht Nada's eerbaarheid te beschermen. Ik meende dat hij best iets met haar gedaan zou kunnen hebben – haar gekust, met haar gestoeid kon hebben of nog erger. Gelukkig leefden we erg dicht op elkaar en wanneer zij zich buiten de grot bevonden, zagen wij erop toe dat ze niet samen op pad gingen. Een van mijn broers of ik was altijd waakzaam. De vrouwen giechelden en fluisterden er achter onze rug over en namen het niet zo serieus als wij.

Hadji Ibrahims favoriete plek was onze wachtpost, een diepe spleet in de rotswand, die ontstaan was binnenin een heerlijk schaduwrijke alkoof. Van hier hadden wij een volmaakt uitzicht op de enige ingang van de kloof, zodat niemand er in of uit kon gaan zonder recht onder onze mitrailleur door te lopen.

Verscheidene keren kwamen Jordaanse patrouilles op slechts een paar honderd meter afstand van de doolhof van bergkloven, maar zij waagden zich er wijselijk niet in. De bedoeïenen – die vreesden wij en het meest vreesden wij hen 's nachts. Wij wisten dat hun ogen voortdurend op ons rustten, ook al zagen we ze niet. En weer had Sabri daar een antwoord op. Iedere nacht legden wij een paar eenvoudige trucbommen neer, waarvoor we granaten gebruikten. Iedereen die onze zijkloof trachtte binnen te gaan moest wel struikelen over een van de vele draden waardoor er een ontploffing volgde.

De bedoeïenen wachtten tot er geen maan was en een zandstorm hun dekking bood. We hadden er een voorgevoel van dat er een overval op komst was en bereidden ons daarop voor. Toen er over een draad werd gestruikeld en de granaat ontplofte, weergalmde de klap door de holle gangen van rotsgesteente. Het klonk alsof er een batterij artillerie in het geweer kwam. We legden een vervaarlijk gordijn van geweervuur en zij trokken zich snel terug in de spleten van de bergen. Toen het licht werd, was er geen spoor van hen te bekennen.

Daarna was onze vrees, dat zij ons te grazen zouden proberen te nemen wanneer we de bergkloof uitkwamen, op weg naar de plassen of naar Jericho. Daarom trokken wij er steeds met ons tweeën op uit en had een van ons altijd een automatisch vuurwapen bij zich.

Volgens hadji Ibrahim zouden zij ons na verloop van tijd toch nog belegeren, zich tussen de rotsen om ons heen schuilhouden en proberen ons één voor één neer te schieten. Hij bereidde zich op deze mogelijke gebeurtenis voor door dichter bij de zee een tweede wachtpost te installeren, zodat we overdag op mijlen afstand alles wat bewoog konden observeren. De ogen van de bedoeïenen maakten de eerste inbreuk op ons paradijs.

De tweede inbreuk maakte mijn telkens weerkerende nachtmerrie. Ik kon het beeld niet kwijtraken van de verkrachting in Jaffa van mijn moeder en de andere vrouwen. Ik was Allah dankbaar dat Nada dat bespaard was gebleven en dat zij er niets van wist. Ik werd praktisch iedere nacht bijna in tranen of woedend wakker, altijd transpirerend en met een bonzend hart. De ogen van die Irakezen bleven me achtervolgen. Ik zou een van hen terugzien. Dat kon niet uitblijven.

Wat mij het meest beangstigde was niet de verschrikking van dat beeld, maar het feit dat ik het mijn hele leven lang voor mijn vader verzwijgen moest. Dit gaf mij een ontzaglijke macht over de drie vrouwen en dwong hen ertoe mij de hand boven het hoofd te houden. Ik geloof dat ze mij vertrouwden, maar wanneer iemand van een dergelijk geheim van een ander afweet, zijn bepaalde verdenkingen onvermijdelijk.

Mijn vader en ik deelden ook een geheim, namelijk dat Sabri een homoseksuele relatie gehad had met een Iraakse officier.

Er was geen twijfel aan dat Sabri en Nada ook samen een paar geheimen hadden. We konden hen niet voortdurend in het oog houden, hoezeer we daar ook ons best voor deden. We zagen haar wel eens alleen een pad aflopen en nog geen tien minuten later Sabri langs hetzelfde pad afdalen. Zij verrieden zichzelf doordat ze er naderhand geen van beiden over repten.

De vrouwen hadden eveneens geheimen. Dat kon afgeleid worden uit het feit dat hun gesprekken stokten, zodra een man de grot binnenkwam.

En mijn broers hadden waarschijnlijk ook geheimen, want zij lieten zich vaak een half woord ontvallen waaruit altijd bleek dat zij zich gedachten maakten over hun positie binnen de verschillende bondgenootschappen.

Al die geheimen zorgden voor een delicaat evenwicht waar het om onuitgesproken chantagepogingen ging.

Als zich een probleem voordeed, dat alleen door vader opgelost kon worden, was ik gewoonlijk degene die hem namens alle anderen moest benaderen. Ik wachtte dan tot Ibrahim naar mijn gevoel in een gunstige stemming was en ging dan stilletjes naast hem zitten op de wachtpost met de mitrailleur.

Soms zaten we daar wel een uur vóór er werd gesproken, want ik wachtte me er wel voor zijn overpeinzingen te onderbreken. Door een of ander gebaar gaf hij me dan altijd te kennen dat hij zich van mijn aanwezigheid bewust was.

'Ik voel dat er bedoeïenen in de buurt zijn,' zei Ibrahim op een toon alsof hij hardop tegen zichzelf zat te praten. 'Het is maar goed dat wij 's nachts twee mannen daar vooraan op wacht hebben staan en dat één van hen voortdurend de ronde doet.'

Ons rustige bestaan was door die regeling geweld aangedaan. Ik wachtte tot vader zijn overpeinzingen voortzette.

'Ik zal hier dag en nacht blijven, zoals ik dat tot nu toe steeds heb gedaan,' zei Ibrahim. 'Als zij onze vooruitgeschoven post wegschieten, moet ik de vrouwen beschermen.'

'Dat is een uitstekend idee, vader.'

'Dat is geen uitstekend idee. In werkelijkheid is het zo, dat wij elkaar niet kunnen beschermen, of het moet Allahs wil zijn,' zei hij.

Het duurde lang vóór ik mijn mond weer opendeed. 'Ik spreek slechts na ernstig te hebben nagedacht.'

'Ernstig nadenken leidt tot bedachtzame conclusies.'

'Wij zijn hier erg gelukkig en tevreden,' zei ik. 'Maar nu wij hier verscheidene maanden gewoond hebben, treden langzamerhand bepaalde onevenwichtigheden aan de dag, die wij niet hebben voorzien.'

'Je spreekt woorden die op verschillende mogelijkheden zinspelen,' zei Ibrahim.

'Ik heb het over onze verdediging,' zei ik, maar voegde er haastig aan toe: 'We kunnen ook over een ander onderwerp praten.'

'Ja, we zouden over een ander onderwerp kunnen beginnen, maar daarna moeten we dan onvermijdelijk toch weer op ons eerste onderwerp terugkomen.'

'Het is niet aan mij om de kwaliteiten van onze mannen onder de loep te nemen, terwijl wij u als onze leider hebben,' zei ik.

'Maar een bepaalde situatie kan misschien op verscheidene manieren uitgelegd worden,' zei mijn vader, 'afhankelijk van de omstandigheden.'

'Onze omstandigheden hebben bepaalde rekenkundige onevenwichtigheden gecreëerd.'

'Hoe bedoel je?' vroeg mijn vader.

'Tot nu toe was het voor ons geen enkel probleem om de verschillende taken – op wacht staan, naar Jericho en de plassen gaan, strikken zetten, brandhout sprokkelen en aan het reservoir werken – bij toerbeurt door de mannen te laten verrichten. Dat heeft prima gewerkt – tot op heden.'

'Je had het over onevenwichtigheid?'

''s Nachts twee bewakers extra, die dicht bij de zee hun ronden moeten doen. Vergeef me, vader. Als ik aan het word ben, laat ik me dikwijls zo meeslepen, dat ik eerlijk zeg waar het op staat. Aan Kamal hebben we niets als bewaker daar beneden. Ook over Omar heb ik mijn twijfels. Dan blijven Sabri, Jamil en ik over.'

'Jij, de jongste matigt je een oordeel aan over je broers?'

'Ik smeek u mij niet kwalijk te nemen dat ik zo eerlijk zeg waar het op staat. Ik weet dat ik alleen maar hardop zeg wat u al lang weet.'

'Aangezien jij mij nu van mijn voorrechten berooft...'

'Oh nee, vader. Wij stellen zonder u niets voor. Maar zelfs de Profeet moest soms gewaarschuwd worden.'

'Wat jij hebt opgemerkt biedt verschillende aspecten die misschien wel onder mijn aandacht gebracht moesten worden.'

'Kamal kan 's nachts beter in Fatima's liefdevolle armen liggen,' zei ik. 'Ik heb hem al eens op de vlucht zien slaan toen hij met gevaar werd geconfronteerd.'

'Waar?'

'In Jaffa. Toen hij achtergelaten was om de vrouwen te verdedigen, vluchtte hij. Gelukkig is de vrouwen toen niets overkomen.'

'Ik had er al zo'n vermoeden van dat het zo met Kamal is gesteld. Het is droevig om te horen.'

'Als hij daar 's nachts beneden bij de zee staat, kunnen we er misschien net zo goed Absalom of de geit heen sturen. Die zullen tenminste kabaal maken.'

'En Omar?'

'Omars tekortkomingen zijn beslist niet te wijten aan een gebrek aan moed,' zei ik snel. 'Hij is gewoon dom. Hij kan niet alleen in het donker opereren. Ik heb twee keer daar beneden met hem op wacht gestaan en heb de hele nacht, tot het licht werd, naar hem moeten zoeken.'

'Jamil, Sabri?'

'Die doen het prima.'

'Ik wist niet dat jij zo'n hoge dunk had van Jamil.'

'Hij is mijn broer. Ik hou van hem.'

'Hetzelfde geldt voor Kamal en Omar.'

'Ik heb Jamils kwaliteiten naar waarde leren schatten. Hij deinst niet voor een gevecht terug.'

'Ik zal nadenken over wat je gezegd hebt en het daarginds op wacht staan mogelijk aan jullie drieën overlaten.'

'Maar dat brengt ons weer terug bij die rekenkundige onevenwichtigheid en dat brengt ons weer terug bij die eerlijkheid waartoe ik me soms laat verleiden. We hebben twee paar goede bewakers nodig daar beneden bij de zee.'

'Je verwacht toch zeker niet, dat hadji Ibrahim deze dringend noodzakelijke commandopost verlaat?'

'Iets dergelijks is nooit bij me opgekomen,' zei ik heel snel.

'Dan is er geen mogelijkheid om die onevenwichtigheid te verhelpen.'

'Er is vaag een mogelijkheid bij me opgekomen,' zei ik.

'Probeer je met me te praten of me te overreden?' vroeg Ibrahim.

'Ik probeer enkel een onevenwichtigheid te verhelpen. We kunnen Omar en Kamal overdag meer van die taken opdragen die zij wel aankunnen. Zoals u al weet, vader, kunnen wij hen geen van beiden naar Jericho sturen, want zij hebben hun opdrachten daar verknoeid. De informatie waarmee zij terugkomen is zelden betrouwbaar en zij hebben misschien zelfs wel verraden waar wij ons bevinden. Zij moeten dingen doen als brandhout sprokkelen, strikken zetten en water halen. Hun kan niets opgedragen worden waarbij een beslissing genomen moet worden.'

'Als ik tot de conclusie kom, dat wat jij zegt steek houdt, dan zullen we het 's nachts met drie bewakers moeten doen.'

'Dat zal een belasting zijn waaronder we niet hoeven lijden... rekenkundig gezien,' zei ik.

'Ishmaël, probeer me er niet van te doordringen hoe geleerd je wel bent. We beschikken over zes mannen. Ik moet op de commandopost blijven en volgens jou hebben we aan twee anderen niets. Dan blijven er drie mannen over. Komen we dan niet op zes man uit?'

Ik sloot mijn ogen, haalde diep adem zoals ik al zo vaak gedaan had wanneer ik bang was en zei: 'We beschikken over een gezonde, bekwame vrouw, die bijna niets te doen heeft.'

'Ik begrijp niet waar je heen wilt,' zei Ibrahim.

'Vader,' zei ik bevend, 'ik heb Nada geleerd met mijn geweer te schieten. Ik sta er voor in dat zij het tegen iedereen hier kan opnemen... u uitgezonderd, natuurlijk.'

'En jij staat haar ook toe achter jou op Absalom te gaan zitten en je leert haar in het geheim lezen en schrijven,' zei Ibrahim.

Oh! Bij de heilige naam van de Profeet! Ik wist dat ik nu een klap, een schop, een duw kon verwachten, waardoor ik van de richel zou storten en vijftien meter lager zou neerkomen. Ik sloot mijn ogen en wachtte daarop. Ik had zo mijn best gedaan om het geheim te houden! Mijn uiterste best!

'Ik weet zeker dat Sabri graag 's nachts met Nada op wacht zou willen staan,' zei Ibrahim.

'Oh nee!' riep ik uit, terwijl ik overeind sprong. 'Ik had alleen mijzelf en Jamil in gedachten!'

'Ga zitten,' zei mijn vader onheilspellend zachtjes. 'Wat jij met Nada probeert te doen is niet mogelijk. Het zal slechts leiden tot een leven vol verwarring voor haar.'

'Maar ons oude leven is voorbij, vader.'

'Dan moeten we jarenlang wachten tot alles weer bij het oude is en intussen niet vergeten wat we weten en wie we zijn. Wat zal Nada er aan kunnen hebben, dat ze kan lezen en schrijven?'

'Wanneer we hier vandaan gaan... in de jaren dat het nog kan duren vóór we naar Tabah kunnen terugkeren... dat weet Allah alleen. Misschien zal ze een baan moeten zoeken.'

'Niet zolang ik leef.'

'Maar dat ze kan lezen en schrijven... brengt haar misschien wel geluk.'

'Ze zal gelukkig zijn met de man aan wie ik haar uithuwelijk!'

'De tijden zijn veranderd, vader!'

'Sommige dingen veranderen nooit, Ishmaël. Sta de vrouw toe voor je uit te lopen, en je zult de rest van je leven van haar de wind van voren krijgen.'

Hij was niet te vermurwen en aan zijn bevel op te houden met Nada les te geven en te helpen was niet te tornen. Mijn missie was op een falikante mislukking uitgelopen en ik stond op om weg te gaan.

326

'Ga zitten,' zei hij opnieuw. Terwijl hij over de woestijn uitkeek behandelde hij mij alsof ik een steen was. 'We moeten Sabri in de gaten houden. Hij is afkomstig uit een stad van gewetenloze dieven. Een gezin kan wel vele kinderen van het mannelijk geslacht hebben, maar slechts één kan de stamhouder zijn. Jij leert nu je eerste les over het opbouwen van intieme vriendschappen. Als de zoon die de vader moet opvolgen, moet je de ware aard leren onderkennen van iedereen om je heen... wie je trouwe slaaf zal zijn... wie met twee monden spreekt... en vooral wie gevaarlijk is. Weinig leiders leven langer dan hun moordenaars. Als je honderd vrienden hebt, moet je er negenennegentig wegschoppen en op je hoede zijn voor die ene die overblijft. Als hij in werkelijkheid je moordenaar is, moet je hem één slag voor zijn.'

Ik moet in zijn ogen een idioot geweest zijn. Mijn mond was zo droog, dat ik niet kon reageren.

'Tja, mijn zoon, jij hebt naar leiderschap gedongen vanaf het moment dat je kon lopen.'

'Ik ben dom,' stamelde ik.

'Uit iemand die vele stommiteiten begaat, kan uiteindelijk een achtenswaardige man groeien, als hij uit zijn stommiteiten lering trekt. Het evenwicht tussen man en vrouw is als het evenwicht dat het leven in de woestijn bepaalt... heel kwetsbaar. Maak daar geen spelletje van. Wat Sabri betreft...'

'Ik voel me vernederd,' fluisterde ik.

'Ik wist wat ik aan Sabri had zodra ik hem zag,' zei Ibrahim. 'Geloof jij echt dat hij gedwongen werd te slapen met een Iraakse officier, dag en nacht met hem samen te leven?'

'Hij stierf bijna van de honger!'

'Een jongen in Nabloes die een bekwaam automonteur is, sterven van de honger? Ik denk eerder dat de gemakken die het Iraakse leger te bieden had te verleidelijk waren, nadat hij de ontberingen om zich heen in ogenschouw genomen had.'

'Waarom is hij dan met ons meegegaan?' vroeg ik.

Mijn vader haalde zijn schouders op. 'Misschien kreeg hij genoeg van zijn Iraakse vriend of kreeg de Irakees genoeg van hem. Misschien hadden ze ruzie gehad. Misschien had Sabri zich te veel dingen uit het Iraakse magazijn toegeëigend en kon hij daarvoor ieder moment gepakt worden. Wie weet? Hij speelt in op mogelijkheden. Misschien meende hij dat de mogelijkheid om met ons mee te gaan de beste kans was om aan moeilijkheden, van welke aard dan ook, in Nabloes te ontkomen.'

Was het eigenlijk allemaal wel zo raadselachtig? Hoeveel keer per dag bezorgde Sabri mij niet even een onbehaaglijk gevoel door een al te langdurige omhelzing, door me in het voorbijgaan even aan te raken, mij langdurig de hand te drukken, me met een treurige uitdrukking op zijn gezicht aan te kijken? Hoe vaak was ik niet 's nachts wakker geworden doordat Sabri 'per ongeluk' in zijn slaap zo scheef was gaan liggen, dat hij met zijn hele lijf tegen het mijne aan lag en ik zijn harde penis duidelijk kon voelen? Wachtte hij misschien wijselijk tot ik als eerste toenadering zocht?

En dan te bedenken wat er tussen hem en Nada gaande was!

Ik schaamde me over mijn domheid. Natuurlijk speelde Sabri een spelletje. Hij was zo aardig, dat hij iedereen kon krijgen waar hij hen hebben wilde en hen rustig kon laten geloven, dat hij hun vriend was. Ondertussen zag hij er waarschijnlijk geen been in de zuster van een vriend te onteren. Ik moest leren mensen beter te doorzien.

Hadji Ibrahim bleef naar de woestijn zitten staren. Wat was hij toch wijs! Wat naïef en dwaas was ik geweest.

'We moeten hem uiterst zorgvuldig in de gaten houden. De beste verraders zijn mensen als Sabri die je vertrouwen kunnen winnen. Als hij je zuster te na komt, zal ik hem ter dood veroordelen. Jij, Ishmaël, die zo graag leiding wilt geven, zal dan voor het eerst in praktijk brengen wat je geleerd hebt. Jij zult Sabri dan van kant maken – van dichtbij – met een dolksteek.'

8

Iets boven mijn richel tartte mij voordurend. Enkele tientallen meters hogerop bevond zich een opening naar nog een grot. Nu had je in Qumran natuurlijk vele grotten. In de makkelijk toegankelijke gingen we van tijd tot tijd op onderzoek uit. Andere konden eenvoudigweg niet bereikt worden dan door ervaren klimmers met een daarvoor geschikte uitrusting.

Deze opening daarboven bevond zich boven in een steile wand, maar ik had geleerd dat vele wegen naar één en hetzelfde doel konden leiden. Je leert steunpunten te vinden voor handen en voeten, sprongetjes te maken, touwen te gebruiken.

Vele uren en dagen observeerde ik door een verrekijker de bewegingen van de berggeiten. Die grot bereiken werd een alles overheersende uitdaging. In geen van de andere grotten was iets van waarde ontdekt en daarom beeldde ik mij in dat deze gevuld was met schatten. Het begon langzamerhand een obsessie te worden.

Op een ochtend, toen ik met Nada op mijn richel de tijd zat te verlummelen, voegde Sabri zich bij ons. Ondanks mijn vaders scherpe woorden vond ik het heel prettig daar boven met hen samen te zijn. We deden trouwens gewoonlijk ook niets verkeerds, praatten alleen maar.

Al gauw zaten we met ons drieën naar de hooggelegen grot op te kijken en de kans te bespreken om die te bereiken.

'Ik geloof dat ik een manier bedacht heb om er te komen,' zei ik.

'Dat moet geen probleem zijn,' was Sabri het met me eens.

'Laten we er dan naartoe gaan!' zei Nada opgewonden.

Sabri haalde zijn schouders op. 'Ik heb niet zoveel zin vandaag. Het is te warm.'

Om eerlijk te zijn was ik blij dat hij dit het eerst zei, want ik was heus niet bang, hoor... niet erg tenminste... maar het was wel een erg steile helling.

'Morgen misschien,' zei ik.

'Ja, morgen misschien,' viel Sabri mij bij.

'O, maar wacht eens,' zei ik. 'Morgen kan ik niet. Dan moet ik op wacht staan. Overmorgen dan maar?'

'Overmorgen kan ik niet,' zei Sabri. 'Dan moet ik water halen.'

'En de dag daarop heb ik andere dingen te doen,' zei ik.

'Volgende week dan.'

'Ja, volgende week.'

Nada sprong overeind en lachte ons uit. 'Jullie zijn bang!' riep ze uit. 'Jullie zijn allebei bang!'

'Helemaal niet!' protesteerden wij eenstemmig.

'Laten we dan gaan!' Met die woorden rende ze als een berggeit tussen de rotsen door. 'Kom nou,' riep ze uitdagend over haar schouder.

Uiteraard konden Sabri en ik geen van beiden een dergelijke onbeschaamdheid van een vrouwspersoon tolereren. We kwamen met knikkende knieën overeind en zetten een hoge borst op.

'Ik haal wat spullen die we bij het klimmen kunnen gebruiken,' zei ik. Ik hoopte eigenlijk dat zij van het idee zouden zijn afgestapt tegen de tijd dat ik terugkwam. Ik liep zo langzaam mogelijk naar onze grot terug. Ik rolde een lang stuk touw op, hing het over mijn schouder, vulde een veldfles, pakte een zaklantaarn en liep nog langzamer terug.

Oh nee, hè! Nada had de klim niet alleen niet uit haar hoofd gezet, ze stond zelfs al een meter of zestig hogerop lachend Sabri te plagen die centimeter voor centimeter omhoog klom en zich daarbij onhandig aan de rotsen vastklemde. Ik smeekte mijn benen op te houden met trillen, zond een gebed op naar Allah en begon te klimmen. Het was werkelijk een verschrikking! Ik hield mijn ogen onafgebroken op mijn handen gericht, terwijl deze rotsachtige uitsteeksels vastgrepen. Toen mijn voet weggleed, beging ik de vergissing naar beneden te kijken en de rotswand stortte zich minstens tienduizend meter omlaag... of nog meer...

Ik had dolgraag uitgeschreeuwd dat ik er genoeg van had, want ik realiseerde me dat we ook weer naar beneden zouden moeten klimmen. Ik moest uiteraard wachten tot een van de anderen het het eerst opgaf en ik had het afschuwelijke voorgevoel dat dat niet Nada zou zijn. Telkens wanneer ik een glimp opving van haar zwarte jurk, kon ik haar met een behendigheid omhoog zien klauteren waaruit geen enkele vrees bleek.

'Kom nou! Kom nou!' bleef ze roepen. 'Het is hierboven prachtig!'

Dank zij Allahs goedgunstigheid waren zij inmiddels op een klein plateau blijven zitten om uit te rusten. Ik bad dat zij zich aangaande de rest van de klim bedacht zouden hebben tegen de tijd dat ik bij hen aankwam, want ik deed het bijna in mijn broek. Toen ik hen bereikte, stond Nada over Sabri heengebogen en probeerde zij hem op zijn gemak te stellen. Hij was helemaal verstard van angst, durfde geen stap meer omhoog, omlaag of opzij te doen. Hij kon zelfs niet eens meer praten.

'Pff!' zei ik. Ik was buiten mezelf van vreugde dat Sabri het het eerst had opgegeven. 'Wel, hoger gaan heeft geen zin,' zei ik. 'Maak je nu maar geen zorgen, Sabri. Het is geen schande. Wij helpen je wel met touwen naar beneden.' Ik legde mijn arm om zijn schouder, één en al meeleven, maar onderdrukte ondertussen mijn eigen gebibber. Sabri had geluk dat hij een vriend had die zoveel begrip toonde. 'Pech gehad. We proberen het nog wel eens een keer hè, Sabri?'

Hij piepte zo zielig als een kuiken dat juist uit zijn ei was gekropen. Toen ik opkeek, was Nada er alweer vandoor. O, oh. Ik ging voorzichtig staan en drukte me zo ver mogelijk van de rand af plat tegen de wand, maar beging opnieuw de vergissing naar beneden te kijken. Oh God!

'Nada!' schreeuwde ik. 'Terugkomen jij! Dit is een bevel!'

'Ishmaël! Hier ben ik, boven je! Kom! We kunnen hier een brede spleet volgen. Dat is veel makkelijker!'

Ik keek omhoog. Ik keek omlaag. Wat ik ook deed, dood viel ik toch.

'Laten we het maar afwerken, Sabri. Nada heeft een weggetje gevonden.'

'Ik k-k-k-kan niet,' stotterde hij.

Het had geen zin te proberen hem te dwingen. Hij was echt verlamd, van top tot teen verstijfd. 'Blijf dan hier en verroer je niet. Wij zijn zo weer terug. Goed?'

Hij slaagde erin te knikken.

Het ging nu makkelijker, omdat ik onmogelijk nog banger kon worden dan ik al was. Toen de grotopening al dichterbij opdoemde, werd ik zelfs nog stoutmoedig. Nada was immers ook niet bang. Zij moest gek geweest zijn. Ik had me tot nu toe nog nooit van mijn leven op een meisje verlaten, maar niets voelde ooit prettiger aan dan haar hand die mij omhoog, over de rand trok.

'Dat was leuk, hè!' hijgde ze.

'Het was makkelijk,' zei ik.

We stonden hand in hand voor de opening. Je nadert een ingang van een grot altijd op dezelfde manier... behoedzaam. Ik knipte de zaklantaarn aan en gaf haar een por ten teken dat ze voor mij uit naar binnen moest gaan. Ze liep voorzichtig, op haar tenen, want ze verwachtte dat er vleermuizen naar buiten zouden vliegen, maar die waren er niet. Ik kwam achter haar aan en bescheen met de zaklantaarn een kolossale ruimte.

Nada krijste en stortte zich in mijn armen. *Daar*! In een hoek. Een berg mensenbeenderen.

'Wees maar niet bang,' zei ik hees. 'Ze zijn dood.'

Toen zagen we iets dat nog droefgeestiger was. Tussen de scherven van een hele grote kruik lag het skelet van een baby met vlakbij zijn hoofdje een gebroken kannetje en een paar graankorrels.

'Ik vraag me af wie dat was?' zei ze.

We snuffelden rond. Er lagen nog meer beenderen van kinderen bij een soort altaar van stenen, waaraan nog te zien was dat er een vuur op gebrand had. We wisten niet wat dit allemaal te betekenen had, maar we werden met de minuut moediger en waagden het nog verder de grot in te lopen. We onderzochten drie gewelven en in alle drie waren bewijzen aanwezig van het feit dat er mensen in gewoond moesten hebben: tientallen, voor het merendeel gebroken potjes, een sandaal, een haarvlecht, graankorrels, stukjes stof, manden, een soort keukenoven van steen en werktuigen.

Mijn zaklantaarn begon zwakker te schijnen ten teken dat de batterijen uitgeput raakten. 'Er is niets bij dat ook maar iets waard is,' zei ik teleurgesteld. 'We kunnen maar beter weer naar buiten gaan.'

'Wacht! Kijk daar eens!' zei Nada en ze wees naar een opening. Die leidde naar een ruimte die zo laag was dat zij er alleen op haar handen en knieën in kon komen.

'Kom mee, Nada. Als deze zaklantaarn het begeeft, zitten we in moeilijkheden.'

Ik was kwaad, omdat zij niet naar me luisterde, maar kon niets anders doen dan achter haar aan kruipen. 'Het is hier te laag,' klaagde ik. 'Hier heeft niemand in kunnen leven.'

'Nee, maar ze konden er wel iets in verbergen.'

We kwamen op een punt dat we niet verder konden en zaten toen zo dicht bovenop elkaar dat omdraaien moeilijk was. Ik scheen om ons heen, maar het enige dat we zagen was een stapel stokken.

'Zie je wel, niets,' zei ik.

'Iemand moet deze stokken hierheen gebracht hebben,' zei ze.

'En wat zegt dat?'

'Wacht. Luister,' zei ze.

'Ik hoor niets.'

'Kijk daar, waar jij tegen de zijkant aankwam toen je je omdraaide.'

'Gewoon een paar stenen die zijn weggegleden,' zei ik. 'Ik ga me niet nog eens omdraaien.'

'Ishmaël! Richt de zaklantaarn daar eens op! Wat is dat?'

Het enige dat ik kon zien was een stukje mand dat met een paar stenen uit de spleet was gegleden. Nada pakte een van de stokken op en stootte daarmee tegen die plek. Het was alsof er opeens een geheime deur openzwaaide. Er kwamen dingen naar buiten vallen. Het waren er veel! Wel zes of nog meer. Het was zo'n nauwe ruimte dat we bijna op onze buik lagen. We konden niet goed bekijken wat het voor dingen waren. Moeizaam veranderde ik van houding, pakte een stok, stak die in het gat en maakte het zo groot dat mijn hand erdoor kon. Ik stak mijn hand erin en trok nog drie metalen voorwerpen naar buiten. Mijn zaklantaarn begon weer zwakker te schijnen.

'Neem zoveel mee als je kunt dragen. Ik pak de rest. Maar we moeten nu echt maken dat we wegkomen.'

Net op tijd kwamen we weer in de grootste ruimte terug. Toen we het licht inliepen van de grotingang, viel de zaklantaarn uit. We legden onze vondst neer en staarden ernaar. Het waren prachtige voorwerpen van metaal – koper, denk ik – met allerlei krullen, bogen en andere decoraties erop. Er was één voorwerp bij, dat met steenbokkoppen was versierd en een andere leek op een kroon waarin in het rond vogels gegraveerd waren. Er waren ook nog twee gebogen voorwerpen van ivoor bij met veel gaten erin.

'Wat zijn dat voor dingen, Ishmaël?'

'Dat weet ik niet, maar ik denk dat ze heel belangrijk zijn.'

'We hebben niets waarin we ze mee naar beneden kunnen nemen,' zei ze. 'Laten we ze verstoppen en manden gaan halen.'

'Nee, dan zijn ze misschien al ontdekt en gestolen,' zei ik, terwijl ik mijn bloes uittrok. Ik slaagde erin de helft van de voorwerpen daarin te wikkelen. Hoe verder? Allah help me nadenken! 'Goed, Nada, je rok,' zei ik.

Ze trok die zonder ook maar even te aarzelen uit en had toen alleen nog maar haar enkellange, wijde broek aan om haar kuisheid te beschermen. 'Ik zal proberen niet te kijken,' zei ik hoffelijk, 'en als ik dat per ongeluk toch doe, zal ik er nooit van mijn leven iets van zeggen, dat zweer ik.'

'Het hindert niet. Jij bent mijn broer. Bovendien is dit belangrijker.'

Toen we bij Sabri aankwamen, was hij zichzelf weer min of meer meester. Onze blijdschap zou er aan bijdragen dat de tocht omlaag makkelijker werd. Toen we klaar stonden om de terugtocht aan te vangen, viel me in dat we dit allemaal aan hadji Ibrahim zouden moeten uitleggen. Ik besefte dat we een leugen om bestwil zouden moeten verzinnen en daarop samen een eed zouden moeten afleggen. Ik voelde me voor de eerste keer van mijn leven in aanwezigheid van een vrouw beschaamd.

'Nada, we kunnen vader niet vertellen, dat jij met Sabri en mij op pad bent geweest. Ik zou kunnen zeggen dat ik alleen daarboven geweest ben, maar hij kan op zijn vingers natellen dat ik alles niet in mijn eentje mee naar beneden heb kunnen brengen. We zullen moeten zeggen, dat Sabri en ik dat samen gedaan hebben.'

Aan de grote, heldere ogen was te zien dat zij zich gekwetst voelde. Sabri sloeg zijn ogen neer. Hij kon haar niet aankijken en ik kon dat evenmin.

'Je weet hoe vader is,' mompelde ik. 'Hij slaat Sabri en mij misschien wel dood. Hij zou jou kwaad kunnen doen.'

We bleven daar zeker wel een half uur zwijgend zitten. Toen pakte Nada mijn hand en heel stoutmoedig ook die van Sabri. 'Je hebt gelijk, Ishmaël. Jij en Sabri hebben deze dingen gevonden. Ik was er niet bij.'

9

Je kunt van jezelf denken, dat je een bedoeïen bent, geloven dat je een bedoeïen bent en proberen te leven als een bedoeïen. Van dat soort lieden, die bekend staan als woestijnratten, slagen enkelingen erin een tijdlang in de woestijn in leven te blijven, maar als je er niet bent geboren zal die woestijn uiteindelijk alle levensvocht uit je wegzuigen.

Een paar maanden voor mijn dertiende verjaardag raakte ons paradijs uitgehold.

Allereerst door toedoen van stormen. Dan verduisterde de hemel en konden we aanvankelijk niet uitmaken of sprinkhanen of zand daarvan de oorzaak waren. Een tegenwind die vanuit de woestijn richting zee waaide – de *chamsin* genaamd, een wind, zo warm als een verhitte oven – zwiepte over ons heen. Het enige dat je dan kon doen was een plek dichtbij de grond zoeken, je rug naar de wind toe draaien en naar adem gaan liggen happen, soms urenlang. Miljoenen zandkorrels worden met zo'n hoge snelheid tegen je aan gejaagd, dat dit een scherpe pijn veroorzaakt. Je kunt je er niet in verplaatsen. Je kunt je ogen niet opendoen, uit vrees dat het zand je blind zal maken. Het zand dringt met kracht door je kleren heen, bijt in je huid en maakt dat je slechts met grote moeite kunt ademhalen.

Hoe we ook ons best deden om de grot af te dichten, het zand drong overal in door – in ons graan, onze wapens, onze brandstof. Zand werkte zich in onze haren. Een week later spuwden we het nog uit, maar er bleef zand in onze tanden en neus zitten en hoe we ook ons best deden om de grot ervan te zuiveren, er zat altijd zand door ons eten, onder onze nagels en ingebed in onze huid.

Meteen na die zandstormen kwamen de kleine luizen. Zij nestelden zich in onze wenkbrauwen en in al het haar dat we verder nog op ons lijf hadden. We overgoten elkaar met benzine en gingen dan naar de plassen, maar we hadden niet veel zeep meer en om de luizen te doden moesten we met brandplekken van de benzine op onze huid leven.

Het kostte ons na een zandstorm altijd dagen om onze wapens uit elkaar te halen en schoon te maken en we zagen ons gedwongen voorraden sneller te verbruiken dan we wilden. Kaarsen, benzine, olie, zeep, bepaalde levensmiddelen – alles begon op te raken en het was onmogelijk om de voorraden in Jericho aan te vullen. Daar was aan alles gebrek, aangezien de bevolking zich verhonderdvoudigd had en het onvermijdelijke gevolg was een moorddadige zwarte markt. De horden die naar Jericho gestroomd waren, bezaten al gauw geen geld en geen juwelen meer. Wij in de grot hadden het punt bereikt dat we meer opmaakten dan er weer aangevoerd kon worden. Over hooguit twee maanden zouden onze voorraden op... uitgeput zijn.

Het ergste was dat die zandstormen en het feit dat onze voorraden aan het slinken waren invloed kregen op onze gemoedstoestand. De twee zwangere vrouwen, Ramiza en Fatima, begonnen zich ellendig te voelen, gaven voortdurend over en huilden hysterisch. Alle anderen in onze grot werden prikkelbaar, maakten om niets ruzie. Soms stoven we zo snel op, dat we in de verleiding kwamen onze geheimen eruit te flappen teneinde een ruzie te beslechten en de persoon aan wie we op dat moment een hekel hadden pijnlijk te treffen. Natuurlijk verrieden we onze geheimen niet, maar begroeven we ze nog dieper in onze binnenste.

Daarna kwam het water. Door de eerste regenbui en stortvloed van die winter werden onze dammen weggevaagd die het water hadden moeten vasthouden en barstte het reservoir, zodat het werk van een heel voorjaar en een hele zomer werd tenietgedaan. Het kleine beetje water dat we toch nog wisten op te vangen was smerig en zat vol slik, zodat het niet te drinken en nauwelijks bruikbaar was.

Door scheuren in de rotswand konden kleine stroompjes water de grot in sijpelen. In een zware storm stonden we tot aan onze enkels in het water. De lekken waren met geen mogelijkheid dicht te stoppen, zodat het vochtig bleef en ons graan begon te beschimmelen.

Het vocht bracht ook ongedierte met zich mee, dat op onze levensmiddelen aanviel en ons wakker hield met zijn geluiden en door over onze lichamen te springen.

De zolen van onze schoenen waren totaal versleten. Onze voeten raakten gehard door ons klimmen over rotsen, maar zij werden ook tot bloedens toe opengehaald door uitsteeksels die zo scherp waren als een mes. We beschikten niet over medicijnen of zelfs maar over kruiden om steeds terugkerende verkoudheden, dysenterie en koortsaanvallen te bestrijden. Onze kleren waren zo aftands geworden dat ze ons nauwelijks nog bescherming boden tegen de hitte van de zon.

We rekenden er voortdurend mee dat hadji Ibrahim het sein zou geven dat we moesten opgeven en vertrekken, want vertrekken leek minder erg dan alles wat we nu te verduren hadden. Zelfs met vader als onze leider was onze wilskracht bijna tot aan het nulpunt gedaald. Het vertrouwen en de trots die wij als familie behouden hadden, vervielen tot algemene angst, hopeloosheid en argwaan.

Wat hadji Ibrahim eigenlijk de nek brak, was dat wij voortdurend met slecht nieuws uit Jericho terugkeerden. Aan het tweede bestand was een eind gekomen. Het vlaggeschip van de Egyptische marine was tot zinken gebracht en kort daarop veroverden de joden Berseba, joegen ze de Egyptenaren de Negev uit en trokken ze zelfs de Sinaï binnen. Wat er van Kaukji en zijn Bevrijdingsleger over was werd de grenzen over gedreven. Syrië – dat in Galilea op zichzelf was aangewezen – kon worden afgeschreven en Libanon was nooit van enige betekenis geweest.

De joden hadden nog twee pogingen ondernomen om Latrun in te nemen en waren daarin niet geslaagd, maar daar stond tegenover dat ze er een weg naar Jeruzalem omheen aangelegd hadden en hun deel van die stad behouden hadden.

Nu er voor de Arabieren een ramp dreigde, brak de tijd aan voor wraakoefeningen tussen de verschillende partijen.

Clovis Bakshir, de burgemeester van Nabloes, werd achter zijn bureau vermoord door een gewapende bandiet van de moefti omdat hij Abdullah gesteund had.

Abdullah nam wraak door een stuk of zes pro-moefti moektars door speciale brigades van het Legioen te laten elimineren en tientallen sympathisanten overal op de westoever van de Jordaan te laten oppakken en in Amman te laten opsluiten.

Zodra iedereens grootse plannen om de joden te vernietigen op niets bleken uit te lopen kwamen als reactie de onverkwikkelijke verhalen over talloze geheime overeenkomsten bovendrijven.

Voor de eerste die aan het licht kwam, was het initiatief genomen door de Saoediërs. Hun grondgebied grensde over een enorme afstand aan dat van Jordanië en zij waren bovendien met Abdullah al lange tijd in een bloedvete verwikkeld. De Saoediërs waren degenen geweest die Abdullah en zijn Hasjemitische familie uit Arabië hadden verdreven. Zoiets werd nooit vergeten. De Saoediërs beefden bij de gedachte dat Abdullah veel macht zou krijgen, want dan zou hij binnen de kortste keren wraakzuchtige gedachten gaan koesteren.

Aangezien het opslokken van het Arabische Legioen van Abdullah altijd van meer belang was geweest dan een Arabische overwinning hadden de Saoediërs de Egyptenaren, Irakezen en Syriërs geld gegeven om Abdullah bij de oorlog te betrekken. Hun komplot hield in dat ze het Legioen de westoever van de Jordaan zouden laten annexeren en daarna Abdullah zouden vermoorden, zodat ze dan zijn koninkrijk onder elkaar konden verdelen. Abdullah slaagde er echter op listige wijze in de moordenaar steeds te slim af te zijn, terwijl zijn troepen intussen hun terreinwinst op de westoever veilig stelden.

Een andere samenzwering werd door de Egyptenaren gefinancierd die zich van de Gazastrook meester hadden gemaakt. Zij brachten de moefti naar Gaza waar hij en zijn aanhangers een 'volledig Palestijnse Regering' installeerden. In werkelijkheid behandelden de Egyptenaren de Gazastrook niet als Palestina, maar als een door militairen bestuurd gebied.

Nu begon een aantal andere transacties van Abdullah aan het licht te komen. Kaukji, zo bleek, was al die tijd een handlanger van Abdullah geweest. Kaukji verlinkte veel mannen van de moefti met wie hij eigenlijk samen het bevel had moeten voeren. Deze mannen ondergingen het gebruikelijke lot. Als vergoeding zou Kaukji benoemd worden tot de eerste gouverneur van de westoever in Palestina en dit gebied namens Abdullah besturen.

Intussen kwam in Egypte, Irak en Syrië naar aanleiding van het verliezen van de oorlog het gevangen zetten en moorden tussen ministers en generaals op gang. Overal wankelden regiems.

Onze ergste storm kwam direct na nieuwjaar in 1949. De stortvloed had zoveel kracht, dat hij uit de beddingen sprong en op tientallen plaatsen zijn weg de grot in vond. Het scheelde maar heel weinig, of we hadden het toen opgegeven. Kamal werd op een nacht wild van angst, de zwangere vrouwen stonden op instorten, Jamil en Omar gingen met elkaar op de vuist en zelfs aan Hagar, de vrouw van staal, was te zien dat ze vreselijk onder spanning stond.

Ik kwam op een dag terug van een tocht naar Jericho en ging onmiddellijk mijn vader opzoeken, die zich net als altijd bij de mitrailleur verschanst had. Ik zag hem daar in lompen, doorweekt zitten.

'Vader,' riep ik, 'het is voorbij. Er is weer sprake van een staakt-het-vuren, maar deze keer noemen ze het een wapenstilstand.'

Ibrahim draaide zich naar mij om. Zijn gezicht droop van de regen, zodat ik niet kon uitmaken of er echt tranen uit zijn ogen kwamen.

'Moeten wij ons nu bij Abdullah aansluiten, vader?'

Hij lachte op een ironische, tragische manier. 'Nee,' fluisterde hij. 'Niemand van degenen die ons gedwongen hebben weg te trekken zal deze catastrofe onder ogen zien. Het zal nog vijftig jaar duren voor zij zover zijn. Toegeven dat de joden gewonnen hebben? Zover kunnen ze niet gaan... nooit. Wij kunnen daar niet op wachten, Ishmaël. Laat hen maar in elkaars vlees snijden, laat hen elkaars botten breken. Zij zullen geen enkele definitieve beslissing nemen. Vervloek hen om wat zij ons hebben aangedaan. Wij hebben slechts één opdracht. Wij zullen naar Tabah terugkeren. Denk alleen aan terugkeren naar Tabah. Denk alleen aan Tabah...'

10

Gideon Asch genoot eigenlijk wel van zijn contacten met kolonel Farid Zyyad van de Jordaanse inlichtingendienst. Doordat Zyyad door Britse militairen opgeleid was en in Sandhurst was afgestudeerd, had hij een aantal hebbelijkheden overboord gezet die van bijeenkomsten tussen Arabieren en niet-Arabieren een bezoeking maakten. Zyyad kon ter zake komen, probeerde niet een zwak idee te smoren in een overvloedige woordenbrij en hij beperkte leuzen tot een minimum.

Het onbekende dorp Talal bood hen onderdak voor hun geheime ontmoetingen. Het dorpje lag vlakbij de frontlijn rond Ramallah, waar een aantal van zijn akkers in door joden bezet gebied overliep. Er werd hier als gevolg van een stilzwijgende overeenkomst, een soort bestand, een stellingoorlog gevoerd waardoor de dorpelingen aan weerszijden van de frontlijn voor hun gewassen konden zorgen.

Om de haverklap stoof een Jordaanse patrouille het dorp binnen en werd de dorpelingen geadviseerd hun akkers te verlaten en binnen te blijven. Kort daarop reed dan geruisloos een voertuig met Zyyad erin binnen, dat naast een verlaten uitkijkpost werd geparkeerd.

Een paar tellen later kwam dan van joodse zijde een eenzame figuur aanlopen, die contact maakte door met een zaklantaarn te seinen. Zodra dat sein was beantwoord, stak Gideon over en betrad hij de post.

Op het bureau stond een fles Johnny Walker Black Label op zijn aankomst te wachten en zo'n fles zag Gideon tegenwoordig alleen nog maar tijdens zijn ontmoetingen met Zyyad. Zodra Gideon binnenkwam, vulde Zyyad de glazen.

'Op onze Britse leidslieden.'

Gideon hief in antwoord daarop zijn glas op. 'De beslissing is zojuist gevallen, Zyyad. Men is overeengekomen op het eiland Rhodos besprekingen te houden over een wapenstilstand. Ralph Bunche heeft erin toegestemd hoogst persoonlijk te bemiddelen. Abdullah zal hiervan binnen het uur in Amman in kennis gesteld worden.'

'Dan zal Jordanië dus het eerst met jullie praten,' zei Zyyad.

'Nee, de Egyptenaren zullen de eersten zijn,' antwoordde Gideon.

'Je hebt beloofd dat wij het eerst zouden onderhandelen.'

'Ik heb beloofd dat ik daar mijn best voor zou doen. Ik kon het niet voor elkaar krijgen.'

'Het is onbegrijpelijk. Het Egyptische leger is volledig op de vlucht gedreven. Wij hebben grondgebied in bezit. Jullie moeten het eerst met ons praten.'

'Helaas beschouwen de betrokken mogendheden Egypte nog steeds als de belangrijkste Arabische natie.'

'Ze vochten als vrouwen.'

Gideon haalde zijn schouders op.

'Wanneer begint de conferentie?' vroeg Zyyad.

'Over een dag of tien. Ik geloof dat dertien januari werd genoemd.'

Kolonel Zyyad draaide zijn glas rond, nam een slokje, gromde. 'Hoelang kunnen jullie een staakt-het-vuren met de Egyptenaren voorkomen?'

'Niet erg lang,' zei Gideon, die wist dat hij persoonlijk naar de Negev zou vliegen om daartoe het bevel te geven.

'De Egyptenaren staan op punt van instorten,' zei Zyyad. 'Twee dagen – hooguit drie – en zij zullen de Gazastrook en hun halve leger aan jullie overgeven.'

'Wij zijn niet op de Gazastrook uit,' antwoordde Gideon.

'Speel nu geen Arabische spelletjes met me,' zei Zyyad lichtlijk geïrriteerd. 'Jordanië moet de Gazastrook hebben om via Israëlisch grondgebied bij de zee te kunnen komen.'

'Ik merk dat jullie heren in Amman al plannen hebben zitten maken voor de toekomst.'

'Het koninkrijk heeft in Akaba een uitweg naar de zee. Egypte kan die naar eigen goeddunken afsluiten. We kunnen niet aan hun genade overgeleverd blijven. We moeten Gaza als haven hebben.'

'De Britten hadden daaraan moeten denken toen zij er in Oost-Palestina zo'n puinhoop van maakten, Zyyad. Weten jullie trouwens opeens niet meer wie jullie bondgenoot en wie jullie vijand is?'

'Wil je dat ik daar antwoord op geef? Goed. Dan zal ik het zeggen. Egypte is meer onze vijand dan Israël. Jullie weten waarom wij Gaza moeten hebben. Wij weten ook wat jullie daarvoor terug willen hebben en wij zijn bereid daarover te onderhandelen.'

'Als jullie ons gaan vragen de Gazastrook voor jullie te veroveren en in bezit te houden, dan zullen wij op onze beurt om een vredesverdrag vragen. Je weet dat Abdullah niet sterk genoeg is om zo'n verdrag te sluiten, ook al wil hij dat wel.'

Een vorm van samenwerking met de nieuwe joodse staat als gevolg van wederzijdse territoriale afhankelijkheid lokte Abdullah zeker aan. Economisch gezien zou hij daar voordeel van hebben. Als 'stille vennoten' zouden Israël en Jordanië Egypte, Syrië en Irak ertoe dwingen zich nog eens te bedenken vóór ze opnieuw tot de aanval overgingen. Uiteindelijk waren de joden en Abdullah niet uit eigen vrije wil elkaars vijand.

Een vredesverdrag? Een verduiveld stoutmoedige gedachte. Maar Abdullah wachtte dan gegarandeerd de dood. Men zou Abdullah tot een niet-Arabier, een paria, een melaatse verklaren. Zelfs zijn eigen leger zou zich tegen hem kunnen keren. Nee, zo'n stoutmoedige stap kon niet gezet worden.

Zyyad haalde een envelop met daarop het koninklijk wapen te voorschijn, die niet was verzegeld. 'Lees hem alsjeblieft, dan zal ik hem daarna verzegelen.'

Aan Zijne Excellentie David Ben Goerion
Premier van de Staat Israël

Zeer geachte vriend en tegenstander,

We hebben een zware en bloedige oorlog gevoerd, niet altijd in ons beider belang en niet altijd met grote overtuiging. Vele vraagstukken zullen helaas onopgelost blijven. Aangezien één en dezelfde situatie op verscheidene manieren geïnterpreteerd kan worden en daaraan niet in iedere staat een zelfde betekenis toegekend wordt, is voor de toekomst stilzwijgende samenwerking tussen ons noodzakelijk.

Zoals u wellicht al vermoedt, staat het ons niet altijd helemaal vrij om onafhankelijk te handelen. Daarom moeten wij geduldig zijn. Geduld zal uiteindelijk zegevieren. Onuitgesproken woorden en ongeschreven afspraken kunnen net zo solide zijn als een nietszeggend document over een wapenstilstand. Dergelijke afspraken zouden ons kunnen verzekeren van een lange periode van vrede en vooruitgang.

Ik smeek u daarom uw verovering van de Gazastrook te voltooien teneinde een wederzijdse vijand uit te schakelen en te overwegen ons toe te staan in de toekomst dat gebied te besturen. Daardoor zou mijn annexatie van de westoever gewaarborgd zijn en zouden wij beiden verzekerd zijn van de grootste kans op coëxistentie.

Geef de Gazastrook voor mijn part aan de duivel, maar in godsnaam niet aan de Egyptenaren!

Met de hartelijkste groeten en bewondering,
verblijf ik
Abdullah

Op het kleine, door de Duitsers aangelegde vliegveld vlakbij het Klooster van het Kruis in West-Jeruzalem klom Gideon aan boord van de wachtende Piper Cub.

'Tel Aviv?' vroeg de piloot.

'Nee. De voorste commandopost aan het zuidelijk front.'

'Waar ligt die in vredesnaam?'

Gideon bekeek enkele ogenblikken de kaart en omcirkelde toen een niet nader aangeduide plek in de Sinaï een paar kilometer van El Ariesj.

'Daar ergens bevindt zich een landingsbaan. Kan je radiocontact maken?'

'Ja, maar de zender is vrij zwak.'

'O, dan roepen we ze op om de juiste locatie door te geven als we dicht genoeg genaderd zijn.'

Het vliegtuig cirkelde drie keer rond om zo hoog te komen dat het over Jeruzalem heen kon vliegen en bepaalde vervolgens zijn koers aan de hand van de pas met aan weerszijden zijn diepe ravijnen. Toen ze onder zich vlak landschap zagen, draaiden ze naar rechts, richting de Negev. De eerste voorboden van een zandstorm begonnen vat te krijgen op het vliegtuigje. Gideon, de man die op een paard door niemand in stoutmoedigheid werd overtroffen, klemde zich zo stevig vast dat zijn knokkels er wit van werden. De piloot lachte. Hij had in nog veel slechter weer vele patronen en levensmiddelen aan parachutes neergelaten boven geïsoleerde kibboetsen. 'Klem je stevig aan je stoel, Gideon. We krijgen het zwaar te verduren.'

Het einde van de oorlog dreef een al lang bestaand filosofisch conflict tussen Ben Goerion en zijn generaals op de spits. B.G. was weliswaar een man die sinds de eeuwwisseling baanbrekend werk verricht had in Palestina's moerassen en het land leiding had gegeven tijdens zijn grote, politieke krachtsinspanningen, maar zijn karakter was voor een deel ook gevormd in de getto's van Polen.

Ben Goerion wantrouwde als jood van nature de militairen, want hun aanwezigheid had altijd onderdrukking ingehouden. Aan de ene kant had hij niet volledig vertrouwen in de joodse kwaliteiten waar het om oorlogvoeren ging. Aan de andere kant was hij bang voor een omvangrijke, sterke joodse strijdmacht. De pas aangeworven jongens van de Palmach en de Haganah, nu het Israëlische Verdedigingsleger geheten vertegenwoordigden een generatiekloof.

Vele, nog maar pas aangetreden militairen waren van mening dat de Oude Man zijn hoogtepunt had bereikt toen hij Israëls Onafhankelijkheidsverklaring voorlas. Hij had zich al eerder van de Jong Turken van de Palmach en Haganah vervreemd door meer vertrouwen te stellen in politieke schikkingen dan in wapens. Hij hield aan de oude theorie vast, dat geen enkel klein land ten oorlog moest trekken zonder de steun van een belangrijke mogendheid. Aangezien dat niet mogelijk was, wilde hij liever langs politieke weg dingen tot stand brengen. Hij had het bijna altijd aan de stok met zijn officieren, die grotere gevechtseenheden wilden hebben en meer geld voor wapens. De krijgslieden waren tot de conclusie gekomen dat de nieuwe staat een gehard joods leger zou moeten hebben om haar grenzen veilig te stellen.

Deze kloof kreeg gestalte in de persoon van Jigal Allon, van wie werd gezegd dat hij de grootste joodse generaal was sinds Jozua en Joab in de bijbel. Net als Gideon Asch was hij in Galilea geboren, was hij voorheen lid geweest van een kibboets en werd hij als jonge Palmach-officier door zijn mannen op handen gedragen. Allon had het helemaal. Hij was tegelijk bemiddelaar, plannenmaker, streng bevelhebber en opvoeder, maar bovenal een uiterst eerlijk en toegewijd persoon. Net als andere leiders van het Israëlische Verdedigingsleger kende hij zijn mannen beter dan de meeste generaals in de meeste andere legers, waar ter wereld ook. Hij was de eerste bevelhebber van de Palmach geworden, de eerste bevelhebber van eenheden ter grootte van een divisie en vader en oprichter van het nieuwe leger. Hij was nog maar dertig jaar oud, maar algemeen was men van mening dat hij voorbestemd was ooit chef van de generale staf te worden, zo niet premier.

Ook was men van mening dat Jigal Allon het commando had moeten blijven voeren aan het belangrijkste, centrale front dat Tel Aviv en ook Jeruzalem omvatte. Misschien scheen zijn ster te helder, want Ben Goerion 'verbande' hem naar het zuidelijk front in de woestijn.

Allon was geen serieuze, politieke rivaal, maar een nieuw soort jood waarmee Ben Goerion niet geheel vertrouwd was of zich niet gelukkig voelde, ondanks het feit dat hij al jaren in Palestina verbleef.

De landingsbaan werd gelokaliseerd aan de hand van een radiobaken dat hen naar afgebakende stroken op de grond leidde. Gideon werd afgevoerd zodra het vliegtuig bij een piepkleine oase geland was, vlakbij El Ariesj. Jigal Allon en Gideon Asch begroetten elkaar met een meer dan stevige omarming.

Allon was de frustratie aan te zien, toen hij Gideon de positie van zijn leger uitduidde. El Ariesj lag in de zuidpunt van de Gazastrook, waar deze in de Sinaï overging. Volgens de geschiedenisboekjes hadden er wel honderd veldslagen rond El Ariesj plaatsgevonden, waarbij eertijds van Filistijnse strijdwagens en tegenwoordig van Britse tanks gebruik gemaakt werd. Een spoorlijn liep daarvandaan vlak langs de zee naar het Suezkanaal en verder door naar Caïro.

'Mijn inlichtingendienst meldt, dat er een trein is aangekomen die uit twintig rijtuigen bestaat. Het Egyptische officierskorps maakt zich op om vannacht te vluchten.Ik heb echter zo'n groot stuk rails laten vernielen, dat de trein op z'n vroegst pas morgen kan vertrekken. Maar wij hebben uitvallen naar El Ariesj gedaan, Gideon. Ze hebben niets meer over. Ik kan het met twee bataljons innemen en de hele Gazastrook afgrendelen.'

Gideon stond op het punt zijn bevel door te geven voor een staakt-het-vuren, maar bedacht zich.

'Ik vraag nu al twee dagen om een onderhoud met de Oude Man teneinde toestemming te krijgen om aan te vallen. Daar wordt helemaal niet op gereageerd. Kan ik ze nu te grazen nemen?' vroeg Allon.

Gideon antwoordde niet. Allon had het recht overleg te plegen met Ben Goerion, het kabinet, de chef van de generale staf en van de afdeling operaties.

'Als je me belooft, dat je niet zult aanvallen, garandeer ik je dat je morgenochtend een onderhoud zult hebben met B.G.,' zei Gideon.

'Stel dat ze intussen staakt-het-vuren bevelen uitvaardigen?'

'Die zijn niet met mijn vliegtuig meegekomen,' loog Gideon. 'Jigal, blijf twaalf uur uit de buurt van je hoofdkwartier. Als je niet persoonlijk zo'n bevel ontvangen hebt, kan je het niet uitvoeren, nietwaar? Als je doet wat ik zeg, zal ik proberen de Oude Man vast voor je murw te praten...'

David Ben Goerion was klein van postuur. Zijn te groot uitgevallen kale hoofd was omkranst met dik, sneeuwwit haar in de vorm van een hoefijzer, waardoor hij er als een cherubijn uitzag. Hij was zo prikkelbaar als hij maar zijn kon toen Gideon een paar uur later aankwam. Hij was de hele dag koortsachtig in de weer geweest met pogingen om zijn belofte na te komen dat er geen schot meer gelost zou worden. Het bevel daartoe had iedereen bereikt, op de Egyptenaren na want daar werd volgens de berichten nog steeds gevochten en eiste een vurige, jonge bevelhebber, Jigal Allon, zijn recht op om te zeggen wat hij op zijn hart had. Toen hij Gideon zag, monterde hij even op.

'Je bent bij Allon geweest,' waren de woorden waarmee hij Gideon begroette.

'Ik ben twee uur geleden bij hem geweest.'

'Dan heeft hij het staakt-het-vuren bevel, God zij dank.'

'Nee, want ik heb het niet aan hem doorgegeven,' zei Gideon.

De Oude Man trok wit weg en er verscheen een ongelovige uitdrukking op zijn gezicht.

'Jigal probeert al twee dagen met u in contact te komen. U hebt hem opzettelijk genegeerd. Hij is uw bevelhebber aan het zuidfront. Hij heeft recht op een onderhoud met u en het kabinet.'

'Wie denk jij wel dat je bent, Gideon? Wil jij de eerste jood zijn die geëxecuteerd wordt wegens insubordinatie? Heb je er enig idee van hoe ernstig de situatie is geworden?'

'Jigal heeft recht op een onderhoud met u,' herhaalde Gideon.

'Met welk doel? Om toestemming te krijgen de Egyptenaren te vernietigen? Er bevinden zich ook nog tweehonderdenvijftigduizend vluchtelingen in de Gazastrook. Wij zijn niet eens in staat onze eigen soldaten te eten te geven. Wat moeten we dan met die van hen doen, denk je?'

Gideon pakte een potlood van het bureau en brak het in tweeën. 'Zover hebben we de Egyptenaren... ze zitten in de val, het is afgelopen met ze.'

'Ik zal je laten doodschieten! Ik zal Jigal laten doodschieten.'

'Schiet me maar dood. Ik neem ontslag,' blafte Gideon en liep het vertrek uit.

'Kom terug, kom terug. Ga zitten,' zei Ben Goerion op een voor hem ongebruikelijke, verzoenende, maar desalniettemin onheilspellende toon. 'Hoe laat ben je bij Jigal vandaan gegaan?'

'Ik vloog om drie uur weg, net voor een zandstorm uit.'

'Weet je wie veertig minuten later tijdens die zandstorm kwamen aanvliegen? Nee? Dan zal ik je dat vertellen. De Britten geven heel duidelijk te kennen dat wij de Egyptenaren niet mogen vernietigen. Daarom zijn verscheidene oorlogsschepen van Cyprus weggevaren maar lieten zij bovendien vijf Spitfires als waarschuwing boven onze linies vliegen.'

'Britse Spitfires? Tegen ons?'

'Britse Spitfires. En dat is nog niet alles. Wij hebben die in een verward gevecht neergeschoten. We proberen hun piloten op te sporen. Een half uur daarna belde de Amerikaanse ambassadeur mij op met de mededeling dat wij geen stuiver hulp meer krijgen als we niet onmiddellijk een staakt-het-vuren afkondigen. Weet jij eigenlijk dat wij volledig bankroet zijn, Gideon?'

Gideon liet zijn vuist met een daverende klap op het bureau neerkomen. 'Laat ze de klere krijgen!' schreeuwde hij. 'Waarom weet iedereen zich kont noch raad om de Egyptenaren te redden? Waar bleven ze toen Jeruzalem werd uitgehongerd? Vertel me dat eens! Nou, ik ben in elk geval blij dat wij hun vervloekte vliegtuigen neergehaald hebben – blij, ja!'

De Oude Man wachtte tot Gideon gekalmeerd was. 'Nu,' zei hij, 'wat vind jij dat ik moet doen?'

'Ik heb hier nog wat olie om op het vuur te gooien,' zei Gideon, terwijl hij Abdullahs brief over het bureau heenschoof. Ben Goerion las hem en breidde toen zijn armen uit ten teken dat dit allemaal zo zinloos was. 'Wat een kerel is die Abdullah! Bij pogingen om Latrun in te nemen werden een paar honderd van onze jongens gedood en nu vertelt hij ons dat we de Gazastrook moeten veroveren en voor hem in bezit moeten houden! Wat een gotspe!'

'Denk er toch maar even over na, B.G. Als wij Gaza veroveren zal Abdullah ons in ruil daarvoor Latrun en de joodse wijk in de oude stad geven. Belangrijker is nog, dat we daardoor sterker zullen staan wanneer we op Rhodos gaan onderhandelen. De Egyptenaren zullen ons alles wat we willen geven om met hun leger te mogen ontsnappen.'

Ben Goerion schudde zijn grote, wit omkranste hoofd.

'Uiteindelijk – over tien, twintig jaar – moeten we toch over vrede gaan praten. We zullen het eerst vrede met Egypte moeten sluiten, want anders zal geen enkele andere Arabische staat zover komen. Als wij hen nu nog erger vernederen, duurt het nog wel vijftig jaar vóór ze bereid zijn over vrede te praten.'

'Ach kom, dat heeft niets met vernederen te maken! Zij zullen pas over vrede willen praten als ze geen andere keus meer hebben. Zij zullen zich slechts zo lang aan een vredesverdrag houden als hun uitkomt. Ik zal u zeggen hoe dankbaar de Egyptenaren zullen zijn als wij hun de Gazastrook cadeau doen. Zij zullen er een solide guerrillabasis van maken en van daaruit de ene na de andere aanval op ons doen. We zullen er met bloed voor betalen als we hun de Gazastrook cadeau doen – er voor de rest van ons leven met bloed voor betalen.'

Ben Goerion stond op en liep naar het raam, maar zag niets terwijl hij wezenloos naar het groen daar buiten stond te staren.

'Ik zal Jigal onverwijld ontvangen.'

'Voor een staakt-het-vuren, bedoelt u?'

'Dat is wat ik bedoel, ja.' Hij keerde naar zijn bureau terug. 'Kameraad, wij begonnen aan de verwezenlijking van deze droom, omdat wij tegen beter weten in hoopten een piepklein staatje te stichten. We hebben nu veel meer dan we voor mogelijk hebben gehouden. We hebben een levensvatbare staat. Eén zonder geld en met afschuwelijke grenzen, maar levensvatbaar. Als we met een zwakke monarch als Abdullah in zee gaan, die het doelwit is van moordaanslagen, zullen we meegezogen worden, de ene kleine oorlog na de andere in en daar zal geen eind aan komen.'

'Maar u zult die oorlogen niet tegenhouden door de Gazastrook op te geven. U zult de Egyptenaren slechts aanmoedigen. Zij rekenen op onze weekhartigheid en zij zullen daarvan zoveel mogelijk profiteren,' sprak Gideon hem tegen.

'Ja, dat is me al eerder gezegd. Maar wij kunnen deze oorlogen slechts zo lang voeren als we in ons recht staan. Daar moeten we op gokken. We moeten onze energie in andere dingen stoppen. We moeten die joden die in die afschuwelijke interneringskampen op Cyprus zitten daar weghalen. We moeten de overgebleven broeders en zusters in Europa opsporen en thuis brengen. We moeten de joodse gemeenschappen in de Arabische landen evacueren vóór ze allemaal afgeslacht worden. We moeten een koopvaardijvloot, een nationale luchtvaartmaatschappij hebben; we moeten de woestijn herscheppen. De wereld moet publiekelijk hoog opgeven van onze geleerden, kunstenaars en academici. De joodse staat heeft te veel prioriteiten om het Arabische spel mee te spelen.'

'Bedenk dan wel, B.G., telkens wanneer zij ons in de toekomst vanuit de Gazastrook overvallen, dat u dan voor gek staat omdat u de trots hebt willen redden van een stelletje decadente Egyptische slagers.'

'Zoek dan andere buurlanden voor ons uit,' zei Ben Goerion. 'Het zal misschien lang duren, heel lang, maar Israël heeft een speciale opdracht, uniek in de wereld. Wij vertegenwoordigen de belangen van de westerse democratieën, ja, zelfs de Britten, die ons met wapens bedreigen en de Amerikanen die ons met economische chantage dreigen. Zij zullen uiteindelijk allemaal gaan walgen van de Arabieren en zich gaan realiseren, dat hun eigen bestaan zonder Israël in gevaar is.'

'Hoe lang nog, o Heer, vóór uw dwaze droom bewaarheid wordt? Hoe lang nog, vóór een christelijke natie haar lot in handen van de joden zal leggen? Ik sta aan de kant van Jigal,' zei Gideon en hij vertrok.

Deel Vier

Jericho

1

Een dag na het van kracht worden van het derde staakt-het-vuren liet mijn vader me naar zijn richel toe komen. 'We kunnen hier niet langer blijven. We moeten ons opmaken om naar Jericho te gaan. Dit is Allahs wil.'

Allah had die beslissing niets te vroeg voor ons genomen.

De grot was een complete ramp geworden. Door ongedierte en regen slonken onze voorraden snel. De grootste ruimte lekte op tientallen plaatsen, zodat we als gevolg van de vochtigheid steeds tot op het bot verkleumd waren en altijd een schimmelstank in onze neusgaten hadden. We moesten voor een feller brandend vuur zorgen om de schimmel te bestrijden, maar er sijpelde af en toe water door de schoorsteen op het vuur, waardoor de grot zich vulde met rook. Verscheidene keren moesten we op het hoogtepunt van een storm naar buiten om niet te stikken.

In de meeste zijgangetjes die naar onze privé-nissen voerden, bevonden zich uithollingen die vol met water kwamen te staan, zodat we er niet meer doorheen konden lopen en gedwongen waren allemaal in die ene grote ruimte van de grot te slapen.

Tijdens een storm stapte Ramiza mis, gleed uit en viel tussen rotsen met allerlei uitsteeksels door. Daardoor werd ze vreselijk toegetakeld en kreeg ze een miskraam. In onze omstandigheden zou het moeilijk geweest zijn om een zuigeling in leven te houden. Ramiza was naast Kamal de zwakste van ons allemaal en vormde voor ons een extra belasting. We gaven demonstratief uiting aan ons verdriet over het verlies omdat dat zo hoorde, maar we rouwden niet lang.

De ene ramp stapelde zich op de andere, maar één overheersende factor gaf aan dat het tijd werd dat we vertrokken. We begonnen honger te lijden. Onze belangrijkste zorg was wat we met onze niet naar waarde te schatten voorraad verborgen wapens moesten doen. Wapens konden altijd prima verhandeld worden en als we ernstig in geldnood kwamen, konden we hier een geweer, daar een pistool verkopen. Daar stond tegenover dat een man als hadji Ibrahim niet makkelijk afstand deed van zijn wapens.

Ik kreeg de opdracht een geschikte plek ergens in de buurt van Jericho te zoeken waar we de wapens konden verbergen. Op de kale hellingen van de bergen rond de stad verscheen het ene na het andere omvangrijke tentenkamp. Trok je vanuit Jericho verder landinwaarts, dan kwam je plotsklaps voor een reeks steile rotsen te staan, net als in het gebied waar onze grot zich bevond.

Boven op een van deze rotsen, op slechts een paar kilometer afstand van de stad, stond een klooster van Griekse christenen, het Klooster van St. George genaamd. Niemand kon zich beter voor de wereld verbergen dan Griekse monniken. Het belangrijkste pad naar het klooster was een aftakking van de weg naar Jeruzalem en te voet nauwelijks begaanbaar. Kwam je vanuit Jericho, dan was het klooster niet te zien. Ik meende dat ik in de rotsen onder het klooster een uitstekende bergplaats zou kunnen vinden, als ik die maar zou kunnen beklimmen.

Je kon er onmogelijk een greppel of gat graven om de wapens in te verbergen, aangezien de grond daar in die woestenij over het algemeen zo hard was, dat de doden vaak niet eens begraven werden, maar bedekt met een hoop stenen. Als ik een gat in de grond probeerde te graven, zou dat onmiddellijk door bedoeïenen ontdekt worden.

Ik kwam uiteindelijk tot de conclusie dat ik een nis of kleine grot, helemaal uit het zicht, zou moeten vinden die ik met onze ezel Absalom kon bereiken. Ik kon dit karwei niet in mijn eentje klaren en daarom besprak ik met mijn vader wie van de anderen het meest ons vertrouwen waard was. Ik gaf persoonlijk de voorkeur aan Nada, maar durfde daar niet voor uit te komen. Het meest voor de hand lag dat de keus op Sabri zou vallen, maar we vertrouwden hem nog steeds niet helemaal. We besloten dat Jamil met mij mee zou gaan.

Daarna verlieten Jamil en ik een paar dagen achtereen midden in de nacht Qumran, zodat we in het donker door Jericho en de kampen konden trekken en bij het aanbreken van de dag een plekje opgezocht hadden in de rotsen onder het Klooster van St. George.

Ik vond het niet bemoedigend te horen dat het klooster op een rots stond die de Berg der Verzoeking werd genoemd. Christenen geloven dat dat de plek is waar Jezus veertig dagen in de woestijn vastte en door de duivel werd verzocht. Ik was ervan overtuigd, dat onze grot vlakbij Qumran in werkelijkheid de grot van Jezus en van David geweest was. De christenen en de joden hadden het bij het verkeerde eind waar het om historische plaatsen en dan vooral om de graven van heiligen en profeten ging. Zij kwamen pas te weten waar Mozes en Samuel begraven lagen, toen Mohammed daarover door Allah werd ingelicht en de ware locaties aanwees. Christelijke pelgrims waren dan ook eeuwenlang naar vele verkeerde plaatsen gereisd.

We moesten de rotsen omzichtig beklimmen, want er bevonden zich rond het klooster vele uitkijkposten. Ons maandenlange verblijf in Qumran had ons veel geleerd over het volgen van droge beddingen en heel kleine kloven. Jamil en ik maakten van de daar verkregen behendigheid gebruik om als een paar rotskleurige hagedissen ongezien rond te glibberen. Op de vierde dag riep Jamil me naar een spleet toe, een opening die een zestig centimeter hoog was. Deze zag er veelbelovend uit. Er liep geen pad of karrespoor in de buurt, hij was vanuit het klooster niet te zien en we konden onze ezel Absalom er naartoe leiden. We baanden ons al kronkelend een weg die spleet in. De ruimte was zo klein, dat we er onze wapens niet allemaal in kwijt konden, maar een scheur vormde een smalle tunnel van een centimeter of vijftig breed. Die voerde ons naar een tweede spleet van ruim een meter in het vierkant. We keken of er regen naar binnen kon sijpelen, maar vonden daar geen aanwijzingen voor.

Die nacht belastten we Absalom voor de eerste van de vier tochten die we zouden moeten maken om het arsenaal over te brengen. We zorgden er opnieuw voor dat we vóór het licht werd op onze plaats van bestemming waren en kropen daarna vele uren lang keer op keer moeizaam naar de tweede spleet en weer terug, omdat we maar een paar centimeter speelruimte hadden.

Toen de wapens veilig weggeborgen waren, haalden we alles uit de grot in Qumran dat nog maar enige waarde had. De meeste voorraden werden door de mannen op hun rug gedragen of in grote bundels op het hoofd in evenwicht gehouden door de vrouwen. Zelfs Fatima, die een kind van twee jaar in haar armen had en zes maanden zwanger was, nam een lading voor haar rekening.

Absalom werd zo licht belast dat mijn vader nog op hem kon zitten. Hij zag er lang niet zo indrukwekkend uit als toen hij op el-Buraq had gezeten. We liepen verder allemaal achter hem aan en vormden in onze versleten kleding een pathetische stoet uitgeputte mensen. Ter versteviging van de zolen hadden we krantepapier in onze schoenen gestopt. Omar en Kamal moesten hun voeten met lappen omwikkelen. Na ruim een kilometer hadden we, op vader na, allemaal bloedende voeten. Ik verbaasde me over Fatima, die ondanks haar toestand net zo sterk bleek als de mannen en over Nada die echt als een koningin kaarsrecht voortschreed.

In feite kropen we meer dan we liepen. Hagar was bepaald niet mollig meer; haar huid hing slap om haar heen en ze was erg zwak. Toen ze twee keer was flauwgevallen, stond mijn vader haar genadig toe af en toe even op Absalom te rijden.

In de omgeving van Jericho waren geleidelijk aan grote tentenkampen gevormd. In het noorden bevonden zich aan de rand van de stad de ruïnes van oud Jericho en een bron, Ein es-Sultan genaamd. Door het water uit die bron ontstond de oase, waaraan Jericho bijna tienduizend jaar eerder haar opkomst te danken had gehad. De bron voorzag nu duizenden ontheemden van water. Een eindje verder naar het noorden verrezen nog twee kampen langs de verkeersweg.

Een ander gebied ten zuiden van Jericho, Aqbat Jabar, liep via kale heuvels omhoog naar de voet van de Berg der Verzoeking. Het kamp dat zich hier vormde, lag veel dichter bij de geheime bergplaats met onze wapens en daarom besloten we daarheen te gaan.

Niemand had er de leiding en er was niets georganiseerd. Tienduizenden mensen liepen er eenvoudigweg doelloos rond. Er waren geen toiletten, geen keukens of klinieken. Heel af en toe arriveerden er vanuit Amman vrachtwagens van het Rode Kruis. Diegenen die toezicht moesten houden op het verstrekken van tenten, levensmiddelen, dekens en medicijnen hadden zulke onmogelijke, bureaucratische toestanden in het leven geroepen, dat zwarthandelaren daar al een overheersende rol bij speelden. Levensmiddelen werden ons toegesmeten alsof we kippen waren. Om water te krijgen moest je het grootste gedeelte van de dag in een rij staan, in afwachting van een tankauto met water, die dikwijls helemaal niet aankwam, of al leeg was terwijl de helft van de rij nog stond te wachten. De eerste veertien dagen sliepen we op de grond en moesten we twee zware stortbuien doorstaan.

Uiteindelijk kwam er een konvooi met voorraden uit Damascus. We werden gedwongen langs de weg te gaan staan juichen toen het langsreed, terwijl de aankomst op film werd vastgelegd. Vóór er ook maar iets werd uitgedeeld moesten we drie uur lang toespraken aanhoren, waarin ons werd verteld hoe de zionisten ons hiertoe hadden verlaagd en hoe onze Arabische broeders zich haastten om ons te hulp te schieten. Er werden kinderen om de vrachtwagens heen gezet en als de cameraman een teken gaf, moesten we allemaal onze hand ophouden en als bedelaars schreeuwen.

Het lukte ons beslag te leggen op slaapmatten en twee zespersoons legertenten en we kwamen tot de ontdekking dat deze goederen helemaal niet uit een Arabisch land afkomstig waren, maar via het Internationale Rode Kruis door de wereld geschonken waren.

Nu kwamen we pas echt in de problemen. De meeste ontheemden waren in een groep op de vlucht geslagen – een heel dorp, hele stam of clan. Het meest begerenswaardige terrein in Aqbat Jabar lag het dichtst bij Jericho. Aangezien er geen bevoegde instantie was, woedden er ruzies over grondgebied. De vrij grote groepen met de meeste mannen konden de beste stukken grond claimen. Wij vormden een kleine familie, afgesneden van onze clans. Als Allah hen genadig geweest was, bevonden zij zich ergens in Libanon. Er waren meer families die net als wij 'afgedwaald' waren en hadji Ibrahim probeerde die snel te lokaliseren en er een eenheid van te vormen onder zijn leiding. Een paar honderd gezinnen lieten zich daartoe overhalen, omdat zij van hem gehoord hadden in de tijd dat hij nog de moektar van Tabah was. Doordat nu bekend werd dat wij naar een grot in Qumran gevlucht waren, kreeg zijn naam een nog legendarischer klank. Hij maakte namens zijn nieuwe volgelingen aanspraak op een stuk grond, dat Tabah genoemd werd, net als bij de andere stammen die hun stukjes grond ook naar hun voormalige dorp noemden.

Aanvankelijk probeerden we onderkomens van leem te bouwen, maar door de regenbuien kregen die niet de kans goed te drogen en telkens wanneer het regende zakten onze hutten ineen. We gingen daarop in tenten wonen.

Hadji Ibrahim sliep samen met Hagar en Ramiza in één tent. De andere zespersoons tent werd met gordijnen in drie ruimten verdeeld. Omar, Jamil, Sabri en ik beschikten over één ruimte, Fatima, Kamal en hun dochtertje over een andere ruimte, en Nada had een heel kleine ruimte voor zichzelf alleen. Wanneer 's avonds alle matten gespreid waren, was er geen ruimte over om te lopen dan over elkaar heen.

De bedoeïenentent is vervaardigd van dierenhuiden en vachten en bestand tegen het zwaarste weer. Onze in Italië vervaardigde tenten waren van dun zeildoek en voldeden helemaal niet. Ze lekten zo vreselijk dat we net zo goed in een bedding met stromend water konden gaan liggen. Toen de regentijd voorbij was, werden ze tijdens stormen als door hagel uit een jachtgeweer met stof doorzeefd en in de zomer rotte weg wat er nog van over was.

In dat eerste jaar kreeg iedereen zware dysenterie. Cholera en tyfus trokken hun spoor door Aqbat Jabar als de met zijn zeis zwaaiende engel des doods. Vele kinderen stegen op naar Allah, ook het dochtertje van Kamal en Fatima. Slechts twee artsen – één uit Jericho en één die uit Jaffa was weggevlucht – moesten samen met een stuk of zes verpleegkundigen de epidemieën de baas zien te worden. Zij moesten meer dan vijftigduizend mensen in de vijf kampen rond de stad behandelen. Er was wel een hoeveelheid entstof aanwezig, maar bij lange na niet genoeg voor ons allemaal en het kwam erop neer dat de sterk vertegenwoordigde clans en diegenen die het meeste geld te bieden hadden werden ingeënt.

Toen het zomer werd overheerste de hitte alle andere ellende. De temperatuur zakte zelden onder de achtendertig graden en steeg zelfs vaak tot dik vijftig graden, wanneer de uit de woestijn komende chamsin opstak.

Als je de vliegen in Aqbat Jabar meetelde, hadden we een bevolking van miljoenen. Open wonden en open riolen vormden hun bron van leven en zij veroorzaakten een ellende die alleen geëvenaard werd door kolossale, bloeddorstige muskieten. We bouwden een hut van leem die ons wat meer ruimte bood dan de tenten, maar van privacy was daarin helemaal geen sprake. Er groeide niet één boom in Aqbat Jabar en er kon alleen gespeeld worden op de brede, door rioolslijk gebaande paden die door het kamp naar de Dode Zee liepen.

In de koran wordt met vele beelden de hel beschreven. Als je die allemaal met elkaar combineerde, vertoonde de hel beslist gelijkenis met Aqbat Jabar.

Wat mij schokte was de manier waarop de meeste mensen op deze hel reageerden. Ons was verteld dat wij, als goede moslems, ons lot moesten aanvaarden als Allahs wil. Doordat het verlangen om ook maar iets aan onze situatie te veranderen volledig ontbrak, werd Aqbat Jabar een kamp met levende doden. Mijn vader had leiding gegeven, mijn vader had gevochten, mijn vader had zijn trots. In Allahs heilige naam waren de meesten van ons eenvoudigweg honden.

Oh zeker, klagen deden ze wel. Van de vroege ochtend tot de late avond werd over weinig anders gesproken dan over het onrecht, de balling aangedaan en in vage termen over de terugreis – in een gesprek over de terugreis speelden altijd kinderlijke fantasieën de grootste rol. De oorlog was voorbij en we kwamen te weten, dat de omstandigheden in de kampen rond Amman niet beter waren dan in Aqbat Jabar. Van buitenaf bereikte ons weinig hulp en tot het weinige dat voor ons gedaan werd was zelden het initiatief genomen in Arabische landen.

Zo begonnen we ons te realiseren in welk een nachtmerrie we verzeild geraakt waren. Het afschuwelijkste aspect van die nachtmerrie was, dat er honderden kampen in Palestina waren, verspreid over heel de westelijke Jordaanoever. We waren Palestijnen in Palestina, maar ons eigen volk stak geen vinger voor ons uit. In plaats daarvan behandelden ze ons als lepralijders.

Hadji Ibrahim was als afgevaardigde van enkele duizenden 'afgedwaalden' een van de leiders geworden in Aqbat Jabar. Hij probeerde samen met vier of vijf andere voormalige moektars wanhopig onze mensen in te prenten dat ze nog enigszins de schijn op moesten houden door zich waardig te gedragen.

We hadden onder ons handwerkslieden. We beschikten over houtbewerkers, koperslagers, wevers. We hadden een paar onderwijzers en kooplieden. Toch deden we niets. We plantten geen boom. We pootten geen plant. We openden geen school. We handhaafden niet zelf orde en gezag. We zochten niet naar land om gewassen op te verbouwen. We ondernamen geen enkele poging om bedrijven op te zetten. We verzamelden en verwijderden niet eens ons eigen afval.

We leuterden en klaagden. We gaven de joden de schuld. We werden overweldigd door medelijden met onszelf. We wachtten tot de wereld zich schuldig ging voelen, die naar onze mening alles aan ons te danken had. We verwachtten van de wereld dat ze ons zou komen redden, omdat wij niet in staat waren onszelf te redden.

Mijn vader woonde het grootste gedeelte van de dagen en halve nachten de ene na de andere vergadering bij. Iedere poging die hij, en die paar medestanders die hij had, ondernamen om in het kamp dingen op poten te zetten en het op verantwoorde wijze te besturen, liep stuk op verhitte discussies over de rechten van bepaalde stammen. Het belangrijkste discussiepunt was, dat de joden en de buitenwereld wel eens ten onrechte zouden kunnen gaan geloven dat wij een leven als uitgestotenen aanvaardden, als we zelf iets probeerden te ondernemen. Zolang we niets deden, konden we ons blijven beklagen bij de wereld en konden de Arabische leiders de joodse staat blijven dwarsbomen.

Wel honderd keer kwam Ibrahim vloekend en vervuld van wanhoop over onze lethargie en gebrek aan waardigheid onze hut binnen. Toen een aantal kampen dicht naar de grens toe werd verplaatst, realiseerde hij zich dat dat gedaan was om de ontheemden de gelegenheid te geven dag en nacht naar het hun ontstolen land te kijken zodat haatgevoelens zich opstapelden.

Op een avond wandelden vader en ik na een bijzonder verbitterde bijeenkomst met de andere sjeiks en moektars samen naar een plek vlakbij de voet van de Berg der Verzoeking, waar we konden neerkijken op de talloze, dicht op elkaar staande lemen hutten.

'Ishmaël,' fluisterde hij, 'we zijn verraden. We zijn gevangenen in ons eigen land. Ze hebben met opzet gevangenen van ons gemaakt. Weet jij wie het uiteindelijk in deze kampen voor het zeggen zullen krijgen? De sterkste moordenaars. Alleen Allah weet wat voor een geslacht we hier zullen voortbrengen en alleen Allah weet wat voor rampen wij onder hun leiding tegemoet gaan. Onze haat jegens de joden zal ons zo verblinden, dat we geen enkele poging zullen kunnen ondernemen om weer fatsoenlijke mensen te worden.'

Hij legde zijn hand op mijn schouder. 'Jij en ik zullen iedere dag naar Jericho gaan, Ishmaël, om te kijken en te luisteren. Ergens in die stad heeft vast wel iemand contact met de joden en die persoon weet hoe hij Gideon moet bereiken. We moeten maar eens zien of ik op de een of andere manier met de joden tot een vergelijk kan komen, zodat we naar Tabah kunnen terugkeren. Anders zal ons niets anders overblijven dan op deze afschuwelijke plek te sterven.'

2

Jericho, had ik geleerd, is de oudste stad van de wereld – bijna tienduizend jaar oud. De ommuurde stad zelf moet bijna negenduizend jaar geleden zijn ontstaan. Jericho was bijna altijd een Arabische stad. In het verre verleden werden wij Kanaänieten genoemd. Het hele land Kanaän werd ons voor de eerste keer afgenomen, toen Jozua het meer dan drieduizend jaar geleden veroverde.

Ik ben dankbaar dat Mohammed en de koran al die misleidende informatie hebben gecorrigeerd, die de joden ooit over Jericho hebben verstrekt, toen zij hun zogeheten bijbel schreven, waarvan is bewezen dat het een vervalsing is. Koning David, tegen wie de joden zich keerden omdat zij hem niet geloofden, schreef zijn beroemde 'Psalm 23' over de wadi van Jericho en noemde die daarin 'het dal van de schaduw des doods'. David was een moslemheilige en -profeet. Aangezien hij de gave der profetie had, moet hij visioenen gehad hebben over Aqbat Jabar en de andere kampen rondom Jericho en er daarom in die zin over hebben geschreven.

Marcus Antonius gaf Jericho ten geschenke aan Cleopatra. Jezus kende het gebied goed, want hij zwierf door de nabijgelegen woestijn. Hij heeft ook in de straten van Jericho rondgelopen, waar hij een blinde bedelaar zijn gezichtsvermogen teruggaf.

Herodes, een zuiver Arabische koning die over de joden heerste, had in Jericho een weekendpaleis met warmwaterbaden, waarin hij verscheidene verwanten door verdrinking liet ombrengen omdat zij zijn troon bedreigden.

Het was een heel beroemde stad, maar dat was haar tegenwoordig niet meer aan te zien.

We moesten Absalom verkopen, omdat we geen voer meer voor hem hadden. Hij was een heel goede ezel geweest en mijn vriend geworden. We voerden vele gesprekken wanneer we vanaf de grot naar onze bron of Jericho in trokken. Boeren behandelden hun ezels vaak wreed en daarom verzekerde ik me ervan dat hij een goede baas kreeg. Nada huilde openlijk toen hij werd verkocht. Ik huilde uiteraard in het verborgene.

Hadji Ibrahim en ik liepen elke dag van Aqbat Jabar naar Jericho en legden overal ons oor te luisteren waar we aanwijzingen zouden kunnen opvangen over wie mogelijk zaken deed met de joden aan de andere kant van de voor de wapenstilstand geldende grenzen. We liepen alle koffiehuizen, soeks, kiosken en winkels af en gooiden een visje uit onder de straatventers. We mengden ons onder de bedelaars die dikwijls vermomde handelaren waren in onder meer hasjiesj. We legden ons oor te luisteren in de buurt van busstations, het kantoor van het Rode Kruis, bij de Allenbybrug, de Jordaanse militaire kampen, zelfs in de moskeeën.

Wanneer we meenden iemand getroffen te hebben die een agent van de joden zou kunnen zijn, moesten we hem op uiterst discrete wijze benaderen. In onze wereld kostte alleen de begroeting tussen twee mannen al tien minuten. Als het niet om een zakelijke bijeenkomst ging, kwamen er dikwijls een half uur lang nergens toe dienende gelijkenissen en spreuken uit hun mond, gevolgd door een redevoering van nog eens tien minuten om de bijeenkomst op zo'n beleefde manier te beëindigen, dat niemand zich achteraf beledigd voelde. Het was zo'n angstvallige bezigheid, dat we na een maand zoeken volledig ontmoedigd waren.

Op een avond keerde ik laat uit Jericho terug en meldde mijn vader dat ik niets nieuws ontdekt had. Hij gooide in wanhoop zijn armen in de lucht en keerde mij zijn rug toe. Ik werd woedend van teleurstelling. Contact leggen met de joden – door die gedachte werd mijn vaders leven helemaal beheerst. Het vrat aan me dat ik niet in staat was dat voor hem te doen.

Er waren nog meer redenen waarom ik daarin moest slagen. Sabri had toch nog een plaatsje weten te veroveren in mijn vaders hart. Als zeer bekwaam automonteur was hij die ene op de duizend die in Jericho werk kon vinden. Iedere week droeg hij zijn loon aan mijn vader af en dan gaf Ibrahim hem vaak een goedkeurend klopje op zijn hoofd en zei hij tegen hem dat hij een prima jongen was.

Jamil vestigde ook steeds meer de aandacht op zich. Hij hing de hele dag rond bij een stel jongens dat over niets anders dan over wraak nemen praatte. Ze werden in hun grootspraak aangemoedigd door de oudere mannen, die hun verhalen opdisten over veldslagen die nooit geleverd waren en over moedige daden die nooit hadden plaatsgevonden. Tot nog toe had hadji Ibrahim niet naar de stemmen geluisterd die van wraak spraken, maar als je dag en nacht dergelijke praat aanhoorde... dan wist alleen Allah of hij er niet ook anders over zou gaan denken.

Zodra in het dal de avond begon te vallen, liep ik vaak door het kamp naar de voet van de Berg der Verzoeking om het gedrang van mensen te ontvluchten. Ik klom gewoonlijk zover de rotsen in, dat ik niet op Aqbat Jabar hoefde neer te kijken. Af en toe verbeeldde ik me, dat ik weer op mijn richel bij de grot zat vóór alle ellende daar was begonnen.

De hemel boven de Berg der Verzoeking was nooit erg helder vanwege de lampen in de kampen en de stad. Toch kon ik daar mediteren, net als Ibrahim bij het graf van de profeet in Tabah gedaan had. Op een nacht probeerde ik uit alle macht mijn gedachten te richten op ons probleem, terwijl ik ineengedoken tussen de rotsen ging zitten om te slapen.

Ik werd gewekt door de muziek van een herdersfluit. Het was noch dag, noch nacht, maar overal om me heen gloeide een vreemdsoortig, zacht licht in allerlei tinten blauw, paars en geel, dat in ritmische flitsen van de rotsen scheen af te stralen. Ik liep in de richting waar de muziek vandaan kwam en daar, aan de andere kant van de eerstvolgende grote steen, zat een korte, dikke man met een kaal, door zilverwit haar omkranst hoofd.

'Goedenavond,' zei ik beleefd. 'Moge God onze ontmoeting zegenen.'

'Dat heeft hij al gedaan, Ishmaël,' zei hij, terwijl hij de fluit weglegde.

'Hoe weet u dat ik zo heet?' vroeg ik.

'Omdat ik een moslemheilige en -profeet ben,' antwoordde hij. Oh, maar dat joeg me nu juist angst aan! 'Je hebt toch wel eens van een openbaring gehoord?'

Mijn mond sprak beverig een woord uit dat ja moest betekenen.

'Wie bent u?' vroeg ik hees.

'Ik ben Jezus,' zei hij.

Mijn eerste opwelling was te vluchten, maar een of andere vreemde kracht hield me tegen.

'Wees maar niet bang, kleine vriend.' Wie hij ook was, hij was een aardige man en ik kreeg het gevoel dat ik niet in gevaar was.

360

'U lijkt helemaal niet op de beelden die er van u zijn,' zei ik stoutmoedig.

'Gesneden beelden,' snauwde hij. 'Ben ik lang, heb ik rood haar en een baard?'

'Nee.'

'Als dat wel zo was, zou ik zeker Jezus niet zijn. Ik weet niet hoe die praatjes over mijn verschijning in de wereld zijn gekomen. En ik weet al helemaal niet waarom een man die eruit ziet zoals ik niet zo heilig kan zijn als die gesneden beelden.'

Meteen daarop verdween hij.

'Waar bent u?' riep ik.

'Hier!' galmde het in waanzinnige echo's door de rotswanden.

Ik keek toevallig even naar mezelf. Mijn lompen waren verdwenen! Ik was gekleed in een gewaad van fijn wit met zwart linnen dat afgezet was met goud en een met juwelen bezet bovenstuk had.

'Hier,' riep de stem. 'Hier.'

Opeens begon ik van de grond op te stijgen. Ik voelde onder me iets schommelen en toen ik omlaag keek, zag ik dat ik schrijlings op een fantastisch, kolossaal beest zat en wij boven de Berg der Verzoeking zweefden. Het dier galoppeerde met reusachtige sprongen, hoewel er zich niets onder zijn hoeven bevond en als hij brieste, schoten uit zijn neusgaten blauwe bliksemstralen, die geen geluid maakten.

Het draaide zijn snuit naar me toe en glimlachte. Het was Absalom! En toch was het Absalom niet. Het had de kleur van vloeibare honing en een deken over zich heen van dezelfde prachtige stof als waarvan mijn eigen gewaden waren. Ik was er zeker van dat het Absalom was, maar zijn snuit deed me aan Nada denken en zijn grote hoeven waren bedekt met diamanten. Hij had geen zadel op zijn rug en daarom klemde ik me aan zijn manen vast waarvan glanzend zwarte vlechten van bijna een meter lengte gemaakt waren.

'Hier... hier... hier,' riep de stem, terwijl we opstegen met sprongen die wel honderd mijl overbrugden.

Ik begon me heel veilig te voelen op Absalom, terwijl we doelbewust een zone van kometen met lange 'staarten' in doken. Terwijl die langsflitsten kon ik zien, dat ze allemaal het gezicht hadden van een moslemheilige, maar er op wonderlijke wijze toch uitzagen als vele van de oude mannen die in Tabah overleden waren.

Toen we de kometen achter ons gelaten hadden, kwamen we terecht in fel uitbarstend weerlicht, dat dreunend aan de hemel vervormde.

We kwamen bij een zee zo glad als Nada's huid en Absalom schreed zonder problemen over de zee en vervolgens door grote grotten die wel driehonderd meter hoog waren en waar de zoutpegels bedekt waren met een laag zilverkleurige stof. Na die grotten reden we in totale duisternis verder. De wind was vervuld van de geur van mirre.

'Je mag nu afstijgen, Ishmaël.'

Ik gehoorzaamde zonder aarzeling en daar stond ik, middenin het heelal. Absalom was verdwenen, maar ik vreesde geen kwaad. Er verscheen voor me een pad, geplaveid met grote, albasten stenen dat ik afliep, een bos in van olijfbomen met ivoren stammen en in plaats van bladeren flonkerden robijnen en vruchten die op katteogen leken.

De fluit lokte me van het pad af naar een waterval die neerklaterde in een poel met wijn. Daarachter lag een grote, open weide die bedekt was met een dikke laag veelkleurige rozeblaadjes en het zachtste gras dat ik ooit gevoeld had. Jezus zat te midden van de rozen.

'Waar zijn we?' vroeg ik.

'In het eerste paradijs,' antwoordde Jezus. 'Ik mag niet verder gaan.'

'Maar u mag toch zeker in de hemel komen waar u maar wilt!'

'Nee, dat mag helaas pas als Allah definitief over mijn zaak beslist heeft. Toen ik hier nog maar net was aangekomen, verzekerde Allah mij dat alleen mijn volgelingen en ik toegang hadden tot de hemel. Het zat me niet lekker, dat ik iedereen die de aarde bewoond had en voor mijn geboorte gestorven was moest wegjagen. Het ergste vond ik dat ik de joden moest verdrijven. Ik was ooit een joodse rabbi, weet je. Er was echter een hele godsdienst naar me vernoemd en Allah had hun de hemel gegeven, omdat alleen zij van alle mensen de waarheid kenden. We mochten helemaal naar het zevende paradijs opstijgen, tot hij kwam.'

'Wie bedoelt u met die hij?'

'Mohammed.'

'U kent Mohammed!'

'Ja, en of ik hem ken. Tot hij aankwam, werd ik gezien als de zoon van Allah. Mohammed ruziede daar eeuwenlang heftig over en ik werd uiteindelijk gedegradeerd tot een moslemheilige en -profeet.'

'Maar wat bent u dan, Jezus? Een jood, een christen of een moslem?'

'Ik ben een ware gelovige. Alleen islamieten mogen nu in de hemel komen, weet je.'

'Maar waarom kunt u niet verder opstijgen dan tot in het eerste paradijs?'

'Ik weiger nog steeds in te stemmen met Mohammeds bewering dat alle niet-gelovigen levend verbrand moeten worden. Ik ben erin geslaagd Allah ervan te overtuigen dat de niet-gelovigen moeten kunnen blijven, in het eerste paradijs althans. Maar ik moet zeggen dat Mohammed van volhouden weet. Hij wil dat alle anderen verbrand worden.'

'Weten de christenen dat u eigenlijk een moslem bent?'

'Ze zouden weigeren dat te geloven, tenminste tot Allah zijn definitieve besluit hierover kenbaar maakt. Ik wil Allah niet lastig vallen, want hij moet tenslotte ook nog voor zevenhonderdenvierenvijftig miljard miljoen andere planeten zorgen, om over alle zonnen en al die gekke kometen maar niet eens te spreken.'

'Maar als er maar één ware hemel is, waarheen gaan dan de mensen van al die andere planeten?'

'Die hebben allemaal hun eigen zeven hemelen. Een stel per planeet, dat is regel. Maar ik kwam jou helpen met je probleem, Ishmaël,' zei hij, abrupt afstappend van het onderwerp hemelse beleidslijnen. 'Je zult zo dadelijk de gouden ladder zien,' zei Jezus. 'Beklim die en je vindt het antwoord.'

'Maar dat is een veel te moeilijk raadsel,' protesteerde ik.

'Alles hierboven is een raadsel. Als wij niet in raadsels spreken, zou niemand ons begrijpen.'

Vlak achter hem verscheen de kolossale, gouden ladder. Ik was nu doodsbang. 'O Jezus,' riep ik uit, 'help me! Wat is de hemelse waarheid?'

'De waarheid is dat Allah één is. Hij vertegenwoordigt alle goed, maar ook alle kwaad. Hij heeft in jullie allemaal evenveel goed als kwaad ingeplant. Jullie hebben verstand gekregen om de oorlog in jullie binnenste te kunnen voeren en alleen jezelf zekerheid te verschaffen. Klem je vast aan je eigen ziel. Geef die niet prijs. Zoek je eigen antwoord en je zult vrij zijn.'

'Dat is het allermoeilijkste raadsel!'

'Op een dag zul je het misschien begrijpen. Begin nu te klimmen, Ishmaël. Om de oplossing te vinden voor je probleem moet je opklimmen naar een niveau waar je al eens eerder naartoe bent geklommen en daar zal je de oplossing vinden.'

'Maar... maar...'

'Geen vragen meer. Gebruik je verstand. Ik moet gaan. Ik heb nog een lange reis voor de boeg en ik heb geen paard.'

Aanvankelijk was het beklimmen van de ladder een euforie, een wonder. Maar naarmate ik hoger kwam, werd mijn lichaam bij iedere nieuwe sport zwaarder en werden mijn handen en voeten minder vast. Ik gleed uit! De ladder was verdwenen! Ik was een rots aan het beklimmen – een niet te bedwingen rots – ik spande me tot het uiterste in, zweette, zocht houvast, gromde van angst. Ik viel uitgeput op een richel neer, bloedend en huilend.

Voor me bevond zich een eigenaardige deur. Toen ik mijn hand er *naar uitstak, zwaaide deze open. Ik kwam in een vertrek zo groot als het paleis van een koning, maar het was leeg op een kleine, zeer oude pot na waarin gegraveerd was: AS VAN HET VERLEDEN.*

Op dat moment begon ik neer te storten. Ik viel en alle vreemde beelden, geuren en geluiden die ik gehoord had vermengden zich en bespotten me. Ik kon de planeet aarde in zicht zien komen. Ik viel al sneller. De lichten van Aqbat Jabar doemden op als een verre vonk die al groter werd. Ik zou in een miljoen stukjes uiteen vallen! Omlaag... omlaag... omlaag... O ALLAH, HELP ME!

Een spleet licht wrikte mijn ogen open. Ik wist het! Ik wist het! Ik stoof de Berg der Verzoeking zo snel af naar Aqbat Jabar dat ik viel en mijn handen en knieën schaafde. Ik rende ademloos onze hut binnen, greep hadji Ibrahim bij de hand en trok hem mee naar buiten.

'Vader,' fluisterde ik in zijn oor. 'Ik weet hoe we in contact kunnen komen met de joden!'

3

Ik kon hadji Ibrahim niet van mijn tocht naar het eerste paradijs vertellen. De familie zou me geloofd hebben en verschrikkelijk jaloers zijn dat Jezus mij persoonlijk opgezocht had.

Toen mijn vader nog moektar van Tabah was, had hij aan zijn tafel in het koffiehuis vele vreemde verhalen aangehoord. In feite konden wij maar moeilijk uitmaken waar de grens lag tussen fantasie en werkelijkheid. Alleen mijn vader twijfelde gewoonlijk aan deze verhalen, maar nooit in het bijzijn van degene die ze vertelde, want dat zou hem beledigd hebben.

Ik was er zeker van dat mijn tocht echt had plaatsgevonden en een raadselachtig geheim had opgelost. Toch wilde ik niet het risico lopen in de ogen van Ibrahim een dwaas te zijn. Ik besloot het probleem met logica aan te pakken, want hij was een van de weinige mannen die daar vatbaar voor kon zijn.

'Kijk!' riep ik, terwijl ik naar een naambord wees onder een raam. Op het bord stond: *Dr. Nuri Mudhil, professor in de archeologie.*

'Wil je mij in de naam van de profeet vertellen wat er aan de hand is?' zei Ibrahim op gebiedende toon.

'Weet u nog dat de kinderen in Tabah vaak bij de verkeersweg rondhingen? Wat deden ze daar?'

'Ze bedelden,' antwoordde hij.

'Wat deden ze nog meer?'

'Ze verkochten limonade en landbouwprodukten.'

'En wat nog meer?'

'Een zoon hoort zijn vader geen raadsels op te geven. Het hoort andersom te zijn.'

'Wat werd er verder nog verkocht?' drong ik aan.

'Pijlpunten, potscherven.'

'Wie kochten die?'

Ibrahim kreeg door wat ik met mijn spelletje voor had. 'Meestal kochten de joden die,' zei hij.

'Moge Allah mij vergeven dat ik nu mijn afschuwelijke onbezonnenheid ter sprake breng door tegen uw wil kibboets Sjemesj binnen te gaan, maar ik moet u vertellen wat ik daar zag. De joden richtten er een heel museum in met antiquiteiten. Alle kinderen in Tabah wisten dat de joden alles van ons wilden kopen als het maar heel oud was. Ik kwam te weten dat vele andere kibboetsen ook hun eigen museum hadden. De joden zijn verzot op musea.'

Mijn vaders gezicht begon op te lichten. Ik vervolgde opgewonden: 'Weet u nog wat er gebeurde wanneer iemand een of twee keer per jaar een ongebroken vaas of urn ontdekte? Die brachten we dan altijd naar Jeruzalem, omdat de handelaren in de oude stad er meer geld voor gaven. Ik heb dingen die wij aan de familie Barakat hadden verkocht naderhand teruggezien in het museum in Sjemesj. Weet u nog dat ik u voor de oorlog uit de *Palestine Post* voorlas, dat de joden tienduizenden ponden betaald hadden voor een paar rollen perkament die vlakbij Qumran gevonden waren?'

'Aha,' zei vader.

'Er zijn honderden grotten langs heel de Dode Zee en er zijn er vele aan de Jordaanse kant. In de woestijn wemelt het van plaatsen waar in de oudheid steden gelegen hebben. Is het niet logisch dat de bedoeïenen deze plekken afgezocht hebben? Is het niet logisch dat hij de vondsten koopt?' zei ik, terwijl ik naar dr. Nuri Mudhils naamplaat wees. 'En is het niet logisch dat hij die aan de joden doorverkoopt?'

Ik kon zien dat mijn redenering zijn uitwerking niet miste. 'Daar zou je best gelijk in kunnen hebben,' zei hij.

Mijn hart bonsde, toen ik mijn hand onder mijn kleren stak en een van de voorwerpen te voorschijn haalde die Nada en ik gevonden hadden in de rotsen boven onze grot. Het was een ongeveer vijftig centimeter lange stok waarin aan de bovenkant twee steenbokkoppen gegraveerd waren.

Ibrahim haalde het papier eraf en wikkelde het er weer omheen.

'Hoe zit het met de andere voorwerpen?' vroeg hij.

'De rest kunnen we waarschijnlijk beter achterhouden,' zei ik.

'Dat is slim van je bedacht, Ishmaël.'

'Wanneer u gaat onderhandelen, moet u nog niet op een bod ingaan, wat hij u ook biedt.'

'Wil jij *mij* vertellen hoe ik moet onderhandelen?' bulderde Ibrahim.

'Natuurlijk niet. Ik ben maar een nederig kind. Neem dit enkel in overweging. Luister naar zijn bod en laat hem weten dat u nog meer van dergelijke voorwerpen hebt.'

'Dat is precies wat ik al van plan was,' zei Ibrahim en hij stak alleen de straat over, nadat hij mij verzocht had te wachten.

Hadji Ibrahim liep een afbladderende trap op naar de gang op de tweede verdieping. Daar bevonden zich vier kantoren, één van Jericho's enige arts, één van Jericho's enige advocaat en één van een expediteur van landbouwgewassen van de westelijke Jordaanoever naar Jordanië. Op het vierde kantoor stond de naam van dr. Nuri Mudhil. Ibrahim klopte aan en trad binnen.

Hij kwam in een grote ruimte waarin her en der verspreid boeken en paperassen lagen. Langs twee muren stonden lange werkbanken waarop voorwerpen afgeborsteld en schoongemaakt werden. Op een van die werkbanken stond een uit verschillende scherven samengestelde schaal, die nog niet helemaal gerestaureerd was. Op de andere lagen tekeningen van verscheidene antiquiteiten. De muren waren volledig behangen met diploma's, documenten en foto's waarop een mismaakte, kleine man stond afgebeeld op een terrein waar opgravingen werden verricht, tijdens een banket of een redevoering aan de universiteit. Hadji Ibrahim kon de documenten niet lezen, maar hij bekeek de foto's van dichtbij. Op bijna al die foto's bevond Nuri Mudhil zich te midden van westerlingen en velen van hen leken joden te zijn. Wat slim van Ishmaël, dacht hij, om te bedenken dat deze man waarschijnlijk nog steeds zaken doet met de joden.

De deur van een aangrenzend kantoortje ging open. Dr. Nuri Mudhil had een ernstig verminkt been, dat werd gesteund door een kruk onder zijn linkeroksel. Zijn rechterarm was verschrompeld.

'Hartelijke groeten op deze gezegende dag,' zei dr. Mudhil. 'En moge u deel hebben aan de genade en weldadigheid van de barmhartige Allah, die voorwaar de almachtige Jehova is, de ene en enig ongeziene God en waarlijk de enige God van de zeven hemelen boven deze, onze eigen draaiende planeet met daarop al haar eigen veelvuldige en veelkleurige fauna en flora en alle andere, zichtbare, hemelse gesternten boven en rondom onze aarde.'

'Allah is de grootste. Hem zij alle dank, lof en eer. Ik ben vandaag gezegend, omdat ik naar uw kantoor geleid ben met zijn oneindig vele wonderen,' antwoordde hadji Ibrahim.

'Is er iets in mijn nederige werkkamer dat het oog verrukt van een zo edel persoon als u?'

'Alles hier wijst erop, dat u een man bent die begiftigd is met grote en ongebruikelijke vaardigheden en dat u grote zegeningen ten deel zijn gevallen, zodat alles hetzelfde is als iets, wat dan ook.'

'Uw blik is scherp, merk ik en uw tong die van een man die vele soera's van de koran van buiten heeft geleerd,' zei de archeoloog.

'De koran is een boek met uiterst heilige woorden en een roemrijke boodschap,' zei Ibrahim. 'Dit gezegende boek heeft mij altijd al tot tranen en vrees bewogen voor de almachtige Allah.'

'Ja,' vervolgde Nuri Mudhil,' 'het is inderdaad een ontzaglijk en machtig wonder voor alle rechtschapen mensen die op deze planeet wonen.'

Op dat moment kwam de koffieverkoper binnen, die nooit ver uit de buurt was, met een blad waarop een pot met koffie, kopjes en een schaal met kleverige snoepjes stonden.

'Uw gezegende naam, meneer?'

'Ik ben Ibrahim en ik verblijf tijdelijk onder de ellendigen in Aqbat Jabar.'

'Hoe kan ik u van dienst zijn?'

'Tijdens mijn omzwervingen sinds de verbanning ben ik een paar artikelen tegengekomen die van enig belang zouden kunnen zijn.'

'Ik voel me vereerd met uw bezoek, Ibrahim,' zei Nuri Mudhil, terwijl hij Ibrahim zijn kantoortje binnenloodste, tot achter zijn bureau hinkte en de gast verzocht plaats te nemen. Ze dronken met kleine slokjes van hun koffie en staken allebei een sigaret op. Het viel Ibrahim op dat het geen pakje van een Palestijns merk was en dat de tabak van prima Syrische kwaliteit was.

Toen het hele begroetingsceremonieel achter de rug was, haalde Ibrahim het papier van het voorwerp en legde het voor de archeoloog neer. Nuri Mudhils ogen vernauwden zich en op zijn gezicht verscheen een nieuwsgierige uitdrukking. Hij knipte een felle lamp op zijn bureau aan, bekeek het stuk met een vergrootglas en zei: 'Hmmmmmmmmm.'

'Ik zie me genoodzaakt een paar vragen te stellen,' zei dr. Mudhil.

'Dan bent u dus geïnteresseerd?'

'Ja, natuurlijk. Vertel u mij eens, Ibrahim, hebt u dit voorwerp g kocht of hebt u het gevonden?'

Ibrahim dacht over de vraag na. Die leek onschuldig genoeg. 'Het werd gevonden,' zei hij.

'Ik zal u niet vragen waar u uw vondst precies hebt gedaan, maar uiteindelijk zal de plek waar en de manier waarop u het gevonden hebt rechtstreeks verband houden met de waarde ervan.'

Aha, hij probeert me in de val te lokken, dacht Ibrahim. 'Het werd ergens in deze streek gevonden,' zei hij.

'Was dit het enige dat werd gevonden?'

'Nee, er lag een aantal voorwerpen.'

'Een stuk of tien?'

'Mumkin, mumkin.'

Dr. Mudhil legde het voorwerp en zijn vergrootglas neer.

'Zullen we het uitwisselen van beleefdheden staken en elkaar wekenlange, zinloze gesprekken en gekibbel besparen?'

'Zoals u wilt,' zei Ibrahim. 'Ik wil zelf altijd niets liever dan ter zake komen.'

'U bent hadji Ibrahim al Soukori al Wahhabi, nietwaar?'

'Uw woorden zijn door vele lagen voorzorg heengedrongen. Ja, ik ben hadji Ibrahim. Hoe wist u dat?'

'Uw wapenfeiten in Qumran zijn in bepaalde kringen niet onopgemerkt gebleven, net zomin als uw komst in Jericho onopgemerkt is gebleven. Mag ik de conclusie trekken, dat dit in de grotten achter Qumran werd gevonden?'

Ibrahim gaf geen antwoord.

'Hadji Ibrahim,' begon Nuri Mudhil op een toon die verried dat hij alle geduld van de wereld had,' 'u bent een groot man die al veel heeft meegemaakt, maar inzake antiquiteiten bent u een kind. Handelaren staan erom bekend dat ze dieven zijn. Ik zal u ronduit, zonder omhaal vertellen dat u daar iets hebt dat heel bijzonder en mogelijk heel waardevol is.'

Ibrahims muur van afweer brokkelde af door 's mans openhartigheid. Zou het zo kunnen zijn, dat hij mij *niet* probeert te bedriegen?

'Ik wil niet van mezelf beweren dat ik meer te betekenen heb dan 's konings kameel, maar ik heb de naam een eerlijk man te zijn. Ik heb het respect waarmee ik word bejegend niet verworven door de bedoeïenen te bedriegen. Trouwens, precies in dezelfde stoel als waarin u hebt plaatsgenomen heeft vaak mijn eminente gast, uw eigen oom, de grote sjeik Walid Azziz – Allah zegene zijn naam – gezeten.'

'Moge God me vergeven dat ik het woord van een man met uw kwaliteiten in twijfel trek, maar gaat Walid Azziz – moge Allah hem behoeden – niet altijd met zijn vondsten naar een handelaar in Berseba?'

'O, handelaren, ja die heb je in Berseba, in Gaza, in Oost-Jeruzalem, maar ik ben in heel Palestina de enige, bevoegde professor in de archeologie. Walid Azziz verkoopt aan zijn handelaren in Berseba de alledaagse, van klei gemaakte gevonden voorwerpen. Hij kent beter dan wie ook de waarde van een pot of een olielamp. Maar! Wanneer Walid Azziz iets van ivoor, metaal of mooi glas vindt of een oud sieraad van bedoeïenen zoals in zeldzame gevallen voorkomt, dan komt hij daarmee naar mij toe. Ik ben ter zake kundig, begrijpt u en kan daarom rechtstreeks contact opnemen met een aantal kopers dat mij volledig vertrouwt.'

Mudhil trok zijn la open, haalde er vier kleine scarabeeën uit te voorschijn en zette die voor Ibrahim neer. 'Van de Ta'amira-bedoeïenen. Zijn ze niet prachtig? Dezelfde mannen probeerden uw vesting in Qumran binnen te dringen, maar werden bijna door u gedood.'

Hadji Ibrahim pakte een van de scarabeeën op en bekeek die. 'Wat zou dit opbrengen?'

'Honderd, honderdvijftig.'

'Zoveel? U dient erom benijd te worden, dat u dergelijke voortreffelijke klanten hebt.'

De archeoloog wikkelde drie van de scarabeeën voorzichtig in papier. Toen Ibrahim hem de laatste wilde overhandigen, verkruimelde die tot stof in zijn handen.

'Jammer... jammer,' zei Mudhil. 'Maak u geen zorgen. Zo teer zijn antiquiteiten nu eenmaal. Gelukkig hebben de mannen die deze scarabeeën bij me gebracht hebben ook in hun eigen handen voorwerpen in stof zien veranderen. Daar moet niemand over treuren.'

Ibrahim zat daar met open mond, probeerde zich te verontschuldigen, maar Mudhil deed het met een schouderophalen af. 'Denkt u dat u hiervoor een koper hebt,' vroeg Ibrahim, terwijl hij naar zijn raadselachtige, metalen voorwerp wees.

'Ik heb er een koper voor, als het tenminste is wat het lijkt te zijn.'

'En wat lijkt het te zijn?'

'Wij noemen het een standaard. Een decoratief voorwerp – in het holle uiteinde werd waarschijnlijk een houten stok gezet. Het ongewone eraan is, dat het in dit gebied niet thuishoort. Ik kan me tenminste niet herinneren dat iets dergelijks ooit eerder in Palestina is gevonden. Hiervan wordt algemeen aangenomen, dat het uit Iran, misschien uit Irak afkomstig is. Om het te kunnen verkopen moet u bereid zijn te bewijzen dat het met de andere voorwerpen die u gevonden hebt in de buurt van Qumran werd gevonden.'

Hadji Ibrahim besefte dat hij inderdaad deelnemer geworden was aan een spel waarvan hij helemaal niets begreep. Er scheen weinig anders op te zitten dan met de professor in zee te gaan.

'Ik moet dit een paar weken houden,' zei Mudhil.

'Maar... maar waarom?'

'Om de echtheid ervan te bewijzen.'

'Maar u bent een professor. U weet toch zeker wat het is.'

'Ik weet wat het lijkt te zijn. De archeologie stelt ons voor meer raadsels dan de koran. We moeten er proeven mee doen om precies te bepalen hoe oud het is en waar het vandaan komt.'

'Hoe is dat te doen?'

'Wat dood metaal lijkt, bestaat in werkelijkheid uit allerlei soorten levende organismen. Die dienen als gidsen. We kunnen tot op een paar honderd jaar nauwkeurig vaststellen hoe oud het is. Als dit is wat het lijkt te zijn, zou het meer dan zesduizend jaar oud kunnen zijn. Wat ik mij in de eerste plaats afvraag is, waar is het vandaan gekomen? Het is van koper. Daarom moeten wij de hoeveelheid arsenicum en andere bestanddelen vaststellen. Dat zal ons duidelijk maken uit welke mijn het erts afkomstig is.'

Ibrahim knipperde met zijn ogen van verbazing. Belangrijker dan de waarde van dit voorwerp was echter dat het nu wel vast leek te staan dat de kopers van Nuri Mudhil joden waren. Hij had nog nooit van een Arabier gehoord die in antiquiteiten investeerde. Ishmaël had het precies bij het juiste eind gehad.

'Als ik u dit een week geef, dan verlies ik al mijn rechten,' zei Ibrahim.

'U zegt dat u nog een stuk of tien van deze voorwerpen hebt. Ik kan u garanderen dat de koper, wie dat ook zijn mag, ze beslist allemaal zal willen hebben. Mohammed zou om geen betere rechtsbescherming kunnen vragen.'

Ibrahims plan om de archeoloog te slim af te zijn vervloog. Gedachten aan een samenzwering en zijn reactie daarop dwarrelden door zijn hoofd. Wat als Mudhil hem vertelde, dat het vervalsingen waren en alles waardeloos was? Hoe kon hij weten of hij de waarheid sprak? Zou het toch niet beter zijn om rechtstreeks naar de handelaren in Oost-Jeruzalem toe te stappen om te zien wat daarvan kwam? Maar wacht eens! Mudhil had al toegegeven dat het waardevol kon zijn.

'Natuurlijk mag u het een week hebben. Geen enkel probleem,' zei Ibrahim.

'U hebt een verstandig besluit genomen,' antwoordde Nuri Mudhil.

Hij stond op, begeleidde Ibrahim, leunend op zijn kruk, naar de deur zonder ten afscheid een lange tirade af te steken.

'Ik moet met gezwinde spoed naar Jeruzalem,' zei Mudhil. 'Dit is heel opwindend.'

4

Er verstreken verscheidene weken waarin Nuri Mudhil niets van zich liet horen. Mijn vader, die eindeloos gelijkenissen kon vertellen over het oefenen van geduld, kreeg daar nu zelfs steeds meer moeite mee. Zijn angst voor een samenzwering nam toe. Hij begon een overval te verwachten van Jordaniërs, die de negen andere artefacten zouden vinden en uit onze hut zouden stelen. Ik kreeg opdracht ze mee te nemen en bij ons geheime arsenaal wapens te verbergen. Toen vader dan eindelijk toch een briefje ontving, waarin hem werd gevraagd naar de archeoloog toe te komen, ging hij met een bezwaard gemoed op weg naar Jericho.

'Ah, komt u binnen, hadji Ibrahim! Moge Allah deze ontmoeting zegenen.'

'Moge Allah, onze goddelijke leidsman, al uw dagen zegenen, professor. Uw briefje heeft me verrast. Ik had niet verwacht zo gauw iets van u te horen.'

De koperen standaard lag op Mudhils bureau, terwijl de twee mannen onder het genot van twee koppen koffie om de kern van de zaak heen bleven draaien. Hadji Ibrahim luisterde aandachtig naar ieder woord van Mudhil, in de hoop er iets uit op te kunnen maken dat nog onuitgesproken bleef. Tegelijkertijd hield hij zijn eigen bange vermoedens onder controle en toonde uiterlijk enkel geduld en respect.

Mudhil pakte het kunstvoorwerp met de twee steenbokkoppen op. 'Dit heeft voor heel wat opwinding gezorgd. Het roept echter meer vragen op dan dat het beantwoordt.'

'Vragen die zo'n geleerd persoon als u en uw collega's naar mijn overtuiging toch zeker zullen kunnen beantwoorden.'

'Om de vragen te kunnen beantwoorden moeten wij uw volledige en onverdeelde medewerking hebben,' zei de archeoloog. 'De raadsels zijn dan nog moeilijk genoeg op te lossen. We hebben als ondersteuning alle feiten nodig die we maar kunnen verzamelen.'

'Ja , natuurlijk,' zei Ibrahim. 'Is er al sprake van een koper?'

'Een voortreffelijke koper.'

'Aha, dan heeft Allah deze dag gezegend.'

Mudhil stak waarschuwend een vinger op. 'Op voorwaarde dat u bereid bent een dergelijke koper toe te staan de hele gevonden schat te onderzoeken.'

'Alle voorwerpen?'

'Ja.'

'Ik neem aan, dat u wilt dat ik ze aan u overdraag.'

'Zoals u al wel vermoed zult hebben, bevindt de koper zich niet in Jericho en kan hij moeilijk hierheen komen. En al zou hij wel kunnen komen, dan konden de proeven die voor een analyse noodzakelijk zijn toch niet in Jericho uitgevoerd worden.'

Terwijl Ibrahim nadacht, hield Mudhil de standaard weer omhoog.

'We mogen nu aannemen, dat dit uit een heel, heel vroege periode afkomstig is. Het is een enorm kunstig werkstuk, vooral als je bedenkt in welke tijd het vervaardigd moet zijn. Kijkt u eens naar deze verdraaiingen in de handgreep, de holle binnenkant, de steenbokkoppen... kunst met eeuwigheidswaarde. Zoiets moet toch gemaakt zijn door zeer hoog ontwikkelde mensen? Wij hebben eenvoudigweg weinig of praktisch geen gegevens over dergelijke mensen in Palestina tijdens het chalcolitische tijdperk.'

'Vergeeft u mij, maar ik begrijp niet over welke tijd u het hebt.'

'Dat was het tijdperk dat volgde op het neolitische of nieuwe stenentijdperk. Laten we het het koperen tijdperk noemen, een periode van zo'n duizend jaar tussen het stenen en het bronzen. Vreemd genoeg hebben we wel een aantal voorwerpen uit de steentijd opgegraven – schedels, pijlpunten, een enkele landbouwnederzetting, maar niets uit het tijdperk dat daarop volgde. En kijkt u eens, waar we nu mee te maken hebben: voortreffelijk handwerk, zes- tot zevenduizend jaar geleden. Maar de kopermijnen in Timna werden pas geopend drieduizend jaar nadat dit werd gemaakt. Wie waren deze mensen? Hoe kwamen zij in Palestina terecht? Alleen door de hele vondst te onderzoeken, kunnen we bepaalde aanwijzingen krijgen.'

'Geldt dat ook voor hun waarde?'

Nuri Mudhil had de bedroevende gewoonte de persoon tegenover zich recht in de ogen te kijken, wanneer hij iets belangrijks te zeggen had. Zo doordringend was zijn blik, dat hadji Ibrahim er moeite mee had zijn ogen niet neer te slaan. 'Als een museumstuk is dit onbetaalbaar. Het is ook waardeloos.'

'Dat is zo'n moeilijk raadsel, dat ik er niets van begrijp.'

'Er zijn rijke antiekhandelaren. Rijke archeologen bestaan er echter niet en evenmin heeft enige bedoeïen kunnen gaan rentenieren na het verkopen van artefacten. In de Arabische wereld hechten we heel weinig waarde aan het in stand houden van dingen uit ons verleden. Van Egypte tot Irak zijn onze steden uit de oudheid door de eeuwen heen leeggeroofd, voornamelijk door onze eigen volksgenoten. Er is een departement voor antiek in Jordanië, maar geen universiteit en ook geen museum. Het departement bestaat hoofdzakelijk om buitenlanders ertoe te bewegen in Jordanië opgravingen te komen verrichten. Zij nemen bijna alles mee het land uit. In Londen, daar zult u het Egypte uit de oudheid terugzien, gewoonlijk in een onverlichte kelder of kluis. U moet begrijpen, hadji Ibrahim, dat de archeoloog enkel zijn werk doet, omdat hij daar plezier in heeft, om zijn naam te zien staan op een boek over zijn ontdekkingen, omdat hij het opwindend vindt de puzzels van het verleden op te lossen. Hij houdt niets van wat wordt opgegraven voor zichzelf, welke waarde het ook heeft. Het gaat allemaal naar diegenen, die de expeditie financieel mogelijk gemaakt hebben. Als een opgraving een geweldige vondst oplevert, krijgt de archeoloog hooguit een paar voorwerpen om zijn huis mee op te sieren. Wat er overschiet wordt aan handelaren verkocht.'

'Zegt u nu eigenlijk, professor Mudhil, dat ik veel betere zaken kan doen als ik rechtstreeks naar een handelaar toe stap?'

'Ik zou het vreselijk vinden te zien dat zoiets waardevols uiteindelijk op de zwarte markt terechtkomt of in het huis van een gewetenloze privé-verzamelaar, die een hele natie berooft van haar erfgoed.'

'Vertelt u mij de waarheid, als u zegt dat niet één archeoloog een deel van zijn vondsten voor zichzelf houdt?'

Mudhil lachte. 'Dat zou ongehoord zijn. Misschien ben ik daarom wel de enige Arabische archeoloog in Palestina. Hij zou onmiddellijk zijn aanzien verliezen in de academische wereld. Wij willen deze vondst niet kwijtraken. Maar als het in uw bedoeling ligt te proberen een goede slag te slaan, raad ik u aan met uw vondst naar handelaren in Oost-Jeruzalem te gaan. Ik zal u een paar namen geven. Ga met hen in de slag en moge Allah u beschermen.'

Hadji Ibrahim stak een hand op, als wilde hij zeggen 'stop'. 'Laat mij de wijsheid van uw woorden overdenken,' zei hij. 'Kunt u mij vertellen wat de kopers ruw geschat als schadeloosstelling in gedachten zouden kunnen hebben?'

'Hoeveel voorwerpen heeft u in totaal?'

'Nog negen.'

'Van dezelfde kwaliteit?'

'Voor zover ik dat kan beoordelen wel, ja.'

Nuri Mudhil haalde zijn schouders op. 'Ik ben op dit terrein geen expert, maar volgens mij zijn ze waarschijnlijk wel een paar duizend dollar waard.'

Dat Ibrahims hart bonkte, bleef goed verborgen onder zijn gewaden. 'Maar ik heb er toch wel recht op te weten wie deze kopers zijn? Ik zou willen weten of deze voorwerpen in de juiste handen overgaan.'

'Hadji Ibrahim, men moet wel tot de conclusie komen dat u niet helemaal toevallig naar mij bent toegekomen. Het verhaal over de manier waarop u met de helft van de voorraden van een Iraakse intendant Nabloes ontvluchtte, is in de koffiehuizen hier ter plaatse al een legende. De reden waarom u naar Qumran vluchtte, is ook het onderwerp van vele roddelpraatjes. Men zou geneigd zijn te geloven dat u niet erg veel op hebt met Abdullah en de Jordaniërs.'

'Politiek. Wat weet ik van politiek?'

'U bent veel te bescheiden,' antwoordde de archeoloog. 'Wilt u mij nu de rest van de collectie geven voor onderzoek of niet?'

Ibrahim veegde de zweetdruppels van zijn gezicht die daar ineens op verschenen. 'U hebt mij zelf verteld, dat mijn rechtsbescherming bestond uit het feit dat ik de andere negen voorwerpen achterhield. Nu zegt u tegen me dat ik die moet afgeven. Wie zal mij dan een redelijke prijs garanderen? Hoe kan ik dat weten... en Allah moge mij vergeven dat ik nog twijfels schijn te hebben – maar stel dat alles zoekraakt?'

'Zullen we ter zake komen?' zei Nuri Mudhil.

'Ja, natuurlijk. Openhartigheid is de allergrootste deugd.'

'Gideon Asch belooft u een redelijke prijs.'

5

Professor doctor Nuri Mudhil was de geweldigste Arabier die ik ooit ontmoet had – op mijn vader na. Ibrahim had me opgedragen op al zijn vragen eerlijk te antwoorden. Dat was een angstaanjagend idee.

Ik tilde de zak met de negen andere artefacten op een van zijn lange werkbanken, maakte hem open en legde de voorwerpen keurig naast elkaar neer. Professor doctor Mudhil strompelde, zwaar op zijn kruk leunend en met een vergrootglas in zijn vrije hand naar de werkbank toe. Hij hees zich moeizaam op een kruk en boog zich zover voorover, dat zijn gezicht bijna de voorwerpen raakte.

'Bij Allah, dit is opmerkelijk,' zei hij steeds weer.

Naast de standaard met de twee steenbokkoppen, die hij al gezien had, waren er nog twee eenvoudige standaards bij en een derde met een adelaar erop. Verder lagen er twee ivoren voorwerpen, die in een boogvorm als van een nieuwe maan waren uitgesneden. Daarin waren vele gaten geboord of gesneden. Professor doctor Mudhil meende dat dat ceremoniële zeisen zouden kunnen zijn. Het zevende voorwerp leek op een koperen 'hoorn des overvloeds'. Het achtste kunstvoorwerp was volgens hem het bovenstuk van een scepter. Het laatste voorwerp, daar kreeg hij bijna tranen van in zijn ogen. Het was een grote dikke ring die op een kroon leek en met vele vogelkoppen rond de bovenste rand verfraaid was. Terwijl hij ze bestudeerde, aantekeningen maakte en maten opschreef, keek ik rond in zijn werkkamer vol wonderlijke voorwerpen. Aan de foto's en documenten te zien had hij in vele uiterst belangrijke plaatsen buiten Palestina lezingen gehouden. Dat hij zo alledaags gekleed ging en zo bescheiden in zijn optreden was, was ontwapenend voor een man die zo beroemd was. Toen professor doctor Mudhil zijn eerste onderzoek had afgerond, verzocht hij ons mee te gaan naar zijn kantoortje.

'Ishmaël is bereid om alle vragen naar waarheid te beantwoorden,' zei hadji Ibrahim. 'Deze jongen is wijzer dan je van een dertienjarige zou verwachten. Hij is mijn vertrouweling en liegt zelden. Hij weet van alles af, ook van mijn speurtocht naar Gideon Asch. Ishmaël was degene die bedacht dat u, als archeoloog, nog contacten zou kunnen hebben met de joden.'

'Besef je het belang van ons geheim, Ishmaël?' vroeg hij.

'Ja, meneer,' zei ik.

'Je hebt gelijk. De joden zijn de wonderbaarlijkste onderzoekers van het verleden. Zij weten van geen ophouden waar het gaat om het blootleggen van hun wortels.'

Hij spreidde luchtkaarten en -foto's uit van de bergpassen en rotsen achter Qumran. 'We moeten deze nauwkeurig bestuderen om te zien of we zowel de grot waarin jullie gewoond hebben als die waarin jullie de schat gevonden hebben kunnen lokaliseren.'

Ik voelde me hoogst belangrijk, maar zong een toontje lager toen ik naar de foto's en kaarten keek. Ik kon er helemaal geen wijs uit worden. Toen professor doctor Mudhil hun betekenis uitlegde, begon ik me weer iets zekerder te voelen. 'Hier,' zei ik aarzelend.

Mijn vader keek, maar begreep er nog steeds niets van. Desondanks knikte hij instemmend.

'Dus je zag een opening boven jullie grot en kwam in de verleiding er naartoe te klimmen?'

'Ja, meneer.'

'Klom je alleen omhoog?'

'Hij ging er met een jongen naartoe die Sabri heet. In Nabloes hebben wij deze jongen in ons gezin opgenomen. Sabri werkt in Jericho, maar ik kan een ontmoeting met hem regelen,' zei Ibrahim. 'Vooruit, geef de professor antwoord. Jullie klommen samen naar boven,' drong mijn vader aan.

'Sabri ging niet helemaal met me mee. Hij werd bang omdat het zo hoog was en gaf op.'

'Klom je alleen verder?' vroeg professor Mudhil.

'Nee, meneer. Ik heb u dit niet verteld, vader, omdat ik bang was dat u ontstemd zou zijn, maar ik klom met Nada naar boven. Nada was degene die de voorwerpen vond.' Ik probeerde hadji Ibrahim aan te kijken en wist dat de enige reden waarom hij me nu niet sloeg was, dat professor doctor Mudhil erbij was, maar de woede in zijn ogen maakte me duidelijk dat hij me later nog wel stevig onder handen zou nemen. Ik vertelde er uiteraard niet bij dat Nada haar rok had uitgetrokken.

'Breng haar dan hier,' zei de archeoloog.

'Daar kan geen sprake van zijn,' zei mijn vader bits.

Ik had moeten liegen. Sabri zou mijn verhaal bevestigd hebben. Ik was gek dat ik mijn vader over Nada had verteld.

Professor doctor Mudhil keek met begrip voor de situatie van mij naar mijn vader. 'Tja, laten we dan maar verder gaan,' zei hij.

Tijdens zijn ondervraging tekende ik ruwweg een kaart van de grot met zijn drie ruimten en de geheime spleet waarin we de schat hadden gevonden. Hij schreef alles wat ik zei op.

'Lagen er skeletten?'

'Ja, die zagen we het eerst. Ze joegen ons angst aan.' Het feit dat we in een grote kruik beenderen van een kind vonden, wees er volgens professor doctor Mudhil op, dat diegenen die het kind begraven hadden in een god of goden geloofden. Het kind was in de kruik verborgen voor een reis naar de hemel – of iets dergelijks. Dat er nog meer beenderen van kinderen vlakbij een stenen altaar waarop vuur had gebrand hadden gelegen, wees erop dat sommigen geofferd waren.

Hij stelde me vele vragen over de omhulsels, de graankorrels, bewijzen dat er een vuur had gebrand en andere voorwerpen.

'Er lagen een heleboel potten, hele en stukke. Die namen we niet mee, omdat de klim van de rots af heel moeilijk was en we bang waren dat ze kapot zouden vallen.'

Professor doctor Mudhil mompelde dat de bedoeïenen de grot nu waarschijnlijk al geplunderd hadden. Hij maakte een aantekening om contact op te nemen met de sjeik van de Ta'amira-bedoeïenen, die de streek afzochten naar kunst- en gebruiksvoorwerpen uit de oudheid. Ze hadden al eerder stukjes stof en potscherven gebracht. Hij legde mij uit welke rol aardlagen en strata speelden.

'We beschikken over bewijzen dat van de grotten in deze streek tot aan de Massada gebruik gemaakt werd door Bar Kochba, een Hebreeuwse revolutionair in de tijd na Christus. Zijn opstand tegen Rome kondigde voor de eerste maal het einde aan van de joodse, politieke zelfstandigheid in Israël. Sommige strata waren ongetwijfeld van Bar Kochba en misschien zelfs wel van de Essenen, die bemoeienis gehad hadden met Jezus en Johannes de Doper in dat gebied.'

Hij legde mij de betekenis van strata uit, omdat hij wilde proberen vast te stellen of de krijgslieden van Bar Kochba en hun gezinnen in de grot geleefd konden hebben zonder van de verborgen kunstvoorwerpen af te weten.

'Ja, dat is heel goed mogelijk,' meende ik. 'De voorwerpen waren bijzonder goed verstopt in een spleet diep binnenin de kleinste ruimte. In die ruimte zelf konden geen mensen leven, want die was slechts hooguit één meter twintig hoog. De schatten hadden alleen gevonden kunnen worden door ernaar te graven. Nada vond ze, omdat een verpakking uit elkaar gevallen was en stenen er omheen waren weggegleden.'

Hij vroeg me of ik er vlakbij ook stokken gezien had. Ik herinnerde me dat. Volgens professor doctor Mudhil wees dit erop, dat de voorwerpen opzettelijk door deze onbekende mensen uit het zicht verstopt waren. In de prehistorie dienden stokken als graafwerktuigen. Een stok en graankorrels, legde hij uit, vielen dikwijls niet uit elkaar omdat tot sommige, vrij diep gelegen grotten geen vocht doordrong.

De ochtend was al half verstreken toen hij eindelijk ophield met vragen stellen, zijn potlood liet vallen en zijn ogen uitwreef. 'Het mysterie wordt nog groter,' zei hij. 'Wacht, dan zal ik je iets laten zien.' Hij wipte handig zijn kruk onder zijn arm, hinkte het atelier in en pakte het eerste artefact, de standaard met de twee steenbokkoppen.

'Monsters van het koper van deze standaard bleken zoveel arsenicum te bevatten, dat wij daaruit konden afleiden dat het afkomstig is uit mijnen in Armenië. In Armenië zijn even oude sporen van beschavingen gevonden als in Jericho. Het was de hele eerste christelijke natie. Een zelfde soort standaards is in het nabijgelegen Iran gevonden, dus Armenië kan niet worden uitgesloten.

Maar kijk nu eens naar deze kroon. Met het blote oog is al te zien dat het koper veel zuiverder is en gelijk aan koper uit mijnen niet ver van Palestina.' Hij pakte de twee voorwerpen op – de kroon en de standaard. 'Deze twee zijn niet uit dezelfde mijn afkomstig of zelfs maar uit dezelfde streek. Toch zullen alle acht koperen werkstukken ongetwijfeld uit het chalcolitische tijdperk blijken te zijn. En nu wordt het nog ingewikkelder,' zei hij, terwijl hij de twee ivoren werkstukken met de gaten erin omhoog hield. 'Deze zijn van nijlpaardivoor. Het dichtst bij Palestina gelegen gebied waar je deze dieren kon aantreffen zou de noordelijke Nijlvallei in Midden-Afrika zijn. In die tijd maakten mensen geen verre reizen. Zij vestigden zich in vruchtbare streken en bouwden daar hun kleine nederzettingen waar landbouw werd bedreven. Zij beschikten niet over schepen. De kameel was nog niet getemd en hèt paard evenmin. Hoe konden dan drie voorwerpen, die beslist uit verschillende gebieden afkomstig zijn, zes tot zevenduizend jaar geleden in die grot bij elkaar gelegd zijn?'

'Ik weet hoe! Ik weet hoe!' riep ik uit. 'Allah zond zijn engelen naar de aarde en die vlogen alles naar de grot.'

'Een betere verklaring hebben we daarvoor nog niet kunnen vinden,' zei professor doctor Mudhil, 'maar wetenschapsmensen zullen die waarschijnlijk niet accepteren.'

O, wat wilde ik graag van deze geweldige man leren. 'Ik zal u naar de grot toe brengen,' zei ik.

'Als ik de vondst aan de joden verkoop, zal Abdullah mij dan op expeditie laten gaan naar Qumran, denk je? De koning heeft trouwens wel iets anders aan zijn hoofd. Maar het is wel zo, dat de joden nog steeds de helft van het gebied met de grotten beheersen en zij zullen zeker aangespoord worden om daar op onderzoek uit te gaan.' Hij stak zijn misvormde arm uit en gaf me een goedkeurend klopje op mijn hoofd. 'Ik merk dat je wel wat voelt voor een opgraving.'

'O ja, meneer.'

'Ik begon ook als jongen al met opgravingen,' zei hij. 'Nu vertel ik je nog een geheimpje, Ishmaël. Ik geloof dat ik in de ruïnes van Jericho een muur uit de nieuwe steentijd ontdekt heb. Dat zou wel eens de oudste muur kunnen zijn uit de geschiedenis van de verschillende beschavingen. Ik heb daarover gecorrespondeerd met dr. Kathleen Kenyon, moge Allah haar zegenen. Zij bevindt zich in Londen en heeft belangstelling getoond. Het kan echter helaas nog wel twee of drie jaar duren vóór ze genoeg geld bij elkaar heeft om een expeditie te organiseren.'

'Kathleen? Is dat niet een naam van een christenvrouw,' zei mijn vader bits.

'Ja, inderdaad, een vrouw,' antwoordde Nuri Mudhil, terwijl hij mijn vader strak aankeek. 'Zij is de grootste archeoloog die zich met Palestina en de bijbel bezighoudt, maar geen jodin.'

In de onbehaaglijke stilte die hierop volgde, voelden we ons helemaal niet op ons gemak. Mijn vader begon al kwader te worden. Joden. Vrouwen. Hij wilde aan de ene kant contact met de joden opnemen. Aan de andere kant verafschuwde hij het feit dat hij onder ogen moest zien dat niet een Arabisch land de vondst zou willen kopen. En wat vrouwelijke archeologen betrof... wel, dat druiste helemaal tegen hadji Ibrahims overtuiging in.

'Waar zullen deze dingen uiteindelijk terechtkomen?' vroeg mijn vader plotsklaps.

'In de Hebreeuwse universiteit, waar ze thuishoren.'

'Is er niet één Arabisch museum of Arabische filantroop die ze wil kopen? Dit zijn Arabische vondsten. Het Rockefellermuseum in Oost-Jeruzalem bijvoorbeeld?'

'Arabische filantropen zijn lieden die kleine bijdragen geven aan kleine weeshuizen en investeren in grote diamanten. Je hebt van Cairo tot Bagdad geen islamitisch museum waar het geen puinhoop is. Ik heb in het Rockefellermuseum onbetaalbare, duizend jaar oude korans tot stof zien vergaan door toedoen van boekenwurmen. Het feit ligt er, dat een van de mooiste collecties islamitische antiquiteiten zich in een joods museum in West-Jeruzalem bevindt.'

'Ze proberen ons enkel te vernederen,' antwoordde hadji Ibrahim.

'U vindt het eigenlijk maar niets dat u met de joden zaken moet doen,' zei professor doctor Mudhil. 'En nog afschuwelijker vindt u het, dat ik met hen samenwerk.'

De stilte die nu volgde was niet onbehaaglijk meer, maar ronduit afschuwelijk. Hadji Ibrahim worstelde in die stilte met zijn schuldgevoelens en de angst voor een verrader uitgemaakt te worden.

'Het is heel moeilijk voor ons om met de joden zaken te doen, omdat wij een volledig van haat doordrongen sfeer geschapen hebben,' zei Nuri Mudhil. Daarop breidde de gebrekkige man zijn armen uit en ging zo rechtop staan als met zijn mismaakte lijf mogelijk was. 'Laat mij u over dit wezen dat voor u staat vertellen, hadji Ibrahim. Dan zult u zich nergens meer over verwonderen.'

'Ik had niet de bedoeling u te beledigen,' zei mijn vader botweg.

'Ik werd geboren zoals u mij nu ziet,' zei Nuri Mudhil. 'Mijn vader en moeder waren elkaars volle neef en nicht en dit is het resultaat. Dergelijke huwelijken tussen neven en nichten zijn in de hele Arabische wereld een vloek. Daaruit zijn een miljoen kinderen geboren die net zo mismaakt zijn als ik. Had u die in uw dorp ook, hadji Ibrahim?'

Ja, dat was zo. Mijn vader hield zijn lippen stijf op elkaar.

'U kwam naar mij toe om in contact te komen met de joden,' vervolgde Mudhil. 'Nu doet u daar zo schijnheilig over. Waarom kwam u naar mij toe? Omdat u die jongen daar een beter leven wilde geven, want u weet dat jullie een ellendige dood zullen sterven na een ellendig leven in dat beroerde kamp, als wij doen wat onze leiders zeggen. Of kwam u omdat u het niet eens bent met de Syrische premier, die vorige week zei dat alle Palestijnse vluchtelingen zich beter konden laten uitroeien dan erin toestemmen één centimeter grondgebied prijs te geven? Met de dood van een half miljoen Palestijnen, zei hij, zullen we tenminste over martelaren beschikken om onze haat nog zeker duizend jaar op het kookpunt te houden.'

Hij draaide zich om, strompelde naar zijn kantoortje terug en zakte met piepende ademhaling achter zijn bureau ineen. Mijn vader en ik liepen aarzelend achter hem aan. 'Ga zitten,' beval hij. 'Jij ook, Ishmaël.'

'Ik was de middelste zoon van negen jongens,' zei hij op een toon, alsof wij ons niet in het vertrek bevonden. 'Mijn vader was een man die in schapen en geiten handelde. Toen ik vier was, zette hij mij als bedelaar bij de Allenbybrug neer. Wees trots, zei hij tegen me. Bedelen is een eerbiedwaardig beroep en als je er maar erbarmelijk genoeg uitziet, kan niet één moslem weigeren je een aalmoes te geven. Liefdadigheid is een steunpilaar van de islam, zei hij. Als de bussen bij de Allenby werden aangehouden voor controle strompelde ik er met nog een stuk of tien andere, ook afschuwelijk mismaakte bedelaars op af en krijste om baksheesh. Mijn gezicht was ook nog overdekt met lelijke, rauwe plekken, dus ik streek heel wat op. Toen ik negen was, was bedelen bij de Allenbybrug het enige wat ik kon. In dat jaar kwam de grote dr. Farber voor opgravingen naar Jericho. Ik hing in zijn buurt rond en probeerde me nuttig te maken, maar ik was zo ziek dat ik in een ziekenhuis opgenomen moest worden, of ik ging beslist dood. Toen mijn vader er achter kwam dat dr. Farber mij naar het Hadassah-ziekenhuis gebracht had, sleurde hij me daar van de zaal af, sloeg me tot ik bewusteloos raakte en waarschuwde me de brug nooit meer te verlaten. Toen kocht dr. Farber mij voor honderd pond, geld dat hij moest lenen. Hij nam me mee naar zijn huis, maakte me beter en leerde me lezen en schrijven...' Hij zweeg even om zijn tranen de baas te worden.

'Het spijt me erg, dat ik u beledigd heb,' zei mijn vader nog eens.

'Wacht, ik ben nog niet uitverteld. Toen de opgravingen tijdelijk gestaakt werden, smeekte ik of ik er mocht blijven om de plek te bewaken. En ik groef en groef, de hele zomer door tot mijn handen ervan bloedden. Ik, Nuri, vond een schedel uit het neolitische tijdperk en dat was dé vondst van die opgraving. Weet u wat het voor me betekende, toen ik die aan dr. Farber overhandigde? Ziet u dat?' riep hij, terwijl hij naar een diploma boven zijn bureau wees. 'Dat is van de Hebreeuwse universiteit... en nu mag u met uw zootje gaan venten bij dieven!'

Mijn vader gebaarde mij dat ik weg moest gaan en dat deed ik.

'Wat kan ik zeggen?' zei Ibrahim.

'Wij zijn mensen die in haat, wanhoop en duisternis leven,' zei Mudhil. 'De joden kunnen ons die duisternis uitleiden.'

Ibrahim zakte in een stoel neer, te uitgeput om nog langer tegen te stribbelen.

'U kunt Ishmaël vertrouwen,' mompelde hij. 'Hij kan beter een geheim bewaren dan wie ook die ik ken. Hij houdt zelfs dingen voor mij geheim. U zult nooit door zijn toedoen in gevaar komen. Neemt u die voorwerpen maar en zie er de best mogelijke prijs voor te krijgen.'

'Alleen op voorwaarde dat Ishmaël niet wordt gestraft omdat hij zijn zuster meegenomen heeft. Zij had de moed om verder te klimmen, terwijl een andere jongen het van angst opgaf. Zij heeft de mensheid een grote dienst bewezen. U moet dat op uw vaders eer zweren.'

Ibrahim slaakte een aantal diepe zuchten, maar zei uiteindelijk toch: 'Ik zal mijn zoons onbezonnenheid deze keer door de vingers zien. Vertelt u mij nu wat u van Gideon Asch hebt vernomen.'

'Er zal een aantal gesprekken plaatsvinden tussen Abdullah en de Palestijnen. Hoe u over hem denkt is bekend. Hij zal voorlopig niet tegen vooraanstaande Palestijnen zoals u optreden. Hij wil nog steeds de schijn ophouden dat de Palestijnen hem willen hebben en niet andersom. Naar mijn mening ligt de zaak zo, dat een goudvis een haai probeert in te slikken. Mijn advies is dat u zich moet laten afvaardigen naar deze vergaderingen. Er zijn meer mannen die er net zo over denken als u. Die zult u daar aantreffen.'

Ibrahim luisterde en dacht een tijdje na. 'Ik wil nog maar één ding.

Ik wil naar Tabah terugkeren en mijn mensen daar herenigen. Zij bevinden zich ergens in Libanon. Ik zal niet alleen naar Tabah terugkeren of mijn mensen zelfs maar voorgaan. Ik wil in de ogen van de Arabieren geen verrader zijn. Of dat nu goed of verkeerd is, dat kan ik niet doen. Ik kan slechts naar Tabah terugkeren aan het hoofd van een stoet bestaande uit vele duizenden Palestijnen die zich alvast opnieuw kunnen vestigen tot de rest volgt.'

'Ik ga u nu het belangrijkste geheim van uw leven onthullen. U en u alleen zult aan deze gesprekken beginnen in de wetenschap dat Ben Goerion en de joden zullen toestemmen in de onmiddellijke terugkeer van honderdduizend Arabieren, terwijl over de rest onderhandeld moet worden met als uiteindelijk doel het sluiten van een vredesverdrag.'

'Honderdduizend,' fluisterde Ibrahim verbaasd.

'Om te beginnen honderdduizend,' zei Nuri Mudhil.

6

Hier spreekt Ishmaël weer tot u, geachte lezer. Wij waren echt de gevangenen van de Jordaniërs. Het is noodzakelijk dat u weet welke waanzinnige ambities koning Abdullah had.

Hij was afkomstig uit de Hasjemitische familie uit Mekka. Hasjem was de overgrootvader van Mohammed en de Hasjemieten speelden aanvankelijk een heel belangrijke rol bij de opkomst van de islam. Toen de islam echter zijn centrum verplaatste van Arabië naar Damascus en vervolgens naar Bagdad, werden de Hasjemieten geleidelijk aan gedegradeerd tot onbetekenende functionarissen, hoeders van de heilige plaatsen in Mekka en Medina.

Eeuwen gingen voorbij.

Het hoofd van de Hasjemieten, de sjarif van Mekka, sloot zich in de Eerste Wereldoorlog bij de Britten aan tegen het Osmaanse rijk. Hij had gehoopt uiteindelijk koning te worden van een Groot-Arabische natie. In plaats daarvan kreeg hij een paar zoethoudertjes toegeworpen en uiteindelijk werd hij door zijn aartsrivalen, de Saoediërs uit Arabië verdreven en bracht hij de rest van zijn leven in ballingschap door.

Zijn zoon Abdullah werd in naam heerser over oostelijk Palestina, een belegerde woestijn in het Transjordaanse gebied. Het enige doel van het 'natie zijn' van dit gebied was, dat het op die manier kon dienen als een Britse militaire basis.

Het emiraat Transjordanië was een erbarmelijke, onontgonnen streek, die voornamelijk werd bewoond door bedoeïenenstammen die van de kameel leefden, die voorzag in hun voornaamste levensbehoeften: voedsel, onderdak en kleding. Zij dronken kamelemelk en aten kamelevlees. Zij woonden onder tenten van kamelehuid en droegen kleding, geweven van kamelehaar. Warmte werd geleverd door kamelemest en voor vervoer zorgde de kamelerug. Dit humeurige, lelijke stinkbeest wist hoe je in de woestijn in leven kon blijven, net als zijn bedoeïenenmeester. Het leven in Transjordanië was primitief en wreed en tussen de verschillende stammen werd onafgebroken strijd geleverd. Abdullah werd door de andere Arabische leiders verafschuwd, omdat hij volledig onder toezicht stond van zijn Britse heer en meester.

Een schrandere Engelsman, John Bagot Glubb, vormde het Arabische Legioen om tot een strijdmacht, waarin de elkaar vijandig gezinde stammen onder één vaandel verenigd en trouw aan Abdullah waren. Hij bereikte dit door aan moderne wapens en tactieken opzichtige uniformen en de pracht en praal toe te voegen die de bedoeïenen aanspraken. Het Arabische Legioen werd de enige, eersteklas strijdmacht in de Arabische wereld en dat feit leidde tot nog meer jaloezie ten opzichte van Abdullah.

Transjordanië – dat later het koninkrijk Jordanië zou worden – bleef echter een kwijnend bestaan leiden als een godverlaten, snikheet, noodlijdend land met minder dan een half miljoen lethargische, moedeloze inwoners. Het was een land van niets, zonder culturele faciliteiten, literatuur, universiteit, zonder aanvaardbare medische voorzieningen.

Abdullah bewees even geduldig te zijn als hij ambitieus was. Door de Britten in de Tweede Wereldoorlog over het Legioen te laten beschikken, maakte hij als de enige Arabische leider gemene zaak met de Geallieerden en benutte hun overwinning als een springplank voor zijn al zo lang smeulende verlangens.

Hoe luidden die verlangens van Abdullah, vraagt u Ishmaël? Precies als die van zijn vader en van zijn broer Faisal geluid hadden: heerser te zijn over een Groot-Arabische natie, waaronder begrepen dienden te zijn Syrië, Irak, Libanon, Palestina en Saoedie-Arabië. Zoals u merkt waren zijn dromen niet bescheiden en ook bepaald niet verhuld.

Mijn vader, hadji Ibrahim, zei vaak dat Abdullahs ergste vijand Abdullah zelf was, omdat hij niet wist wanneer hij spreken en wanneer hij zwijgen moest. Abdullah verklaarde openlijk dat Jordanië niet bestond en Palestina niet bestond, maar enkel een Groot-Syrië en dat de Hasjemieten voorbestemd waren dat Groot-Syrië te leiden.

Hoewel de Arabische Liga, onze raad van naties, ziedde van woede over de onbeschaamdheid van deze kleine koning in zijn belachelijke hoofdstad Amman, kon zij toch niets tegen hem ondernemen omdat hij onder bescherming stond van de Britse leeuw.

Iedereen haatte Abdullah. De Egyptenaren, die van zichzelf vonden dat zij het middelpunt en de elite vormden van de Arabische wereld. De Saoediërs, die beefden bij de gedachte aan de wraak die hij zou nemen voor de verdrijving van de Hasjemieten uit Arabië. De Syriërs, omdat Abdullah de bedoeling had hun land te annexeren. De moefti, die Palestina had gezien als zijn persoonlijk domein. En zij smeedden allen plannen om hem om te brengen.

Naast de joden was van de Arabische naties alleen Abdullah met winst uit de oorlog te voorschijn gekomen, want hij had grondgebied veroverd en zijn vlag wapperde op de Rotskoepelmoskee in Oost-Jeruzalem. Bovendien kreeg hij er door de vlucht van de Palestijnen uiteindelijk een bevolkingsgroep bij die tweemaal zo groot was als die van zijn eigen koninkrijk: een half miljoen Palestijnen op de westelijke Jordaanoever en een half miljoen dat de rivier overgestoken en Jordanië binnengetrokken was.

Voor het merendeel waren dat ongeletterde en behoeftige boeren. Maar er waren ook vele duizenden ontwikkelde Palestijnen bij, precies het soort mensen waaraan het de Jordaanse samenleving ontbrak. Die moesten het achterlijke land een onverwachte impuls geven op het terrein van het onderwijs, de handel en het financiënwezen, waardoor het gordijn naar de moderne wereld opengescheurd zou worden.

Abdullah greep zijn kans door de vluchtelingen burgerrechten te geven en vrijheid van beweging toe te staan. Vele vooraanstaande Palestijnen werden op hoge posten benoemd in de Jordaanse regering om zijn geleidelijke annexatie van de westelijke Jordaanoever te legitimeren. Hij deed een nogal doorzichtige poging om zijn parlement het etiket op te plakken van een constitutionele regering door het voor de helft uit Palestijnen te laten bestaan. Het was bedrog, want de koning behield zich het recht voor te benoemen en te ontslaan wie hij wilde, zijn veto uit te spreken over onverschillig welke wet en het parlement te ontbinden wanneer hem dat beter uitkwam.

De Arabische Liga, het officiële verbond van alle Arabische naties, verwierp de annexatiepoging en beloofde plechtig die nooit als rechtmatig te erkennen. Daardoor raakte Abdullah geïsoleerd te midden van hem allemaal vijandig gezinde buurlanden.

Abdullahs oude vijand, de moefti van Jeruzalem, was naar Gaza gevlucht waar hij zijn eigen aanspraken tegenover die van de koning trachtte te stellen, maar de moefti had zijn beste tijd gehad.

Het bleek dat de moefti tijdens de Tweede Wereldoorlog, toen hij een nazihandlanger was, een bezoek aan Polen gebracht had om de vernietigingskampen te bekijken. Aangezien hij meende dat de verovering van Palestina door de Duitsers niet kon uitblijven, legde hij Hitler het plan voor gaskamers te installeren in het Dotandal ten noorden van Nabloes. Hier zou hij de joden uit elk land uitroeien, dat de Duitsers ook maar in het Midden-Oosten veroverden.

Alleen Egypte erkende de aanspraak van de moefti op Palestina, maar deed dat slechts zwakjes en niet van harte. In feite was het zo dat hij geen waarde meer had voor de Arabische zaak. Hadji Amin al Hoesseini zou de rest van zijn leven slijten als een man tegen wie men in verscheidene Arabische kringen nog wel met eerbied opzag, maar zijn politieke ster was uitgebrand.

Ook keerden vele Palestijnen zichzelf krachtig tegen Abdullahs annexatieplannen. De koning was geschokt, toen hij hoorde dat niet alle Palestijnen zich eendrachtig onder de Hasjemitische vlag schaarden. Maar zijn huid was niet erg dun. Hij bleef zich inzetten voor annexatie van de westelijke Jordaanoever, maar zorgde er daarbij wel voor dat hij geen belangrijke oppositieleden tegen zich in het harnas joeg. Tegelijkertijd verzekerde hij zich ervan dat de vluchtelingen geen organisatie vormden die zijn belangen konden schaden.

Abdullahs handlangers en aanhangers infiltreerden steden en vluchtelingenkampen op de westelijke Jordaanoever, waar ze mensen onder druk zetten, omkochten en beloningen op politiek terrein beloofden aan degenen die zich achter Abdullah schaarden.

De vluchtelingenkampen aan de Jordaanse kant, die als een soort voorsteden om Amman heen lagen, kreeg hij makkelijk onder controle. Hij verwijderde lieden die bleven tegenstribbelen uit deze kampen door ze stilletjes gevangen te zetten of te laten vermoorden.

Om zijn positie op de westelijke Jordaanoever te versterken nam hij daar het initiatief tot talloze beraadslagingen en bijeenkomsten op kleine schaal. Uiteindelijk voelde hij zich sterk genoeg om de westelijke Jordaanoever aan Jordanië toe te voegen en kondigde hij een belangrijke bijeenkomst in Amman af met het niet nader omschreven doel dat hem dan de kroon zou worden aangeboden van Groot-Palestina en dat was dan de eerste reuzestap naar een Groot- Syrië.

Mijn vader volgde dit geïntrigeer nauwlettend. Hij woonde zowel de vergaderingen op grote als op kleine schaal bij, maar hield zich op de achtergrond. Hij bleef voortdurend in contact met professor doctor Nuri Mudhil. Toen de grote vergadering bijeengeroepen werd, wist hij dat hij die moest bijwonen en voor zijn overtuiging zou moeten uitkomen, ook al stond hem dan gevangenzetting of de dood te wachten.

7 *Voorjaar 1950*

De Grieken noemden haar Philadelphia. Amman, de hoofdstad van de bijbelse Ammonieten, was de plaats waar koning David zijn hoofdman Uria een wisse dood op het slagveld tegemoet stuurde teneinde de vrouw van deze man, de zeer mooie Bathséba op slinkse wijze te kunnen verkrijgen. Net als het Sodom uit de bijbel stond Amman bekend om schaamteloos hedonisme en kwalijke praktijken, waardoor zij de toorn op zich laadde van de profeten Amos en Jeremia. Hun voorspellingen over Ammans vernietiging kwamen maar gedeeltelijk uit. Amman werd nooit vernietigd. Deze stad was eenvoudigweg nooit van enige betekenis. Ze lag daar maar, op de spreekwoordelijke zeven heuvels, als een vergeten tussenstation langs 's konings heirbaan, de handelsroute tussen de Rode Zee en Damascus. En ze bleef daar bijna tweeduizend jaar lang lusteloos onder de zon liggen, nauwelijks beroerd door wat er elders in de wereld gebeurde.

Toen kwamen Abdullah met zijn ambities en de Britten, die de bedoeïenen verenigden tot het Arabische Legioen. Amman stak haar bange, met stof bedekte hoofd op en veranderde van een hoofdstad van niets in een nieuw centrum voor Arabische intriges.

Kunt u zich voorstellen hoe opgewonden en vereerd ik was, toen mijn vader mij vertelde dat ik hem mocht vergezellen naar de Grote Democratische Eenheidsconferentie in Amman! De Arabische wereld scheen van conferentie naar conferentie te galopperen, maar ik had er nog nooit één bijgewoond en zeker geen democratische conferentie.

Wekenlang werden in Aqbat Jabar en de vier andere kampen rond Jericho in een opgewonden sfeer levendige discussies gevoerd. Jordaanse agenten overspoelden ons met propaganda die ons moest overreden. Er zouden meer dan duizend afgevaardigden aanwezig zijn, de ene helft van de westelijke Jordaanoever en de andere helft van de Palestijnen die nu in Jordanië woonden.

Als je kon tellen, kon je weten dat Abdullah al vijftig procent van de deelnemers aan de conferentie achter zich had vóór hij zelfs maar afgevaardigden op de westelijke Jordaanoever begon op te sporen. Die vele Palestijnen die in Amman woonden en de anderen die in ongeveer vijftig kampen aan de andere kant van de rivier woonden had Abdullah in zijn zak en niemand koesterde enige twijfel over hoe zij zouden stemmen.

Iedere dag werden nieuwe afgevaardigden benoemd uit het midden van de burgemeesters, de moektars, de sjeiks, geestelijken en andere vooraanstaande Palestijnen op de westelijke Jordaanoever. Ook deze afgevaardigden waren voor het overgrote deel Abdullah toegedaan. Een zorgvuldig doorgelichte, kleine, handelbare oppositie werd toegelaten om de wereld te 'bewijzen' dat de conferentie door en door democratisch zou zijn.

Hadji Ibrahim hoorde bij de oppositie en was van plan om met een groep gedelegeerden uit Aqbat Jabar en de andere kampen rond Jericho de conferentie bij te wonen. Hoewel in deze kampen meer dan vijftigduizend mensen verbleven, mochten zij slechts twintig mensen afvaardigen.

Niettemin werd er hevig om zetels gestreden. Aanvankelijk poogde men verkiezingen te houden, maar niemand wist hoe je dat moest aanpakken of had vertrouwen in dat systeem. De keuze van afgevaardigden kwam neer op een traditionele machtsstrijd, waarbij de leiders van de machtigste stammen en diegenen die de beste bondgenootschappen sloten de zetels verwierven.

Ondanks druk van Jordaanse zijde werd mijn vader, de grote hadji Ibrahim al Soukori al Wahhabi, uiteindelijk de leider van de delegatie uit Jericho.

Terwijl de helft van de afgevaardigden al vanaf het begin voor Abdullah was, begonnen de Jordaanse agenten nu de andere helft te bewerken. Hun werden extra proviand, geld en posten in de toekomstige regering beloofd. Toen de agenten hun 'campagne' afsloten kon hadji Ibrahim er slechts op rekenen dat een stuk of tien mannen tègen de annexatie zou stemmen. Dit aantal nam nog af doordat twee van de meest uitgesproken anti-Abdullah gedelegeerden vermoord werden en twee anderen naar Amman werden afgevoerd om als misdadigers terecht te staan op beschuldiging van smokkelarij en zwarte handel. De aanklachten waren doorzichtig, omdat deze misdaden overal werden begaan, vooral onder de Jordaanse troepen en kampbewaarders.

Toen mijn vader de gedelegeerden die hij was kwijtgeraakt trachtte te vervangen, werd hem meegedeeld dat er geen nieuwe afgevaardigden meer konden worden ingeschreven.

Hoeveel aanzien de gedelegeerden genoten werd duidelijk gemaakt door de manier waarop zij naar Amman werden vervoerd en door de toewijzing van verblijven, wanneer zij daar aankwamen. De belangrijkste pro-Abdullah afgevaardigden werden in privé-auto's afgehaald en kregen een villa, een hotelsuite of een kamer toegewezen. Alle anderen die net als vader in de kampen woonden, zouden in bussen de rivier oversteken en tien kilometer ten noorden van Amman in tenten van het Schnellerkamp gehuisvest worden. Alhoewel Schneller en Aqbat Jabar hetzelfde aantal mensen onderdak boden, had Schneller honderd afgevaardigden. Daaruit bleek dus al, dat de conferentie nu niet bepaald in alle opzichten echt democratisch was.

Hoewel we dus opzettelijk vernederd werden om aan te geven dat we maar tweederangs afgevaardigden waren, was ik opgetogen over de hele reis. De nachtelijke rit over de Allenbybrug door Es Salt, Suweilih en Amman was net een droom.

Mijn vader en ik deelden een kleine tent. Toen we ons geïnstalleerd en gegeten hadden, moest ik dichtbij hem komen zitten om hem de agenda voor te lezen. Vervolgens beval hij me voor hem te gaan staan en toen greep hij mij bij mijn oor beet en schudde eraan.

'Dat moet je goed te luisteren leggen,' zei hij.

'Dat zal ik doen, vader.'

'Ga eerst hier in het kamp op onderzoek uit,' zei hij. 'De belangrijkste reden die Abdullah de bannelingen opgeeft om naar de kampen in Jordanië te vertrekken is, dat zij daar veel beter af zijn dan in de kampen op de westelijke Jordaanoever. Ik moet weten in hoeverre dat waar is. Hij heeft ook gezegd, dat de bannelingen aan deze kant van de rivier werk en onderwijs kunnen krijgen. In hoeverre is dat waar?'

'Ik begrijp het,' zei ik.

'Je moet rondneuzen en diegenen die net als ik tegenstander zijn van de annexatie opsporen. Maar ga uiterst voorzichtig te werk. Spreek hen niet aan, maar laat me weten wie dat zijn.'

'Ja, vader.'

'Het allerbelangrijkste komt nu tot slot, Ishmaël: blijf op je hoede voor boze opzet.'

Ik werd de volgende morgen vol verwachting wakker, omdat we Amman in zouden gaan. Niets heb ik ooit als teleurstellender ervaren.

Amman haalde niet bij Jeruzalem. Ik kon nu begrijpen wat mijn vader bedoelde als hij het erover had wie eigenlijk wie behoorde in te lijven.

In het centrum van de stad, die niet veel groter was dan Ramla of Lydda, bevond zich een weinig indruk makende, kleine fontein die ingesloten werd door aan de ene kant de moskee en aan de andere kant een heel oud Romeins amfitheater. Het daar vlakbij gelegen hotel Philadelphia diende als hoofdkwartier voor de conferentie. Op een groot spandoek boven de straat stond te lezen: WELKOM OP DE GROTE DEMOCRATISCHE EENHEIDSCONFERENTIE – PALESTINA EN JORDANIË ZIJN ÉÉN.

Het centrum was met nog meer welkom hetende guirlandes getooid, maar het opvallendst was de aanwezigheid van het Arabische Legioen. De soldaten hadden hun vernieuwde, rode hoofdtooi met witte pluim op, hadden een reusachtige snor ten bewijze van hun mannelijkheid, droegen een enkellang, beige met rood rijkleed en keken heel kwaad.

Onder de legioensoldaten hadden zich 's konings andere trouwe bedoeïenen gemengd. Er liepen beslist wel honderden leden rond van de Beni Sakhr-stam in hun lichtblauw met witte gewaad dat met goudband was afgezet, terwijl hun met kogels gevulde bandelier over hun schouder hing. De leden van de Beni Sakhr-stam stonden bekend als de allerwreedste strijders onder de bedoeïenen en hun aanwezigheid naast de legioensoldaten getuigde van het feit dat er in Jordanië niet met Abdullah te spotten viel. Zo te zien liepen er wel tien gewapende Jordaniërs rond tegen één gedelegeerde.

Mijn vader en ik liepen op hotel Philadelphia af, waar hij zijn deelnemerskaart kreeg en hem werd verteld van welke commissie hij deel uitmaakte. De meeste commissies waren slechts ingesteld om het merendeel van de afgevaardigden bezig te houden en hun het gevoel te geven dat ze belangrijk waren. De eerste daad die mijn vader stelde was, dat hij op hoge toon zijn benoeming afwees tot lid van de Commissie voor Islamitische Waarden.

We werden haastig een aangrenzend vertrek binnengeduwd, waar een woest kijkende kolonel Zyyad achter een bureau zat.

'Ah, hadji Ibrahim, ik zie dat u uit Qumran bent teruggekeerd,' zei hij heel sarcastisch.

Mijn vader gaf geen krimp.

Ik had het gevoel dat ik ieder moment op mijn knieën zou kunnen vallen van angst. Ik zag mezelf al in een afschuwelijke Jordaanse gevangenis aan mijn eind komen.

Kolonel Zyyad bleef op het bureau zitten trommelen, alsof hij in code tot een beslissing probeerde te komen.

'U bent een dwaas, een verschrikkelijke dwaas,' zei de kolonel.

Ik zag hem razendsnel over verschillende mogelijkheden nadenken en ik neem aan dat ik hardop heb staan bidden, want mijn vader schudde me door elkaar ten teken dat ik mijn mond moest houden.

'Dit is een democratische conferentie,' zei Zyyad. 'Ik zal u opgeven voor een andere commissie.' Hij rommelde in zijn paperassen, vond wat hij zocht, schreef mijn vaders naam op een lijst en krabbelde een bevel neer. 'U zult de vergaderingen bijwonen van de Vluchtelingencommissie,' zei hij.

'Ik heb alleen al tegen het bezigen van het woord "vluchtelingen" bezwaar,' antwoordde mijn vader kortaf.

'Dan moet u dat maar met uw commissieleden bespreken... en bedank Allah, dat wij een democratisch volk zijn.'

Mijn vader was gered door het feit, dat Abdullah tijdens de conferentie geen wanordelijkheden en verdeeldheid wenste en het was op dit moment een kleine moeite ons tevreden te stellen. Ik stond echter nog steeds te bibberen, toen we ons allemaal op het plein van de Grote Moskee verzameld hadden, waar de moefti van Amman, de moslemleider van het land, de conferentie opende.

Na het uitspreken van gebeden schreeuwde de moefti vanaf de kansel de woorden van soera 57, die over de bestraffing handelt van de ongelovigen.

We hebben het firmament opgeluisterd met lichtende sterren en hebben die tot projectielen gemaakt voor de satans en We hebben hen de kastijding toebereid van het Vuur.

Voor hen die niet in hun God geloofd hebben is de kastijding van de hel – een slechte plaats van bestemming! Wanneer zij erin geworpen worden, horen zij er een geraas uit opstijgen, want deze ziedt,

En spat bijna uiteen van razernij. Telkens wanneer er een stel ingegooid wordt, zal de hoeder ervan hun vragen: 'Is er geen waarschuwer tot u gekomen?' Zij zullen zeggen: 'Ja! er is een waarschuwer tot ons gekomen, maar wij meenden dat hij onwaarheid sprak en zeiden: "Allah heeft helemaal niets neergezonden".'

'Gij hebt u waarlijk deerlijk vergist.'
En zij zullen zeggen: 'Als wij gehoord hadden of begrepen, hadden

we ons niet hoeven bevinden onder de deelhebbers aan het Vuur.'

Dan zullen zij hun zonden belijden: 'Weg met de deelhebbers aan het Vuur.'

Na een gruwelijke preek over het verbranden van de joden, smeekte de moefti van Amman Allah om zegeningen en goddelijke leiding voor de afgevaardigden.

Toen de gebeden achter de rug waren, liepen we naar het Romeinse amfitheater waar we naar een drie uur durende welkomsttoespraak luisterden van de burgemeester van Hebron, een stad op de westelijke Jordaanoever. Hij was Abdullahs vurigste verdediger in Palestina. Het eerste uur wijdde hij aan de komende wraak op de joden, terwijl hij in het laatste deel van zijn toespraak de glorie van de islam en de schoonheid van Arabische eenheid en broederschap verkondigde.

Na de burgemeester van Hebron volgden nog een stuk of tien sprekers die elk in hun welkomsttoespraak een aspect van de op handen zijnde annexatie benadrukte. De enige spreker die daar iets tegenin bracht werd op democratische wijze al na enkele ogenblikken door de anderen het spreken onmogelijk gemaakt. Daardoor ontstaken hadji Ibrahim en het handjevol andere dissidenten zozeer in woede, dat zij luidkeels van hun ongenoegen blijk gaven en anti-Abdullahleuzen begonnen te schreeuwen. We werden gedwongen in te binden door een zeer groot aantal legioensoldaten, die zich om het amfitheater heen geposteerd hadden. Niemand raakte gewond en de bijeenkomst werd voortgezet.

Toen de openingszitting achter de rug was, werden we naar de Jabal al-Qal'ah gebracht, de dominante berg waarop de oude Romeinse citadel staat. De ruïne van de Tempel van Hercules stond op een grote binnenplaats waar ons iedere middag een maaltijd werd geserveerd door tientallen obers. Abdullah wist hoe hij met Brits geld voor een goed onthaal moest zorgen, merkte mijn vader op. Vanaf deze plek hadden we een fantastisch uitzicht op het Hasjemiiyapaleis van de koning en op de omringende bergen.

Nu bood zich een gelegenheid om je behoedzaam onder de mensen te begeven. Terwijl we voor een maaltijd onze handen wasten in een fontein, zag ik dat een man die de traditionele kleding droeg van een woestijnbewoner doelbewust naast vader ging staan. Ik liep dichter naar hen toe om te luisteren.

'Ik ben sjeik Ahmed Taji,' zei de man zachtjes. 'Mijn mensen en ik

391

zitten in het kamp bij Hebron.'

Mijn vader stelde zich eveneens op gedempte toon voor.

'Ik weet wie u bent,' zei sjeik Taji. 'Ik heb u vandaag tweemaal op de voorgrond zien treden, in hotel Philadelphia en in het amfitheater. U bent gek, echt gek.'

De sjeik gaf snel iets aan mijn vader dat op een talisman leek, gemaakt van een donker soort gesteente. Vader stak het snel in zijn zak.

'We moeten elkaar na deze conferentie ontmoeten,' fluisterde sjeik Taji. 'Als ik de talisman van u terugkrijg met een briefje, zal ik naar u toekomen.'

Vader knikte en na deze korte ontmoeting gingen zij ieder huns weegs. Ik liet mijn vader merken dat ik de naam van de man opgevangen had en slenterde weg om informatie over hem te verzamelen.

Die avond werden we naar het Hasjemiiyapaleis gebracht om de koning te ontmoeten. Omdat ik nog nooit in een paleis geweest was en nog nooit een koning ontmoet had, was ik echt onder de indruk, ook al was het Abdullah maar. Zowel vader als ik ging goed gekleed in kleren die we geleend hadden van iedereen in ons deel van Aqbat Jabar die ook nog maar iets fatsoenlijks over had. Vele afgevaardigden liepen echter in lompen rond. De rij schoof heel langzaam op, de troonzaal in.

Mijn knieën knikten voor de tweede keer die dag. Wel, hij beschikte in elk geval over een aardig verblijf. Naast het Romeinse amfitheater en de citadel was het het enige mooie gebouw dat ik gezien had. Hoewel het paleis niet zo prachtig was als de dingen die ik gezien had tijdens mijn tocht naar het paradijs, kon het er voor Abdullah en Jordanië best mee door.

En daar stond ik dan pal voor de koning! Ik geloof dat ik teleurgesteld was. Zijn troon was slechts een grote stoel op een goudkleurig geschilderde verhoging. Hij was daarvan afgestapt om de stoet afgevaardigden te ontvangen, omgeven door zijn Kirgizische bewakers. Dat waren geen echte Arabieren, maar Russische moslems die eeuwen geleden hierheen gekomen waren. Zij hadden een bontmuts op met een zilveren speld in de vorm van de kroon van de koning en leken op de kozakkenruiters die ik wel eens op plaatjes gezien had. Adviseurs met een westers pak aan, maar een Arabische hoofdtooi op, flankeerden de koning en fluisterden in zijn oor terwijl iedere afgevaardigde langsliep.

Abdullah was erg klein voor een koning en zijn gewaden waren niet sierlijk, maar zijn schoenen glommen zo mooi als ik nog nooit gezien had. Hij was heel vrolijk en dat verbaasde me, omdat ik verwacht had dat hij er net zo onheilspellend zou uitzien als kolonel Zyyad, die ook in de buurt was. De kolonel fluisterde iets tegen de koning toen wij naderden. Abdullah begon overdreven breed te glimlachen, omhelsde mijn vader, kuste hem op beide wangen en gaf daarna mij een klopje op mijn hoofd, hoewel ik bijna even groot was als hij.

'Welkom, welkom, welkom, in mijn nederige koninkrijk, hadji Ibrahim! Ik hoop dat u zich thuisvoelt in mijn land. We voelen ons vereerd met uw aanwezigheid. Moge Allahs wijsheid u de komende dagen leiden.'

'Met geen woord is de verrukking van dit moment te omschrijven, Majesteit,' antwoordde mijn vader.

'Wat u ook wilt, nu of later, het is allemaal binnen uw bereik,' zei de koning. Vervolgens wendde hij zich tot mij. 'Hoe heet jij, mijn zoon?'

'Ik ben Ishmaël,' verklaarde ik trots.

Er werd lichte druk op ons uitgeoefend om de stoet in beweging te houden en uiteindelijk kwamen we buiten in de grootste tent terecht die ik ooit gezien had. Alle afgevaardigden konden erin ondergebracht worden. Het was niet moeilijk uit te maken wie er vluchteling was en wie bij de rijke, geen gebrek lijdende Palestijnen hoorde, nu zij die in lompen en zij die in met gouddraad doorweven kleren liepen hier als broeders verenigd waren.

Het feestmaal dat hierop volgde was nog grootser dan dat wat mijn vader had aangericht toen hij nog de moektar van Tabah was. Velen van ons hadden al zo lang dergelijke gerechten niet meer onder ogen gehad, dat wij aten tot we ons opgeblazen en ziek voelden en dan aten we nog door. Muziek en dansers verhoogden de sfeer van liefde en harmonie. Door de vele bedienden werd ons hasjiesj toegestopt, zodat het gevoel van gelukzaligheid dat we hadden niet te snel zou vervagen.

Na het feestmaal waren we getuigen van wedrennen tussen kamelen, demonstraties van rijkunst en valkedressuur, gevolgd door nog meer muziek en dans. We hoorden later over de radio, dat de koning stilletjes uit Amman was weggeglipt, omdat hij de conferentie niet wilde beïnvloeden door zijn aanwezigheid en de democratische aard van de bijeenkomst geen geweld wilde aandoen.

De volgende dag woonde vader een vergadering van zijn commissie bij, die begon en eindigde als een wedstrijd-in-schreeuwen, als gevolg van zijn poging de agenda uit te breiden en niet louter resoluties aan te nemen die tevoren waren opgesteld. Hij gaf blijk van zijn bezwaren tegen het bezigen van het woord 'vluchteling', maar werd over-schreeuwd. Ik vertrok al snel om informatie te verzamelen, zoals mijn vader mij had opgedragen.

Die avond vertelde ik mijn vader wat ik te weten gekomen was. Sjeik Taji was de leider van een half nomadische stam, die zich in het gebied ten noorden van de Golf van Akaba rond Eilat had opgehou-den. In het begin van de oorlog met de joden verdreven de Egyptena-ren hen om militaire redenen van hun geboortegrond en zij vluchtten naar Hebron. Aan het eind van de oorlog bleek dat de joden de Negev-woestijn aan het veroveren waren, zodat sjeik Taji zich nu af-vroeg waarom hij was weggegaan. Andere bedoeïenen waren geble-ven en werden door de joden met rust gelaten of werkten met hen samen door hen te voorzien van spoorzoekers en inlichtingen.

Sjeik Taji betreurde het dat hij die fout gemaakt had, want hij be-vond zich nu in het kamp bij Hebron in een onmogelijke positie. De burgemeester van die stad was een trouwe aanhanger van Abdullah en had van het kamp een van 's konings bolwerken op de westelijke Jordaanoever gemaakt.

Mijn vader liet me de kleine talisman zien die Taji hem had toege-stopt, een donkere jaspis oorhanger. Ik herkende deze als een alle-daagse bedoeïenentalisman om jinn af te weren.

'Hiermee kunnen we sjeik Taji te zijner tijd naar ons toe laten ko-men,' zei mijn vader. 'Wat ben je over dit kamp hier te weten geko-men?'

Om gewichtig te doen schraapte ik mijn keel. 'In Schneller en alle andere kampen rond Amman ben je veel slechter af dan in Aqbat Ja-bar,' zei ik. 'Ze leven of sterven hier volgens één vaste regel. Abdullah heeft alle belangrijke moektars in dienst genomen en hun en hun fa-milieleden alle baantjes bij het Rode Kruis gegeven. Als je tegen de koning bent, krijg je niet te eten en waag het dan niet te protesteren. Vele mensen zijn vermoord of gevangen gezet en daardoor zijn er nu geen dwarsliggers meer over.'

'Net wat ik dacht,' zei vader.

'Hetzelfde geldt voor de banen in Amman. Alleen diegenen die met Abdullah samenwerken kunnen in de stad werk vinden. Mij is verteld dat het in alle kampen elders in Jordanië precies zo geregeld is.'

Op de derde avond kon ik mijn vader melden dat ik nog iemand ont-dekt had die vierkant tegen annexatie was, maar die man had in tegen-stelling tot vader zijn gevoelens voor zichzelf gehouden.

'Zijn naam is Charles Maan. Hij was leraar aan het gymnasium in Haifa. Hij is een heel vooraanstaand lid van de commissie uit Ramallah.'

'Ik heb van hem gehoord,' antwoordde vader. 'De groep uit Ramallah is sterk vertegenwoordigd. Is hij te vertrouwen?'

'In alle opzichten, op één na,' zei ik.

'Aha. In welk opzicht is hij niet te vertrouwen?'

'Hij is een christen en u weet hoe die gelogen hebben door te beweren dat Jezus hun heer en redder is.'

'Is dat alles?'

'Ja, vader.'

'Onzin,' zei mijn vader tot mijn verbazing. 'De christenen en de moslems hebben eeuwenlang in Palestina gewoond zonder dat daaruit echt moeilijkheden zijn voortgekomen. Gevechten tussen religieuze groeperingen komen alleen in Libanon voor en zijn waanzinnig. We konden zelfs met de joden goed opschieten, tot de moefti zich aandiende.' Deze onthulling van hadji Ibrahim bracht me in verwarring.

Charles Maan bevond zich ook in het Schnellerkamp, niet ver van ons af.

'Blijf in de buurt van zijn tent en houd de boel er in de gaten zonder zelf in de gaten te lopen,' beval vader. 'Als hij alleen is, moet je hem heel voorzichtig benaderen en je aan hem voorstellen door hem aan te spreken of hem een briefje te geven. Zeg hem dat ik hem wil ontmoeten, maar dat moet dan wel snel en onopvallend gebeuren.'

'Waar, vader?'

Daarover dachten we allebei een ogenblik na. 'Bij de latrine waar wij onze behoeften doen,' zei hij.

Ik wachtte meer dan twee uur bij Charles Maans tent, maar afgevaardigden liepen er voortdurend af en aan. Ik besloot een briefje te schrijven. Toen de stoet van bezoekers even werd onderbroken stapte ik snel naar binnen en gaf het hem.

Hij was ouder dan vader en had wallen van vermoeidheid onder zijn ogen. Hij pakte het briefje aan met een hand waarvan de vingers geel waren van de nicotine.

Ik ben Ishmaël, zoon van hadji Ibrahim al Soukori al Wahhabi. Mijn vader wil u graag morgenochtend om twee uur bij de latrine ontmoeten.

Hij verscheurde het briefje en knikte van ja naar me. De latrine was

een lange barak van golfplaten, boven een aflopende greppel die uitkwam bij een aantal kuilen waarin het rioolslijk werd opgevangen.
Even voor tweeën verlieten vader en ik heel omzichtig onze tent. Het
was buiten erg donker en stil en we hoopten dat dat zo zou blijven. We
wachtten in de schaduw tot de vermoeide, verfomfaaide gestalte van
Charles Maan, gekleed in een westers pak, het pad afkwam. Hij keek
om zich heen en ging de latrine binnen. Ibrahim liep achter hem aan,
terwijl ik me bij de ingang opstelde om hen te waarschuwen als er iemand aankwam. Hij stond boven de greppel en deed of hij urineerde.

'We moeten elkaar aan de andere kant van de rivier ontmoeten,' zei
vader.

'Goed,' antwoordde Charles Maan.

'Kent u sjeik Taji uit het kamp in Hebron?'

'Ja, die is betrouwbaar. Een prima man.'

'Ik zal hem meebrengen,' zei vader.

'Goed.'

'Hoe komen we met elkaar in contact?' zei vader.

'Als u en sjeik Taji zover zijn, stuurt u uw zoon Ishmaël naar Ramallah. Ik zit in het Birahkamp. Ik heb er een schooltje kunnen opzetten. Hij zal me zonder problemen kunnen vinden.'

'Onze ontmoeting moet zorgvuldig geheim gehouden worden,' zei
vader.

'Ik weet een plek in de oude stad van Jeruzalem waar we veilig zijn.
Kent u het Klooster van de Dochters van Zion?'

'Nee,' antwoordde vader.

'Ga de oude stad binnen via de Leeuwenpoort. Die bevindt zich op
de Via Dolorosa bij de Ecco Homo-boog tussen de tweede en de derde statie. Vraag naar zuster Mary Amelia. Zij beheert de school en zal
weten hoe laat zij u precies kan verwachten.'

'Ik zal u niet beledigen, maar dat is een vrouw. Is zij volledig te
vertrouwen?'

'Zij is mijn dochter,' zei Charles Maan.

'Er komt iemand aan,' fluisterde ik.

Mijn vader bracht snel zijn kleding in orde, terwijl meneer Maan
zijn broek dichtknoopte. 'Tot over een paar weken,' zei Ibrahim en
liep snel met mij weg.

Op de laatste dag van de conferentie legden de voorzitters van de verschillende commissies 's middags één voor één in het Romeinse amfitheater hun resoluties ter goedkeuring voor aan alle afgevaardigden.

De resoluties werden op dezelfde manier afgewerkt als een beul koppen laat rollen.

Aangenomen. Wat ten koste van bloed werd verworven, zal opnieuw ten koste van bloed worden verworven.

Aangenomen. Ongelovigen corrumperen de islamitische waarden en hebben in islamitische landen geen bestaansrecht.

Aangenomen. Alle Arabische naties zijn één en zo eendrachtig als nooit tevoren.

Aangenomen. Arabieren die op door zionisten beheerst grondgebied zijn gebleven, hebben vreselijk gezondigd. Dergelijke Arabieren, die een door de zionisten verstrekt paspoort bij zich hebben, zullen geen Arabische landen mogen binnengaan.

Aangenomen. Arabieren die op door zionisten beheerst grondgebied bleven, dienen als lepralijders behandeld te worden en mogen niet de Haj maken naar Mekka en Medina.

Aangenomen. Arabieren die op door zionisten beheerst grondgebied zijn gebleven, zijn besmet en mogen niet bidden bij de Al Aksamoskee en de Rotskoepelmoskee en er onder geen beding binnengaan.

Aangenomen. Arabieren die op door zionisten beheerst grondgebied zijn gebleven, mogen zich niet verenigen met hun familieleden in ballingschap noch hen bezoeken.

Aldus drukten de geestelijken en de commissies die zich beziggehouden hadden met de verschillende aspecten van de islam er zo'n twintig resoluties door. Daar werd wel zwakjes tegen geprotesteerd, maar het verzet werd in de kiem gesmoord.

Tegen de avond waren zo'n honderd resoluties aangenomen die het principe staafden van eeuwigdurende oorlog tegen de joden. Toen die afgehandeld waren, brachten de laatste drie belangrijke commissies de conferentie tot haar vooraf bepaalde hoogtepunt.

De Vluchtelingencommissie waarvoor mijn vader was opgegeven, deed opgetogen verslag van het feit dat de zaken in de Jordaanse kampen in tegenstelling tot de kampen op de westelijke Jordaanoever zo goed geregeld waren. De bedoeling hiervan was de illusie te wekken, dat het leven onder de nationale vlag van Jordanië voor iedereen veel beter zou worden. Vader en ik wisten intussen al dat Jordanië niet de banen, het land, de rehabilitatie of kansen bood die beloofd waren. De enige Palestijnen die in voorspoed leefden, waren diegenen die zichzelf aan de Jordaniërs uitleverden. Voor het overige was de ene oever van de rivier net zo troosteloos als de andere.

Daarna kwam de belangrijkste commissie, die zich gebogen had over de grenzen die sinds de wapenstilstand golden met haar verslag.

Met het eind van de oorlog was de zigzag-bestandslijn een semipermanente grenslijn geworden, aangezien de troepen enkel bleven waar ze waren. Hierdoor was een onmogelijke, vierhonderdenvijftig kilometer lange grens gecreëerd en waren honderdduizenden dunams voormalige Arabische akkers aan de zionistische kant van de lijn terechtgekomen. Er was een Jordaanse grenscommissie ingesteld om te proberen zoveel mogelijk grondgebied terug te krijgen.

Het verslag van voornoemde commissie hield in, dat over alle grondaanspraken in het voordeel van de vluchtelingen was beslist, zodat zij hun akkers konden terugkrijgen. Persoonlijke aanspraken, maar ook die van een groep of een dorp zouden gehonoreerd worden, zodra over de samenvoeging van de westelijke Jordaanoever en Jordanië was beslist.

'Abdullah liegt dat hij barst,' mompelde mijn vader. 'Hij heeft nog geen centimeter van dat omstreden grondgebied heroverd.'

Toen mijn vader opstond om tegen het verslag te protesteren, schoven de mannen naast hem weg en kwam het Legioen dichterbij. Ik kreeg opeens weer een droge mond. Alleen de Arabische traditie dat je een gast moest beschermen kon ons nog hieruit redden! Er gebeurde een wonder! Toevallig zat Charles Maan dicht bij ons en hij keek vader strak aan. Op dat moment bedwong vader zich en ging hij weer rustig zitten.

Het laatste verslag van de Commissie voor Democratische Eenheid kwam als een anticlimax. Aangekondigd werd, dat het Jordaanse parlement een wet tot nationale samensmelting had aangenomen. Abdullahs onderkruipers lieten een luid gejuich opgaan. Hierop volgde een democratische stemming, waarbij de conferentie het 'Groot-Palestina' met 70 tegen 20 stemmen goedkeurde.

Tot slot werd afgekondigd dat er in Zürich, Zwitserland, een conferentie gehouden zou worden over de aanspraken en rechten van de vluchtelingen. De zaak van de vluchtelingen zou voorgelegd worden aan een Internationale Arbitragecommissie van neutrale landen. Jordanië zou er een delegatie naartoe sturen om de belangen van alle vluchtelingen te beschermen. Ik greep mijn vaders hand beet, die trilde van woede. Met alle kracht die ik kon opbrengen trok ik hem half het amfitheater uit. We verlieten Amman met een assmaak in onze mond.

8

Open riolen en niet weggehaalde hopen rottend afval brengen zwermen vliegen en muskieten voort en die maken een oorverdovende herrie. Wanneer je dat toevoegt aan een volledig nutteloos bestaan en het voortdurende opporren van neergebogen mannen met te veel fantasie, die trots en moed voorwenden waarover zij nooit echt beschikt hebben, dan weet je waaruit de Wrekende Luipaarden zijn voortgekomen.

Mijn broer Jamil was een van hun leiders. Zij droegen geen uniform, omdat verachtelijke armoede ons erfgoed was, maar waren te herkennen aan een hoofdband van fel oranje stof.

In het Ein es-Sultankamp bij Elisa's bron had je een bende die zich de Bevrijdende Haaien noemde. In het bedoeïenenkamp een eindje verderop langs de verkeersweg waren het de Woestijnwolven en in het Nuweimehkamp verder naar het noorden was de bende van de Zwarte Mei vernoemd naar de afschuwelijke datum waarop de joden zich onafhankelijk verklaard hadden.

Al die benden werden aangemoedigd door vadsige, niets tot stand brengende ouderen en door fanatieke Egyptenaren van de moslembroederschap.

Er groeide in Aqbat Jabar een zekere angst voor de Wrekende Luipaarden. Zij beslopen jongens als ik met de bedoeling nieuwe leden te werven. Weigerde je lid te worden, dan werd je flink afgetuigd. Ik kon me afzijdig houden dank zij Jamil. Ik denk dat hij bang was, dat ik dan misschien het leiderschap van hem zou overnemen.

's Nachts klommen de benden gewoonlijk de Berg der Verzoeking op, waar zij pas aangeworven leden onderwierpen aan griezelige rituelen, waaronder aderlatingen. Zij hadden geheime symbolen en zwoeren een eed om wraak te nemen, die voornamelijk bestond uit monsterlijke beloften: ze zouden de joden verminken, hun schedels verbrijzelen en gloeiende poken in hun ogen steken.

Bloed, darmen, ingewanden, ballen, dood! hoorden wij hen almaar in de drukkende nachtlucht daar boven op de berg zingen. Zij stelden elkaar wat moed betrof op de proef door steekspelen te houden, van hoge richels te springen, langs een rij stenengooiers te rennen, over een vuur heen te springen, de kop van levende kippen en slangen af te bijten en met blote handen katten te wurgen. Hun waandenkbeelden over moed en mannelijkheid – het hoogste goed voor een Arabier – werden de hele dag, elke dag bestendigd om hun monotone bestaan draaglijker te maken.

Hadji Ibrahim en de andere moektars en sjeiks uit de goede oude tijd zagen deze benden als een steeds groter wordende bedreiging van hun eigen machtspositie, maar zij moesten omzichtig te werk gaan, wilden zij hen in toom houden, want zij boden geen alternatief. Er waren geen scholen, er werd niets georganiseerd om hen te vermaken, er werden geen films gedraaid. De enige afleiding vormde een jankende radio. Hun enige vorm van onderricht bestond uit tirades van de Broederschap, waarin het martelaarschap en de dood werden verheerlijkt.

'Jullie zijn de geweldige, jonge soldaten van Allah, die zich er op voorbereiden martelaren te worden van de wraak!'

Ze moesten wraak nemen, hoorden ze in Jericho.

Ze moesten wraak nemen, hoorden ze in de smerige koffiehuisjes van het kamp.

Ze moesten wraak nemen, hoorden ze bij hen thuis.

En zo werden het ruziezoekers. Zij werkten geen van allen, probeerden ook geen werk te vinden, zelfs niet in de oogsttijd, wanneer er wel behoefte was aan extra hulp op de akkers. Hun moeders en zusters verrichtten dat zware werk. In plaats daarvan begonnen zij zichzelf te verhuren als 'bewakers' van de akkers van de boeren.

Als een man in het kamp het met een Luipaard aan de stok kreeg, kon hij erop rekenen dat zijn hut werd geplunderd en zijn oudste zoon in elkaar werd geslagen. Er hielden zich ook grote groepen Wrekende Luipaarden op bij de Allenbybrug, waar altijd wel een rij vrachtwagens stond te wachten tot Jordaanse douanebeambten hen geïnspecteerd hadden. Als een chauffeur indommelde of zijn vrachtwagen verliet, haalden de Luipaarden die gewoonlijk snel leeg.

Zij begonnen met de andere bendes een belangrijke rol te spelen in de welig tierende zwarte handel. Om zover te komen hadden ze een stilzwijgende overeenkomst gesloten om samen te werken met de weinig effect sorterende, corrupte, door Jordaniërs beheerste politie in het kamp. Terwijl er weinig gedaan werd om hun activiteiten te beteugelen zwierven de Luipaarden in Jericho rond en chanteerden kooplieden op grond van informatie die hun door de politie was verstrekt. Zij overvielen en beroofden regelmatig voorraaddepots van het Rode Kruis.

Wanneer het de spuigaten uit begon te lopen, kwam het Arabische Legioen in actie en werd een aantal jongens weggevoerd naar een gevangenis in Amman. Dit lokte echter altijd ongeregeldheden uit van de kant van protesterende ouders.

Jamil wist opeens op allerlei dingen de hand te leggen: op een op batterijen werkende radio, een polshorloge, nieuwe schoenen, sieraden om aan de meisjes cadeau te doen, hasjiesj en levensmiddelen die we zo deerlijk misten bij onze maaltijden, aangezien we niet veel bijzonders te eten kregen. Vader ondervroeg hem niet, maar wij begonnen ons allebei zorgen te maken over onze verborgen voorraad wapens. We waren bang dat Jamil onze wapens zou verkopen of – erger nog – aan de Luipaarden zou geven.

Aangezien we stilzwijgend het feit accepteerden dat Jamil een gangster en een dief geworden was, werd hij al brutaler. Hij had geld op zak, geschenken voor zijn moeder, tabak voor zijn vader, levensmiddelen voor de hele familie. Hij begon al gauw te denken dat hij voor de familie onmisbaar was en meende misschien zelfs wel dat hij hadji Ibrahims gelijke was.

Zijn stoutmoedigheid steeg ten top toen de Luipaarden inbraken in het huis van een vriend van vader in ons Tabah genoemde deel van het kamp. Toen ik Jamil tegen etenstijd naar huis toe zag lopen, realiseerde ik me dat Ibrahim iedereen bevolen had naar buiten te gaan.

'Jamil, wacht,' riep ik terwijl ik naar hem toerende. 'Je kunt maar beter uitkijken. Vader is erg ontsteld over de overval op het huis van Daoud al Hamdan.'

'Wat heb ik daarmee te maken?'

Ik had mijn zuster, moeder of broers nog nooit iets horen zeggen waaruit bleek dat ze vaders gezag ter discussie stelden. Ik vroeg me af of Jamil gek geworden was. Ik greep hem bij zijn arm om hem tegen te houden, maar hij rukte zich los.

'Vader heeft zijn tijd gehad,' viel Jamil fel uit. 'Het is met hem en alle oude mannen hier gedaan. Anderen maken nu de dienst uit.'

Ik knipperde ongelovig met mijn ogen, maar ik besefte opeens dat Jamil op zijn achttiende net zo groot was als vader en heel sterk.

'Jamil, je praat onzin.'

'O ja? Nou, het is anders vaders schuld, dat wij dit smerige leven moeten leiden. Waarom bleef hij niet en vocht hij niet voor ons grondbezit? Wie gaat ervoor zorgen dat we dat terugkrijgen? Hij? Mijn vrienden en ik zijn degenen die ervoor zullen zorgen dat we ons eergevoel terugkrijgen en het wordt tijd dat ik daarvoor gerespecteerd wordt.'

Ik wilde wegrennen om vader te waarschuwen, maar bleef enkel Jamil staan nakijken toen hij wegliep. Ik ging hem achterna toen hij het huis binnenging. Ibrahim zat in de enige fatsoenlijke stoel, toen Jamil binnenkwam en liet zijn gebedskralen door zijn vingers glijden. Ik keek vanuit de deuropening toe, terwijl Jamil de vreselijke zonde beging niet te knielen om vaders hand te kussen.

'Waar blijft het eten!' zei Jamil op hoge toon.

Ibrahim kwam langzaam uit zijn stoel en ging pal voor Jamil staan. Hij haalde zo snel met zijn vuist uit dat ik het nauwelijks kon zien. Jamil werd tegen de grond gesmeten en bleef daar met een geschokte uitdrukking op zijn gezicht even liggen, terwijl er bloed uit zijn mond drupte.

'Jamil, mijn zoon,' zei mijn vader heel zachtjes, 'jij gaat naar buiten, komt terug en toont me dat je respect hebt voor je vader.'

Jamil kwam op handen en voeten overeind en keek toen met een felle blik in zijn ogen op. 'Jij hebt niets meer over mij te zeggen!' schreeuwde hij.

Ibrahim schopte hem tegen zijn ribben, waardoor hij tegen de muur klapte. 'Jamil, mijn zoon,' zei mijn vader nog eens vriendelijk, 'ga naar buiten, kom weer binnen en toon me dat je respect hebt voor je vader.'

Zich vastgrijpend aan de muur kwam Jamil moeizaam overeind en hield, toen hij eenmaal enigszins voorovergebogen stond, met zijn ene hand zijn ribben vast en drukte zijn andere hand tegen zijn bebloede mond. Vloekend vloog hij daarop op vader af en sloeg hem in het gezicht! Zoiets afschuwelijks had ik nog nooit gezien! Ik rende naar binnen om Ibrahim te helpen, maar hij schoof me opzij.

'Mijn kleine Wrekende Luipaard wenst zich kennelijk even te vermaken. Goed! Goed!' Terwijl hij dat zei, breidde mijn vader zijn armen uit en smakte toen het onderste deel van zijn handpalmen hard tegen Jamils oren. Jamil krijste, zakte in elkaar en bleef sidderend liggen.

'Jamil, mijn zoon,' zei vader opnieuw, zonder zijn stem te verheffen, 'ga naar buiten, kom weer binnen en toon me dat je respect hebt voor je vader.'

'Neeeee,' zei Jamil schor.

Ibrahims voet schoot uit en trof hem midden in zijn maag. Jamils lichaam kromde zich in een groteske houding. Vader plantte zijn voet op Jamils borst en vertelde opnieuw wat hij van hem verwachtte.

'Vader, houd op, want anders vermoordt u hem nog!' riep ik.

'Nee, nee,' zei vader. 'Ik leer hem alleen maar respect te tonen. Heb je dat nu geleerd, Jamil?'

'Niet meer,' zei Jamil met verstikte stem.

'Niet meer wat?'

'Ik geef het op.' Hij verzamelde zijn krachten, kroop op handen en voeten weg, draaide zich bij de deur om en kroop naar vaders voeten, greep zijn hand en kuste die.

'Nu heb je me heel goed verstaan, mijn beste kleine Wrekende Luipaard. Wat ik daarnet aan je opvoeding heb bijgedragen is slechts een nietig druppeltje in de zee van wat je te wachten staat als ook maar één persoon in ons deel van dit kamp ooit, om wat voor reden ook, wordt aangevallen. Heb je dat goed begrepen?'

'Ja, vader,' jammerde hij.

'En dan nog iets, Jamil. Als jij, om wat voor reden ook, aan onze wapens komt, al is het er maar één, dan zal ik jou op precies dezelfde manier doden als waarop jullie moedige martelaren van de wraak kuikens doden. Dan zal ik je met mijn tanden je strot uitrukken. Jij gaat nu naar het huis van Daoud al Hamdan, brengt terug wat daar is weggehaald en vernedert je voor hem.'

Vader bukte zich, greep Jamil in zijn nekvel en slingerde hem naar buiten.

Jamil was slim genoeg om te beseffen, dat de grote dag waarop hij gerespecteerd zou worden nog niet was aangebroken en dat de Wrekende Luipaarden het oude gezag niet zouden kunnen vervangen zonder hun eigen bloed te vergieten. Hij likte zijn wonden en koos toen voor een andere benadering door de 'beschermer' te worden van het Tabah genoemde gedeelte en zich bij de families bemind te maken als de prima zoon van hadji Ibrahim.

Inwendig was Jamil echter voor altijd veranderd. Hierna vertoonde zijn gezicht altijd een helse uitdrukking en in zijn ogen lag een en al haat. Er was praktisch niets voor nodig om hem te verleiden tot een gewelddadige uitbarsting. Hij was nu een beetje gek, maar niet zo gek dat hij vader nog eens tartte. In feite schiep Jamil er nu behagen in voor vader in het stof te kruipen om te proberen te bewijzen wat hij waard was.

Een paar weken na dit treffen ontvingen we de aankondiging dat koning Abdullah bevel gegeven had festiviteiten te organiseren ter gelegenheid van de samensmelting van de westelijke Jordaanoever met Jordanië. Tot deze zogenaamd feestelijke gebeurtenissen zag de koning zich gedwongen door de krachtige reactie van de Arabische Liga, die de annexati in uiterst scherpe bewoordingen had afgewezen.

's Konings ministers hadden zitten wachten op erkenning van de kant van de landen in het westen. Abdullah bleef voorgeven de onschuld zelve te zijn. Allah mocht hem straffen, als hij de Palestijnen gedwongen had. Uiteindelijk, zo verklaarden zijn ministers, was op de eenheidsconferentie op democratische wijze tot uiting gekomen wat de Palestijnen wilden.

De erkenning die Jordanië zocht kwam alleen van de kant van Engeland en Pakistan. De Britten waren nog steeds Abdullahs heer en meester en beheersten het Arabische Legioen, aangezien ze het subsidieerden en Britse officieren er deel van uitmaakten. Hoewel zij Abdullah ook wantrouwden vanwege zijn ambities, waren zij door hun banden met de kleine koning gedwongen aan de charade mee te werken.

Het feit dat noch de Arabische wereld noch de wereld in het algemeen zijn annexatie als rechtmatig erkende, ontmoedigde hem niet. Hij zag zichzelf als een van godswege aangestelde heerser en meende daarom dat hij zich volkomen terecht hield aan het heilige bevel aan te sturen op een Groot-Syrië. De zwakke kanten van louter stervelingen konden een koning met een door Allah verordende missie niet tegenhouden. Hij was er trouwens vast van overtuigd, dat het Palestijnse volk openlijk zou tonen dat het achter hem stond en de rest van de wereld voor schut zou zetten. Zijn bedoeling was te demonstreren dat hij namens dat volk gehandeld had.

Zijn Britse ambtgenoten stelden onmiddellijk voor op de westelijke Jordaanoever een volksstemming te houden om de beslissing van de eenheidsconferentie te bevestigen. Abdullah stond dat idee niet aan, omdat hij de uitslag van een dergelijke stemming niet door middel van een persoonlijk veto ongeldig kon verklaren. De overgrote meerderheid van de Palestijnen zou naar zijn mening beslist voor stemmen. Hij had echter geen vertrouwen in zo'n stemming. Als monarch had hij het koninklijk voorrecht het volk tegen zichzelf in bescherming te nemen als het een fout maakte.

In plaats van de stemming beval Abdullah in de grootste steden op de westelijke Jordaanoever parades te houden. Hij dirigeerde er al zijn aanhangers en gezagdragers naartoe om zich ervan te verzekeren dat de Palestijnen er spontaan blijk van gaven dat zij hem steunden.

De Allenbybrug dreunde en boog door onder de hoeven van de kamelen van zijn bedoeïenenkorps en de paarden van de woestijnpolitie. Het Legioen stroomde de rivier over in Landrovers, gepantserde vrachtwagens en tanks. Infanteristen en muziekkorpsen kwamen per vrachtwagen naar de overkant. Zij verspreidden zich op bataljonsterkte over Hebron, Bethlehem, Jericho, Nabloes en Ramallah.

Oost-Jeruzalem werd gemeden uit angst voor een joodse, militaire reactie. Abdullah had zich niet aan de voorwaarden van het bestand gehouden en bleef weigeren joden door te laten naar de Klaagmuur, hun heiligste plaats. Hij wilde niet het risico lopen de joden zo te provoceren, dat ze hem uit Jeruzalem verdreven.

Op de grote dag van de festiviteiten was iedereen uit de kampen en de steden de hoofdstraten in gedreven, waar banieren, vlaggen en guirlandes onze redders, de almachtige Jordaniërs wachtten.

Vader daalde kokend van woede af naar Jericho, terwijl ik zoals gewoonlijk rechts van hem, maar dan wel een stap achter hem met hem meeliep. We installeerden ons bovenop het gebouw waarin professor doctor Mudhil zijn kantoor had. Vandaar zouden we een perfect zicht hebben op de stoet.

De parade werd voorafgegaan door 's konings eigen, elegante kapel die voor ons concerten had gegeven toen wij in Amman waren. De misplaatst klinkende 'Colonel Bogey' mars vervulde de lucht van oud Jericho. Pelotons gepantserde vrachtwagens vol legioensoldaten werden gevolgd door batterijen artillerie en een bataljon tanks die de gebouwen deden trillen en de muziek overeenstemden met hun ontzaglijke geronk. Overvliegende vliegtuigen voerden in formaties van drie duikvluchten uit.

Nu konden we het getrappel horen van de kamelen, bereden door de woestijnpolitie die in Jordaniës uitgestrekte, zanderige streken patrouilleerde langs de grens met Saoedi-Arabië. De militairen wiegden arrogant op hun hoge zitplaatsen heen en weer. Zo snel als je 'Allah is groot' kon zeggen vulde de straat voor de groep kamelen zich met tientallen opgeschoten jongens die de oranje hoofdband droegen van de Wrekende Luipaarden. In de daaropvolgende seconden bekogelden zij de kamelen en hun berijders met een enorme hoeveelheid stenen en vluchtten vervolgens de menigte in.

Een van de kamelen zakte op zijn knieën en wierp zijn berijder af, terwijl verscheidene andere van schrik op hol sloegen. De niet meer in bedwang te houden dieren galoppeerden in volle vaart de menigte in, vertrapten toeschouwers en vlogen tegen kraampjes van venters op. Er werd gekrijst en er vielen schoten. De menigte stoof in paniek uiteen, terwijl de Jordaniërs verwoede pogingen deden de situatie de baas te worden en afstoven op de plek waar ze waren aangevallen. Soldaten sprongen uit hun voertuigen en begonnen woest met hun geweerkolf in te beuken op iedereen die in hun buurt kwam. Weer werd er geschoten. Een vrouw viel en bleef heel stil op straat liggen.

Die avond zaten we dicht bij elkaar rond de radio en stemden op Oost-Jeruzalem en Amman af, maar er werd met geen woord over het incident gerept. We probeerden radio Damascus en Cairo. Het enige wat we te horen kregen was, dat er op de hele westelijke Jordaanoever tijdelijk geen nieuwsberichten werden uitgezonden.

De volgende morgen stond er nog niets over in de kranten, maar in de loop van de dag vernamen we dat de Jordaanse troepen ook in Ramallah en Nabloes met stenen bekogeld waren en dat er zes mensen gedood waren.

In het kamp werd druk beraadslaagd, aangezien vele vurige Abdullah-aanhangers nu begonnen om te zien naar andere bondgenoten. Er werden voortdurend bedevaarten naar onze hut gemaakt, waar de ene na de andere sjeik vader plechtig trouw kwam beloven. Hij aanvaardde hun huldebetuigingen met een goed verhuld cynisme.

Alleen aan Jamils ogen was af te lezen, dat in werkelijkheid zijn generatie de bevrijding brengende generatie was. Goed, vader, zei zijn gezichtsuitdrukking, glorieer in je overwinning, maar bedenk wel wie de beslissende slag toebrachten.

Toen iedereen die voor hem door het stof gekropen had verdwenen was, nam vader mij in opgewonden stemming apart. 'Het moment is aangebroken dat wij ons lot in eigen handen gaan nemen,' zei hij, zo vastberaden als ik hem sinds we in ballingschap gegaan waren niet meer gezien had. 'Jij stapt morgen in de bus naar Ramallah, naar het Birahkamp, waar je Charles Maan zult aantreffen. Zodra hij de datum heeft vastgesteld waarop wij elkaar in het geheim in het Klooster van de Dochters van Zion zullen ontmoeten, moet je doorreizen naar Hebron om sjeik Taji op te zoeken.'

Vader gaf me de zwarte jaspis oorhanger waarmee ik me moest legitimeren. Ik herhaalde de aanwijzingen over hoe sjeik Taji het klooster kon vinden en verzekerde vader dat ik niet onverrichter zake zou terugkeren.

Vreemd genoeg herinnerde ik me van die dag niet het schouwspel in Jericho het best, maar de spot in Jamils ogen.

9

Het Klooster van de Dochters van Zion was bovenop de ruïnes gebouwd van het oude Romeinse fort Antonia, dat in wreed verband stond met de lijdensweg van Jezus. In een vertrek in de kelder, waar Jezus volgens de overlevering gemarteld en vernederd was door de soldaten van Rome sloot zuster Mary Amelia de deur achter de drie mannen die een paar minuten na elkaar heimelijk het klooster binnengegaan waren.

Zij begroetten elkaar nerveus en gingen vervolgens rond een houten tafel zitten. 'Er is geen twijfel aan, broeders, Abdullah heeft gefaald,' zei hadji Ibrahim.

'De oude Hasjemiet is gewond, maar hij is niet dood,' zei Charles Maan, terwijl hij de eerste sigaret opstak van de vele die nog zouden volgen.

'Laten we de spijker dan dwars door hem heen slaan,' zei de grijs bebaarde sjeik terwijl hij naar zijn voorhoofd wees.

'We bevinden ons op de juiste plek, wanneer je spreekt van mensen vastnagelen,' merkte Maan op.

'Wat moeten wij volgens jou doen?' vroeg Ibrahim.

'Hem laten vermoorden natuurlijk,' zei Taji.

'Ik heb er geen bezwaar tegen dat hij wordt vermoord,' zei Ibrahim. 'Dat zal ons echter niet helpen onze doelstellingen te verwezenlijken. Integendeel. Het zal slechts de eetlust opwekken van alle aasgieren die van Bagdad tot Marokko zitten te wachten op het moment dat ze op Palestina kunnen neerschieten.'

'Hadji Ibrahim heeft gelijk,' zei Maan. 'Door Abdullah te vermoorden zullen we alleen maar zwaarder onderdrukt worden. We hebben het Legioen al laten bloeden en zij willen niets liever dan terugslaan. Je zou de stad Hebron rood kunnen verven met ons bloed wanneer Abdullah werd vermoord.'

'Misschien is hem vermoorden toch niet zo'n goed idee,' erkende Taji. 'Maar Abdullah is een slag toegebracht, zijn opmars is gestuit. Wij moeten het daar niet bij laten. Waarom verklaren we ons niet eenvoudigweg onafhankelijk?'

'Onafhankelijk? Ja, dat is nog niet zo'n slecht idee,' stemde Ibrahim in.

Zij wendden zich tot Charles Maan, die zijn sigaret had opgerookt en deze op het moment dat hij zijn vingertoppen eraan dreigde te schroeien gebruikte om er handig een nieuwe mee op te steken. Aan de manier waarop hij dat deed was af te zien dat hij dat al vaak gedaan had. 'Ons is onafhankelijkheid aangeboden, maar wij hebben dat aanbod afgeslagen.'

'Wanneer is ons onafhankelijkheid aangeboden?' vroeg de sjeik opgewonden.

'Destijds door de Verenigde Naties. Misschien hadden we daarop moeten ingaan en dan op de vlucht moeten slaan. Het enige dat we echter deden was op de vlucht slaan. Zowel de moefti als Abdullah heeft geprobeerd Palestina in bezit te nemen, de een met steun van de Egyptenaren, de ander met steun van de Britten. Beiden faalden. Wie steunt ons? Wie zijn wij? Wij zijn drie straatarme vluchtelingen die met Jezus Christus' geestverschijning samen in een kelder zitten. Onze eigen Palestijnse broeders, die niet zijn gevlucht, zullen tegen ons strijden. En denk je dat het Arabische legioen van angst zal doodvallen omdat wij ons onafhankelijk verklaren?'

'Dan moeten we aan een eeuwigdurende strijd beginnen,' zei Taji impulsief.

'Waarmee wil je strijden?' antwoordde Charles Maan cynisch. 'We zijn niet georganiseerd. Wie vertegenwoordigen wij? Wie zal ons steunen? De Amerikanen steunen de joden. De Britten steunen Abdullah. Wie zal ons erkennen? Madagascar? Albanië? Mongolië?'

De oude bedoeïen begon geïrriteerd te raken door Charles Maans stekelige opmerkingen. Hij keek steun zoekend naar hadji Ibrahim.

Ibrahim taxeerde zijn bondgenoten. Maan was een logisch denkend, geleerd man, het soort dat ze hard nodig zouden hebben gezien de Arabische manier van politiek bedrijven. Sjeik Taji beschikte over die innerlijke gloed die van een man een persoonlijkheid maakte, maar hij moest wel in toom gehouden worden.

'Wie heeft er meer recht op zich onafhankelijk te verklaren dan wij?' zei Ibrahim voorzichtig.

'Jij begrijpt dus wel wat ik bedoel,' zei de sjeik haastig.

'Natuurlijk begrijp ik dat. Maar daar staat tegenover dat onze eminente vriend Charles ook iets zinnigs heeft gezegd.'

'Wat dan?'

'Dat onze onafhankelijkheidsverklaring niet meer indruk zal maken dan een fluistering midden in een zandstorm.'

'Broeders, broeders, broeders,' zei de schoolmeester sussend. 'Uit onze voorgeschiedenis blijkt, dat wij onszelf iets wijsmaken als we menen dat wij echt in staat zijn onszelf te besturen. Palestina is sinds de reeds lang vervlogen tijd van de Hebreeën door iedereen bestuurd behalve door Palestijnen.' Hij stak zijn hand op, spreidde zijn vingers en telde terwijl hij sprak op zijn vingers af: 'Eerst door de Romeinen, toen door de Byzantijnse christenen, daarna door de Arabieren uit Arabië, de kruisvaarders, Saladin, de Mamelukken uit Egypte, de Turken, de Britten en opnieuw door de joden. De joden hebben hier altijd, in werkelijkheid of in gedachten, een hoofdstad gehad. Al onze besluiten zijn van buitenaf genomen, net als de beslissing waardoor wij een volk werden dat de wereld om medelijden smeekt. Over onafhankelijkheid dromen – daarmee hebben wij ons nooit opgehouden.'

Sjeik Ahmed Taji trok aan zijn baard, terwijl Ibrahim met zijn vingertoppen aan zijn snor plukte. Er werd op de deur geklopt. Charles Maan stond op en liep er, as knoeiend, naar toe om open te doen. Hij pakte een blad met koffie aan van zijn dochter, sloot de deur en schonk daarop voor hun drieën in.

'Waarom vluchtte een zo wijs man als jij uit Haifa weg?' vroeg Ibrahim aan Charles Maan.

'Denk je dat jullie moslems het alleenrecht hebben op het haten van de joden? Ik voelde me er te goed voor om met een jood aan tafel te gaan zitten om te onderhandelen. Ik vraag jullie nogmaals: wie zal ons, onze rechten, onze aanspraken erkennen? Als resultaat van deze hele catastrofe zullen alleen de joden met ons om de tafel willen gaan zitten om te praten. Waarom kunnen we er onszelf niet toe brengen dat vreselijke woord – *Israël* – uit te spreken?'

Zij namen kleine slokjes van hun koffie en vulden het vertrek met tabaksrook.

'Ik heb te veel gezegd. Ik vrees dat ik je beledigd heb, Ahmed Taji,' zei Maan.

'Nee, nee, nee, nee,' antwoordde hij. 'Het is voor ons moeilijk om dit fruit te eten en het vervolgens te verteren.'

'De allergrootste leugen was dat de joden iedereen zouden vermoorden die niet vluchtte. Wat is er met onze broeders gebeurd die in... Israël... bleven? Werden zij de zee in gesmeten zoals wij zwoeren dat we met de joden zouden doen? Werden zij opgegeten? Werden zij geofferd op het altaar? Wie waren de dwazen, degenen die vluchtten of degenen die bleven?'

'Ik vluchtte omdat die vervloekte Egyptenaren mij daartoe dwongen om de weg vrij te maken voor hun fantastische leger. En jij, hadji?'

'Mijn oudere broer bestuurt mijn dorp. Ik werd er op een listige manier toe gebracht weg te gaan en dat was niet het werk van de joden. Wij zijn dus drie dwazen die toegeven dwazen te zijn. Maar wij bevinden ons in het gezelschap van een half miljoen dwazen die dat niet zullen toegeven.'

Sjeik Taji begon zwaar en onregelmatig te ademen. Hij sloot zijn ogen en zei met een stem die beefde van emotie: 'Ik wil niet in dat kamp sterven. Wat moeten we doen, Charles Maan?'

'Wij moeten stap voor stap op ons doel afgaan. Om te beginnen moeten we een overkoepelend comité vormen om te bewijzen dat de vluchtelingen voor zichzelf kunnen spreken.'

'Ha!' riep Taji uit. 'Hoe krijg jij een comité van Arabieren zover dat ze het ergens over eens worden?'

'Laat Charles uitpraten,' zei Ibrahim.

'Wij vormen met ons drieën dat hoge comité,' antwoordde Maan.

'Ik begin het te begrijpen,' zei de sjeik.

'En wij vragen om een democratische conventie van de vluchtelingen op de westelijke Jordaanoever,' vervolgde Maan.

'Een democratische conventie. We zijn net naar zo'n conventie in Amman geweest,' zei Ibrahim sarcastisch.

'Laat Charles uitpraten,' zei sjeik Taji.

'Ja, ga door, Charles,' zei Ibrahim.

Charles stak een nieuwe sigaret op, bedachtzamer dan de voorgaande keren. 'Zijn wij het er met ons drieën over eens dat we de voorkeur geven aan een leven in een joodse staat en dat wij de vernedering van daar te wonen kunnen verdragen zonder meegesleurd te worden door dat krankzinnige geroep om wraak?'

'Ik ben het erover eens, dat we daar niet slechter af kunnen zijn,' zei Ibrahim.

'Ik wil niet in dat kamp sterven,' herhaalde Taji.

'Hebben jullie een van beiden reden om aan te nemen dat de joden zullen willen onderhandelen of dat ze niet zullen willen onderhandelen, broeders?' vroeg Maan.

Ibrahim en de sjeik hulden zich in zwijgen. Ibrahim wist dat de joden bereid waren onmiddellijk honderdduizend vluchtelingen terug te nemen, maar dat was geheime informatie. Hij vroeg zich af of Charles over dezelfde informatie beschikte en met wie Taji in contact stond. En de andere twee stelden zich soortgelijke vragen over hem.

'Beschik jij over enige informatie dienaangaande?' vroeg Ibrahim aan Maan, omdat hij zelf liever nog even de kat uit de boom keek.

'Ja, ik heb reden om aan te nemen dat we met de joden beter af zijn dan met de Egyptenaren en de Syriërs, om over Abdullah maar niet eens te spreken, als we gaan onderhandelen,' antwoordde Maan.

'Hoe betrouwbaar is je informatie?' vroeg Ibrahim argwanend.

'Ik onderhoud contacten met mijn eigen verwanten in Haifa,' zei hij. 'Zij hebben bepaalde joodse functionarissen gesproken. De bereidheid tot praten is beslist aanwezig.'

'Zijn er aantallen genoemd?' vroeg Ibrahim voorzichtig verder.

'Nee,' antwoordde Maan zo prompt, dat Ibrahim ervan overtuigd was dat hij de waarheid sprak. Maan wist kennelijk niets af van die honderdduizend.

'En jij, Ahmed Taji?' vroeg Ibrahim.

'Ik heb contact gehouden met jouw eigen oom, de machtige sjeik Walid Azziz, die nu vrijelijk ronddoolt in de Negev-woestijn. Hij heeft mij informatie toegespeeld dat de joden er geen bezwaar tegen zouden hebben als ik met mijn stam naar onze geboortestreek zou terugkeren, op voorwaarde dat we geen moeilijkheden veroorzaken.'

410

'En hoe zit het met jou, hadji?' vroeg Maan.

'Wel, volgens mij beschikken we alle drie over dezelfde informatie. Ik denk dat zij wel zullen willen onderhandelen.'

'We beseffen toch wel dat wij ons de uitzinnige woede van de Arabische wereld op de hals zullen halen als we hiermee doorgaan? We zullen openlijk als verraders veroordeeld worden,' zei Maan.

'Dat is voor mij niet voldoende om me ertoe te pressen in dat vervloekte kamp te sterven,' zei Taji.

'Voor mij ook niet,' voegde Ibrahim hieraan toe.

'Dan moeten wij als volgt te werk gaan. We moeten een bijeenkomst houden van vluchtelingen van de westelijke Jordaanoever. Let wel, alleen vluchtelingen. Niet van de rijken die gevlucht zijn. Niet van degenen die zich aan Abdullah uitgeleverd hebben. We moeten een resolutie aannemen om met de joden over terugkeren te kunnen onderhandelen en we moeten een delegatie sturen naar de Internationale Arbitragecommissie in Zürich. Dat laatste is heel belangrijk.'

'Nu ben jij de dromer,' verklaarde Taji. 'Hoe krijgen we vijfhonderd vluchtelingen zover dat ze dergelijke resoluties aannemen?'

'Door alleen de juiste mensen uit te nodigen,' antwoordde Charles Maan kortaf. 'Ik kan instaan voor de afgevaardigden uit alle kampen ten noorden van Ramallah.'

Taji streek een paar maal verwoed over zijn baard en zijn ogen vernauwden zich tot spleetjes. Hij maakte een gebaar dat misschien wel, misschien niet moest betekenen. 'Als ik her en der wat mensen geld zou kunnen toestoppen, zou het geen probleem zijn.'

'Wat jij moet doen, sjeik Taji, is elke afgevaardigde beloven dat hij en zijn familie als eersten mogen terugkeren. Geloof me, ze zullen nog sneller terugrennen dan ze gevlucht zijn.'

'Dat zou goed kunnen uitpakken,' antwoordde Taji, die in gedachten al zijn bondgenoten naging.

'Hadji?'

'Jericho heeft vreemde kampen. Daarin zijn alle afgedwaalden, de onvolledige stammen, de onvolledige dorpen bijeengebracht. De eenheid is ver te zoeken. Ik kan de zaak het best zo benaderen dat ik eenvoudigweg afkondig wie er worden afgevaardigd en er dan voor zorg dat men zich daartegen niet verzet.'

'Hoe?'

'Bij ons lopen een heleboel jonge jongens rond die benden gevormd hebben en iedereen terroriseren. Ik kan hun iets beters te doen geven.'

'Prima,' zei Maan. 'Houd de datum geheim, zodat de Jordaniërs er geen lucht van krijgen. We zullen de vergadering een of twee dagen tevoren afkondigen. Het belangrijkste is, dat we ervoor zorgen dat alle resoluties binnen één dag worden aangenomen en we uiteengaan vóór de Jordaniërs weten wat hen overkomt.'

'Ja, dat is goed,' stemde hadji Ibrahim toe.

'We zullen de conferentie in Hebron houden,' zei Taji.

'Hebron zou een verkeerde keus zijn,' zei Charles Maan snel. 'Jouw kamp ligt daar in het zuiden geïsoleerd midden in Abdullahs grootste bolwerk op de westelijke Jordaanoever. Waarom zouden we ons in het hol van de leeuw wagen?'

'Charles heeft gelijk,' zei Ibrahim. 'In Hebron zitten we in een val die ieder moment kan dichtklappen. Wat mijzelf betreft: Jericho ligt veel te dicht bij de Allenbybrug. Jouw mensen in Ramallah vormen de best georganiseerde groep vluchtelingen. Wat vinden jullie van Ramallah?'

'Ramallah! Dat ligt nauwelijks in Palestina,' bulderde Taji.

'Broeders,' zei Charles op een toon die aangaf dat hij dit probleem al overdacht had. 'Ik stel Bethlehem voor.'

'Bethlehem?'

'Bethlehem?'

'Bethlehem.'

De sjeik legde met een sierlijk gebaar zijn hand op zijn hart ten teken dat hij in alle oprechtheid sprak. 'Bethlehem is voor jou, broeder Charles, een stad van goddelijke heiligheid. Op die ene dag van zuiverheid per jaar na heeft Bethlehem echter altijd de reputatie gehad de slechtste prostituées van Palestina te herbergen.'

'Hoe kun je zoiets afschuwelijks zeggen!' snauwde Ibrahim.

'Hij spreekt de waarheid,' zei Maan. 'Wat hij over de hoeren van Bethlehem zegt, is een bekend feit. Gelukkig is dat alleen in Palestina bekend. Voor de buitenwereld waarop wij een beroep moeten doen heeft Bethlehem een gewijde klank en is die stad onmiddellijk te plaatsen. Ik verzeker jullie dat het de nieuwsgierigheid van de buitenlandse pers zal opwekken.'

Taji trok aan zijn baard en overlegde bij zichzelf. Hij keek Ibrahim aan, die instemmend knikte. 'Afgesproken! Over één maand in Bethlehem. Laten we terugkeren om uiterst zorgvuldig onze afgevaardigden te kiezen en dan een democratische conventie houden.'

Charles stak opeens zijn hand vol nicotinevlekken uit om de overeenkomst te bezegelen. Sjeik Taji greep die hand en hadji Ibrahim legde zijn hand er bovenop. Toen legden zij alle drie hun vrije hand bovenop de andere drie, schudden een paar maal zes handen en barstten voor de eerste keer sinds maanden in lachen uit.

10

Hadji Ibrahim en zijn medesamenzweerders kweten zich zo subtiel als een luchtspiegeling in de woestijn van hun taak om afgevaardigden te selecteren. Hun was geen van drieën een bepaald aantal afgevaardigden toebedeeld. De doelstelling was alleen diegenen uit te kiezen die onder ede wilden verklaren dat zij op de conventie voor de 'resolutie van de terugkeer' zouden stemmen.

Mijn vader ontbood Jamil en gaf hem een kans zich te rehabiliteren. De Wrekende Luipaarden kregen de opdracht erop toe te zien dat zich geen oppositie kon vormen nadat vader de lijst van afgevaardigden bekendgemaakt had. Jamil dorstte naar actie, zodat het plan bij hem werkte als een bloedtransfusie. Er werd inderdaad een aantal klachten geuit en alle klagers kregen een 'kus' van de Luipaarden in de vorm van een niet al te subtiele waarschuwing: een aan hun deurpost genagelde dode kat, hond, rat of slang.

Toen bijna zevenhonderd afgevaardigden onder ede de vereiste verklaring hadden afgelegd, hield Charles Maan in Oost-Jeruzalem een persconferentie waar de westerse en Arabische pers bureaus hadden. Hij legde een korte verklaring af, inhoudende dat twee dagen later in Bethlehem een conferentie van vluchtelingen van de westelijke Jordaanoever gehouden zou worden, waaraan zevenhonderd democratisch gekozen afgevaardigden deelnamen. Maan weigerde bij die gelegenheid de namen van de gedelegeerden openbaar te maken.

De Jordaniërs werden hierdoor overvallen. Zij waren nog steeds niet helemaal bekomen van de relletjes, waarmee hun parades waren begroet. Hierdoor en als gevolg van het feit dat ze er niet in geslaagd waren wereldwijd erkenning te verwerven voor de annexatie, hadden zij zich tijdelijk noodgedwongen wat terughoudender opgesteld. Toen de pers Jordaanse ministers in Amman daarnaar vroegen, hadden zij geen keus dan te verklaren dat zij geen bezwaar hadden tegen een bijeenkomst van vluchtelingen.

Ondanks alle voorzorgsmaatregelen was er toch een aantal mensen op de lijst van gedelegeerden terechtgekomen die Abdullah toegedaan waren.

Vader gaf Jamil opdracht de Luipaarden en hun tegenhangers uit andere kampen in de vergaderzaal te laten optreden als toezichthouders. Buiten zouden ze voor de veiligheid zorgen door een cordon te vormen rond het Kribbeplein. Er hing een onheilspellende geur in de lucht toen wij naar Bethlehem vertrokken.

Toen we het stadje naderden, zagen we, even bezijden een verkeersweg die zich door steil terrasland slingerde, Arabische legioensoldaten. Afgevaardigden arriveerden in al dat soort aftandse vervoermiddelen dat op de westelijke Jordaanoever beschikbaar was. Toen we op het Kribbeplein aankwamen, zagen we het daar wemelen van de Wrekende Luipaarden en andere benden. Op de daken bevonden zich echter talloze Arabische legioensoldaten en die waren hoogst zichtbaar.

In het Veld van de Schaapherders was een schamel kamp ingericht. De vluchtelingen hadden hun gebedsmatje, het een of ander dat als tent dienst kon doen en hun eigen brood en drinken bij zich. Het was echt een vergadering van de behoeftigen.

Net als Jericho had Bethlehem glorieuzer tijden gekend. Alles concentreerde zich rond de Kerk van de Geboorte en de Grot van Jezus' Geboorte. Rond het plein stonden winkels die met hun toonbanken vol uit olijfhout gesneden crucifixen, christelijke snuisterijen en in Bethlehem vervaardigd kant- en borduurwerk voorzagen in de wensen van bussen vol pelgrims. Op het plein mengde zich onder het toeziend oog van het Arabisch Legioen een zwerm venters, bedelaars en oplichters onder pelgrims en Wrekende Luipaarden.

Aan de overkant van het plein stond een haveloze bioscoop, de Oosterse Ster, die niet meer als zodanig dienst deed. Daarin zou de bijeenkomst plaatsvinden. Vader meende dat we in dat theater gevrijwaard zouden zijn van een mogelijke Jordaanse aanval, aangezien er zoveel buitenlandse verslaggevers aanwezig waren. Het was weliswaar een stenen gebouw, maar het interieur was uiterst brandgevaarlijk en hij was er zeker van dat meer dan één Jordaanse functionaris met de gedachte gespeeld had ons daarin levend te laten verbranden. Wanneer zij binnenkwamen, moesten alle gedelegeerden hun gebedsmatje uitrollen en zochten de bendeleden die voor de veiligheid moesten zorgen naar bommen, brandbommen, mitrailleurs en andere dodelijke, persoonlijke eigendommen.

Het theater liep vol, terwijl technici worstelden met de defecte geluidsinstallatie. Toen deze eindelijk werkte, weergalmde het geluid zo hard tussen de stenen muren, dat ik mijn oren moest bedekken. Het theater was in een vervallen staat en er hingen vieze luchtjes, die op de een of andere manier wel pasten bij een vergadering van vluchtelingen. Op het moment dat de leiders hun plaats innamen achter een lange tafel op het podium, nam vader mij apart.

'Zoek een plaatsje in het theater waar je niet opvalt. Er zullen zich misschien moeilijkheden voordoen. Als dat het geval is, moet je niet proberen naar me toe te komen, maar naar Aqbat Jabar terugkeren om de vrouwen te beschermen.'

Ik ontdekte een smalle, stenen trap achter een deur en zocht op de tast mijn weg naar een halletje en een klein vertrek. Ik was in Ramla een paar keer in een bioscoop geweest en maakte uit de grootte en de vorm van het vertrek op dat dit de projectiekamer geweest moest zijn. Door kleine openingen kon ik de hele zaal overzien. Er was ook een raam in de buitenmuur met uitzicht op het Kribbeplein. Van hieruit kon ik Jamil en zijn 'troepen' zien. Ik wist dat de nieuwe zaden van haat, die in de kampen gepoot waren, in Bethlehem aanwezig waren in de vorm van deze benden. Het was niet moeilijk te voorspellen hoe de toekomst eruit zou zien, als vader niet in zijn opzet slaagde.

'Luistert, o broeders,' begon sjeik Ahmed Taji, die er in zijn nieuwe, geleende gewaden indrukwekkend uitzag. 'We zijn hier in democratische broederschap bijeen, omdat wij heel goed weten dat de alleenstaande man overgeleverd is aan de wolf en dat één hand niet kan applaudisseren. Wraak is heilig en haat is edel. Toch moet waar wij naar hunkeren uitgesteld worden als gevolg van bepaalde feiten. Wij zullen niet naar ons land terugkeren, enkel omdat de joden bereid zijn ons terug te nemen. Nee, daar zullen wij ons niet door laten verleiden. Wij zullen niet terugkeren, omdat zij ons scholen en ziekenhuizen zullen geven. Wij zullen nooit op dergelijke voor de hand liggende, grove voorstellen om ons om te kopen ingaan. Wij zullen slechts terugkeren om in het geheim naar het moment van vergelding toe te werken. Wij zullen de vijand om de tuin leiden tot onze kracht tot onoverwinnelijke proporties is toegenomen; dan zullen wij met een gloeiende pook toesteken.'

Sjeik Ahmed Taji was bijzonder goed op dreef. Hij sprak niet om tot rede te brengen, maar om te overreden. 'Geduld is de sleutel tot redding. Wij, de slachtoffers, moeten onze grote bloeddorst temperen tot we weer in onze eigen, heilige grond geplant zijn. Pas dán zullen wij gepaste acties ondernemen. Laten wij daarom terugkeren en onder de jakhalzen vertoeven tot wij gereed zijn.'

Van zijn tong rolden woorden zonder betekenis, want hij sprak enkel om de zintuigen te prikkelen...

'Wij zijn het slachtoffer geworden van tegenspoed en wanneer tegenspoed een man vernedert, stapt iedereen op zijn tenen en stapelt zich het onrecht al hoger op dat hem wordt aangedaan. Wij rollen in het stof. Onze magen zijn leeg. Uit iedere kleine maaltijd vloeit een grote ruzie voort. Uit iedere hap vloeit tobberij voort. Van armoede worden wij slechtgehumeurd.

Toon je tanden, o broeders, en iedereen zal jullie vrezen. Ze kauwen op ons, maar ze kunnen ons niet verzwelgen. Wij weten van elkaar wat ieder voor zich doormaakt, omdat wij elkaar bejegenen alsof de een de enige broeder van de ander is en niets kent de boomstam beter dan zijn schors. Het lot dat jullie heeft getroffen, heeft ook mij getroffen. Wij zijn geen van allen immuun voor en gevrijwaard van tegenspoed. Als voor ons de tijd is aangebroken om te wenen, zullen wij zien dat minder fortuinlijke broeders blind geworden zijn. Als voor ons de tijd komt om er vandoor te gaan, hebben anderen geen benen.

Wij, die de zoetheid van het leven hebben gesmaakt, moeten ook de bitterheid ervan smaken. Maar op droefenis volgt altijd vreugde zoals de wind wordt gevolgd door de vogel. Droefheid is slechts door tijd van vreugde gescheiden. En de tijd is gekomen om de bladzijde om te slaan. Maar denk eraan, broeders, als wij geen bitterheid gesmaakt hadden, hoe zouden we dan zoetheid aangenaam kunnen vinden?'

Het werd uiterst moeilijk om sjeik Taji's woordenstroom zonder achterliggende gedachten of zakelijke inhoud te volgen, maar aangezien zijn toespraak beurtelings op de lachspieren werkte, bemoedigde en terneersloeg werd er toch enthousiast op gereageerd.

Charles Maan kwam naar het spreekgestoelte; hij vormde een schril contrast met de eerste redenaar. Zijn kostuum van westerse snit zag er verfomfaaid uit, evenals zijn kleine, magere lichaam. Hij stak een vele pagina's dik rapport omhoog, sloeg het met bruin geworden vingers op en las het emotieloos, maar zo sarcastisch voor alsof hij een man was die in plaats van een tong een scheermes in zijn mond had. Zijn verslag was een onpartijdige analyse van de redenen waarom wij vluchtelingen geworden waren. De vergadering werd nu met de neus op de feiten gedrukt, want nog nooit was de waarheid zo onverbloemd voorgehouden aan een Arabisch gehoor. Charles Maan genoot extra aanzien omdat hij een christelijke leraar was en door zijn rustige optreden van dit moment bleven rusteloze mannen als vastgeplakt met open mond op hun stoel zitten luisteren.

'De leiders van de Arabische wereld zijn voornamelijk verantwoordelijk voor onze moeilijkheden,' zei hij. 'Zij, de welgestelde Palestijnen die vluchtten vóór er ook maar één schot werd gelost, en de moefti die door middel van terreur en moord over ons trachtte te heersen vormen de onzalige drieëenheid. Zij zeiden tegen ons: "broeders, wij beijveren ons voor jullie belangen en de overwinning is nabij." Dat was de eerste van de vele leugens die ons bestaan ondermijnden.

Instemmend gemompel drong tot de projectiekamer door. Ik denk dat iedereen onder de indruk was van Charles Maans moed.

'De slachting in Deir Yassin werd opzettelijk buiten iedere proportie opgeblazen, net als de valse berichten over joodse wreedheden. Welke man hier kan heimelijk in mijn oor fluisteren dat zijn vrouw werkelijk ontwijd en zijn kind in een bron gegooid werd en verdronk? Dat waren leugens die van bedrieglijke tongen naar bedrieglijke oren fladderden.

...De oorzaak daarvan is de botte weigering van iedereen om naar voren te komen en met de joden te praten over wegen om vrede te sluiten. In die vrede verheugen zich nu honderdvijftigduizend broeders van ons, die in Israël bleven. Brengt hun bestaan, van uw en mijn verwanten in de joodse staat, niet de verraderlijke propaganda tot zwijgen van de Arabische leiders die beweerden dat iedereen die bleef vermoord zou worden door de joden?'

Een aantal mannen zette hun angst overboord en kwam overeind.

'Charles Maan spreekt de waarheid!'

'Wij zijn verraden!'

'Dood aan de leugenaars in Damascus!'

De kleine schoolmeester stak zijn handen op, om stilte verzoekend. 'Wij zijn beetgenomen, een oorlog ingestuurd waarop we niet waren voorbereid en waaraan we geen behoefte hadden. De landbouw werd er door geruïneerd en zo werden wij door werkeloosheid, de zwarte markt en voedselschaarste gedwongen te vertrekken. Toen onze edele legers eenmaal Israëls grenzen overschreden hadden en de nederzettingen aangevallen werden met de bedoeling die te plunderen, rustte op de joden geen enkele verplichting om een hun vijandig gezinde, Arabische bevolking te beschermen. Gelooft ook maar iemand van jullie dat wij de joden niet zouden hebben uitgeroeid als wij de oorlog gewonnen hadden?'

Het gemompel onder de toehoorders zwol aan tot een kabaal.

'Wat hebben de joden ons aangedaan in vergelijking met wat de Arabieren ons hebben aangedaan? In de vluchtelingenkampen in Syrië heb je geen sanitair, wordt geen kleding verstrekt, zijn alleen die levensmiddelen beschikbaar die afkomstig zijn van liefdadige instellingen. Geen enkele Palestijn in Syrië mag buiten het kamp komen waarin hij verblijft. Honderden van onze volksgenoten zijn in Syrische gevangenissen gesmeten zonder dat er beschuldigingen tegen hen zijn ingebracht en zonder vorm van proces. Hun pogingen om zich te organiseren werden op brute wijze de kop in gedrukt.

De Libanezen namen onze rijkste burgers op, die met dollars en pond sterling aanzien kochten. Maar hun kampen zijn niet beter dan die naargeestige broeinesten van ratten waarin wij leven. Weten jullie waar jullie de door het Rode Kruis verstrekte levensmiddelen kunt krijgen? Die worden openlijk in de straten van Beiroet verkocht. De Libanezen zijn erg edelmoedig. Zij staan onze mensen toe te werken. Onze kinderen vegen er de straten aan, maken de toiletten schoon, venten, wassen af in koffiehuizen. Maar in scholen zult u hen niet aantreffen, want het is verboden een Palestijns kind onderwijs te geven. De edelmoedige Libanezen staan onze volksgenoten toe de kampen te verlaten en huizen te huren, maar ze moeten dan wel het dubbele betalen van wat hun eigen burgers in rekening wordt gebracht. Het drinkwater is in vele Libanese kampen smerig, zodat onze volksgenoten dikwijls van hun laatste stuiver water moeten kopen. En luister eens hiernaar, o broeders. Het Libanese Vluchtelingencomité heeft deze verklaring uitgegeven,' zei hij, terwijl hij die verklaring omhoog hield. 'Zij geven de moefti van Jeruzalem en de leiders van de Arabische wereld de schuld van hun moeilijke positie! Niet de joden, maar de Arabieren. Lees maar, broeders. Lees en ween. Moet ik het nog over Jordanië hebben, broeders? Kennen we dat bittere relaas nog niet?'

'Dood aan Abdullah!'

'Dood aan het Arabische Legioen!'

'Pas op,' zei Charles Maan, 'pas op! Abdullah heeft hier onder ons oren. Oren die afgesneden en op sterk water gezet zouden moeten worden.' Hij sloeg een bladzijde van zijn rapport om, keek vanaf het podium omlaag en sprak: 'Nu kom ik aan onze eigen Palestijnse broeders op de westelijke Jordaanoever toe. Wij zijn in de eerste plaats door hún toedoen noodgedwongen in deze kampen terechtgekomen. De huren van alle beschikbare woonruimte zijn met vijfhonderd procent verhoogd. We kunnen zelfs onze doden niet begraven zonder daarvoor een hoge som aan belasting te betalen. Ondanks het feit dat enkel het Rode Kruis deze kampen financieel steunt, moeten wij aan steden in de omgeving gemeenteheffingen betalen. Er is geen werk of onderwijs en wat ons niet door ons eigen volk wordt aangedaan, doen de Jordaniërs ons uiteindelijk aan.'

'Dood aan onze broeders!'

'Ik ben nog niet klaar, want we moeten het nog hebben over het ergste dat ons ten deel gevallen is. Wij leven in het paradijs in vergelijking met hen die in de kampen in de Gazastrook wonen waar de almachtige Egyptenaren heersen. Weet u hoe een vluchteling aan een pasje moet komen om van Gaza naar Egypte te mogen reizen? Allereerst moet je een stuk of tien ambtenaren omkopen om aan papieren te komen. Daarna moet je aan de grens buitensporig hoge uitvoerrechten betalen of al je bezittingen aan de Egyptenaren afstaan. Onze jongens zijn midden in de nacht met geweld uit de kampen weggehaald, gedwongen dienst te nemen in het Egyptische leger, onder afschuwelijke omstandigheden getraind en totaal onvoorbereid de strijd ingedreven. Wij kunnen ons niet eens voorstellen hoevelen van onze volksgenoten gevangenissen in gesleurd en doodgemarteld zijn. Dagelijks sterven er meer dan honderd aan tuberculose, dysenterie, tyfus en cholera. Weten jullie wat er gebeurde, toen wij ons in Gaza trachtten te organiseren? Toen stuurde de moefti van Jeruzalem op bevel van de Egyptenaren zijn moordenaars op ons af. Wanneer een man in de gevangenis terechtkomt, kunnen zijn vrouw, dochters, zusters en zijn moeder bezoek verwachten van Egyptische soldaten die hen verkrachten en onteren!'

'Charles Maan liegt!'

'Dood aan Charles Maan!'

De stoelen die nog maar half op hun plek zaten vastgeschroefd werden losgerukt en in de richting van het podium geslingerd. 'Aha! Nu krijgen we te maken met Abdullahs honden, precies op het afgesproken tijdstip!'

De Wrekende Luipaarden drongen op met eigengemaakte wapenstokken die onder hun kleren vandaan kwamen, maar door het pandemonium dat inmiddels was ontstaan, begon men massaal op de uitgangen af te stormen.

Op dat moment trok mijn vader, de onverschrokken hadje Ibrahim al Soukori al Wahhabi, Charles Maan weg van het spreekgestoelte, nam zijn plaats in, haalde een heel groot pistool te voorschijn en schoot vlak voor de microfoon in de lucht. Het leek wel of er minstens een stuk of tien kanonnen losbarstten. Het schot weergalmde zo luid tussen de stenen muren, dat ons trommelvlies er bijna van scheurde. Iedereen zocht dekking, drukte zich plat tegen de grond.

'Wees zo vriendelijk de verraders te verwijderen, dan kunnen we doorgaan,' zei hij op kalmerende toon. Zijn bevelen werden pas uitgevoerd toen hij nog een paar keer geschoten had. 'Alsjeblieft, broeders, wij zijn nog niet klaar met ons werk. Dit is een democratische bijeenkomst. Keer terug naar jullie plaatsen.' Na nog een laatste pistoolschot schuifelde iedereen terug naar zijn stoel en was de orde hersteld.

'Wij hebben gezondigd!' riep mijn vader. 'Na veertien eeuwen haat besloten we uiteindelijk weloverwogen en met opzet en arrogantie tot een oorlog, die we naar onze mening niet konden verliezen. Wij verdedigen ons land niet!

... Wij zijn geen van allen bepaald verblind geraakt door het felle zonlicht van gastvrijheid van de kant van de Arabische leiders en dat geldt dubbel voor onze eigen Palestijnse broeders op de westelijke Jordaanoever.

'*Kaif*,' zei mijn vader, zachtjes nu, 'dat woord heeft voor ons een diepzinnige betekenis. Het betekent: doe niets, zeg niets, denk niets. Wij misleiden onszelf als wij zeggen, dat kaif de volmaakte vorm is van geduld, want in werkelijkheid staat kaif gelijk aan opzettelijk werkeloos toezien, aan half wakker zijn zonder de eigen fantasiewereld te verlaten. Wij geven ons aan kaif over, aan een toestand van halfbewustzijn om het lijden te verlichten dat wij in de werkelijkheid moeten doorstaan. Wij zijn mannen die in onze eigen gedachten zitten opgesloten als in dozen. Hier worden de sleutels voor u neergelegd. De oorlog stelde ons op de proef en wij faalden – maar durven wij het risico te nemen nogmaals te falen? Er is gezegd dat wij onze kinderen niet hoeven te onderwijzen, omdat het leven hen zal onderrichten. Zien jullie in wat het leven onze kinderen leert?'

Hadji Ibrahim had zijn gehoor in de ban. Ik had hem nog nooit zo horen spreken. Dit moest het resultaat zijn van vele honderden uren meditatie en zijn toehoorders keken op naar het podium alsof ze naar een profeet zaten te luisteren.

'In onze droomwereld zijn wij geneigd te denken, dat wij zo verheven zijn dat nog geen duizend ladders boven onze hoofden kunnen uitsteken. Wij zien onszelf als edele mannen die liever van honger sterven dan om hulp vragen... wij menen dat onze linkerhand onze rechterhand niet van node heeft... dat het beter is eervol te sterven dan in vernederende omstandigheden te leven. Wij zijn geneigd te denken dat het hoofd zonder trots niet beter verdient dan afgehakt te worden. Als wij in deze dingen geloven, waarom accepteren we dan een leven als slonzige honden in deze rampzalige kampen?

Onze tijd voor kaif is voorbij, broeders. Wij moeten een onstuimige rivier doorwaden. Wij kunnen ons lot niet langer in handen leggen van dieven die ons in de steek gelaten en ons bestolen hebben. Wij mogen ons niet langer in slaap laten sussen door de valse muziek van de wraak. Wij moeten de moed opbrengen toe te geven dat we een verschrikkelijke vergissing hebben begaan. Alleen door dat toe te ge-

420

ven kunnen we onze dozen ontsluiten en het pad opgaan dat ons zal terugleiden naar ons huis en ons land. Anders zullen tientallen jaren lang valse beloften ons deel zijn en zal onze baard wit worden van ouderdom en zullen onze magen en gedachten zo ranzig worden, dat zelfs de roofvogels onze botten niet zullen willen schoonpikken...

Wat de joden betreft: zij gingen in 1948 niet op de loop en zullen in de toekomst evenmin op de loop gaan. De zoete droom over een nieuwe Arabische invasie is een wrede grap, omdat we onmogelijk een radeloos volk de zee in zullen kunnen drijven zonder daarbij onszelf te vernietigen. De prijs voor een gewapenderhand behaalde overwinning op de joden zal slechts in woorden, niet in bloed worden betaald. Wij moeten de joden tegemoet treden met ons oprechte verlangen naar vrede, dan zal de wereld op onze hand zijn. Wij kunnen ons niet meer de luxe veroorloven dat de grootste vreugde in ons leven voortkomt uit het doden van een jood. Wij moeten bij iedere wending redelijk zijn. Wij moeten vertrouwen kweken en dan kan er naar mijn mening met de joden onderhandeld worden. In feite is het zo dat wij onszelf moeten overwinnen teneinde een eerlijke dialoog met de joden te kunnen aangaan en het enige dat wij voor ons moeten zien te winnen is de publieke opinie in het westen.'

Er werd nauwelijks geapplaudisseerd aan het eind van vaders toespraak. Nog vóór vaders harde woorden en zijn uitdaging waren bezonken wist ik al dat hij tegen de stroom probeerde in te zwemmen van in de loop van vele eeuwen verkalkte haat. Ik raakte vervuld van angst dat een of andere heethoofd hem van het leven zou beroven. Maar mijn angst maakte al gauw plaats voor toenemende trots. Oh hadji Ibrahim, wat bent u toch groots, wat bent u moedig! Welke andere man van de woestijn tot de zee zou dergelijke woorden ten overstaan van de broeders hebben durven spreken?

'We moeten nu stemmen over de resolutie van deze conventie,' zei Charles Maan. 'Ik zal u die voorlezen. "Besloten zij, dat deze bijeenkomst is bijgewoond door afgevaardigden die werkelijk de vluchtelingen van de westelijke Jordaanoever vertegenwoordigen, de voornaamste oorlogsslachtoffers. Wij geven hierbij uiting aan onze overtuiging, dat wij op voet van gelijkheid moeten kunnen meebeslissen over ons eigen lot. We eisen hierbij het recht op om te onderhandelen over onze terugkeer naar onze huizen en beschikking over onze goederen zonder bepaalde, beperkende voorwaarden, ongeacht wie Palestina politiek gezien bestuurt. Wij verklaren ons hierbij bereid met vertegenwoordigers van de staat Israël rond de tafel te gaan zitten voor overleg, teneinde een eind te maken aan onze ballingschap. Wij kiezen hierbij een delegatie om ons met onze aspiraties te vertegenwoordigen bij de Internationale Arbitragecommissie die deze zomer nog in Zürich zal bijeenkomen. Deze delegatie zal bestaan uit hadji Ibrahim al Soukori al Wahhabi, de heer Charles Maan en sjeik Ahmed Taji".'

De stemming werkte als een anticlimax. Belangrijk was dat de leiders de eenheid bewaard, harde woorden gesproken en ogen geopend hadden en dat alles nu binnen één dag afsloten met een voor hen gunstige resolutie.

De gedelegeerden liepen in een lange rij naar de tafel op het podium om hun stembriefje te pakken: wit voor de goedkeuring, zwart voor afkeuring. Men bleek de voor de bijeenkomst afgelegde beloften gestand te doen.

Terwijl zij stemden, stopten de afgevaardigden ook nog een bijdrage in een grote doos voor de onkosten van de vergadering en de delegatie die naar Zürich werd gestuurd. Ik bleef in de projectiekamer zitten wachten tot het geld was geteld, terwijl de afgevaardigden de zaal uit slenterden. Ik kon horen dat men teleurgesteld was, dat er niet voldoende bijeengebracht was om de onkosten te dekken, laat staan dat er nog reisgeld overbleef.

'Weet iemand hoeveel dat gaat kosten?' hoorde ik via de niet uitgeschakelde microfoon.

'Dat hangt af van de duur van die bijeenkomst in Zürich. Duizenden dollars in elk geval,' zei mijn vader.

'Mijn vliegticket wordt betaald door een paar katholieke liefdadigheidsinstellingen die ook voor mij voor onderdak in Zürich zorgen,' zei Charles Maan. 'Maar ik kan niet alleen gaan.'

'Misschien kan ik Allah helpen ons te helpen,' zei vader. 'Ik weet van een aantal geheime fondsen, dus wanhoop niet.'

Ik wilde net de projectiekamer verlaten, toen de lucht zich opeens vulde met het geluid van fluitjes, het schreeuwen van militaire bevelen en het gestamp van laarzen die snel over het plein renden. Ik vloog naar het raam! Legioensoldaten naderden van alle vier de kanten, grepen Wrekende Luipaarden en leden van andere benden in de kraag, sloegen hen met knuppels en sleurden hen weg. Hoe handig bleek het nu dat zij aan een speciale armband te herkennen waren! Ik zag dat mijn broer Jamil door vier Jordaanse soldaten werd weggedragen en in een van de vele legertrucks werd gesmeten, die voor de Kerk van de Geboorte geparkeerd stonden. Vader, sjeik Taji en Charles Maan haastten zich het theater uit. Zes legioensoldaten richtten hun wapens op hen en leidden hen weg.

11

De operatie was gesmeerd verlopen. Met het schoonvegen van het Kribbeplein had kolonel Farid Zyyad tweeënvijftig zogenoemde Wrekende Luipaarden en hun tegenhangers uit tien andere vluchtelingenkampen in zijn netten verstrikt. Op die manier was keurig een stokje gestoken voor de plannen van de vluchtelingen om moeilijkheden te veroorzaken in Zürich. Een soldaat kwam binnen om aan te kondigen dat hadji Ibrahim in de versterkte politiepost was aangekomen.

Farid Zyyad knoopte zijn uniformjasje dicht, dat grotendeels bedekt was met de lintjes en decoraties van een echte kolonel van het Legioen. Hij bekeek zichzelf in de spiegel, bevochtigde zijn witte tanden met zijn tong en ging weer achter zijn bureau zitten.

'Laat hem binnen.'

Toen hadji Ibrahim binnenkwam, deed kolonel Zyyad iets ongebruikelijks: hij stond op, bood zijn tegenstander een stoel aan en bestelde koffie. Ibrahim had meteen door, dat hij zich in een situatie bevond waarin hij zowel met dreigementen als met vleierij te maken zou krijgen.

'Waar zijn sjeik Taji en Charles Maan?' vroeg hij.

'Die zijn vrijgelaten, met onze verontschuldigingen.'

'En mijn zoon, Jamil?'

'Die wordt voorlopig vastgehouden, net als de andere jongens.' Farid Zyyad wierp een blik op een document op zijn bureau. 'Tweeënvijftig in totaal.'

'Dit is een opzettelijke provocatie. Bent u op een opstand in de vluchtelingenkampen uit?'

'Ik betwijfel of dat zal gebeuren, tenzij u daar het sein voor geeft. En ik betwijfel of u dat doen zult, zolang deze jongens in hechtenis blijven.'

'Voor hun eigen veiligheid?'

'Voor hun eigen veiligheid.'

'Bent u zich ervan bewust dat de buitenlandse pers mogelijk niet zo aardig voor Zijne Majesteit zal zijn ten aanzien van dit incident?'

'Ik heb bewondering voor de slimme manier waarop u met uw drieën deze vergadering en de pers gemanipuleerd hebt, maar anderen kunnen dat spelletje ook spelen. Wij hebben een verklaring uitgegeven, waarin we de situatie uitleggen.' Hij overhandigde Ibrahim een vel papier.

'Ik kan geen Engels lezen.'

'Dan zal ik het u voorlezen. "De razzia die vandaag plaatsvond, is het uiteindelijke resultaat van een maandenlang onderzoek naar een situatie die koning Abdullah en de Jordaanse autoriteiten verontrust heeft. Jeugdbenden hebben in de vluchtelingenkampen een ware terreur uitgeoefend, daartoe aangemoedigd door oudere, misdadige elementen. Deze benden worden onder meer beschuldigd van zwarte handel, diefstal op grote schaal, chantage, intimidatie, etcetera, etcetera, etcetera".'

'Weet de buitenlandse pers, dat al deze beschuldigingen ook ingebracht zouden kunnen worden tegen bijna iedere Jordaanse beambte op de westelijke Jordaanoever en dat uw fantastische Arabische Legioen medeplichtig is aan deze activiteiten en die zelfs aanmoedigt?'

Zyyad liep terug naar zijn bureau en stak zijn hand op. 'Daarover wil ik nu juist met u praten, hadji Ibrahim. Ik herinner me onze eerste ontmoeting in Nabloes ten huize van wijlen Clovis Bakshir, moge Allah zijn edele ziel redden. Ik constateerde bij die gelegenheid dat u een hoogst intelligente man bent. U hebt mij driemaal bij de neus genomen, maar ik koester geen wrok tegen u. U hebt echter zeer duidelijk gemaakt waar u staat. Dat is niet langer te tolereren.'

'De jongens worden dus vastgehouden met de bedoeling daardoor onze tong in bedwang te houden en onze aspiraties af te stompen.'

'U stelt het zo wel erg cru. Ja, zij zullen in hechtenis blijven. Wij zullen hen blijven ondervragen over hun activiteiten. Misschien komt er te zijner tijd een proces, misschien ook niet,' zei Zyyad schouderophalend.

'Dat hangt af van de verkregen resultaten in Zürich,' zei Ibrahim.

'Zo is het leven. Sommige van hen verstrekken nu al, binnen een paar uur, uit eigen beweging informatie... op grond van de redelijke afspraak dat zij over de anderen inlichtingen zullen verstrekken als wij onze aanklacht intrekken.'

Waarop Zyyad aanstuurde was duidelijk. Wat te doen? Luidkeels blijk geven van ongenoegen? Duidelijk maken dat er overal opstanden zouden uitbreken? Of beheerst luisteren? Zyyad was ergens op uit. Hij wilde weten wat dat was.

'Ik ben een en al oor,' zei Ibrahim.

'Mooi,' antwoordde Zyyad met een uiterst vluchtige glimlach. Hij maakte een pakje sigaretten open, bood Ibrahim een sigaret aan en stak er zelf ook één op.

'U herinnert zich ons gesprek in Nabloes, hadji?'

'Tot in de kleinste bijzonderheden.'

'Dan herinnert u zich dat ik u bij die gelegenheid heb toevertrouwd, dat Zijne Majesteit Abdullah inzake de joden geen typisch islamitische fanaticus is. Hij nam deel aan de oorlog omwille van de Arabische eenheid, maar bepaald niet omdat hij dat zelf zo graag wilde. Al zijn recente uitlatingen ten nadele van de joden zijn hoofdzakelijk bedoeld om de massa tevreden te stellen en de wereld te laten weten dat de Arabische leiders één lijn trekken. Kunt u wat dit punt betreft met mij meegaan?'

'Laten we zeggen dat ik uw verklaring vooralsnog accepteer.'

'Goed. Dan zullen we dus begrip opbrengen voor elkaars standpunt. Wij vinden het echt niet zo plezierig dat jullie in de kampen moeten blijven. Wij hebben meer gedaan dan enig andere Arabische staat. Wij hebben met onmiddellijke ingang burgerrechten, vrijheid van beweging, functies in de regering aangeboden.'

'En onderdrukking,' zei Ibrahim.

'Ja, natuurlijk, ook onderdrukking,' stemde Zyyad toe. 'Wij kunnen geen anarchistische toestanden toelaten door meer dan een half miljoen mensen als een ongecontroleerde stortvloed te laten gaan en staan waar ze willen.'

'Wij hebben rechten,' zei Ibrahim.

'Zeker. Voor zover de koning u die verleent.'

'Jullie zijn er niet gelukkig mee dat wij niet op onze knieën zijn gevallen en in Abdullah niet onze redder hebben gezien,' sloeg Ibrahim terug.

'Dat kan ons eigenlijk in dit stadium niet meer schelen. En jullie rechten kunnen ons evenmin iets schelen. Wij hebben van de Palestijnen gekregen wat we hebben wilden. Diegenen van jullie die nog niet hebben toegegeven zullen dat alsnog doen, wanneer jullie de werkelijkheid onder ogen zien. Laat mij tot u spreken met de eerlijkheid waar u zo beroemd om bent. Volgens onze inschatting van de situatie hebben de Palestijnen niet voldoende fut om in opstand te komen. U en uw broeders zijn verbazingwekkend makkelijk in bedwang te houden en als vechtersbazen hebben jullie nooit iets voorgesteld. Wij denken niet dat u meer zult kunnen veranderen dan in de dertien achter ons liggende eeuwen is gebeurd.'

Ibrahim hield zich in. 'Wij hebben nooit eerder op deze manier opgesloten gezeten. Wat u met die jonge jongens, de Luipaarden en de Haaien, ziet gebeuren is slechts een voorteken dat erop wijst dat deze volgende generatie Palestijnen wel eens uit ander hout gesneden zou kunnen zijn. Wij hebben uiteindelijk allemaal geloofd, kolonel Zyyad, dat de joden passieve lieden waren die je makkelijk kon vertrappen. Er treden wel degelijk veranderingen op in verschillende generaties. Uit die les kunt u maar beter lering trekken, denk ik.'

'Wij zijn niet van plan deze jongens los te laten rondlopen. Wij zullen hen in een mooi uniform steken en hun verkeerd aangewende energie richten op het haten van joden en omzetten in gedisciplineerde guerrilla-acties tegen de joden. Onze Arabische broeders zullen er dan nog vaster van overtuigd raken, dat wij strijd met hen leveren, nietwaar? Wat de overgrote meerderheid van de Palestijnen betreft: ik denk dat zij waarschijnlijk wel in de kampen zullen blijven zitten tot ze er wegrotten. Zij hebben geen geestkracht en al helemaal geen gevoel voor eigenwaarde. Het zijn huilebalken en bedelaars.'

Ibrahim kwam uit zijn stoel, boog zich over Zyyads bureau heen om keihard terug te slaan, maar er kwam geen woord over zijn lippen. Hij knipperde met zijn ogen en zakte langzaam weer op zijn stoel neer. Het was afschuwelijk dergelijke waarheden aan te horen. Om die reden werden ze nooit uitgesproken.

'Goed,' zei Zyyad, 'Wij erkennen dus dat het hier om een chronische conditie gaat.'

'Ik luister naar wat u te zeggen hebt,' zei Ibrahim hees.

'Waarom moeten wij als vijanden tegenover elkaar blijven staan? U zult zien dat er oplossingen te vinden zijn voor onze meningsverschillen, wanneer we onze doelstellingen op elkaar afstemmen. Nee, ik ga niet proberen u om te kopen. Ik heb in Nabloes geleerd dat dat niets uithaalt. U bent een man van principes. Zeldzaam is dat. Ik ga u een redelijk aanbod doen.'

'Ik heb oren die naar rede willen luisteren,' zei Ibrahim.

'Goed, dan zegent Allah deze ontmoeting.' Zyyad trok zijn onderste la open, haalde zijn altijd aanwezige fles Scotch te voorschijn en bood Ibrahim er een glas van aan.

'Nee, dank u, whisky bekomt me slecht,' zei Ibrahim werktuiglijk, maar hij bedacht zich meteen weer. 'Een heel, heel klein beetje dan.'

'Feitelijk komt het hierop neer, dat niets koning Abdullahs opmars naar een Groot-Syrië kan stuiten – niets. Niet de harde woorden van de Arabische leiders, de vluchtelingen niet, de joden niet. Het is een kwestie van lotsbeschikking, goddelijke lotsbeschikking. Feit is dat wij allebei de joden kunnen gebruiken. Laten we dat dan ook doen.'

'Als de koning ten uitvoer moet brengen wat het lot voor hem heeft beschikt,' zei Ibrahim en hij probeerde geen spot te laten doorklinken, 'moet hij dan naar zijn idee de joodse staat vernietigen?'

426

'Inlijven.'

'Inlijven?'

'Ja, als een provincie van Groot-Syrië.'

'Weten de joden daarvan?'

'Dat zullen zij te weten komen zodra de tijd daarvoor rijp is. Wanneer ze een jaar of tien alleen op zichzelf zijn aangewezen, zal het besef groeien dat hun eigen toekomst als loyale provincie onder Abdullah verzekerd is.'

'In de naam van de Profeet, zij zullen met zoiets nooit akkoord gaan. Joden en Arabieren als bondgenoten?'

'Niet als bondgenoten, als onderdanen. Maar wat is daar zo gezocht aan? In vroeger tijden waren wij in Jordanië Gibeonieten en Gibeon was een provincie van Israël. Zelfs aan koning Davids hof had je Moabieten, Hethieten en een paleiswacht van Filistijnen. Salomo had Kelten en Pruisen!'

Farid Zyyads stem was opeens uitgeschoten en schril geworden en zijn ogen rolden wild. Hadji Ibrahim staarde de man ongelovig aan. Toen werd hem alles overduidelijk. Hij, kolonel Farid Zyyad, die onder de Britten een bedoeïen geweest was, zag zichzelf nu als een generaal met het commando over de joodse provincie! Op dit moment doorzag Ibrahim hoe waanzinnig heel de Arabische politiek was die hier van de tong van één man rolde.

'Ik meen te mogen aannemen,' vervolgde Zyyad, 'dat u sinds u uw grot verliet contact opgenomen hebt met Gideon Asch. Laat mij vóór u dit ontkent opmerken, dat u niet gesproken zoudt hebben als u vandaag in Bethlehem deed, als u niet een of andere afspraak op zak gehad had.'

'Ik weiger dat te bevestigen of te ontkennen.'

'Daar kan ik inkomen.'

'Gaat u alstublieft verder. Ik vind dit alles uitermate boeiend,' zei Ibrahim.

'Wat willen jullie vluchtelingen eigenlijk? Terugkeren naar jullie geboortegrond? Regel dat dan met de joden in Zürich. Neem er duizend, vijftigduizend, tweehonderdduizend met u mee terug. Wij willen graag van de last van de kampen af. De joden zullen jullie onderdak, voedsel en onderwijs geven. Dat is hun zwakte. Dan zullen wij, als de tijd rijp is voor een Groot-Syrië, vele duizenden broeders extra ter plaatse hebben om een vreedzame annexatie van Israël door te drukken. Maar hoe u dat ook klaarspeelt, u moet dat in het geheim doen. De wereld mag er niet van weten. Breek jullie kampen geleidelijk aan af en glip er stilletjes uit weg.

Jordanië moet voor het oog van de wereld alles openlijk blijven veroordelen,' vervolgde Zyyad. 'Wij zullen jullie delegatie in Zürich afwijzen, want wij moeten de schijn ophouden van een Arabische eenheid.'

'Wat vraagt u in ruil daarvoor?' vroeg Ibrahim.

'Staak jullie tegen Abdullah gerichte activiteiten, laat Charles Maan niet zijn mond voorbijpraten tegen de buitenlandse pers en houd vooral jullie overeenkomst met de joden geheim. Is dit geen redelijk voorstel?'

'Ik moet erover nadenken. Ik moet het met mijn vrienden bespreken. Wat gebeurt er met de jongens die zijn gearresteerd?'

'Zijn wij nog steeds onder de bekoring van openhartigheid?' vroeg Zyyad.

'Zegt u maar precies waar het op staat.'

'Als jullie in Zürich ophef maken, zal een aantal van die jongens niet lang genoeg leven om een snor te kunnen laten staan.'

'Ik wens mijn zoon te zien,' fluisterde Ibrahim.

'Dat kan. Dit kantoor staat tot uw beschikking. Ik zal hem naar u toe laten brengen.'

Toen Farid Zyyad de gang op stapte, had hij voor zichzelf al uitgemaakt dat hadji Ibrahim waarschijnlijk bereid was het verlies van zijn zoon Jamil te accepteren. Die andere zoon, de kleine Ishmaël, om die zoon te redden zou hij bergen verzetten. Zodra hadji Ibrahim naar Zürich vertrok, zou die Ishmaël eveneens in hechtenis genomen worden... voor de zekerheid.

Jamil scheen het om de een of andere reden prachtig te vinden dat hij gearresteerd was en voor een leider was aangezien.

'Ik ga binnenkort naar Zürich, Jamil,' zei mijn vader. 'De Jordaniërs zullen jou in de tussentijd vasthouden. Denk eraan dat zij niet die Britse wetten hebben die wij in Palestina hadden. Wet is wat de koning wil en zij kunnen je beschuldigen van alles wat ze maar willen. Je maakt geen enkele kans voor een Jordaanse, militaire rechtbank. Ik druk je dan ook op het hart je jongens rustig te houden. De Jordaniërs koken vingers. Begrijp je?'

Jamils ogen stonden heel vreemd. 'Maak u geen zorgen over mij, vader. Doet u maar wat u doen moet in Zürich. Wat er van mij wordt is niet belangrijk.'

'Volgens mij geniet je van deze hele situatie,' zei Ibrahim.

'Genieten? Ik weet niet. Volgens mij maakt het geen verschil of ik nu leef of doodga.'

428

'Kom nou toch. Niemand wil sterven.'

'Ik en al mijn vrienden moeten vroeg of laat toch sterven, gezien de strijd waartoe u ons verplicht hebt. Wat kunnen wij anders doen dan doodgaan? Wij kunnen nergens naartoe; we kunnen niets doen; ons wordt verteld aan niets anders te denken dan aan wraak en de terugkeer.'

'Ik probeer te bereiken dat jullie een beter leven krijgen.'

Jamil begon opeens als een waanzinnige te lachen, terwijl hij zijn hoofd in zijn nek gooide en vloekte. 'Het maakt u niets uit of ik doodga, vader. Het zou zelfs wel gunstig voor u zijn als ik een martelaar werd.'

'Houd je mond!'

'Sla me maar weer in elkaar.'

'Jamil, je bent mijn zoon. Ik probeer je hieruit te krijgen.'

'Waarom? Doe geen moeite. Ik ben uw zoon niet. U hebt maar één zoon. Ishmaël. Dat is toch zo, vader?'

Ibrahim sloeg hem op zijn gezicht. Jamil sprong overeind. 'Ik heb u ooit een keer geslagen, vader en ik kan nog voelen hoe ik daardoor in vervoering raakte. Cipier! Cipier! Breng me terug naar mijn cel!'

Een paar dagen nadat vader naar Aqbat Jabar was teruggekeerd, nam hij me mee naar Jericho, naar het kantoor van professor doctor Nuri Mudhil.

'Ik heb achtduizend dollars ontvangen voor je schatten,' zei de archeoloog. 'Hier zijn de vliegtickets voor jouzelf en sjeik Taji. Het leek ons beter dat je niet teruggaat naar Amman. Daarom zal je met een klein vliegtuig vanuit Oost-Jeruzalem naar Cyprus vertrekken en vandaar doorreizen naar Zürich. Ik heb al meermalen per vliegtuig antiquiteiten uit Oost-Jeruzalem moeten wegbrengen en ik ken de mensen op dat vliegveld goed. De vliegtickets en bijzondere attenties voor bepaalde functionarissen hebben ruim achtentwintighonderd dollars opgeslokt. Dit hier zijn je reisdocumenten. De visa zijn eraan vastgeniet.'

'Maar dat zijn geen paspoorten,' zei vader.

Mudhil schudde zijn hoofd. 'Er bestaat geen land Palestina. Enkel Jordanië, en Jordanië wil jullie geen paspoort verstrekken. Jullie moeten hierop reizen.'

Vader bekeek een van de documenten en gaf deze toen aan mij. 'Wat staat erop?'

'Er staat op dat u een statenloos persoon bent en dat is een visum voor de reis naar Zwitserland en terug, dat dertig dagen geldig is,' zei ik.

'Ik moet helaas nog tweeduizend dollars uitgeven voor deze twee documenten,' zei Mudhil, terwijl hij met zijn vingertoppen over het topje van zijn duim ging. 'Baksheesh, de gebruikelijke omkoopsom. We hadden jullie gratis een Israëlisch paspoort kunnen geven, maar dan zouden jullie nooit de pasjes gekregen hebben die je als afgevaardigde in Zürich nodig hebt. Daar zouden de Arabieren wel voor gezorgd hebben.'

'Hoeveel is er nu nog over?' vroeg Ibrahim aan mij.

'Tweeëndertighonderd dollars,' zei ik.

'Daarvan moet je er nog eens vijfhonderd aftrekken. Contant geld bij je hebben is helaas verboden. Ik moest je geld overmaken via een kerkelijke liefdadigheidsinstelling. Een van de priesters in het kantoor van de aartsbisschop verlangde daarvoor vijfhonderd dollars. Als jij en sjeik Taji dan nog nieuwe kleren kopen, blijft er ongeveer duizend dollars per persoon over voor onderdak en eten.'

'Maar dan ben ik gedwongen mijn familie zonder een stuiver, op Sabri's loon na, achter te laten. Als zij alleen van de door het Rode Kruis verstrekte levensmiddelen afhankelijk zijn, gaan ze misschien wel dood van de honger. En hoe moet het als ik in Zürich zonder geld kom te zitten?'

Nuri Mudhil trok de la van zijn bureau open en haalde er een pakje Jordaanse bankbiljetten uit. 'Ik verstrek je een persoonlijke lening voor de onkosten van je familie. Over hoe je dat moet terugbetalen, hoef je je geen zorgen te maken. Wat jouzelf betreft: Gideon Asch zal ervoor zorgen dat je in Zürich niet zonder geld komt te zitten.'

'Bedelaars, dat zijn wij, bedelaars,' zei vader, terwijl hij het geld en de tickets oppakte.

'Het spijt me erg, hadji. Ik heb mijn best gedaan.'

'Nee, nee, beste vriend. Jij hebt al te veel gedaan.' Toen richtte vader zich vreemd genoeg tot mij. 'Ishmaël, wacht even in dr. Mudhils werkkamer. Ik wil hem onder vier ogen spreken.'

Dat gesprek duurde een poosje. Ik wist niet hoe lang, omdat ik altijd naar de hemel opsteeg wanneer ik in professor doctor Nuri Mudhils atelier mocht ronddwalen, zoveel fantastische dingen waren daar te zien. Op zijn werktafel lag een ingewikkelde tekening van een Byzantijnse mozaïek die eens een kerkvloer geweest was en door hem was blootgelegd. Ik bestudeerde de tekening.

Eindelijk ging de deur open en werd me opgedragen weer binnen te komen en te gaan zitten.

'Jij gaat met dr. Mudhil mee,' zei vader kort en bondig. 'Nu meteen.'

430

'Dat begrijp ik niet.'

'Het is beter voor jou dat je niet in Aqbat Jabar bent, zolang ik weg ben.'

'Maar waarom, vader?'

'Omdat je leven in gevaar is!' blafte hij.

'Het zou laf van me zijn om mee te gaan!'

'Niet laf, maar verstandig.'

'Wie moet dan de vrouwen verdedigen?'

'Sabri is er ook nog. En Omar en Kamal. De vrouwen zullen veilig zijn.'

'Sabri moet werken en aan Kamal heb je niets. Omar kan dat niet alleen aan.'

'Dat zal dan toch moeten,' zei mijn vader.

'Maar waar ga ik heen?'

'Je gaat de rivier de Jordaan over,' zei Nuri Mudhil. 'En daarna diep de woestijn in tot aan de grens met Irak, waar je bij mijn goede vrienden, de al Sirhan-bedoeïenen zult verblijven. En je mag een heleboel boeken van me meenemen.'

Ik begon te huilen en toen overkwam me iets vreemds, maar ook iets heel geweldigs. Mijn vader boog zich over me heen en legde liefdevol zijn handen op mijn schouders.

'En wat gebeurt er met Jamil?' snotterde ik uiteindelijk.

'Ik laat me niet chanteren door die honden in Amman. Jamils lot ligt in handen van Allah. Allah heeft me opgedragen een afschuwelijke beslissing te nemen, namelijk wie van mijn zoons in leven moet blijven.' Ik keek hem aan.

'Ik heb die beslissing genomen, Ishmaël.'

12

Effendi Fawzi Kabir zat achterovergeleund op een Romaanse rustbank in een verbouwd boothuis aan een meer in Zürichs weelderige buitenwijk Zollikon. Hij moest vier treden af om van deze 'keizerstroon' in de met matten belegde ronde spiegelzaal te komen die verlicht was voor losbandig vermaak.

Bij zijn vingertoppen bevonden zich verscheidene bedieningspanelen. Hij kon met één vingerbeweging uit verschillende soorten muziek kiezen, van de atonale klanken van Hindemith en Bartók tot de schril-le klanken van Stravinsky, de verheven van Beethoven, de gedempte van Mozart, het tot zwetens toe opzwepende gestamp van de *Bolero*, Wagners vleugels naar het Walhalla, *hot* of *cool* jazz, sentimentele Franse liefdesliederen of de vertrouwde en heerlijk schelle Oosterse jammermuziek.

Met het grote bedieningspaneel er naast kon hij eindeloos uit licht-effecten kiezen, ongeveer tweehonderdduizend combinaties van rondwervelende, gek makende, achthoekige stippen tot onverwachte lichtflitsen.

Met nog weer een andere serie knoppen kon hij een overvloed aan speciale effecten op de feestvierders loslaten: tropische nevels met een verleidelijke geur, glibberige oliën, mist, levende slangen, roze-blaadjes, duiven en wanneer alles in werking was, kon hij bij gelegen-heid trapezen van het plafond neerlaten of touwen waarlangs dwer-gen naar beneden gleden.

Met het laatste paneel kon hij de keizerstroon laten ronddraaien zodat hij elk deel van de zaal daar beneden kon overzien. Ook kon hij door middel van een hydraulische lift zijn rustbank laten zakken of omhoog laten gaan, ongeveer net zoals je je auto de lucht in kan laten gaan om hem te repareren.

Er waren nog meer vertrekken: een royaal voorziene bar en buffet, een warmwaterbad met een waterval, een kleedkamer vol kostuums, van Griekse toga's tot leren kledingstukken en dierehuiden, allerlei speelgoed, een volledig assortiment zwepen, kettingen, maskers, werktuigen om mee te martelen of te vernederen. De collectie drugs was ook volledig: de beste soort Libanon-hasjiesj, heroïne, zuivere cocaïne, hallucinaties verwekkende kalmeringsmiddelen, peppillen.

Het boothuis was herschapen door een ploeg, bestaande uit de bes-te filmtechnici en binnenhuisarchitecten die er op het vasteland te vin-den geweest waren en dat had iets meer dan twee miljoen dollars ge-kost.

Fawzi Kabir waagde zich zelden op de matten en wanneer hij op zijn rustbank werd benaderd, had hij er slechts formeel deel aan, want hij was een impotente, opgeblazen man die meestal onder invloed van drugs verkeerde. Zijn perverse fantasie was niettemin onuitputtelijk en aan de spelletjes die gespeeld en voorstellingen die gegeven moes-ten worden kwam geen eind. In pijnigingen en vernederingen kon hij zich zo verlustigen, dat dit resulteerde in ongeëvenaarde woeste uit-barstingen van orgastische vreugde.

De hoeren van Zürich waren net zo saai als het land en beperkt in aantal. De effendi gaf de voorkeur aan Duitse mannen en vrouwen. Wanneer het op een orgie aankwam, waren die niet te evenaren. Ursula reisde regelmatig naar de vleespotten van München, waar zij goed de weg wist en de acteurs vandaan haalde.

Om de matrassen te vullen was er een twaalftal paren nodig en hun spiegelbeeld werd tot in het oneindige vermenigvuldigd. Soms trad er een heus strijkkwartet op in combinatie met iemand die gedichten voorlas. Gespierde, met cacaoboter ingesmeerde mannen en zwoele meisjes die zich als panters bewogen leverden individueel of gezamenlijk wonderbaarlijke prestaties. De opzet van de feesten was zo gevarieerd als Ursula maar verzinnen kon en ze duurden dikwijls wel honderd uur. Aan het eind werd er gewoonlijk een wedstrijd gehouden. Degene die daaruit als superman of supervrouw te voorschijn kwam, kreeg een diamanten armband, een gouden horloge of een auto.

De hoeren uit München werden als door een magneet naar de Arabieren toegetrokken. Niet alleen omdat ze de hooggeplaatste en machtige potentaten van de islam van dienst konden zijn, maar ook omdat de Arabieren over het algemeen met een enorm gevolg rondreisden, zodat er zelfs voor de nederigste bediende wel een graantje mee te pikken was. Er werd vooruit betaald en niet afgedongen. De hoeren en hun pooiers verdienden hun honorarium, want zij werden dikwijls onbeschoft en altijd met een barbaarse ondertoon bejegend.

Ursula overtuigde Kabir ervan dat, als hij zich in dergelijke aanblikken wenste te verlustigen, hij daar niet op kon beknibbelen. Voor een feest moesten voor paren, eten, vervoer, onderdak, drank, kostuums, drugs, herstelwerkzaamheden aan de zaal, individuele optredens en geschenken zoveel kosten gemaakt worden, dat die soms wel tot meer dan honderdduizend dollars opliepen.

Deze orgie had al drie nachten tot in de vroege ochtenduren voortgeduurd en de effendi stond op instorten. Vóór hij als een amechtige plumpudding in elkaar zakte, had hij het op een zuipen gezet, gezichten en lijven bekogeld met trossen sappige, blauwe druiven, vanaf de troon omlaag geürineerd en grote potten verf omgegooid. Dat hij daarop instortte, was het gevolg van het gevecht dat in zijn lijf en hoofd woedde tussen slaappillen en cocaïne.

Ursula klom naar zijn rustbank toe, waarop hij nu onsamenhangend lag te kreunen en brak onder zijn neus een capsule stuk. Hij kwam stuiptrekkend en wartaal uitslaand weer een beetje bij zijn positieven, verhief zich op handen en voeten, waarbij zijn buik bijna de grond raakte... en gaf over.

'Wakker worden, Fawzi!' schreeuwde Ursula boven de donderslagen van stormachtige muziek en duizelingwekkende lichtflitsen uit.

Hij mompelde een niet te begrijpen klacht en gaf opnieuw over. Ze hield nog een capsule met ammonia onder zijn neus en goot ijskoud water over hem heen.

Hij keek op, druipend van het zweet. Zijn ogen rolden door zijn hoofd als kogellagers over een gewreven vloer. Toen viel hij plat op zijn gezicht. Zij sloeg hem hard op zijn achterwerk. 'Wakker worden!'

Een paar feestvierders met maskers op zaten onderaan de traptreden te gillen van plezier.

'Laat me met rust, rotwijf!'

Kabir tastte naar de rustbank, maar hij gleed uit over de olie en nattigheid onder zijn lijf, kwam languit op een mat terecht en bleef daar op zijn rug liggen blaten dat hij met rust gelaten wilde worden. De feestvierders bekogelden hem nu met druiven, rijpe pruimen en kirsch tot Ursula hen wegjoeg.

Hij haalde met korte stootjes adem.

'Prins Ali Rahman heeft opgebeld,' zei ze. 'Ik heb hem gezegd dat je over een half uur zult terugbellen.'

'De prins! Oh God!' kreunde Kabir. Hij probeerde onbeholpen overeind te komen, maar gleed opnieuw onderuit. 'Ik kan niet... ik kan niet... oh God... hoe... hoe... laat is het?'

'Vier uur in de ochtend.'

'Oh God! De prins. *Nee*! Geen snuif meer. Mijn hoofd staat op springen.'

'Geef nog een keer over,' commandeerde ze, terwijl ze naar een paar bedienden gebaarde dat ze koud water en sponzen moesten brengen om hem weer toonbaar te maken. Terwijl er voor hem werd gezorgd, zette Ursula de muziek zoveel zachter dat deze nu kalmerend werkte en zorgde ze ervoor dat de lampen een plezierig, pastelkleurig licht verspreidden. De feestgangers stortten daarop in, vielen met hun tweeën, drieën of vieren omstrengeld in slaap of kropen weg om zich weer toonbaar te maken.

Kabir werd overeind gehesen, maar viel weer omver en bleef stil liggen. Ursula ging met haar hand over zijn blubberige rug.

'Het was een groots feest,' zei hij.

'Ja, Fawzi, een geweldig feest.' Ze streelde hem met de toppen van haar vingers met nauwgezet gevijlde en gelakte nagels. 'Een geweldig feest.'

'Haal de dokter. Ik ben ziek. Ik heb een injectie nodig.'

'Die is al op weg hier naartoe.'

Nog geen uur later was de effendi weer nuchter genoeg om prins Ali Rahman terug te kunnen bellen. De stem aan de andere kant van Kabirs lijn schreeuwde een hele reeks Saoedische obsceniteiten. Dat deed Ali Rahman altijd als hij kwaad was en kwaad was hij meestal. Kabir wachtte geduldig tot de koninklijke toorn afnam en zei steeds op kalmerende toon: 'Ja, geachte prins,' en 'Nee, geachte prins.'

'Heb je de ochtendkranten al gezien?' vroeg Rahman.

'Nee, geachte prins. Het is niet mijn gewoonte om om vijf uur 's ochtend mijn bed uit te komen om de kranten te lezen.'

De prins krijste dat daarin op de voorpagina stond, dat er in Zürich een driemans-delegatie van vluchtelingen van de westelijke Jordaanoever was aangekomen, die toegangspasjes geëist had voor de bijeenkomst van de Arbitragecommissie. Zij hadden tijdens een persconferentie gezegd, dat koning Abdullah intussen in een gevangenis in Amman tweeënvijftig jongens als gijzelaars vasthield.

'Wie zijn die indringers, Hoogheid? Hoe heten ze?'

'Er is een bedoeïen bij, ene sjeik Ahmed Taji en de andere twee zijn Charles Maan, de ongelovige van wie we al eerder gehoord hebben en ene hadji Ibrahim al Soukori al Wahhabi.'

'Ik ken ze,' antwoordde Kabir.

'Ik wil dat ze vermoord worden!' krijste de prins.

'Nee, daar bereiken we in Zwitserland niets mee. Luistert u eens. Geeft u mij een uur de tijd; dan ben ik bij u in uw villa.'

Prins Ali Rahman was gekleed in een zijden ochtendjas. Zijn lange, smalle gezicht droeg het onuitwisbare stempel van de familie Sa'oed. Hij had namelijk het profiel van een woestijnhavik en was in werkelijkheid ook een woestijnhavik. Hoewel de prins ver onderaan de lijst van troonopvolgers stond, was hij doorgedrongen tot de kring van topfiguren aan een koninklijk hof dat er honderden prinsen en prinsjes op na hield.

Ali Rahman stamde uit een indrukwekkend, oud geslacht. Hij had deel uitgemaakt van het gevolg van zijn grootvader, de grote Ibn Sa'oed, die omstreeks de eeuwwisseling ten strijde trok om het Arabische schiereiland onder zijn gezag te brengen. Ibn Sa'oed had dat gebied gezuiverd van Turken, een Brits protectoraat overleefd en hun aartsrivalen, de Hasjemieten, uit de Hedzjaz verdreven. Ibn Sa'oed stichtte een staat die hij, niet gehinderd door bescheidenheid, naar zijn familie vernoemd had. In het begin van de jaren dertig had hij in samenwerking met de Amerikanen de aanzet gegeven voor olieboringen en als gevolg van dit initiatief begonnen er nu miljoenen dollars in een lege schatkist te stromen.

Ali Rahman had de opdracht gekregen al dit binnenstromende geld te beleggen. Hij was inzake het internationale geldwezen geen expert, maar hij beschikte over een aangeboren schranderheid.

den en auto's die ze kochten, hun jacht op Europees vlees ter bevrediging van hun lusten. Hij hield hun uitspattingen uit de kranten en bespaarde de koninklijke familie talloze vernederende situaties.
vooraanstaande prinsen binnen twaalf uur aan de speeltafels in Monte Carlo schuldbekentenissen ter waarde van circa een half miljoen dollars afgaf en die niet kon inlossen, hing hem een gevangenisstraf boven het hoofd. Fawzi Kabir was dan zo slim om de eigenzinnige prins uit zijn netelige positie te redden en dat was Rahman opgevallen.

Kabir kon op financieel gebied alle mogelijke diensten aanbieden: interessante investeringen, het lanceren van leningen tegen hoge rente, miljoenen op onnaspeurlijke wijze verborgen houden. Hij verdiende enorme bedragen voor de Saoediërs en enorme bedragen aan provisie voor zichzelf, zodat hij naar Zürich had kunnen verhuizen, een stad die waar het om geheime bankrekeningen ging de kroon spande. De effendi hoefde slechts achter het bureau in zijn villa in Zollikon te gaan zitten om de eindeloze stroom lieden met verzoeken van banken, wapenhandelaars, koeriers van verdovende middelen, ploeterende, kleine landen met bodemschatten op hun waarde te schatten.

De koninklijke familie was nog maar net zo ver gevorderd, dat zij haar jonge erfgenamen liet inschrijven bij Amerikaanse en Engelse universiteiten. Er bevonden zich er nu vijftig in het westen, met hun gevolg. Kabir beheerde hun toelage, betaalde hun speelschulden, hun hotelrekeningen ten bedrage van vijftigduizend dollars, de sieraden en auto's die ze kochten, hun jacht op Europees vlees ter bevrediging van hun lusten. Hij hield hun uitspattiingen uit de kranten en bespaarde de koninklijke familie talloze vernederende situaties.

Toen de Verenigde Naties een conferentie voorstelde om alle uitstaande Arabische aanspraken als gevolg van de oorlog aan een arbitragecommissie voor te leggen, wendde Kabir zijn invloed aan om deze in Zürich te laten plaatsvinden en zorgde hij ervoor, dat hij tot leider werd benoemd van een van de Palestijnse delegaties. Prins Rahman huurde een kolossale villa in het bosrijke district Zürichberg en beraamde samen met Kabir plannen om de conferentie in een bepaalde richting te dwingen. De Saoediërs hadden op politiek terrein een nieuwe weg ingeslagen door gebruik te maken van de omvangrijke inkomsten uit olie in combinatie met chantage en het domweg kopen van de loyaliteit van bondgenoten. De prins wist dat hij de Arabische wereld de wet zou kunnen voorschrijven of op z'n minst naar de pijpen van de Saoediërs zou kunnen laten dansen, wanneer hij erin slaagde de hebzuchtige Fawzi Kabir naar zijn hand te zetten.

Kabirs eerste stap was het bewerkstelligen van een door alle Arabische staten en delegaties ondertekend akkoord, dat ze geen van allen op hun eigen houtje zouden onderhandelen met de joden of een overeenkomst met hen zouden ondertekenen. De Saoediërs hadden niet meegevochten in de oorlog, op een symbolisch bedoelde eenheid na en lieten zich ook niet met de vluchtelingen in. Hun belangrijkste doelstellingen waren wraak te nemen op de joden, omdat die hen in hun eer als moslem en Arabier aangetast hadden door afbreuk te doen aan hun mannelijkheid, en het leiderschap te claimen van de Arabische wereld. Dat hechte Arabische front dat zij hadden helpen vormen, dreigde nu doorbroken te worden door de komst van drie in lompen gehulde gedelegeerden die de vluchtelingen van de westelijke Jordaanoever vertegenwoordigden. 'Waarom kunnen we deze minderwaardige vluchtelingen niet laten vermoorden?' vroeg Ali Rahman op gebiedende toon.

Fawzi Kabir liet zijn buik op zijn benen op de rand van zijn stoel rusten en weigerde beleefd iets van de schaal met fruit te pakken, aangezien alleen het zien daarvan hem deze ochtend al sneller dan gewoonlijk een onbehaaglijk gevoel gaf.

'Laten we het zo stellen. Wij zijn gasten van de Zwitsers. Wij bevinden ons om zo te zeggen onder hun tent. Hun streven is er altijd op gericht niet betrokken te raken bij de oorlogen van andere volken teneinde andere volken in geldzaken van dienst te kunnen zijn. Zij zullen niet toestaan dat buitenlanders elkaar in hun straten neerschieten. Zij zijn onvermurwbaar ten aanzien van dergelijke kleinigheden.'

'Dan brengen we ons geld toch ergens anders onder!'

'Lagen de zaken maar zo simpel, Hoogheid! Zij hebben een uitstekende reputatie opgebouwd door met zeer veel táct geldzaken te behartigen. Nergens anders is geld zo veilig. Wij kunnen 's nachts rustig slapen. Dank zij de Zwitserse cultuur, de nieuwe Zwitserse methode. Als wij in Zürich beginnen te schieten, hoeven we ons niet af te vragen of zij ons het land uit zullen zetten. Dat zullen ze zeker doen. Bovendien zou de moord op de vluchtelingen ons een slecht image in de pers bezorgen, geachte prins.'

'Ik begrijp niet dat de pers hier niet door een koninklijke familie of door de regering beheerd wordt. Dat is idioot.'

437

'Het is een afschuwelijk systeem, dat ben ik met u eens, maar in het westen is de pers erg machtig. Zij kunnen van een mug een olifant maken en uiteindelijk zal dat onze edele zaak geen goed doen.'

'Een koninklijk persoon heeft geen rechten,' morde Rahman.

'Ja, westerlingen gedragen zich vreemd,' gaf Kabir toe.

'Tja, als wij ons niet op de gebruikelijke manier van deze ellendige vluchtelingen kunnen ontdoen, dan moeten we hun loyaliteit maar kopen. Zij zullen in elk geval minder geld kosten dan de andere delegaties.'

'Hier doet zich opnieuw een bizarre situatie voor, geachte prins. Noch Charles Maan noch hadji Ibrahim is om te kopen.'

'Wat? Dat kan ik niet geloven!'

'Dat weet ik, maar het zijn doodzieke, bezeten mannen. We kunnen waarschijnlijk wel vat krijgen op sjeik Taji. Het zou een goed idee zijn hem van de andere twee af te zonderen. Daardoor zou hun delegatie enorm verzwakt worden. Een briljant plan, geachte prins.'

'Handel jij dat dan maar met hem af, Kabir.'

'Onmiddellijk, Hoogheid. Taji zou echter best eens om toestemming kunnen vragen om zich met zijn stam opnieuw te vestigen, misschien zelfs wel in Saoedi-Arabië.'

'Dat vind ik ongehoord en mijn grootvader zal dat nooit toestaan. Ons gulden principe is dat zich geen vluchtelingen opnieuw mogen vestigen.'

'Ja precies, geachte prins, geen kans om zich opnieuw te vestigen. Dan moet ik de vrijheid hebben om Taji een royaal aanbod te doen. Laten we hem bijvoorbeeld tot speciale adviseur benoemen van Zijne Majesteit Ibn Sa'oed voor vluchtelingenzaken.'

'Hoeveel gaat ons dat kosten?'

'Hoe belangrijk is het dat wij hen uit elkaar halen?'

'Honderdduizend?' stelde Ali Rahman voor, maar hij wist al dat zijn aanbod aan de lage kant was. 'Dollars,' voegde hij er snel aan toe.

'Honderdduizend... pond sterling,' was Kabirs tegenvoorstel.

De prins vroeg zich af hoeveel Fawzi Kabir daarvan in zijn eigen zak zou steken. Maar wat deed het ertoe. Als die investering vruchten afwierp, was het een aalmoes. Hij knikte ten teken dat Kabir zijn betoog moest voortzetten.

'Wat die andere twee betreft,' vervolgde Kabir, 'Laten we hun een toegangsbewijs geven.'

'Ben je gek geworden!'

'Laat u mij alstublieft uitspreken. De regels van de conventie luiden als volgt. Kleine commissies, bestaande uit leden van alle delegaties

438

zullen het erover eens moeten worden welke eisen en welke agenda wij aan de Internationale Arbitragecommissie zullen voorleggen. Charles Maan en hadji Ibrahim zullen in deze commissies overstemd worden. Laat hen eeuwig harrewarren over hoeveel haren er op de hals van een kameel zitten.'

'Dat zou riskant kunnen zijn. Ze zouden met elkaar kunnen samen-spannen.'

'Hoogheid, u bent de kleinzoon van de grote Ibn Sa'oed die ik in mijn gebeden niet zelden gedenk, moge Allah zijn onsterfelijke naam zegenen. Hoe luiden onze principes? Geen vrede met de joden. Geen onderhandelingen met de joden. Geen erkenning van de joden. Geen terugkeer van vluchtelingen naar door zionisten beheerst gebied. Geen nieuwe vestiging van vluchtelingen in Arabische landen. Alle andere afgevaardigden zijn het hierover eens. Wij vormen één blok. Daar zullen deze onbelangrijke indringers geen verandering in bren-gen. We laten hen daarom doldraaien. We praten een week, een maand, zes maanden. Dan zullen ze het al gauw opgeven.'

Ali Rahman nam een standbeeldachtige houding aan en dacht als een prinselijke hoogmogendheid na. Kabir was bekend met de vreemde gedragswijzen in het Westen, een wereld waarin hij nog al-tijd een vreemdeling was. Door opzettelijk verwarring te stichten in de commissies zouden de vijf principes inderdaad gewaarborgd blij-ven en dat was wat zijn grootvader hem had opgedragen, hoeveel dat ook ging kosten.

'Wat stoppen we de andere delegaties toe?'

'Een paar duizend hier, een paar duizend daar,' antwoordde Kabir. 'Belangrijke generaals en ministers iets meer. Voldoende om ons er-van te verzekeren dat onze wensen ten uitvoer gebracht worden.'

'Wat doen we met die negerslaaf?' vroeg Ali Rahman.

Kabir schraapte zijn keel. 'Bezigt u die uitdrukking alstublieft niet in het openbaar, geachte prins. Dr. Ralph Bunche is een man die in hoog aanzien staat, ook al is hij in de verkeerde huid geboren.'

'Kunnen we vat op hem krijgen?' vroeg Ali Rahman.

'Dat hebben we zorgvuldig nagetrokken. Hij neemt geen geschen-ken aan. Hij weet echter weinig af van onze manier van doen. Wij zullen hem inpakken.' Kabir bevochtigde nerveus zijn lippen en zei aarzelend: 'Uw onsterfelijke, onvolprezen grootvader heeft u toch zeker wel de instructies gegeven waar ik om heb verzocht..'

'Aangaande wat?'

'Aangaande onze plannen op de lange termijn om Syrië en Egypte in te sluiten.'

Ali Rahman liet zijn lange vingers kraken, streek over zijn sik en knikte. 'Vertel de Egyptenaren en Syriërs dat zij een miljoen dollars per dag krijgen uit de Saoedische schatkist voor wapens.'

'Dat is wat zij graag willen horen, geachte prins,' zei Kabir, die nauwelijks de opwinding kon bedwingen die hij inwendig voelde opkomen. 'En wat die andere kwestie betreft...'

'Welke andere kwestie?'

'Zoals ik al heb uitgelegd, is de westerse pers erg machtig. Het Westen koopt onze olie. Ik heb het over mijn voorstel om een gebaar te maken om hen te beïnvloeden, die gift voor vluchtelingenhulp. Dat zal zeker bij hen aanslaan.'

'Nee!' onderbrak Ali Rahman hem. 'Wij wensen niets van doen te hebben met hulpverlening. De vluchtelingen zijn door hun eigen toedoen in deze situatie verzeild geraakt.'

'Maar de Verenigde Naties hebben dat zionistische wangedrocht in het leven geroepen,' drong Kabir aan.

'Precies! Daarom zijn de Verenigde Naties verantwoordelijk voor de vluchtellingen. Het is een zaak die de wereld aangaat, geen zaak die de Arabieren aangaat. Het komt hierop neer dat, als het de vluchtelingen te gemakkelijk gemaakt wordt, zij er genoegen mee zullen nemen dat zij in die kampen wegrotten. Er moet voor gezorgd worden dat zij naar wraak blijven dorsten.'

'Ik geloof dat ik daar iets op weet,' zei Kabir, voorgevend dat hij zich liet inspireren door een plotselinge ingeving. 'Spring niet op uit uw stoel, geachte prins, maar stel dat we aan de westerse pers een aantal plannen bekend zouden maken om de vluchtelingen toe te staan zich opnieuw in Arabische landen te vestigen.'

'Wat!'

'Ik smeek u mij te laten uitspreken. Onderschat u niet het belang van het winnen van de sympathie van het Westen. Laten we zeggen dat Egypte een plan afkondigt om de vluchtelingen nu in de Gaza-strook toe te laten om hen zich te zijner tijd definitief te laten vestigen in de Sinaï. Libië stemt erin toe om anderen op te nemen. En veronderstel dat Syrië bekendmaakt dat de vluchtelingen uit Syrië en Libanon zich opnieuw mogen vestigen in het dal van de Eufraat.'

'Je tong dreigt geamputeerd te worden, Kabir!'

'Nee, nee geachte prins. Luistert u alstublieft naar me. Na deze afkondigingen verklaart het koninklijk huis Sa'oed, dat het een miljoen dollars per dag zal bijdragen om die nieuwe vestigingen mede mogelijk te maken.'

Rahmans gezicht liep rood aan, maar hij begon ook door te krijgen dat Kabirs gedachtengang misschien zo gek nog niet was.

'Al die proclamaties zijn slechts bedoeld om het Westen tevreden te stellen. Wij bewijzen zo dat we geen onverzoenlijk standpunt innemen. Wij bewijzen dat we ons menselijk opstellen. Er gaat tijd overheen. De conferentie is afgelopen. Er gaat nog meer tijd overheen. De plannen voor nieuwe vestigingen verdwijnen geleidelijk aan achter de horizon als de ondergaande zon in de woestijn. Die één miljoen per dag wordt helemaal niet uitbetaald, maar wordt in plaats daarvan nu aan de aankoop van wapens besteed. Wij zullen met dit soort propaganda hier in Zürich een grote overwinning boeken.'

De opwinding over het schandelijke voorstel ebde weg nu duidelijk werd hoe innemend het plan was. Prins Ali Rahman was met de listigheid die de woestijnbewoner eigen is al intriges aan het uitwerken.

'Ik zal erover spreken met mijn grootvader en de kroonprins. Als woestijnbewoners zouden zij best iets in dit plan kunnen zien.'

'Intussen zal ik alle delegaties onder controle houden, neemt u dat maar van mij aan. En laten we de Libanezen daarbij insluiten,' zei Kabir.

'Hoezo? Zij vertegenwoordigen slechts een land van waardeloze kooplieden waar het wemelt van de niet-gelovigen.'

'Jawel, maar als het op progressief denken aankomt, doen zij alleen onder voor het geweldige huis Sa'oed. De prinsen van Koeweit en Oman hebben nu inmiddels al ontdekt dat zij eh... fantastische alternatieven bieden voor Zwitserland. Beiroet is een combinatie van Parijs, Mekka en de zeven hemelen aan het worden. En ondanks de aanwezigheid van een groot aantal christenen maken zij toch echt deel uit van ons eigen volk. Een gebaar ten opzichte van Libanon.'

'Houd het binnen de perken, Kabir.'

'Een aalmoes.'

'Goed dan, maar vóór ik dat aan mijn grootvader voorstel, moet ik de ministers van buitenlandse zaken van Egypte, Syrië en... Libanon hier, in dit vertrek bijeen hebben om me ervan te verzekeren dat wij elkaar volledig begrijpen.'

Fawzi Kabir haalde snel diep adem, beet op zijn lip en schudde zijn hoofd. 'U vraagt het onmogelijke van me, geachte prins.'

'Wij betalen de rekeningen! Zij moeten hier verschijnen!'

'Ik smeek u, hoogst edele Hoogheid, laat mij onder vier ogen met hen praten.'

'Waarom kan ik niet met hen gezamenlijk praten?'

'Ben ik niet altijd eerlijk tegen u geweest?' vroeg Kabir.

'Ik eis hen gezamenlijk hier te zien, vandaag nog, binnen het uur.'

Kabir zuchtte ongeveinsd. 'Ik smeek u naar me te luisteren. Niet één delegatie hier is bereid in het bijzijn van enige andere delegatie een verplichting aan te gaan. De Syriërs vertrouwen de Egyptenaren niet. De Libanezen hebben slechts vertrouwen in geld. Niemand vertrouwt Jordanië. De verschillende Palestijnse delegaties staan onder controle van hun gastland. Zij ruziën verwoed in besloten commissies en dat is precies wat wij willen. Wanneer zij echter in het openbaar voor de arbitragecommissie verschijnen, houden zij allemaal hun mond, want de een vreest de ander. Zij koesteren allemaal argwaan ten opzichte van elkaar en ze proberen nu al allemaal elkaar onderling te slim af te zijn. Laten we hopen dat Allah ons bijstaat, want sommigen van hen proberen zelfs op eigen houtje een overeenkomst te sluiten met de joden. Wij kunnen hen niet in een en hetzelfde vertrek samenbrengen, geachte prins. Vertrouwt u mij. U moet begrijpen, dat het enige dat ons echt bindt de haat tegen de joden is.'

Vreemd genoeg toonde prins Ali Rahman voor Kabirs kronkelige gedachtengang begrip. Er was tot nog toe onder moeilijke omstandigheden uitstekend werk geleverd. De conferentie moest in een tegen de joden gerichte oorlogsstemming eindigen. Maar manipuleerde hij nu Kabir, of manipuleerde Kabir hem? Als iedere Arabische delegatie dezelfde doelstelling had, waarom gaven de Saoediërs dan miljoenen uit aan smeergeld? Hij wist het antwoord daarop wel. Dat was omdat de Saoediërs daar genoeg geld voor hadden. Gooi geen roet in het eten, zei Ali Rahman bij zichzelf. Stel Ibn Sa'oed niet teleur.

De prins keek argwanend het vertrek rond, hoewel er verder niemand aanwezig was, en boog zich toen naar voren. 'Wat heb je gedaan ten aanzien van de moord op Abdullah?' vroeg hij.

Fawzi Kabir plukte één druif van de schaal. 'Een netelige kwestie. Abdullah moet al dertig jaar zijn best doen om in leven te blijven. Om zijn paleis ligt een cordon van het Arabische Legioen. Abdullah strooit met Britse ponden alsof het snoepjes zijn om zich van hun loyaliteit te verzekeren. Het paleis is hermetisch afgegrendeld. Binnen heeft hij een persoonlijke lijfwacht om zich heen van fanatieke Kirgiezen.'

'Dat zijn niet eens moslems,' spotte Ali Rahman. 'Dat zijn Russen.'

Kabir maakte een gebaar alsof hij zijn handen aan het wassen was. 'Laat ik het zo stellen, dat wij nog niet over de man beschikken met de hand op het gevest van een dolk. Maar we hebben vorderingen gemaakt. Ik heb contact gezocht met een belangrijke Jordaanse minister hier in Zürich, die voorkennis heeft van de plannen van de koning. Hij zal meewerken. Hij zal ons veel geld kosten, maar hij zal meewerken. Wanneer hij naar Amman terugkeert, kan hij ons berichten waar en wanneer Abdullah zijn paleis uit zal komen. Dan kan hij ons niet meer ontsnappen. Wanneer we eenmaal maar weten wanneer hij in Nabloes, Hebron of Oost-Jeruzalem zal zijn, kunnen we een lid van de Moslem Broederschap uit Egypte of een van de moordenaars van de moefti op hem afsturen. We beschikken over een lijst van dergelijke lieden, die op korte termijn beschikbaar zijn. Niemand kan heel dicht bij Abdullah in de buurt komen en daarom kan het niet met een mes gebeuren. Zelfs een sluipschutter die van op afstand toeslaat, maakt geen kans om levend te ontkomen. Om die reden hebben we een fanaticus nodig die bereid is een martelaar van zichzelf te maken. Een automatisch pistool vanuit een menigte op korte afstand. Maar we moeten geduldig zijn, geachte prins.'

Zij voerden hierna nog een aantal discussies over minder belangrijke financiële aangelegenheden. Prins Ali Rahmans eigen favoriete kleinzoon had zich door middel van omkoping een plaatsje aan de Sorbonne verworven en had in een buitenwijk van Parijs een villa met veertig kamers gekocht. Ali Rahman vloekte van woede, maar stemde er toch in toe de rekening te betalen. De jongen nam een belangrijke plaats in wat zijn eigen ambities aan het koninklijk hof betrof en hij moest tenslotte toch opgeleid worden. Ibn Sa'oed was edelmoedig in deze zaken, maar de vijftig prinsjes op het Europese vasteland gaven nog meer uit dan de miljoen dollars per dag die aan de Egyptenaren en de Syriërs beloofd was.

Fawzi Kabirs injectie raakte uitgewerkt en er verschenen zweetdruppeltjes op zijn hoofd. Hij bad dat hij nu kon gaan.

'Nog één kwestie, Kabir.'

'Ja, geachte prins?'

'Wat als die Maan of hadji Ibrahim besluit om op eigen houtje met de joden om de tafel te gaan zitten?'

'De joden doen de arbitragecommissie allerlei aanbiedingen. Dat is uiteraard de reden waarom wij ook voor rede vatbaar moeten lijken. Maan en hadji Ibrahim kunnen niet op wettige wijze een verdrag sluiten zonder de goedkeuring van alle Arabische delegaties. Wij zullen een zo indrukwekkend mogelijke campagne in de Arabische pers en over de Arabische radio voeren. Wij zullen die twee zo levendig als verraders afschilderen, dat zij in het speeksel van hun eigen volk zullen verdrinken.'

Tik, tak, tik, tak, bom, bom, bom, bom, bom galmde de mammoetklok in de toren van de Fraumünsterkerk.

Bom, bom, bom, bom, bom antwoordde die van de St. Peter slechts een vierde galm later.

Hadji Ibrahim stapte uit het schaars verlichte congresgebouw in het schelle licht van de namiddag. Aan de kilte in de lucht was te merken dat de herfst in aantocht was. Charles Maan had Ibrahim een tweedehands overjas bezorgd, die hij over zijn enige, tweedehands kostuum kon aantrekken. Door die hem onbekende koude voelde hij zich nog verder van Palestina verwijderd. Zürich kwam hem nu al niet meer zo erg vreemd voor. Hij verheugde zich op zijn avondritueel, een wandeling van de conferentiezaal naar zijn kamer in een pension aan de andere kant van de rivier, vlakbij de universiteit.

'Denkt u dat u spoedig naar huis zult gaan?' had de pensionhouder voorzichtig gevraagd. Aan de universiteit waren de colleges van die herfst alweer begonnen en de studenten hadden ook onderdak nodig. Als Ibrahim midden in het semester vertrok, konden zij zijn kamer misschien pas weer in de lente verhuren.

Aanvankelijk hadden er 's avonds chocolaatjes op zijn kussen gelegen en mevrouw Müller had een paar oude pantoffels en een oude badjas voor hem opgezocht. Zij had de pantoffels iedere avond op een schoon, wit handdoekje aan het voeteneinde van zijn bed neergezet. De kilte van de herfst had echter ook bezit genomen van de pensionhouder en zijn vrouw, en hun onrust weerspiegelde zich in Ibrahims toenemende vermoeidheid.

Palestina is een Arabisch probleem waarvoor slechts door de Groot-Arabische natie een oplossing gezocht kan worden. Wij begrijpen eigenlijk niet wat die zogenaamde delegatie van de vluchtelingen van de westelijke Jordaanoever hier te zoeken heeft. Onze vluchtelingen-broeders worden al uitstekend vertegenwoordigd door de rechtmatige Arabische mogendheden, sprak de ene na de andere minister en bagatelliseerde zo de rol van de hadji.

Tik, tak, tik, tak, tik, tak.

Wat was Ibrahim de belachelijk hoge plafonds en de glanzende lambrizering van de zalen in het congresgebouw gaan haten! Veertig bijeenkomsten. Veertig verloren dagen. Woorden vlogen over de prachtige mahoniehouten tafel met de snelheid en heftigheid van een zomers onweer. De betekenis van die woorden verdween net zo snel als een bliksemstraal. In leuzen werd met de regelmaat van de Zwitserse klokken die vanuit hun Zwitserse torenspitsen het uur sloegen gepatenteerde propaganda uitgebraakt.

Bom. Egypte eist het zuidelijk deel van de Negev-woestijn op om veiligheidsredenen. Jordanië tekent bezwaar aan.

Bom, bom. Syrië eist het westelijk deel van Galilea op als een integraal deel van het land, gelet op haar Osmaanse geschiedenis. Libanon tekent bezwaar aan.

Bom, bom, bom. Jordanië eist dat haar annexatie van de westelijke Jordaanoever geratificeerd wordt. Iedereen tekent bezwaar aan.

Bom, bom, bom, bom. Libanon eist het recht op het westelijk deel van Galilea te annexeren. Syrië tekent bezwaar aan.

Bom, bom, bom, bom, bom... democratische dialoog... parlementaire procedures.... een punt van orde... instructies van mijn regering... broederschap.... eenheid... protocol.... overwegingen ten aanzien van de uitvoerbaarheid... de subcommissie van de subcommissie wil nader bestuderen...

Woorden flitsen rond als rapieren in een duel, rats, bang. Woede en walging veren terug van de verheven hoogten van de vergaderzalen en het intellect raakt afgestompt en wordt beledigd. Er moeten rationele conclusies getrokken worden, maar die verdwijnen in echokamers. De Egyptenaren interpreteren dingen op een bepaalde manier. De Syriërs interpreteren dezelfde woorden op een andere manier. De Irakezen luisteren niet eens.

De kwestie is niet dat zij valse leugenaars zijn, dacht Ibrahim, terwijl de uren traag verstreken. De kwestie is dat zij van nature leugenaars zijn, leugenaars die in hun eigen leugens geloven. Plannen die ontspruiten aan stortvloeden van woorden zijn even wezenloos als een woestijn zonder oase.

Dat verandert nu, want die commissievergaderingen hebben we achter de rug en de monden blijken opeens met stomheid geslagen te zijn, waar er in het openbaar voor de arbitragecommissie gesproken moet worden.

'Heeft uw commissie enige conclusie getrokken over hoe de grenzen van de Palestijnse staat eruit zouden moeten zien?' vroeg dr. Bunche.

'Wij moeten nog een paar meningsverschillen uitpraten.'

'Ik heb u al duizend keer gevraagd voor deze commissie te verschijnen om, één voor één, uw eigen ideeën naar voren te brengen.'

'Maar dat kunnen we niet doen. We hebben een eenheidsverdrag ondertekend.'

'Heeft uw commissie een eensluidend standpunt ingenomen ten aanzien van de status van Jeruzalem?'

'Daar zijn we nog over bezig.'

'Dr. Bunche, wij blijven steken in een moeras van woorden!' riep Ibrahim vol afschuw uit.

'We bevinden ons niet in een oerwoud,' antwoordde de Egyptische gedelegeerde.' We moeten ons aan de regels houden van een ordelijk debat. Dwing ons niet uw bewijs van toegang opnieuw te bezien, hadji Ibrahim.'

'U hebt dus nog geen standpunt ingenomen over deze kwestie,' drong dr. Bunche aan.

'We zijn daar nog in commissies over bezig.'

'De Internationale Arbitragecommissie wordt tot de orde geroepen,' zei dr. Bunche. 'Ik heb u gevraagd commentaar te leveren op de verschillende voorstellen die door de staat Israël zijn gedaan, te weten dat zij bereid is te onderhandelen over de repatriëring van afzonderlijke families en om te beginnen daarvoor honderdduizend personen toestemming geeft. De staat Israël heeft er niets op tegen herstelbetalingen te doen voor verlaten Arabische akkers, die voor het uitbreken van de oorlog bebouwd waren en heeft erin toegestemd geblokkeerde rekeningen, zowel als effecten en kostbare bezittingen die in Israëlische banken worden bewaard vrij te geven. Welk standpunt heeft uw commissie ingenomen inzake deze voorstellen?'

'Laten we dit eerst even duidelijk maken, dr. Bunche: wij erkennen het bestaan niet van die zionistische staat. Wij kunnen dan ook niet praten met iemand wiens bestaan wij niet erkennen.'

Ah, maar ze praten wel degelijk met de joden, één voor één, op geheime plaatsen in Zürich!

'Hoe kunnen er oplossingen uitgewerkt worden zonder rechtstreekse onderhandelingen?'

'Wij kunnen niet met iemand praten die geen gezicht heeft.´Of de zionisten willigen onze eisen in óf het zal eeuwig oorlog zijn.'

'Maar welke eisen stelt u dan?'

Stilte.

Tik, tak. Tik, tak. Bom, bom, bom.

'Ik wil over terugkeer onderhandelen!' antwoordde Ibrahim.

Alle gedelegeerden sprongen overeind. 'Dat is een belediging voor de wettige Arabische regeringen! U geeft deze indringers ten onrechte rechten. Wij eisen dat hun toegangsbewijs wordt ingetrokken.'

'Maar ik heb dat vervloekte eenheidsverdrag van jullie niet ondertekend!'
'Daar gaat het juist om! U hebt het recht niet hier te zijn!'
'Wij hebben de toegangsbewijzen van alle hier aanwezige delegaties al gecontroleerd,' zei dr. Bunche, 'en er wordt er niet één van
ingetrokken. De vluchtelingen van de westelijke Jordaanoever wonen volkomen terecht deze conferentie bij.'
'Ziet u wel! Hij trekt partij voor zionisten en verraders!'

Hadji Ibrahim sloeg zijn handen achter zijn rug ineen en slenterde
naar de eerste brug waar de rivier de Limmat breeduit aan het op een
juweel lijkende Meer van Zürich ontsprong. Daar stond ooit een Romeinse douanepost. Ooit liepen Lenin, Einstein, Jung, James Joyce,
Goethe en Richard Wagner dezelfde weg.
Je zou denken dat dit een stad was van grote denkers en patriotten,
maar dergelijke lieden verbleven er slechts op doorreis van de ene
naar de andere plaats. Het was geen Parijs, slechts een gerieflijk toevluchtsoord voor de misdeelden, een tijdelijke vrijplaats voor de ontgoochelden.
De overvolle schalen met gerechten had hij aanvankelijk met zijn
hongerige maag als een weldaad ervaren. Zelfs in kosthuizen voor
studenten had je bergen aardappels en vlees. Ibrahim smeekte Allah
hem te vergeven, maar hij kon zichzelf er niet van weerhouden van de
dikke plakken Zwitserse ham te proeven, hoewel dat volgens zijn
godsdienst bewuste heiligschennis was. Schalen vol knoedels, strudel,
koteletten, braadworst en uit vele lagen bestaand gebak...
Die middag gaf een orkest op de kade een concert. De klanken van
een wals van Strauss zweefden naar de oren van al wat oudere wande-
laars en toehoorders met gezichten die allemaal uit graniet gehouwen
leken. Er werd zelden gelachen en ook zag je er zelden verliefde paar-
tjes.
De dubbele trams reden alsof zij zich op luchtkussens voortbewo-
gen en de mensen liepen met afgemeten passen tussen het verkeer
door. Er werd niet getoeterd, iedereen was geduldig. Geen geuren
van kardemom of andere specerijen, geen geharrewar tussen koper
en verkoper. Afdingen was er niet bij. Verder zag alles er ordelijk uit.
De geraniums in hun potten, de gesnoeide bomen, de glanzende banken, de glanzende luifels van de cafés, de blinkende afvalbakken en
de vijf verdiepingen hoge flatgebouwen die keurig op een rij aan
weerskanten van de rivier stonden. Watertaxi's gleden stilletjes voorbij zonder veel meer geluid te maken dan werd veroorzaakt door het

wapperen van de Zwitserse vlag. Zelfs de eenden waggelden in formatie langs.

Alles was hier af. Geen achterbuurten, geen kastelen. Ieder grassprietje stond keurig rechtop. Het land was voltooid, onberispelijk afgewerkt.

Ibrahim kwam bij de Münsterbrug, de tweede van een reeks van vijftien die de twee oevers van de rivier met elkaar verbond.

Aan weerszijden van de brug doorboorden de torenspitsen van de twee kathedralen een lage einder. De Fraumünsterkerk stond met haar kolossale klok op de grens van de Oude Stad, het al heel oude ommuurde stadsgedeelte. Recht tegenover Ibrahim verrezen de twee fallische torens van de Grossmünster. De kathedralen leken op met elkaar wedijverende vestingen, die ieder moment krijgers met scepters, spiezen en hellebaarden konden uitbraken om midden op de brug slag te leveren om het bezit ervan.

Ibrahim ging aan een vertrouwd tafeltje in een vertrouwd café zitten en bestelde koffie bij een sympathieke ober die hem dagelijks op dit uur adopteerde. Sjeik Taji, die vandaag geen commissievergaderingen had, was opnieuw niet aanwezig. Nu was hij al drie dagen achtereen niet komen opdagen. Evenmin was de sjeik 's avonds thuisgekomen in hun pension. Ahmed Taji had dadelijk al in Zürich voor enige sensatie gezorgd met zijn voor de woestijn normale gewaden en zijn her en der rondgestrooide wijsheden. Hij had zijn thuis ver van huis gevonden in de oude stad, in het Niederdorf, een goed beheerde wijk die gereserveerd was voor het bedrijven van zonden.

Daar had Fawzi Kabir hem aangetroffen. Het was in een Rolls Royce maar een korte rit van de verhulde armoede van de pensions in de Universitätsstrasse naar de villa in Zollikon.

Deze zoon van de woestijn, die zijn filosofieën voor het merendeel gebaseerd had op aan geduld gewijde parabels, had aan het eind van de vijftiende vergadering van zijn commissie zelf toch ook zijn geduld verloren. En wie kon hem dat kwalijk nemen? Ibrahim zag hem overstag gaan, maar kon hem daar niet van afhouden. Voor Ibrahim vertegenwoordigde Palestina een onverwacht toeslaand hartzeer, pijn, hunkering. Voor sjeik Taji raakte Palestina in nevelen gehuld en werd het beeld vager naarmate hij meer oor kreeg voor de hem toegefluisterde droombeelden.

Op een dag pronkte Taji met een nieuw, gouden horloge. Hij en Ibrahim kregen ruzie, trokken hun dolk, huilden, vloekten en werden bijna de deur uitgezet. Daarna praatten ze niet meer zo makkelijk met elkaar. De week daarop had hij een maatpak aan en op een avond gaf hij een paar honderd dollars uit.

Telkens wanneer zij het congresgebouw verlieten, stonden op de andere gedelegeerden rijen limousines te wachten. Toegevend aan zijn argwaan liep Ibrahim achter de sjeik aan, de hoek om, de Beethovenstrasse in waar een Rolls Royce stond te wachten. De vraag was toen slechts nog, wanneer hun kwetsbare coalitie uiteen zou vallen. Als Taji het liet afweten, zou dat een harde klap zijn. Ibrahim smeekte Allah om wijsheid om nog één keer een poging te wagen de zaken ten goede te doen keren, want daarvoor was nu het moment aangebroken.

De hadji keek droevig gestemd om zich heen, terwijl zijn ober en nieuwe vriend Franz voor hem neerzette wat er op zijn blad stond: vier verschillende plakken dure cake, die niet besteld waren, maar altijd te voorschijn werden getoverd uit de kast waarin werd bewaard wat er de vorige dag was overgebleven. Ibrahim glimlachte dankbaar en Franz, de fatsoenlijke christen, de vrome man met de kliekjes, knipperde verlegen met zijn ogen. Zij praatten schoolmeesterachtig met elkaar in gebroken Arabisch en gebroken Duits.

Kleine hapjes nemend bleef hij zitten wachten. Tik, tak, tik, tak, bom, bom, bom, bom, bom, bom. Zes uur. Nu kon Charles Maan ieder moment komen.

Ibrahim keek om zich heen, naar de vrouwen met hun stijve, geplooide hoeden op hun stijve, hoog opgemaakte haardos. En naar de mannen met hun stijve boord om en een homburg op, die over het algemeen in een werktuiglijke cadans met een wandelstok op de straat tikten.

Kunnen mensen zo tevreden zijn, dat van hun manier van doen rust uitgaat en kunnen zij instemmen met een levenspatroon zonder woede of protest? Zelfs het leven aan de zelfkant van de maatschappij in het Niederdorf was ongeïnspireerd en verliep volgens een geijkt patroon. Zou hij voor altijd in zo'n plaats kunnen blijven? Wat zou hij kunnen doen? Hij zou misschien een paar gewaden kunnen aanschaffen om een kleurrijk portier worden. Nee, zelfs dat was niet mogelijk. Je moest een leven lang werken – en dat was een onplezierige gedachte – om tot een Zwitserse portier bevorderd te worden. Bovendien zouden de gewaden van een Arabier te opzichtig zijn. Waarom *schreeuwde* er af en toe niet iemand tegen iemand?

Hij zat financieel aan de grond, maar hij veroorloofde zich de luxe van een tweede kop koffie. De Zwitserse koffie was lekker, kon zelfs enig gevoel oproepen, maar veroorzaakte beslist niet de sensaties en emoties van Arabische koffie. Hij at de schaaltjes helemaal leeg. Nog geen Charles Maan.

Charles was een ware bondgenoot en vriend geweest. Hij haalde geen achterbakse streken uit. Hoe waardevol was hun bijdrage geweest? Zonder hen zou de conferentie niets dan een farce geweest zijn. Zij hadden de belangrijkste Arabische delegaties ertoe gedwongen hun toevlucht te nemen tot allerlei ontwijkende manoeuvres, in het openbaar uitgesproken beloften en hen bij tijd en wijle in verlegenheid gebracht. Van de weeromstuit waren zij met de nek aangekeken.

Terwijl de conferentie zich voortsleepte en in futiliteiten verzandde, raakte Charles steeds meer geneigd discussies aan te gaan met christelijke instellingen. Op de christenen kregen de Arabieren geen vat en zij konden hen niet buitensluiten, dwingen of ontlopen. Het aantal vluchtelingen was nooit nauwkeurig geteld, maar er werd verondersteld dat tien procent van de bewoners van de kampen uit christenen bestond en dat zij wellicht gered zouden kunnen worden. Met instemming van Ibrahim stelde Charles pogingen in het werk om uit die mogelijkheid voor de christenen te halen wat erin zat.

Een waarnemer van het Vaticaan, monseigneur Grenelli was vanaf de tweede week in Zürich aanwezig en vertrouwde Charles toe dat hij een gunstig rapport had verzonden naar de gestelde machten.

Het is deze waarnemer duidelijk geworden, dat alle Arabische delegaties, met uitzondering van die van de vluchtelingen van de westelijke Jordaanoever, volgens een vooropgezet plan te werk gaan om de vluchtelingen opgesloten te houden in hun kampen met het doel hen te vervullen van haat jegens de joden...

Zij hebben alle menswaardige oplossingen van de hand gewezen om het conflict met Israël te kunnen laten voortduren ..

Israël heeft daarentegen oprecht blijk gegeven van bereidheid alle aspecten van de situatie te bespreken, maar de Arabische staten weigeren de joden persoonlijk te ontmoeten, hoewel bekend is dat er al talloze malen geheime ontmoetingen hebben plaatsgevonden.... Iedere Arabische leider, die zich bereid toont met Israël te onderhandelen kan zich ervan verzekerd weten dat hij door de anderen uit de weg geruimd zal worden.

... adviseert daarom zonder enige terughoudendheid dat wij via verschillende hulpverlenende instanties en liefdadigheidsinstellingen interveniëren om onze christenbroeders en -zusters in deze kampen te redden...

Het rapport lag al een maand in Rome, toen monseigneur Grenelli plotseling werd teruggeroepen voor overleg. Charles wist niet wat er besproken zou worden of wanneer de monseigneur zou terugkeren. Uit briefjes die hij af en toe ontving en een hem via via bereikend bericht maakte hij op, dat er in het Vaticaan iets uitgebroed werd.

Om half zeven keek Franz Ibrahim aan en haalde veelbetekenend zijn schouders op. Nee, geen trouwe bondgenoot vanavond. Het begon behoorlijk kil te worden. Hij trok zijn jas dicht om zich heen en verliet het café. Hij liep langs de Grossmünster, de eigenaardige, smalle Kirchgasse door en klom de treden op naar het steile heuveltje waar de universiteit ook weer een ongelooflijk mooi uitzicht bood op fantastische bergen, een fantastisch meer en een keurige stedelijke indeling daar beneden.

Hij wilde niet naar het pension terugkeren. In de ogen van de studenten was hij een aardige, zij het vreemde figuur en hij vond de meesten van hen ook wel aardig, maar vanavond voelde hij zich niet opgewassen tegen weer zo'n berg aardappelen en vlees en het luidruchtige geratel in een taal waarvan hij maar af en toe iets begreep. Evenmin wilde hij de beproevingen doorstaan van in gebroken Duits gevoerde gesprekken in de zitkamer, gevolgd door de barre eenzaamheid van zijn zolderkamer.

De gedachte kwam bij hem op Emma Dorfmann op te bellen. Emma was een plompe weduwe, die de eigenaresse was van een winkeltje bij de universiteit waar postpapier, schoolbenodigdheden, tijdschriften en rookwaren werden verkocht. Zij had verscheidene jaren in Cairo gewoond, waar haar nu overleden man voorman geweest was van een Zwitserse firma die machines installeerde in fabrieken. Ibrahim werd duidelijk aangetrokken door wat ze nog van het Arabisch wist en wat er verder volgde leek vanzelfsprekend. Ze had een aardig appartement boven haar winkel met onberispelijke kleedjes en borduurwerk. Emma was niet zo aantrekkelijk dat ze regelmatig mannen op bezoek kreeg. Zij nam over het algemeen genoegen met dagelijks een paar grappen maken met de studenten, haar activiteiten voor de kerk en haar weduwe geworden moeder en weduwe geworden zuster. Ibrahim werd bezien als een onverwacht buitenkansje, waarvoor af en toe zonder problemen tijd vrijgemaakt kon worden.

Emma besteedde veel aandacht aan hem tijdens die een of twee keer per week dat hij haar opzocht, vulde zijn voortdurend lege maag wat minder smakeloos dan in het pension het geval was en bleek een vurig en plezierig bedgenote. Ze had van die grote billen waar je op kon slaan en in kon bijten. Die konden Ibrahim aanzetten tot uitbars-

tingen van primitieve hartstocht en haar meer dan grote borsten bleken net zo rustgevend als een wiegeliedje. Ze was feitelijk helemaal
niet zo saai als je van een dikke, Zwitserse weduwe zou verwachten en
hij bleef zodoende bij de prostituées vandaan voor wie hij helemaal
geen geld kon uittrekken.

Het belangrijkste aan deze vriendschap was, dat zij heel wat vaker
wilde dat Ibrahim het haar naar de zin maakte, dan dat hij dit van haar
verlangde, zodat hij de situatie redelijk onder controle kon houden.

Ibrahim bleef aarzelend op de hoek van de Schmelzbergstrasse en
de Sternwartstrasse naar het slaapvertrek van mevrouw Müller staan
turen. Toegevend aan een plotselinge opwelling draaide hij zich om,
liep terug naar het neo-barokke, op een modern soort kasteel lijkende, reusachtige universiteitsgebouw, naar een reeks telefooncellen
vlakbij de ingang.

'Hallo, met mevrouw Dorfmann.'

'Met Ibrahim, Emma.'

'Oh, wat heerlijk iets van je te horen. Is alles goed met je?'

Ibrahim liet zachtjes de langste zucht van zijn leven ontsnappen. 'Ik
wil graag naar je toekomen.'

'Lieve hemel, Ibrahim, waarom heb je me niet eerder gebeld? Omdat je gisteravond hier was, verwachtte ik beslist niet dat je al zo gauw
weer zou bellen. Het spijt me, maar mijn moeder en zuster zijn helemaal uit Sellenbüren overgekomen. Kom je dan morgen?'

'Misschien.'

'Voel je je wel goed, Ibrahim?'

'Ja hoor.'

'Het spijt me erg, Ibrahim.'

Hij kneep zijn ogen dicht, klemde zijn tanden op elkaar en plengde
bijna een traan. 'Ik voel me erg eenzaam,' zei hij in weerwil van zichzelf. 'Ik heb je nodig.'

Zoiets had ze hem nog nooit horen zeggen, want hij had die woorden nog nooit eerder uitgesproken, niet tegen haar en ook niet tegen
iemand anders.

'Geef me een uur de tijd om hen weg te sturen, Ibrahim en kom dan
alsjeblieft gauw hierheen.'

'Bedankt, Emma.'

Ibrahim liet zich vertroetelen en daardoor voelde Emma zich heel gelukkig. Hij drukte zich enkel tegen haar aan en zuchtte herhaaldelijk,
terwijl zij hem bevredigde zonder vragen te stellen. Uiteindelijk viel
hij in zo'n diepe slaap dat hij ervan snurkte, maar die slaap werd on-

derbroken doordat de telefoon begon te rinkelen.

'Het is voor jou,' zei Emma.

'Vergeef me dat ik vandaag niet naar je toe gekomen ben en vergeef me dat ik nog zo laat bel. Heb je vanavond de kranten gezien of naar de radio geluisterd?' vroeg Charles Maan.

'Nee.'

'Taji is overgelopen.'

Ibrahim smeet de dekens van zich af en ging met een beneveld hoofd overeind zitten.

'Waar is die vervloekte ellendeling?'

'Die is het land al uit. Hij verscheen met Fawzi Kabir en prins Rahman op het vliegveld. Hij vertelde de pers dat hij een benoeming aanvaard had tot adviseur van de Saoedische koninklijke familie voor vluchtelingenzaken. Hij laat zijn stam, zijn familie, iedereen in de steek. Hij heeft over jou en mij gezegd, dat wij een slechte invloed op de conferentie hebben uitgeoefend, enzovoorts. Hij vertrok aan boord van Rahmans privé-vliegtuig.'

'Wat betekent dat voor ons, Charles?'

'Dat betekent dat je maar beter kunt gaan bedenken wat jijzelf nu moet doen.'

'Ik blijf,' riep Ibrahim. 'Ik blijf tot ze me het land uitzetten of me vermoorden!'

14

De hadji ging als een razende tekeer. Nadat Ahmed Taji was overgelopen beukte hij een maand lang met zijn vuist op alle tafels in de zalen waarin commissies vergaderden. Hij eiste beantwoording van pijnlijke vragen. Hij sprak met sympathiserende verslaggevers en trok de oprechtheid in twijfel van talloze afgevaardigden. Hij gaf aan de universiteit een lezing voor een bomvolle zaal studenten en docenten, waarin hij het feit dat de Arabische delegaties opzettelijk de conferentie torpedeerden aan de kaak stelde en het verboden woord 'Israël' bezigde. Hij verscheen alleen voor de Internationale Arbitragecommissie en vroeg toestemming om rechtstreeks te onderhandelen over de terugkeer van de eerste honderdduizend en het vrijgeven van hun bezittingen.

Terwijl Ibrahim in zijn eentje aan een kruistocht begon, gingen de Arabische delegaties met vereende krachten over tot de tegenaanval door niet alleen 's mans beleidslijnen, maar ook zijn integriteit in twijfel te trekken. Stond Ibrahim misschien bij de zionisten op de loonlijst? Gaf Ibrahim zich over aan vreemdsoortige, seksuele praktijken? Was Ibrahim geestelijk wel gezond?

Het werd al kouder in Zürichs herfst.

De regen kletterde neer op het hellende dakraampje. Ibrahim stond op van zijn bidmatje op de grond, keek met een somber gezicht neer op de glinsterende, lege straat daar beneden, strekte zich op zijn rug op het bed uit en gromde. Er werd geklopt.

'Ja, binnen.'

Charles Maan kwam binnen en schudde een papieren zak leeg op het vierkante tafeltje. De voor een armoedzaaier gebruikelijke kost kwam eruit te voorschijn: salami, brood, kaas, een paar zoete koeken, wat goedkope wijn. 'Kijk, twee sinaasappels. Jaffa's nog wel.'

'Dan zijn we rijk,' zei Ibrahim, terwijl hij ging zitten.

Ze schilden en aten. Ibrahim merkte op dat Charles in een van zijn sombere buien was, want zijn gezicht was nog meer afgezakt dan het gewoonlijk al was.

'Zeg het maar, Charles.'

'Ligt het er zo dik bovenop?'

'Je zou een erg slechte handelaar in kamelen zijn.'

'Monseigneur Grenelli is gisteravond uit Rome teruggekeerd.'

Ibrahim voelde een golf van angst door zich heen slaan, maar liet daarvan niets merken. Hij friemelde aan de kurk op de wijnfles en hield zichzelf voor dat hij kalm moest blijven.

'Bracht hij goed nieuws?' vroeg Ibrahim.

Charles Maan knikte. 'Mij is gevraagd om op uitnodiging van de paus naar het Vaticaan te komen.'

'De paus. Toe maar. Dat is indrukwekkend. En weet je wat de paus wil?'

'Ja.'

'Vertel me dat dan gauw, Charles.'

'Ik dien een plan op te stellen voor de verhuizing naar andere locaties en de rehabilitatie van alle christelijke Arabieren in de kampen.'

'Maar dat is fantastisch!' zei Ibrahim, terwijl hij snel zijn aandacht richtte op het ontkurken van de wijnfles. De kurk floepte eruit. Hij schonk in en slaagde erin het trillen van zijn hand te verbloemen. 'Dat zal voor mij ook goed zijn. Ik kan dit aan de Internationale Arbitragecommissie voorhouden en hetzelfde van Egypte en Syrië eisen. Het enige dat zij gedaan hebben, is vaag beloven dat ze ons volk elders onderdak zullen brengen, begrijp je. Hierdoor zullen zij zich gedwongen zien dat ten overstaan van de Internationale Arbitragecommissie af te spreken. Dat staat gelijk aan een verdrag.'

'Kom nu toch, Ibrahim,' zei Charles Maan. 'Je weet dat een verdrag altijd maar zo lang geldig is als van pas komt. Geen enkele Arabische natie acht zich gebonden door een verdrag.'

'Maar het is een wapen. Daardoor worden ze nu voor het eerst gedwongen zich in de kaart te laten kijken,' antwoordde Ibrahim.

Charles reikte naar Ibrahims hand, pakte die vast, terwijl hij zijn wijnglas liet zakken. 'De paus heeft er een voorwaarde aan verbonden. Hij wil er niet bij betrokken raken als dat een openlijke ruzie met de Arabische wereld tot gevolg heeft. Alles moet achter de schermen geregeld worden.'

'Zo zit dat dus met dat vervloekte Vaticaan van jou! Alles in het geheim!'

Charles bood Ibrahim een sigaret aan, maar hij nam die niet aan. 'Is het niet genoeg dat zij menselijk genoeg zijn om zich ermee te bemoeien? Je weet verrekte goed dat geen paus openlijk de islam kan tarten. Wat wil je, hadji? Nog eens honderd jaar oorlog als in de tijd van de kruistochten?'

'Nee, natuurlijk niet. Het is heel goed te begrijpen,' zei Ibrahim, al wat rustiger. 'Zijn de joden bij deze afspraak betrokken?'

'Zij stemmen er stilzwijgend in toe bepaalde bezittingen vrij te geven.'

'Laten ze christenen naar Israël terugkeren?'

'Niet zonder erkenning of een officieel verdrag.'

'O,' zei Ibrahim. 'En welke Arabische landen hebben erin toegestemd christenen op te nemen?'

'Niet één,' antwoordde Charles Maan.

'Hoe kan dit plan dan ten uitvoer gebracht worden?'

'We zullen elders in de wereld rondkijken. Dat zal voor een deel mijn taak zijn, een plek zoeken waar zij naartoe kunnen verhuizen. Amerika zal er in elk geval enkelen opnemen. Ik weet dat Honduras in Midden-Amerika winkeliers nodig heeft. Hoe het verder moet met die dertig-, veertigduizend, dat weet ik ook nog niet…. maar we zullen onderdak voor ze vinden.'

'Begin je met je werk zodra de conferentie is afgelopen?'

'De conferentie is al afgelopen, hadji. Eigenlijk is die nooit begonnen. Het was niet meer dan een vingeroefening, een spel.'

'Wanneer vertrek jij, Charles?'

'Wanneer jij ermee instemt.'

'Alleen daarom ben jij eigenlijk hier naartoe gekomen, om de

455

christenen te redden. Vertrek dan maar!'
'Ik wil dat jij ermee instemt, Ibrahim.'
'Mijn zegen kan je krijgen. Stik er maar in!'
'Ik wil dat je ermee instemt, Ibrahim.'

De hadji liet zich in het krakkemikkig houten stoeltje zakken, wrong zijn handen, nam beverig een slokje uit zijn wijnglas en vroeg om een sigaret. 'Ik heb in mijn leven twee zoons en ook nog twee dochters begraven. Jamil zit nu in een Jordaanse gevangenis en er is kans op dat hij zal moeten sterven om wat ik heb gedaan. Toch heb ik niet gehuild. Natuurlijk ben ik wel blij voor jou, Charles.'

'Ibrahim, ik dring er sterk bij je op aan dat jij zelf ook plannen maakt om te vertrekken. Het heeft voor jou geen enkele zin om nog langer in Zürich te blijven.'

'Ik blijf. Ik geef het niet op. Ooit zal er iemand naar me luisteren.'

'Het is voorbij. Ga terug.'

'Waar naartoe? Naar Aqbat Jabar?'

'Naar Israël,' zei Charles Maan.

'Daar heb ik vele nachten over nagedacht, Charles. Ik heb gebeden om de kracht om dat te doen. Toch is dat om de een of andere reden niet mogelijk. Ik maak me zorgen over alle dagen die ik dan nog te leven heb. Hadji Ibrahim, de verrader.'

'Verrader van wat?'

'Van mezelf.'

'Jouw Arabische broeders hebben je veroordeeld tot een levenslange gevangenisstraf. Die kampen zullen in gekkenhuizen veranderen. Ibrahim, jij weet en ik weet dat er met de joden makkelijker te onderhandelen is en dat zij bepaald redelijker zijn, maar als jij gaat zitten wachten tot zij uit het gebied verdwijnen omdat wij hen beledigen of hen proberen te vernederen, dan bega je een vergissing. In Israël zullen de bomen hoog worden, maar in Aqbat Jabar zullen ze niet groeien.'

'Je hebt mij om mijn instemming gevraagd, Charles,' zei Ibrahim. 'Die heb je. Dat meen ik echt. Ik geef je toestemming om te vertrekken. Je bent meer dan een broeder voor me geweest. Ga nu alsjeblieft weg. Blijf niet, want dan zul je moeten aanzien dat ik huil.'

'Je hebt geweigerd Gideon Asch te ontmoeten,' drong Charles Maan aan. 'Ik smeek je daar nog eens over na te denken. Hier heb je het nummer van een Zwitserse fabrikant. Het is een jood, maar een eerbiedwaardig man. Hij heeft de meeste geheime ontmoetingen tussen Asch en de verschillende Arabische delegaties geregeld.' Charles krabbelde een naam en een telefoonnummer op een stukje papier en legde dat met zorg onder de wijnfles. Hij klopte Ibrahim op de rug en vertrok.

De hadji verborg zijn gezicht in zijn handen en huilde.

15

Goethe heeft hier in het Gouden Hoofd gegeten. Je zou kunnen zeggen dat dat het begin en het einde was van de geschiedenis van Bülach. De belangrijkste misdaad van de laatste paar maanden was, dat iemand betrapt was op het op het trottoir gooien van een sigarettepeuk. Dit onbetekenende Bülach, dat zelden in Zwitserse reisgidsen wordt vermeld, onderscheidde zich echter op nog een punt. Het lag tussen Zürich en het vliegveld en functioneerde als een baken voor binnenkomende vliegtuigen.

Ibrahim was in twintig minuten op Zwitserse precisierails door een zich smetteloos ontrollend landschap naar het station van Bülach gesnord. Hij stapte uit, keek om zich heen en werd onmiddellijk herkend.

'Hadji Ibrahim?'

'Ja.'

'Herr Schlosberg,' zei zijn contactpersoon, Ibrahim de hand reikend en hem een wachtende auto in loodsend. Schlosberg, een van de twee joden in Bülach, was de eigenaar van een kleine, maar bijzondere fabriek waar die volmaakte kleine juwelen geslepen en gepolijst werden die in Zwitserse horloges gebruikt worden.

Hij reed door het onberispelijk in stand gehouden oude stadje waar de huizen in rijtjes van zes in het rond gegroepeerd staan. Ooit waren ze omgeven door de muur, vereist om de feodale orde te handhaven die door de eeuwen heen gegroeid was tot een zuivere Zwitserse betekenis van neutraliteit.

'Hier heeft Goethe gegeten,' zei Schlosberg toen zij het Gouden Hoofd passeerden. Ibrahim knikte. Schlosberg stopte voor zijn niet al te weelderige huis in een beboste streek die Brüder Knoll werd genoemd. Hij bracht Ibrahim naar de bibliotheek en sloot de deur achter hem.

Gideon Asch zat achter Schlosbergs bureau. 'Ellendeling dat je bent,' zei hij kwaad. 'Waarom heb je niet eerder contact met me opgenomen?' Hij vloog uit zijn stoel en ging met zijn rug naar Ibrahim toe uit het raam naar het golvend vergezicht staan staren.

Ibrahim kwam achter hem staan en zo staarden ze samen naar buiten. Uiteindelijk draaiden zij zich naar elkaar toe en omhelsden elkaar stevig, zonder iets te zeggen. Er werd whisky te voorschijn gehaald.

'Een heel klein beetje maar,' vermaande Ibrahim.

'Wat heeft je in 's hemelsnaam bezield?' vroeg Gideon. 'Drie maanden geleden had ik misschien nog een of andere overeenkomst, een uitwisseling of iets van dien aard kunnen regelen. Nu ben je er hoe dan ook echt ingeluisd.'

'Hetzelfde geldt voor Israël,' antwoordde Ibrahim kortaf.

'Ik zou liever in Tel Aviv zitten dan in Aqbat Jabar.'

'Ik ook, als ik een jood was.'

Opeens was Gideon zijn leeftijd aan te zien, terwijl hij zijn glas leegdronk en opnieuw volschonk.

'We waren inderdaad dwazen,' zei Ibrahim, 'maar we hadden hooggespannen verwachtingen toen we in Zürich aankwamen. We bevonden ons immers niet in Amman, maar in een echt westers land, een democratie. Hier, waar de ogen van de wereld op ons gevestigd waren, zouden onze delegaties toch zeker op een beschaafde en raïonale manier optreden. De pers zou hier beslist sympathie opbrengen voor mijn volk. Ik was een naïef kind. Wie maalt daarom? Ja, goed, de joden misschien. Maar je weet wat wij zeggen. De joden zijn vrijgevig. Bedrieg ze.'

'Jullie menen ook dat jullie ons zo kunnen vernederen, dat wij ophouden te bestaan,' zei Gideon, 'maar dat zal niet gebeuren. Wij zijn al eerder vernederd door verdorven samenlevingen.'

Ibrahim verbleekte even bij die opmerking. Maar wat had het voor zin om met Gideon ruzie te maken? 'Als ik meteen naar je toe gekomen was, zou het resultaat hetzelfde geweest zijn als het nu is. Menselijkheid – dat was het laatste waaraan de Syriërs en Egyptenaren dachten. Bestendiging van de haat – dat was hun voornaamste doelstelling en daarin zijn ze geslaagd.'

'Ja, inderdaad,' gaf Gideon toe. 'Zij zullen met deze belachelijke vertoning doorgaan tot er nog duizend keer vergeefse moeite is gedaan. En dan komt er weer zo'n conferentie, en nog een en nog een. Daarna een oorlog en nog een oorlog. En jij, broeder, zult dan nog altijd in Aqbat Jabar zitten.'

'Wat kunnen wij verder nog doen, Gideon?'

'In opstand komen. Maar het Arabische volk heeft nog nooit een revolutie meegemaakt, alleen coups, heilige oorlogen en moorden. Hoe komt het in Gods naam dat jullie alleen onder een militaire laars en fanatieke religieuze leiders kunnen bestaan?'

Ibrahim sloeg zijn whisky naar binnen, terwijl hij Gideons woede negeerde, liep rood aan, hoestte en vroeg om nog een borrel. 'Heb je iets over mijn zoon Ishmaël gehoord?' vroeg hij uiteindelijk.

'Nee, Het is voor Nuri Mudhil praktisch onmogelijk om hier in Zwitserland contact met me op te nemen. Te veel tussenpersonen kunnen het bericht verdraaien en zij zouden hem ook in gevaar kunnen brengen.'

'Dat begrijp ik.'

'Volgens mij moet Ishmaël veilig zijn. Ik vrees dat ik dat wat Jamil aangaat niet kan zeggen. Ik heb wel contact met kolonel Zyyad. Zijn handen jeuken om met jou af te rekenen.'

'Voor Zyyad ben ik niet bang. Tegen hem ben ik wel opgewassen.'

'Ja, zolang je als invloedrijk persoon van belang was, konden de Jordaniërs niet om je heen, maar onderschat Farid Zyyads wreedheid niet. Hij kan zich tegenover de buitenwereld beschaafd voordoen met die Britse opleiding van hem en zo, maar ga niet naar hem toe in de verwachting dat hij genadig zal zijn. Je bent dan niet meer de krachtige leider die je was toen je wegging. Daar zit hij op te wachten. Ik zie het voor Jamil somber in.'

'Dat wist ik, toen ik Palestina verliet,' zei Ibrahim.

'Ik heb nog een paar dingen die de Jordaniërs van me willen hebben,' zei Gideon. 'Laat mij proberen het voor jou en je familie op een akkoordje te gooien. Ik bedenk wel wat.'

'Ik zal mijn zoons moed niet te schande maken.'

'Moed voor wat, Ibrahim? Om uit te groeien tot een terrorist? Stel dat Ishmaël in die gevangenis zat. Zou je het voor hem op een akkoordje gooien?'

'Ik zou Ishmaël liever laten sterven,' antwoordde Ibrahim zonder aarzeling.

Gideons gezicht werd opeens rood van woede. Hij beukte met zijn vuist op het bureau; hij kon geen woord uitbrengen.

'Ik ben niet gekomen om ruzie met je te maken, Gideon. Jij bent altijd degene geweest die heeft gezegd dat de Arabier in een droomwereld leeft. Wel, probeer jij niet de allergrootste droomwereld in stand te houden? Geloof je nu echt dat je de hele Arabische wereld zult overwinnen?'

Gideon was wankelmoedig en moe van maandenlange frustratie. Hij nam zijn toevlucht weer tot de fles.

'Ik zal je vertellen waar die Ben Goerion van jou bang voor is,' vervolgde Ibrahim. 'Hij is bang dat Israël uiteindelijk een Oosterse natie zal worden, waarin de dingen net zo worden gedaan als wij ze doen.'

'Oh nee,' snauwde Gideon, 'dat zal niet gebeuren, omdat wij waarde hechten aan vrede. Omdat wij waarde hechten aan liefde.' Hij sprong op uit zijn stoel en liep bijna als een gekooide man heen en weer. 'Ik kwam naar Zürich, omdat ik meende dat er misschien toch nog een jota waarheid, logica zou kunnen doordringen tot die afgesloten kluizen die jullie in je hoofd omdragen.' Hij boog zich over het bureau dicht naar Ibrahims gezicht toe. 'Wat is dat voor een verdorven maatschappij, godsdienst, cultuur... voor een soort mens dat het een dergelijke, vulkanische haat kan verwekken... dat het enkel haat kent, enkel haat voortbrengt, haat als levensdoel ziet? Goed, laat je zoon sterven. Wees trots, hadji Ibrahim!'

Zij stonden als twee gladiatoren die het gevecht niet aandurven tegenover elkaar. 'Toe dan,' tartte Gideon hem, 'trek je dolk. Je weet niet beter.'

Ibrahim wendde zich af. 'Ik weet niet of we elkaar ooit zullen weerzien. Ik wilde dit niet laten gebeuren.' Toen liep hij naar Gideon toe en gooide zijn armen in de lucht. 'Zie je dan niet dat ik verslagen ben!' riep hij vertwijfeld uit. 'Als ik de grens over trek, Israël binnen, zal mijn hart dood zijn.'

'Dat weet ik... dat weet ik, Ibrahim,' fluisterde Gideon.

'Gideon, broeder, ik ben verslagen.' Hij huilde.

Gideon drukte hem dicht tegen zich aan, liet zich daarop weer in de bureaustoel vallen en verborg zijn gezicht in zijn armen op het bureau.

'Als het aan jou en mij gelegen had, Gideon, zouden we vrede gesloten hebben hè?'

Gideon schudde van nee. 'Alleen als je je hand niet op onze waterkraan gehad had.'

Er volgde een vertwijfelde stilte.

'Alleen Allah kan mij nu nog vrede geven,' gromde Ibrahim.

Gideon hoorde de deur van de bibliotheek dichtvallen. De hadji was voorgoed weggegaan.

16

De tafeltjes buiten, die met hun parasols zo keurig langs de oevers van de Limmat gerangschikt waren, werden vanwege de gestaag toenemende koude weggehaald. Hoewel Ibrahim zich zijn dagelijkse koffiepauze niet meer kon veroorloven, bleef hij welkom in het café. Franz begroette hem nog steeds als een gerespecteerde gast, zocht een rustig hoektafeltje voor hem op en voorzag hem van koffie, zoetigheden en af en toe een kop soep als het buiten bijzonder slecht weer was.

'Hadji Ibrahim.'

'Ja Franz?'

'Er is telefoon voor u in het kantoortje van de bedrijfsleider.'

'Voor mij?'

'Ja, een dame. Zij vroeg mij te spreken en ze zei: "Bent u die meneer die iedere dag een Arabische meneer bedient?" ze zei dat ze een oude vriendin van u was, die u in Damascus ontmoet hebt.'

'Waar kan ik het gesprek aannemen?'

Franz bracht hem naar een piepklein kantoortje en trok zich discreet terug.

'Hallo?'

'Hallo. Spreek ik met hadji Ibrahim?'

'Ja.'

'Weet je met wie je spreekt?' informeerde Ursula's stem.

'Met een warme stem in een erg kille stad,' antwoordde hij.

'Het spijt me dat ik op zo'n geheimzinnige manier contact met je moest zoeken. Maar ik weet zeker dat je daar wel begrip voor zult hebben.'

'Ja.'

'Ik moet iets uiterst belangrijks met je bespreken. Kan je naar me toe komen?'

Ibrahim werd voorzichtig. 'Misschien.'

'Weet je de Bahnhofstrasze?'

'Alleen om er in de etalages te kijken naar dingen die ik me niet kan veroorloven.'

'Die straat is het. Vlakbij het Baur au Lac hotel zul je een winkel aantreffen, die Madame Hildegard's heet. Daar worden handtassen verkocht die met kralen of borduurwerk zijn versierd. Kun je gauw komen en je ervan verzekeren dat je niet wordt gevolgd?'

Ibrahim antwoordde niet.

'Ik weet wat je denkt. Ik kan je echter verzekeren dat je er veilig zult zijn. Ik heb hier in de loop der jaren vele malen afspraken gemaakt. Hildegard is een intieme, persoonlijke vriendin. We hebben elkaar al vaak geholpen... zonder vragen te stellen.'

'Goed, ik kom er zo gauw mogelijk naartoe,' zei Ibrahim na nog een stilte.

'Maak gebruik van de achteringang. Hildegard heeft achter de winkel een kleine showroom voor speciale klanten. Zij zal opendoen zodra je aanbelt.'

De Bahnhofstrasse, een van de duurdere winkelstraten in de wereld, had een elegant aanzien met haar bijna identieke, bijna volmaakte negentiende-eeuwse gebouwen. De winkels in die straat bevatten een voorraad koopwaar, een koning waardig.

Ibrahim vond Madame Hildegard's en drukte op de bel, nadat hij nog een laatste keer zijn argwaan overwonnen had. De deur ging open. Hij stelde zich voor dat de vrouw voor hem om en nabij de vijftig moest zijn, maar zij was geparfumeerd, droeg een prachtige bloes, had een elegant kapsel en had duidelijk in de hoogste kringen verkeerd.

'Ursula verwacht u,' zei ze en ze ging hem voor naar de deur van de privé-toonzaal. Hij trad binnen en keek om zich heen. Een kleine zitkamer voor de elite. Ursula stond met een hoed met voile op in het halfduister.

'Ben jij dat, Ursula?'

'Vergeef me dat ik je niet hartelijker begroet. Het zal je straks duidelijk worden, dat ik ziek geweest ben.' Ze deed een stap naar voren en liet zich in een met brokaat beklede stoel glijden, maar bevond zich nog steeds in het halfduister. Ibrahim liep naar de stoel tegenover haar en ging zitten. Door de voile kon hij een gezicht onderscheiden dat slap en bleek geworden was. 'Ik ben aan de drugs geweest,' zei ze met een eerlijkheid die hem verraste. 'Ik ben niet de Ursula die je in Damascus gekend hebt.'

'Maar ik zou nog steeds graag met je naar bed gaan,' zei Ibrahim.

Ze lachte even. 'Je bent galant.'

'Dat is geen leugen,'zei Ibrahim.

'Kunnen we nu met elkaar praten?'

'Ja, vertel me alsjeblieft waarom je hebt opgebeld.'

'Fawzi Kabir smeedt plannen om je te laten vermoorden.'

'Ik kan niet zeggen dat dat nieuw voor me is, maar vertel me er meer van.'

'Prins Ali Rahman, de Saoediër, heeft Kabir in zijn zak, weet je.'

'Dat heb ik gehoord, ja.'

'Toen de conferentie nog maar net was begonnen, bespraken ze de mogelijkheden om jullie alle drie te laten vermoorden. Kabir overtuigde de prins er op de een of andere manier van daarvan af te zien. Het werd hier in Zwitserland te riskant geacht. Nu sjeik Taji en Charles Maan zijn vertrokken, zijn ze daar anders over gaan denken. Zij ergeren zich vreselijk aan je. Ze zijn er zeker van dat ze het nu kunnen doen zonder zelf in moeilijkheden te komen.'

'Hoe willen ze mij uit de weg laten ruimen?'

'Ze hebben je laten volgen. Zowel bij je pension als bij je vriendin mevrouw Dorfmann moet je erg nauwe straatjes doorlopen. Er is talloze keren geconstateerd, dat je midden in de nacht bij mevrouw Dorfmann weggaat. Zij zijn van plan je in een van die straatjes te overvallen...'

'Met een mes?'

'Nee, ze wachten zich er wel voor er op straat een knoeiboel van te maken. De Zwitsers hebben te veel geld van ze in bewaring. Kabir heeft één speciale lijfwacht die de vuile werkjes opknapt, een Iraniër die Sultan heet. Ze noemen hem de Pers. Hij is een voormalig zwaargewicht worstelaar, weegt bijna driehonderd pond en is heel gemeen en in een heel goede conditie. Hij zal je bespringen en je in de houdgreep nemen, terwijl een andere lijfwacht je met een stok bewusteloos slaat. Ze zullen je dan in een gereedstaande auto meenemen naar Kabirs boothuis bij zijn villa. Daar zullen ze je doden en je daarna midden op het meer dumpen. Het is gepland als een onverklaarbare verdwijning.'

Ibrahim gromde, tikte tegen zijn snor en begon toen hartelijk te lachen. 'Het gebeurt niet vaak dat een man zo precies tot in de kleinste bijzonderheden van de moord op zichzelf hoort. Ik ben bewapend met een goed pistool. Ik neem aan dat de huid van die Pers niet bestand is tegen kogels.'

'Je moet me geloven als ik zeg, dat Kabir en Rahman veel te veel mogelijkheden hebben. Ze krijgen je hoe dan ook te pakken.'

'Ze zullen me niet te pakken krijgen, als ik nu Zürich uit vlucht. Ik bedank je uit het diepst van mijn hart voor je waarschuwing. Nu moet ik nadenken.'

Ursula's hand dook uit het halfduister op en greep de zijne. 'Als je wraak wilt nemen,' zei ze. 'Dat wil ik ook.'

'Vertel me waarom, Ursula.'

'Oh God, dat is een lang verhaal. Maar je hebt er recht op het te weten. Luister, Ibrahim, ik ging willens en wetens met Kabir in zee, maar ik was erg jong. Ondanks mijn beroep voor de oorlog was ik ook heel naïef. Ik sloot mijn ogen voor de ene na de andere afschuwelijke gebeurtenis tot... ik deed eigenlijk niets om er een eind aan te maken... het geld, de geschenken, schenen me zo maar in de schoot te vallen. Nou ja, laten we zeggen dat het voor een hoer een te makkelijk leven was om op te geven. Hoe het ook zij, ik ben er achter gekomen dat het mij toch nog te ver kan gaan. Er zijn nog steeds dingen in deze wereld die me met afschuw vervullen...'

'Het is goed, dat je nog aan dergelijke overtuigingen kunt vasthouden.'

'Kabir is de vader van de duivel. De grofheid van zijn perversies is steeds walgelijker geworden. Hoe moet ik dat uitleggen? Mannelijke prostituées, vrouwelijke prostituées, die betaalt hij zoveel dat ze zich laten vernederen. Wat hij hen zelfs met dieren, waaronder varkens, honden, paarden laat doen... goed, bizar is bizar, maar...' Ze zweeg even, voelde zich duidelijk helemaal niet op haar gemak, maar vervolgde toen met rillende stem: 'Wanneer we weer in Damascus zijn... Het gaat over kinderen! Ik heb gezien hoe ongerepte jongens en meisjes van negen en tien jaar oud praktisch afgeslacht werden. Als je wilt weten wat hij heeft aangericht, dan kan ik je dit laten zien!'

Ze tilde haar voile op en kwam met haar gezicht in het licht. Het had een doodsbleke kleur. Haar ogen stonden dof. Op één wang zat een dieprode vlek. 'Kijk er maar goed naar, beste hadji, dat is een brandplek van een sigaret, Ook op mijn lichaam heb ik littekens. Maar de echte littekens zitten aan de binnenkant. Hij begon bang te worden dat ik bij hem weg zou gaan. Ik zorg er uiteindelijk meestal voor, dat hij zijn pleziertjes heeft. Ik werd er met lichamelijk geweld toe gedwongen heroïne te spuiten. Zoals je ziet ben ik er aan verslaafd geraakt.'

'Mijn God, ik wist niet dat ik nog geshockeerd kon worden,' zei Ibrahim zachtjes.

'Ik heb nog een kans om er vanaf te komen als ik bij hem vandaan kan gaan. Er zijn klinieken voor. Ik ben nog niet te ver heen. Wel, Ibrahim, wil je wraak nemen of niet?'

'Heb je een plan, Ursula?'

'Ja.'

'Dan heb je ook een partner.'

De reusachtige Pers knipte de lampen in het boothuis aan en maakte zijn ronde. De kust was veilig. Hij nam zijn meester van Ursula over en hielp hem op wankele benen naar binnen te gaan. Kabir had een hoofd als een spons van al eerder toegediende drugs. Hij werd naar de rustbank geleid, terwijl Ursula met de lichtknopjes speelde en wat muziek aanzette.

'Wanneer komen ze?' vroeg Kabir met slepende stem. 'Moet je die vervloekte rustbank zien. Ik heb die Zwitserse honden tienduizend dollar betaald om hem te repareren. Moet je zien, hij wil niet op of neer en draaien gaat ook niet,' zei hij, terwijl hij hard op een bedieningspaneel sloeg.

'Ze moeten nog het een en ander aan de kabels doen,' zei ze.

'Het zijn allemaal dieven.'

'Erger je maar niet, schat. Je hebt de rustbank niet nodig voor deze vertoning.'

'Wat gaan ze doen? Je hebt me iets waanzinnig unieks beloofd.'

'Ze kunnen elk moment hier zijn en dan kan je het zelf zien. Zoiets heeft hier nog niet eerder plaatsgevonden. Dit paar is zo origineel dat het niet te beschrijven is.' Ursula knikte de Pers toe ten teken dat ze de situatie meester was en hij naar zijn wachtpost kon gaan.

Toen Sultan aarzelde, voelde ze even een misselijk makende angst door zich heen gaan. 'Wel?' vroeg ze.

'Ik heb honger,' zei de Pers als op afspraak. Ursula had gerekend op de eetlust van de Pers. Tot haar opluchting bleef hij niet in gebreke.

'De show van vanavond wordt door slechts twee personen gegeven,' zei ze.'Ik heb geen kok laten komen,'

'Maar ik ben uitgehongerd,' hield de Pers vol.

'Zal ik dan in de keuken iets voor je klaarmaken? Ik breng het wel naar je observatiepost.'

Sultan grijnsde zo breed dat zijn met goud opgelapt gebit zichtbaar werd. Hij liep met zijn logge lijf een korte gang in naar de plek, waar de grote speedboot en een stuk of tien zeilboten onder een afdak afgemeerd lagen. Het voor de bewaker bestemde vertrek was klein, maar bevatte de modernste beveiligingsapparatuur. Camera's bestreken alle vertrekken in het boothuis. Hun beelden waren te bekijken op een stuk of tien schermen. Sultan kon zowel zijn wegdommelende meester als Ursula in de keuken in het oog houden.

Ze maakte een blad klaar met vier afgeladen schotels om zijn bodemloze maag te vullen. Het waren sterk gekruide spijzen, zo kruidig, dat de cyanide die ze er doorheen gestrooid had helemaal niet te proeven was. Ze slaagde erin dat te doen door met haar rug het blikveld van de camera te blokkeren. Ze zette het blad voor hem neer. 'Hiermee moet je het een tijdje kunnen uithouden.'

'Ursula,' fluisterde de Pers, die in vertrouwen genomen wilde worden, 'wat gaat er vanavond gebeuren?'

'Van zoiets ben je nog niet eerder getuige geweest,' verzekerde ze hem. 'Blijf naar het scherm kijken.'

Hij schrokte een kleine lamskotelet naar binnen en nog één. 'Je laat me toch niet alleen maar toekijken?' vroeg Sultan met een knipoog.

'Als de effendi van de kaart raakt, zoals meestal gebeurt, zal het geen probleem zijn jou ook een beetje plezier te bezorgen. Laat dat maar aan mij over, Sultan. Zorg ik er niet altijd voor dat je aan je trekken komt?'

'Je bent echt een goede vriendin, Ursula.'

Ze glimlachte, liep naar de grote spiegelzaal en zette de muziek snel harder. Daardoor werd nog net op tijd een ijzingwekkende kreet vanuit de wachtpost overstemd. Ze waagde het de gang in te kijken en zag een van woede moordlustige Sultan met wijd opengesperde ogen een uitval naar haar doen. Hij schreeuwde, greep naar zijn keel, zakte op zijn knieën, kroop, stak zijn handen uit... viel languit neer. Ze liep doodsbang voorzichtig naar hem toe. Een halve minuut verstreek tergend langzaam. Er voer een schok door hem heen, toen bleef hij stil liggen.

Ursula deed zachtjes de deur dicht.

'Wat was dat voor een geluid?' gromde Kabir vanaf zijn rustbank.

'Ik heb niets gehoord, lieveling.'

'Ik dacht dat het misschien onze spelers waren.'

'Ze kunnen elk moment hier zijn. Waarom nemen we niet allebei wat H. Iets waardoor we wegdromen en wanneer je ogen dan weer opengaan, zal alles klaar zijn.'

'Je bent goed voor me, Ursula, heel goed.'

Ze maakte een leren met fluweel beklede cassette open waarin 'zijn' en 'haar' injectiespuiten lagen. De zijne was tevoren met zoveel Dilaudid gevuld, dat hij onder zeil zou blijven tot Ibrahim aankwam. Ze stak op vaardige wijze de naald in zijn arm en de slaap kwam snel.

De 'begrafenismars' uit Beethovens Zevende Symfonie overspoelde het boothuis. Lampen waren zo afgesteld, dat ze een miljoen vonkjes rondsproeiden. Ursula brak een capsule met ammonia stuk onder Fawzi Kabirs neus. Hij kwam grommend bij zijn positieven, maar kneep zijn ogen meteen weer dicht voor het rondwervelende, felle licht van de lampen. Hij probeerde zijn oren te bedekken om de muziek buiten te sluiten, maar hij kon zijn handen niet bewegen. Ze waren op zijn rug gebonden.

'Ursula!' schreeuwde hij.

'Ik ben hier,' zei ze vanaf het voeteneinde van de rustbank. 'Ben je nu helemaal wakker, schat?'

'Mijn handen zijn geboeid!'

'Dat hoort bij het spel. Heb vertrouwen in me.' Hij probeerde tevergeefs overeind te komen, want zijn voeten waren ook aan elkaar vastgebonden. 'Dit staat me helemaal niet aan! Maak me los!'

'Maar dan bederf je alles. De spelers zijn er al. Het zijn er bij elkaar drie. Jij bent er één van en ik ben er één. Verbaasd?' Kabir hijgde en begon onmiddellijk te transpireren, terwijl geluid en licht hem bleven belagen. Hij voelde een hand op zijn blote rug.

'En ik ben de derde,' zei een stem. Kabir probeerde zijn dikke nek te draaien om te zien wie dat was, maar hij was zo pafferig dat hij zichzelf niet kon omdraaien.

'Raad eens,' zei de stem.

'Dit gedoe staat me helemaal niet aan!' riep hij uit.

'Maar lieveling,' zei Ursula sussend. 'We hebben zoveel moeite gedaan.'

Hij werd op zijn rug gerold. Een man met een duivelsmasker op uit het kostuummagazijn stond over hem heen gebogen. Hij trok het masker langzaam weg. De ogen van de effendi puilden uit. Zijn vette lijf glinsterde van angstzweet.

'Sultan! Sultan!' krijste hij.

'Wat jammer nou, lieveling. Hij kan je niet horen,' zei Ursula. 'Hij is morsdood en ligt in jouw speedboot te wachten tot jij je bij hem voegt.' Ze zette de muziek wat harder. Ibrahim ging schrijlings op hem zitten en trok met een ruk zijn dolk uit de schede.

'Praten! Laten we praten,' smeekte Kabir.

'Ja, zeg alsjeblieft wat je op je hart hebt,' zei Ibrahim.

'Geld. Zoveel goud dat je erin kunt zwemmen. Miljoenen!'

Ibrahim ging op de rand van de rustbank zitten, plaatste de punt van de dolk tegen de halsslagader en oefende lichte druk uit. 'Hoeveel miljoen had je in gedachten?' vroeg Ibrahim.

'Miljoenen. Miljoenen. Vijf… tien… nog meer…'

'Maar als ik je geld aanneem, zal de politie me op het spoor komen.'

'Nee, nee, nee. Ik bezorg je geld. Ik zal bellen dat ze het nu meteen hier moeten brengen.'

'Hoor je dat, Ursula? Hij wil me geld geven.'

'Hij is een leugenaar. Zijn bankier zal door het gebruik van een bepaald woord gewaarschuwd worden.'

'Ik lieg niet! Ik haal geen streken uit! Ik ben eerlijk!'

Ibrahim gaf hem met de rug van zijn hand een harde klap over zijn gezicht, greep hem vervolgens bij het korte krullerige haar in zijn nek beet, rukte zijn gezicht naar zich toe en keek in zijn doodsbange ogen, Kabir huilde en brabbelde iets onverstaanbaars. Er verscheen heel even een glimlach rond de lippen van de hadji. Hij voelde zich zwaar in de verleiding komen de doodsangst van de effendi nog wat langeer te laten duren. Maar hoe? Door hem met slangen en zwepen te slaan?

Ibrahim voelde dat hij begon te beven doordat er opeens perverse gevoelens door hem heen schoten. De muziek daverde maar door en de lampen spuwden wilde flitsen uit. Oh Allah, wat geniet ik hiervan, dacht Ibrahim.

Hij gebaarde naar Ursula dat ze de muziek moest wegdraaien.

'Mooi. Nu zullen we zijn allerlaatste hartslagen kunnen horen.' Er viel een ontzagwekkende stilte. Er was geen ander geluid te horen dan hun abnormaal luide ademhaling, en af en toe Kabirs gejammer.

'Toen ik bij de bedoeïenen verbleef, heb ik mijn oom, de grote Walid Azziz, eens wraak zien nemen op een jongen die een van zijn favoriete dochters onteerd had. Als dit goed gedaan wordt, zal hij in zijn eigen bloed stikken zonder dat er een knoeiboel van komt en moeten wij in feite de lucht zijn lichaam horen verlaten.'

'Compagnon.... je krijgt van alles je deel.... neem het allemaal maar.... ik wil niets hebben... niets.... miljoenen...'

De punt van de dolk gleed van Kabirs adamsappel omlaag naar de plek waar de sleutelbeenderen bij elkaar komen en de luchtpijp heel iets uitpuilt. Ibrahim stak de punt in Kabirs keel en maakte daarbij een neergaande beweging.

'Ik beken alles... genade...'

'Maar telkens wanneer je je mond opendoet, dringt het lemmet dieper door. Kijk, zo.'

Er druppelde een beetje bloed naar buiten. Ibrahim hield het mes enkele ogenblikken in die stand en verlustigde zich in Kabirs doodsangst. Ursula kwam dichterbij en spuwde op hem. Het lemmet drong nog heel iets verder binnen...

'Je geniet hier te veel van, Ibrahim.'

'Ja, dat is zo.'

'Ik wil me niet zo beestachtig gedragen als hij. Maak er een eind aan.'

'Nog even... nog even...'

Er was een zacht sissend geluid te horen toen de lucht naar zijn doorboorde keel schoot, en zich daarop vermengde met de steeds groter wordende plas bloed. Het sissen veranderde in gerochel.

Ibrahim drukte het lemmet nog iets verder naar binnen en hield het opnieuw stil. Nu spoot het bloed eruit.

'Je begint er een knoeiboel van te maken,' zei ze. 'Maak er een eind aan.'

'Nog heel even. Kijk, hij begint de geest te geven.' Kabir probeerde te praten, maar er golfde bloed uit zijn mond.

'Je maakt er een knoeiboel van!' schreeuwde Ursula.

468

'JAHHHHH! JAHHHHH! JAHHHHH!' riep de hadji, terwijl hij het mes terugtrok en het vervolgens tot het heft in het hart van de effendi boorde. 'JAHHHHH! JAHHHHH! JAHHHHH!'

Hij trok de dolk terug en stond daar te hijgen van vreugde. Ursula leunde tegen hem aan en sloot haar ogen.

'Laten we nu vrijen, Ursula!'

'Ben je gek!'

'Ja, ik ben gek! Trek je kleren uit, dan vrijen we.'

Hij schopte Kabirs lichaam van de rustbank. Het gleed de treden af. Hij smeet haar op de rustbank en sprong bovenop haar. Het was als duizend waanzinnige momenten van pijn en geluk in een duizend-voudige hemel en hel. Het was, zij was, ronduit fantastisch.

Ibrahim wikkelde Kabir in stukken plastic, terwijl Ursula de sporen uitwiste. Ze sleepten het lijk naar buiten, naar de steiger en smeten het zonder plichtplegingen naast de vergiftigde Pers in de speedboot. Terwijl hij een anker aan Kabirs benen vastbond, stopte zij Sultans borden in een zak om die samen met hun prooi te dumpen. Even later stoven ze weg naar het midden van het meer.

Zowel Ursula als hadji Ibrahim bleef in Zürich alsof er niets ge-beurd was. Effendi Kabir stond erom bekend dat hij dagen, ja weken lang verdween zonder dat vooraf aan te kondigen. Twee weken lang werd hij niet eens gemist en iedereen was er van overtuigd dat hij overhaast naar Saoedi-Arabië vertrokken was. Toen duidelijk werd dat hij spoorloos was, kon onmogelijk worden vastgesteld of er van boos opzet sprake was. Er was geen lijk, er waren geen getuigen, niets wees erop dat er een misdaad gepleegd was. Omdat dat gebruikelijk was, werd er een onderzoek ingesteld, maar in het politierapport kwam uiteindelijk te staan dat de effendi en zijn lijfwacht eenvoudig-weg verdwenen waren zonder dat daar een aannemelijke verklaring voor te geven was. Wat de Zwitsers betrof was de zaak daarmee afge-daan.

Toen de eerste sneeuw van die winter viel, eindigde de arbitrage-conferentie in wanorde. Op een bitterkoude decemberdag brachten Emma Dorfmann en Franz hadji Ibrahim naar het vliegveld voor de lange vlucht naar huis.

Ursula bleef nog een paar weken in Zürich, glipte daarop stilletjes het land uit om zich bij het fortuin te voegen dat ze had overgehouden aan de jaren dat ze met Kabir samen geweest was.

17

Terwijl de conferentie in Zürich voortduurde, had kolonel Farid Zyyad bekentenissen verkregen van bijna alle Wrekende Luipaarden die op het Kribbeplein gearresteerd waren. Degenen die meegewerkt hadden, mochten in plaats van hun gevangenisstraf 'vrijwillig' dienst nemen in een speciale eenheid van feddajin, of vrijheidsstrijders en werden opgeleid voor toekomstige guerrilla-acties tegen Israël.

De enkelingen die na wekenlange ondervragingen en martelingen nog niet meewerkten, kregen lange gevangenisstraffen. Naast het uit de mond slaan van tanden en andere wrede afstraffingen had Farid Zyyad geliefde vormen van pijn toebrengen geperfectioneerd. Beide methoden waren gebaseerd op ervaringen in de woestijn en in de hitte daar.

Het slachtoffer werd op een tafel vastgebonden en met een natte doek bedekt. Daarna werd hij van zijn voeten tot zijn borst met een heet strijkijzer geperst. Door de temperatuur van het strijkijzer te regelen konden ze zich ervan verzekeren, dat de resulterende brandwonden en infecties bij iedere persbeurt maar in geringe mate verergerden.

Zyyads andere geliefde martelmethode werd voorbehouden aan de hardnekkigste rebellen. Zij werden eenvoudigweg in een dikke deken gewikkeld, die dichtgebonden en vervolgens in de middagzon werd neergelegd. Wanneer er één als gevolg van de warmte van uitputting bewusteloos raakte, werd hij gewoonlijk weer bijgebracht en wachtte men tot hij voldoende krachten verzameld had om nog weer een keer ingepakt te kunnen worden.

Jamil had dat allemaal te verduren gekregen. Zijn tanden was hij kwijt en hij was helemaal bont en blauw. Hij was een keer of tien geperst, tot zijn lichaam opgezwollen en veretterd was. Ook was hij een keer of tien in de deken gewikkeld.

Ongeveer op het tijdstip dat hadji Ibrahim in Athene van het ene in het andere vliegtuig stapte, werd Jamil tussen twee cipiers in voor Zyyad gesleept. De jongen werd gefolterd door verschrikkelijke pijnen, maar was daardoor nog niet zo ver heen dat hij de pijn niet ten volle kon voelen.

'Zo, smerig klein rotbeest dat je bent, ik hoef niet meer met je te spelen. Weet je wat ik met jou ga doen, Jamil? Ik ga jou cadeau geven aan je vader.'

Jamil werd naar een geheim, omsloten en gevreesd binnenplaatsje in een uithoek van de gevangenis gebracht, waar een bewaker op tientallen katten paste. Jamil werd samen met zes katten in een grote jute zak genaaid.

Toen Farid Zyyad met een stok op de zak sloeg, raakten de katten door het dolle heen. Hij sloeg tot Jamils gekrijs niet meer te horen was.

De katten hadden uiteindelijk tot op het bot hun klauwen in hem geslagen. Gezicht, ogen en geslachtsdelen waren weggerukt. Er was enkel een van bloed doordrenkte, onherkenbaar verminkte massa vlees overgebleven. De doodskist werd verzegeld en de volgende dag werd er een verhaal vrijgegeven, dat Jamil een geheime missie tegen de joden ten uitvoer had moeten brengen. Hij stapte op een landmijn, zo vervolgde het verhaal, waardoor zijn lichaam zo verminkt was dat de kist niet open had kunnen blijven. Toen hadji Ibrahim in Amman landde, werd de doodskist aan hem overgedragen tijdens een officiële militaire plechtigheid die alleen helden te beurt viel.

Even vergat Aqbat Jabar dat hadji Ibrahim gebrandmerkt was als een verrader, een spion van de joden, als een man die dat verraad gepleegd had in ruil voor verscheidene dunams met sinaasappelbomen.

Tijdens Jamils begrafenis verdrongen vijftigduizend krijsende en huilende vluchtelingen elkaar zo, dat ze de verkeersweg naar Jericho's moskee blokkeerden en ze zijn kist over de hoofden heen moesten doorgeven. Hagar huilde met gepaste hysterie en zakte een keer of zes te midden van treurenden ineen. Van die dag af werd ze gewoonlijk Umm Jamil genoemd, moeder van Jamil, een eretitel die hij voor haar verdiend had met zijn dood.

Er werd met honderden in de lucht gestoken plakkaten met Jamils foto erop gezwaaid en met andere, waarop leuzen stonden over de nog net begonnen 'revolutie'. Toen Jamil te ruste werd gelegd op een ereplaats op de binnenplaats van de moskee vuurden de voormalige Luipaarden, die nu gerehabiliteerde vrijheidsstrijders waren, salvo's af over zijn graf en zwoer de priester, dat er wraak genomen zou worden op de zionisten die de jongen vermoord hadden.

Zo kwamen de Palestijnen aan hun eerste martelaar.

Deel Vijf

Nada

1

In de tijd dat mijn vader in Zürich was, verbleef ik bij de al Sirhan-bedoeïenen. Het oostelijk deel van Jordanië, dat aan Irak en Saoedi-Arabië grensde, was zo'n afgelegen woestenij dat er op geen honderd mijl in de omtrek enig spoor van beschaving te bespeuren was. Dank zij professor doctor Nuri Mudhils invloed werd ik opgenomen door sjeik al Baqi, het hoofd van een grote clan, en behandeld alsof ik een van zijn zoons was.

Sjeik al Baqi en zijn zoons leerden mij paardrijden, op valken jagen, spoorzoeken en vooral hoe je uit de woestijn wijs moest worden. Elke dag begon met het geluid van het malen van koffie, waarmee opnieuw de kringloop in gang werd gezet van het in leven proberen te blijven, de strijd die ons leven beheerste.

Tot ik bij de al Sirhans terechtkwam, was ik altijd een dromer geweest. Wat het lot me ook opgelegd had – Jaffa, Qumran, Aqbat Jabar – ik had altijd het gevoel gehad dat er in de situatie verbetering zou komen, dat ik op een dag toch nog in een mooie villa in Tabah zou terechtkomen of, nog beter, naar een grote universiteit zou gaan in Cairo of Damascus. De woestijn en de bedoeïenen leerden me dat bepaalde dingen in het leven definitief zijn.

In de wrede hitte en armoede kon je je beter staande houden wanneer je een beetje schaduw opzocht, luchtspiegelingen zag, toeliet dat droombeelden je gedachten binnendrongen en beheersten. Door toedoen van de bedoeïenen kwam ik te weten waarom de Arabier zich gelaten neerlegde bij de onbarmhartigheid van het leven. Alles was door het lot voorbeschikt en je kon weinig anders doen dan de bitterheid van het aardse leven aanvaarden en uitzien naar de verlossing in de vorm van de reis naar het paradijs.

De al Sirhans deden niet alsof er in hun samenleving sprake was van gelijkwaardigheid. Je werd geboren als lid van een bepaalde kaste, leefde en stierf zonder dat daar verandering in kwam en protesteerde niet tegen dit starre stelsel. Omdat men zich hieraan conformeerde, werden er weinig huwelijken gearrangeerd tussen families van verschillende standen.

Op sjeik al Baqi's gezicht en lichaam bevond zich een landkaart van littekens als getuige van zijn mannelijkheid en leiderschap. Hij hield er een stuk of tien jonge slaven op na. De slavernij was weliswaar bij wet afgeschaft, maar de al Sirhans bevonden zich zo ver van de gewone samenleving, dat zij zich aan haar regels niet stoorden. Drie van zijn slaven hoedden zijn schapen en een ander was zijn persoonlijke bediende. De overige twee waren gecastreerd, tot eunuchen gemaakt die zijn vrouwen en zijn harem van concubines moesten bewaken. Er waren er twee van gekocht van families binnen de clan en de anderen waren bij overvallen gevangengenomen.

Ik arriveerde in een tijd dat sjeik al Baqi vrede aan het sluiten was met een stam, waarmee acht bloedige jaren lang strijd geleverd was. De aanleiding hiertoe was geweest dat een gefrustreerde minnaar een meisje van de al Sirhans ontvoerd had en over de grens naar een stam in Saoedi-Arabië gevlucht was. Er werd pas vrede gesloten toen de vrouw opgeofferd was door haar te vermoorden als vergelding voor de aantasting van de eer van de al Sirhans. Er vond een groot verbroederingsfeest plaats tussen de voormalige vijanden.

Iedereen scheen hier geobsedeerd te worden door seks, maar je kon weinig uitrichten. De vrouwen leken hier nog veel slaafser dan in Tabah. Ze werkten harder en verrichtten alle voorkomende werkzaamheden. Heel oude vrouwen mochten bij de mannen rond het kampvuur komen zitten en werden met respect bejegend, maar de anderen leidden een vreugdeloos bestaan. Zij werden om het minste of geringste hysterisch, want huilen was voor hen in het algemeen de enige manier om lucht te geven aan hun frustraties. Het viel me op dat bedoeïenenvrouwen uiterst zorgzaam voor elkaar waren en ik was er zeker van dat ze op die manier heimelijk toch aan hun trekken kwamen.

De wetten waren hier niet altijd aan de koran ontleend, maar werden gedicteerd door de hardvochtige levensstijl.

Mannen mogen doden, maar zij moeten dat van aangezicht tot aangezicht doen.

Mannen mogen stelen, maar niet van hun eigen mensen.

Verkrachting is geen misdaad, als het een vrouw betreft van een vijandelijke stam.

Liegen en bedriegen is geoorloofd, zolang het iemand aangaat van een andere stam.

Er waren strenge regels, die aangaven wanneer er wraak genomen moest worden. Straffen hielden dikwijls de amputatie in van een van de ledematen. Het leven was afschuwelijk. De wet van het overleven bracht wreedheid voort.

De woestijn is een boosaardige leermeester, maar alleen de bedoeïen maakt er de dienst uit en als je de woestijn binnentrekt, ben je aan zijn genade overgeleverd. Genade is er niet voor diegenen die zijn regels overtreden.

Ik was verstandig, veroorzaakte geen moeilijkheden en verwierf een zekere mate van respect, omdat ik de enige in de clan was die kon lezen en schrijven.

Echt aangenaam werd het leven pas 's avonds rond het kampvuur. Dan werd er koffie gedronken en voor de zoveelste keer het verhaal verteld van een overval of een verzonnen of persoonlijk meegemaakte heldendaad. Gewoonlijk voegden de derwisjen van de clan zich dan bij ons om in hun functie van medicijnmeester al dansend de boze geesten te verdrijven. Ze wervelden rond tot ze in trance raakten, liepen dan met blote voeten door de gloeiende as van het vuur en vielen in onmacht. Zo bewezen zij telkens weer dat ze over magische krachten beschikten.

Alles gebeurde opzettelijk langzaam. Het voortdurend reconstrueren van het verleden bood ons de kans om daarin op te gaan, zodat we beter opgewassen waren tegen de werkelijkheid van het bestaan.

Sjeik al Baqi en ik zaten vaak als enigen nog rond het kampvuur, wanneer de zon op haar ontzagwekkende manier opging.

'Rijkdom en armoede zijn door Allah onrechtvaardig verdeeld,' zei hij tegen mij. 'Er gaan bij ons veel mensen dood, maar dat is in de woestijn geen tragedie. Hoofdzaak is, Ishmaël, dat we vrij zijn. De boer is een slaaf van zijn land. De man in de stad is een slaaf van geld en machines. Dat zijn slechte samenlevingsvormen. De bedoeïen heeft daar geen behoefte aan.'

Misschien niet.

De stam verwierf voor een groot deel zijn inkomsten door als 'beschermer' op te treden van de trans-Arabische pijplijn, die door zijn gebied liep. Wanneer de Saoediërs tot een nieuwe overeenkomst wilden komen waarmee minder geld was gemoeid, werd het tijd voor een waarschuwing. Ik zou juist voor de eerste keer aan een overval deelnemen waarbij een deel van de pijplijn moest worden opgebroken, toen het bericht kwam dat ik naar Aqbat Jabar moest terugkeren.

Ik kon niet zeggen dat ik daar rouwig om was, want ik verlangde ernaar hadji Ibrahim en Nada terug te zien. Maar ik was er wel wijzer van geworden, want ik wist nu hoe het kwam dat de Arabier fatalistisch ingesteld was en dat daar nooit verandering in zou komen.

2

Na mijn terugkomst in Aqbat Jabar bemerkte ik dat Jamil met zijn dood een overwinning op me behaald had, waartoe hij nooit in staat zou zijn geweest als hij in leven gebleven was. Hij was een martelaar geworden. Dat bezorgde mij heel wat ongenoegen. Ik was mijn hele leven naarstig in de weer geweest om mijn vaders favoriet te worden. Ik stond bekend als de slimste, de moedigste, als degene die hadji Ibrahim zou opvolgen. Ik was mijn oudste broer Kamal voorbijgestreefd en had Omar opzij geduwd. Ik zorgde voor de vreugde in mijn vaders leven.

Daarin was tot op zekere hoogte verandering gekomen. In Aqbat Jabar hingen in de koffiehuizen grote foto's van Jamil, pal naast die van de Arabische leiders.

De Jordaniërs rekruteerden Wrekende Luipaarden en andere bendeleden voor guerrilla-eenheden of dwongen hen deel uit te maken van dergelijke eenheden, die de grens overstaken om de joden te overvallen. Ze hadden de moord op Jamil in de schoenen geschoven van de zionisten en vernoemden als eerbewijs een bataljon feddajin naar hem.

Mijn ouders hadden tijdens zijn leven eigenlijk nooit aandacht aan Jamil besteed, maar dompelden zich nu in rouw. Jamils foto vormde het middelpunt van onze hut. Terwijl ons huis in Tabah nooit met bloemen verfraaid was, werden die nu in vaasjes naast zijn foto neergezet, en kaarsen brandden ervoor als teken van toewijding.

Hagar was er nu trots op, dat ze Umm Jamil, moeder van Jamil genoemd werd. Het allervreemdst was het gedrag van mijn vader. Met schuldgevoelens had Ibrahim zich nooit opgehouden, maar nu begonnen die op zijn ziel te drukken. Hij had Jamil geslagen. Hij was medeschuldig aan de moord op Jamil. Nu treurde hij. Ik had er een flauw vermoeden van, dat hij zichzelf wilde doen geloven dat het echt de joden geweest waren die zijn zoon vermoord hadden.

Opeens was ik Jamils jongere broer. Ik werd door iedereen op mijn hoofd geklopt. Was ik niet trots?

U zegt nu dat Ishmaël wreed was. Voelde hij geen deernis om zijn gevallen broeder? Maak uzelf over mij niets meer wijs. Ik was misschien in ieders ogen een jongen, maar ik was erg slim en erg sterk en men moest me niet voor de gek willen houden. Ik was er achter gekomen, dat leven niet zo belangrijk is als martelaarschap.

Ik moest mijn positie heroveren.

Om eerlijk de waarheid te zeggen was Nada degene die ik het ergst miste en naar wie ik het meest verlangde toen ik bij de al Sirhanbedoeïenen verbleef. Wij worden geobsedeerd door de gedachte dat we de deugdzaamheid van de vrouw moeten beschermen. Dat doen we niet omwille van de vrouw, maar omwille van de trots en de eer van de man. Ik hield op een andere manier van Nada. Ik hield om haarzelf van haar. Het was geen lichamelijk gerichte liefde. Ik hield van haar, omdat ze knap was en ik behagen in haar schiep.

Ik hield van Nada's van nieuwsgierigheid vervulde ogen. Ik vond het heerlijk te zien hoe die ogen ondeugd konden uitstralen wanneer wij alleen samen waren. Ik keek graag naar haar wanneer ze zich waste bij de bronnen en haar lange, dikke, donkerblonde haar vlocht. Ik hield van de manier waarop ze met haar heupen draaide als ze liep. Ik hield van haar witte tanden, wanneer ze haar hoofd achterover gooide en lachte.

Op een dag zou ik met een meisje als Nada trouwen. Tot het zover was, was mijn belangrijkste opdracht in het leven de bescherming van haar deugdzaamheid. Ik hield dus van mijn zuster en treurde niet om mijn broer. Ik ben tenminste niet zo hypocriet als mijn ouders. Voor Hagar kon ik begrip opbrengen. Voor hadji Ibrahim kon ik geen begrip opbrengen en ik bad dat zijn schuldgevoelens zouden verdwijnen.

Door mijn overstelpende bezorgdheid voor Nada kwam ik er al heel snel achter, dat er tijdens mijn afwezigheid beslist iets tussen haar en Sabri gaande geweest was. Normaal zou Ibrahim van zoiets lucht gekregen hebben, maar hij was nog niet de oude geweest sinds hij uit Zürich was teruggekeerd. Hij was min of meer uitgeblust. Er moest hem daarginds iets verschrikkelijks zijn overkomen. Bovendien werd zijn ellende nog verergerd door dat gedoe rond Jamil.

Hagar, Ramiza en Fatima wisten waarschijnlijk wel van Nada en Sabri af. Vrouwen hebben vaak onder elkaar geheimen. In Aqbat Jabar maakten de vrouwen van de clans voortdurend onderling ruzie, net als in Tabah. Dan sloegen ze afschuwelijke taal uit. Maar er waren dingen die de vrouwen te ver gingen in hun gedrag ten opzichte van elkaar. Omdat hun leven van hun eigen trouw afhing, praatten ze zelden tegen de mannen hun mond voorbij over vrouwenzaken.

Sabri Salama's komst in ons leven was geen onverdeelde zegen. Maar we hadden allemaal best dood kunnen zijn als Sabri er niet geweest was met zijn vakbekwaamheid en vindingrijkheid.

Vader had al het geld van de verkoop van de antiquiteiten uitgegeven door naar Europa te gaan. We konden weliswaar altijd nog terugvallen op onze verborgen voorraad wapens, maar wij waren in feite voor ons levensonderhoud afhankelijk van Sabri's loon en wat hij er nog bijverdiende. Hij beklaagde zich er nooit over dat hij alles aan vader moest afdragen.

Aanvankelijk voelde ik me bedreigd. Sabri zou wel eens te zeer bij mijn vader in de gunst kunnen komen. Maar dat was van voorbijgaande aard. Sabri had zijn eigen familie in Gaza en sprak voortdurend van zijn verlangen om zich bij hen te voegen. Gelukkig was hij door Ibrahims aanvankelijke argwaan nooit echt als gezinslid geaccepteerd.

De reden daarvan was geweest, dat hij met een Iraakse officier en misschien ook nog met andere mannen geslapen had. Bij tijd en wijle had ik me in zijn bijzijn ook niet erg op mijn gemak gevoeld. Toch was er in feite niets in zijn gedrag dat ons reden gaf ons druk te maken.

Niettemin maakte ik me zorgen over hem en Nada. Omdat Ibrahim geen erg in de situatie scheen te hebben, besloot ik uit te zoeken wat er nu precies gaande was.

Sabri werkte in een grote garage in Jericho. Het gebouw had ooit dienst gedaan als opslagplaats, van waaruit gewassen van de westelijke Jordaanoever naar Jordanië en Saoedi-Arabië werden verscheept. Tijdens de oorlog had het leeggestaan en daarna was het als garage in gebruik genomen voor de gestage stroom voertuigen die de Allenbyburg van en naar Amman overstaken.

Overal waar vrachtwagens te vinden zijn en goederen vervoerd worden, zijn koopjes te halen. Sabri maakte daar voor ons uitstekend gebruik van. Achter in de garage bevond zich een klein vertrek waar hij en nog een andere monteur sliepen, wanneer ze om de beurt als nachtwaker optraden. Niemand kon het hem kwalijk nemen dat hij niet naar ons overvolle onderkomen in Aqbat Jabar wilde terugkeren. Het kamp was smerig en er werd onveranderlijk de hele nacht door op luidruchtige wijze ruzie gemaakt door families.

Het viel me op dat Nada op de dagen dat Sabri 's nachts in Jericho bleef meestal voor zonsondergang het huis uit glipte. Je had er niet een van de profeten voor nodig om uit te maken waarom.

Op een avond wachtte ik vijftien minuten nadat ze was weggegaan en stevende toen op de stad af. De garagedeur zat op het nachtslot. Ik liep om het pand heen en morrelde aan de achterdeur. Die zat ook op slot. Ik morrelde aan een paar ramen, maar die zaten allemaal muurvast door het in de loop der jaren opgehoopte vuil.

Ik bekeek het gebouw en toen ik gevonden had wat ik zocht, steunpunten voor mijn voeten, klauterde ik het dak op. Twee luiken waren met een hangslot afgesloten. Ik slaagde erin met een stok de verroeste scharnieren los te wrikken.

Ik hing aan mijn handen en liet me achterin een vrachtwagen vallen. Omdat ik me daarbij pijn gedaan had, bleef ik een paar seconden liggen, maar ging toen behoedzaam op weg naar Sabri's kamer.

Ik kon achter de deur geluiden horen. Sabri en Nada maakten het soort geluiden dat gelieven maken. Ik duwde de deurknop omlaag. Deze gaf mee. Toen gooide ik de deur open.

Ze lagen naast elkaar op zijn mat op de grond. ALLAH ZIJ GE-LOOFD, ZE HADDEN HUN KLEREN AAN! Ze hadden hun armen om elkaar heen geslagen en ze duwden hun geslachtsdelen door hun onderkleding ritmisch bewegend tegen elkaar aan. Hij had een hand vrijgemaakt om haar borst omvat te houden, terwijl haar handen zich aan zijn rug vastklemden. Ze lagen te kreunen en te hijgen alsof ze het echt deden.

Nada zag me het eerst en schreeuwde toen ik Sabri pardoes op het lijf viel. 'Ik vermoord je!' riep ik.

Ik was kleiner dan Sabri, maar door mijn verblijf in de woestijn gehard en kende geen angst. Ik was hem volledig de baas en timmerde met mijn vuisten op zijn gezicht.

Sabri was erdoor overvallen en kon slechts afweren en proberen zich te verdedigen. Mijn felle aanval deed hem duizelen. Ik bleef op hem inslaan, terwijl ik hem vervloekte. Er spoot bloed uit zijn lip en neus. Ik sloeg mijn handen om zijn hals en kneep.

Er kwam iets afschuwelijks met een klap tegen mijn hoofd aan. Alles begon om me heen te draaien en het werd donker. Het eerste dat ik me daarna herinnerde was dat ik op de vloer lag, opkeek en in een waas Nada over me heen gebogen zag staan. Ze had een schroefsleutel in haar hand.

'Houd op!' krijste ze.

Ik lag daar te beven van die harde klap, reikte naar mijn achterhoofd en voelde bloed. Ik voelde me zwak, hapte naar adem en probeerde me te vermannen voor een nieuwe aanval. Ik kon inmiddels weer normaal zien. Sabri zat ineengedoken in een hoek met zijn gezicht in zijn handen te huilen.

'Ibrahim zal me vermoorden!' snikte hij maar steeds.

Ik kwam op een elleboog overeind. Nada hield de schroefsleutel onder mijn neus en dreigde me er nog een klap mee te geven. 'Nee,' smeekte ik, 'nee... nee.'

Haar hand zakte en het wapen viel op de grond. Ze liet zich op haar knieën zakken. 'Het spijt me,' snikte ze.

Nada's gezicht was vertrokken van angst en ze begon hysterisch te huilen. Ze liet zich languit op de grond vallen en stikte bijna in haar tranen.

'Ohhhhhh, shit,' kreunde ik.

We huilden alle drie op ons eigen plekje. Uiteindelijk kwam zij overeind, strompelde het vertrek uit en keerde terug met een emmer water en een paar oude lappen. Ze veegde het bloed van mijn hoofd, sloeg haar armen om me heen en wiegde me alsof ik haar pop was. Na een tijdje kroop ze naar Sabri toe en maakte ook zijn gezicht schoon. De stilte die nu viel leek eeuwig te duren. Nada keek me met een smekende blik in haar ogen aan. Ze smeekte me in feite haar leven te sparen.

'Ik weet niet wat ik moet doen,' zei ik.

'Laat ons niet vermoorden,' zei ze. 'We konden het niet langer uithouden. We hebben het niet echt gedaan. We deden maar net alsof.'

'Allah, help me,' mompelde ik.

'Ishmaël,' zei Sabri nu. 'Je moet geloven dat ik niet tot het uiterste gegaan zou zijn. Ik vereer Nada. Ik houd van Nada. Wat moesten we? We werden er gek van. We hebben het erover gehad aan Ibrahim toestemming te vragen om te trouwen. We bezitten niets. Ik heb geen geld. Je weet dat hij daar niet in toegestemd zou hebben...'

Nada kwam weer naar mij toe. 'Toen ik wist, dat we ons niet meer zouden kunnen beheersen, wilde ik dat Sabri hier wegging om zijn ouders in Gaza op te zoeken.'

'Ik wilde weggaan, zodat ik jullie familie niet te schande zou maken,' zei Sabri. 'Maar hoe kan ik vertrekken? Ik heb geen geld en geen papieren.'

Ik kon zien dat ze echt wanhopig waren.

'Zul je ons sparen, Ishmaël?' smeekte ze, terwijl ze mijn handen beetpakte en kuste.

Ik maakte de fout haar opnieuw in de ogen te kijken. 'Ik zal niets zeggen. Maar Sabri moet vertrekken.'

Ze wierpen zich allebei in mijn armen en ik hield hen vast. Daarop begonnen we alle drie opnieuw te huilen. Toen gingen we zitten, net zoals we destijds op de richel van de rots gedaan hadden toen we de schat hadden gevonden. We legden onze handen over elkaar heen en zwoeren elkaar geheimhouding. Maar die gelofte loste Sabri's probleem niet op.

'Ik wil voor Nada blijven, maar ik besef dat ik haar te schande zet,' zei hij. 'Ik heb je vader iedere stuiver gegeven die ik heb verdiend. Ik heb niets voor mezelf achtergehouden. Om de juiste ambtenaar te kunnen omkopen voor reisdocumenten heb je meer dan duizend dollars nodig. Om mijn ouders te vinden moet ik dwars door Jordanië en Syrië naar Libanon reizen en daar aan boord gaan van een schip naar Gaza. Die overtocht zal me net zoveel kosten als mijn papieren. Ik weet me geen raad!'

Ik bad. Toen ik voelde hoe Nada's hand de mijne vastgreep, dacht ik terug aan de tijd dat zij omlaag reikte, mijn hand pakte en me over de richel naar de grot met de schat toe trok. Ik wist wat me te doen stond.

'Ik weet hoe ik voor jou aan dat geld kan komen,' zei ik.

'Tweeduizend dollars?'

'Ja. Je herinnert je vast nog wel, dat wij over wapens beschikken. Jamil en ik hebben die op de Berg der Verzoeking verstopt. Die zal ik verkopen.'

'Maar als vader daar achter komt, slaat hij je dood.'

Ik was nu heel kalm. 'Sabri moet Ibrahim een brief schrijven. In die brief moet staan, dat Jamil vóór hij stierf zijn mond heeft voorbij gepraat en jou heeft verteld waar ze verborgen waren. Ibrahim zal dat geloven, omdat hij er altijd al bang voor was dat Jamil die plek zou verraden. Als ik die wapens morgen ophaal, weet jij er dan een koper voor?'

'Ja,' fluisterde Sabri.

'Je brengt jezelf zo in gevaar, Ishmaël,' protesteerde Nada.

'Wij hebben allemaal geheimen,' zei ik. 'Wij moeten dit ook geheim houden.'

'Maar Ishmaël...' begon Sabri tegen te stribbelen.

Ik legde hem het zwijgen op. 'Zo doen we het. Schrijf vanavond die brief voor me.'

Ik kwam moeizaam overeind, liep het vertrek uit en wachtte in de garage. Ik keek niet om. Ze hadden elkaar nog veel te zeggen.

Uiteindelijk kwamen ze naar buiten. Sabri omarmde me nog een keer en probeerde iets te zeggen, maar was te geëmotioneerd. Hij maakte zich uit mijn armen los, draaide zich snel om en liep naar zijn kamer terug en sloot de deur achter zich.

Nada tastte de bult op mijn hoofd af.

'Het bloeden is opgehouden.'

'Maak je geen zorgen, zo erg was het niet.'

Wij aanvaardden onze wonden en verdriet en begaven ons kort daarop op weg naar Aqbat Jabar. Toen we het kamp zagen, stonden we samen, hand in hand, in het donker vanaf de straatweg naar die afschuwelijke, verspreid staande lemen hutten te kijken. Daarna klommen we de Berg der Verzoeking op en keken naar de sterren.

'Vraag me niet hoe ik dat weet,' zei ze na een tijdje, 'maar ik weet wat er in Jaffa met moeder, Ramiza en Fatima is gebeurd.'

'Maar...'

'Jij kunt de last van zo'n afschuwelijk geheim niet alleen blijven dragen. Ik wil het met je delen. Dat heb ik al lang gewild. Uit het feit dat je erover zweeg wist ik, dat jij een fantastische man zou worden.'

Het was of er een steen van me werd afgewenteld.

'Ik hou van je, Ishmaël,' zei Nada. 'Ik hou meer van jou dan van Sabri, zij het op een andere manier.'

'Dat hoef je niet te zeggen.'

'Jij bent een betere man dan vader, omdat jij vuriger kan liefhebben dan je kunt haten.'

'Ik acht vader erg hoog. Ik heb altijd net als hij willen zijn.'

'Jij bent anders dan vader en dan alle andere mannen, Sabri inbegrepen.' Ze glimlachte naar me in het maanlicht; haar tanden waren net sterren. 'Ik hou van je, omdat je wat je liefhebt niet kunt doden.'

3 *juli 1951*

De moord op Charles Maan kwam als een slag waarvan vader zich nooit echt herstelde.

De plannen om de christenen elders onderdak te brengen bereikten al gauw de vijandige oren van de Arabische leiders. Om te bewijzen dat er eendrachtig werd gehaat, moest ervoor gezorgd worden dat de christenen bij hun moslem-broeders in de kampen bleven. Charles Maans dood was bedoeld als een niet mis te verstane boodschap.

Hij was na afloop van een vergadering in Oost-Jeruzalem ontvoerd. Zijn lijk werd een paar dagen later aangetroffen op een vuilnisbelt in de buurt van Ramallah. De moordenaars hadden een drieduims pijp een heel eind zijn endeldarm in geschoven, een paar kleine, zieke ratten in de pijp gestopt en die gedwongen Maans ingewanden in te kruipen. Zijn benen waren stevig bij elkaar gebonden, zodat de ratten niet naar buiten gedreven konden worden.

Ik had mijn vader nog nooit zo inwendig verscheurd gezien naar aanleiding van een overlijdensbericht. Toen ik hem begeleidde naar Maans begrafenis moest ik hem letterlijk overeind houden. Maan werd begraven in een crypte in Bethanië, buiten Jeruzalem langs de weg naar Jericho. In die plaats had Jezus Lazarus uit de dood opgewekt. Charles Maan zou op aarde niet het voorwerp worden van een dergelijk wonder.

Het enige sprankje hoop dat uit zijn dood voortkwam was, dat een aantal Arabische priesters plechtig beloofd had zijn werk te zullen voortzetten om hun mensen de kampen uit te krijgen. Dit vernamen wij van zijn dochter, zuster Mary Amelia.

Het was een verschrikkelijk warme dag. Er waaide vanuit de woestijn een verzwakkende chamsin. Mijn vader viel tijdens de uitvaartdienst bijna flauw. Hij leek te versuft om naar Aqbat Jabar te kunnen terugkeren. Zuster Mary Amelia stelde voor ons onder te brengen in een hospitium. Dat was een zegen. Na een nacht van zielestrijd leek Ibrahim zichzelf weer meester te zijn.

Het was de moslemsabbat. Vader meende dat wij, nu wij toch in Oost-Jeruzalem waren, naar de Al Aksa-moskee moesten gaan om te bidden voor de ziel van Charles Maan. De stad werd tegenwoordig in tweeën gedeeld door een strook niemandsland die als een gapende wond langs de Jaffapoort liep. Beide partijen konden naar elkaar kijken en elkaar soms bijna aanraken.

Hoewel hij wist dat het hem verdriet zou doen, wilde mijn vader toch de treden beklimmen naar de Citadel. Vandaar konden we over het niemandsland naar joods Jeruzalem kijken, naar het in het oog springende King David Hotel en de torenflat van het YMCA... naar het punt waar de Bab el Wad vlak achter joods Jeruzalem begon. Tabah bevond zich op nog geen half uur lopen afstand.

'Kom, vader,' smeekte ik. 'Dat is nergens goed voor.'

Hij liet zich door mij bij de hand nemen en ik voerde hem de trap af. We werden meteen meegevoerd door de menigten gelovigen in hun witte sabbatskleding, die door de Jaffa- en de Damascuspoort de oude stad binnenstroomden. De nauwe straten puilden uit van voetgangers die in de richting van de Haram al Sjarief gestuwd werden.

Al gauw verhief zich boven ons de goudkleurige koepel van de Rotskoepelmoskee, terwijl we te midden van duizenden gelovigen afdaalden naar het kolossale plein. We moesten wachten om bij de fontein te kunnen komen voor het rituele wassen van de voeten en schoven toen centimeter voor centimeter in de richting van de Al Aksa, de moskee die gebouwd was ter herinnering aan het feit dat hier Mohammeds mythische reis vanuit Mekka geëindigd was.

Duizenden paren schoenen werden netjes naast elkaar bij de ingang neergezet. We drongen op naar de deur. We konden nu horen dat daarbinnen uit de koran werd voorgelezen. Op dat moment ontstond er overal op het plein opschudding. Koning Abdullah was met zijn kleinzoon Hoessein de Haram al Sjarief opgekomen en zij baanden zich een weg naar de moskee!

Wij bevonden ons precies op de goede plek, want we konden hen voor ons langs zien lopen. Ik raakte in vervoering toen ik zijn kleinzoon zag die ongeveer net zo oud was als ik. Even zag ik in gedachten het Hasjemiiya Paleis in Amman voor me. Wist de jonge Hoessein eigenlijk wel dat wij bestonden? Wat had zijn grootvader hem over ons verteld? Wat moest het leven voor hem fantastisch zijn.

De lijfwacht van de koning maakte een smal pad door de menigte vrij, maar de mensen drongen weer op, probeerden hem te zien en aan te raken. Abdullah genoot van deze adoratie en bleef zijn lijfwacht toeschreeuwen dat hij hem niet in zijn bewegingsvrijheid moest beperken, zodat hij met zijn onderdanen kon praten. Terwijl hij vrijelijk liep te praten en handen te schudden, kwam de gedachte bij me op dat hij op die manier nauwelijks nog beschermd kon worden. Al gauw stonden Abdullah en Hoessein feitelijk alleen in de zee van opgewonden gelovigen.

Mijn hart bonsde toen zij vlak voor vader en mij langsliepen. We konden hen bijna aanraken. Toen ze bij de deur aankwamen, draaide de koning zich om en wuifde naar de menigte. Op dat moment stapte een man het halfduister van de moskee uit, hief een paar centimeter van het hoofd van de koning een pistool en schoot.

Ik zag de kogel zijn achterhoofd binnendringen en via zijn oog naar buiten komen, terwijl hij op de grond viel en zijn tulband wegrolde.

Chaos!

'Onze heer en meester is neergeschoten!'

De dolende lijfwacht kwam schietend aanstormen. De man die in de moskee uit de koran voorlas, had de schoten niet gehoord en zijn stem bleef het gebouw via de luidsprekers vervullen. De moordenaar bleef in het wilde weg schieten. Zijn kogels ketsten af op de marmeren vloer, net in de moskee. Vader en ik weken achteruit, terwijl de lijfwacht de moordenaar bijna aan onze voeten uitschakelde.

De koning is dood!

Ik zag dat de jonge Hoessein verbijsterd op de grond lag, maar nog in leven was. Ik wilde hem impulsief te hulp schieten, maar Ibrahim greep me vast, haalde me naar zich toe en fluisterde in mijn oor. 'Loop heel, heel langzaam achteruit,' beval hij. 'Laat je er niet bij betrekken. Zet het niet op een lopen. We moeten enkel onopgemerkt weg zien te komen.'

Abdullah was doodgeschoten door een Palestijn, een gewapende bandiet van de moefti en die schietpartij had een venijnige reactie tot gevolg van de kant van zijn bedoeïenenonderdanen. Hij had hen verenigd, dertig jaar over hen geheerst en zij bleven hem op fanatieke wijze trouw. Ze kwamen vanuit hun legerplaatsen in de woestijn aanstormen om wraak te nemen op de vluchtelingen aan de Jordaanse kant van de rivier. Een tiental Palestijnen werd opgepakt en voor de poorten van verschillende vluchtelingenkampen opgehangen.

De volgende dag werden de lijken losgesneden, naar Amman vervoerd en achter galopperende paarden aangesleurd. Armen en benen werden afgehakt en een uitzinnige menigte toegeworpen. De rompen van de lijken werden geschopt, bespuwd en met messen bewerkt.

Toen dat achter de rug was, was de bloeddorst nog niet gestild. De bedoeïenen verzamelden zich met het doel de kampen binnen te stormen. Uiteindelijk overtuigde de Jordaanse premier, een Palestijn, het Legioen ervan dat een omvangrijk bloedbad voorkomen moest worden. Met grote tegenzin omsingelde het de belangrijkste kampen en de steden Amman, Salt, Suweilih en Madaba om de Palestijnen te beschermen.

Toen de koning op de helling van een berg buiten Amman te ruste werd gelegd schreef een journalist uit Cairo in zijn bericht over de begrafenis, dat de Arabische wereld in de voorgaande zes jaar waarin voor het eerst ervaring was opgedaan met zelfbestuur een aantal van de mannen uitgeroeid had die opdracht hadden hen te besturen. Naast Abdullah was...

imam Jahja, de heerser van Jemen, vermoord, evenals...

president Husni az Ziam van Syrië en...

premier Ahmed Maher Pasja van Egypte, die opgevolgd en in de dood gevolgd werd door...

premier Nokrashy Pasja van Egypte en ook werden vermoord...

premier Muhsen el Barazi van Syrië en...

een premier van Libanon, die in Jordanië op bezoek ging en daar werd gevolgd en met kogels doorzeefd vanuit een langsrijdende auto, alsook....

de opperbevelhebber van het Syrische leger, Sami el Hennawi en...

sjeik Hasan al-Banna, de leider van de moslemse broederschap in Egypte, evenals...

minister Amin Osman van Egypte en...

nog een hele reeks ministers, rechters, politiechefs en militaire bevelhebbers.

Om over de tientallen mislukte aanslagen maar niet te spreken.

In Irak vonden vier coups plaats.

Jordanië scheen iedere maand van premier te wisselen.

En een ontaarde, corrupte, walgelijke Egyptische koning werd afgezet door officieren en vluchtte daarop naar de Rivièra om er zijn perverse leven voort te zetten.

Abdullah's zoon, emir Talal besteeg nu de Jordaanse troon. Deze had zich twintig jaar lang doodverveeld en op slechte voet gestaan met zijn autocratische vader. Toen hij werd gekroond, prezen de andere Arabische leiders hem als een vijand van wijlen zijn vader en als een patriot, die een eind zou maken aan de Britse overheersing van zijn land.

Helaas, koning Talal was krankzinnig. Hij had de helft van zijn jeugd in particuliere Europese sanatoria doorgebracht en was vanuit een krankzinnigengesticht in Zwitserland naar Jordanië teruggehaald om aanspraak te maken op de troon. Talals bewind was kort. De gekke, door de Britten en het Legioen gesteunde koning was duidelijk niet in staat het land te besturen.

Op grond van een geheime overeenkomst tussen militairen en parlement werd Talal stilletjes afgezet en het land uitgewerkt. Hij bracht de rest van zijn leven in ballingschap door, aanvankelijk in Egypte, daarna in een afgelegen villa in Turkije.

Talals oudste zoon, Hoessein, werd tot koning uitgeroepen onder regentschap. Deze jonge Hoessein was bij de Al Aksa aan de dood ontsnapt, toen een van de voor hem bedoelde kogels afketste op de medailles op de borst van de vijftienjarige.

4

Als er een tijd was, rijp voor rebellie, dan brak die aan op het moment van Abdullahs dood. Als een reactie op de Jordaanse onderdrukking braken overal in de kampen op de westelijke Jordaanoever rellen uit. Die waren barbaars en vaak bloedig, maar niet doelgericht. Ze werden enkel veroorzaakt omdat dat scheen op te luchten.

We hadden een wanhopige behoefte aan een stemhebbende figuur die ons kon verenigen. Ik had niet anders verwacht dan dat hadji Ibrahim naar voren zou treden om ons te verenigen en leiding te geven. Maar hij hield zich in plaats daarvan op de achtergrond en bleef ongedeerd en onopgemerkt toen de Jordaniërs hard terugsloegen. Mijn dappere, edele vader, het voorwerp van mijn verering, was tot zwijgen gebracht. Zijn innerlijke vuur was totaal gedoofd. Ik raakte daardoor vreselijk aangeslagen en ontgoocheld.

Terwijl het Arabische Legioen gewelddadige vormen van verzet de kop indrukte, bekommerden de hadji en de andere nog overgebleven leiders van de oude stempel zich enkel om zichzelf, om het redden van

hun eigen hachje. Ik begon hen te haten om hun onophoudelijke gejammer over ballingschap en terugkeer. Als ze al ooit trots en waardigheid bezeten hadden, dan was daarvan niets meer over. Ze waren
de verongelijkten, ze hadden recht op medelijden, namen genoegen
met aalmoezen als er maar tijdelijk een einde kwam aan het onrecht
dat hun werd aangedaan.

Nu kregen de Verenigde Naties het in de kampen voor het zeggen,
bewindvoerders met blauwe ogen en blond haar. Zij namen nu voor
ons de besluiten.

De Jordaniërs hadden het niet meer op mijn vader gemunt, want hij
had er blijk van gegeven tot rust gekomen te zijn. Ibrahim had nog wel
invloed op grond van zijn verleden en de uit Jamils martelaarschap
voortvloeiende glorie. Daarvan maakte hij gebruik om zich een positie te verwerven bij de Verenigde Naties. Hij werd de voorzitter van
de commissie die in het gebied rond Jericho bedrijfjes op poten moest
zetten en de landbouw moest bevorderen. Hij bezorgde Kamal al snel
een baan in het depot met medische voorraden van de UNRWA, de
organisatie van de VN voor hulp aan vluchtelingen. Dat was precies
een baantje voor Kamal. Hij hoefde weinig anders te doen dan het
grootste deel van de dag in een kantoortje zitten dommelen, terwijl
een assistent koffie voor hem ging halen en in feite het werk deed.

Van Kamal had ik al nooit een erg hoge dunk, maar nu was hij helemaal een slonzige luilak geworden. De ooit zo vrolijke en vermakelij-
ke Fatima was door Aqbat Jabar van haar geestkracht beroofd. Die
twee namen nu niet eens meer de moeite om de vliegen weg te slaan.
Kamal zou oud worden, achter vaders generatie aan het koffiehuis
binnengaan, triktak spelen, aan een waterpijp lurken, verzonnen verhalen opdissen over de kolossale villa waarin hij in Tabah gewoond
had en zijn kinderen naar de feddajin toe sturen om ervoor te zorgen
dat hij zijn vrijheid herkreeg van de zionistische honden.

Omar zorgde voor een verrassing. Hij verbleef meestentijds in Jericho en viel winkeliers lastig tot de eigenaar van een kleine kruide-
nierswinkel hem een baan gaf. Omar breidde zijn werkzaamheden
nog uit door koffie te zetten en met die koffie en zoetigheden de rijen
wachtende voertuigen bij de Allenbybrug langs te gaan. Hij deed
boodschappen voor de vrachtwagenchauffeurs en bezorgde zichzelf
uiteindelijk ook nog een baan bij het postkantoor.

Post voor een vluchtelingenkamp was een verwarrende aangelegenheid. Er werd niets bezorgd. Als iemand een brief verwachtte,
stuurde hij gewoonlijk een kind naar het postkantoor dat daar uren-

lang in een rij stond te wachten op een brief die er heel vaak nog niet was. Omar had een route uitgestippeld voor de bezorging en rekende voor het afleveren van een brief een halve en voor een pakje een hele stuiver. Het probleem hierbij was, dat de hutten niet genummerd waren. Hij moest daarom in zijn hoofd prenten waar de behuizingen van iedere familie, clan en stam zich bevonden.

Door hadji Ibrahims positie bij de UNRWA zat onze familie wat levensmiddelen en andere voorzieningen betrof dicht bij het vuur. Aangezien Kamal en Omar allebei werkten, kwam er verbetering in onze situatie. Daardoor werd minder pijnlijk dat 'Sabri onze wapens verkocht had en met het geld aan de haal gegaan was'. De juiste toedracht hierover verhelen was zowel voor Nada als voor mij een kwestie van leven en dood geworden.

Wat kon ik doen? Ik haatte nietsdoen. Ik bleef Nada heimelijk op de Berg der Verzoeking lesgeven. Ik hielp Omar met de bezorging van post. Ik hing in de buurt van professor doctor Nuri Mudhil rond, maar die had tegenwoordig niet veel meer te doen dan voordrachten voorbereiden die zo moeilijk waren dat ik daarbij niet kon helpen.

Ik bad Allah vurig dat zich iets zou voordoen waardoor ik aan de slag kon – en Allah verhoorde mijn gebed. Kunt u zich voorstellen dat ik in de wolken, in extase was, overliep van blijdschap toen ik vernam dat er in Aqbat Jabar een school voor jongens geopend zou worden? Er was slechts voor driehonderd leerlingen plaats. Hoewel er duizenden jongens waren die de leeftijd hadden om naar school te gaan, wist ik dat ik toegelaten zou worden. Als leerlingen werden inderdaad de zonen uitgekozen van voormalige moektars en sjeiks, die nu UNRWA-functionarissen waren.

Iedere Arabische natie had Palestijnen in dienst die met ongebruikelijke consideratie werden behandeld, zogenaamd om hun broeders te helpen die als vluchtelingen in dat land verbleven. In werkelijkheid dienden zij slechts de belangen van het gastland. Dr. Mohammed K. Mohammed was een bekende arts, die vóór de oorlog tijdens de uittocht van de elite uit Jaffa weggevlucht was. Omdat er zo weinig geleerde mannen met invloed waren, waren wij geneigd artsen, tandartsen, advocaten en onderwijzers te vereren. De eerbewijzen die hun te beurt vielen, stonden niet in verhouding tot wat zij in feite presteerden.

Dr. Mohammed K. Mohammed was een sluw politicus. Hij maakte van zijn reputatie op medisch gebied gebruik om tot de stichting te komen van het Genootschap voor Hulp aan de Palestijnse Vluchtelingen. Hij zag de coup aankomen waardoor er in een land andere lieden aan de macht kwamen en bood de nieuwe machthebbers de diensten aan van zijn organisatie en van zichzelf. De bestuursfunctionarissen meenden dat zij in de toekomst profijt van hem zouden kunnen hebben en duwden hem op het toneel van politieke oorlogen door hem uit te roepen tot de ware leider van de ballingen.

Ondanks de rampzalige gevolgen van haar oorlog tegen de joden bleef Egypte de machtigste Arabische natie. De meeste invloed onder de Palestijnen hadden de Egyptenaren in de Gazastrook, een door hen beheerste, vingerbrede streek waar meer dan honderdduizend vluchtelingen verbleven. Egypte loerde echter, net als Syrië en Irak, altijd nog op een kans om het domein van wijlen koning Abdullah op de westelijke Jordaanoever binnen te dringen.

Toen een Amerikaanse filantroop ertoe bewogen werd in Jericho een school te stichten voor vluchtelingenkinderen, stond dr. Mohammed K. Mohammed vooraan in de rij om diens geld in ontvangst te nemen. Hij was zo sluw geweest om zijn hulpverlenende instantie te liëren aan de UNRWA om fondsen te kunnen overhevelen. Hier deed zich voor Egypte de kans voor om zich een steunpunt te verwerven.

Vlakbij de straatweg, midden tussen ons kamp en het kamp bij Ein es-Sultan werd iets noordelijker een gebouw van twee verdiepingen neergezet. Het werd de Wadi Bakkah school, genoemd naar een monumentale Arabische overwinning in het jaar 711 op de Visigoten.

Het was een publiek geheim, dat dr. Mohammed K. Mohammed biseksueel was. Hij had een vrouw en een groot gezin, weggestopt in een villa in Alexandrië, maar was over het algemeen in het gezelschap van mannen.

Mijn volk praat niet over mannen die met mannen de liefde bedrijven. Mannen mogen elkaar in het openbaar genegenheid tonen, elkaar kussen en hand in hand rondlopen, maar wij geven voor dat zich tussen hen geen intieme relatie kan voordoen. Alles wat maar even op homoseksualiteit wijst, moet verzwegen worden. Waarom? Mohammed K. Mohammeds vind je overal.

Dr. Mohammed K. Mohammed was een indrukwekkende man met een streng gezicht, de vereiste snor en een prachtig pak aan van westerse stof. Hij was ongeveer vijftig jaar, normaal van postuur, enthousiast en zijn taalgebruik was bloemrijk. De Wadi Bakkah school was voor hem een persoonlijke overwinning en hij opende deze met veel bombarie.

Er was een tekort aan bevoegde onderwijzers, maar de dokter had die mogelijkheid al overwogen. Leden van de Egyptische moslemse broederschap waren, voor de vorm als Palestijnse vluchtelingen vermomd, in de kampen op de westelijke Jordaanoever doorgedrongen. De meesten hadden enige ervaring als godsdienstleraar; zij konden lezen en schrijven en kenden hun koran, wat in onze scholing het basiselement vormde.

Ik zat met nog negen andere jongens in de hoogste klas en wij moesten bij tijd en wijle optreden als onderwijzer. Dr. Mohammed K. Mohammed kwam en ging met een maar nietig zweempje roddel in zijn kielzog. Het leerplan deed heel wat meer stof opwaaien.

Alhoewel de koran voor zichzelf sprak aangaande zaken die de joden betroffen, was mijn oude schoolmeester, meneer Salmi uit Ramla in vergelijking met de onderwijzers van de moslemse broederschap nog veel te zoetsappig geweest.

Aan onze geschiedenis- en aardrijkskundelessen kwamen geen kaarten te pas waar Israël op te zien was. Alleen het uitspreken van het woord 'Israël' had al iets lasterlijks. Ons werd geleerd dat Kanaän een Arabisch land was vóór Jozua het van het Arabische volk stal. Vierduizend jaar lang was Palestina al gestolen land.

Nadat de islamieten in opstand gekomen waren om de kruisvaarders te verdrijven, perverteerden en verzwakten de Turkse Ottomanen de islam en beroofden zij de Arabieren van hun ware rol als leiders van de wereld. De laatste tijd spanden de Britten samen om de joden in Palestina te installeren als handlangers die de weg moesten effenen voor het imperialisme. De joden zetten de vernietiging van Palestina voort als onderdeel van hun moedwillig met de duivel gesloten verbond.

In geen enkel opzicht waren de Arabieren verantwoordelijk voor de reeks calamiteiten die hun deel geworden was. Wanneer wij Arabieren een veldslag verloren, was dat louter Allahs manier om ons eraan te herinneren dat wij geen volmaakte moslems geweest waren.

Tijdens de rekenles werd de jongere leerlingen als volgt het optellen en aftrekken bijgebracht: 'Als je tien dode zionisten hebt en je vermoordt er nog zes, hoeveel dode zionisten heb je dan in totaal?' In een hogere klas dode zionisten vermenigvuldigen en delen werd ingewikkelder.

In ieder lokaal was van iedere leerling een werkstuk aan de muur geprikt. Zij beeldden voor het overgrote deel bloeddorstige joden met haviksneuzen uit, die Arabische kinderen verminkten en vermoordden, zionistische vliegtuigen die hulpeloze vluchtelingenkampen aanvielen, roemrijke feddajin die met bajonetten joden doorboorden, roemrijke feddajin die joden met uitpuilende zakken van het bloedgeld de grond instampten, roemrijke feddajin die joodse lafaards achtervolgden, roemrijke feddajin die in Tel Aviv op een berg joodse schedels stonden, roemrijke feddajin die sentimentele gedichten voorlazen aan Arabische kinderen.

Er werden wel eens bloemen, tenten, bronnen, bomen, vogels of andere dieren getekend, maar dergelijke tekeningen werden ontraden en wonnen nooit een prijs.

Iedere maand werd er een dichtwedstrijd gehouden. In het thema kwam nooit verandering.

De zionist is de moordenaar van de wereld,
Kinderen, bomen en vogels sterven door zijn kogels,
Alle arme mensen huilen,
Want hun huizen zijn vernield
En de wereld zal daarvoor boeten.

Naarmate de leerling in een hogere klas zat, werden de bewoordingen feller.

Gesel me!
Breng nog meer gesels!
Nog meer beulen!
Met duizenden tegelijk!
Sla mijn huid tot schoenzolen!
Wrijf zout in alle wonden!
Oude wonden en nieuwe wonden
een miljoen protestliederen
zal ik schrijven met mijn bloed.

We beschikten over leerboeken uit vele verschillende landen. In de hogere klassen lazen we uit de *Egyptian High School Reader:*

O, MOEDER VAN ISRAËL
O, moeder van Israël! Droog je tranen, het bloed
van je kinderen, dat in de woestijn wordt vergoten,
zal niets voortbrengen dan doornen en alsem.
Veeg je bloed weg, o, moeder van Israël, heb
medelijden en bespaar de woestijn je smerige bloed,
O, moeder van Israël. Verwijder je doden, want hun
vlees heeft de raven buikpijn bezorgd en hun stank
veroorzaakt braaksel. Huil, o, moeder van Israël,
en weeklaag. Laat elk huis de Klaagmuur zijn van
de joden.

De muren van elk lokaal stonden vol leuzen waarin dood en vernietiging beloofd werd. Op het schoolplein werden grappen verteld.

'Hoeveel joden gaan er in een Volkswagen?'
'Dertig. Vier op de stoelen en zesentwintig in de asbak.'

Tijdens onze gymnastieklessen werd in feite een militair trainingsprogramma afgewerkt. We maakten wandeltochten buiten het terrein van de school om 'de natuur te bestuderen', teneinde te voldoen aan de UNRWA-regels. We marcheerden naar geheime trainingskampen van de feddajin. Onze lessen bestonden uit het leren leven in open veld, spoorzoeken, vechten met blote handen en messen, onder prikkeldraad door kruipen, door vuren springen, granaten gooien en levende dieren wurgen om je moed te bewijzen. We werkten erg hard voor het voorrecht om met echte kogels te mogen schieten. Met een mitrailleur schieten vervulde ons met een gevoel van macht en verrukking. Een jongen van negen jaar was onze beste schutter.

De tien leerlingen van de hoogste klas, van wie ik er één was, viel de eer te beurt onderwezen te worden door een vooraanstaand, heilig man van de broederschap.

Onze lessen gingen over de publikatie van de Conferentie van de Akademie voor Islamitische Research in Cairo, een bijeenkomst van vijftig van 's werelds leidinggevende moslemgeleerden en heilige mannen uit alle islamitische landen. Naast afgevaardigden uit de Arabische naties was daarbij een aantal mannen uit heel verschillende landen aanwezig geweest, waaronder Togoland, Rusland, Indonesië, India, Joegoslavië, China en Japan. Dit waren moefti's, professoren en ministers van godsdienst. Deze conferentie had tientallen redevoeringen, lezingen, wetenschappelijke documenten, forums en resoluties opgeleverd, die allemaal handelen over de 'Vijf Grote Thema's':

1. De joden zijn de vijanden van God en de mensheid.
2. Joden hebben de hele geschiedenis door het kwaad vertegenwoordigd. Hun bijbel staat vol met schandalen en uitspattingen die de ware aard van hun godsdienst onthullen. Het is een namaakboek, dat Gods boodschap vervalst.
3. Joden zijn uitschot en vormen geen wettige natie.
4. De staat Israël moet vernietigd worden, want daarin krijgt de historische en culturele verdorvenheid van de joden pas echt gestalte. Hun staat is totaal in tegenspraak met Allahs woning van de islam.
5. De islam is superieur. De grootsheid ervan garandeert dat uiteindelijk alle religies en volkeren erdoor overwonnen zullen worden. Dat de Arabieren in de loop van de geschiedenis nederlagen geleden hebben, was op instigatie van Allah om de

moslems te leren zich te bezinnen op de zuiverheid van hun leer en hun uiteindelijke doel.

Wij bevonden ons buiten het gezichtsveld van die bewindvoerders met blauwe ogen en blond haar, die zichzelf begraven hadden achter de muren rond de villa's in Amman. Het lesgeven werd helemaal aan de Arabieren overgelaten. Wanneer UNRWA-vertegenwoordigers bij ons op inspectiebezoek kwamen, werden we daarvan altijd tevoren op de hoogte gesteld. Maar enkele uitverkorenen onder ons kenden het grote geheim van de school. In onze kelder werden wapens en munitie opgeslagen.

Dr. Mohammed K. Mohammed keerde terug vóór de school één jaar bestond. We werden in de snikhete zon op het schoolplein verzameld, waar een aantal sprekers hoog opgaf van onze vorderingen en toewijding aan de revolutie. We waren als toekomstige feddajin ver gevorderd wat onze geestelijke ontwikkeling betrof. Onze Arabische broeders van net over de grens vormden een hechte eenheid en gordden zich aan voor de vernietigingsoorlog. Velen van ons zouden helden worden.

We waren aan het verleppen tegen de tijd dat dr. Mohammed K. Mohammed naar voren kwam voor zijn toespraak.

'Vandaag is het volgens de christelijke kalender twee november,' brulde hij in de microfoon terwijl hij zijn vuist hief. 'Weet iemand van jullie wat dat betekent?'

'Nee,' antwoordden wij eenparig.

'Het is de zwarte dag in de hele Arabische geschiedenis.'

'Oh,' mompelden wij.

'Op die dag verkochten de Britse honden ons geboorterecht aan de joden door hen ten onrechte aanspraak te laten maken op onze gewijde grond in Palestina.'

'Oh.'

'Op die dag publiceerden zij de schandelijke Balfour-declaratie. Weg met de Balfour!'

Onze onderwijzers zaten op een klein podium achter de dokter. Zij stonden nu op en schreeuwden: 'Weg met de Balfour!'

Wij, de leerlingen van de hoogste klas, sprongen overeind. 'Weg met de Balfour!'

Dr. Mohammed K. Mohammed kwam het podium af, zette ons in een rij en ging ons voor, het schoolplein af, eensgezind scanderend: 'Weg met de Balfour!'

We zwermden verder uit naar een kleine rij kiosken en een koffiehuis, dat vol zat met al wat oudere leeglopers. Toen wij langsliepen, stonden ze op en liepen met ons mee.

'Weg met de Balfour!' schreeuwden ze.

We kwamen bij de verkeersweg. Aan de andere kant van de weg stonden een paar honderd vrouwen en meisjes in een rij op een tankwagen met water te wachten. Zij kwamen opgewonden naar ons toe.

'Weg met de Balfour!' Ze liepen achter ons aan toen wij in de richting van het kamp bij Ein es-Sultan koersten. Er stormden nog eens honderden mensen Aqbat Jabar uit. De verkeersweg was al gauw overspoeld door mensen.

'Weg met de Balfour!'

We kwamen bij een klein, afgelegen huis van twee verdiepingen dat het eigendom was van een schoenmaker, een Armeniër die Tomasian heette en al zijn hele leven in Jericho woonde.

'Wat is er aan de hand?' riep hij vanaf zijn balkon.

'Weg met het balkon!' riep iemand naar hem omhoog.

'Weg met het balkon', werd de nieuwe kreet.

'Weg met die vent daarboven!'

Een venter met een ezelwagen werd de weg af gejaagd toen wij hem omringden.

'Weg met de ezelwagen!'

'Weg met Abdullahs lijk!'

'Weg met de Verenigde Naties!'

'Weg met de Amerikaanse misdadigers!'

De horde werd nu georkestreerd door de moslemse broederschap. Mensen zonderden zich af en stormden het huis van de Armeniër binnen, plunderden het en schreeuwden, dat Tomasian een verrader was.

'Jihad!'

'Heilige oorlog!'

'Weg met de Armeniërs!'

Duidelijk werd dat iemand onze in omvang toenemende relschopperij gecoördineerd had, want vanuit Ein es-Sultan kwam een broederschap-onderwijzer onze kant uit en achter hem aan rende in volle vaart een honderdtal jongens. Toen ze bij ons aankwamen, konden we zien dat ze uitgeput waren als gevolg van de warmte. Ze transpireerden hevig en stonden te bibberen op hun benen. Zodra ze in onze groep opgegaan waren, begon een van de jongens over te geven en daarna nog een en nog een. Binnen een mum van tijd werd er massaal gebraakt.

'De zionisten hebben onze bronnen vergiftigd!'

'Weg met de zionisten!'

Met tientallen tegelijk vielen mensen kokhalzend op hun knieën en werd er overal op de weg gebraakt.

'We zijn vergiftigd!'

Honderden mensen lieten zich kronkelend en schreeuwend op de grond vallen. Sommigen meenden Mohammed al te zien. Anderen zagen Allah!

De Rode Kruis-ambulances die vanuit Jericho kwamen aanrijden, konden onmogelijk deze tot een algehele uitbarsting van hysterie uitgegroeide toestand onder controle krijgen, want het waren er maar een paar. Vrouwen vielen flauw. Mannen renden met schuim om hun mond in het rond.

Auto's en vrachtwagens die niet verder konden rijden, toeterden verwoed. De voertuigen werden bestormd, omver gegooid en in brand gestoken. Al gauw vlogen talloze stenen door de lucht, die men in het wilde weg van zich af smeet. Bloed vermengde zich met het braaksel.

'WEG MET HET BALKON!'

'WEG MET HET BALKON!'

5

Vanaf het moment dat Per Olsen onze hut binnenkwam, wisten we dat hij niet het gebruikelijke soort bureaucraat was. Onze nieuwe UNRWA-vertegenwoordiger was Deens, ongeveer vijftig jaar oud, maar had geen blauwe ogen en ook geen blond haar. Hij was een tot navolging inspirerende, fatsoenlijke man met die opgewektheid waardoor je snel het vormelijke gevoel kwijtraakt dat je meestal in het bijzijn van buitenlanders hebt.

Per Olsen had zijn sporen verdiend in de nasleep van een van de bloedigste burgeroorlogen in de geschiedenis, die tussen moslems en hindoes in India. In de uitwisseling van bevolkingsgroepen die volgde op het in leven roepen van Pakistan kreeg men bijna van de ene op de andere dag met ongeveer twintig miljoen vluchtelingen te maken. Olsen werd huizenhoog geprezen voor zijn humanitair werk onder hen. Dat hij naar Jericho gekomen was, betekende wel iets meer dan de gebruikelijke aflossing van de wacht.

Mijn vader kwam meteen al onder de indruk van Per Olsen, toen de Deen zijn Arabische medewerkers voor een aantal vergaderingen bij zich riep.

'Dit is een prima man,' zei Ibrahim tegen mij. 'Ik weet zeker dat hij hier iets bijzonders komt doen.'

Ik was zeventien geworden en sprak inmiddels vloeiend Engels. Ik gaf regelmatig les aan de Wadi Bakkah school, maar trad daarnaast op als tolk van mijn vader. Daardoor was ik vanaf het begin getuige van de vriendschap tussen hem en Per Olsen.

Nadat hij het terrein verkend had en uitgemaakt had in hoeverre zijn Arabische personeelsleden op hun taak berekend waren, kwam Olsen bij ons thuis op bezoek.

'Ik wil op u kunnen rekenen als mijn persoonlijke adviseur, hadji Ibrahim.'

'Ik ben maar een nederige employé van de Verenigde Naties. Ik sta te allen tijde tot uw beschikking.'

'We gaan hier een boeiende tijd tegemoet,' zei Olsen, terwijl hij een lange, dunne Schimmelpennincksigaar uit een pakje wipte dat in het zakje van zijn overhemd zat. Mijn vader probeerde er één van.

'Hummmm, anders,' zei vader. 'Heel lekker.'

'Nu wij gedurende de vereiste veertig seconden uw huis met rookwolken hebben gevuld, wil ik graag met u praten, niet precies als met een broeder, maar als met een man die ik aan mijn kant moet hebben.'

Vader glimlachte.

'Wat wilt u van me weten?' vervolgde Per Olsen.

'We hebben al veel over u en over wat u gepresteerd hebt gehoord,' zei vader.

'Wat ik aan de grens tussen India en Pakistan gezien heb, tart iedere beschrijving. Moet u de bijzonderheden kennen om te weten dàt ik weet wat ik doe?'

'Alleen de tijd zal leren of wat voor India geldt ook voor Palestina opgaat.'

'Ik ben in die mate getuige geweest van de verdorvenheid van de mensheid, dat ik niet gemakkelijk ten onrechte het gevoel zal krijgen dat me niets kan gebeuren. Om kort te gaan,' zei Olsen, 'ik stam niet uit een rijke en niet uit een arme familie. Ik ben niet geïnteresseerd in joodse en Arabische politiek. Mijn eerste vrouw was een jodin die in Dachau door de nazi's werd vermoord. Geen kinderen, God zij dank. Mijn huidige vrouw is een moslemse, een verpleegkundige die in India met me heeft samengewerkt. We hebben drie kinderen. U merkt dus dat ik er op alle mogelijke manieren bij betrokken ben.'

'Uitstekende sigaar,' zei vader, ervan genietend.

De twee mannen bleven lange tijd verzonken in een zwijgen dat door tijd, ruimte, culturen, argwaan trachtte heen te dringen.

'Wat wilt u?' vroeg vader.

'Ik heb erin toegestemd naar Jericho te komen omdat ik me met een speciale opdracht mocht gaan bezighouden. Zoals u weet zijn niets doen en wanhoop de twee vloeken van de vluchtelingen. Met honger en ziekten kan afgerekend worden. Uit dat alles bij elkaar komen misdaad, terreur, krankzinnigheid voort. Als ik een God heb, dan is dat het principe jezelf te kunnen bedruipen. Ik verkeer in de positie dat ik jullie kan helpen te leren jezelf te bedruipen. Ik wil in Aqbat Jabar iets doen waardoor vluchtelingen elders ook uit hun lethargie zullen opschrikken.'

'Wat weet u van de Arabieren?'

'Ik ben geen dwaas, hadji Ibrahim. Daarom ben ik naar u toe gekomen. Ik heb voor het eerst van u gehoord van monseigneur Grenelli, de waarnemer van het Vaticaan inzake vluchtelingen. Hij heeft me uitvoerig over uw eenmansoorlog in Zürich verteld. Ik had me tot taak gesteld zoveel mogelijk van uw achtergrond te weten te komen. Wel, wat zegt u ervan? Ik heb geld en ik heb plannen.'

'Mijn eerste advies, Per Olsen, is heel langzaam te werk te gaan. Heel langzaam.'

Mijn vader scheen geestelijk weer helemaal op te leven toen Per Olsen en de UNRWA binnen een mum van tijd een groot aantal activiteiten ontplooiden. Het geluid van bouwwerkzaamheden werd in de streek rond Jericho gehoord.

Er werden zes scholen neergezet, waarvan twee voor meisjes.

Er werd een verscheidenheid aan medische voorzieningen gebouwd waaraan dringend behoefte was: klinieken, een consultatiebureau voor malaria, een waterzuiveringsinstallatie en centra voor aanvullende voeding, die zich op zuigelingen en kleuters richtten onder wie het sterftecijfer verschrikkelijk hoog geworden was.

Moskeeën, een ritueel slachthuis, winkels, een politiebureau, opslagplaatsen voor levensmiddelen, distributiecentra en vervoersemplacementen werden langs de verkeersweg uit de grond gestampt.

Door die activiteiten begonnen wij geleidelijk aan uit onze diep gewortelde lethargie te ontwaken, want alles wees erop dat leven dood begon te verdringen. Terwijl Per Olsen via vader contacten onderhield met de sjeiks en de moektars, liep alles aanvankelijk op rolletjes.

Op een avond, zes maanden nadat Per Olsen was aangekomen, bevonden mijn vader en ik ons in zijn kantoor. We zaten gedrieën een Schimmelpenninck te roken, toen hij met een twinkeling in zijn ogen een la van zijn bureau opentrok.

'Hier heb ik het,' zei Olsen. 'De officiële toestemming om een ontwikkelingsplan uit te werken. Fabrieken, mijnen, industrie, landbouw. Een proefexperiment, waardoor de weg geëffend kan worden voor de verwezenlijking van soortgelijke plannen overal op de westelijke Jordaanoever.'

'Maar gaat dat niet erg veel geld kosten?' vroeg vader.

'Het wordt allemaal zo opgezet dat de kosten er in vijf jaar weer uitkomen.'

'Vijf jaar?'

'Je hebt zelf gezegd dat ik langzaam te werk moest gaan.'

'Ja, je moet langzaam te werk gaan, omdat het leven hier op de bodem van de wereld traag is. En omdat wij niet te veel dingen van buitenaf, die anders zijn mogen overnemen. Maar jij beweert dat er vijf jaar voor nodig is om iets af te betalen dat blijvend is. Aanvaarden dat er iets blijvend komt, betekent hier het overschrijden van een politieke grens. Wij zijn niet van plan eeuwig in Jericho te blijven.'

'Hoe lang jullie ook blijven, jullie moeten weer gevoel voor eigenwaarde krijgen,' zei Per Olsen. 'Als je hier een fatsoenlijk leven kunt leiden, zullen sommigen blijven. Als hier faciliteiten aanwezig zijn, zullen anderen hier komen werken, wanneer jullie weggaan.'

Ibrahim wist niet goed wat hij ermee aan moest. 'Het zal waarschijnlijk moeilijk te verkopen zijn, Per.'

'Verwerp jijzelf dit plan?'

'Ik heb vele jaren naast joden gewoond. Wij konden niet begrijpen wat zij uitvoerden. Wij moeten eenvoudige mensen blijven, ons houden aan de dingen die we kennen. Oh, de Saoediërs menen misschien wel dat zij een moderne samenleving kunnen opbouwen... Ik weet het niet, Per. Ik weet het niet.'

'Laat me niet in de steek, hadji Ibrahim. Als we in onze opzet slagen, kunnen we een heleboel mensen in vele plaatsen in de wereld een beter leven bezorgen.'

Het Jericho Project werd met veel bravoure aangekondigd. Een aantal wereldwijd bekende experts kwam naar Aqbat Jabar om het plan uit te werken. Vader merkte opeens dat hij een wijs man was, die voortdurend werd geraadpleegd door geleerden, artsen, ingenieurs, onderwijzers. Door zijn aangeboren wijsheid en praktische kennis van de manier waarop onze wereld in elkaar zat was hij van onschatbare waarde. Even vergat hij de nederlagen uit het verleden. Misschien vergat hij ook de werkelijkheid.

Het was voor mij een fantastische tijd, waarin ik, de belangrijkste zoon van de grote hadji Ibrahim hem voorlas uit de kranten, als tolk optrad bij belangrijke vergaderingen.

'We lopen te hard van stapel, Per.'

'Het kan niet langzamer.'

Het plan? Oh, bij de baard van de profeet, wat een plan!

Langs de Jordaanse grens en de Dode Zee bevonden zich grote lappen onvruchtbare grond waarop nooit gewassen verbouwd waren vanwege het gebrek aan regen en het feit dat de grondsoort zo slecht was dat deze niet rendabel te maken was. Er werd een kolossaal perceel grond afgebakend, waar een experimentele boerderij moest komen. Voor de bevloeiing van dit stuk land zou men water gebruiken dat rechtstreeks uit de rivier kwam. Bestudeerd zou worden welke soort gewassen er zouden kunnen gedijen en hoe er verbetering gebracht kon worden in de opbrengst van de bestaande gewassen.

Voor schapen en ander vee zouden met taaie zaden, die in de woestijn hun waarde bewezen hadden weilanden ingezaaid worden. Er zouden boomgaarden aangeplant worden van de sterkste soort olijven, sinaasappels, bananen en dadels, en er zouden velden aangelegd worden met katoen- en pindaplanten en tarwesoorten die het goed gedaan hadden in een onvruchtbare bodem.

Op een vele ares groot terrein zouden kassen neergezet worden waarin voornamelijk groenten gekweekt moesten worden, terwijl men op een experimentele boerderij voortdurend gewassen zou uitproberen en introduceren, afkomstig van grondsoorten die weinig opleverden.

Volgens het Jericho Project zouden twintigduizend dunams grond voor de landbouw bestemd worden, waardoor duizend mensen aan de slag konden en tweemaal zoveel in de oogsttijd.

Daarna zou de Dode Zee geëxploiteerd worden, waarvan bekend was dat er veel potas en andere mineralen uit te winnen waren. De Jordaan mondde al duizenden jaren in die zee uit, maar de zee had geen afvoerkanaal en functioneerde als een natuurlijk stuwbekken. De joden waren al aan hun kant van de zee in het zuiden met de exploitatie begonnen. Er werden plannen uitgewerkt om in de buurt van Qumran installaties te bouwen en daar zouden om te beginnen driehonderd arbeiders aan de slag kunnen.

In de derde fase van het plan moesten bedrijven van de grond komen en daarvoor was een ambitieus fabriekscomplex vereist. Gewassen van de boerderij zouden daar verwerkt, verpakt en ingeblikt worden. Mineralen uit de Dode Zee zouden geraffineerd en via Jordaniës enige haven Akaba verscheept worden. Dit hield in dat er een nieuwe hoofdweg en ook nog andere, secondaire wegen aangelegd zouden moeten worden.

Er zouden vestigingen komen voor lichte industrie, binnen de mogelijkheden van de vluchtelingen en er zou een vakschool voor jongens gebouwd worden waar zij zich de vereiste bekwaamheid eigen konden maken. In kleine fabrieken zouden kleden, bouwgereedschap, stoffen en kleding, gebruiksvoorwerpen en bouwmaterialen vervaardigd worden. Een steengroeve zou steenblokken leveren, en zand en grind zouden in de materialen voorzien voor een glasfabriek.

Terwijl de experts hun dikke notitieboekjes volschreven met gegevens en ramingen, moest Ibrahim ervoor zorgen dat ons volk het Jericho Project goedkeurde. Ik liep met hem de ene na de andere bijeenkomst af en keek toe terwijl hij het plan ophemelde.

'We zullen de joden op hun eigen terrein verslaan!' pochte hij. 'We zullen Aqbat Jabar van een tot wanhoop drijvend kamp veranderen in een trotse, zichzelf bedruipende stad. Onze gezinnen zullen aan het werk gaan en geld verdienen. Dit is onze grote kans om onze lompen af te leggen en fatsoenlijke huizen te bouwen. We hebben al te lang allemaal in gestreepte pyjama's rondgelopen.'

Denkt u niet dat de hadji een dwaas was. Hij deed zijn uiterste best om het plan aanvaard te krijgen, maar ik weet dat er bij hem inwendig rivieren van twijfel buiten hun oevers traden. Had ons volk het te lang zonder werk en zonder hoop moeten doen? Hadden zij er vrede mee gekregen voort te leven als beschermelingen van 's werelds liefdadigheidsinstellingen?

Zouden ze gehoor geven?

Oh Allah, hoe verbitterd zijn de ontgoochelden!

Toen de UNRWA een oproep deed voor een paar honderd banen in de bouw begon het al. In de vacatures werd maar voor een derde deel voorzien door inwoners van Aqbat Jabar.

Hoe mijn vader ook aandrong, dreigde, ronduit smeekte, we moesten ons uiteindelijk tot aannemers van buitenaf wenden en elders arbeidskrachten vandaan halen. Hetzelfde gebeurde toen er banen beschikbaar kwamen bij de wegenbouw en op de boerderij.

Er werden maar zo weinig leerlingen ingeschreven, dat de stoelen in de lokalen nog niet voor de helft bezet waren en de meeste leerlingen kwamen maar af en toe opdagen.

De hebzucht van de verschillende stammen ging een rol spelen en het grandioze plan stierf een voortijdige dood. Iedere man die binnen een clan enig gezag genoot, meende aanspraak te kunnen maken op een baan als opzichter of staflid en wenste zich omgeven te zien door werknemers die tot zijn eigen clan behoorden. Het gevecht om posities was in werkelijkheid een gevecht om gezag. Eindeloze kibbelpartijen leidden tot eindeloze kibbelpartijen. Men ging met elkaar op de vuist en trok wapens op bijeenkomsten waar plannen uitgewerkt moesten worden. De verliezers mokten. De winnaars breidden hun macht uit op grond van het principe dat de werkzaamheden die eigenlijk door één man verricht konden worden, beter door vijf leden van dezelfde familie verricht konden worden.

Toen de bouwmaterialen begonnen aan te komen, werd er ongeremd van gestolen. In het bouwen kwam praktisch geen schot. Er was gebrek aan arbeidskrachten, gebrek aan vakbekwame opzieners, gebrek aan planning. Verwarring en lethargie belemmerden de uitvoering van het plan.

Wanneer in onze wereld vijf mannen het werk van één verrichten, rechtvaardigden vier van hen hun aanwezigheid door de werkzaamheden op te houden. Er werden wrede spelletjes gespeeld door een leger van lieden die anderen naar hun pijpen lieten dansen. Het afgeven van vergunningen en inspecties werd eindeloos vertraagd. Mensen zonder enige vakkennis ondernamen zinloze pogingen om erachter te komen hoe ingewikkelde installaties werkten. Het kon wel een week duren voor je een zak spijkers kon krijgen.

Bendes feddajin doken op, die de diefstal van materialen organiseerden en vervolgens een bewakingsdienst in het leven riepen om verdere diefstallen tegen te gaan. De feddajin eisten bovendien van vader en de andere Arabische leiders, dat ze een clandestiene fabriek begonnen om wapens en munitie te produceren.

De imams van de moskeeën raakten erbij betrokken. Priesters eisten ronduit als steekpenningen bedoelde grote bedragen op, want anders, zo dreigden zij, zouden zij vanaf hun kansel preken afsteken tegen het plan, waardoor de werkzaamheden stil zouden komen te liggen.

Chaos bracht chaos voort.

Onze mensen werd ingeprent dat de UNRWA hun nieuwe regering

was, een symbolische vader die voor hen zou zorgen. Zij wilden geen verantwoordelijkheid dragen en evenmin verbetering brengen in het leven van hun gezinnen. De UNRWA zou in hun onderhoud voorzien. Hadden ze dat niet verdiend als tegenprestatie voor het verlies van hun akkers? In de levensbehoeften werd door de UNRWA voorzien en daar was men toch hevig gepikeerd over. Moesten de Verenigde Naties zich niet wijden aan de strijd om hen naar hun dorpen te laten terugkeren? Moest de wereld niet de joden uit Palestina verdrijven? Was met de UNRWA eigenlijk niet enkel weer een stelletje buitenlanders binnengedrongen, dat over hun leven besliste?

Ik zag de hadji moedeloos worden naarmate zijn bijeenkomsten bedenkelijker van sfeer werden.

'Nee, Ibrahim,' schreeuwden zijn sjeiks, 'wij zullen geen druppel water uit de Jordaan halen, want dat betekent dat we een overeenkomst moeten sluiten met de joden. Wij sterven liever van de dorst dan dat we dat water met hen delen.'

'Luister, hadji. Als we in Jericho fabrieken bouwen, zullen de joden dan niet denken dat wij berusten in onze ballingschap?'

Toen een begin gemaakt werd met de realisering van de plannen van de UNRWA om het kamp te verfraaien door bomen te planten, tuinen en speelplaatsen aan te leggen en straatlantaarns neer te zetten, werd alles door woedende menigten vernield.

'Dood aan de UNRWA!'

'Dood aan de vertegenwoordigers van het imperialisme!'

DE DISTRIBUTIEKAART, DE ALLEMACHTIG KOSTBARE DISTRIBUTIEKAART.

De UNRWA bedriegen werd een manier van leven. Wanneer er een kind werd geboren, liet de moeder de zuigeling registreren voor een distributiekaart. De volgende dag liet gewoonlijk een andere vrouw van dezelfde familie dezelfde baby opnieuw registreren en werd er nog een kaart uitgereikt. Baby's van een bepaalde clan werden dikwijls wel onder een stuk of tien namen geregistreerd. Niemand die een inkomen had, gaf dat op. Sterfgevallen werden niet doorgegeven, zodat de distritbutiekaart geldig bleef. Als een familie Aqbat Jabar kon verlaten, bleef men toch als inwoner van het kamp ingeschreven staan, waardoor ook de distributiekaarten in hun bezit bleven. Bedoeïenen die naar hun grenzeloze wereld terugkeerden, bleven ingeschreven staan als bewoners en kwamen iedere maand terug om hun rantsoenen op te halen.

Sommigen waren door gangsterpraktijken rijk geworden en woonden nu in Oost-Jeruzalem of Nabloes. Zij kwamen, dikwijls in nieuwe personenauto's, naar het kamp om hun rantsoenen op te halen.

Tot armoede vervallen boeren uit Jordanië en van de westelijke Jordaanoever wurmden zich het kamp in en beweerden vluchtelingen te zijn. Er ontstond een welig tierende zwarte handel in overtollige distributiekaarten.

Toen men ons bouwmaterialen aanbood om verbetering te brengen in onze hutten, namen maar weinigen de moeite daarop in te gaan. 'We willen de joden niet laten denken dat wij huizen bouwen voor permanente bewoning.'

Wel bouwden de nieuwe rijken onder de zwarthandelaren kleine villa's midden in Aqbat Jabars vuil.

Het aantal vluchtelingen was niet meer bij te houden. In het begin van de oorlog was vastgesteld dat een half miljoen Arabieren hun huizen uitgevlucht was. Dat aantal was kunstmatig opgedreven tot meer dan een miljoen en steeg nog steeds. Een nauwkeurige telling was onmogelijk, aangezien Arabische administrateurs bij de UNRWA misstanden door de vingers zagen.

Ik weet niet wanneer precies of waardoor de gewelddadigste golf demonstraties teweeggebracht werd, maar wat doet het er ook toe. Er was bij ons altijd maar een klein vonkje nodig om rellen uit te lokken. Tot de meeste rellen werd in de scholen aangezet. De onderwijzers waren belangrijker geworden dan de ouders en ze hadden de kinderen volledig in hun macht. Het doelwit was gewoonlijk het UNRWA-hoofdkwartier en wanneer een demonstratie eenmaal in gang gezet was, was niet te voorspellen hoe die zou aflopen.

De 'situatie', de 'dag van de ramp' en de 'ballingschap' waren altijd geschikte redenen om te demonstreren. Voor het overige kwamen ze voort uit angst, angst voor het korten van rantsoenen, angst voor epidemieën, angst dat de tankauto's met water te laat waren. Als een kliniek wegens gebrek aan personeel aankondigde minder uren open te zijn, volgde er al gauw een demonstratie.

Op de avond dat de relschoppers een kliniek in brand staken, werd hadji Ibrahim er openlijk van beschuldigd een werktuig te zijn in handen van de zionisten. De kliniek was platgebrand omdat uit nood een scheepslading vaccin uit Israël geaccepteerd was om het hoofd te bieden aan een cholera-epidemie.

De volgende dag gingen we naar Per Olsen toe, die zich in zijn kamer had opgesloten en onder bescherming stond van het Arabische Legioen. Zijn ontslagbrief lag op zijn bureau.

'Het is gebeurd, hadji Ibrahim. Met het Jericho Project is het nu officieel gedaan,' zei hij.

'Als je wilt dat er een eind aan de rellen komt,' zei mijn vader, 'dan hoef je enkel maar distributiekaarten in te trekken. Dan komt er een eind aan.'

'Ik kan alle spelletjes die hier gespeeld worden niet meer volgen,' zei Olsen, trillend van woede. 'Die hebben niets meer te maken met menselijke logica en geen mens kan dit uithouden. Ik ga weg.'

'Het spijt me dat je zo'n slechte indruk van ons hebt gekregen, Per. Je zult ons hiervan de schuld geven, niet?'

'Nee, beste vriend, zo gaat dat niet in zijn werk. De UNRWA wil niet dat de boel vastloopt. Dan zouden te veel bureaucraten moeten omzien naar eerlijk werk. De hele zaak zal in de doofpot gestopt worden. Je weet het toch: uiteindelijk zullen de joden er de schuld van krijgen. De Verenigde Naties beginnen daar al heel goed in te worden. Jij hebt je best gedaan, hadji Ibrahim, maar je wist aldoor al wat er zou gaan gebeuren.'

'Ja, ik ben bang van wel,' fluisterde mijn vader.

'Wel, ik laat jou iets na. Vier dozen met Schimmelpennincks. Daarmee moet je het een tijdje kunnen uithouden.'

We liepen vervuld van pijn van het UNRWA-hoofdkwartier naar huis. Op dat moment zag ik dat de hadji oud begon te worden. Hij bleef staan en keek om zich heen. Een paar palen in rotsachtig terrein gaven de omtrek aan van een grote, experimentele boerderij die nooit een oogst zou opleveren. Een paar in verval rakende, betonnen funderingen met stalen roeden die er als vingers uit omhoogstaken, waren de restanten van fabrieken die nooit ook maar één rol stof zouden produceren.

'Waarom, vader?'

'Omdat er samengewerkt moest worden. Om te kunnen samenwerken moet je elkaar vertrouwen. Wij vertrouwen elkaar niet. We gaan prat op onze potentie, maar in feite zijn we impotent.

Daar staan in beslag genomen bouwmaterialen,' zei vader verbitterd. 'Daarvan zullen we een fatsoenlijk huis dichter bij de verkeersweg bouwen. Een huis, een UNRWA-bureaucraat waardig.'

6

Mijn achttiende verjaardag was zeer gedenkwaardig, want welke jongeman kan ooit de dag vergeten dat hij man wordt?

Weduwen zonder de bescherming van een grote familie of clan waren erg kwetsbaar. Ze werden vaak lastiggevallen of verkracht. Zo verging het echter niet degenen die onder de bescherming stonden van hadji Ibrahim. Wij hadden er verscheidenen in ons deel van het kamp en zij liepen geen enkel gevaar. Maar één man verstoutte zich vader te tarten en hij raakte als gevolg van zijn prestaties zijn tong kwijt.

Hilwa was een al wat oudere vrouw, wel zesentwintig jaar oud, denk ik. Haar echtgenoot was al meer dan een jaar dood. Hij was omgekomen toen een bus naar Jeruzalem, die hij bestuurde, over de kop sloeg en zij bleef achter met vier jonge kinderen. Hilwa was een van diegenen die tijdens de oorlog haar familie uit het oog verloren hadden en zich in het Tabah genoemde deel van Aqbat Jabar gevestigd hadden. Toen haar man stierf, vroeg ze hadji Ibrahim om bescherming en hij zegde haar dat onmiddellijk toe. Zoals ik al zei, was mijn vaders woord wet in ons deel van het kamp en Hilwa kwam daarna nooit meer in gevaar.

Ik had de gewoonte om als een goede buur af en toe bij Hilwa langs te gaan om te zien of zij en haar kinderen voldoende levensmiddelen kregen. Ook zag ik er persoonlijk op toe, dat zij de vereiste medische zorg kregen als ze ziek waren. We werden goede vrienden.

In onze wereld, waar bijna alles wat met seks te maken heeft, riskant, verboden en geheim is, hebben de meeste jongemannen hun eerste seksuele ervaring met een weduwe of een gescheiden vrouw. Het drong eigenlijk niet tot mij door dat weduwen net zoveel behoefte aan seksueel verkeer hadden als mannen. Dat die behoefte aan beide kanten bestond was voor mij een openbaring!

Terwijl ik aldoor meende dat ik Hilwa aan het verleiden was, verleidde zij mij. Toen zij mij vertelde dat ze een speciaal geschenk voor me had ter gelegenheid van mijn achttiende verjaardag meende ik dat dat een cadeautje moest zijn, een pet misschien of iets dat ze geborduurd had.

De eerste hap uit de granaatappel was niet wat ik ervan verwacht had. Hoewel Hilwa vier kinderen had, was ze naïef, bijna onnozel wat het vrijen betrof. Haar zaten de gebruikelijke angsten en taboes uit haar kindertijd in de weg. Die angsten weken niet wanneer we samen in bed lagen. Tussen schuldbewust huilen en vreemde giechelgeluiden door was het een onsamenhangende, gênante ervaring.

Gelukkig kwam onze relatie die eerste nacht te boven. Hilwa kreeg de gewoonte mij in het voorbijgaan discreet toe te knikken wanneer het haar veilige periode was. Ik ging haar regelmatig bezoeken en het werd allemaal heel plezierig.

Ergens voelde ik, dat er iets mankeerde aan de manier waarop we het aanpakten. Mij werd ingefluisterd dat we niet zoveel haast moesten hebben. We moesten ons inhouden, net als bij het vasten tijdens de ramadan. Wanneer ik er met Hilwa over praatte, bloosde ze en keek ze de andere kant op. We deden ons best. We werden beloond.

Toen liet Allah mij de allergrootste eer te beurt vallen. Op een avond bekende zij mij dat ik een veel betere minnaar was dan haar overleden echtgenoot. Ze maakte vele malen vleiende opmerkingen over mijn tederheid en ze werd ook minder bang om dingen te bepraten en verborgen plekjes te verkennen.

Het werd heel gerieflijk, te gerieflijk.

We woonden dicht op elkaar, zodat mijn voortdurende komen en gaan begon op te vallen. Verschillende keren kon ik niet naar haar toe komen wanneer zij daaraan behoefte had. Daardoor raakte ze van streek en ze werd veeleisend. Ik begon me in allerlei bochten te wringen. Nu het nieuwtje eraf was, beangstigde haar toenemende bezitterigheid me.

Ik was eerlijk gezegd opgelucht, de nacht dat ze in huilen uitbarstte en zei dat we elkaar niet meer konden ontmoeten, omdat ze iemand had leren kennen die met haar kon en wilde trouwen. Ik deed alsof ik vreselijk bedroefd was, ik sloeg op mijn borst, ik gaf zelfs voor jaloers te zijn. Maar toen ik wegging, had ik het wel kunnen uitschreeuwen van opluchting.

Nadat ik aldus deze nieuwe dimensie aan mijn reputatie had toegevoegd, bleef ik op dat terrein actief. Als onderwijzer aan de Wadi Bakkah school wist ik dat enkele leerlingen moeders en zusters hadden die weduwe waren. Ik stelde me tot taak hen allemaal te bezoeken om de schoolprestaties van hun zoons te bespreken.

Het is verbazingwekkend hoe snel een rondsnuffelende wolf op het goede spoor gezet wordt. Ik stond gewoonweg versteld toen ik doorkreeg hoeveel vrouwen het wilden doen en was nog verbaasder toen ik merkte hoezeer ik in trek raakte.

Ik wil niet net als andere mannen opscheppen, maar mij werd door bijna alle weduwen met wie ik bevriend was verzekerd, dat ik een van de geweldigste minnaars van de wereld was. Ik weet zeker dat het verschil hierin zat, dat ik geduldig en teder was. Het was moeilijk, maar ik hield er toch mijn mond over. Ik wilde hen evenmin met anderen delen. Ik aanvaardde mijn man-zijn zonder aanmatiging.

Na het vertrek van Per Olsen scheen mijn vader er vrede mee te hebben zich te voegen naar wat onder bureaucraten de gewoonte was. Tot het ineenstorten van het Jericho Project had hij ons nooit toegestaan misbruik te maken van onze positie. Nu verwierf onze uit negen leden bestaande familie, Fatima en Kamals pasgeboren baby meegerekend, veertien distributiekaarten. Ibrahim eiste bouwmaterialen op en liet dichter bij de verkeersweg een aardig huis voor ons bouwen.

De man die voor Per Olsen in de plaats kwam, was heel klein, uit Burma afkomstig en heette Ne Swe. Vader onderschatte de bekwaamheden van de man niet vanwege zijn lengte. Ne Swe was trouwens slim genoeg om te beseffen dat het leven eenvoudiger en vreedzamer zou zijn, wanneer hij hadji Ibrahim aan zijn kant had. Hij was afkomstig uit een land, waar het elkaar gunsten bewijzen evenzeer een manier van leven was als bij ons. Zij konden meteen al uitstekend met elkaar overweg.

Tot op dit moment had Ibrahim het bijna nooit over de vroegere bewoners van Tabah gehad of geprobeerd met hen in contact te komen. O ja, hij sprak vaak over zijn verlangen om terug te keren, maar noemde zelden mensen bij naam. Om de een of andere, vreemde reden had hij volgens mij schuldgevoelens over het feit dat hij hen in de steek had moeten laten, hoewel Allah wist dat dat niet zijn schuld geweest was.

'Niet één herder raakt om wat voor reden dan ook zijn kudde kwijt,' was het enige dat hij over dit onderwerp zeggen kon.

Dat we nu een mooi, nieuw huis hadden, betekende dat Ibrahim aan het acclimatiseren was en zich bij de ballingschap begon neer te leggen. Maar Tabah bleef bestaan en naarmate hij zich meer thuis ging voelen, ging hij zich des te vaker zitten afvragen hoe het met zijn vroegere vrienden zou zijn. Uiteindelijk vroeg hij mij dat uit te zoeken.

Uit hoofde van zijn positie kon hij via de UNRWA brieven versturen om informatie in te winnen over hun verblijfplaats. Ook had Ibrahim nog twee gehuwde dochters, mijn zusters, die met hun gezin gevlucht waren. We hadden al jaren geen contact meer met elkaar. Ik schreef brieven waarin ook naar hen werd geïnformeerd.

Er verstreken verscheidene maanden vóór we antwoord ontvingen. Onze dorpelingen waren nog steeds praktisch allemaal bij elkaar en woonden in een kamp vlakbij Beiroet dat Shatilla heette. Mijn zusters bevonden zich eveneens in Libanon, in een kamp vlakbij Shatilla dat Tel Zatar heette.

Na de ontvangst van hun brieven raakten we in de ban van nostalgische gevoelens. De vrouwen vroegen me wel twee of drie keer per dag de brieven nog een keer voor te lezen en iedere keer huilden ze. We kwamen te weten wie getrouwd waren, wie kinderen hadden, waar mensen werkten, wie tijdelijk de moektar was die op hen toezag. Ze beklaagden zich, omdat de Libanezen hen verachtelijk en wreed behandelden, maar er was tenminste werk en in Beiroet had je het beslist beter dan in Jericho.

In die brieven die daarna werden uitgewisseld deden zij een beroep op vader naar hen toe te komen om hen weer leiding te geven. Ne Swe wilde vader niet kwijt, maar praktisch gezien was het naar zijn mening wel mogelijk hem naar Beiroet over te plaatsen.

Ik was in de wolken en zweefde naar het paradijs! In Beiroet stond de beroemde Amerikaanse Universiteit, terwijl er in Jordanië en op de westelijke Jordaanoever niet een was. Ik had nooit durven dromen dat ik nog een keer werkelijk zou kunnen gaan studeren.

Wanneer we over verhuizen spraken, klonken onze stemmen aanvankelijk vastberaden en opgetogen. We zouden familieleden en vrienden terugzien! We zouden weer een volk zijn!

Ik kwam sneller op de aardbodem terug dan dat ik was opgestegen.

Met de dag werd vader minder enthousiast, minder resoluuut. Met ons allen naar Beiroet verhuizen zou een enorme opgave zijn. Ibrahim had nu geen problemen meer met de Jordaniërs. Hij bevond zich in een positie waarin weinig van hem werd verlangd, terwijl hij wel veel invloed en voorrechten had en onze levensomstandigheden waren aanvaardbaar.

Waarom dan het onbekende tegemoet gaan? In Shatilla zou hij lang en zwaar moeten vechten om ingeburgerd te raken en dezelfde status te verwerven als hij nu had. Het kwam hierop neer, dat vader het moe was. De vlucht uit Jaffa en naar Qumran, Zürich, Jamil, Charles Maan en het Jericho Project hadden hem stukje bij beetje van zijn geestkracht beroofd.

Deze indrukwekkende man, die zich praktisch nooit illusies gemaakt had, gaf zich daar nu aan over. Oh, ik drong er sterk op aan dat we naar Beiroet zouden gaan, maar hij begon te weifelen, kon er niet meer logisch over praten.

Ik bleef naar bepaalde dorpelingen en naar mijn zusters brieven schrijven, maar het was vreemd, ik kon me hun gezichten niet goed meer voor de geest halen. Zelfs vader wist niet meer precies hoe het zat met de verwantschap tussen hen.

Na een paar maanden was Beiroet een luchtspiegeling geworden.

Op de dagen dat vader zijn vertrouwelijke bijeenkomsten had met Ne Swe ging ik als tolk met hem mee om er zeker van te zijn dat er geen misverstanden ontstonden. Vader zat dan gewoonlijk in een koffiehuis tegenover de school op me te wachten. Wanneer de lessen afgelopen waren, wandelden we naar het UNRWA-hoofdkwartier. Tijdens deze wandelingen begon me op te vallen dat hij veranderd was. Hij was heel diplomatiek en praktisch geworden, ging moeilijkheden uit de weg, speelde kien het spel dat alle stammen speelden. Sluwheid was in de plaats gekomen van woede.

Tot mijn verbazing zag ik hem op een dag in de deuropening staan van mijn lokaal. Hij was duidelijk van streek, terwijl hij anders nooit in het openbaar blijk gaf van zijn gevoelens. Hij knikte. Ik vroeg snel toestemming om te vertrekken en liep achter hem aan de school uit.

Eenmaal buiten bleef hij staan en greep me vast. Ik geloof dat ik echt angst in zijn ogen bespeurde.

'Ik heb geheime informatie uit Amman ontvangen. Over twee weken gaan de Jordaniërs alle jongens die de leeftijd hebben voor militaire dienst bevelen zich als dienstplichtigen te melden bij het Arabische Legioen.'

'Oh mijn God,' zei ik bevend.

'Jij bent veilig,' zei vader, 'maar ze zullen Omar pakken.'

Ik moet tot mijn schande bekennen dat ik eerder opgelucht was omdat ik buiten schot bleef dan dat ik medelijden had met Omar. Na de moord op Abdullah en de verbanning van Talal hadden de regenten rond zijn kleinzoon, de jonge koning Hoessein, de teugels stevig in handen genomen. Opnieuw probeerden de Jordaniërs hun tot een obsessie geworden plan erdoor te drukken om de westelijke Jordaanoever te annexeren. Palestijnse jongens in een Jordaans uniform steken was een slim uitgedachte truc. Daardoor zou de indruk gewekt worden, dat de Palestijnen de koning trouw waren. Daar kwam nog bij dat de Palestijnen in het Arabische Legioen het vuile werk zouden mogen opknappen, wanneer er relletjes en andere moeilijkheden ontstonden. Het bloed van ons eigen volk zou dan aan onze handen kleven, terwijl Jordanië haar handen in onschuld waste.

Vader was vreselijk van streek. Waarom? Hij vormde politiek gezien geen bedreiging meer. Hij had geen problemen meer met de Jordaniërs. Hij moest toch weten hoe hij voor Omar vrijstelling kon krijgen. Ik kon zijn reactie niet begrijpen.

Ne Swe begroette ons op een manier die weerspiegelde dat vader druk had uitgeoefend. Ik legde hem uit dat een Jordaanse minister vader gewaarschuwd had.

'Vader zegt dat wij onmiddellijk moeten regelen dat Omar reisdocumenten krijgt waarop hij naar Libanon kan vertrekken.'

Ne Swe knipperde een beetje met zijn ogen, want hij besefte dat hij een moeras van bureaucratie en steekpenningen zou moeten doorwaden en de tijd drong. Hij dacht diep na. 'De snelste manier is Omar in dienst te nemen voor UNRWA-werkzaamheden in Beiroet.'

'Kan dat nog op tijd geregeld worden?'

'Dat is te doen.'

Er stond in Jeruzalem op de Berg van Slechte Raad een groot complex van de Verenigde Naties. Daar kon Ne Swe via de radio rechtstreeks contact opnemen met de UNRWA in Beiroet. Vader leek een stuk rustiger toen we huiswaarts gingen.

Zodra we ons huis binnengingen, begreep ik waarom het niet veel gescheeld had of vader was in paniek geraakt. Ik zag Jamils foto met de vaasjes met bloemen en de brandende kaarsen. Jamil had vanuit zijn graf een hand uitgestoken.

Kolonel Farid Zyyad was een geduldige man die niet gauw iets vergat. Ibrahim was bang dat Zyyad in zijn dorst naar wraak door Jamils dood nog niet helemaal tevreden gesteld was. Wanneer Omar eenmaal deel uitmaakte van het Arabische Legioen, wist alleen Allah wat hem kon overkomen. Het zou voor hadji Ibrahim te veel zijn om twee zonen op een dergelijke manier te verliezen.

De benodigde papieren waren binnen een week in ons bezit. We hadden onopvallend het een en ander ingeruild om aan een stel nieuwe kleren en schoenen te komen, voor voldoende Amerikaanse dollars gezorgd en de veiligste route naar Beiroet uitgestippeld. Wanneer hij daar eenmaal was, zouden mannen van onze clan in het Shatillakamp hem opnemen.

In minder dan geen tijd was Omar op weg naar Libanon.

Omars levensgeschiedenis leek in veel opzichten op die van Jamil. Hij was zijn hele leven nauwelijks door zijn familieleden opgemerkt. Als er iemand van ons allen over het hoofd was gezien, dan was hij dat, een aardige, eenvoudige, hardwerkende jongen zonder bijzondere gaven. Toch zou je op grond van het gehuil en geweeklaag dat volgde op zijn vertrek gemeend hebben dat we de zoon van Mohammed kwijtraakten. Vóór hij vertrok maakte een met ons bevriende fotograaf, Waddie, een foto van hem. Toen hij weg was, werd deze naast die van Jamil neergezet.

Niet aan het vertrek van Omar ging vader in feite te gronde. De oorzaak daarvan was dat hij niet meer in staat was zijn familie te beschermen. Nog erger was, dat hij steeds meer familieleden kwijtraakte. We waren van eenvoudige boeren, die volgens een vaste kringloop van zaaien en oogsten geleefd hadden, veranderd in een noodlijdend volk in ons eigen land. Nu begonnen we opnieuw te veranderen. De zonen verlieten de kampen zo gauw als ze daartoe in staat waren. We begonnen de zwervers van de wereld te worden.

Omars vertrek was een zware slag voor Ibrahim. Voor een man als de hadji was zijn eigen bestemming bepalen het belangrijkste. Daarin was hij meestentijds geslaagd, zelfs in tijden van veel tegenspoed. Maar mijn vader had ook verliezen te verwerken gekregen die een trots man nauwelijks kon verdragen. Hij was zijn dorp en zijn clan kwijtgeraakt. Nu kreeg hij de allerzwaarste nederlaag te verwerken: het verlies van de ene na de andere zoon. En daaraan kon hij niets veranderen, daar stond hij machteloos tegenover.

Voor mij werd het een van de meest cruciale momenten van mijn leven. Ik realiseerde me dat mijn vader eigenlijk alleen mij nog maar had. Hij rekende op me, verliet zich al meer op mij. Hij behandelde me als een man en bij tijd en wijle bijna als zijns gelijke.

Telkens wanneer ik er over dacht zelf ook te vertrekken, eindigde dat met een afschuwelijke depressie. Het was ondenkbaar dat ik zou kunnen weggaan zolang mijn vader en andere familieleden bleven. Hoe zou ik kunnen leven met de wetenschap dat ik in de ogen van mijn vader een verrader was?

Ibrahim herhaalde steeds weer dat ik ervoor moest zorgen dat de nakomelingen van de Soukori-clan overleefden. Ik was zijn uitverkorene. Dat had ik gewild en daarvoor had ik gevochten. Maar daardoor zou ik nu nooit weg kunnen gaan zonder zijn toestemming. Alle dromen, hoe vaag en onwezenlijk ook, eindigden plotsklaps met een huivering.

Hadji Ibrahim begon geleidelijk aan andere standpunten in te nemen. Voor de eerste keer accepteerde hij het als een gegeven dat de zionisten de oorzaak waren van al onze problemen. Omdat hij niet meer in staat was het kwaad te bestrijden dat onze maatschappij en leiders veroorzaakten, kwam het hem goed uit dat hij alles achteraf kon afschuiven op de vijand aan de andere kant van de grens.

In Egypte waren officieren in opstand gekomen. Zij hadden zich ontdaan van een decadente monarch. Er was een Egyptische republiek uitgeroepen. De sterke man acher de coup was een bevelhebber, die Gamal Nasser heette. Hij had in de oorlog tegen de joden gevochten en was vernederd doordat hij gevangengenomen was. Zijn haat tegen Israël was het meest effectief in de Arabische wereld en dat betekende heel wat. Hij wakkerde de vlammen aan van het Arabische nationalisme. Hij zou ons allemaal onder zijn banier verenigen.

De Arabische radio beijverde zich altijd voor beïnvloeding van de vluchtelingen op de westelijke Jordaanoever. Nasser ging in hun fantasie een belangrijke rol spelen. Hij zou hen bevrijden. Hij zou ervoor zorgen dat ze konden terugkeren naar waar ze thuishoorden.

Geleidelijk aan kregen Nassers woorden vat op vader en daardoor werd hij veel minder ontvankelijk voor logische redeneringen dan voorheen.

7 *1955*

We ontvingen via de UNRWA-radio in Jeruzalem bericht dat Omar veilig in Beiroet was aangekomen, zich bij onze clan gevoegd en de beloofde baan gekregen had. Net als alle zonen die weggegaan waren zou hij zijn salaris naar huis sturen.

Uiteindelijk kwamen we tot het besef dat het waarschijnlijk niet nodig geweest was, dat Omar vertrok. De Jordaniërs vaardigden het bevel uit dat de dienstplichtigen zich moesten melden en vormden enkel uit Palestijnen bestaande eenheden van het Arabische Legioen. Hoewel deze bataljons onder het bevel stonden van Britse officieren werd al gauw bekend dat het de soldaten aan discipline ontbrak, dat ze massaal deserteerden en altijd herrie schopten. Ze weigerden rellen van vluchtelingen de kop in te drukken en toonden zich in geen enkel opzicht trouw aan de koning. De Britten kwamen al gauw tot de conclusie dat ze als strijdmacht niets waard waren.

De Palestijne bataljons werden opgeheven en hun soldaten werden bij gewone Jordaanse soldaten ingedeeld. Tussen die twee groeperingen werd onophoudelijk gevochten. Binnen een paar maanden werd van die opzet afgestapt en werden er geen Palestijnen meer ingelijfd.

De nadruk kwam nu te liggen op de vorming van een grote strijdmacht van feddajin en het opvoeren van het aantal terreuracties op Israëlische bodem. In de Wadi Bakkah school begonnen jongens al op negenjarige leeftijd aan hun training.

Onze vaders behielden weliswaar hun traditionele gezag en aanzien, maar in feite hadden de onderwijzers de kinderen in hun ban. Onze vaders protesteerden daar niet tegen, zolang wij knielden wan-

514

neer we ons huis binnengingen, hun hand kusten en lippendienst bewezen aan hun wijsheid. De leerlingen werden op grond van hun leeftijd in cellen ingedeeld en kregen revolutionaire namen. Ze werden allemaal de 'zoon' van...

Je had Ibn Nemer, 'zoon van de tijger'. Je had zonen van de leeuw, de jakhals, de adelaar.

Je had zonen van storm, vuur en bliksem.

Er waren zonen van Mohammed bij of van een onlangs gevallen martelaar die niet teruggekeerd was van een overval op Israël. Je had zeker wel een stuk of tien Ibn Jamils, vernoemd naar mijn broer.

Er waren zonen bij van de moedige, de edele, de betrouwbare, de wrede.

Zij brachten pamfletten rond waarmee we iedere dag bestookt werden, beplakten de muren met posters, schilderden er de leuzen op. Zij vormden in hoofdzaak de vaste kern van demonstranten die van het ene op het andere moment onder wat voor voorwendsel ook rellen schopten.

Ik bleef het aanschouwen van de plechtigheden waarbij hun in het bijzijn van hun ouders het diploma werd uitgereikt afschuwelijk vinden. Na een demonstratie van 'militaire dapperheid' en persoonlijke moed, eindigde de plechtigheid er mee dat zij de kop van een slang afbeten. Terwijl het bloed langs hun kin droop, roosterden zij de dieren voor een overwinningsfeest. Andere scholen lieten de kinderen puppies wurgen en hun bloed drinken.

Ik had me zo wanhopig gevoeld over Omars vertrek en mijn eigen gevangenschap, dat ik niet veel aandacht besteed had aan Nada's situatie. Ze was nu twintig jaar en de meeste meisjes waren op die leeftijd al getrouwd. In Hagars ogen dreigde dit een ramp te worden, want het werd als een schande voor de familie gezien wanneer een dochter ongetrouwd bleef en geen kinderen had.

Nada was heel knap en vele jongens van haar leeftijd en vele al wat oudere weduwnaars begeerden haar, maar Ibrahim scheepte hen allemaal af. Hij regeerde op hun vurigheid met te verklaren dat Nada pas nadat we allemaal in Tabah waren teruggekeerd op gepaste wijze zou trouwen met een man van stand. Ik vroeg me af of hij daar echt in geloofde. Het werd in elk geval heel duidelijk, dat hij niet van zins was haar te laten gaan.

Nada begon haar heil te zoeken bij de feddajin, die meisjes aanmoedigden zich bij hen aan te sluiten. Dat was een enorme inbreuk op de traditie, waardoor vaders en dochters ongetwijfeld met elkaar in conflict zouden raken. Nada was altijd naar mijn gevoel mijn eerste verantwoordelijkheid geweest en ik besloot dat ik me maar beter wat toegewijder met haar kon gaan bezighouden.

Ik beklom met haar de Berg der Verzoeking om even op adem te komen, zoals we al zo vaak gedaan hadden. Het was jammer dat vader haar niet toestond naar een van de scholen voor meisjes te gaan. Ze zou heel intelligent geweest zijn, nog intelligenter dan enkele jongens. Het was vreselijk oneerlijk, omdat zij zo vaak niets te doen had.

Nada begon aan steeds meer activiteiten van de feddajin deel te nemen. Zij was niet de enige. Ook andere meisjes in de leeftijd van zestien tot twintig jaar onttrokken zich aan het gezag van hun vader. Ze luisterden naar geheime voordrachten van onderwijzers, de broederschap en die waanzinnige, verachtelijke communisten.

Ik was van plan haar streng toe te spreken, maar toen ik daar wat dieper over nadacht, leek het me beter gewoon verstandig met haar te praten.

Toen ik van wal stak, zei ze:

'Doe geen moeite, Ishamël. Ik heb de eed al afgelegd.'

Ik was met stomheid geslagen.

'Ik ben nu een dochter van de revolutie,' zei ze. 'Mijn groep wordt de Kleine Vogels genoemd. Ik ben de nachtegaal. Weet je waarom? Zij zijn de enigen, op jou na, die me ooit hebben horen zingen.'

'Er te diep bij betrokken raken levert risico's op.'

'Daar geef ik niet om,' zei ze.

'Maar vader geeft daar wel om.'

'Vader? Geeft vader om mij?'

'Jazeker.'

'Veel aardige jongens hebben geprobeerd me het hof te maken. Hij heeft ze allemaal weggejaagd.'

'Alleen vanwege onze situatie.'

'Vader geeft alleen maar om me zolang ik zijn naam eer aandoe,' zei ze. 'Hoe het ook zij, het kan me niet schelen of vader bezwaren heeft.'

'Wat bedoel je met: het kan me niet schelen of vader bezwaren heeft.'

'Precies wat ik zeg.'

Ik wist uiteraard dat Nada pit had, maar daar zelden blijk van kon geven. Misschien was ik de enige die wist hoe vurig zij inwendig was. Nou ja, Sabri wist daar misschien ook iets van. Wanneer ze thuis was, deed ze, zelfs wanneer ze met de vrouwen alleen was, nauwelijks een mond open en verrichtte ze haar taken zonder te klagen.

'Wij moeten eens ernstig met elkaar praten,' zei ik zo manhaftig als ik maar kon. 'Je zult met die lui lelijk in de problemen komen.

'Ik zal altijd naar je luisteren, Ishmaël, maar ik heb zelf al bepaalde conclusies getrokken.'

'Zoals?'

'Dat wij waarschijnlijk nooit hier vandaan zullen komen.'

We zwegen een tijdje.

'Het is een bedroevende situatie,' zei ik uiteindelijk. 'Maar gebruik toch je verstand.'

'Ik weet hoe jij over de feddajin denkt, maar zij waren de eersten die me als een gelijkwaardig mens behandelden – als een persoon met trots en waardigheid. Daarom ben ik nu hun nachtegaal, is Hala hun duif en Sana hun merel. Wij zingen samen. We vertellen verhalen. We lachen. De jongens leren dat zij geen honden zijn en dat ze al gauw man worden.'

'Oh, ik heb wel gezien hoe manhaftig ze zijn,' zei ik spottend. 'Vóór ze erop uittrekken voor een overval, rijden ze in open vrachtwagens rond en schieten ze al hun munitie de lucht in om hun moed op te vijzelen. Tegen de tijd dat ze bij de Israëlische grens aankomen, gooi-en ze hun wapens neer en vluchten ze naar een ander kamp.'

'De tijd zal leren hoe dapper zij zullen worden. Wie zal ons volgens jou Aqbat Jabar uit krijgen? Vader? Die wordt zienderogen oud. Nee, Ishmaël, alleen de feddajin zullen ons bevrijden. Zij zullen er-voor zorgen, dat we weer de positie gaan innemen waarop we recht hebben.'

'Op welke positie hebben wij dan recht? Wie zijn wij dan wel vol-gens jou?'

'De Palestijnen zijn het meest geleerd, het meest intelligent van alle mensen in de Arabische wereld...'

'Kletskoek! Alle geleerde Palestijnen met een beetje geld hebben ons al lang geleden in de steek gelaten door te vluchten. Kijk eens omlaag, Nada, wat zie je daar? Een trots en waardig volk?'

'Daarom moeten we ons nu juist tot de feddajin wenden.'

Ik klemde mijn handen over mijn oren. Nada was opgewonden en keek me woedend in de ogen. Ik dwong mezelf tot kalmte en schudde haar zachtjes door elkaar.

'Nada, je zei dat je naar me zou luisteren. Luister dan alsjeblieft. Ik hoor die leuzen iedere dag, de hele dag door op school. Omdat we in zo'n afschuwelijke, ellendige situatie zitten, zijn we al gauw geneigd aan woorden zonder betekenis geloof te hechten. Wie zijn die feddajin die ons leiding proberen te geven? Wat weten zij van regeringszaken? Wat weten zij van vrijheid? Weten zij wat redelijkheid, wat waarheid is? Zij stelen van weduwen en mismaakten. Zij houden de zwarte markt in bedrijf. Zij handelen in hasjiesj. Zij bedekken hun gangsterpraktijken met een revolutionaire vlag en daardoor moeten ze dan ineens bewonderenswaardig worden?'

Nu was het haar beurt om haar handen over haar oren te klemmen. Ik trok ze omlaag.

'Ze sturen jongens van mijn leeftijd in zelfmoordcommando's Israël in. Zij gaan op pad zonder kaarten, zonder te weten waar ze op afgaan, zonder op de goede manier te zijn voorbereid. Zoek een verdwaalde jood, een oude jood, een kind, een vrouw op en vermoord hen. Denk je dat wij daardoor naar Tabah zullen kunnen terugkeren?'

'Die zionistische honden hebben ons van ons vaderland beroofd!'

'Jij houdt nu je mond en luistert goed naar me, Nada. Je kent Waddie, de fotograaf? Nou, ken je die?'

'Natuurlijk ken ik hem.'

'Ik ken hem ook. Hij werkt voor de feddajin. Een jongen komt bij de zelfmoordcommando's terecht, omdat zijn familie hem voor honderd dollars verkoopt of omdat hij zich daartoe gedwongen ziet, omdat hij onder druk staat en zijn mannelijkheid in twijfel getrokken wordt. Wanneer hij aan de training begint, wordt er een foto van hem gemaakt. Waarom? Omdat zij, terwijl hij nog aan het oefenen is voor een opdracht, aanplakbiljetten laten drukken met zijn foto erop. Die biljetten hangen ze op, zodra hij in Israël gedood wordt en dan is hij de nieuwe martelaar.'

'Daar geloof ik niets van.'

'O, maar dat is nog lang niet alles, Nada. De laatste drie weken vóór zijn opdracht wordt hij naar Bethlehem of Nabloes gestuurd om met een hoer samen te leven en zorgen ze er met hasjiesj voor dat hij zich voortdurend in een benevelde toestand bevindt. Hij wordt als een brok hondevlees over de grens gesmeten, omdat de feddajin niet willen dat hij terugkomt. Ze willen martelaren. Is dat jouw revolutie? En jouw bewonderenswaardige bevelvoerende feddajin – zie je hen ooit acties aanvoeren? Nee toch. Het zijn cynici, die domme boerenjongens de dood in sturen om de haat levend te houden en hun gangsterpraktijken te verbloemen. Oh, kom bij ons, lief nachtegaaltje, zing voor ons, schrijf gedichten over de grote strijd. We zullen jou ver van huis een plek geven waar je je thuis kunt voelen. We zullen je over straat laten rennen om samen met de jongens te demonstreren. Is dat niet leuk? Je wordt gebruikt, Nada!'

'Houd op, Ishmaël!'

'Ik spreek de waarheid!'

'Dat weet ik wel,' riep ze uit. 'Begrijp je het dan niet! Ik moet van huis weg zien te komen. Ik stik daar binnen. Ik heb dan tenminste een paar vrienden...'

'Maar Nada, die lui zijn van precies hetzelfde slag als degenen die ons in deze ellende gestort hebben. Als wij ons door hen laten leiden, komt er nooit een eind aan het bloedvergieten en aan de verschrikkingen. Daar zullen wij niets bij winnen. Het enige dat zij in werkelijkheid in veiligheid zullen brengen is hun bankrekening. Die overvallen hebben slechts tot doel de haat levend te houden en het kan hun niet schelen hoeveel jongens zij daarvoor moeten laten afslachten. En zij genieten ervan als de joden terugslaan en een paar van onze kinderen worden vermoord. Daar genieten ze van!'

'Je hoeft niet zo te schreeuwen,' zei ze, terwijl ze opstond en van me wegliep. Zij liep een pad op, waardoor we echt gedwongen waren op Aqbat Jabar neer te kijken. 'Zeg me dan of er een andere manier is. Vader heeft het op een andere manier geprobeerd en ze hebben hem daarom kapotgemaakt. Hoe lang kunnen we daar beneden nog blijven wonen? Wat gaat er met jouw leven gebeuren, Ishmaël?'

Ik ontdekte dat ik heen en weer stond te wiegen, met mijn handpalm tegen mijn voorhoofd sloeg. Een onverdraaglijke pijnscheut trok vanuit mijn maag naar mijn keel. 'Ik zit in de val!' schreeuwde ik. 'In de val!'

'We zitten altijd in de val, Ishmaël. Vanaf de tijd dat we geboren worden.'

'Ik zit in de val!' schreeuwde ik keer op keer, tot mijn eigen echo mij angst aanjoeg.

'Het is waar,' zei Nada. 'Ik geloof helemaal niet zo heilig in de revolutie. Maar jij kunt nu maar beter eens naar mij luisteren, lieve broer.'

Ik wilde eigenlijk niet horen wat ze te zeggen had.

'Kom, laten we wat hogerop gaan zitten, waar we niet op dat kamp hoeven neerkijken,' zei ze.

Ik liet me door haar bij de hand nemen. Zij klom altijd zo behendig tussen de rotsen door, zelfs op haar blote voeten. Door mijn uitbarsting was ik me vreemd moe gaan voelen. Ik liet mijn hoofd hangen en kauwde op mijn lip.

Nada was heel erg zeker van zichzelf. 'Jij hebt om jezelf gehuild – huil nu om mij. Ik heb in mijn hele leven nog niet één keer vrij kunnen ademhalen. Mijn gedachten, mijn stem en mijn verlangens hebben altijd opgesloten gezeten in een gevangeniscel. Ik mag in ons huis niet de huiskamer binnengaan en iets zeggen. Ik mag daar nooit van mijn leven eten. Ik mag alleen nooit verder lopen dan tot aan de waterput. Ik zal nooit een echt boek kunnen lezen. Ik mag niet zingen of lachen als er een man in de buurt is, ook al zijn het mijn eigen broers. Ik mag een jongen niet aanraken, ook al is het maar vluchtig. Ik mag niet tegenspreken. Ik mag niet ongehoorzaam zijn, zelfs niet als ik in mijn recht sta. Ik krijg geen toestemming om naar school te gaan omdat dat niet hoort. Ik mag alleen maar iets doen of zeggen als anderen mij daarvoor toestemming hebben gegeven.

Ik weet nog dat ik in Tabah een keer een klein joods meisje op de straatweg met haar ouders bij een bushalte zag staan wachten. Zij had een pop bij zich en liet die aan mij zien. Het was een heel mooie, maar ze kon enkel haar ogen open- en dichtdoen en huilen als je een klap op haar rug gaf. *Ik ben die pop.*

Gehoorzaam... doe je werk... wat is vreugde, Ishmaël? O geliefde broer, ik heb jou vrolijk zien weghuppelen door onze velden in Tabah, naar de beek toe of om een slokje wijn te stelen. Ik zie je tegenwoordig een vertrek binnenkomen en je mening zeggen, zelfs tegen vader. Ik zie jou lezen. Wat moet het geweldig zijn te kunnen lezen zonder bang te hoeven zijn dat je er klappen voor krijgt. Ik heb je iedere dag in je eentje naar Ramla, naar school zien gaan... in een bus zien stappen... weg zien rijden... en pas zien terugkomen als het al donker begon te worden. Ik herinner me nog de keren dat jij en je broers in Lydda naar de bioscoop gingen en ik ineengedoken in een hoekje ging zitten huilen. Ik zie nog voor me hoe jij op el-Buraq wegreed. Je zat achter vader, hield je aan hem vast en galoppeerde de wind tegemoet. Ik weet nog... ik weet nog...

Ik ben tot een klont gekneed waarvan men meent dat die geen gevoelens heeft. Mijn gevoelens zijn beteugeld en geknecht vanaf de tijd dat ik een klein meisje was... schaam je... klap... verboden... klap... schaam je, schaam je, schaam je. Zelfs mijn lichaam behoort mijzelf niet toe. Mijn lichaam bestaat slechts om vaders eer te beschermen. Het is niet van mij. Ik mag er geen plezier aan beleven. En wanneer ik word uitgehuwelijkt, zal mijn lichaam van mijn echtgenoot zijn. Hij mag er dan mee doen wat hij wil wanneer hij maar wil. Ik heb daarin niets te zeggen. En dan denk jij dat jij in de val zit, Ishmaël?'

'Ik geloof dat ik me moet gaan zitten schamen,' bracht ik er met moeite uit.

'O lieve broer, dat is nog lang niet alles wat bij het vrouw-zijn in onze wereld behoort. Je voelt er de pijn van tot je net als moeder wordt en geen pijn meer kan voelen. Nu kan ik met jongens en meisjes praten en zingen en demonstreren. Wat kan het mij schelen welk doel zo'n demonstratie dient? Ik ben hun nachtegaal. Ik kijk naar jongens en glimlach. Ik loop vlak langs hen heen. Ik flirt. Sabri heeft me laten zien dat er iets verschrikkelijk onstuimigs en moois in het leven kan zijn. Waarom mag ik die ontdekking niet doen?'

'Ik kan dergelijke... praat niet goedkeuren.'

'Heb jij ooit een meisje gehad?' vroeg ze.

'Daarop ga ik geen antwoord geven.'

'Toe, heb je het wel eens gedaan?'

'Alleen met weduwen.'

'Was het fantastisch?'

'Nada!'

'Nou?'

'Wel, wanneer je eenmaal over je angst heen bent en je een begrip tonende weduwe hebt, tja, dan is het ongelooflijk verrassend.'

'Jij hebt het gedaan. Jij hebt gevoeld hoe het is. Mij wordt alles ontzegd, maar jij hebt gevoeld hoe het is. En je zult het weer doen als je de kans krijgt.'

'Dit gesprek wordt gevaarlijk,' zei ik.

Nada hoorde het niet. Ze was in trance. Ze wiegde met gesloten ogen heen en weer. 'Ik zie mezelf en een jongen. Ik weet niet wie hij is, maar we zijn alleen naar de bronnen toe gegaan. We hebben onze kleren uitgetrokken en staren naar elkaar. Ik kijk naar zijn geslachtsdeel. Het is prachtig.'

Ze deed haar ogen weer open en glimlachte. 'Toen jij een baby was, heb ik heel vaak naar je geslachtsdeel gekeken. Alle meisjes doen hun kleine broertjes graag een schone luier voor, omdat zij dan naar zijn geslachtsdeel kunnen kijken en er zelfs mee kunnen spelen. Ik wil een man helemaal voelen. Ik wil hem overal aanraken. Overal kussen. Ik wil dat een jongen me vol verbazing bekijkt, omdat ik verbazingwekkend ben! O God, het moet ongelooflijk zijn!'

'Nada, wees alsjeblieft voorzichtig. Wees alsjeblieft, alsjeblieft voorzichtig!'

'Ik zal niet net zo sterven als Hagar, Ramiza en Fatima – zonder echt geleefd te hebben. Ik laat me niet voor eeuwig in een kooi opsluiten.'

'Alsjeblieft,' zei ik nog eens als in een gebed tegen haar. 'Wees voorzichtig, wees alsjeblieft voorzichtig.'

Nu Omar en Jamil weg waren, begon vader aan te voelen dat er binnen ons gezin een andere wind ging waaien. Wanneer Nada uithuizig was, werd dat opgemerkt. Ze was tegenwoordig heel vaak weg en het was niet moeilijk te raden waar ze dan naartoe was. De vogeltjes van de feddajin zwermden voortdurend uit. Het stond de hadji helemaal niet aan. Daar moest wel een conflict uit voortkomen.

Op een ochtend riep vader ons na de maaltijd bij elkaar. Dat was op dat uur van de dag zeer ongebruikelijk. We kwamen één voor één binnen, knielden en kusten zijn hand. Kamal en ik gingen aan weerskanten van hem op een stoel zitten en de vrouwen op krukken langs de muur.

'Nada,' zei Ibrahim, 'sta op.'

Ze deed wat haar gezegd werd.

'Ik heb het grote geluk gehad een baan voor jou te vinden in Amman, in het huis van een functionaris van de Verenigde Naties. Deze meneer Hamdi Othman is een vooraanstaand en eerbiedwaardig Syriër. Hij is weliswaar van geloof een alawiet, maar desondanks een zeer geliefd persoon bij het lagere personeel van de UNRWA. Hij heeft drie kleine kinderen. Jij moet voor hen gaan zorgen. Ik heb het zo geregeld dat je ons om de maand kunt komen opzoeken. Dit is in veel opzichten een buitenkansje voor je. De Othmans zijn erg aardig. Ze hebben in het Westen rondgereisd. Het is hier zo vol. Daar zul je een eigen kamer krijgen die je alleen maar met twee andere meisjes hoeft te delen. Ik weet dat je dit heel erg fijn zult vinden.' Er volgde een stilte. 'Wel, Nada, je vindt dit fijn.'

'Ja, vader.'

'Mooi, dan ben ik blij, dat jij blij bent. Ik weet dat de eer van de Soukori-clan in je gedachten en hart de belangrijkste plaats zal innemen. Om je kuisheid veilig te stellen zal je moeder, vóór je vertrekt, je haar afknippen en je moet je van nu af aan in het openbaar sluieren. Laten we met de voorbereidingen beginnen. Meneer Othman en zijn vrouw zullen al gauw hier zijn om je op te halen.'

Hadji Ibrahim stond op en liep weg.

De vrouwen barstten, zoals zo vaak, onmiddellijk in huilen uit, op Nada na. Ik heb nog nooit iemand zo woedend zien kijken. Ze verroerde geen vin toen Hagar met de schaar door haar mooie, dikke, donkerblonde haar ging, waardoor het om Nada's enkels heen viel. Toen haar hoofd gladgeschoren was, bond mijn moeder er een hoofddoek omheen en liep daarop snel weg om haar bezittingen bij elkaar te leggen.

Ik moest alleen zijn. Ik wilde zelfs niet met dr. Mudhil praten. Ik klom de Berg der Verzoeking op. Moge de profeet mij genadig zijn, maar ik geloof dat ik hadji Ibrahim begon te haten. Er zou geen foto van Nada naast die van Jamil en Omar komen te staan. Zij werd enkel op een onwaardige manier weggestuurd.

Ik verzon een miljoen geheime plannen om te ontsnappen. Ik zou naar Amman gaan, Nada ontvoeren en samen met haar ontsnappen. We zouden de woestijn intrekken en onze toevlucht zoeken bij de al-Sirhan-bedoeïenen. Oh, vervloekt. Wat zou er dan ongetwijfeld gebeuren? Nada zou ten huwelijk genomen worden voor de oude sjeik.

Beiroet. Er zou moeilijk aan geld te komen zijn voor reisdocumenten. Ik zou het kunnen stelen. Dat zou tijd kosten. Als we in Libanon konden komen, konden we niet naar onze eigen mensen toe gaan. Ibrahim zou dat te weten komen en achter ons aan gaan.

Cairo. Een jongen kon onmogelijk zover met een vrouw reizen. We zouden Egypte trouwens niet eens binnenkomen.

En als we nu eens naar een ander vluchtelingenkamp vluchtten? Dat idee stond me tegen.

Damascus. Met veel moed zouden we naar Damascus kunnen lopen. Maar we zouden daar dan illegaal zijn. Sommigen uit ons kamp hadden dit geprobeerd en waren in de gevangenis gesmeten en gemarteld. Nada zou verkracht worden.

Waarheen kunnen we gaan? We zitten in de val! We zijn gevangenen!

Bagdad... oh, dat is echt waanzinnig.

Oh God! Oh God!

'Je hebt geen woord meer tegen me gezegd sinds Nada naar Amman is vertrokken,' zei vader.

'Het spijt me, vader.'

'Je vindt dat ik wreed geweest ben voor Nada.'

'Nee, u was heel vriendelijk en liefdevol, vader.'

Hij gaf me een harde klap, maar dat voelde ik niet eens.

'Wat verlang je voor je zuster? Een leven in Aqbat Jabar?'

'Ik weet het niet.'

'Oh, kom nou toch, Ishmaël, jij weet altijd overal een antwoord op. Wat verlang je voor haar? Waarom, denk je, laten ze meisjes toetreden tot de feddajin? Voor de bewonderenswaardige revolutie?'

'Ik weet niet.'

'Je hebt twee zusters in Beiroet. Ik heb ervoor gezorgd dat zij met hoogstaande mannen zijn getrouwd. Zij zijn nu samen met hun echtgenoot, hun kinderen en hun familie. Zij zijn dank zij mij goed af. Wat kan ik hier voor Nada doen? Zij is mijn jongste dochter. Wat voor een soort leven kan ik haar hier in dit kamp bereiden? Denk je niet dat ik haar gelukkig getrouwd wil zien?'

'Laat mij Nada naar Beiroet brengen,' smeekte ik. 'Omar heeft een baan. Ik vind er wel een. Wij zullen op Nada passen. Wij zullen ervoor zorgen dat ze beschermd wordt en wij zullen een geschikte man voor haar zoeken.'

'Buiten mij om! Mijn laatste dochter laten gaan! Je praat als een feddajin. Ga maar, trek een gezin uit elkaar! Laat er niets van overblijven! Ze verleiden deze meisjes, noemen hen mooie vogeltjes om te bereiken dat ze hun prostituées worden. Zij maken onze gezinnen kapot!'

'Ja vader, nee vader, ja vader, nee vader.'

'Kom terug!'

'Ja, vader.'

'Je zult te zijner tijd inzien dat ik de enig juiste beslissing genomen heb, waardoor Nada onze eer hoog kan houden.'

'Ja, vader.'

'En jij moet er overheen zien te komen. Jij moet altijd bij mij blijven, Ishmaël.'

'Ja, vader.'

Ik kon zelfs geen poging wagen om met Ibrahim over Nada te praten. Ik durfde niet tegen hem te zeggen, dat hij haar vrij moest laten, zodat ze een man kon vinden van wie ze hield en met wie ze samenleven kon, ook al was dat in Aqbat Jabar. Omdat ze dat wilde, had ze zich bij de feddajin aangesloten... het gezelschap gezocht van gewelddadige lieden.

Hij zou het niet begrijpen en ik was er helemaal niet zo zeker van dat zijn beweegredenen achtenswaardig waren. Was hij er echt bang voor dat een of andere jongen Nada zou meenemen? Was hij eigenlijk heimelijk niet blij, dat hij haar niet hoefde uit te huwelijken zolang hij Aqbat Jabar als excuus kon gebruiken? Hij had zichzelf voorgelogen om Nada niet te hoeven loslaten. Ik denk dat hij heimelijk van haar hield op een manier die niet helemaal gezond was.

8

Groeten, Ishmaël!

Eindelijk schrijft je oude vriend Sabri Salama je dan toch. Ik heb deze brief in de loop van vele maanden in gedeelten geschreven, maar kon deze niet versturen vóór ik iemand gevonden had bij wie ik erop kon vertrouwen dat hij hem bij jou persoonlijk zou afgeven. Zoals je zult lezen staan er veel vertrouwelijke mededelingen en geheimen in.

Groeten aan je geliefde, edele en barmhartige vader, hadji Ibrahim.

Groeten aan je edelmoedige en liefhebbende broers, Kamal en Omar.

Ik wil je vader graag bij deze laten weten dat ik geen dief ben. Ik ben vast van plan het geld van de verkoop van jullie wapens dat ik geleend heb terug te betalen. Ik kan dat nu nog niet doen maar die dag is niet ver meer.

De avonturen die ik heb beleefd sinds ik jullie meer dan twee jaar geleden verliet, lijken wel wat op die van Sinbad de Zeeman.

Nadat ik de wapens verkocht had aan een gewetenloze handelaar, ben ik overgestoken naar Amman en liet ik merken, dat ik een waardevolle vrachtwagenmonteur was. Omdat er altijd vrachtwagens met pech in de woestijn staan langs de Kings Highway, kon ik het makkelijk voor elkaar krijgen dat ik in ruil voor reparaties mocht meerijden.

Toen ik aan de reis begon, was ik voor twee dingen erg bang. In de eerste plaats dat ik met mijn papieren alleen Syrië binnen zou komen en wanneer ik daar eenmaal was niet verder zou kunnen gaan naar een vluchtelingenkamp. In de tweede plaats dat ik gefouilleerd zou worden, terwijl ik een heleboel geld bij me had. Ik wist dat dat zou gebeuren, ook al was ik armoedig gekleed. Ik bedacht iets dat heel goed bleek te werken. Ik wisselde het geld in voor Amerikaanse bankbiljetten met de hoogst mogelijke waarde, verpakte die biljetten zorgvuldig in een plastic zak en slikte die zak door. Elke dag poepte ik de zak uit, maakte hem schoon en slikte hem opnieuw in. Ik werd vele malen gefouilleerd, maar het geld werd nooit gevonden. Daar moet je aan denken, als je op reis gaat.

Ik beleefde mijn eerste angstige moment, toen onze vrachtwagen bij Deraa de grens over, Syrië binnenreed. Ik werd zonder aanleiding meegenomen naar de grenspost, in de gevangenis gestopt en een paar dagen ondervraagd. De enige reden van die ondervraging was dat dienst doen in zo'n politiepost saai is en wanneer de Syriërs de kans krijgen met je te doen wat ze willen, zijn ze heel gemeen. Het enige waaraan ik kon denken was, dat ik er niet op betrapt moest worden dat ik mijn geld uitpoepte en weer inslikte.

Hoe dan ook, ik raakte bevriend met de Syrische kapitein, die het bevel voerde over de grenspost en bleef uit vriendschap nog een week, waarop hij zo vriendelijk was mij door te laten reizen naar Damascus met een door hem persoonlijk geschreven brief die mij een vrije doortocht garandeerde. Alle lof voor deze aardige man, die mij ook nog een brief meegaf waardoor ik bij zijn neef kon aankloppen die een rijke koopman was en alleen woonde met zijn bedienden. Dat was mijn geluk, want anders had ik me moeten melden bij een vluchtelingenkamp en was ik geïnterneerd. De Syriërs houden de Palestijnen scherp in de gaten en als je gepakt wordt zonder papieren, kan dat drie jaar gevangenisstraf inhouden. Aanvankelijk dacht ik dat Allah me gezegend had. De koopman was juist zijn chauffeur en persoonlijke bediende kwijtgeraakt. Het was riskant voor hem om me te laten blijven, maar hij toonde in het begin veel medeleven. Helaas kostte het me vele weken om te bedenken hoe ik zijn gastvrijheid kon ontvluchten. Ik liep dan het risico aangegeven te worden. Ik was zo'n goede monteur dat hij me niet kwijt wilde, begrijp je.

Mijn andere probleem was, hoe Libanon binnen te komen. Dat is heel moeilijk en gevaarlijk voor een Palestijn, aangezien de Libanezen er streng op toezien dat wij hun land niet binnenglippen. Als ik werd gepakt, zou dat een nog langere gevangenisstraf inhouden.

Hoe kon ik dit enorme dilemma tot een oplossing brengen? Op een avond reed ik de koopman van een feest naar huis. Hij was stomdronken en buiten bewustzijn. Op dat moment zond Allah mij een boodschap. Ik had een pistool bij me, omdat ik ook als zijn lijfwacht optrad. Ik schoot hem dood en begroef hem op een afgelegen plek, stal daarna de papieren van een andere bediende en reed naar de Libanese grens. Ik had mijn chauffeursuniform, papieren en een Amerikaanse Cadillac.

Bij de grens merkte ik dat de Libanezen spelletjes met me wilden spelen. Ik vertelde hun dat ik op weg was naar Beiroet om mijn meester op te halen en waarschuwde hen, dat ze het zwaar te verduren zouden krijgen als ik niet op tijd kwam opdagen. Toen zij mij van de ene naar de andere functionaris stuurden, eiste ik brutaalweg dat zij mij de gelegenheid gaven mijn meester op te bellen. Zij lieten zich door mij overdonderen en ik mocht doorrijden.

Oh, Ishmaël, het brak mijn hart dat ik me van zo'n fantastische auto moest ontdoen, maar ik was er zeker van dat als ik hem hield dat tot mijn gevangenneming geleid zou hebben. Hoe het ook zij, ik haalde er alle waardevolle onderdelen, die ik kon dragen en verkopen vanaf en ik ging op weg naar Beiroet.

Eenmaal in Beiroet was het aanvankelijk vrij gemakkelijk om je verborgen te houden, want er bevinden zich vele vluchtelingenkampen rond de stad en Palestijnen mogen er gaan en staan waar ze willen. De reden daarvan is dat wij al het vuile werk opknappen voor de rijke Libanezen. Het zijn erg wrede mensen, vooral de christenen en zij spotten onbarmhartig met ons ongeluk.

Een Libanese grap! Vraag: Wie heeft een broek? Antwoord: Vier Palestijnen.

De Libanezen zijn alleen geïnteresseerd in geld verdienen. Op een dag moeten wij ons zowel op hen als op de Syriërs wreken.

Maar zelfs in de vluchtelingenkampen ben je niet echt veilig. De kampen zijn allemaal per clan ingedeeld. Vreemdelingen vallen al gauw op en worden met argwaan bekeken, want er glippen vele noodlijdende Libanese moslems binnen, die voorgeven vluchtelingen te zijn en aan distributiekaarten proberen te komen. Ik kwam er ook achter, dat je erg voorzichtig moet zijn, zelfs te midden van je Palestijnse broeders, omdat mensen als ik zonder papieren gechanteerd kunnen worden.

Er zwierven in de kampen jongens rond die in benden iedereen intimideerden. De laffe Libanezen staan hun niet toe feddajin-eenheden te vormen en zij laten geen uitvallen vanaf hun grondgebied over de grens, de zionistische staat binnen toe. Geloof me, Ishmaël, als de pro-

feet de tijd rijp acht zullen de Libanezen betrokken raken bij onze vrij-
heidsstrijd.

Ik besefte dat ik een moedige stap moest zetten. Ik moest het kamp ver-
laten en aan de waterkant 'optreden'. Daar bevindt zich een straat die de
Avenue des Français heet met vele nachtclubs om zeelieden aan te trek-
ken. Tussen die straat en het hoofdbureau van politie vindt hoofdzake-
lijk de prostitutie plaats. Naast zeelieden en toeristen zwerven vele rijke
Saoediërs en Koeweitenaren in die wijk rond, op zoek naar vermaak.
Je weet hoe het in zulke gelegenheden toegaat, waar het om een speciaal
soort dienstverlening gaat. De souteneurs vermoorden je als je niet op-
past en iedereen heeft het op vreemdelingen voorzien.

Ik kocht een rechercheur om. Hij nam me mee op zijn ronde langs de
clubs en liet iedereen weten dat het met mij goed zat en ik onder politie-
bescherming stond. Daarna besteedde ik een deel van mijn geld aan een
paar meisjes. Je hebt daar hoofdzakelijk Europese meisjes, die als
buikdanseres optreden en daarin niet erg goed zijn, maar iedereen
houdt er van blondines, vooral de Saoediërs. Na een tijdje raakte ik zo
bevriend met de eigenaar van de Miamiclub en bewees ik wat ik waard
was door zijn auto zo aan te passen, dat hij er veilig hasjiesj in kon ver-
voeren.

Vanuit mijn hoofdkwartier in de Miamiclub en een daar vlakbij gelegen
hotel kon ik op de hoogte blijven van alle activiteiten op scheepvaartge-
bied. Er was geduld voor nodig, maar uiteindelijk vond ik een Portuge-
se vrachtvaarder met bestemming Gaza. Hoe kwam ik daar achter? Op
een avond kwam een aantal Portugese zeelieden de club binnen. Zij
vertrokken al gauw met de meisjes om in mijn hotel een feestje te bou-
wen. Een van hen werd stomdronken, raakte buiten bewustzijn en werd
daar achtergelaten. Ik kende het meisje, overreedde haar hem niet te
beroven en bracht hem terug naar zijn schip. De kapitein van het schip
was dankbaar. We bespraken mijn situatie en hij bood aan me aan
boord te nemen en naar Gaza te brengen. Het zou me al het geld kosten
dat ik nog over had.

Wat kon ik doen, broeder? Wanneer we eenmaal aan boord gegaan en
de haven uit gevaren waren, zou hij mij aan de haaien kunnen voeren.
Ik moest hem vooruit betalen. Het schip was oud en de machinekamer
in slechte staat. Hier toonde ik mijn bekwaamheid en daarvan was hij
onder de indruk. Daarna ontwikkelde zich een echte vriendschap en hij

deed zijn belofte gestand en leverde me in Gaza af.

Na een week zoeken vond ik uiteindelijk mijn familie in het Rafahkamp op de grens van Egypte en de Sinaï. Het werd voor mij een zeer droeve dag. Oh mijn beste broeder Ishmaël, ik huil nog bij de gedachte aan wat ik daar zag. Mijn geliefde vader – moge Allah hem persoonlijk troosten – was gestorven aan tuberculose. Hij, die bij zijn leven de grootste automonteur van heel Palestina was, had moeten sterven in zo'n afschuwelijk kamp! Toen hij nog leefde, had de familie zich wel gered. Nu leden ze grote armoede. Zestien leden van mijn clan woonden in een uit twee vertrekken bestaande, van golfplaten gemaakte hut. Drie kinderen waren net als mijn vader overleden en de overigen waren voor de helft ziek. Het Rafahkamp is groter en veel erger dan Aqbat Jabar.

Hoe kan ik zoiets beweren, vraag je? Wel, de Jordaniërs lieten ons tenminste gaan en staan waar we willen. De Gazastrook is van het ene tot het andere eind volgepropt met mensen en de Egyptenaren zorgen ervoor dat het net één grote gevangenis is. We zaten er als beesten opgesloten. Vóór de UNRWA kwam was ons volk zo door de Egyptische wreedheid geïntimideerd, dat men niet durfde protesteren. Gelukkig wist ik aan genoeg extra distributiekaarten te komen om ons in leven te houden.

Er werd hier ook een veel sterkere druk uitgeoefend om je bij de feddajin aan te sluiten dan in Aqbat Jabar. De feddajin waren de enigen die werk hadden en kregen vijfhonderd procent hogere lonen dan normaal was. Ze pleegden voortdurend overvallen, maar je moest wel een dwaas zijn als je niet inzag dat er te veel verliezen bij werden geleden en geen successen werden behaald.

Wat kon je op zo'n plek doen? Ik kwam te weten dat een speciale eenheid van het Egyptische leger die uit Palestijnse commando's bestond, in training was voor de heilige oorlog tegen de zionistische indringers. Het was een elite-eenheid. De Egyptenaren beloofden dat iedereen die erin diende papieren zou krijgen om naar Egypte te reizen. Ik vertrouwde de Egyptenaren niet, maar het was niet op een andere manier te regelen. Mijn gezegende moeder verkocht haar laatste sieraad van wat ooit een hele verzameling geweest was. Met dat geld kon ik de bevelvoerende officier van de eenheid omkopen. Hij nam me in dienst als sergeant en stelde me verantwoordelijk voor de voertuigen. Daardoor werden mijn leven en het leven van mijn familieleden gered. Als ik er als

529

een gewone commando bij gegaan was, zou ik nu waarschijnlijk geen brief aan jou zitten schrijven. Wie de rang van sergeant of hoger had hoefde geen overvallen te plegen, alleen de gewone soldaten en korporaals. Diegenen die niet door de kogels van zionisten werden gedood, werden zo afschuwelijk door de officieren behandeld, dat de meesten deserteerden. Maar dat was hun probleem. Zodra ik het beheer kreeg over de garage, stroomde het geld binnen. Ik kon meer distributiekaarten kopen op de zwarte markt en veel meer voor mijn geliefde familie.

Uiteindelijk bleken de goden ons gunstig gezind, toen generaal Naguib, kolonel Nasser en de Vrije Officieren de corrupte Egyptische koning verdreven. Nu de officieren de dienst uitmaakten, werden er vele overvallen gepleegd op Britse militaire posten langs het Suezkanaal. Hoewel de aanvallen niet bepaald het succes opleverden waarop we gehoopt hadden, hemelden de nieuwe regering en een welwillende pers de acties op. Het Egyptische volk vond het prachtig. Na één overval waarbij we vele doden en gewonden te betreuren hadden, nam generaal Naguib ons mee terug naar Cairo voor een parade en gaf hij de Palestijnse eenheid persoonlijk een eervolle vermelding wegens bewezen moed. Ik kon de bevelvoerende officier er opnieuw door omkoping toe bewegen me uit de eenheid te ontslaan om me te kunnen laten inschrijven aan de universiteit van Cairo.

Laat mij je vertellen, Ishmaël, dat het aan de universiteit helemaal niet zo geweldig was. Wij, jongens, sliepen met vijftig man op één slaapzaal, onze bedden werden slechts van elkaar gescheiden door een nachtkastje. Het rook er afschuwelijk, want er was in geen jaren schoongemaakt. In onze eerste de beste nacht werden mijn kleren en al mijn geld gestolen, zodat ik in pyjama de colleges moest bijwonen. We kwamen tot de ontdekking dat niet één cursus gratis was en de docenten corrupt waren. Goede cijfers waren alleen weggelegd voor de zonen van de rijken. Moet ik uitleggen waarom? Wij, noodlijdende Palestijnen, waren daar het uitschot en werden afschuwelijk belasterd door het Egyptische volk. Het haatte ons en wilde ons opgesloten houden in Gaza. De Arabische Liga betaalde ons collegegeld en gaf ons vier Egyptische ponden per maand voor eten. Toen men ons geen toelage meer gaf, werden we uit de barakken verdreven.

Aan de rand van de stad ligt een kerkhof met duizenden grote grafkelders, dat acht kilometer lang is en de Stad van de Doden genoemd wordt. Daar wonen bijna een miljoen mensen. Velen van hen hebben *nooit ergens anders gewoond. Ik en vier van mijn vrienden huurden er voor zes Egyptische ponden per maand een grote grafkelder. We waren straatarm en gingen bijna dood van de honger en begonnen daarom voor de kantoren van de Arabische Liga te demonstreren. We kwamen keer op keer terug tot zij ons weer een studiebeurs en een toelage gaven.*

Heel vaak werd voor ons de geldkraan dichtgedraaid en wanneer we dan demonstreerden, sloten meer Palestijnse studenten zich bij ons aan. Ik en al mijn vrienden brachten veel tijd in de gevangenis door. Ik werd bij vijf verschillende gelegenheden gearresteerd. Toch lieten we het er niet bij zitten. Andere Palestijnen aan de Faud-universiteit en elders waren net zo wanhopig als wij en na verloop van tijd vormden wij de Unie van Palestijnse Studenten. De moslemse broederschap stelde pogingen in het werk om het nieuwe bewind omver te werpen en daarom sloten wij ons erbij aan. Verscheidenen van ons stierven de marteldood, maar de unie hield vol.

Nog maar een goed jaar geleden probeerde de broederschap kolonel Nasser te vermoorden. Nasser ontsloeg generaal Naguib. Hij beweerde dat deze de aanzet gegeven had voor de moordaanslag en daarna nam hij alle verantwoordelijkheid op zich voor een democratische regering. Ik en drie broeders die de leiders waren van de unie van studenten zaten vierenzestig dagen in de gevangenis. In die tijd schopten onze broeders voortdurend rellen.
Op een dag bezocht dr. Mohammed K. Mohammed ons. Hij had de leiding van het Genootschap voor Hulp aan Palestijnse Vluchtelingen. Hij was onze vijand geweest, omdat hij naar onze mening een werktuig van de regering was. Daar hadden we ons lelijk in vergist! Hij is de ware, bewonderenswaardige leider van het Palestijnse volk. Hij zei tegen ons dat hij kolonel Nasser ervan overtuigd had, dat wij studenten de leiders van de revolutie waren en bondgenoten moesten zijn in de heilige oorlog om Palestina te bevrijden van de joden. Je zult het niet geloven, maar wij vieren werden vrijgelaten en uitgenodigd voor een bezoek aan kolonel Nasser in eigen persoon!

Als er een Allah op aarde bestaat, dan is dat kolonel Gamal Abdel Nasser. Ik, Sabri Salama, stond daar voor deze geweldige man. Hij sloot volledig vrede met ons. Hij onthulde vele geheimen. Feddajin konden nu wanneer ze maar wilden van en naar Gaza reizen en kregen hoge premies uitbetaald. Zodra een eenheid gevormd en getraind was, werd deze ingezet. Hij vertelde ons het allergrootste geheim, namelijk dat er vanuit Tsjechoslowakije schepen zouden aankomen met grote ladingen wapens. Hij had de scheepvaartroutes van zionisten in de Straat van Tiran al geblokkeerd en hij zou kort daarop de Britten het Suezkanaal ontnemen.

We zullen heel gauw verenigd zijn, Ishmaël. Alle Arabieren zullen onder het bewind van Nasser komen. Ik ga nu op reis met dr. Mohammed K. Mohammed om verschillende Arabische regeringen over te halen onze beweging te steunen en royale bijdragen te geven aan de feddajin. Binnenkort zullen wij geen honden meer zijn, niet meer ontheemd, wanhopig en gekweld zijn. Een aantal gewetenloze volken, zoals de Syriërs en de Irakezen, denkt dat wij voor de gek gehouden kunnen worden, want zij zijn van plan de Palestijnen te gebruiken om hun eigen doelstellingen te verwezenlijken. Als het erop aankomt zullen wij hen beetnemen, omdat wij ons zullen verenigen en ons lot in eigen hand zullen nemen.

Als je ooit de naam Abu Rommel hoort, zal je weten dat ik dat ben. Dat is de revolutionaire naam die ik gekozen heb als eerbewijs aan de Duitse generaal die Egypte bijna bevrijdde tijdens de wereldoorlog. Ik dring er bij je op aan een heel actief lid van de feddajin te worden. Er is veel geld te verdienen met het bewapenen van onze jongens. Zeg tegen je vader dat ik hem binnenkort zal terugbetalen. De eerstvolgende keer dat je me ziet, zal ik in mijn eigen auto zitten en zal ik een gouden horloge om hebben.

Ik moet nu weg, mijn geliefde kameraad Ishmaël. Ik groet je nogmaals uit naam van de revolutie. Geprezen zij onze bewonderenswaardige dr. Mohammed K. Mohammed. Geprezen zij kolonel Gamal Abdel Nasser, de grootste Arabische leider sinds de Profeet die het Arabische volk naar zijn gerechtvaardigde bestemming zal voeren.

Ik beween je tot martelaar geworden broer Jamil, die door zionistische varkens werd vermoord. Wij zullen nog meemaken dat Tel Aviv in de as wordt gelegd en de Middellandse Zee zich rood kleurt van het bloed van vluchtende joden. De overwinning is aan ons!

Mijn hartelijke groeten aan de rest van je familie.

Abu Rommel

9

Nada wist dat de vrouwen geschokt waren doordat zij zo onverwacht vertrok. Zij weigerde met hen mee te huilen, toen Hamdi Othmans witte VN-auto met chauffeur voor het huis stopte. Zij stond met neergeslagen ogen voor Hamdi en madame Othman toen ze werd voorgesteld en van top tot teen werd bekeken. Er werden van weerskanten beloften gedaan. Nada's kwaliteiten werden voor het eerst van haar leven door haar vader opgehemeld. Hamdi Othman beloofde op zijn beurt dat er goed voor het meisje gezorgd zou worden.

De chauffeur pakte de ene bundel waaruit Nada's bagage bestond en zij en madame Othman liepen naar buiten, terwijl de mannen tot slot nog een paar beleefdheden uitwisselden.

Nada keek even wanhopig om zich heen. Ishmaël was verdwenen! Op dat moment had ze het gevoel dat ze alsnog zou instorten, maar in plaats daarvan verwerkte ze dat nare gevoel in stilte.

Nada had wel tweemaal achterin een vrachtwagen gereden, maar nooit in een personenauto. Daardoor en door de haar van andere vrouwen onderscheidende elegantie van madame Othman maakte haar verdrietige stemming plaats voor nieuwsgierigheid.

Auto's trokken in het kamp altijd een grote groep kwajongens aan. Othmans chauffeur had dat kennelijk meer meegemaakt en joeg hen weg als lastige vliegen. De gezichten van Hagar, Ramiza en Fatima verschenen achter de ramen, vanwaar ze haar snikkend nawuifden. Hadji Ibrahim bleef binnen toen de auto wegstoof.

Ze wist dat drie paar nieuwsgierige ogen op haar gericht waren. Het was vreemd, maar Nada wist dat ze mooi was, ook al was ze opzettelijk, om haar te vernederen kaal geschoren. Ze legde een knoop in haar hoofddoek en stak uitdagend haar kin naar voren.

Toen zij door Jericho heen reden, stroomde een gevoel van opluchting door haar heen. Ze ving Hamdi Othmans blik op. Hij zat haar quasi verveeld te bekijken. Het was duidelijk dat zo'n hooggeplaatst persoon haar niet persoonlijk zou zijn komen ophalen als haar vader geen invloedrijk man geweest was. Hij beval de chauffeur met de autoriteit van een staatshoofd de stoet wachtende voertuigen bij de wegversperring voor de Allenbybrug voorbij te rijden.

'Stop!' riep Nada opeens.

'Wat!'

'Alstublieft, mijn broer Ishmaël loopt daar.'

Othman maakte een grootmoedig gebaar terwijl Nada het portier openduwde en zich in haar broers armen wierp.

'Oh, ik dacht al dat je me niet gedag wilde zeggen.'

'Ik kon het niet bij de anderen uithouden,' zei Ishmaël.

'Ik houd van je, Ishmaël.'

'Oh God, je haar...'

'Wat maakt het uit dat ik mijn haar kwijt ben, zolang ik mijn hoofd nog maar heb. Wees niet bedroefd, lieve broer. Ik ben niet bedroefd. Begrijp je dat? Ik ben niet bedroefd.'

Nada zag Ishmaël al kleiner worden, terwijl de auto met veel lawaai over de opwippende houten planken van de brug reed. Terwijl ze richting Amman reden voelde zij geen verdriet. Ze keek in feite vol verwachting uit naar wat er komen ging en voelde zich opeens als bevrijd. Een afschuwelijke last was van haar afgevallen.

'Charmant' was het woord dat met betrekking tot Hamdi Othman het meest gebezigd werd. Othman had zijn charme ontwikkeld in de tijd dat zijn vaderland, Syrië door de Fransen bestuurd werd en hij door hen opgevoed was. Charme was een eerste vereiste voor een eerzuchtige diplomaat.

Toen de Verenigde Naties hun nieuwe bureaucratie de vrije loop lieten, kwam een leger tweederangs functionarissen op de goudmijn af. Iedere natie claimde haar deel van de lucratieve posten, waarvoor niet kwaliteit maar kwantiteit het criterium was. Hamdi Othman was een van Syriës twijfelachtige bijdragen aan de nieuwe wereldorde. Als een vasthoudend functionaris van de VN streefde hij al snel door slim te manoeuvreren middelmatige personeelsleden voorbij naar een toppositie. Othman was een van de mensen die in Jordanië en op de westelijke Jordaanoever aan het hoofd stond van de UNRWA, waardoor hij macht kon uitoefenen en grote geldbedragen onder zijn beheer had in een klein koninkrijk met talloze vluchtelingenkampen.

Persoonlijke betrokkenheid bij de taferelen en stank van ontberingen in de kampen was vereist voor UNRWA-functionarissen uit de midden- en lagere klassen. De door Hamdi Othman aan zichzelf opgelegde status schreef een dure villa voor op een van de kale bergen die boven Amman uittorenden.

De stad was weliswaar de hoofdstad van een islamitische staat, maar het resultaat van het langdurige verblijf daar van de Britten was dat het moslemverbod op alcohol was uitgehold. Het leven was in deze verlaten uithoek saai en die paar ambassades, de vertegenwoordigingen van de VN en andere buitenlandse instanties zochten vertwijfeld steun bij elkaar en isoleerden zich van het warme stoffige Amman waar je nooit voor je plezier verbleef. Hun modus operandi was de eindeloze cocktail-party.

Er waren cocktailparty's ter verwelkoming van of als afscheidsfeest voor eerste en tweede secretarissen, consul-generaals, consuls, militaire attachés en functionarissen van de VN. Er waren cocktailparty's ter viering van de vierde juli en de bevrijdings- en onafhankelijkheidsdagen van iedere natie die in Jordanië diplomatiek vertegenwoordigd was. Directeuren van buitenlandse firma's, bezoekende hoogwaardigheidsbekleders, topfiguren van luchtvaartmaatschappijen en uit de op het toerisme gerichte industrie en vooraanstaande Jordaanse zakenlieden – allen hadden een plaats in de rangorde van cocktailparty's.

Het was altijd dezelfde groep ronddwalende drinkeboers met gezichten als maskers met matte ogen. De conversatie was net zo mat of bestond uit vernietigende roddel, want het nieuwtje wie naar wie navraag deed leverde de enige echte sensatie op, afgezien van de af en toe plaatsvindende koninklijke valkejacht. In het hand kussen, het onderdrukte gapen en de acteurs kwam zelden verandering.

Hamdi Othman was een produkt van de cocktailparty's. Zelfs in Amman had hij daar voordeel van. Een uitnodiging van zijn kant werd met extra 'belangstelling' tegemoet gezien. Zijn villa was luxueus; zijn provisiekamer was afgeladen met belastingvrije, alcoholhoudende dranken en Franse delicatessen. De bergen gerechten voor fijnproevers werden bereid door zijn Franse chef-kok en een hele reeks keukenhulpen. Dat alles paste bij de directeur van een hulporganisatie.

Amman was nog altijd een Arabische hoofdstad en Hamdi Othman was nog altijd een Arabier en ondanks al die charme scheidden de seksen zich, schoolden de vrouwen in het ene en de mannen in het andere vertrek samen.

Madame Othman vertegenwoordigde de geëmancipeerde Arabische vrouw. Zij was aantrekkelijk om te zien, in Frankrijk op school geweest en droeg elegante Franse kleding. Maar als je de laag westerse vernis eraf haalde, dan was madame Othman altijd nog een Arabische vrouw met een Arabische echtgenoot. Ze hoefde weliswaar niet te werken, maar mocht haar tijd met niet veel meer vullen dan met het bijwonen van sociale evenementen. Haar leven draaide om eindeloos gebabbel in de enige, erbarmelijke sociëteit van de stad. Ze mocht nooit buiten de verstikkende wereld treden van de kleurrijke vogels die zij er op nahielden en over ruime volières – in feite een ander woord voor kooien – verdeeld hadden. Wanneer het werktuiglijke handen schudden en glimlachen niet vereist waren was zij een droeve, afgestompte vrouw die niet kon ontkomen aan een nutteloos leven.

Hamdi Othman ging er prat op dat alle personeelsleden in zijn huis – veertien in getal – vluchtelingen waren. Hamdi Othman was vriendelijk noch vrijgevig. Hij betaalde hun maar een schijntje en aan wat hij niet als onkosten kon declareren kon hij makkelijk op slinkse wijze komen, doordat hij het UNRWA-budget en de almachtige distributiekaart onder zijn beheer had. Zijn bedienden waren in barakken ondergebracht en moesten hard en lang werken.

Zijn chauffeur, tuinlieden, lijfwachten, butler en huisknechten bewoonden één kleine slaapzaal. De zes vrouwelijke werkneemsters woonden als nonnen afgezonderd in een barak die met gordijnen in verschillende ruimten was verdeeld. Vier van hen hielpen in de keuken. Dan had je nog madame Othmans kamermeisje en Nada.

Nada was het kindermeisje van de twee dochters van drie en vier en de zoon van vijf jaar van de Othmans. Toen zij bekomen was van haar aanvankelijke angst en de cultuurschok, nam Nada haar taak vastberaden en heel opgewekt op zich. Tot grote opluchting van madame Othman nam Nada eindelijk de zorg voor de kinderen van haar over, waardoor zij meer tijd kon doorbrengen in de sociëteit en voor de spiegel van haar kleedkamer.

De naar genegenheid snakkende kinderen werd al gauw in één enkele dag meer liefde aangeboden dan hun ouders ze ooit hadden gegeven. Nada was volmaakt als kinderjuffrouw. Ze zong liedjes, las voor wat ze kon voorlezen, lachte met hen, vertelde ze geheimzinnige en wonderbaarlijke verhalen, knuffelde, kuste ze. Ze was heel streng wanneer dat nodig was, maar sloeg nooit. Ze hield ze in het gareel door alleen haar stem te verheffen. Hoeveel vragen ze ook stelden of hoeveel spelletjes ze ook wilden doen, het was haar nooit te veel. Nada klaagde niet. Nada was dag en nacht beschikbaar. Wat een juweeltje!

Naast madames kamermeisje was Nada de enige vrouwelijke bediende die in het hoofdgedeelte van de villa mocht komen. Dat was wanneer zij met de kinderen speelde en at, en iedere avond wanneer ze voor het klopje op hun hoofd voor hun vader langs paradeerden of wanneer er met hen gepronkt moest worden in het bijzijn van gasten.

Hoewel ze een met gordijnen afgeschermde ruimte had bij de andere, vrouwelijke bedienden sliep ze op een mat op de vloer van de meisjeskamer.

'Nada!'

'Nada!'

'Nada!' riepen ze gewoonlijk, terwijl ze om het hardst liepen om 's morgens het eerste bij haar te zijn.

'Wel, laten we eens kijken of ik drie lelijke beren tegelijk kan vasthouden!' En natuurlijk kon ze dat.

Ze genoot met volle teugen van het leven. Drie fantastische, hulpeloze kleine wezens hadden haar nodig en zij hoefde hen niet groot te brengen in Aqbat Jabar.

'Waarom heb je geen haar, Nada?'

'Om jullie aan het lachen te maken.'

De villa van de Othmans, die eerder aan een hooggeplaatste Britse functionaris toebehoord had, bevatte meer dan twintig kamers, terwijl er een aparte vleugel met kantoorruimten aangebouwd was waar Othman met zijn UNRWA-personeelsleden samenwerkte. Van hen nam zijn privé-secretaris, een jonge Franse diplomaat die Bernard Joxe heette de belangrijkste plaats in. Bernard probeerde net zo charmant te zijn als zijn baas en gehoorzaamde hem slaafs. Hij was vrijgezel en had zijn eigen kamer op de tweede verdieping van het hoofdgedeelte van de villa. Hij was een elegante begeleider van madame Othman wanneer haar echtgenoot op reis was. Hij was een grote aanwinst op cocktailparty's, het doelwit van vele flirts, hoewel je in een Arabisch land uiterst voorzichtig moest zijn.

De vrouwelijke bedienden beschikten over een ommuurde binnenplaats met een wascabine en een douche in de openlucht. Nada was er door haar collega's voor gewaarschuwd, dat de binnenplaats niet volledig afgeschermd was. Vanuit zijn kamer kon Bernard Joxe naar beneden kijken en een hoekje van de binnenplaats zien, zodat je fatsoenshalve extra voorzorgsmaatregelen moest treffen.

Door Nada's aanwezigheid ging het binnenshuis een stuk levendiger toe. Bernard Joxe bleek opeens een zwak te hebben voor kleine kinderen, kneep in kleine neuzen, gooide krijsende lijfjes hoog in de lucht en ving ze weer op, speelde voor paard dat op zoek was naar kleine ruiters.

De gesprekken tussen Nada en Joxe waren nietszeggend en joviaal. Zij liet haar ogen voornamelijk spreken. Misschien besefte Bernard Joxe niet hoe riskant het was om om een jong, Arabisch moslemmeisje heen te draaien dat nog maagd was. Of misschien besefte hij dat ook wel. Hij kon heerlijk jongensachtig grijnzen en had innemende manieren. Bovendien bleek uit alles dat hij hartstochtelijk van aard was. Het spel kon beginnen.

Nada's dromen werden iedere nacht zoeter.

Een hele wereld draaide om de toevallige ontmoeting en de wens hem aan te raken begon haar gedachten te beheersen. Ze besteedden allebei heel wat tijd aan het plannen waar, wanneer en hoe ze elkaar heel toevallig zouden tegenkomen. Haar ogen deden hem huiveren. Zij bloosde als ze elkaar onverwachts bij het omslaan van een hoek tegen het lijf liepen, ze liepen vlak langs elkaar heen, zijn ogen bleven vast op haar achterkant rusten als zij langs wiegde, hij stotterde van verlegenheid als hij iets probeerde te zeggen...

Nada lag 's nachts op haar mat haar lichaam te betasten en deed alsof ze hem in haar armen hield. Dan zei ze tegen zichzelf: Je bent een dwaas meisje. Bernard Joxe is een egoïstische, ambitieuze jongeman die uit angst overdreven onderdanig doet tegen zijn baas. Hij is uit een jou volledig vreemde wereld afkomstig. Hij moet al vele malen meisjes hebben liefgehad en zal er nog vele liefhebben. Ik kan niet meer zijn dan een voorbijgaande bevlieging.

Wel, wat wil je, Nada? Eeuwige liefde in een hut in Aqbat Jabar? Is zelfs dat wel voor je weggelegd? Je moet aanvaarden wat hadji Ibrahim je geeft. Hoe aantrekkelijk zal dat zijn?

Waar hunker je naar, Nada? Dat weet je best. Je bent onder Ibrahims ogen uit. Je beschikt over de plek, de tijd en de jongeman die weg van je is.

Zal ik? Of toch maar niet? Zal ik... haar hart bonsde in haar borst... zal ik?

Ik zal het niet vervuld van angst doen. Ik zal het of vrijelijk en roekeloos doen of helemaal niet. Ik wil me er niet over hoeven schamen.

Zal ik?

Nada kon zich vrijer bewegen dan de andere vrouwelijke bedienden. Zij begon haar douches te nemen op de tijd dat er verder niemand op de binnenplaats was en zij wist dat Bernard Joxe op zijn kamer was. Wanneer ze het er een beetje op aanlegde, kon ze een natte arm of een nat been in dat deel van de binnenplaats laten zien dat niet volledig afgeschermd was. Ze wist instinctief wanneer hij zat te kijken en ze werd stoutmoediger.

Op een dag stapte ze naakt onder de douche vandaan en droogde zich, genietend van de zon, daar af, waar ze vanuit de kamer daar boven helemaal te zien was. Ze staarde omhoog naar het raam en hield haar ogen er lange tijd op gevestigd.

'Je maakt me gek,' jammerde Bernard Joxe.

'En?' antwoordde Nada.

'Het is heel gevaarlijk, dat weet je,' zei hij.

'En?' zei ze nog een keer.

'Wat wil je in 's hemelsnaam dat ik doe?'

'Wat *wil* je doen?'

Hij slaakte een afschuwelijke zucht, maakte een moedeloos gebaar en liet zijn hoofd hangen. Zij wendde haar ogen niet van hem af. Hij slikte.

Nada raakte zijn wang aan en drukte haar lijf tegen zijn overhemd, zodat hij kon voelen hoe zacht haar grote, prachtige borsten waren. Hij sloeg zijn armen om haar heen, sloot zijn ogen en kreunde van geluk. De kus was aangenaam.

'Dat vond ik fijn,' zei ze opgewonden.

'Ik wil dat er hier en nu een eind aan komt. Ik moet me fatsoenlijk gedragen. Jij belet me me fatsoenlijk te gedragen.'

'Vertel me eens, Bernard, heb je met veel vrouwen gevrijd?'

'Dat is een belachelijke vraag.'

'Helemaal niet. Ik wil door een man genomen worden die weet wat hij doet en teder is.'

'Nada, begrijp je eigenlijk wel hoe ingewikkeld dit is?'

'Ja.'

'Ik... ik... ik wil je beslist niet... wel... niet kwetsen. We kunnen niet verliefd op elkaar worden. Ik moet aan mijn carrière, aan mijn ouders denken. Een schandaal zou desastreus zijn.'

'Wil je het met me doen?'

'Natuurlijk wil ik dat, maar...'

'Bernard, ik wil helemaal niets anders van je dan je tederheid en een korte tijd van samenzijn. Ik wil ervan genieten. Als je geduldig bent, zal ik heel snel leren. Je hoeft er niet over in te zitten, dat je mijn hart zult breken of dat ik het je moeilijk zal maken.'

'Waarom, Nada, waarom?'

'Dat is een lang verhaal, Bernard, maar ik moet weten wat liefde is en ik zal er niet kinderachtig over doen.'

Hij stond nerveus te schuifelen.

'Je bent aardig en zorgzaam en dat staat me aan,' zei Nada. 'Laten we minnaars worden en ik zal me terugtrekken als de tijd daarvoor gekomen is.'

'Kijk me niet zo aan, Nada. Je maakt me kapot als je naar me kijkt. Druk je niet op die manier tegen me aan...'

Ze draaide zich opeens van hem weg. 'Ik denk dat ik ga douchen,' zei ze, terwijl ze wegliep.

'Nada!'

'Ja?'

'De Othmans moeten vanavond naar een officieel diner in de Indiase ambassade. Ze zullen pas heel laat thuiskomen.'

'Dat weet ik,' antwoordde ze. 'Ik heb vandaag heel druk met de kinderen gespeeld. Zij zullen rustig doorslapen.'

'Neem je douche. De deur van mijn kamer zal open zijn.'

Hij kon niet ophouden met het kussen van haar lichaam.

'Je bent lief,' zei Nada. 'Het was niet zo pijnlijk als ik dacht. Wat een waanzinnig leven heb ik geleid door zoiets prettigs te onderdrukken. Bernard, lieverd, je bent erg attent.'

'Dat komt door jouzelf, Nada. Hoe ben je zo vrij, zo, zo, ongecompliceerd geworden?'

'Ik zal nu nog vrijer zijn. En je moet alles uitproberen, mij alles leren. Ik wil het allemaal doen. Laat me weten wat je opwindt en hoe ik je moet opwinden. Ik wil het allemaal ervaren. Ik wil jou levend opeten.'

'Oh ja, Nada... ja, ja, ja.'

'Kom binnen, Nada en ga zitten,' zei Hamdi Othman.

'Ja, meneer.'

'Je leek de afgelopen maand helemaal te stralen,' zei hij, terwijl hij de sigarendoos met vochtigheidsregelaar opende en het ritueel afwerkte dat voorafging aan het opsteken van een sigaar.

'Ik ben heel gelukkig bij de kinderen,' zei ze.

'Alleen bij de kinderen?'

Ze keek in zijn smalle, montere gezicht waarin de ogen een beetje wreed, een beetje nerveus glinsterden. 'Het leven is hier veel aangenamer dan in Aqbat Jabar. Ik hoop dat mijn werk de moeite waard geweest is.'

'De kinderen zijn dol op je, dat weet je. Zou je die hoofddoek van je hoofd willen doen, Nada?'

'Ik heb niet veel haar.'

'Vind je dat erg?'

'Oh nee, maar als mensen naar me kijken, schijnen ze zich niet op hun gemak te voelen.'

'Wel, wil je die hoofddoek afdoen?'

Ze liet hem van haar hoofd glijden. Er was weer een paar centimeter haar teruggekomen. Op de een of andere manier zag zij er daardoor pikanter, ja zelfs verbluffend mooi uit.

'Zie je wel, het stoort mij niet,' zei Hamdi Othman. 'Je bent eigenlijk een buitengewoon knap meisje. Je vader liet je haar afknippen omwille van je zedigheid, is het niet?'

'Ja, meneer.'

'Maar je bent niet erg zedig geweest, wel?'

'Nee,' antwoordde Nada met vaste stem, zonder blijk te geven van paniek.

Hij zette een bandrecorder op zijn bureau. 'Heb je zo'n ding wel eens eerder gezien? Weet je wat het is?'

'Nee.'

'Je kunt er stemmen van mensen mee vastleggen. Zou je die van jou willen horen?'

'Terwijl ik met Bernard in bed lig zeker,' zei ze botweg.

Hamdi Othman beet bijna zijn sigaar door. Haar reactie verraste hem volledig. 'Denk je dat je vader dat graag zou willen horen?' zei hij met iets dreigends in zijn stem.

Nada keek hem tartend aan, maar haalde toen haar schouders op. Othman bestudeerde het meisje lange tijd. Zij was klaarblijkelijk helemaal niet bang voor hem en zichzelf volkomen meester.

'Er is een hoge UNRWA-post in Syrië vacant. Ik ga Bernard aanbevelen voor die baan.'

'Als straf?'

'Het is een bevordering.'

'Weet hij daarvan?'

'Ja. Hij is volkomen bereid Amman onmiddellijk te verlaten.'

'Mij best, meneer Othman.'

'Je schijnt niet al te erg van streek te zijn, Nada.'

'Ik zal hem heel erg missen, maar we hebben elkaar niets beloofd. Ik verlang niet hem vast te houden. We hebben steeds geweten dat het maar voor korte tijd zou zijn.'

'Vertel me dan nu eens, Nada, wat ik met jou aan moet?'

'Ik zou graag in Amman, in uw huis willen blijven. Ik houd van de kinderen. Ik weet niet wanneer ik zelf kinderen zal hebben en of Allah mij daar ooit mee zal zegenen. Ze maken me erg gelukkig.'

'Die toestand met jou en Bernard is heel ernstig. Gelukkig weet alleen ik er maar van. Zullen we dat zo houden?'

'Doet u maar wat u wilt, meneer Othman. Als u mij op de knieën wilt zien liggen, dan verspilt u uw tijd.'

De uitdrukking op zijn gezicht was als die van een man die een klap gekregen heeft.

Het meisje werd met de minuut belangwekkender.

'Vertel me eens, Nada, zou je een eigen kamer willen hebben?'

'Ik heb nooit een eigen kamer gehad of ook maar van zoiets gedroomd.'

'Dat zou geregeld kunnen worden. Aangezien we dit geheim met elkaar delen, zouden we... ik realiseer me dat ik niet zo jong meer ben als Bernard... Aan de andere kant... ik ben, laten we zeggen, meer volwassen. Zoals je weet is madame Othman vaak druk bezet, vooral op donderdag. Zij brengt de middag door in de kapsalon en daarna gaat ze naar haar bridgeclub. Wat ik voorstel, is...'

'U wilt met mij naar bed.'

Hij lachte. 'Je bent een heel brutaal nest, jongedame.'

'Ik vind u een aantrekkelijke man, meneer Othman en ik heb er niets op tegen in uw vrouws huis met u naar bed te gaan. U doet het met veel vrouwen. Maar ik zal het niet doen uit angst, omdat u iets van me weet dat geheim moet blijven.'

'Natuurlijk niet, dat moge Allah verhoeden.'

Een Mona Lisa-glimlach gleed even over haar lippen. 'Als ik mag blijven, zou ik graag willen dat ik op de sabbat en één andere dag van de week niet hoef te werken. Zeinah uit de keuken is heel goed in staat mij op die dagen te vervangen. De kinderen vinden haar ook erg aardig.'

'Wat ga je dan precies in je eentje in Amman doen?'

'Ik wil me aansluiten bij de feddajin.'

'Je moet het me eerlijk vertellen, Nada, dat moet. Ben ik net zo goed als Bernard Joxe?'

Nada rolde zich op haar rug, rekte zich uit en zuchtte voldaan terwijl hij haar tepels kuste.

'Nou, zeg op, rotmeid dat je bent, zeg op.'

'Je bent geweldig, Hamdi.'

'Ik ben net zo goed als Bernard Joxe. Zeg dat 's.'

'Ben ik net zo goed als madame Othman?'

'Je bent een kreng, een kreng, een klein krengetje. Hoe heeft een boerenmeisje als jij geleerd op deze manier te vrijen?'

Hamdi Othman was inderdaad een minnaar met een bepaalde finesse. Maar hij hield eigenlijk alleen maar van zichzelf. Hij eiste. Hij liet zich gaan wanneer hij zover was. Dan liet Nada hem tot rust komen en eiste zij dat hij haar in verrukking bracht met zijn vele kunstgrepen.

Ze wist dat ze binnenkort zou moeten vertrekken. De sfeer werd om te snijden. Madame Othman had een afkeer van haar gekregen. Dat was de vrouw al vele malen eerder overkomen.

Hamdi Othman kon de verhouding nooit aan de openbaarheid prijsgeven zonder dat zelf te moeten bezuren, want Nada liet zich niet intimideren. Bovendien was hij zo bezeten van haar geworden, dat hij nu kleintjes brabbelde dat hij naar haar verlangde, blijk gaf van kleinzielige jaloezie.

Nada was zo voorzichtig geweest het alleen tijdens de veilige tijd te doen, zodat ze niet zwanger had kunnen worden. Met hem vrijen, egoïstisch als hij was, had bijzondere en onstuimige momenten gehad. Ze besefte dat ze zich nu het vermogen verworven had om een man min of meer gek te maken. Dat was een mirakel.

Zodra Nada Joul in het oog kreeg, wist ze dat dit de diepe, zinvolle liefde zou kunnen worden waarnaar ze hunkerde. Deze feddajincommandant had duidelijk lef en droeg trots een revolutionaire naam: Abu Azim, Vader van de Leider. Joul stond bekend om zijn moed en sluwheid, sinds hij drie uitvallen over de grens had overleefd.

Nada keek door het uiterlijk vertoon heen. Hij had Ishmaëls doordringende ogen en intelligentie. Joul was net zo gevoelig als haar geliefde broer. Deze liefde zou zuiver zijn.

Hij was gevleid dat zij zich tot hem aangetrokken voelde. Vele andere meisjes liepen achter hem aan, maar die haalden het niet bij Nada. Joul werd aanvankelijk van zijn stuk gebracht door haar rechtstreekse benadering, maar zag zich hulpeloos gevangen in het net van haar schoonheid. Zij spraken langdurig en hartstochtelijk over hun benarde situatie en groeiende gevoelens. Hij was afkomstig uit een oeroude, maar onaanzienlijke familie. Nada wist dat hadji Ibrahim hem zonder meer zou afwijzen.

De dag brak aan dat ze helemaal alleen met hem was, weg van de krankzinnige sfeer in het kamp en het pompeuze gedoe in Amman. Joul bekende haar zijn liefde. Nada sprak van met elkaar naar bed gaan. Hij stond perplex omdat het hem een levenlang anders voorgehouden was. Hij wist niet wat te doen. Maar hij werd gek van verlangen naar haar.

'Ik wil met je naar bed, Joul, en ik ben niet bang voor wat er daarna komt. Laten we één zijn… en niet aan morgen denken. Je hoeft niet iets te beloven.'

'Ik houd zoveel van je. Ik kan aan niets anders dan aan jou denken, Nada. Ik word er gek van.'

'Laten we elkaar voelen zonder kleren aan.'

'Ja,' fluisterde hij.

Nada pakte zijn hand. 'Voor we het doen, moet je weten dat ik geen maagd meer ben.'

Joul toonde zich verbaasd.

'Het gebeurde in Jaffa nadat we ons dorp uit gevlucht waren. Ik liep op een dag alleen door nauwe straatjes naar de markt. Iraakse soldaten grepen me vast en verkrachtten me. Met hun drieën.'

Hij kon niet in haar droeve ogen kijken. Tranen liepen over zijn wangen.

'Doet het er iets toe?' vroeg ze een beetje angstig.

'Nee.'

Nada knoopte haar jurk los en liet die zo ver van haar schouders glijden dat haar borsten te zien waren. Zij pakte zijn hoofd vast en drukte het tegen zich aan. 'Die zijn van jou... zachtjes... voorzichtig... Oh ja, ik wist dat je zo teder zou zijn.'

Op een langzame, geweldige manier opende Nada voor hem de poorten van het paradijs. Het was een spontane liefde zonder schaamte, die niet verflauwde of verveelde.

Hamdi Othman was woedend toen zij hem buitensloot. Zijn dreigementen haalden niets uit. Toen zij op haar beurt dreigde de feddajin op hem af te sturen werd hij zo bang, dat hij tot bezinning kwam. Hij was afgedankt en daarmee moest hij leren leven.

Nada en Joul bleven verscheidene maanden minnaars. Al hun bodemloze frustraties en woede vonden een uitweg in het vrijen. Er vloeiden deze keer tranen, van ver weg komende, bittere tranen.

Toen het tijd werd voor haar bezoek aan Aqbat Jabar stuurde ze een briefje dat ze ziek was en pas weer de eerstvolgende keer dat zij vrij was kon komen. De gelieven verslonden elkaar, probeerden al dieper tot elkaar door te dringen en sloten die afschuwelijke wereld om hen heen buiten.

Ze kwamen steeds meer onder druk te staan. Er bleek over hen te worden geroddeld. Ze werden betrapt door een van zijn vrienden. Dit soort geheimen konden onmogelijk bewaard blijven in deze benauwde, kleine, waakzame wereld. Joul was straatarm en hij werd verteerd door de uitzichtloosheid van hun situatie.

Zijn manhaftigheid veranderde in verwarring. Hij kon zichzelf er niet toe brengen in opstand te komen en voor haar te vechten.

Toen het moment van waarheid aanbrak, kromp Joul ineen en vluchtte.

10

Kort nadat Omar en Nada waren vertrokken, werd ik onverwacht op-
gemonterd. Ik hing in de buurt van dr. Mudhil rond om mezelf nuttig
te maken. Hij joeg me wel vele malen weg, maar gaf het uiteindelijk
op.

Een Britse archeologische expeditie was al verscheidene jaren bezig met het blootleggen van oud Jericho. Dr. Mudhil had daar een
aandeel in, doordat hij hun Arabische contactpersoon was. Aanvankelijk verbood Ibrahim me erbij betrokken te raken. Daardoor kreeg
ik er alleen nog maar meer zin in. Vader wist heel goed dat ik verbitterd was sinds Nada verbannen was. Omdat hij niet het risico wilde
nemen dat ik zou weglopen liet hij zich vermurwen.

De opgravingen in Jericho veroorzaakten een golf van bijkomstige
activiteiten in die streek. Door een ontdekking door bedoeïenen aan
de andere kant van de rivier ontstond er een nieuwe vlaag van opwinding. Op een terrein vlakbij de voet van de berg Nebo, op de plek
waar Mozes het beloofde land gezien had en gestorven was, nadat hij
Jozua opgedragen had de stammen over de Jordaan Kanäan binnen te
leiden, waren enkele Hebreeuwse artefacten ontdekt.

Aan dr. Mudhil werd geld ter beschikking gesteld om aan een klein-
schalige opgraving te beginnen en uit te zoeken of hier misschien sprake was van een oude Hebreeuwse nederzetting. Als onze aanwijzingen klopten, zou het een belangrijke ontdekking kunnen worden.

Mijn werk in Jericho was zo goed geweest, dat hij naar Ibrahim toeging om te vragen of ik de Arabische ploeg mocht leiden.

Vader stemde er met tegenzin in toe. Hij besefte dat als die toestemming uitbleef, daardoor een permanente breuk tussen ons zou
kunnen ontstaan. Zijn bezwaren vervlogen al gauw, toen hij begreep
dat de beste manier om mijn treklust te bedwingen was mij rond Jericho bezig te houden met opgravingen.

Aan de opgraving bij de berg Nebo namen een archeoloog, tien
werkstudenten uit Europa en een stuk of tien arbeiders deel. Ik regelde de gang van zaken in hun kamp, was voorman van de Arabische
werklui, zorgde voor de vergunningen, stelde de loonlijst op, zorgde
dat er voldoende levensmiddelen, water en medicijnen voorradig waren en nam veiligheidsmaatregelen tegen infiltratie van bedoeïenen.

Ik deed dat alles uitstekend. Ik had nu mijn eigen jeep en kon om de
veertien dagen wegglippen naar Amman om Nada te zien. Hoewel ik

wist hoe ze naar liefde hunkerde, vertelde zij mij aanvankelijk niet haar geheim. Ze was bang dat ik zou terugkomen op onze heiligste stelregel en vergelding zou eisen.

Ze was uitgegroeid tot een prachtige bloem. Haar ogen stonden helder, haar manier van doen was zelfverzekerd, ze was helemaal een krachtige persoonlijkheid geworden. Ze bewandelde weliswaar een gevaarlijke weg, maar ik wist dat ze ervaring opdeed met wat misschien de enige bron van warmte en voldoening zou blijken te zijn waarvan ze ooit zou weten. Wat mijzelf betrof... als je van iemand hield zoals ik van haar hield, dan werd haar geluk belangrijker dan het vermoorden van de man of mannen die haar gelukkig maakten. Pleegde ik verraad aan mijn eigen eergevoel? Op de een of andere manier deed dat er niet toe. Alleen Nada was belangrijk. Ik wilde die mannen niet persoonlijk ontmoeten, want daardoor zou misschien valse trots naar boven gekomen zijn.

Als het erop aankwam, waren Nada en ik de enige twee van onze hele familie die elkaar echt vertrouwden.

Wat mij niet aanstond was de spanning tussen haar en vader. Hij voelde aan dat ze steeds onafhankelijker werd, zich ontwikkelde tot een zelfstandig persoon. Ze was weliswaar heel gehoorzaam tijdens haar bezoeken aan Aqbat Jabar, maar Ibrahim keek daar doorheen.

Intussen was ik zelf ook verwikkeld geraakt in een liefdesgeschiedenis. Een van de Europese werkstudenten was een knap Engels meisje van twintig dat Sybil heette. Ik had gehoord dat Engelse vrouwen op seksueel gebied koel waren. Ik lach me een ongeluk als ik daar nu aan denk.

Sybil kwam naar Jordanië met het malle idee in haar hoofd dat ze misschien wel ontvoerd zou worden door een romantische, Arabische sjeik. Wel, ik nam die rol voor mijn rekening en deed dat heel overtuigend, moet ik toegeven. Mijn jeep moest dienen als de prachtige Arabische hengst die haar wegvoerde naar onze schuilplaats in de woestijn. We logen allebei tegen elkaar door heel gemeen te beweren dat onze liefde eeuwig zou zijn. Ik beken dat Sybil me talloze verbazingwekkende dingen leerde, terwijl ik toch ruimschoots ervaring had opgedaan met weduwen.

Toen aan het seizoen voor opgravingen een einde kwam vóór de hitte van de zomer van 1956 werd ik zwaarmoedig. Sybil en de anderen pakten hun biezen en keerden terug naar Europa. Ik bleef achter met een in honderden stukjes gebroken hart alsook met gebroken aardewerk dat weer in elkaar gezet moest worden.

Hoewel we pas het volgende jaar de opgravingen zouden voortzetten had ik nog een heleboel te doen bij de berg Nebo. Het begon er veel op te lijken, dat we een belangrijke nederzetting aan het blootleggen waren, een muur misschien en er waren aanwijzingen voor dat we op een kerkhof en een altaar zouden stuiten. Je kunt een opgraving in de woestijn enkel doorstaan als je ervan droomt dat je morgen, overmorgen of de dag daarop een grandioze vondst aan het licht zult brengen.

Aangezien alles wat door de Hebreeën in de oudheid gebouwd was voor een groot deel uit leem zou bestaan, kon het makkelijk weggespoeld worden. Daarom moest ik er niet alleen voor zorgen dat het terrein voortdurend bewaakt werd, maar het ook nog tegen regen beschermen.

Mijn uiteindelijke beloning was dat ik met dr. Mudhil kon samenwerken. Wij begonnen samen nauwgezet vast te leggen, te restaureren, te meten en uit te tekenen wat er was opgegraven.

Ik was op een dag bezig met een puzzel van tweehonderd potscherven in de hoop iets unieks te reconstrueren.

Mijn gemoedstoestand was kennelijk van invloed op de sfeer in het atelier.

'Je springt erg slordig met die vaas om,' zei dr. Mudhil, terwijl hij van achter de werktafel waar hij tekeningen zat te maken naar me tuurde.

Ik mompelde maar wat.

'Het is altijd droevig wanneer er tijdelijk een eind komt aan de opgravingen. Maar... met het nieuwe jaar zal er ook een andere Sybil komen opdagen. Als je mij, dit mismaakte wezen, beziet, zou je niet denken dat ik uitgenodigd ben voor een bezoek in de tent van vele vrouwelijke archeologen en werkstudenten. Ah, ik zie dat je niet in de stemming bent voor prietpraat. Wat is er, Ishmaël?'

'Jamil is dood, Omar is weg en aan Kamal heb je niets. Het is alleen maar dat ik opnieuw bedenk dat ik nog steeds hier ben, wanneer iedereen weggaat.' Ik vond een stukje waarnaar ik gezocht had. Het scheen bij de vaas te passen die ik aan het opbouwen was. Maar zelfs uit deze bedrieglijke en tergende potscherfjes was makkelijker wijs te worden dan uit je eigen leven.

Ik wilde het onderwerp eigenlijk niet ter sprake brengen omdat ik bang was voor wat hij antwoorden zou, maar ik wist dat er niets anders opzat. 'Ik heb horen beweren dat dit uw laatste seizoen is.'

'Dat was niet zo maar een bewering.'

Ik sloot even mijn ogen om de schok te verwerken en speelde toen met het afgebroken stukje klei in mijn hand. 'Waar gaat u heen?'

'Men heeft mij uitgenodigd naar Londen te komen om te werken aan de publikatie over onze vondsten. De waarheid is, dat als je zo gehandicapt bent als ik, een lang leven je niet beschoren is. Ik heb dringend behoefte aan medische verzorging.'

'Ik schaam me,' zei ik. 'Ik ben zo opgegaan in mijn eigen problemen. Ik had moeten zien dat u pijn hebt.' Ik had wel kunnen huilen om zijn pijn en om mezelf, omdat ik hem kwijtraakte. Ik zocht naar woorden. 'Wie moet er dan contact houden met de joden?'

'Ze vinden wel iemand anders.'

'Ik heb me er altijd over verwonderd dat u nooit gepakt bent.'

'Oh, maar dat is wel gebeurd. Ik was nooit een echte spion. Lang geleden zagen beide partijen al in, dat zij mij konden gebruiken om berichten door te geven. Jordanië en Israël moeten met elkaar in contact blijven.'

Ik was bang dat hij mij zou vragen die taak van hem over te nemen. Ik veranderde snel van onderwerp. 'Vader gelooft in Nasser. Hij zegt: "Hoe lang moeten wij Arabieren nog lijden onder schuldgevoelens van het Westen en hoe lang zullen de joden daar nog van profiteren?" Vader zegt dat de zionisten honderdduizenden joden uit Arabische landen Palestina binnenbrengen om onze plaats in te nemen. Maar zij leiden een ellendig leven, net als wij in Aqbat Jabar. Hij zegt...'

Dr. Mudhil onderbrak me. 'Maar de joden zeuren bij de wereld niet om hulp van de liefdadigheidsinstellingen voor hun broeders. Zij ontmantelen hun vluchtelingenkampen zo snel als zij steden kunnen bouwen. Zij geven duizenden een fatsoenlijk bestaan en nuttig werk. Ze ontginnen land waarop gewassen verbouwd kunnen worden. Het leven van de joden die straatarm uit Arabië wegvluchten zal anders zijn dan dat van jullie. Besef je wel, Ishmaël, dat er tegenwoordig in de wereld, van India tot Afrika, meer dan twintig miljoen vluchtelingen zijn? Van al die mensen beschikken alleen de Arabieren over de middelen om hun vluchtelingenprobleem op te lossen, als ze dat zouden willen. Wij beschikken over enorm veel geld, afkomstig van de olie, over meer vacatures in de Golfstaten dan alle Palestijnen bij elkaar kunnen vervullen. Wij beschikken over vruchtbaar land in het dal van de Eufraat en over omvangrijke, nog onbewoonde gebieden in Libië. Het ontbreekt ons maar aan één ding en dat ene hebben de joden in overvloed.'

'Wat is dat dan?'

'Liefde. Ja, de joden houden van elkaar. Zij zullen niet tolereren dat hun joodse medemensen in dergelijke pestholen als Aqbat Jabar verblijven.'

'Diep in zijn hart weet vader dat wel, maar hij kan dit tegenover zichzelf niet meer toegeven. Uiteindelijk heeft vader geprobeerd dingen anders te doen.'

'Ja, dat is zo.'

'Maar... nu weet ik soms niet wat ik aan hem heb. Hij zegt dat Nasser met de Russen als bondgenoot de Arabische wereld zal kunnen verenigen als nooit meer iemand gelukt is na Mohammed.'

'Onzin. Islamieten kunnen met niemand in vrede leven. Wij Arabieren zijn het ergst. Wij kunnen niet met de wereld overweg en wat nog erger is: we kunnen niet met elkaar overweg. Uiteindelijk zal de Arabier niet de jood bevechten, maar de Arabier de Arabier. Op een dag zal onze olie verdwenen zijn en daarmee ons vermogen om te chanteren. Wij hebben al in geen eeuwen meer iets bijgedragen aan de vooruitgang van de mensheid, tenzij je moordenaars en terroristen als geschenken aan de mensheid ziet. De wereld zal tegen ons zeggen dat we naar de hel kunnen lopen. Wij, die de joden probeerden te vernederen, zullen meemaken dat wijzelf als schorem zullen worden vernederd. Oh, leg die stomme potscherf neer en laten we een kop koffie drinken.'

Even later zaten we ieder aan een kant van zijn bureau. Daar zat ik het liefst tot ik hem zag ineenkrimpen van de pijn.

'Zoals je weet, Ishmaël, heb ik nooit kinderen gehad. Ik was bang dat er iets geboren zou worden dat net zo mismaakt was als ik. Heb je de mogelijkheid overwogen om met mij mee te gaan naar Londen?'

'Oh, dr. Mudhil, ik heb ervan gedroomd u dat te horen zeggen. Maar ik weet dat als ik wegga, ik mezelf nooit meer recht in de ogen zal kunnen kijken. Ik kan geen verrader zijn.'

'Van wat? Een sociaal stelsel, dat je niet toestaat je onafhankelijk op te stellen of te ervaren hoe fijn het is een eigen mening te hebben?'

'Ik kan Nada niet in de steek laten vóór ze veilig is. En wat vader betreft...'

'Begrijp je het dan niet? Jij en Nada zijn marionetten in zijn gedachten over een wereld die hij niet aanschouwen zal. Ishmaël vertegenwoordigt een vage droom over hadji Ibrahims toekomst. Nada vertegenwoordigt een vage herinnering aan Tabah en zijn verleden, de gelukzaligheid die hij zal voelen als hij haar uithuwelijkt aan een vooraanstaande sjeik of iemand met veel geld. Wil jij je hele leven opofferen aan het droombeeld van een oude man?'

'Houdt u alstublieft op. U hebt me zelf wel honderd keer verteld, dat niemand de banden van de Arabische gemeenschap kan verbreken. Zult u vrij zijn, ook al bent u dan in Londen?'

'Nee, ik zal niet vrij zijn, maar ik zal zonder frustraties en wrok de laatste dagen van mijn leven slijten. Een half ei is beter dan een lege dop. Doe er een gooi naar, Ishmaël. Haal je zuster en ontsnap.'

'Denkt u dat ik daar niet over nagedacht heb? Duizend en één nacht heb ik liggen bedenken hoe ik zou kunnen ontsnappen.'

'Ga dan, jongen, ga.'

'Waar naartoe, dr. Mudhil? Naar de zeven hemelen?'

Ik stapte de straten van Jericho in en vulde mijn longen met warme, bedompte lucht. Terwijl ik langs een reeks koffiehuizen en winkels liep, knikte iedereen mij bij wijze van groet toe uit respect voor mijn vader.

Een vrachtwagen vol feddajin daverde in een wolk van stof de straat door. Ze vuurden met hun geweer in de lucht.

'Ibakh al Yahud!' scandeerden ze. 'Dood aan de joden!'

Radio Cairo kwam krakend door via een luidspreker. President Nasser keurde openlijk de trouweloosheid van de Amerikanen en zionisten af.

De oorlogsdreiging nam toe. Iedereen was zichzelf aan het oppeppen voor de komende strijd tegen Israël.

Straatboefjes speelden in een rioolbuis.

Ik bleef voor een grotesk uitziende bedelaar staan en gaf hem een muntstuk. Dr. Mudhil was ooit een bedelaar geweest. Hij was gered. Zoveel geluk zou deze man niet hebben.

Wat had dr. Mudhil me ook al weer voorgelezen van E.T. Lawrence, die grote Engelse held van de Arabieren? Hij had gezegd... 's even nadenken... ja, ik weet het weer: De Arabieren hebben wat hun visie aangaat geen halve tonen in hun register. Zij sluiten compromissen uit en blijven hun opvattingen tot in het absurde beredeneren zonder in te zien dat hun conclusies met elkaar in tegenspraak zijn. Hun overtuigingen zijn instinctief, hun activiteiten intuïtief.

Intelligente man, die Lawrence van Arabië, intelligente man.

11 *Maandag, 29 oktober 1956*

OORLOG.

Vanaf het moment dat kolonel Gamal Abdel Nasser twee jaar terug de Egyptische regering onder zijn gezag gesteld had, was hij een pad

afgemarcheerd waarvan geen terugkeer mogelijk was. Wat zijn doelstelling was had hij al vaak uiteengezet. Hij wilde maar één ding: Israël vernietigen.

Vader en ik reageerden verschillend op de ontwikkelingen. Ik zag
geen heil in een oorlog voor zover het de Palestijnse vluchtelingen
aanging. Sabri was dan wel heel enthousiast over Nasser geweest,
maar deze zou in werkelijkheid niets doen om verbetering te brengen
in onze levensomstandigheden. Als hij won en wij naar onze geboor-
teplaats terugkeerden, zouden we alleen de Jordaanse tirannie inruilen voor Egyptische tirannie. Hij gebruikte ons alleen maar.

Hadji Ibrahim daarentegen had zich volledig laten meeslepen door
Nassers opruiing. Hij kon nu enkel nog in termen van oorlog tegen de
joden denken. Hij was niet in staat te voorzien wat er ging gebeuren
wanneer we eenmaal naar Tabah waren teruggekeerd.

Ik ga u niet precies verslag doen van de verschillende, opeenvolgende
gebeurtenissen, want die overlapten elkaar dikwijls en waren met elkaar verweven. Wat Nasser en de andere Arabische regeringen deden
was echter wel belangrijk.

Nasser bracht Jordanië aan het wankelen door rellen van vluchtelingen op de westelijke Jordaanoever aan te moedigen en dwong Jordanië vervolgens tot een militair bondgenootschap onder zijn bevel.
Hij werd financieel zwaar gesteund door de Saoediërs. die de doodsvijanden waren van de Hasjemieten en even geïnteresseerd in Jordaniës ondergang als in het verslaan van de zionisten.

Nasser moedigde Syrië aan pogingen te ondernemen om Israëls watertoevoer vanuit de bovenloop van de Jordaan af te snijden.

Nasser zorgde ervoor dat niet één schip dat Israël als bestemming
had meer van het Suezkanaal gebruik kon maken.

Nasser sloot de Straat van Tiran af voor alle Israëlische scheepvaart
van en naar Eilat en ontnam Israël zo een route naar het Oosten. Dit
afsluiten van internationale waterwegen was op zichzelf al een daad
van oorlog.

De Verenigde Staten hadden zich ertoe verplicht de bouw te helpen
bekostigen van een hoge dam in de Nijl bij Aswan. Toen Nasser zich
eigenmachtig meester maakte van het Suezkanaal en het nationali-
seerde, trokken de Amerikanen hun subsidie voor de dam in.

Rusland droomde al eeuwenlang van een warmwaterhaven en wilde niets liever dan zich een steunpunt verwerven in het Midden-Oosten. De Sovjet-Unie vulde haastig het vacuüm op dat was ontstaan
doordat Amerika zich uit Egypte had teruggetrokken. Miljoenen roe-

bels werden toegezegd om de dam te voltooien. En daarmee stroomden ook Russische wapens binnen.

Nadat Nasser zich van het Suezkanaal meester had gemaakt, weigerde hij een internationale, maritieme conferentie bij te wonen om te discussiëren over wat er nu met de waterweg moest gebeuren. Daardoor bracht hij de westerse economieën in gevaar en bezorgde hij Rusland een angstaanjagende positie in die streek.

Nasser hoefde maar te kikken of de legers van Syrië, Jemen en Saoedi-Arabië stonden voor hem klaar en hem werd verzekerd dat Irak en de rest van de Arabische wereld bereid waren volledig mee te werken.

In deze periode bewapende en trainde Egypte de Palestijnse feddajin. Nasser was er verantwoordelijk voor dat feddajin drieduizend keer Israël binnenvielen om er te moorden en terreur uit te oefenen. Terwijl hij zich op het internationale recht beriep en iedere dag beloofde dat hij de joden zou uitroeien, trok Nasser zijn legers met een overvloed aan Russisch wapentuig samen in de gedemilitariseerde zone van de Sinaï.

Op 29 oktober deelde Israël de eerste klap uit.

Ik kan me de stank van oorlog in de lucht nog goed herinneren en een spanning zo afschuwelijk, dat deze wel elektrisch geladen leek. Het was net of het om het middaguur al donker werd. Het was net of we onze laatste dagen in Tabah en de strijd om Jaffa helemaal opnieuw moesten doormaken.

Later zouden we erachter komen dat Israël in het geheim een bondgenootschap gesloten had met de Britten en de Fransen, die nog steeds woedend waren over de confiscatie van het Suezkanaal. De bedoeling was op twee fronten toe te slaan. Israël zou het eerst in actie komen door de Sinaï binnen te trekken, Engeland en Frankrijk zouden zich meester maken van het Suezkanaal.

De Britten en de Fransen verloren onder druk van de Amerikanen en de Russen de moed en gaven midden in de strijd op. Israël moest het alleen zien klaar te spelen.

Op de eerste dag maakte Radio Cairo de ene na de andere, verpletterende overwinning bekend. Demonstraties waarbij Nasser werd uitgeroepen tot de nieuwe messias barstten als een vuurzee los onder de vluchtelingen op de westelijke Jordaanoever. Met ieder nieuw bulletin steeg opnieuw de waanzin ten top. Men werd helemaal wild van vreugde! We zouden diezelfde week nog naar huis terugkeren!

552

In die eerste, lange nacht sliepen we niet, maar stemden we op steeds andere golflengten af om te horen of er nog nieuws te melden was. Iedereen was die tweede ochtend uitgeput, maar in een feeststemming. Daarop kregen we al een beetje een nare smaak in de mond, want Cairo begon tot onze verbijstering de berichten over overwinning te herzien. De Fransen en de Britten waren ziekenhuizen en scholen aan het bombarderen. De eerste dag was afgekondigd dat men al een eind Israël binnengemarcheerd was, maar nu werd er van 'hevige' gevechten gesproken, waarin Egypte stellingen aan het 'verdedigen', was waarover men eerder bericht had dat ze ingenomen waren.

Aan de waanzin om ons heen kwam abrupt een eind. Waar was Syrië? Waar was Jordanië? Waarom hadden zij niet aan de gevechten deelgenomen?

Tegen het eind van de derde dag kon niet meer uitgemaakt worden hoe het er nu werkelijk voorstond. Ieder moment, elk uur stroomden andere verhalen en geruchten binnen.

Israël had het Egyptische leger op de vlucht gejaagd!

De joden hadden bliksemsnel de Sinaï bezet, binnen negentig uur Nassers leger verpletterend verslagen en stonden nu op de oostelijke oever van het Suezkanaal.

Nasser schreeuwde moord en brand!

Op de vierde dag van de oorlog waren alle illusies de bodem ingeslagen. Ik was naar de opgraving bij de berg Nebo teruggekeerd en werd gewekt door een radio-oproep van dr. Mudhil.

'Ishmaël, je moet onmiddellijk naar Jericho terugkeren. Er begint een panieksituatie te ontstaan in de kampen. Ibrahim is nergens te vinden. Zoek hem op en breng hem naar mijn kantoor. Het is dringend!'

Het was geen eenvoudige zaak om je in het donker een weg te banen door de woestijn zodat je bij de hoofdweg uitkwam. Hoewel ik niet van ver hoefde terug te keren, kostte het me toch een paar uur. Op de Allenbybrug wemelde het van de legioensoldaten. Gelukkig waren mijn papieren ondertekend door een hoge minister en wist de bewaker van mijn komen en gaan naar en van de berg Nebo af, zodat ik zonder al te veel problemen kon oversteken. Toch was het al na middernacht toen ik Aqbat Jabar bereikte.

Geruchten dat de joden onderweg waren om een slachting aan te richten gingen jammerend van mond tot mond. In het kamp heerste een sfeer die veel op hysterie leek. Er liepen mensen verdwaasd rond, terwijl anderen al aan het pakken waren. Oh Heer, dit was weer zo'n nachtmerrie!

Ik wist dat er op de Berg der Verzoeking een plek was waar Ibrahim mediteerde. Ik had daar vaak bij hem gezeten. Ik rende het kamp door en worstelde me met een zaklantaarn moeizaam de berg op.

'Vader!' riep ik woest.

Het enige antwoord was mijn eigen echo.

'Vader! Vader! Vader!' schreeuwde ik.

Het licht van mijn zaklantaarn viel op hem. Hij zat daar heel stil, kennelijk verdoofd door de gebeurtenissen. Oh, wat stonden zijn ogen moe. Het drong nu voor de eerste keer tot me door, dat zijn baard helemaal wit geworden was. Hij staarde me aan zonder me te zien. Er liepen tranen over zijn wangen.

'Vader...' hijgde ik.

'Is het voorbij?'

'Ja.'

'Allah!' kreunde hij. 'Zo'n afschuwelijk moment heb ik nog niet eerder meegemaakt. Ik heb me laten bedotten. Ik heb als elke willekeurige andere, arme, stomme boer geluisterd. Ik heb me iets wijs laten maken. Ibrahim! Een grotere dwaas dan jij bestaat er niet!Nasser!' riep hij uit en spuwde op de grond.

'Alstublieft, vader, u hebt geen tijd om uzelf de les te lezen. De mensen zijn buiten zichzelf van angst. Ze rennen in het rond, schreeuwend dat de joden hen gaan afslachten. Er zijn al families aan het pakken om op de vlucht te slaan. Dr. Mudhil heeft berichten ontvangen. U moet onmiddellijk met mij meegaan naar zijn kantoor.'

'Vluchten? Waarom? Er zijn hier drieduizend feddajin om hen te beschermen.'

'De feddajin zijn weggevlucht.'

Tegen de tijd dat we bij dr. Mudhils kantoor aankwamen, was Ibrahim zichzelf weer meester. Het was na vieren in de ochtend. In Jericho stonden al clans klaar om op de vlucht te slaan zodra het licht begon te worden. We gingen via het atelier naar binnen. Een klein lampje wenkte ons vanuit zijn kantoortje. Nuri Mudhil stond met zijn verwrongen lichaam bij het raam. Hij staarde neer op de toenemende angst op straat. Aan de andere kant van het vertrek leunde een man tegen een boekenkast.

'Kolonel Zyyad!'

'Ja, ik ben het, hadji Ibrahim.'

Oh, wat had vader hem graag vermoord! Ik keek bezorgd naar zijn handen, die open- en dichtgingen.

Ik ging tussen hen in staan.

'Je zoon is verstandig,' zei Zyyad. 'Goed, het is zover. Het Egyptische leger is verslagen. Koning Hoessein was zo wijs zich niet te laten betrekken bij Nassers dwaasheid. In plaats daarvan maakten wij een afspraak met de joden. Het Legioen zal niet in actie komen tegen Israël en Israël zal niet in actie komen tegen Oost-Jeruzalem en de westelijke Jordaanoever.'

'Er is daar beneden helemaal geen reden voor paniek,' zei dr. Mudhil.

'Als ze zo door het dolle heen zijn als nu het geval is, kan niets hen tegenhouden,' zei vader.

Dr. Mudhil wendde zich van het raam af en strompelde naar ons toe. 'Kolonel Zyyad heeft twee bataljons legioensoldaten bij de brug samengetrokken. Hij heeft opdracht gericht te schieten als iemand probeert over te steken.'

'Waarom, in Allahs naam? Als u begint te schieten, zullen zij op wel honderd plekken in zwermen oversteken. Wat bereikt u ermee als u twee-, drie-, vierduizend doodsbange mannen met hun vrouwen en kinderen doodschiet?'

'Naarmate er meer Palestijnen in Jordanië zijn, komt ons koninkrijk in al groter gevaar. We hebben er onze buik van vol, hadji Ibrahim. Als het aan mij lag...'

'Houd je mond, Zyyad,' zei Nuri Mudhil op gebiedende toon. 'We weten wat jij zou doen. Wat maakt tenslotte een bloedbad meer of minder in onze geschiedenis uit.' Dr. Mudhil greep vader bij zijn gewaden vast. 'Gelukkig heeft de koning een bevel uitgevaardigd dat wij in de gelegenheid gesteld moeten worden een poging te wagen om hen op vreedzame wijze af te houden van het overtrekken van de brug. Jij, Ibrahim, bent de enige man die deze mensen ertoe kan brengen om te keren.'

De Allenbybrug was zo iel, krakkemikkig en verwaarloosd, dat er niet aan af te zien was dat hij zo vreselijk belangrijk was.

'Trek je manschappen tot achter de eerste bergrug terug, uit het zicht,' zei Ibrahim tegen kolonel Zyyad. 'En breng me een megafoon.'

'Denk erom, als zij u voorbijstormen en de brug overkomen, keren we terug en openen we het vuur.'

'Ja, dat weet ik, kolonel Zyyad. U hoopt dat het me niet zal lukken, nietwaar?'

DAGERAAD.

Ik ging naast vader voor de brug staan. Wij stonden daar moederziel alleen, weerloos binnen schootsafstand van zo'n honderd geweren. De massa die vanuit Jericho op ons afkwam, begon steeds vastere vorm aan te nemen, net als een vanuit de woestijn naderende zwerm sprinkhanen. Op dit moment was mijn vader weer een man van mijn hart. In zijn eentje trotseerde hij daar op grootse wijze de uitzinnige menigte. Toen men zijn indrukwekkende gestalte ontwaarde, bleef iedereen opeens staan en die seconde van aarzeling greep hij aan om de situatie onder controle te krijgen.

'Stop!' brulde hij door de megafoon.

'Probeer het niet, hadji Ibrahim. Wij gaan toch naar de overkant!'

'De joden zijn ginds bij de Dode Zee in de aanval!'

'Zij zullen binnen het uur in Jericho staan!'

'Hun bommenwerpers zijn al onderweg!'

'Rashid!' zei mijn vader op gebiedende toon tegen een oude sjeik die hen voorging. 'Kom naar voren!'

Rashid draaide zich om naar de menigte, hief zijn handen op om hen tot bedaren te brengen en liep alleen naar vader en mij toe.

'Het heeft geen zin, Ibrahim,' zei Rashid.

'Wij zijn ooit van huis weggevlucht zonder tegenstand te bieden en moet je zien hoe we daarvoor hebben moeten boeten. Jullie kunnen niet weer op de vlucht slaan!'

'We zullen anders vermoord worden!'

'Ibrahim, ga opzij,' waarschuwde Rashid.

De menigte drong op.

'Ik ben op de Berg der Verzoeking geweest!' riep vader als een Mozes uit. 'Ik heb met Mohammed gesproken!'

De menigte bleef geschokt staan.

'Mohammed is mij gisteravond verschenen! Hij heeft mij verteld dat Allah deze brug en deze rivier vervloekt heeft! De eerste de beste man die er overheen probeert te gaan zal niet levend aan de overkant komen. Allah zal hem met blindheid slaan. Allah zal zijn maag openrijten en roofvogels op hem afsturen eer hij Jordanië bereikt heeft!'

'Ibrahim liegt!' schreeuwde Rashid.

Mijn vader deed een stap opzij, zodat men ongehinderd de brug op kon lopen.

'Ik nodig sjeik Rashid uit als eerste over te steken,' riep mijn vader door de megafoon. 'Allah mag me laten hangen als u levend de overkant bereikt!'

Als door een wonder was het vuur dat in hen woedde gedoofd. Sjeik Rashid verkoos de brug niet op te stappen. Hij week achteruit.

'Wie zal ons tegen de joden beschermen?'

'Ik, hadji Ibrahim al Soukori al Wahhabi, geef jullie er het heilige woord van Mohammed op, dat jullie geen kwaad zal geschieden! Keer naar huis terug!'

'Hadji Ibrahim is geweldig!'

'Allah zal ons redden!'

Kleine groepjes mannen en vrouwen maakten zich los en begonnen traag richting Jericho te lopen... en anderen volgden hen.. en nog weer anderen. Toen aanvaardde ook Rashid zelf de terugtocht.

Na een tijdje waren vader en ik weer alleen. Hij keek me aan en klopte me op de schouder. 'Je bent een moedige jongeman, Ishmaël,' zei hij. 'Kom, breng me naar huis. Ik ben moe.'

'Ik hou van u, vader,' riep ik uit. 'Ik hou van u.'

12

Een week na de oorlog keerde ik naar de berg Nebo terug. Hoewel de vluchtelingen allemaal door verdriet en verbijstering overmand waren, gebeurde er met vader en mij vreemd genoeg iets anders. Hadji Ibrahim was niet wanhopig, maar scheen in plaats daarvan door een lange, donkere tunnel te zijn gekomen. Hij stond opeens weer midden in de realiteit. Hij zou kolonel Nasser niet verder volgen. Hij zinspeelde er in feite een keer of twee op, dat het leven misschien wat meer voor ons in petto had dan Aqbat Jabar. Hij sprak niet rechtstreeks over terugkeren naar Tabah of een overeenkomst sluiten met de joden, maar hij ging wel een paar keer bij dr. Mudhil op bezoek. Naar mijn gevoel was hij op zoek naar een mogelijkheid om onze ballingschap op eervolle wijze te beëindigen.

Ik had mezelf, terwijl ik weer in de woestijn verbleef, misschien wel met de sterren en de stilte in slaap gewiegd, maar nu kreeg ik toch weer hoop. Vader luisterde naar me. Als ik er de tijd voor nam en het heel voorzichtig aanpakte, zou ik hem er misschien van kunnen overtuigen dat het geen ramp zou zijn wanneer ik vertrok om te gaan studeren. Binnen een paar jaar zouden we dan beslist allemaal weer verenigd zijn en ons opnieuw gevestigd hebben in een fatsoenlijke plaats.

Misschien zelfs wel buiten Palestina of de Arabische landen.

Of was ik gek? En hoe moest het met Nada? Vader mocht in geen geval te weten komen dat ze geen maagd meer was. Dat zou fataal zijn voor onverschillig wat voor een plan. Mijn belangrijkste taak was nu te proberen vrede tussen hen te stichten. Zij leken bij tijd en wijle echt wel om elkaar te geven, maar haar bezoeken eindigden altijd in een nare sfeer.

Er broeide iets tussen hen en er was niet veel voor nodig, of de vlam sloeg in de pan. Nada had zich verlaagd, maar ze zei nooit rechtstreeks tegen Ibrahim wat ze nu echt op haar hart had. Ik had soms het gevoel dat ze hem haatte. Hij zou zich uiteraard nooit neerleggen bij het feit dat ze nu een onafhankelijke vrouw was, maar zij waren allebei zo geweldig, dat ze op de een of andere manier respect voor elkaar moesten kunnen opbrengen.

Waarom scheen hij altijd op ruzie uit te zijn?

Ja, mijn belangrijkste taak was nu ervoor te zorgen dat er tussen hen een vriendschappelijke verstandhouding ontstond. Dan konden we vervolgens bedenken hoe we het verder moesten aanpakken.

Ik bestudeerde de lucht. Die beloofde niet veel goeds. Nada kwam morgen over drie dagen naar huis, maar ik moest nog een stuk dak van golfplaten afmaken om het weer te snel af te zijn.

Ik riep dr. Mudhil via de zender op.

'Ja, Ishmaël.'

'Ik geloof dat ik morgen nog maar beter hier kan blijven om het dak af te maken,' zei ik. 'Ik wil dit deel niet drie dagen lang open en bloot laten liggen.'

'Dat is aardig van je.'

'Wilt u Nada laten weten dat ik later kom?'

'Ja, natuurlijk, daar zal ik voor zorgen. Is verder daar bij jou alles in orde?'

'Ja, best, heerlijk gewoon. Ik ben gelukkig hier.'

Ibrahim moest zichzelf bekennen dat hij echt uitkeek naar Nada's bezoek de volgende dag. Waarom zou hij dat niet toegeven? Hij had haar gemist. Toen dr. Mudhil langskwam met het bericht dat Ishmaël niet op tijd terug kon zijn, kwam hij opeens op een aardige gedachte. Misschien nam hij Nada tijdens dit bezoek wel mee voor een wandeling nu Ishmaël later terugkwam, dan kon hij eens alleen met haar praten. Dat had hij nog nooit gedaan. Ze scheen veel te leren in Amman.

Hij had zich een oordeel gevormd over zijn kinderen. Van de elf die er geboren, gestorven, in leven gebleven en getrouwd waren, was Nada hem op Ishmaël na het liefst, moest hij zichzelf bekennen. Hij nam zich heilig voor tijdens dit bezoek eerder zijn tong af te bijten dan iets onvriendelijks tegen haar te zeggen. Als hij zoveel om haar gaf, waarom moest hij dan altijd proberen haar te kwetsen of te beledigen? vroeg hij zichzelf af.

De vrouwen kakelden over Nada alsof ze kippen in een kippenhok waren. Wat was ze knap! Ze leek zelfs nog mooier dan toen ze voor het laatst op bezoek geweest was en dat was nog maar een paar maanden geleden. Nada's manier van doen had iets bewonderenswaardigs. Maar weinig vrouwen wekten de indruk zo zeker van zichzelf te zijn als bij haar het geval was.

Nada had geschenken meegebracht voor Fatima's kinderen, kleine onbenulligheden die door de kinderen van de familie Othman waren afgedankt. Aangezien er in het kamp helemaal geen speelgoed voorhanden was, hadden juwelen geen kostbaarder bezit kunnen zijn.

'Kom, Nada, je vader zit op je te wachten,' zei Hagar. Ze voelde hoe haar moeders handen haar zenuwachtig de keuken uit duwden. 'Probeer alsjeblieft een keer geen ruzie te maken. Ik geloof dat Ibrahim er echt naar uit heeft gekeken je weer te zien.' Nada ging de zitkamer binnen. De vrouwen volgden haar en liepen snel naar hun kruk.

Ibrahim zat overdreven rechtop in zijn nieuwe, diepe stoel toen zijn dochter voor hem kwam staan en boog. Ze glimlachte, maar het was geen lieve glimlach. Er schemerde een zekere bitterheid doorheen. Ibrahim nam haar lange tijd op, maar onderdrukte de neiging om een opmerking te maken over haar schoonheid. Hij gebaarde dat ze een kruk dichter bij hem moest neerzetten.

'Hoe was je reis?'

'Aan de rit tussen het busstation in Amman en het busstation in Jericho verandert niets.'

'Ik zou Ishmaël gestuurd hebben om je te begeleiden, maar hij is nog op de berg Nebo aan het proberen slecht weer voor te zijn. Ik weet dat het niet betamelijk is jou alleen te laten reizen, maar aangezien het een rechtstreekse verbinding is, meende ik dat het deze ene keer geen kwaad kon. Het zal niet weer voorkomen.'

'Daar hoeft u geen probleem van te maken, vader.'

'Ach, maar een vrouw van mijn familie reist niet alleen.'

'Natuurlijk niet, vader.'

'En hoe is het met de eerbiedwaardige Hamdi Othman?'

Nada knikte enkel.

'En hoe staat het met jouw positie?'

Ze knikte opnieuw.

Hij begon zich te ergeren aan haar gereserveerde gedrag. Haar ogen keken hem zo strak aan, dat hij zich een beetje onbehaaglijk begon te voelen. Ibrahim had wel eens meegemaakt dat een vrouw openlijk blijk gaf van onvrede. Kennelijk is Nada zover. Ze denkt dat ze wereldwijs is. Nou, dat zal ik wel even rechtzetten. Haar meevragen voor die wandeling? Nee, niet zolang ze zo slecht gehumeurd is. Ik zal geduldig zijn, dacht hij.

'Je zult wel een heleboel te vertellen hebben,' zei hij.

'Zo opwindend is het zorgen voor drie kleine kinderen niet. Daar kan Fatima van meepraten.'

Fatima giechelde om dit teken van waardering.

'Het is toch zeker wel opwindend om in zo'n prachtige villa te wonen met al dat komen en gaan van belangrijke functionarissen.'

'Daar merk ik nauwelijks iets van, vader. Ik kom alleen bij gelegenheid in het bewoonde gedeelte, voornamelijk om de kinderen te laten zien vóór ze naar bed gaan.'

'Is madame Othman aardig voor je?'

'Zo aardig als ze zijn kan onder de gegeven omstandigheden.'

'Wat voor omstandigheden, Nada?'

'Ik ben een bediende. Ze hebben vele bedienden.'

'Maar jij neemt een bijzondere plaats in.'

'Zo voel ik dat niet aan.'

'Maar dat is beslist wel zo. Jij bent de dochter van hadji Ibrahim al Soukori al Wahhabi!' Ibrahim krabde over de rug van zijn hand, voelde zich niet erg op zijn gemak omdat zij hem strak bleef aankijken. 'Wij moeten tijdens dit bezoek eens samen praten. Ja?'

'Zoals u wilt, vader.'

Hij liep enigszins rood aan, omdat zij zo koel en kortaf reageerde. Hij zag bevestigd wat hij al was gaan vermoeden. Door haar verblijf in een dergelijke villa in de stad had ze omgang met meisjes die geen respect hadden voor traditie. Misschien was het dan toch een vergissing geweest haar daarheen te sturen. Nou ja, een beetje opstandigheid kon geen kwaad. Hij wilde beslist geen ruzie maken, maar hij zou zich toch niet ongestraft zo door haar laten behandelen.

'Ik heb een verrassing voor je, Nada. Na je laatste bezoek ben ik me er opeens bewust van geworden dat je de gebruikelijke leeftijd bent gepasseerd waarop ik een echtgenoot voor je had moeten zoeken. Omdat we hier onder barre omstandigheden leefden, had ik me vast voorgenomen daarmee niet al te veel haast te maken. Daarin is nu echter verbetering gekomen. Omar zal binnenkort naar Koeweit vertrekken waar hij als klerk zal gaan werken in een luxe hotel. Ishmaël heeft goed verdiend bij dr. Mudhil en ik ben zelf inmiddels in goede doen. Het wordt tijd om de kwestie van je huwelijk opnieuw te bezien. Ik ben door een aantal vaders benaderd die graag tot een afspraak willen komen. Ik wilde me ervan verzekeren dat jij een even hoogstaand echtgenoot krijgt als je zusters. Gezien de manier waarop je volwassen geworden bent, is je waarde als echtgenote aanzienlijk gestegen. Ik heb gewacht tot er degelijke huwelijksaanzoeken werden gedaan. Wij hoeven nu niet meer te wachten.'

De vrouwen breidden verheugd hun armen uit en stootten lange 'ahs' uit.

'Ik heb geen haast. Ik ben gelukkig in Amman.'

Aha, dacht Ibrahim, nu gedraagt mijn dochter zich niet meer zo arrogant. Zij weet weer wie haar vader is. Ik ga haar uiteraard niet op korte termijn uithuwelijken, maar ik zal haar een beetje voor de gek houden. Ik zal haar in het ongewisse laten... zoals het hoort.

'Wij zullen het uitvoerig over je huwelijkskansen hebben terwijl je hier bent,' zei Ibrahim. 'Aangezien je mijn laatste dochter bent, zal ik je zelfs toestaan mee te beslissen... maar je kunt er van op aan dat ik precies de juiste man zal uitkiezen. Daar ben ik heel goed in.'

Nada stond op van haar kruk en liep naar hem toe. 'Ik zal niet trouwen vóór ik daar klaar voor ben,' zei ze, vastberaden de woorden uitsprekend waarmee ze hem voor het eerst van haar leven tartte. De vrouwen krompen ineen.

Ibrahims ogen vernauwden zich. 'Het is zoals ik al vermoedde. Ik denk dat jij pret maakt met onfatsoenlijke meisjes die niet zoals het betaamt respect voor hun vader hebben. Ik wil je nooit meer op een dergelijke toon tegen me horen spreken en je zult trouwen waar, wanneer en met wie ik je gebied.' Hij klapte in zijn handen ten teken dat zijn vrouwen en Fatima weg moesten gaan.

'Wacht!' beval Nada hen. Ze bleven verbaasd staan. 'Ik zal niet trouwen vóór ik daar klaar voor ben,' zei ze nogmaals, 'en ik zal trouwen met wie ik wil.'

Ibrahim verhief zich in zijn volle lengte. Hij gaf haar een klap in haar gezicht.

'Heb je je in het openbaar gesluierd zoals ik bevolen had?'

'Nee.'

Hij sloeg haar nog een keer en rukte de sjaal van haar hoofd. 'Je hebt je haar weer te lang laten worden. Dat vind ik aanstootgevend. Hagar, haal de schaar.'

'Nee vader, u zult mijn haar niet afknippen.'

'Hagar! Breng onmiddellijk de schaar. Laat mij jou vertellen, Nada, dat eer en deugdzaamheid van dit gezin bewaard zullen blijven!'

'U hoeft zich over uw eer en mijn deugdzaamheid geen zorgen meer te maken,' zei ze.

'Houd je stil, Nada!' riep haar moeder uit.

Ibrahim keek dreigend en ongelovig tegelijk. 'Wat bedoel je daarmee!'

'Ik ben geen maagd meer.'

De vrouwen begonnen te jammeren. Ramiza viel flauw. Ibrahim sperde zijn ogen waanzinnig wijd open.

'Je staat te liegen!' schreeuwde hij. Hij zwaaide met zijn handen, niet wetend hoe hij het had. 'Is wat je zegt waar?'

'Ja.'

'Je werd verkracht, tegen je wil gedwongen. Is het zo gebeurd?'

'Nee, vader, ik was gewillig.'

'Je... je bent zwanger!'

'Misschien wel, of misschien ook niet. Wat doet dat ertoe?'

'Hoe heet hij!'

'Zij, vader.'

'Je hebt dit opzettelijk gedaan, om mij te vernederen.'

'Ja, inderdaad, vader.'

'Opzettelijk... om mij te vernederen... mij mijn eer te ontnemen. Je hebt het gedaan...'

'Ik heb u vele malen horen vragen: "Wie durft een leeuw te vertellen dat zijn adem onaangenaam ruikt?" U bent een barbaar, vader. Als u nu pijn voelt, moet u dat diep en hevig voelen, want het is de pijn die u mij iedere dag van mijn leven hebt laten verduren. Ik ben er niet bang voor mijn leven te verliezen, omdat het nooit echt begonnen is. Er is nooit echt iets gebeurd. Ik heb nooit voor mezelf geleefd, alleen maar voor u. Doe dus uw edele plicht.'

'Kom terug, Nada!'

'Loop naar de hel, vader.'

'Nada!'

'Ishmaël heeft me een keer voorgelezen over de hoer van Jericho die de spionnen van Jozua verborg. Wreek de schande die uw dochter, de hoer, over u gebracht heeft. Ik zal rondlopen in de nauwe straatjes van Jericho. U zult me wel weten te vinden.'

Toen zij wegliep, stormde Ibrahim zijn slaapvertrek in en keerde terug terwijl hij zijn riem met de dolk eraan omgespte. Hij rende naar de deur. Hagar versperde hem de weg, liet zich op haar knieën vallen en sloeg haar armen om hem heen.

'Nee, Ibrahim! Stuur haar weg. We zullen haar naam nooit meer noemen!'

Ramiza wierp zich tegen hem aan en omklemde hem. Hij slingerde hen ruw van zich af en schopte hen achteruit. Ze bleven sidderend op de grond liggen en rukten zich de haren uit het hoofd, terwijl hij naar buiten wankelde.

Nada's lijk werd de volgende morgen aangetroffen in een goot in Jericho. Haar nek was gebroken en haar keel was afgesneden. Haar haren waren ruwweg afgehouwen.

13

Zodra ik dr. Mudhil bij de Allenbybrug zag staan met een gekwelde uitdrukking op zijn gezicht, wist ik wat er gebeurd was zonder dat het me verteld werd.

'Nada,' zei hij enkel.

Wat vreemd. Ik huilde niet. Dr. Mudhil smeekte me niet naar mijn vaders huis te gaan. Hij smeekte me met hem mee te gaan naar Londen.

'Nee, ik ga nu naar huis.'

Vreemd… ik kon niet huilen… en ik was niet bang…

Ik kon de doodsbange ogen van mijn moeder op me gericht voelen toen ik me een weg baande langs een angstig kluitje buren. Ik ging de zitkamer binnen.

Hadji Ibrahim zat in zijn grote stoel op me te wachten. Zijn ogen puilden uit zijn hoofd, waren tweemaal zo groot als normaal en bloeddoorlopen. Over zijn gezicht speelden grillige schaduwen van het flakkerende kaarslicht voor de foto's van Jamil en Omar. Ik staarde hem aan, waarschijnlijk wel een uur lang. Enkel ons moeizame ademhalen was te horen.

'Zeg iets! Ik beveel je iets te zeggen!' zei hij met een stem die me vreemd was.

Er verstreek nog een uur. Zijn ogen rolden door zijn hoofd. Hij kwam moeizaam overeind en strompelde naar de tafel toe. Hij schoof zijn gewaden opzij, haalde zijn dolk te voorschijn met Nada's bloed er nog aan en duwde deze in het tafelblad.

'Op jou… op jou had ik ooit mijn hoop gevestigd…' zei hij hees.

'Maar een vrouw heeft meer moed dan jij.' Hij kwam naar me toe en ontblootte zijn hals. 'Toe dan, Ishmaël, doe het!'

'Oh ja, ja. Ik zal u doden, vader, maar ik zal het op mijn eigen manier doen. Daar heb ik uw dolk niet bij nodig. Ik zal alleen maar praten. Ik zal u al pratend doden. Zet uw oren dus maar open, vader, en luister heel aandachtig.' Hij staarde me aan. Ik begon. 'In Jaffa was ik er getuige van dat uw twee vrouwen en Fatima verkracht werden door Iraakse soldaten!'

'Je bent een leugenaar!' schreeuwde hij.

'Nee, vader, ik lieg niet. Het waren er acht of tien en één voor één kwamen ze op de vrouwen af en ik zag hun grote, vochtige, glibberige pik bij hen binnendringen.'

'Leugenaar!'

'Zij trokken zich af op de naakte lichamen van uw vrouwen. Ze lachten en sloegen hen op hun achterste. Ze genoten ervan!'

'Leugenaar!'

'Toe dan, vader! Trek uw dolk uit de tafel en vermoord me. Vermoord ons allemaal!'

Ibrahim greep opeens naar zijn borst en schreeuwde toen een afschuwelijke pijn door hem heen schoot. Hij hapte naar adem: 'Mijn hart... mijn hart...' Hij waggelde het vertrek rond, botste overal tegenop. Hij viel. Ik ging bij hem staan.

'Kunt u uw mes niet uit de tafel krijgen, vader? Nee? Wat jammer. Ik zag hoe moeder op de vloer genaaid werd door een stuk of zes soldaten! Genaaid op de vloer!'

JAHHHHHHH!

Hij kroop op handen en voeten rond, fluitend ademhalend en kokhalzend, terwijl er uit zijn neus, ogen en mond vocht liep.

JAHHHHHHH!

Hij wist nog bij de tafel te komen en probeerde zich op te trekken. Hij legde zijn hand om de handgreep van de dolk en trok. Er was geen beweging in te krijgen. De tafel viel omver. Hij viel languit, murmelde, schreeuwde en bleef toen heel stil liggen.

14

De familie sloop het huis weer binnen, beklemd van angst. Ik verwachtte dat ze luidkeels zouden beginnen te weeklagen bij het zien van Ibrahims lijk aan mijn voeten. Vreemd genoeg deden ze dat niet.

Ze staarden me aan en weken toen angstig achteruit. Opeens viel mij in dat zij mij op dat moment volledig accepteerden als hun nieuwe heer en meester. Het deed me allemaal niets. Maar toen voelde ik me heel trots worden. Ik had mijn geliefde zuster gewroken en dat gedaan door de machtigste en ontzagwekkendste man om zeep te helpen die ik ooit gekend had. Ik had het wel kunnen uitschreeuwen van vreugde over de manier waarop ik hem gedood had. Hij was een afschuwelijk pijnlijke dood gestorven.

Maar God... ik hield nog steeds van hem... kunt u dat begrijpen? *Ik hield van hem.*

Terwijl het fluisteren snel aanzwol tot een opgewonden gepraat stroomden de koffiehuizen en hutten leeg en verzamelde zich een enorme mensenmenigte voor ons huis. Ik liep naar buiten, de veranda op en keek dreigend naar hen. Het waren er wel honderd en er kwamen er nog steeds meer bij. Toch werd er niets naar me geschreeuwd. Er werd niet gegist naar wat er was gebeurd. Maar dat lag ook allemaal erg voor de hand, nietwaar? Deze mensen wisten maar één ding en dat was dat ik, Ishmaël, de hadji volgens onze aloude traditie van kant gemaakt had en dat ik, Ishmaël, nu de gezagsdrager was met wie rekening gehouden moest worden.

'Hadji Ibrahim heeft ons verlaten,' kondigde ik bijna vriendelijk aan. 'Hij stierf aan een hartaanval.'

Het roemrijkste moment uit het levensverhaal van hadji Ibrahim brak aan na zijn dood. Er stroomden zoveel mensen toe voor zijn begrafenis en die gaven op zo'n manier blijk van hun verdriet als normaal alleen voorkwam wanneer het een hooggeplaatste geestelijke of een belangrijk staatshoofd betrof. Ze kwamen vanuit ieder kamp op de westelijke Jordaanoever en in Jordanië, honderdduizenden mensen. Uiteindelijk vereerden en aanbaden de Arabieren hem, maar zij wisten eigenlijk helemaal niet waarom.

Het enige dat zij op dit moment wisten, was dat hadji Ibrahim heengegaan was en zij zonder hem weerloos waren.

Er werd al een grafkelder en een kleine moskee gebouwd in de heuvels aan de voet van de Berg der Verzoeking vanwaar je uitkeek op Aqbat Jabar. Daar werd hij bijgezet en werd gezworen dat er wraak genomen zou worden op de joden, hoewel ik niet begreep waarom. Ik bleef tijdens de hele beproeving kalm en hield me zwijgend afzijdig. Hoewel er achter mijn rug vele kwalijke dingen gefluisterd werden, durfde niemand mij openlijk te beschuldigen. Zij begrepen wie hun nieuwe leider was wanneer zij tegenover hem kwamen te staan. Zij wisten van mijn macht. Ze kropen voor me terwijl ze uiting gaven aan hun verdriet. Ze kusten me op de wangen en diegenen onder hen die liever lui dan moe waren, kusten mijn hand.

Toekomstige generaties zouden zijn graftombe als een heilige plaats zien en na verloop van tijd zou de hadji een heilige worden.

Toen de begrafenis achter de rug was en zij vertrokken, terugkeerden naar hun afschuwelijke holen, kreeg ik opeens een vreselijke afkeer van alles. Ik moest weg. Ik ging naar de enige plek en de enige man die me warmte en troost gaf. Ik kon zien dat dr. Mudhil zich vreselijk zorgen om me maakte. Ik bleef zitten mompelen dat ik nog steeds van hadji Ibrahim hield. Hij scheen te weten dat ik ieder moment kon instorten. Ik had het niet meer over Nada gehad sinds ze vermoord was, begrijpt u. Ik had mezelf ertoe gedwongen niet aan haar te denken. En toen noemde ik haar naam en zakte in zijn armen in elkaar.

'Vertel me waar ze is, dr. Mudhil. Ik moet haar naar een plek brengen waar ze in vrede kan rusten.'

'Nee,' zei hij, 'dat kan je niet doen.'

'Maar dat moet ik doen.'

'Dat kan je niet doen,' zei hij nogmaals resoluut.

'Wat probeert u mij te vertellen?'

'Nu niet, Ishmaël, later...'

'Vertel het me. Ik eis dat u het me vertelt!'

'Er is niets meer van haar over. Zij ligt over wel honderd plekken verspreid in die afschuwelijke kuil met afval vlakbij de rivier. Vraag alsjeblieft niet verder...'

Ik schreeuwde: 'Ik zal wraak nemen!'

Hij zuchtte vermoeid. 'Ja,' fluisterde hij, 'natuurlijk zal je wraak nemen... natuurlijk zal je wraak nemen.'

Ik liep getergd het vertrek rond, verlangde ernaar los te barsten. Ik ging bevend voor hem staan... 'Waarom kan ik niet huilen... ik wil huilen. Waarom kan ik niet huilen!' Ik liet me op mijn knieën vallen en klemde me aan hem vast. 'Wat hebben we gedaan,' krijste ik. 'Waarom! Waarom! Waarom! Waarom!'

Hij hield mijn hoofd op zijn schoot vast en streelde me en ik snikte tot ik geen tranen meer had. De wegstervende zon zette het vertrek nog een laatste keer in lichterlaaie en daarna bleef het donker om ons heen.

'Waarom?' fluisterde ik. 'Waarom?'

'Jullie waren drie prachtmensen die vurig van elkaar hielden. Maar jullie werden geboren in een cultuur waarin aan een dergelijke liefde geen uitdrukking mag worden gegeven. Wij zijn de vervloekten onder alle levende wezens.'

'Wat zal er nu van ons allemaal worden?' zei ik en dat was evenzeer een verzuchting als een vraag.

Hij bleef eindeloos lang zwijgen. Ik zag de omtrek van zijn schaduw heen en weer wiegen.

'U moet het me vertellen, dr. Mudhil '

'Ik zal het je vertellen,' zei hij zachtjes, gekweld. 'Ons is niet toegestaan elkaar lief te hebben en we zijn al lang geleden het vermogen daartoe kwijtgeraakt. Twaalfduizend jaar geleden werd dat zo vastgelegd. Haat is ons allerbelangrijkste erfgoed en wij hebben jaar in jaar uit, generatie na generatie, eeuw na eeuw zelf onze haatgevoelens aangewakkerd. Door de terugkeer van de joden is die haat naar buiten, tot een wilde, doelloze uitbarsting gekomen, in een kracht veranderd die onze eigen vernietiging zal teweegbrengen. Binnen tien, twintig, dertig jaar zal de islamitische wereld zichzelf in waanzin verwoesten. Wij kunnen niet met onszelf leven – dat hebben we nooit gekund. Wij kunnen niet met de rest van de wereld leven of ons daaraan aanpassen – dat hebben we nooit gekund. Wij zijn niet in staat onszelf te veranderen. De duivel die ons gek maakt, is ons nu aan het verzwelgen. Wij kunnen onszelf niet bedwingen. En als we niet bedwongen worden, zullen wij met de rest van de wereld de Dag des Oordeels tegemoet marcheren. Waar wij nu getuigen van zijn, Ishmaël, is het begin van Armageddon.'

Ik weet niet precies wanneer het duister me overviel...

Ik was mijn koffer aan het inpakken om te vertrekken, toen ik opeens niets meer in mijn handen kon houden... ik kon niet helder meer denken...

Ik deed mijn uiterste best om weer helder te worden, maar dat lukte telkens maar heel even...

Iedere dag won het duister meer terrein, tot ik zo uitgeput was dat ik dat niet meer verhinderen kon... en daarom gaf ik me eraan over...

Iedereen zegt dat ik krankzinnig ben, omdat ik niets meer zeg...

... dr. Mudhil is vele malen naar me toe gekomen en heeft me gesmeekt iets te zeggen...

Ik wilde wel iets terugzeggen, maar was er niet toe in staat... hoe ik ook mijn best deed, ik kon niet meer begrijpen wat hij zei...

... Op een nacht werd ik gek van razernij over Nada en vernielde de foto's van Jamil, Omar en Ibrahim...

... daarna werd ik op mijn veldbed aan de muur vastgeketend...

… telkens wanneer ik weer aan Nada dacht, werd ik overmand door een afschuwelijke smart en scheen ik mijn zelfbeheersing te verliezen… telkens weer…

… de hele dag door gluren kinderen bij mij naar binnen; ze wijzen naar me en plagen me… het kan me niet schelen…

… ik zit dus vastgeketend… iedere dag blijft Hagar bij me staan, bespuwt me en schopt me… Ik hoor Kamal en moeder plannen smeden om me aan een zelfmoordcommando van de feddajin te verkopen… die betalen tegenwoordig driehonderd Amerikaanse dollars en zij hebben geld nodig… ik ben niet gek…

… Maar zij zijn wanhopig… Kamal heeft geen werk… van Omars salaris kunnen ze niet bestaan…

… oh, ja, ik hoor ze plannen smeden… zij weten niet dat ik gelukkig ben, omdat ik nu met Nada kan praten… ik zie haar iedere nacht… ze komt naar me toe… ze zegt steeds tegen me dat ik moet weglopen…

… die stomme Kamal heeft nog nooit iets goed gedaan… hij weet niet dat ik de bouten in de muur losgewerkt heb en dat ik die eruit kan trekken wanneer ik maar wil…

… ja, Nada, ik zal ontsnappen…

… ik kom achter je aan…

… de pas voert me terug, de grotten in…

… de zon schijnt zo fel…

… ik had water mee moeten nemen en versleten schoenen… maar ik moest Nada onmiddellijk achternagaan, uit angst dat ze weer zou verdwijnen…

… ik ben al een heel eind gevorderd door de bergkloof… mijn voeten beginnen te bloeden en te branden… ik ga even uitrusten. … die vervloekte ketens om mijn polsen…

… wacht, daar klimt Nada omhoog, de rotsen in… 'Nada, wacht! … wacht… ik klim naar je toe, geliefde zuster… Oh, Nada, plaag me niet langer…'

… klim… klim… zie daar boven bij haar te komen… glij niet uit… wees niet bang… 'Nada, pak me bij de hand en help me, mijn ketenen zijn zo zwaar…' Warm… bij de naam van de Profeet, wat is het warm… oh, Ishmaël, wat ben je een dwaas, dat je hier naar terug bent gegaan zonder water… Maar ik moest me haasten, want anders hadden ze me weggebracht naar de feddajin…

… Oh God, ik geloof dat ik de verkeerde bergkloof in gelopen ben… ik ben verdwaald…

… Daar is Nada weer… ze klimt als een steenbok… zo gracieus…

zo lieflijk... nu zit ze opeens op de rand van de richel; ze plaagt me en lacht...

.... 'Nada, ik kom naar je toe... en vanaf jouw richel kunnen we dan naar de zeven hemelen vliegen...'

... kijk eens hoe hoog ik al geklommen ben... van hier kan ik de uitgestrektheid van de woestijn zien... de Dode Zee... de berg Nebo helemaal aan de andere kant van de rivier...

... In Allahs naam, hoor ik daar sprinkhanen? Nee, er komt iets in drommen op me af, maar het zijn geen sprinkhanen... het zijn...

Mensen... ja, ik zie het nu duidelijk, de woestijn loopt vol met miljoenen en miljoenen mensen! *Zij zien mij!* Ze roepen naar me...

'Ishmaël, red ons!'

'Ga terug, jullie allemaal, ga terug! Trek deze wildernis niet nog verder in! Ga terug! Dat beveel ik jullie!'

... Waarom luisteren ze niet? Ze blijven komen, miljoenen en miljoenen:..

'Ishmaël, red ons!'

'Dwazen! Dwazen! Keer om! Keer om, of de Dag des Oordeels zal op ons zijn. In Allahs naam, keer om! Dit is Armageddon!'

Oh mijn God, ze luisteren niet... ze blijven gewoon komen... ... Ik zal hen nog een keer toespreken... maar ik ben moe van het klimmen en uitgeput door de ketenen...

...Ik moet eerst even uitrusten... ik moet gaan liggen, heel even maar... ik heb mijn gezicht tegen de rots gedrukt, maar het voelt zo vreselijk warm aan... ik kan maar beter gaan staan... ik kan niet overeind komen... Nee, ik denk dat ik maar een poosje ga slapen... de zon is warm...

... Ik ben zo moe... zo vreselijk moe...